झारखंड इन्साइक्लोपीडिया

(खंड-4)

मांदर की धमक और गुलईंची की खुशबू

झारखंड इन्साइक्लोपीडिया

(खंड-4)

मांदर की धमक और गुलईंची की खुशबू

संपादक

सुधीर पाल

वाणी प्रकाशन

वाणी प्रकाशन

4695, 21-ए, दरियागंज, नयी दिल्ली-110 002

फ़ोन : +91 11 23273167 फ़ैक्स : +91 11 23275710

शाखाएँ

अशोक राजपथ, पटना-800 004, बिहार

कॉफ़ी हाउस कैम्पस, महात्मा गांधी मार्ग, इलाहाबाद-211 001, उत्तर प्रदेश

महात्मा गांधी अन्तरराष्ट्रीय हिन्दी विश्वविद्यालय, वर्धा-442 001, महाराष्ट्र

36/ए, शेक्सपियर सरणी, रानी बिरला गर्ल्स कॉलेज के पास, कोलकाता-700 017, प. बंगाल

www.vaniprakashan.com
marketing@vaniprakashan.in
sales@vaniprakashan.in

Jharkhand Encyclopedia
Mandar Ki Dhamak Aur Gulainchi Ki Khushboo-4
Edited by Sudhir Pal

ISBN : 978-81-8143-693-1
Encyclopedia

प्रथम संस्करण 2019

मूल्य : ₹ 6000 (चारों खंड)

आर. टेक ऑफ़सेट प्रिंटर्स, दिल्ली-110 032 में मुद्रित

वाणी प्रकाशन का लोगो मक़बूल फ़िदा हुसेन की कूची से

समर्पण

झारखण्डी आवाम को जिसने अपने सीने में आदिकाल की विरासत की संजो कर रखा है। उन अनाम लोक साहित्यकारों को जिन्होंने झारखण्ड की तेरह भाषाओं एवं अनगिनत बोलियों में साहित्य का समुद्र सा रचा है जिसके मंथन से न जाने कितनी बार अमृत-कलश प्रकट होने की संभावना है। उन तमाम महापुरूषों को जिन्होंने हाशिये की समुदाय की पीड़ा को समझने और उबारने में अपना जीवन होम किया।

रणेन्द्र, सुधीर पाल

मांदर की धमक और गुलईंची की खुशबू

अनुक्रम

भूमिका
(मांदर की धमक और गुलईंची की खुशबू)

रणेन्द

झारखंड की अपनी विशिष्ट जनसंस्कृति है जो प्रकृति पर विजय नहीं बल्कि उसकी पूजा, उसके साथ सामंजस्य स्थापित करती, सामुदायिकता-सामूहिकता पर आधारित, श्रमरस में रची-बसी, उत्सवधर्मी है। जन या लोक अपने आनन्द में वैसा ही उत्फुल्ल होता है जैसे प्रकृति उत्फुल्ल रहती है। व्यक्ति समूह बनकर ही आनन्द का आस्वादन करता है। लोक अधिकतर सामूहिक संरचना में ही अपने को अभिव्यक्त करता है। उत्पादन और आस्वादन दोनों का सम्बन्ध समूह से है। प्रकृति और व्यक्ति चेतना का एकात्म्य अंत:स्राव लोक-कलाओं में रसानुभूति का संचार करता है। लोक कलाओं के सौन्दर्य में श्रम-चेतना का महत्त्वपूर्ण स्थान है।

उसी प्रकार संस्कृति (सम्यक् कृति) मनुष्य की वह रचना है जिसमें मानव की सृजनात्मक शक्ति और योग्यता का चरम निहित है। संस्कृति वह जीवन-शैली है, जिसे जन अपने पूर्वजों से ग्रहण करता आया है। संस्कृति ही जनसमुदाय को जीवन जीने की एक उच्च भावभूमि प्रदान करती है।

जनसंस्कृति के विभिन्न आयाम जीवन, साहित्य और कला परम्परा में सन्निहित होते हैं। संस्कृति के ये आयाम उसका स्वरूप गढ़ने का काम करते हैं और उसके संवाहक भी होते हैं।

हमने इस खंड में झारखंडी संस्कृति के बहुआयामी स्वरूप की व्याख्या करने की कोशिश की है।

'झारखंडी संस्कृति : लोक का आलोक' शीर्षक से रणेन्द्र, अजय तिर्की का आलेख एक तरह से इस खंड की भूमिका है जिसमें हम इस जनसंस्कृति के विभिन्न पहलुओं का सामान्य परिचय पाते हैं।

दर्शनशास्त्र की प्राध्यापिका डॉ. पद्मजा सेन अपने विद्वत्तापूर्ण आलेख 'झारखंड के आदिवासियों के सृष्टि मिथक एवं विश्वतत्त्व' में इस जनसंस्कृति की दार्शनिक व्याख्या में जाती हैं। वे इस निष्कर्ष पर पहुँचती हैं कि ये मिथक न तो अर्थहीन वर्णनाएँ हैं न ही आदिवासियों के पूर्वजों की कपोल कल्पनाएँ। ये मिथक एक निश्चित कालखंड में आदिवासी समुदाय की सामूहिक मानसिकता की अभिव्यक्तियाँ हैं।

झारखंड के टैगोर डॉ. रामदयाल मुण्डा अपने आलेख 'आदिधर्म : भारतीय आदिवासियों की धार्मिक आस्थाएँ' में सृष्टि मिथकों की सुस्पष्ट दार्शनिक व्याख्या करते हैं। परमेश्वर, प्रकृति,

कालचक्र, अर्थचक्र, अनुष्ठान चक्र के परस्पर सम्बन्धों को सिलसिलेवार ढंग से हमारे समक्ष रखते हैं। अपनी लेखनी से झारखंडी संस्कृति की दार्शनिक पंखुड़ियों को खोलते हैं।

मानव विज्ञान विभाग, राँची विश्वविद्यालय के प्राध्यापक डॉ. प्रभात कुमार सिंह ने 'झारखंड में आदिवासी अस्मिता, संस्कृति और संस्कृतिकरण' आलेख से एक बहस की शुरुआत की है।

हिन्दी के प्रसिद्ध साहित्यकार डॉ. शत्रुघ्न प्रसाद ने अपने आलेख 'जनजातीय जीवन और त्रिवेणी संस्कृति' में अपनी दृष्टि से आदिवासी संस्कृति की व्याख्या की है।

युवा आदिवासी पत्रकार श्री अजय तिर्की ने सविस्तार उराँव समाज-संस्कृति की व्याख्या की है तो सुश्री पुष्पा टेटे ने खड़िया समाज-संस्कृति को हमारे समक्ष रखा है।

समाजशास्त्र के प्राध्यापक डॉ. परवेज हसन एवं प्रो. खुर्शीद अख्तर ने 'झारखंड के मुस्लिम समाज' की पीड़ा, दुख एवं प्रगतिशील तत्त्वों की व्याख्या की है।

पत्रकार एवं सामाजिक कार्यकर्ता अशोक सिंह ने संताल समाज की संस्कृति पर रोशनी डाली है।

झारखंड में बोली जाने वाली सारी लोकभाषाओं और उसके विकासमान साहित्य को परखने की कोशिश हमने इस खंड में की है।

संताली भाषा और साहित्य एवं संताली एवं हिन्दी व्याकरण का तुलनात्मक अध्ययन इस भाषा के मूर्धन्य विद्वान डॉ. डोमन साहू समीर ने प्रस्तुत किया है।

राँची विश्वविद्यालय के जनजातीय एवं क्षेत्रीय भाषा विभाग की डॉ. मंजुला कुमारी ने कुड़ुख भाषा और साहित्य पर रोशनी डाली है तो डॉ. बी.बी. नाग ने 'मुण्डारी भाषा और साहित्य' पर ।

सेवानिवृत्त प्राध्यापिका एवं प्रखर चिन्तक डॉ. रोज केरकेट्टा ने 'खड़िया भाषा और साहित्य' की व्याख्या में अपनी लेखनी चलाई है।

सुश्री सरस्वती गागराई ने 'हो : भाषा और साहित्य' की व्याख्या की है।

सेवानिवृत्त प्राध्यापक डॉ. एच.एन. सिंह ने 'कुरमाली भाषा और साहित्य' पर, प्रसिद्ध कवि और साहित्यकार श्री ताराचरण कवि ने 'अंगिका भाषा और साहित्य' पर, सेवानिवृत्त प्रशासनिक पदाधिकारी एवं साहित्यकार डॉ. प्रभुनारायण विद्यार्थी ने 'खोरठा भाषा और साहित्य' पर, एवं डॉ. जगन्नाथ सिंह मुण्डा ने 'पंचपरगनिया भाषा और साहित्य' पर रोशनी डाली है।

झारखंड के जाने-माने विद्वान, झारखंडी आंदोलन के पुरोधा एवं सेवानिवृत्त प्राध्यापक डॉ.वी.पी. केसरी ने 'नागपुरी भाषा और साहित्य' पर प्रकाश डाला है ।

प्रसिद्ध कथाकार एवं सेवानिवृत्त विद्वान प्राध्यापक डॉ. अशोक प्रियदर्शी ने 'झारखंड में हिन्दी साहित्य' का विवरण प्रस्तुत करने का श्रमसाध्य कार्य पूर्ण किया है तो डॉ. सरवर साजिद ने 'झारखंड का मौजूदा उर्दू साहित्यिक मंजरनामा' की बुलन्द तस्वीर खींची है। डॉ. देवीदत्त पिनाकपाणि प्रसन्न शत्पथी ने 'झारखंड में उड़िया साहित्य' को रूपायित किया है तो श्री अरुणांशु बनर्जी ने 'झारखंड में बंगला भाषा और साहित्य' के श्रमसाध्य कार्य को अंजाम दिया है।

ग्रन्थ के इस खंड के लिए अकेले राँची विश्वविद्यालय के जनजातीय एवं क्षेत्रीय भाषा विभाग के वरीय प्राध्यापक डॉ. गिरिधारी राम गौंझू 'गिरिराज' ने जितनी मेहनत की है उसका कोई सानी नहीं है। उनके प्रति कृतज्ञता ज्ञापित करने के लिए कोई भी शब्द पर्याप्त नहीं हैं। उन्होंने

इस खंड के लिए 'झारखंड के पर्व, त्योहार एवं पूजा', 'झारखंड के नृत्य', 'झारखंड के वाद्ययंत्र' एवं 'नागपुरी लोककथा' जैसे विस्तृत एवं ज्ञानवर्द्धक आलेख दिए हैं।

राँची विश्वविद्यालय के हिन्दी विभाग के प्राध्यापक डॉ. बदरी प्रसाद का आलेख हमें छऊ नृत्य के लोकनृत्य से शास्त्रीय नृत्य में विकास की कथा से परिचित करवाता है।

प्रसिद्ध साहित्यकार एवं लोकसंस्कृति के मूर्धन्य विद्वान डॉ. दिनेश्वर प्रसाद हमें मुण्डा बुरङ् (मुण्डारी गीत) एवं मुण्डारी कवियों से परिचित करवाते हैं।

मुण्डारी जनकवि श्री रेमिस कंडुलना ने आदिम जनजाति बिरहोड़ों के लोकगीतों से हमारा परिचय करवाया है तो संताली की प्रसिद्ध कवयित्री निर्मला पुतुल ने संताली लोककथाओं का द्वार हमारे लिए खोला है।

राँची आकाशवाणी के श्री प्रमोद कुमार राय ने अपने आलेख 'झारखंड के लोकसंगीत' के माध्यम से एक नया झरोखा खोला है।

संताली भाषा के विद्वान डॉ. कृष्ण चन्द्र टुडू ने 'संताली लोकसंगीत' की सविस्तार व्याख्या की है।

झारखंड के लुप्त होते लोकगीतों के प्रति कथाकार कालेश्वर की चिन्ता हमें व्यथित करती है।

झारखंड सरकार के कला-संस्कृति विभाग के सहनिदेशक डॉ. हरेन्द्र प्रसाद सिन्हा ने 'झारखंड के जनजातीय शिल्पों' की जीवंत तस्वीर हमारे सामने खींची है।

सामाजिक कार्यकर्ता एवं कलाकार शेखर ने 'झारखंड की लोक चित्रकला' से हमारा परिचय सविस्तार करवाया है।

इसमें कोई अतिशयोक्ति नहीं कि उपर्युक्त विद्वान लेखकों का अगर सहयोग नहीं मिलता तो यह सारस्वत यज्ञ कभी भी पूर्ण नहीं हो सकता था। अतएव उन आदरणीय लेखकों के प्रति एवं श्री प्रमोद शर्मा जैसे अनुवादकों के प्रति हमारी कोटि-कोटि कृतज्ञता अर्पित है।

झारखंड का आदिवासी समाज

जेरोम जेराल्ड कुजूर/आशा बेक

बैगा

बैगा आदिवासी झारखंड के राँची-हजारीबाग और पलामू में निवास करते हैं। बैगा मूलतः भुइयाँ आदिवासी की एक शाखा है। छोटानागपुर में भुइयाँ लोग साधारणतः पुजारी के रूप में कार्यरत हैं।

पुरातन मानव जाति वैज्ञानिकों से बिहार के बैगा लोगों के बारे में बहुत कम उल्लेख मिलता है। रिजले के अनुसार बैगा मूलतः जादू-तांत्रिक एवं वैद्य होते हैं। छोटानागपुर के खरवार का यह एक टाइटल भी है। मिर्जापुर के भुइयाँ और छोटानागपुर के भुइयाँ समान दिखते हैं। उन्हें बैगा कहा जाता है। देवी-देवताओं को संतुष्ट करने के लिए ये बैगा पूजा-पाठ करते हैं। बैगा आदिवासी गाँव के पुजारी होते हैं। अन्य आदिवासियों जैसे खरवार, गोंड, घासिमा इत्यादि के बीच धार्मिक क्रिया-कलाप एवं गाँव प्रधान के रूप में कार्य करते हैं।

छोटानागपुर के बैगा आदिवासी अपनी मूल भाषा भूल चुके हैं तथा पड़ोसियों की भाषा को बोलते हैं।

बैगा आदिवासियों की मुख्यतः सात शाखाएँ हैं जो क्रमशः बिंझवार, भरोटिया, नरोटिया, राय मैना, कठमैना, कोंडमान या कुंडी, या गोंड बैना। किन्तु इन सात में से पहले तीन के बारे में ही थोड़ा बहुत उल्लेख मिल पाता है। बिंझवार लगभग पूरी तौर से गैर-आदिवासी हो चुके हैं। वे जो मांस नहीं खाते हैं। बिंझवार नरोटिया और भरोटिया में रोटी बेटी का संबंध प्रचलित है।

बैगा कृष्ण वर्गीय और रूढ़ शरीर वाले होते हैं। सिर के बाल को काटने का रिवाज नहीं है। बालों को इकट्ठा कर पीछे चोटी डाल ली जाती है। ये वर्ष में गिने चुने अवसरों पर ही स्थान करते हैं। बैगा लोग सघन वन क्षेत्रों में रहने के आदी हैं। बैगाओं के गाँव छोटे होते हैं।

बैगा मांस, मोटे अनाज एवं कन्दमूल फलों का भोजन करते हैं। अधिक उन्नत बैगा गोमांस नहीं खाते। उत्सवों में सूअर की बलि चढ़ाने की प्रथा अभी भी विद्यमान है। चावल, मक्का, ज्वार आदि इनके प्रमुख भोज्य पदार्थ हैं। बैगा अपनी कृषि में हल का प्रयोग नहीं करते थे क्योंकि उनकी मान्यता थी कि हल से धरती माँ की छाती पर घाव होगा और उसे पीड़ा होगी। इनकी कृषि 'बैवार कृषि' है। वन के समतल वृक्षों को काटकर गिरा दिया जाता है तथा सूखने पर आग लगा दी जाती है। आग के बुझने पर राख में चावल, बाजरा, मक्का आदि मोटे अनाज के बीज डाल दिए जाते हैं।

बैगा समाज में विधवा विवाह और लयसेना विवाह, हठ विवाह आदि की प्रथा है।

बैगा आदिवासी सघन वन क्षेत्र में रहने के आदी हैं जिसके कारण उनके गाँव जंगलों पहाड़ों के निकट होते हैं। ये लोग खेतीबाड़ी एवं कृषि मजदूर के रूप में काम करते हैं।

1981 की जनगणना के अनुसार इनकी आबादी 3551 है जिसमें पुरुषों की संख्या 1794 तथा महिलाएँ 1757 है जो कुल आदिवासी जनसंख्या का 0.07 है। इनकी साक्षरता 4.22 प्रतिशत है। ये 41.68 प्रतिशत श्रमिक, 43.07 प्रतिशत काश्तकार, 37.26 प्रतिशत मजदूर, 1.30 प्रतिशत खनन, 0.08 प्रतिशत भवन निर्माण, 0.14 प्रतिशत व्यापार, 0.11 प्रतिशत यातायात, तथा 3.31 प्रतिशत अन्य धन्धे करते हैं। 1991 की जनगणना के अनुसार इनकी आबादी 3402 जो कुल आदिवासी जनसंख्या का 0.6 है।

गोंड़ाइत

गोंड़ाइत आदिवासी अन्य आदिवासी एवं गैर-आदिवासी लोगों के साथ रहते हैं। ज्यादातर छोटानागपुर के जंगलों से ढके पर्वत श्रेणियों से घिरे स्थानों में पाए जाते हैं। ये लोग खेती बारी, जंगल के उत्पाद, मजदूरी और बाजे बजाकर अपने जीविकोपार्जन करते हैं। गोंड़ाइत लोग प्रोटो अस्कोलाइज्ड श्रेणी के लोग होते हैं। भाषा के दृष्टिकोण से ये लोग ऑस्ट्रिक श्रेणी में आते हैं। जो स्थानीय मुंडा भाषा के रूप में माने जाते हैं। कहीं-कहीं ये अपने पड़ोसियों की भाषा भी प्रयोग करते है। वे हिन्दी भी बोलते हैं।

गोंड़ाइत लोग कई टोंटेम आधारित गोत्रों में बँटे हैं जो इस प्रकार हैं— खालखो, इन्दवार, टोपवार, केरकेटा, धान, सोन, तिर्की आदि। गोंड़ाइत आदिवासी अन्य आदिवासियों की तरह ही पितृ प्रधान समाज है। पिता के मरने पर बेटों को उसकी जायदाद का समान अधिकार होता है। अविवाहित होने तक बेटी को पिता की सम्पत्ति से भरण पोषण का हक है।

रिजले लिखते हैं कि वर-वधू एक-दूसरे की ललाट पर सिंदूर लगाकर विवाह संस्कार पूरा करते हैं। गोंड़ाइत समाज में सेवा विवाह, गोलात, राजी खुशी, ढुकु विवाह प्रचलित है। वधू कीमत (डाली) की प्रथा गोंड़ाइत समाज में है। जिसमें वर पक्ष द्वारा वधू के माँ-बाप एवं परिवार को पैसा एवं कुछ सामान देने पड़ते हैं। गोंड़ाइत समाज में तलाक की भी परंपरा है।

गोंड़ाइत समाज पारम्परिक तौर से ढाक बजानेवाला समुदाय है। इसके अलावे कृषि, पालेदार (भारी सामान ढोने वाला) एवं रिक्शा चलाते हैं। 1981 की जनगणना के अनुसार 34.88 प्रतिशत श्रमिक, 34.75 प्रतिशत कृषक, 29.52 प्रतिशत कृषक मजदूर, 12.61 प्रतिशत निर्माण कार्य, कानूनी कार्य और नौकरी करते हैं तथा 23.12 प्रतिशत अन्य व्यवसाय करते हैं।

इनकी जातीय पंचायत पाँच-सात गाँवों को मिलाकर बनती है जो इसके आसपास के गाँव होते हैं। पंचायत का मुखिया डारिना कहलाता है। इसकी सहायता के लिए उपडारिना तथा कोतवाल होते हैं।

गोंड़ाइत आदिवासी प्र।कृतिक पूजा करते हैं। इसके अतिरिक्त गोत्र एवं गाँव देवता की भी उपासना करते हैं। इनके प्रमुख त्योहार सरहुल जीतिया और करमा हैं। इसके अतिरिक्त ये हिन्दू धर्म के त्योहार दशहरा, दीवाली और होली मनाते हैं। 1981 की जनगणना के अनुसार 92.53 प्रतिशत हिन्दू, 1.05 प्रतिशत ईसाई, और 6.40 प्रतिशत अन्य धर्म को मानते हैं।

इनके गाँव में शिक्षा के प्रचार हेतु विद्यालय खोलने की आवश्यकता है। 1981 की जनगणना के अनुसार 16.62 प्रतिशत शिक्षित हैं जिसमें पुरुष 26.73 प्रतिशत तथा महिलाएँ 5.96 प्रतिशत हैं। बीमारी के समय ये ओझा-मति के द्वारा इलाज करते हैं। इसके अतिरिक्त अस्पताल भी जाते हैं।

1981 की जनगणना के अनुसार इनकी आबादी 5206 थी जिसमें पुरुषों की संख्या 2671 तथा महिलाएँ 2535 थीं। 1991 की जनगणना के अनुसार इनकी आबादी 4988 है जो कुल आदिवासी जनसंख्या का 0.09 है।

बंजारा

बंजारा समुदाय आप्रवासी समुदाय है। यह समुदाय बिहार (झारखंड) एवं उड़ीसा में अनुसूचित जनजाति के रूप में स्वीकारे गए हैं। बंजारा समुदाय कर्नाटक, हरियाणा, पंजाब और हिमाचल प्रदेश में अनुसूचित जाति की श्रेणी में आते हैं। मध्य प्रदेश में ये अत्यन्त पिछड़ी जनजाति के रूप में स्वीकार किए गए हैं। गुजरात, राजस्थान में इन्हें इस तरह किसी भी कानूनी रूप से किसी भी वर्ग में स्वीकार नहीं किया गया है। इस समुदाय का नाम बान और चारन शब्द के मेल से बना है। जिसका सामान्य अर्थ जंगल और घुमक्कड़ (रिजले 1891) है। इनका मुख्य समूह लाभानी है। यह नाम संस्कृत शब्द से निकला है। बंजारी, भानजारी, ब्रिनजारी तथा बीपारी इस समुदाय के समानार्थक अर्थ हैं।

इनकी मातृभाषा उड़िया है जो इंडो आयरन भाषा से संबंधित है। इनकी सम्पर्क भाषा हिन्दी है। इसके अतिरिक्त जहाँ ये निवास करते हैं उस राज्य की भाषा बोलते हैं। बंजारा समुदाय की महिलाएँ घाघरा, ओढ़नी, कांछी पहनती हैं।

बंजारा समुदाय चार प्रमुख बड़े समूहों में विभक्त है जिनके नाम चौहान, पनवार, राठौर और ऊत्र हैं। ये बड़े समूह भी कई छोटे समूहों में विभक्त हैं। सामुदायिक नियम के अनुसार ये लोग बालिग होने पर शादी करते हैं। विवाह प्रथा के अनुसार लाह की चूड़िया (माटली), मुंगा विवाहित महिलाएँ पहनती हैं। शादी लड़की के घर में होती है। बहू कीमत (हरजी) कुछ पैसे और सामान देने होते हैं।

बंजारा लोग कृषि, पशु-पालन एवं अन्य धन्धे करते हैं। इन लोगों का पारम्परिक व्यवसाय नमक, नारियल, लेखन सामग्री बेचना था।

बंजारी देवी इनकी सर्वोच्च देवी है। ये होली, दशहरा, जन्माष्टमी, दीवाली, नुकाई, गुरुनानक जयन्ती, रथ जतारा मनाते हैं। इनका प्रमुख नृत्य डंडा नृत्य है। इनके प्रमुख वाद्ययंत्र ढोलक, डपरा और चिकरा आदि हैं।

1981 की जनगणना के अनुसार बिहार में इनकी जनसंख्या 411 थी जिसमें 222 पुरुष तथा 189 महिलाएँ थीं। 1991 की जनगणना के अनुसार 394 है। जो कुल आदिवासी जनसंख्या का 0.07 प्रतिशत है।

खोंड

खोंड जनजाति उड़िया राज्य का सबसे बड़ा आदिवासी समूह है। जिसकी संख्या 10 लाख से भी

ऊपर है। खोंड लोग स्वयं को कुई बताते हैं। ये उड़िया के फूलवनी जिले के अधिकांश भाग में निवास करते हैं। इसके अतिरिक्त कोरापुट, कालाहांडी, बोलनगिरि, गंजम तथा पुरी जिले में भी ये पर्याप्त संख्या में पाए जाते हैं। झारखंड में इनकी संख्या बहुत ही कम है।

खोंड जनजाति पाँच समूहों में विभक्त है—मलियाह खोंड, कुटिया खोंड, डोगरिया खोंड, कुई खोंड एवं देसिया खोंड।

प्राचीन समय में खोंडों के गाँवों में एक गोत्र में निवास करते थे परन्तु आज कल अनेक गाँवों से भी अनेक गोत्र के लोग आकर बसने लगे हैं। बसावट की दृष्टि से ये लोग लम्बी-लम्बी कतारों में मकान बनाकर रहते हैं। डोगरिया खोंड में युवा स्त्रियों के युवागृह घरों के कतारों के पीछे होते हैं। जबकि मलियाह खोंडों में ये घरों के कतारों के अन्तिम छोरों में स्थित होते हैं।

परंपरागत रूप से प्रत्येक खोंड आदिवासी गाँव में एक मुखिया होता था जो परंपरागत स्वशासन व्यवस्था का अध्यक्ष माना जाता था। बाहरी लोगों के सम्पर्क का माध्यम एवं सामाजिक व धार्मिक क्रियाकलापों का परनेता माना जाता था। मुखिया को गाँवों एवं समाज के कल्याण का प्रेरक माना जाता था। मुखिया की मृत्यु होने पर यदि उसके परिवार में योग्य पुरुष उत्तराधिकारी नहीं रहने पर काफी विचार-विमर्श के बाद किसी अन्य व्यक्ति को मुखिया चुना जाता था।

खोंड लोगों में पुरोहित का पर्याप्त महत्त्व है। उन्हीं के हाथों धार्मिक अनुष्ठान सम्पन्न होते हैं। पुरोहित सिर्फ धार्मिक क्रियाकलापों में ही महत्त्व नहीं रखता बल्कि रोगादि के उपचार में धार्मिक एवं जादुई दृष्टि रखता है। इसके अतिरिक्त जड़ी-बूटी की भी अच्छी जानकारी रखता है।

खोंड परिवार पितृसत्तात्मक है। बहुपत्नी विवाह को प्रथागत रूप से मान्यता प्राप्त है। विधवा विवाह का प्रचलन है। लेकिन प्राथमिकता मृत पति के छोटे भाई को दी जाती है। खोंडों में दो प्रकार के विवाहों का चलन है। प्रथम जो दोनों पक्षों के द्वारा तय किया जाता है तथा द्वितीय जिसमें लड़की का हरण कर उससे विवाह कर लिया जाता है। दहेज प्रथा का चलन परंपरागत नहीं परन्तु अब बाह्य सम्पर्क के परिणामस्वरूप कुरीति की तरह समाज में फैलती जा रही है।

अन्य आदिवासी समुदाय की भाँति खोंड लोगों में भी संगीत एवं नृत्य का अत्यधिक चलन है। इनके वाद्य यन्त्र विविध प्रकार युक्त तथा पर्याप्त माने जाते हैं। वाद्य यन्त्रों का उपयोग धार्मिक एवं उत्सवों में किया जाता है।

खोंड लोगों का भूमि के साथ उनकी जीविका एवं धार्मिक गतिविधि में महत्त्वपूर्ण संबंध रहा है। इसके अतिरिक्त ये अनेक देवी-देवताओं की पूजा-अर्चना करते हैं। इन लोगों की पितृ पूजा/पितरों की आराधना में अत्यधिक आस्था है। इनके पूर्वज अपने जीवित नातेदारों के समस्त क्रियाकलापों विशेष रूप से जन्म, विवाह, एवं मृत्यु से जुड़े हुए होते हैं। वे पूर्वज जिनकी पूरी अवस्था/वृद्धावस्था में स्वाभाविक मृत्यु होती है। उन्हें अत्यधिक पवित्र माना जाता है। इस प्रकार पितृ पूजा आराधना एवं आस्था के कारण खोंड आदिवासी अपने अतीत से जुड़े होते हैं।

बिहार में 1981 की जनगणना के अनुसार इनकी जनसंख्या 1263 है जो कुल आदिवासी जनसंख्या का 0.02 प्रतिशत है। खोंड आदिवासियों में 33.03 प्रतिशत श्रमिक, 46.41 प्रतिशत काश्तकार, 31.98 प्रतिशत मजदूर, 0.65 प्रतिशत खनन मजदूर, 0.26 भवन निर्माण, 0.67 व्यापार, 0.45 प्रतिशत यातायात, 3.01 प्रतिशत अन्य धन्धों से जीविकोपार्जन करते हैं। 1991 की जनगणना के अनुसार इनकी आबादी 1503 है जो कुल आदिवासी का 0.08 प्रतिशत है।

किसान (नगेशिया)

किसान की सबसे बड़ी इकाई सजातीय विवाह का समुदाय है जो असगोत्र विवाह इकाइयों में बाँटा गया है। इस प्रकार की इकाइयाँ गोत्र श्रेणी की हैं। इनकी विशेषता टोटेमवादी है। एक गोत्र के सभी सदस्य एक-दूसरे के संबंधी होते हैं। उनके बीच गोत्र के आधार पर किसी प्रकार का संगठन नहीं है। यह भी कहा गया है कि परगमन संबंध और समान्तर संबंध विवाह निषेध है। निकट सम्बन्धियों के बीच विवाह परिवर्जित है। किसान समाज सिदूरिया और तैलिया वर्गों में भी विभक्त है। पहला वर्ग सिंदूर के माध्यम से विवाह संस्कार सम्पन्न करता है जबकि दूसरा तेल के माध्यम से। समाज के दूसरे नियमों का पालन करते हुए इन दोनों वर्गों के बीच शादी की तिथि का विधिपूर्वक बन्दोबस्त किया जाता है। लेकिन विवाह प्रक्रिया वर्ग के पारिवारिक रीति-रिवाज के अनुसार की जाती है।

अन्य जनजातियों के समान किसान भी पुरुष प्रधान समाज है। पिता की सम्पत्ति पर पुत्र का एकाधिकार होता है। पुत्री को केवल भरण-पोषण का ही हक है। गोद लेने की प्रथा निःसंतान होने एवं केवल बेटी संतान होने पर प्रचलित है।

किसान लोगों की अपने सामाजिक रीति-रिवाज और परंपराओं की देख-रेख के लिए एक समुदाय पंचायत होती है। यह पंचायत अपनी कार्यवाहियों के निपटारे में काफी प्रभावशाली है। और जब भी एक मामला इसके ध्यान में पेश किया जाता है तो बैठकी बुलाई जाती है। लेकिन किसान समुदाय पंचायत के वादविवाद में सभी की उपस्थिति अपेक्षित महसूस करता है। पंचायत के पदधारी महंत और सरदार जो कोटवार कहलाता है, होते हैं। ये पद वंशानुगत है। जो पक्ष पंचायत के बैठकी के लिए आमंत्रित करता है, वही पंचायत का खर्च वहन करता है।

किसान समुदाय में मृत्यु होने पर मृत शरीर को दफनाया या जलाया जाता है। मुर्दा जलाने में अत्यधिक खर्च होने के कारण ज्यादातर लोग दफनाते हैं। जो लोग मुर्दे को दफनाने जाते हैं, आँगन में प्रवेश करने से पहले कुछ दूब घास पानी में डूबना पड़ता है। और इसी के साथ लोहे का एक टुकड़ा छूना और अपने दाहिने पैर पर पानी छिड़कना पड़ता है। इससे उनके शुद्धिकरण का अर्थ निकाला जाता है। मृतक के सब व्यक्ति समान शव के साथ कब्र में रखा जाता है। किसी व्यक्ति की मृत्यु पर उसकी मृत्यु के दसवें दिन उसके सब संबंधी अपने सिर के बाल मुड़वाते हैं।

झारखंड राज्य में किसान, नागेश्वर या नगेशिया के नाम से जाने जाते हैं। झारखंड के अतिरिक्त ये उड़ीसा, पश्चिम बंगाल, मध्यप्रदेश आदि राज्यों में भी पाए जाते हैं। इनका मुख्य धन्धा खेती करना एवं कृषि मजदूरी करना है। ये जंगल से लाह, मधु और फूल जमा करते हैं। इसके अलावे वे कभी-कभी शिकार भी करते हैं। 1981 की जनगणना के अनुसार बिहार में नगेशिया 68.30 प्रतिशत कृषक, 24.27 प्रतिशत कृषक मजदूर तथा 7.43 प्रतिशत अन्य कार्य करते हैं।

1981 की जनगणना के अनुसार बिहार में अपनी कुल आबादी का 13.42 प्रतिशत लोग शिक्षित हैं जिसमें 4.61 प्रतिशत महिलाएँ तथा 22.08 प्रतिशत पुरुष हैं।

1981 की जनगणना के अनुसार बिहार में इनकी आबादी (झारखंड में) 23420 जिसमें 11804 पुरुष तथा 11616 महिलाएँ हैं। 1991 की जनगणना के अनुसार इनकी संख्या 28796 है जो कुल आदिवासी जनसंख्या का 0.48 प्रतिशत है।

उराँव

झारखंड के आदिवासियों में उँराव प्रमुख आदिवासी जाति है। झारखंड के आदिवासियों की जनसंख्या के दृष्टिकोण से ये संथालों के बाद दूसरे स्थान पर हैं। परन्तु जीवन स्तर एवं जागरूकता के दृष्टिकोण से सर्वोपरि हैं।

उराँव जनजाति के लोग मुख्य रूप से झारखंड के राँची, गुमला, लोहरदगा लातेहार तथा सिंहभूम जिला में निवास करते हैं। इसके अतिरिक्त ये बिहार, छत्तीसगढ़, उड़ीसा तथा भारत के अन्य राज्यों में भी निवास करते हैं। उराँव आदिवासी जहाँ कहीं भी रहते हैं उनकी स्पष्ट पहचान हो जाती है क्योंकि ये लोग कुड़ुख भाषा का ही प्रयोग करते हैं।

उराँव द्रविड़ प्रजाति के हैं, इसमें किसी भी प्रकार की शंका नहीं होनी चाहिए। डॉ. गुहा ने अन्य आदिवासियों की तरह उराँव को प्रोटो-आस्ट्रेलायड प्रजाति के अन्तर्गत स्वीकार किया है। परन्तु डॉ. मजुमदार तथा शरतचन्द्र राय द्रविड़ प्रजाति का ही मानते हैं। अनेक विद्वानों ने ऐसा सिद्ध करने का प्रयास किया है। ये लोग दक्षिण भारत में रहा करते थे। दक्षिण भारत के पर्वतीय अंचल में रहकर जंगली जानवरों को मारकर उससे अपना जीवनयापन करते थे। इनके पास पत्थर एवं लकड़ी के हथियार होते थे। बाद में ये लोग यात्रा करते हुए सोन नदी के तराई में रोहतासगढ़ में बसकर खेती करने लगे। कुछ दिनों के बाद राजनीतिक उथल-पुथल होने के कारण ये लोग रोहतास से हटने लगे और कोयल नदी के किनारे-किनारे बढ़ते हुए छोटानागपुर में आकर बस गए। उराँव लोक कथाओं में इनके उत्तर-पश्चिम भारत के सिन्धु घाटी में भी रहने के उल्लेख हैं। छोटानागपुर में मुंडा आदिवासियों का निवास स्थान था। परन्तु अपने ज्ञान रूपी संवृद्धि से इन्होंने मुंडाओं को भी खेती करना सिखाया। सामाजिक और राजनीतिक दृष्टि से ये समृद्ध थे। अतः मुंडा लोगों को हटने पर मजबूर किया। परिणामस्वरूप मुंडा लोग छोटानागपुर में भी एक ओर सिमटते चले गए। उराँव आदिवासियों ने छोटे-छोटे गाँव बसाए और खेती करने लगे। आगे चलकर इन्होंने सामाजिक तथा राजनीतिक संस्था के रूप में पड़हा की स्थापना की। ये पड़हा संस्थाएँ एक राज्य की तरह अपने-अपने क्षेत्र में प्रशासनिक कार्य करने लगीं।

गोत्र : अन्य आदिवासी समुदाय की तरह उराँव समुदाय भी गोत्र के अनुसार संगठित हैं। एक ही गोत्र में उत्पन्न उराँव चाहे कहीं भी रहे, परस्पर भाई-बहन की तरह माने जाते हैं। इस कारण इनमें परस्पर विवाह संबंध नहीं होता है। उराँव में गोत्र टोटेम पर आधारित होते हैं। टोटेम वस्तुतः गोत्र के सदस्य का एक चिन्ह होता है। यह टोटेम काल्पनिक होता है। कोई भी पशु-पक्षी, वृक्ष इत्यादि टोटेम हो सकते हैं। टोटेम मानने वालों की धारणा है टोटेम संकट की स्थिति में उनकी रक्षा करेगा। टोटेम वाले पशु-पक्षी, पौधे उनके लिए पूज्य हैं। अतः वे उनकी रक्षा करते हैं। इसे हानि पहुँचाना एवं मारना वर्जित माना जाता है।

उराँव आदिवासियों में अनेक प्रकार के टोटेम के आधार पर अनेक गोत्र पाए जाते हैं जो निम्नांकित हैं—

(क) पक्षी टोटेम : बकुला, ढेचुआ, गरवा, गेड़े, गिधी, गिसलिही, खाखा, केरकेटा, कोकरो, ओरगोरा, टिरखौर तथा टोप्पो।

(ख) वनस्पति टोटेम : बाखला, बारा, बासा, कांदा, केन्दी, पेड़ी, कुजूर, कुन्दरी।

(ग) मछली टोटेम : आईद, एक्का, गोडो, लिंडा, खलखो, मिंज।

(घ) पशु टोटेम : आड़ो, आला, बांडो, बटवा, रूंडा, किसपोटा, लकड़ा, तिग्गा।

(च) औद्योगिक टोटेम : पन्ना, बेक।

धार्मिक एवं सांस्कृतिक मान्यताएँ : अन्य आदिवासियों की तरह उराँव आदिवासी भी अलौकिक शक्ति की उपासना करते हैं। उराँव आत्मा, जीवात्मा, और दुष्टात्मा पर विश्वास करते हैं। आत्मा स्वीकार करने के कारण ये लोग पूर्व-जन्म में भी विश्वास करते हैं। अलौकिक शक्ति जिसकी ये उपासना करते हैं उसे धर्मेश कहकर सम्बोधन करते हैं।

नृत्य और संगीत : नृत्य और संगीत उराँव जीवन को आनंदित उल्लास एवं सुखमय सिंगार रस से भर देता है। ये कुड़ुख जीवन के प्रमुख दैनिक कार्य से जुड़े हुए हैं। ये अपने उल्लास एवं सुखमय जीवन को नृत्य और संगीत के माध्यम से सामूहिक रूप से प्रदर्शित करते हैं। कुड़ुख गाँव के बीच में एक अखड़ा होता है जहाँ गाँव के युवक-युवतियाँ नाचते गाते हैं। अखड़ा सिर्फ गीत संगीत का ही स्थान नहीं बल्कि इनके प्रशासनिक गतिविधि का केन्द्र भी होता है जहाँ गाँव के लोग मिल बैठकर गाँव की समस्या एवं अन्य विषयों पर विचार-विमर्श करते हैं।

उराँव लोगों का विश्वास है मौसम के अनुकूल नृत्य संगीत एवं राग से प्रकृति देवी खुश होती है, वर्षा अच्छी होती है, पेड़-पौधे हरे-भरे रहते हैं, क्योंकि वे नृत्य संगीत का आनन्द लेकर हिलोरें लेते और झूमते हैं जिससे वे फल-फूल से लद जाते हैं। जानवर भी उनके नृत्य-संगीत से आकर्षित होते हैं। उराँव आदिवासियों का अधिकतर गीत उनके दैनिक जीवन का प्राकृतिक वर्णन, अतीत की घटनाओं सामाजिक एवं धार्मिक बन्धनों से संबंधित है। इनके नृत्य और संगीत मुख्यत: खद्दी, युड़िया, खड़िया पनाड़ी, अषाढ़ी, करम, भाव, डमकच, शादी तथा जदूरा जैसे महत्त्वपूर्ण नामों से जाने जाते हैं।

पर्व-त्योहार : उराँव आदिवासियों के पर्व-त्योहार समाज के प्रत्येक घटक की संवेदना को गहराई तक स्पर्श करने के कारण बहु प्रतीक्षित होते हैं। अपने पर्व-त्योहारों की लम्बी शृंखला के कारण उराँव समाज इस मामले में अति समृद्ध है जिसके अंतर्गत वर्ष-पर्यन्त होने वाले कुछ प्रमुख उत्सव प्रचलित हैं। कृषि एवं शिकार से जुड़े कुछ उत्सव भी समाज में प्रचलित हैं। इन्हें इस प्रकार विभाजित किया जा सकता है।

(1) प्रमुख उत्सव : सरहुल, करम, सोहराई, माघे और फागू।

(2) कृषि संबंधी उत्सव : हरीअरी, कहलेटा, जितिया, नावाखानी, खरिहनी।

(3) शिकार के उत्सव : फागू सेंदरा, बिसू सिकारोर, जेठ शिकार, जनी शिकार।

भाषा : उराँव आदिवासी अपनी भाषा में कुड़ुख का प्रयोग करते हैं। कुड़ुख भाषा द्रविड़ भाषा परिवार के अतंर्गत आती है। रांची और उसके आस-पास के उराँव आदिवासी मुंडारी भाषा का प्रयोग करते हैं। (इनसाइक्लोपीडिया मुंडारिका)

जनसंख्या : झारखंड के आदिवासियों की जनसंख्या के आधार पर ये दूसरे नम्बर पर हैं। 1981 की जनगणना के अनुसार 10,54,066 है जिसमें 5,23,524 पुरुष तथा 5,30,542 महिलाएँ हैं। 1991 की जनगणना के अनुसार 11,37,656 हैं जो अदिवासियों की कुल आबादी का 18.82 प्रतिशत है।

उराँव की पारम्परिक स्वशासन व्यवस्था

उराँव शासन व्यवस्था गाँव स्तर, पड़हा स्तर तथा पड़हा दीवान स्तर में विभक्त है। महतो गाँव का प्रधान होता है। यह प्रशासनिक, न्यायिक तथा सम्पर्क पदाधिकारी होता है। माझी महतो का सहायक होता है। वह महतो के आदेश अनुसार किसी भी मामले को गाँव वालों को सूचित करता है। पाहन गाँव के धार्मिक वर्ण-त्योहार में पूजा-पाठ करता है। बैघा कई गाँवों का पूजा-पाठ करता है। पाँच से पन्द्रह गाँव के ऊपर पड़हा राजा होता है। सभी पड़हा राजाओं के ऊपर एक पड़हा दीवान होता है जो सभी पड़हा राजाओं का समन्वय रखता है।

गाँव के आपसी झगड़े एवं कई विवादों का निपटारा गाँव के प्रधान महतो द्वारा गाँव के बड़े बुजुर्ग की सहायता से किया जाता है। गाँव की बैठक में युवा-युवती, स्त्री-पुरुष सभी बैठते हैं। जब किसी विवाद का निपटारा गाँव स्तर में नहीं हो पाता तो गाँव का महतो उसे पड़हा राजा के सुपुर्द करता है। उराँव आदिवासी समाज की सर्वोच्च न्यायिक व्यवस्था पड़हा दीवान होता है। यहाँ कई पड़हा राजा मिलकर विवाद का निपटारा करते हैं।

मुंडा

मुंडा आदिवासी आस्ट्रोलार्यड (आग्नेय) प्रजाति परिवार की एक विशिष्ट जाति है। जो दक्षिण पूर्वी एशिया में केन्द्रित है। झारखंड राज्य में मुंडा आदिवासी छोटानागपुर प्रमण्डल में निवास करती है। मुंडा आदिवासियों के झारखंड आने के संबंध में श्री शरद चन्द्र राय ने अपनी पुस्तक 'दी मुंडाज एण्ड देयर कंट्री' 1912 में लिखा है कि मुंडा लोग सबसे पहले भारत के उत्तर पश्चिम भाग में स्थित नदी घाटी एवं पहाड़ी दर्रों के आसपास निवास करते थे कालान्तर में मुंडाओं के भ्रमण के बारे में श्री राय कहते हैं कि आर्यों द्वारा मुंडाओं को पूरब की ओर खदेड़ दिए जाने पर वे उत्तर प्रदेश के आजमगढ़ जिले में जा बसे। उत्तर भारत के दक्षिण भाग से बुन्देल खंड होते हुए मध्य भारत की ओर बढ़े। बाद में आधुनिक रोहिल खंड, अवध और रोहतासगढ़ होते हुए झारखंड राज्य में छोटानागपुर प्रमंडल में आकर बस गए जिसे शेखरभूम कहते हैं। संभवतः वहीं से वे सुतियाम्बेगढ़ आए। सुतियाम्बेगढ़ राँची जिला मुख्यालय से उत्तर में अवस्थित है। यह गढ़ मुंडाओं का प्रशासनिक, सामाजिक, धार्मिक एवं सांस्कृतिक व्यवस्था का केन्द्र बिन्दु था। इस प्रकार झारखंड राज्य में मुंडा आदिवासियों का आगमन उत्तर-पश्चिम भारत से हुआ। कहा जाता है कि छोटानागपुर में सबसे पहले मुंडाओं का ही आगमन हुआ।

वर्तमान समय में मुंडा आदिवासी मुख्य रूप से झारखंड राज्य में राँची जिले के खूँटी अनुमंडल के मारगंहदा क्षेत्र तमाड़, उलिहातु क्षेत्र में मुख्य रूप से बसे हैं। देशान्तर गमन के क्रम में यदि देखा जाए तो मुंडा आदिवासियों ने अपने रहने के लिए नदी के किनारे झरने के समीप

पहाड़ पर्वतों से घिरे शान्त एवं एकान्त स्थानों को ही पसन्द किया। जहाँ इन्हें दैनिक जीवन की आवश्यक वस्तुओं की उपलब्धि आसानी से हो जाती थी। नदी तथा झरने से उसे पानी मिलता था। जंगल से कन्द मूल, साग–सब्जी, खाद्य–पदार्थों के अलावा जलावन की लकड़ी, मकान बनाने की लकड़ी, जड़ी–बूटी आसानी से मिल जाती थी। जंगलों के बीच रहकर वे शिकार भी करते थे। धीरे–धीरे उन्होंने जंगल–झाड़, नदी–नाला को साफ करके खेती लायक जमीन बनाई और उस पर खेती करने लगे।

गोत्र : मुंडा समाज का मूल आधार गोत्र है। संभवत: एक गोत्र का अलग–अलग गाँव हुआ करता था। वर्तमान समय में जनसंख्या वृद्धि के कारण एक गोत्र के कई गाँव हैं। मुंडा समुदाय में गोत्र को इष्ट चिन्ह के रूप में मानते हैं। मुंडा जनजाति के गोत्र पेड़–पौधे, पशु–पक्षी आदि के नाम पर होते हैं। इस प्रकार वे विभिन्न गोत्र में विभक्त हैं जैसे साण्डिल, होरो भाग, कमल, केरकेट्टा, पुर्ती हंस, हरूसा, भालू, तिडू, टुटी, डांग, बोदरा इत्यादि।

जनसंख्या : जनसंख्या के दृष्टिकोण से झारखंड के आदिवासियों में मुंडा का तीसरा स्थान है। 1961 की जनगणना के अनुसार इनकी जनसंख्या 6,28,931 थी। सन् 1971 की जनगणना में इनकी जनसंख्या में वृद्धि होकर 7,23,116 हो गई। सन् 1981 की जनगणना के अनुसार इनकी जनसंख्या 8,45,887 थी। जनसंख्या के ये आँकड़े अविभाजित बिहार के समय के हैं। वर्तमान में इनकी जनसंख्या 899162 (1991).... है। जो अपनी कुल आबादी का 14.88 प्रतिशत है। मुंडा आदिवासी की अधिकांश जनसंख्या छोटानागपुर प्रमण्डल के राँची जिले में पाई जाती है।

भाषा : मुंडा आदिवासियों की अपनी भाषा मुंडारी है, जो ऑस्ट्रो एशियाटिक भाषा परिवार के अन्तर्गत आती है। वे अपनी भाषा को 'होड़ोजगर' कहते हैं। बदलते परिवेश एवं अन्य भाषाओं के सम्पर्क में आने से मुंडारी भाषा में बाह्य प्रभाव भी दिखने लगा है। क्षेत्र के हिसाब से मुंडारी भाषा को चार परिक्षेत्रों में विभाजित किया जा सकता है—

(1) हसाद : मुंडारी में मुंडारी भाषा की मौलिकता है। जो राँची जिला अन्तर्गत, खुंटी, मुरहू तथा अड़की प्रखंड में बोली जाती है।

(2) नागुरी मुंडारी : नागुरी मुंडारी में सदानी या नागपुरी का सम्मिश्रण है। इसका क्षेत्र राँची जिला अन्तर्गत तोरपा, कर्रा, लापुंग रनियां, बानो, कोलेबिरा तथा सिमडेगा प्रखंड है। इसके अलावे उड़ीसा राज्य के सुन्दरगढ़ क्षेत्र के मुंडाओं में भी यह भाषा पाई जाती है।

(3) तमड़िया मुंडारी : तमड़िया मुंडारी में बांग्ला भाषा का पुट मिलता है। इसका क्षेत्र तमाड़, बुन्डू, सोनाहातु क्षेत्र है।

(4) केर: मुंडारी : केर: मुंडारी में 'र' ध्वनि की प्रधानता है। इसलिए इसे केर: मुंडारी कहा गया है। जो राँची जिला के शहरी क्षेत्रों के आसपास रहने वालों की भाषा है। राँची शहर के आसपास रहने वाले उराँव आदिवासी जो अपनी भाषा कुडुख भूल चुके हैं, केर: मुंडारी में बात करते हैं। इसकी पुष्टि फादर हॉफमैन ने 'इनसाइक्लोपीडिया मुंडारिका' में की है।

मुंडा आदिवासी समाज पितृसत्तात्मक होता है। पैतृक सम्पत्ति का उत्तराधिकारी पिता के दल का ही पुरुष होता है। इसके अन्दर गोत्र प्रमुख है। पिता के बाद जमीन का हकदार पुत्र ही होता है। समाज के अन्दर गोत्र प्रमुख है। गोत्र का आधार जीव–जन्तु, पेड़–पौधे, पशु–पक्षी

आदि होते हैं। समाज में समान गोत्र में विवाह नहीं होता। मुंडा जाति की कई उप शाखाएँ हैं जैसे कुंपट मुंडा, महली मुंडा, नागवंशी मुंडा इत्यादि।

मुंडा समाज को जन्म से मरण तक कई संस्कारों से गुजरना पड़ता है। संस्कारों में जन्म संस्कार, छठी संस्कार, कर्ण छेद संस्कार, विवाह संस्कार तथा मरण संस्कार मुख्य हैं। मुंडा समाज में मृत्यु होने पर लाश को दफनाने की प्रथा है। कहीं-कहीं बूढ़े बुजुर्ग एवं प्रतिष्ठित व्यक्तियों को जलाया जाता है। मरणोपरान्त अस्थि-कलश को एक निश्चित स्थान में गाढ़ दिया जाता है। इस स्थान को 'ससान' कहा जाता है। ससान पर एक पत्थर रख दिया जाता है इस पत्थर को 'ससानदीरी' कहा जाता है। ससानदीरी ही मुंडा गाँव की असली पहचान है। अलग-अलग गोत्र के मुंडाओं की ससानदीरी अलग-अलग स्थानों में अवस्थित होती है। अस्थि-कलश को उसी गोत्र के ससान में गाढ़ा जाता है जिस गोत्र का अस्थि होता है। इससे पता चलता है कि वह किस गाँव का मूल निवासी है।

धर्म : मुंडा प्रकृति के पुजारी होते हैं। इनकी पूजा का मुख्य उद्देश्य देवी-देवताओं को खुश रखना होता है। मुंडाओं का सर्वश्रेष्ठ और सर्वशक्तिमान देवता 'सिंगबोंगा' है जो सर्वव्यापी और निराकार है। वह हवा रूपी है। सिंगबोंगा का अर्थ सूर्य देवता है। लेकिन मुंडा लोग इसे मानने को तैयार नहीं हैं उनका विश्वास है कि सिंगबोंगा अदृश्यमान है।

मुंडाओं का पर्व-त्योहार मौसम के अनुसार भिन्न-भिन्न होता है। इनके त्योहारों में सरहुल, करमा, बुरू तथा सोहराई प्रमुख है।

मुंडा स्वशासन व्यवस्था

मुंडा गाँव में एक मालिक होता है, उसे 'हातु मुंडा' कहा जाता है। यही हातु पंचायत का भी मुखिया होता है। इस पंचायत में पाहन तथा अन्य बुजुर्ग लोग रहते हैं। पंचायत में गाँव के आपसी झगड़ों का निपटारा किया जाता है। इस परंपरागत हातु पंचायत के लिए महिलाएँ सदस्य नहीं होतीं किन्तु पंचायत में उनके हित के लिए निर्णय लिया जाता है परन्तु आजकल महिलाएँ भी हातु पंचायत में बैठने लगी हैं।

हातु पंचायत के अलावा पड़हा पंचायत भी होता है। इसका सर्वोच्च अधिकारी पड़हा राजा होता है। पड़हा व्यवस्था गोत्र के आधार पर होता है। पड़हा राजा की मदद के लिए दीवान, कोतवाल, पाण्डेय, लाल, दरोगा इत्यादि सदस्य होते हैं।

गोंड

गोंड जनजाति के लोग भाषाई आधार पर द्रविड़ जातीय परिवार के हैं। यह मुख्यत: मध्यप्रदेश में वास करती है। इनकी एक शाखा झारखंड के राँची, पलामू, सिंहभूम गुमला में पाई जाती है (निवास करते हैं)। राजपूत राजे महाराजे जिन्होंने छठी से बारहवीं शताब्दी के मध्य भारत में विभिन्न भागों में राज किया। उनके विलीन होने पर 16वीं सदी तक इतिहास में शून्यकाल था। तब गोंड आदिवासियों की राजधानी खेरला, बेतूल, चिंदवारा, गढ़हामडला के देवघर, जबलपुर और चन्दा में स्थापित की गई थी। इतिहासकारों का विश्वास है कि मध्य भारत में गोंडों का आगमन

परंपरा के अनुसार हिन्दू राज्यों की स्थापना के बाद हुआ। इसमें कोई शक नहीं कि गोंड लोग चंदा और बस्तर होते हुए दक्षिण से आए। 14वीं शताब्दी के आसपास उन्होंने राज्य की स्थापना की। गोंड समाज तीन वर्गों में विभक्त है—1. अभिजात 2. काश्तकार 3. मजदूर। अभिजात वर्ग अथवा शासक वर्ग राज गोंड कहलाते हैं। इस वर्ग के लोगों में मालगुजार, पाटेल और गाँव के जमीन के मालिक होते हैं। प्रधान साधारणतः उसी वर्ग का होता है। उसके बाद घूर अथवा पुस्त गोंड होते हैं। ये किसान वर्ग के होते हैं। तीसरा मजदूर वर्ग होता है। ये साधारणतः गरीब और भूमिहीन होते हैं। सामान्यतः ये मालगुजार, पाटेल और धनी काश्तकारों के खेतों में काम करते हैं। गोंड आदिवासी तीन प्रमुख वर्गों में भी अनेक निम्न समुदाय में विभाजित हैं। जो अपने ही टोटेम के साथ वंश चलाते हैं। प्रत्येक वंश एक पूर्वज से आए संबंध रिश्तों से अपनी पीढ़ी निकाल सकता है।

गोंडों के बीच असहगोत्र विवाह का नियम शक्ति से लागू किया जाता है। एक पुरुष को अपने ही वंश की स्त्री से विवाह नहीं करना चाहिए। एक भाई की बेटी और बहन का बेटा अथवा एक भाई का बेटा और बहन की बेटी के बीच पारगमन विवाह सामान्य है। गोंड में इसी विवाह को प्राथमिकता दी जाती है। इस प्रकार के संबंध को दूध लौटना के नाम से जाना जाता है। अत्यन्त नए परिवार में विवाह करने पर काफी खर्च उठाना पड़ता है। इसलिए वंशज पारगमन विवाह को ज्यादा महत्त्व देते हैं।

अन्य आदिवासियों की तरह गोंड आदिवासी समाज भी पुरुष प्रधान समाज है। गोंड लोगों को जादू-टोना अबुरी दृष्टि का अधिक भय होता है। जब भी थोड़ा संदेह उत्पन्न होने पर एक जन की मृत्यु अमुक कारण से हुई है। दाह संस्कार उस समय तक रोक दी जाती है जब तक दोषीदार का पता नहीं लगाया जा सकता है।

प्रत्येक गाँव की अपनी परिषद् होती है जो पंचायत कहलाती है। पंचायत में जमीन जायदाद का बँटवारा, तलाक के मामले, सामाजिक अपराध और धर्म के विवादास्पद विषयों का निपटारा होता है।

इनके त्योहार सरहुल, करमा, भाम्बा आदि हैं। 1981 की जनगणना के अनुसार 97.64 प्रतिशत गोंड हिन्दू धर्म को मानते हैं। 0.22 प्रतिशत ईसाई धर्म, 0.05 मुस्लिम, 1.95 प्रतिशत अन्य धर्म को और 0.14 प्रतिशत लोग किस धर्म को मानते हैं उल्लेख नहीं मिलता। उराँव, खड़िया, डोरमा के साथ इनके अच्छे आर्थिक संबंध हैं।

अपनी कुल आबादी का 20 प्रतिशत लोग शिक्षित हैं जिसमें 32.51 प्रतिशत पुरुष तथा 7.26 प्रतिशत स्त्री हैं। इनकी साक्षरता में अच्छी प्रगति हो रही है। (1981)

1981 की जनगणना के अनुसार इनकी जनसंख्या 96574 है जिसमें पुरुषों की संख्या 48711 तथा महिलाओं की संख्या 47863 है। अपनी जनसंख्या का 32.53 प्रतिशत मजदूर है। 47.99 प्रतिशत खेतिहर, 31.40 कृषक मजदूर, 10.79 प्रतिशत उद्योग, कानूनी तथा नौकरी करते हैं। इसके अतिरिक्त बाकी 10.18 प्रतिशत लोग व्यवसाय करते हैं। 1991 की जनगणना के अनुसार इनकी आबादी 92533 है जो कुल आदिवासी का 1.58 प्रतिशत है।

चेरो

चेरो लोग चेरू अथवा चरवा के नाम से जाने जाते हैं। पलामू में खरवार जिस तरह अठारह हजारी कहलाते हैं ऐसे ही चेरो लोग बारह हजारी एवं तेरह हजारी कहलाते हैं। समकालीन चेरो समुदाय पलामू में दो प्रमुख सजातीय विवाह के विभाजनों में विभक्त है—बारह हजारी तथा तेरह हजारी।

पहले के राजों महाराजों के वंशज बारह हजारी चेरो लोगों के बीच स्वयं को बबुआन कहते हैं और साधारण लोगों से अपने को उच्चतर मानते हैं। तेरह हजारी लोगों का दूसरा नाम विरडंडिया है। फोरबस के अनुसार वे बारह हजारी लोगों की दोगली संतान है। अपनी किंवदन्तियों के अनुसार विरडंडिया चेरो लोगों का शुरुआत प्रमुख समुदाय के बहिष्कृत सम्प्रदाय से बना है। किंवदन्ती के अनुसार कहा गया है विरडंडिया में रहने वाले एक धनी मानी चेरो ने अपने मित्रों को भोज में आमंत्रित किया। उन्होंने उसके पैर में खड़ाऊँ देखा जो उनके लिए दाल पकाते हुए घी छोंक रहा था। इससे उनको गुस्सा आया और उसे बहिष्कृत भी कर दिया। उसी समय से बहिष्कृत चेरो के दो पिछलग्गू हुए जिनमें विरंधिया चेरो लोग यानी तीसरा संस्करण है। ये चेरो लोगों के बीच में दूसरी जातियों के थे।

दोनों ही समुदायों में सहजातीय विवाह की प्रथा है। दोनों समुदाय बारह कुलों में विभक्त हैं जिसे वे 'पारि' कहते हैं। अभी सभी कुलों की जानकारी नहीं है। निम्नलिखित ही अभी प्रमुख जाने जाते हैं—1. छोटा मडवार 2. बड़का मडवार 3. छोटका कुँवर 4. बड़का कुँवर 5. महतो 6. मांझिया 7. भवदूत 8. खैतया। रिजले ने सोहानाइत नामक एक और कुल का वर्णन किया है जिसका उल्लेख सुन्दर के अभिलेख में है। रिजले के अनुसार पलामू के चेरो टोटेमवादी नहीं हैं। उनके अनुसार 'पारि' का नाम पद नाम से वर्णित है। कुल समुदायों में असगोत्र विवाह की प्रथा है और पारागमन विवाह की मनाही है।

चेरो लोगों में पितृ प्रधानता होती है और पुरुष जातीय दायभागाधिकार की ही प्रथा है। गरीब बाप का बेटा बराबर बँटवारे का हकदार है। धनी लोगों के बीच में पहलौटे बेटे को दूसरे से कुछ अधिक पाने का हक है।

समुदाय के मामले में पाँच सदस्यों से बनी समुदाय पंचायत होती है। ये पंचायत गाँव, क्षेत्र और जिले स्तरों पर काम करती है। पहले दो को प्रधान मुखिया कहते हैं। जिला का प्रधान सभापति के नाम से जाना जाता है। इनका संगठन आधुनिक स्तर का है। इसके बावजूद हर वर्ग के लोगों के बीच यह मान्य और लोकप्रिय है।

चेरो जनजातियों का धार्मिक क्रियाकलाप हिन्दू प्रथा के अनुसार है। 1981 की जनगणना के अनुसार 99.84 प्रतिशत चेरो हिन्दू धर्म को, 0.10 प्रतिशत ईसाई, 0.05 प्रतिशत वे अन्य धर्म को मानते हैं। इनके पर्व-त्योहारों में होली, दशहरा, दीवाली, तीज आदि प्रमुख हैं। पर्व-त्योहार एवं शादी विवाह के अवसर पर ये अपने लोकगीत गाते हैं।

चेरो आदिवासी 17.31 प्रतिशत शिक्षित हैं जिनमें 30.75 प्रतिशत पुरुष तथा 3.10 प्रतिशत महिलाएँ हैं। शिक्षा के क्षेत्र में महिलाएँ अत्यन्त पिछड़ी हैं। (1981)

इनकी अपनी भाषा सादरी है जो इण्डो-आर्यन भाषा है। अन्य समुदायों से सम्पर्क भाषा हिन्दी है।

1981 की जनगणना के अनुसार इनकी जनसंख्या 52210 है जिसमें पुरुषों की जनसंख्या 26818 तथा महिलाओं की संख्या 22392 है। 1991 की जनगणना के अनुसार इनकी संख्या 50026 है जो आदिवासियों की कुल आबादी का 1.02 प्रतिशत है।

लोहरा

छोटानागपुर में लोहरा लोग मुंडा, उराँव, चीक बड़ाईक, अहिर, सेवासी राजपूत, हजाम इत्यादि अन्य आदिवासी और गैर-आदिवासी के साथ रहते हैं। इस प्रकार के मिश्रित गाँव में इनके परिवारों की संख्या एक से दस होती है। पेशे के संबंध में इनका मुख्य पेशा लोहा गलाना होता है। इनका न कोई अपना गाँव होता है और न ही पंचायत, इनके घर जहाँ-तहाँ मिलते हैं। विवाह के बाद अपने माता-पिता से अलग हो जाते हैं और अपना घर अलग बनाते हैं। ये घर उनके माता-पिता ही देते हैं। एक घर के अन्दर कई रसोई घर हो जाते हैं। लोहरा लोग सभी व्यवहार के कपड़े, हाट-बाजार से खरीदकर पहनते हैं। लड़का और लड़कियाँ तीन वर्ष तक कोई कपड़ा नहीं पहनते। इसके बाद जो कमर में कपड़ा पहनते हैं वह करिया कहलाता है। इनका कोई अखाड़ा नहीं होता। लेकिन नाच-गान के लिए वे दूसरे अखाड़ा में जाते हैं। लोहरगिरी इनका मुख्य व्यवसाय है। ये हसुवा, टांगी, तीर-धनुष बनाते हैं। ये सामग्री पड़ोस के लोग खरीदते हैं या इसे हाट-बाजार में बेच देते हैं। प्रोफेसर सच्चिदानन्द के अनुसार हर खेत के लिए एक लोहरा को एक का चार पैला दोन अगहन में तीन पैला गोंदली अगस्त में और तीन पैला गोंडा धान टांड़ खेत में मिलता है। उनके अनुसार लोहरा जाति को खेती में रुचि नहीं है। अपने मुख्य व्यवसाय के अतिरिक्त बाकी समय में शिकार करते हैं। दूसरे आदिवासी एवं गैर- आदिवासियों के साथ रहने के कारण इनको विकास का अच्छा अवसर मिलता है। लोहरा लोगों का परिवार पितृप्रधान है। बाप के मरने के बाद ये जायदाद को भाइयों में बराबर हिस्से में बाँटता है। इनका विवाह माघ, चैत, वैशाख और जेठ महीनों में किया जाता है। विवाह संधि लड़का पक्ष के द्वारा शुरू किया जाता है। इसके समाज में वधू की कीमत निर्धारित की जाती है। जो 12 रुपए या अधिक और तीन साड़ियों की होती है।

लोहरा लोग मसना नामक कब्रस्थान में अपने मुर्दो को दफनाते हैं। चेचक, हैजा एवं गर्भवती अवस्था में मरने पर उन्हें मसना में नहीं दफनाया जाता है। बल्कि उनको नदी की ओर ले जाकर दफनाया जाता है।

राँची जिला के गजेटियर में स्पष्ट लिखा है कि लोहरा उत्तरी बिहार से आए हैं परन्तु उन्हें कनौजिया लोहरा या कोल लोहरा या नागपुरिया लोहरा या छिर लोहरा कहते हैं। नागपुरिया लोहरा पुनः दो भाग में विभाजित है। एक सतकमार और दूसरा लोहरा। सतकमार लोग अपने जाति व्यवसाय को छोड़कर कृषि में लग गए हैं। सतकमार और लोहरा में शादी नहीं होती है।

लोहरा लोग फगुवा, सोहराई, सरहुल, करमा, जितिया, विश्वकर्मा पूजा, दीवाली, रामनवमी, शिवरात्रि मनाते हैं। जनगणना डाटा के अनुसार 1961 में 91.28 प्रतिशत, 1971 में 88.88 प्रतिशत, 1981 में 92.21 प्रतिशत लोगों ने हिन्दू धर्म को अपनाया है। इन्होंने 1961 में 1.42 प्रतिशत, 1971 में 2.39 प्रतिशत और 1981 में 1.54 प्रतिशत ईसाई धर्म को अपना लिया है।

इसके अतिरिक्त ये मुस्लिम और सिख धर्म को भी मानते हैं।

लोहरा जनजातियों का मूल धर्म प्राकृतिक पूजक है। ये अनेक देवताओं की उपासना करते हैं। अन्य आदिवासियों के समान जादू-टोना में भी विश्वास करते हैं।

इन लोगों में गोत्र की प्रथा भी है जैसे सांड, सौन मगहिया, तुतली कछुआ, धान और तिर्की। शादी, विवाह एक गोत्र में नहीं होता है। इनके गाँवों में पानी, रोड, स्कूल, मंदिर हैं लेकिन इनका कब्रस्थान अलग होता है। आजकल ये लोग अपने बच्चों को पढ़ाना पसन्द करते हैं विशेषकर लड़कों को। 1981 की जनगणना के अनुसार अपनी आबादी का 12.71 प्रतिशत शिक्षित है इसमें 21.01 प्रतिशत पुरुष तथा 4.08 प्रतिशत महिलाएँ हैं। विकसित जनजातियों की भाँति शिक्षा में विशेष रुचि रखते हैं। इनकी अच्छी खासी संख्या उच्चस्तरीय शिक्षा प्राप्त किए है तथा अच्छे-अच्छे पदों पर कार्यरत है। 1981 की जनगणना के अनुसार इनकी जनसंख्या 169089 है जो कुल आदिवासी जनसंख्या का 2.91 है। 1991 की जनगणना के अनुसार इनकी जनसंख्या 173968 है जो कुल आदिवासी जनसंख्या का 2.88 है।

खरवार

मानव वैज्ञानिक दृष्टि से खरवार आदिवासी द्रविड़ प्रजाति की एक जाति है और द्रविड़ प्रजाति वैज्ञानिक विशेषताओं का उल्लेख करते हुए खरवार जनजाति को जोड़ा है। श्री हेम्ब्रम ने अपनी पुस्तक 'आस्ट्रिक सिविलाइजेशन ऑफ इंडिया' में 'खेरवाली' खेरवारी संस्कृति एवं जनजाति का भी प्रसंग प्रस्तुत किया है। श्री हेम्ब्रम के अनुसार मेसोपोटामिया में मिले शिलालेखों के अनुसार खरवार आदिवासी अत्यंत विकसित द्रविड़ प्रजाति थी। डॉ. गुप्ता के अनुसार खरवार द्रविड़ मूल की जनजाति है (सण्डर 1998) और वे खेरिझार नामक स्थान से आए। इसलिए खरवार कहलाए। सण्डर का प्रसंग देते हुए उन्होंने उनकी छः उपजाति का वर्णन किया है। 1. सूर्यवंशी 2. दौलतबन्दी 3. पटबन्दी 4. खेरी 5. भोगती 6. मझिया।

खरवार जनजाति का उल्लेख करते हुए पी.सी. टैलेण्ट्स लिखते हैं पलामू के खरवार अठारह हजारी कहे जाते हैं।

खेरवारी सभ्यता के उद्भव और विकास तथा विस्तार से खरवार आदिवासी का इतिहास जुड़ा है। सिन्धु घाटी से लेकर गंगा की घाटी तथा कैमूर के पहाड़ से लेकर नेतरहाट के पठार तक उनकी यात्रा कथा अनेक संघर्षों और उनके उत्थान-पतन की व्यथा कथा है। कभी वे कत्था बनाने में निपुण और इसके अच्छे व्यवसायी थे। परन्तु इनसे अलग होने के कारण विभिन्न स्थानों में घूमते और विस्थापित होते रहने के कारण वे सम्पन्न कृषक नहीं बन सके। पलायन में उन्हें रोहतास और कैमूर की पहाड़ी से लेकर गंगा नदी घाटी में भागलपुर से लेकर साहेबगंज, कटिहार, पूर्णिया और पश्चिम बंगाल के मालदा जिला में जाकर बसने को मजबूर किया।

अन्य आदिवासी समुदाय की तरह खरवार भी पुरुष प्रधान समाज है। रिजले का कथन है बारिए पत्नी का ज्येष्ठ बेटा समस्त सम्पत्ति का अधिकारी होता है। परन्तु खरवार इसे सही नहीं मानती। पैतृक सम्पत्ति पर बेटों का बराबर का हिस्सा होता है। बेटा नहीं होने पर पत्नी और बेटियों को भरण-पोषण का हक है।

धर्म : खरवार आदिवासियों के धर्म एवं धार्मिक व्यवस्था के संबंध में रस्सेल डालटन संडर्स रिजले आदि ने उन्हें हिन्दू धर्मावलम्बी माना है। 1981 की जनगणना के अनुसार खरवारों ने अपने को हिन्दू धर्मावलम्बी माना है। जिसके अनुसार 99 प्रतिशत खरवार हिन्दू धर्म को मानने वाले हैं। विभिन्न विद्वानों के अनुसार खरवार द्रविड़ प्रजाति के हैं। अत: उनके धर्म एवं धार्मिक परंपराओं का प्रमाण उनके धार्मिक अनुष्ठान में मिलता है। अनेक समुदाय एवं विभिन्न आदिवासी जातियों के बीच रहने के कारण उनके धर्म का प्रभाव भी दिखाई पड़ता है। खरवार हिन्दू देवी-देवताओं की पूजा करते हैं।

पर्व त्योहार एवं लोक नृत्य : खरवार आदिवासियों के पर्वों के साथ-साथ अपने क्षेत्र में मनाए जाने वाले हिन्दू पर्वों को भी धूमधाम से मनाते हैं। सामान्यत: आदिवासी क्षेत्रों में मनाए जाने वाले सरहुल, करमा, नवाखानी सोहराई, अगहनी या खलिहानी पूजा और घाट-घाटेश्वरी पूजा मनाते हैं। हिन्दू धर्म के अनुसार मनाए जाने वाले पर्व जैसे श्रावणी पूजा, जीतिया, अनंत चतुर्दशी व्रत, दीपावली, दशहरा, चैत नवमी, होली, ठाढ़ी व्रत एवं डोरा पर्व भी मनाते हैं।

खरवार आदिवासी में भी समूह नृत्य की परंपरा है। परन्तु रोहतास एवं कैमूर में एकल नृत्य के रूप में किसी लड़के को साड़ी पहनाकर नचाया जाता है। जिसे लौंडा नाच कहते हैं। इनके प्रमुख नृत्य झूमर, करमा, जाट-जटनी, डमकच ज़ोगीड़ा, अगनई, जदुरा, फगुआ माठा और औड़ी-बौड़ी प्रमुख हैं। इनके वाद्य यंत्र ढोल, मांदर, नगाड़ा, खंजड़ी, मांझ, करताल, बांसुरी आदि हैं।

गोत्र : वंश को परिभाषित करते हुए विद्वान होबेल लिखते हैं—'वंश समूह साधारणत: पाँच-छ: पीढ़ियों से अधिक पहले का एक परिचित संस्थापक या सामान्य पूर्वजों के उत्तराधिकारियों का एक विस्तृत और एक पक्षीयपर रक्त संबंधी समूह है।' वंश प्राय: गोत्र के आधार पर चलता है। खरवार आदिवासी कालक्रमानुसार विभिन्न स्थानों में जा कर बसने के कारण अपने मूल गोत्र को भूलते गए। एच.एच. रिजले ने 1891 में खरवारों के 75 गोत्र बताए थे। वर्तमान समय में इनके 40 गोत्र का उल्लेख मिला है। जो निम्नलिखित हैं—कांसी, समदुआर, चरदयाल, कौड़िययार, नीलकंठ,चुन्दीयार, हंसदगिया, बहरेवार, बेसरवार, देवलबन्ध, नुन्हुआर, टोपोवार, बधवार, हंसबेगिया, लोहवार, बरेवा, कछुआ, रजवार, इन्दवार, केरकेटा, धान, डिला, डिंकी, चान्दन, परधिया, बेसरा, मोहकल, कुंस, चुनिमार, करमुआर, साहिल, टिर्की, भगुआ, सोनवनी बेन्द्रा, कसुनुआ, रावन नोन, सोय, कश्यप।

पंचायत : अन्य आदिवासियों के समान खरवार समुदाय में अपनी जातीय पंचायत होती है। जहाँ वे आपसी झगड़ों एवं विवादों का निपटारा करते हैं। जिसमें गाँव के सब पुरुष एवं वयोवृद्ध भाग लेते हैं। कुछ गाँवों को मिलाकर एक छाता होता है। इसका प्रमुख प्रधान के नाम से जाना जाता है। इसका पद वंशानुगत है।

जनसंख्या : वर्तमान समय में खरवार आदिवासी बिहार में कैमूर पहाड़ी से लेकर झारखंड के पलामू, गढ़वा, गुमला जिले में बसे हैं। उत्तर-पूर्व बिहार में कटिहार एवं पूर्णिया के विस्तृत भू-भाग में भी फैले हुए हैं। मध्य प्रदेश के सरगुजा, बिलासपुर-सतना, सिद्दी, छतरपुर आदि में उनकी अच्छी आबादी है। खरवार जनसंख्या का करीब 60 प्रतिशत पलामू प्रमंडल में, लगभग

12 प्रतिशत राँची जिला, 11 प्रतिशत बिहार के कैमूर, रोहतास, भागलपुर, मुंगेर, कटिहार तथा शेष अन्य राज्य में निवास करते हैं। आदिवासी जनसंख्या की दृष्टि से इनका स्थान पाँचवाँ है।

भूमिज

भूमिज जनजाति के लोग सिंहभूम, हजारीबाग और राँची जिलों में निवास करते हैं। ये मूलतः प्रोटो और भाषा के आधार पर कोलारियन वर्ग में आते हैं। रिजले का मत है मुंडा आदिवासी की ही एक जाति है। जो पूर्वी भागों में फैलकर हिन्दुओं के साथ मिल गए और इस प्रकार काफी हद तक अपने जनक जनजाति से अपना संबंध तोड़ दिया। झारखंड के अतिरिक्त पश्चिम बंगाल के मेदिनापुर, पुरुलिया, बांकुरा और 24 परगना में निवास करते हैं।

भूमिज लोग मध्यम कद के होते हैं। उनका रंग गहरा भूरा या काला होता है। उनके शरीर में अत्यधिक बाल होते है। उनकी नाक चपटी और सिर लम्बा होता है। अन्य आदिवासियों के समान भूमिज समुदाय में भी पितृ-प्रधान की परंपरा है। पिता की मृत्यु होने पर बेटों को बराबर हिस्सों में जायदाद का बँटवारा मिलता है। पुत्र सन्तान के अभाव में पुत्री को जायदाद का हिस्सा मिलता है परन्तु यह हिस्सा उसे तभी मिलता है जब उसका पति घरजमाई बनकर उसके घर आता है।

भूमिज आदिवासी मूलतः कृषक हैं। ये शिकार भी करते हैं। जिनके पास जमीन नहीं है वे मजदूर की तरह काम करते हैं। 1981 की जनगणना के अनुसार भूमिज अपनी कुल आबादी का 40.56 प्रतिशत मजदूर हैं जिसमें 53.98 प्रतिशत पुरुष तथा 26.84 प्रतिशत महिलाएँ हैं। इनकी सर्वाधिक संख्या कृषक मजदूर हैं जो 63.89 प्रतिशत है।

भूमिज जनजाति कई उपजातियों में बँटी है जिसमें चालकी कछप, हेम्ब्रोम, चपरा, सारल, खातो, घुघुश्याम, हेमला, तेसरा आदि प्रमुख हैं। इनकी ज्यादातर संख्या गाँव में रहती है। इनके समाज में विवाह एक समझौता होता है जिसमें वर पक्ष को कन्या की कीमत चुकानी पड़ती है। विवाह के बाद पुरुष प्रधान होने के कारण स्त्री को पुरुष के घर में रहना पड़ता है।

भूमिज आदिवासी हिन्दू धर्म को भी मानते हैं। कुछ भूमिज अपने पारम्परिक धर्म को भी मानते हैं। गाँव का पुरोहित (लावा) बारम की पूजा करता हैं। इसके अतिरिक्त धर्म देवता सिंगबोंगा और जाहूबुरू की भी पूजा होती है। 1981 की जनगणना के अनुसार 99.66 प्रतिशत भूमिज हिन्दू धर्म को मानते हैं। 0.17 प्रतिशत लोग ईसाई हैं। 0.13 प्रतिशत लोग अन्य धर्म तथा कुछ लोग बौद्ध और मुस्लिम हैं। (1981) अपनी कुल आबादी का 14.82 प्रतिशत लोग शिक्षित हैं जिसमें 25.541 प्रतिशत पुरुष तथा 3.99 महिलाएँ हैं। भूमिज आदिवासियों में महिलाओं की साक्षरता चिन्ताजनक है। मध्यम वर्ग के भूमिज अपने बच्चों को स्कूल भेजते हैं। परन्तु गरीब परिवार के लोग घर में अपने बच्चों से काम कराते हैं।

छोटानागपुर और संत लपरगना में रहने वाले भूमिज हिन्दी और कुरमाली भाषा का प्रयोग करते हैं। इनकी लिपि देवनागरी और बंगाली है। भूमिज आदिवासियों की अपनी भाषा भूमिज है। जो मुंडा भाषा से संबंधित है। भूमिज भाषा आस्ट्रो आस्ट्रिक भाषा परिवार से है। उड़ीसा में रहने वाले भूमिज उड़िया भाषा का प्रयोग करते हैं।

अन्य आदिवासी समुदाय की तरह इनकी अपनी स्वशासन व्यवस्था है। जिसका मुख्य प्रधान कहलाता है। अपनी जातीय पंचायत में ये आपसी झगड़े एवं विवादों का निपटारा करते हैं। समाज के नियम को तोड़ने वालों को इसी पंचायत से दण्डित किया जाता है। प्रधान का पद वंशानुगत होता है।

1981 की जनगणना के अनुसार जनसंख्या 136110 है जो इनकी कुल आदिवासी जनसंख्या का 2.35 प्रतिशत है। 1991 की जनगणना के अनुसार इनकी जनसंख्या 155961 है। जो कुल आदिवासी जनसंख्या का 2.58 प्रतिशत है।

हो

हो जनजाति के लोग सिंहभूम जिले के कोल्हान क्षेत्र में पाई जाती है। इनके उत्पत्ति एवं प्रवसन की कोई परंपराएँ प्रतीत नहीं होतीं जो उनके इतिहास में प्रकाश डाल सकती हैं। उनका एवं कई विद्वानों का मानना है कि वे मुंडा परिवार के ही हैं और वे छोटानागपुर से ही कोल्हान आए। इस संबंध में विद्वानों का मत है कि कालान्तर में तमाड़ से मुंडाओं का एक दल सिंहभूम चला गया और वहाँ जाकर वे 'हो' कहलाए।

हो लोग सगोत्र वंशों में विभाजित हैं जो किली कहलाता है। वे अपना नाम जीव-जन्तुओं, पेड़-पौधों अथवा वस्तुओं से लेते हैं। किली के सब सदस्य बंधन या संबंध से जुड़े होते हैं। वे पितृ प्रधान होते हैं जिसके कारण शादी के बाद पत्नी अपने पति के पास रहने के लिए आती है। उसकी पहचान पति के किली के अनुसार होती है। एक गाँव एक किली द्वारा बसाया जाता है अथवा दो या दो से अधिक किली का भी होता है। मुंडा और मानकी लोग प्रायः प्रधान किली के होते हैं। किली एक सामाजिक इकाई है और हातु (गाँव) राजनीतिक इकाई होती है। ब्रिटिश सरकार आने के पूर्व हो मुंडा अपने पारम्परिक पंचायत के आधार पर संगठित थे।

पारम्परिक स्वशासन : हो आदिवासी की पारम्परिक स्वशासन व्यवस्था प्राचीन काल से ही सिंहभूम के हो बहुलक्षेत्र में सक्रिय रूप से कार्यरत है जिसे मानकी मुंडा व्यवस्था कहते हैं। ब्रिटिश हुकूमत के दौरान इस व्यवस्था को मान्यता दी गई थी। वर्तमान समय में भी पारम्परिक पदाधिकारी सरकारी मान्यता प्राप्त हैं। पारम्परिक स्वशासन व्यवस्था को चलाने के लिए कई पद निर्धारित हैं।

मुंडा गाँव का प्रधान होता है इसे प्रशासनिक, न्यायिक तथा लगान लेने का अधिकार है। मुंडा परती जमीन का बन्दोबस्त कर सकता है।

डाकुआ मुंडा का सहायक होता है। डाकुआ के द्वारा ही मुंडा गाँवा वालों को किसी बैठकी या मामला के बारे में सूचित करता है।

मानकी लगभग पन्द्रह-बीस गाँव के ऊपर एक मानकी होता है। मानकी एक पीड़ का प्रमुख होता है तथा मानकी तहसीलदार के माध्यम से मुंडाओं द्वारा लिया गया लगान वसूलता है। जब कोई विवाद मुंडा द्वारा नहीं सुलझाया जा सकता तो उसे मुंडा द्वारा मानकी के पास बढ़ा दिया जाता है। तहसीलदार मानकी का सहायक होता है। मानकी तहसीलदार के माध्यम से मुंडाओं से मालगुजारी वसूलता है।

तीन मानकियों की एक समिति होती है जब कोई मामला मानकी द्वारा नहीं सुलझाया जा सका तो उसे तीन मानकियों की समिति बनाकर विचार-विमर्श द्वारा सुलझाया जाता है।

दिउरी गाँव के सामाजिक तथा धार्मिक त्योहारों में पूजा-पाठ करता है साथ ही धार्मिक अपराध के आरोपित व्यक्ति का दण्ड तय करता है। यात्रा दिउरी गाँव के देवी-देवताओं का पूजा पाठ करता है। धार्मिक अपराध के मामले में दिउरी के साथ-साथ यात्रा दिउरी का भी विचार-विमर्श किया जाता है।

धर्म : हो लोग विवाह के पश्चात विश्वास करते हैं कि प्राकृतिक वस्तुएँ उनके जीवन में कल्याणकारी प्रभाव डालती हैं। वे समय-समय पर प्रार्थना करते और धन्यवाद स्वरूप बलि चढ़ाते हैं। इस प्रकार सूर्य, चाँद, नदी, पहाड़-पर्वत हो लोगों का प्रधान बोंगा है। सिंगबोंगा इनमें सबसे महान है जो सृष्टिकर्त्ता भी है। प्रत्येक गाँव में एक सरना होता है जिसमें गाँव की संरक्षिका देशौली वास करती है। 1981 की जनगणना के अनुसार 8165 प्रतिशत लोग आदिवासी पारम्परिक धर्म को मानते हैं। 16.52 लोग हिन्दू तथा 1.43 लोग क्रिश्चियन धर्म को अपना लिए हैं।

भाषा : हो भाषा कोलेरियन भाषा परिवार के अन्तर्गत आती है। कोलेरियन भाषा ऑस्ट्रो आस्ट्रिक भाषा परिवार की है। दूसरे समुदाय से इनका सम्पर्क भाषा हिन्दी है। पश्चिम बंगाल के हो बंगाली भाषा बोलते हैं। उड़ीसा राज्य में हो आदिवासी उड़िया भाषा का प्रयोग करते हैं।

गोत्र : अन्य आदिवासियों के समान इनके टोटेम भी प्राकृतिक वस्तुओं, पेड़-पौधे एवं पशु-पक्षियों के आधार पर हैं। और ये गोत्र के द्वारा ही पहचाने जाते हैं। गोत्र को हो भाषा में किली कहा जाता है। कुनकेल, बानरा, पूर्ति, हंसदा इनके प्रमुख गोत्र हैं। इसके अलावे हेम्ब्रेम, पिगुआ, जामुदा, समंद, डांगा, हंसदा व सिंकू है।

जनसंख्या : हो आदिवासी अधिकतर सिंहभूम जिले के कोल्हान क्षेत्र में बहुसंख्यक हैं। 1981 की जनगणना के अनुसार 536523 जनसंख्या थी। 1991 की जनगणना के अनुसार इनकी जनसंख्या 630378 है जो झारखंड की आदिवासियों की कुल जनसंख्या का 10.43 प्रतिशत है।

बेदिया

बेदिया लोग अपने को वेद पंथी मानते हैं। इनका समुदाय हजारीबाग जिले के बड़काखाना क्षेत्र थाना अन्तर्गत मोहदीगढ़ के चारों ओर बसा था। बेदिया जनजाति का जो किंवदन्तीपरक इतिहास प्राप्त होता है उनके अनुसार बेदिया लोग मोहदीगढ़ से विभिन्न दिशाओं में गए। बेदिया लोग कहाँ से कब और कैसे आए, इसकी कोई स्पष्ट जानकारी नहीं होती है। सम्भवत: किसी भी प्राचीन अभिलेख में इनकी चर्चा नहीं मिलती। बेदिया बड़े बुजुर्गों में अपने पूर्वजों से जो सुन रखा है उन्हीं के द्वारा व्यक्त तथ्यों के आधार पर उनके आगमन स्थान और उनकी प्राचीनता आदि आदि का बोध होता है।

बेदिया समाज के प्राय: हर व्यक्ति ने यही बताया कि वे लोग मोहदीगढ़ से आए। श्री नर्मदेश्वर प्रसाद ने अपनी पुस्तक 'लैंड एण्ड पीपुल ऑफ ट्राइबल बिहार' में लिखा है—मोहदी बडकाकाना थाने के अन्तर्गत है। बेदिया आदिवासी कुर्मी जाति के मौसेरे भाई हैं। श्री नर्मदेश्वर

प्रसाद ने अपनी पुस्तक में इस तथ्य का उल्लेख किया है। किन्तु जब से कुर्मी लोगों ने यह जाना कि वे गाय का मांस खाते हैं तब से कुर्मी लोगों ने बेदिया से संबंध तोड़ दिया। श्री प्रसाद लिखते हैं कि संथालों की 12 उपजातियाँ थीं जो सम्भवत: चंपा से अलग-अलग हैं। सम्भवत: इन 12 उपजातियों में बेदिया का नाम आता है। इससे प्रतीत होता है बेदिया लोग संथाल की ही एक उपजाति है, जो बाद में अलग हुई। वे 1917 के बिहार और उड़ीसा गजट और हण्टर का उल्लेख करते हुए लिखते हैं कि वे मुंडा लोगों की तरह हैं। इस तरह बेदिया लोगों की जातिगत अथवा जनजातिगत स्थिति के विषय में स्पष्ट रूप से कुछ कहा नहीं जा सकता।

बेदिया जनजाति में दोनों ही प्रकार के परिवार देखने को मिलते हैं। बेदिया में भी पितृसत्तात्मक परिवार होता है किन्तु माता को भी उचित आदर प्राप्त होता है। परिवार में पुरुष मुख्य होता है और उसी का निर्णय सर्वमान्य होता है।

बेदिया आदिवासियों में जन्म से लेकर मृत्यु तक अनेक संस्कार होते हैं। बेदिया जनजाति में मृत्यु किसी व्यक्ति का अन्तिम संस्कार होता है। मृत्यु हो जाने पर शव को जलाया भी जाता है। अथवा उसे जमीन में गाढ़ दिया जाता है। जलाने और गाढ़ने की प्रथा के पीछे उस व्यक्ति की आर्थिक स्थिति होती है।

अन्य आदिवासियों की तरह ही बेदिया भी मूलत: प्राकृतिक पूजक हैं। प्रकृति के तत्त्वों की पूजा में बेदिया लोग विभिन्न पर्वतों, ग्राम-देवता आदि की भी पूजा करते हैं। सूर्य की उपासना बेदिया समाज में महत्त्वपूर्ण मानी जाती है।

गोत्र : झारखंड के अन्य आदिवासियों की तरह ही बेदिया जनजाति में भी अनेक गोत्र पाए जाते हैं। वे भी अन्य टोटेम पर आधारित हैं जिसमें पेड़-पौधे एवं जीव-जन्तु होते हैं। किसी खास प्राकृतिक वस्तु को उन्होंने अपना पूज्य माना वही उनके गोत्र हो गए। बेदिया आदिवासियों में जिन गोत्रों की जानकारी मिली है वे निम्नलिखित हैं—चिडरा, सुइया, आहेर, बाम्बी, महुआ, डाड़ी, डिबरा, फेच्चा, काछिम, बड़ या बड़वार, महुकल, सुड़ी, शेरहार।

संभवत: इन गोत्र के अतिरिक्त भी बेदिया जनजाति में और गोत्र हों। लेकिन बेदिया जनजाति के बड़े बुजुर्गों से इससे अधिक गोत्र की जानकारी नहीं मिल पाई।

धर्म पर्व-त्योहार : बेदिया आदिवासी भी एक धार्मिक समुदाय है। इनमें धार्मिक प्रवृत्ति एवं अनुष्ठानों की अधिकता देखने को मिलती है। बेदिया मूलत: प्राकृतिक पूजक हैं। इनके अधिकांश देवता प्रकृति के ही तत्त्व हैं। सिंगबोंगा इनका सर्वाधिक प्रसिद्ध देवता है। वे आत्मा, परमात्मा, दुष्टात्मा की भी पूजा करते हैं। हिन्दू पद्धति से प्रभावित होने के कारण बेदिया लोग अनेक देवी-देवताओं की पूजा करने वाले हैं जिसमें दुर्गा, काली, लक्ष्मी, मनसा, सरस्वती, गणेश, शिव, राम, महावीर और तुलसी की पूजा प्रमुख है।

बेदिया लोग साल भर धार्मिक अनुष्ठानों में लगे रहते हैं। इनके पर्व-त्योहार धार्मिक अनुष्ठान से जुड़े हैं। सरहुल, रामनवमी, मंडा पूजा या विसु पर्व, वनसगोथा, रथ यात्रा, हर-बेहन्ती, दुआरसिनी, रक्षाबन्धन, मनसा पूजा, कुल देवता पूजा, करम पर्व, तीज, चौठ जितिया, दुर्गा पूजा, दशहरा, सोहराई, पुसालू पर्व, जतरा बुड्ड, अखइन जातरा, होली आदि इनके प्रमुख त्योहार हैं। सूर्याही पूजा बेदिया समाज के लिए काफी महत्त्व रखता है।

बेदिया समाज की स्वशासन व्यवस्था

बेदिया लोग समाज पर आधारित रिवाज के सामाजिक नियमों से शासित होते हैं। जो परंपरा पर आधारित है। बेदिया सामाजिक शासन के कार्यपालक और न्याय कार्यवाही ओहदार, महतो, पाहन और गोड़ाइत से निर्मित पंचायत को सौंपी गई है। ये सभी पद वशांनुगत होते हैं। बेदिया समुदाय अपने इसी पारम्परिक व्यवस्था से संचालित होते हैं।

शिक्षा : सरकार द्वारा कल्याणकारी योजनाओं के द्वारा बेदिया समाज को ऊपर उठाने की कोशिश की गई है जिसका लाभ बेदिया समुदाय को मिला है। बेदिया समाज के बच्चों को समुचित शिक्षा प्रदान करने के लिए प्राथमिक विद्यालय की स्थापना की गई जहाँ बेदिया छात्र पढ़ते हैं। 1981 की जनगणना के अनुसार 0.66 बेदिया साक्षर हैं। फिर भी लगातार इसमें वृद्धि हो रही है। अन्य आदिवासियों की तुलना में इनमें साक्षरता का प्रतिशत संतोषजनक है। यह प्रतिशत 10.82 है।

जनसंख्या : 1981 की जनगणना के अनुसार इनकी जनसंख्या 60,446 है। इनमें 95.79 प्रतिशत गाँवों में है। 1991 की जनगणना के अनुसार इनकी जनसंख्या 71719 है जो झारखंड के कुल आदिवासियों की जनसंख्या का 1.19 प्रतिशत है।

करमाली

आदिवासी समुदाय में करमाली आदिवासियों का अपना एक खास स्थान है। कुशल कारीगरी एवं गृह उद्योग जैसी विशेषताओं के कारण ये विशेष रूप से उल्लेखनीय हैं। परंपरागत रूप से लोहा गलाने वाले तथा लोहारगिरी करने वाले आदिवासी हैं। यह छोटानागपुर के मुख्यत: हजारीबाग, राँची, बोकारो आदि जिलों में निवास करते हैं। इनकी थोड़ी संख्या पश्चिम बंगाल राज्य में भी पाई जाती है। इनके अपने निजी गाँव नहीं होते। कुछ परिवार कृषक गाँव के एक टोले में रहकर गाँवों की आवश्यकतानुसार लोहारगिरी का काम करते हैं। उन कृषकों के साथ इनका 'सिम्बायोटिक' संबंध है। करमाली के परंपरागत पेशों में लोहे को गलाकर उससे विभिन्न प्रकार के औजार बनाने, पुराने औजारों की मरम्मत करना, घरेलू सामग्री बनाना, लोहे से संबंधित अन्य कार्यों को करना आदि मुख्य हैं। कृषि सम्बधी लोहे के औजारों को बनाने की कला इनके लिए नई नहीं है। यह उन्हें विरासत में मिली है। अपने अनुभव कार्य-कौशल और सामाजिक विरासत के तौर पर वंश परंपराओं के अनुसार आगे चलते जाते हैं। इनके बच्चे अपने ही बुजुर्गों के बीच कार्य करते-करते उपकरणों, औजारों को बनाने में दक्ष हो जाते हैं। कहा जाता है कि ये महाराजा शेरशाह के लिए भी हथियार बनाते थे। भेंडरा गाँव जो बोकारो जिले में अवस्थित है सदियों से इस कार्य के लिए चर्चित है। हजारीबाग गजेटियर में उल्लेखित है कि पारसनाथ पहाड़ से 5 कि.मी. दक्षिण की ओर एक गाँव है। जहाँ से राजा-महाराजाओं के लिए अस्त्र-शस्त्र बनाए जाते हैं। यह गाँव निश्चित रूप से भेंडरा गाँव ही है क्योंकि यह पारसनाथ से 5 कि.मी. दक्षिण की ओर है। भेंडरा कॉटेज इण्डस्ट्रीज एक समय में बिहार का छठा स्थान प्राप्त इण्डस्ट्री था। यहाँ के बने हुए उपकरण चाय बागान, कोयला खान, रेल विभाग, सुरक्षा-विभाग आदि-आदि संस्थानों में भेजे जाते थे।

प्रारम्भ काल से ही करमाली आदिवासियों का प्रकृति और अपने क्षेत्र के नदी-नाले, झरनों, पहाड़-टोगरी आदि से अटूट संबंध रहा है।

बड़े इतिहासकारों ने करमाली समुदाय को मुंडा आदिवासी की ही एक शाखा माना है लेकिन अपनी किंवदंतियों के अनुसार लोहरा, लोहा व्यवसाय को अपनाने के कारण मुंडाओं के निम्न-स्तर के माने जाते हैं। करमाली जनजाति में हजारों वर्ष पूर्व लोहे का आविष्कार किया जिसे अत्यन्त प्राचीन काल से ही लोगों को लोहे के गुणों के बारे में जानकारी हो गई। भारतवर्ष में लौह-अयस्क प्रचुर मात्रा में पाए जाते हैं जिसमें छोटानागपुर का क्षेत्र सबसे प्रसिद्ध है। इस क्षेत्र में लौह-अयस्कों का पता सबसे पहले करमाली समुदाय के लोगों को मिला। जिसे असुरी भाषा में 'पोला' (मैगनेटाइट Fe_3o_4), 'विची' (हेमाटाइट Fe_2o_3) तथा 'गोटा' (सिडेराइट, $FeCo_3$) कहते हैं।

करमाली परिवार सामान्यतः पितृसत्तात्मक परिवार होता है। पिता परिवार का मुख्य होता है। वह सिर्फ परिवार का मुख्य नहीं बल्कि सामाजिक, धार्मिक, आर्थिक आदि कार्यों में परिवार का अगुआ होता है। महिला समाज की महत्त्वपूर्ण अंग हैं।

गोत्र : करमाली चूंकि पितृसत्तात्मक परिवार है। इसलिए पिता का गोत्र ही वंश में हस्तान्तरित होता है। करमाली आदिवासियों में सात प्रकार के गोत्र का पता चला है। ये सभी गोत्र निम्नलिखित हैं—1. कछुवार, 2. कैथवार 3. सोना, 4.संढ़वार, 5. खलखोहार, 6. करहर तथा टिर्की। प्रत्येक गोत्र के अलग-अलग टोटेम हैं जिसे खाना या मारना वर्जित है। इनके गोत्र अन्य आदिवासियों के समान पशु-पक्षी, पेड़-पौधे एवं प्राकृतिक वस्तुएँ होती हैं।

धर्म : करमाली अन्य आदिवासियों की तरह विशुद्ध प्रकृतिवादी होते हैं। अप्राकृतिक उपादानों के अलावा भूत-प्रेतों तथा पूर्वजों की पूजा करते हैं। करमाली में बोंगावाद भी धर्म का एक आधार है। इनका मानना है कि प्रकृति के अन्तर्गत आने वाली वस्तुओं में जीवात्माएँ हैं लेकिन इसमें समान शक्ति नहीं होती है। इसके सर्वोच्च देवता सिंगबोंगा हैं। यह सर्वत्र विराजमान है तथा अदृश्य एवं व्यक्तिहीन है। करमाली-धार्मिक कार्य सम्पन्न कराने वाला व्यक्ति 'पाहन' या नाया कहलाता है।

पर्व-त्योहार : आदिवासी संस्कृति में पर्व-त्योहार महत्त्वपूर्ण अंग होता है। इनके पर्व-त्योहार सामाजिक, धार्मिक अभिव्यक्ति के रूप में इनकी परंपरा से जुड़े हैं। करमाली द्वारा निम्नलिखित पर्व मनाए जाते हैं—सरहुल, करमा, सोहराई।

प्रायः कोई भी ऐसा पर्व-त्योहार नहीं होता जिसमें गीत और नृत्य का समावेश न हो। करमाली लोगों का रिश्ता प्राकृतिक वस्तुओं, नदी-नालों, पहाड़ों, झरनों से जुड़ा है। अतः इनके नृत्य संगीत में इन छटाओं का वर्णन इनके लोक गीतों में स्पष्ट झलकता है। जन्म उत्सव में करमाली समाज गीत के माध्यम से अपनी ऐतिहासिक विरासत को याद दिलाते हैं।

पंचायत : करमाली आदिवासियों की भी अपनी पारम्परिक शासन व्यवस्था है जिसमें आपसी झगड़े एवं समस्याओं पर विचार-विमर्श होता है। इनकी पंचायत तीन स्तर की होती है—1. ग्रामीण स्तर, 2. परगना स्तर, 3. शिखर स्तर।

शिक्षा : करमाली का अपना परिवार ही परंपरागत शिक्षा का केन्द्र कहा जा सकता है। नई

पीढ़ी परिवार के बड़े बुजुर्ग के साथ कार्य करते हुए अपनी रीति-रिवाज खेती-बारी तथा लोहागृह आदि की शिक्षा पाते हैं। स्कूली शिक्षा के क्षेत्र में ये अभी पिछड़े हैं। 1981 की जनगणना के अनुसार 10 प्रतिशत लोग शिक्षित हैं। करमाली अपनी जनसंख्या का 7 प्रतिशत पुरुष तथा 2 प्रतिशत महिलाएँ शिक्षित हैं।

जनसंख्या : 1981 की जनगणना के अनुसार इनकी कुल आबादी 38651 है। सन् 1991 की जनगणना के अनुसार बिहार में इनकी कुल आबादी 47485 है। जिसमें 24293 पुरुष तथा 23192 महिलाएँ हैं।

भाषा : करमाली लोग ज्यादातर कोरठा भाषा का प्रयोग करते हैं। यह भाषा इण्डो आर्यन भाषा परिवार की है। इनकी अन्य जनजातियों से सम्पर्क भाषा हिन्दी है।

महली

महली लोग राँची, संतालपरगना, सिंहभूम, धनबाद, हजारीबाग जिलों में पाए जाते हैं। इसके अतिरिक्त बिहार, उड़ीसा तथा पश्चिम बंगाल में भी छिट-पुट संख्या में निवास करते हैं। रिजले का कहना है कि महली शब्द संथाल के मदत शब्द से बना है। मदत का शाब्दिक अर्थ बांस होता है। उसी से महली शब्द की उत्पत्ति हुई। (ओरिजिन ऑफ महली, डिसर्टेसन, पांडुलिपि 1986)।

महलियों के प्रजातीय संबंधों के विषय में अधिकारी विद्वानों के बीच काफी मतभेद है। रिजले कभी उन्हें द्रविड़ परिवार से जोड़ता है और कभी उन्हें संथाल ही कहता है। ये अभिमत एक-दूसरे के विपरीत हैं। रसेल और हीरालाल महलियों को मुंडा जनजाति से संबंधित मानते हैं और यह बताते हैं कि मुंडा और संथाल मूलतः एक ही हैं। निष्कर्ष के तौर पर सूर्य सिंह बेसरा महली जनजाति को प्रजातीय रूप में से आग्नेय प्रजाति के प्रोटो आस्ट्रोलॉयड ग्रुप से संबंधित मानते हैं। संथाल और मुंडा जनजातियाँ इसी प्रजाति की प्रमुख शाखाएँ हैं। और महली जनजाति उन्हीं की उपशाखा है। इस संबंध में प्रचलित एक किंवदंती का उल्लेख करते हुए बताया गया है कि एक संथाल युवती को उसके प्रेमी ने धोखा दिया जब वह गर्भवती थी। उसी युवती से जो सन्तान उत्पन्न हुई वह बांस के उपकरणों का निर्माण करके अपनी जीविका चलाने लगे। यही आगे चलकर महली कहलाए।

रिजले के अनुसार महली जनजाति मुख्यतः पाँच उप शाखाओं में विभाजित हैं—1. बांसफोड़ जो टोकरी बनाते हैं और बांस से सब प्रकार के काम करते हैं, 2. पातर महली टोकरी बनाने वाले और खेतिहर, 3. सुलंकी जो खेत जोतते और मजदूर का काम करते हैं, 4. तांति महली इनका कार्य पालकी ढोना है, 5. महली मुंडा जो एक उपजाति होती है और लोहरदगा के क्षेत्र में ही इनका निवास स्थान सीमित है।

गोत्र : गोत्रों के आधार पर विचार करने पर यह स्पष्ट होता है कि अन्य आदिवासियों की तरह इनके गोत्र भी टोटेम पर आधारित हैं। इनके कुछ गोत्र तो संथालों के समान हैं। जैसे हंसदा हेम्ब्रोम, सोरेंग, टुडू या तुरू और कुछ मुंडाओं के समान हैं जैसे डुमरियार, गुदवी, महुकल, टिर्की, टुंडुआर, तुरू, भीकतुरी, लागोहोर, सांगा इसी तरह इनके चार गोत्र हंसदा, इंदुआर, केरकेटा और तिर्की तुरी लोगों से मिलते-जुलते हैं। इसी आधार पर रिजले महली जनजाति

प्रोटो-आस्ट्रोलॉयड समुदाय के संथाल, मुंडा, हो आदि के निकट मानते हैं।

धर्म : संस्कृति का संबंध उनकी परंपरागत विरासतें, उनके धर्म विचार विश्वास, रीति-नीति, रहन-सहन, खान-पान, बोली-भाषा, नृत्य-गीत, पर्व-त्योहार आदि में झलकता है। अन्य जनजातियों की तरह इनके धर्म में भी आदि धर्म और हिन्दू धर्म का समावेश है। रिजले कहते हैं कि महली जाति में अर्द्धविस्मृत प्रकृति-पूजन, और अपूर्ण रूप से हिन्दू धर्म का मिश्रण है। रिजले के कथन से स्पष्ट है महली सरना के साथ ही सूरजी देवी, मनसा पूजा, दुर्गापूजा में पूरे उत्साह से भाग लेते हैं। शिव-पार्वती की उपासना हिन्दू प्रभाव के कारण तथा सिंगबोंगा की उपासना आदिवासी आदि धर्म का द्योतक है।

पर्व-त्योहार एवं नृत्य : देवी-देवताओं एवं भूतप्रेतों पर विश्वास के अनुरूप ये सरहुल, करम, जितिया, सोहराई आदि में आदिवासियों की पद्धति अपनाते हैं। जबकि होली, दीवाली , टुसु, दशहरा, रामनवमी आदि में सदानों की परंपराओं का निर्वाह करते हैं।

महली आदिवासी दो कलाओं में समान रूप से दक्ष और निपुण होते हैं। इनके द्वारा निर्मित बांस के उपकरणों एवं स्थानीय वाद्य यंत्रों मांदर, ढोल, नगाड़ा आदि में उपयोगी कला और इनके नृत्य में ललित कला का वैभव देखा जा सकता है। इनकी मुख्य आबादी छोटानागपुर और इसके आसपास ही है। पश्चिम बंगाल, उड़ीसा और मध्य प्रदेश में इनकी आबादी नगण्य है। 1941, 1961, 1971, और 1981 की जनगणना के अनुसार बिहार में इनकी आबादी क्रमशः 9331, 4793, 3239, 91868 थी।

कोरा

कोरा जनजाति के लोग झारखंड के छोटानागपुर तथा बंगाल में निवास करते हैं। ये आदिवासी विभिन्न सजातीय गोत्र में बँटे हैं। जिनके नाम मुदीकोरा, कुरमीकोरा, नागवंशी, मुरालीकोरा, धांगर कोरा हैं। (रिजले 1891)

कोरा आदिवासी विभिन्न गोत्रों में बँटे हैं जैसे कच्छप, आलू, बरदालू, बुटका, हंसदा, कैसयाली, कासीबक, सागा, साल, सनदू, कौरी, समदवार टोपोवार इत्यादि वंशों में बँटे हैं। ये वंश विभाजन टोटेमवार प्रकृति के होते हैं। जो पेड़-पौधों एवं जीव-जन्तुओं से लिए गए हैं। ये असगोत्रीय विवाह नहीं करते। पुरुष अपने ही टोटेम की स्त्री के साथ विवाह नहीं करता।

कोरा आदिवासी पुरुष प्रधान समाज है। जहाँ पुरुष का टोटेम ही वंश का द्योतक होता है। पिता की मृत्यु के बाद पुत्र को उसकी सम्पत्ति पर हक होता है।

ये अपनी जीविका के लिए खेती-बारी, कृषक, मजदूर, बटाईदार, लकड़ी काटते तथा ठेके में कुआँ-तालाब खोदते हैं। 1981 की जनगणना के अनुसार 26.10 प्रतिशत कृषक तथा 63.51 प्रतिशत कृषक मजदूर का कार्य करते हैं। बाकी अन्य धंधे करके अपनी जीविका चलाते हैं। इस समाज में बाल मजदूर ज्यादा होते हैं। कोरा समाज में पारंपरिक जातीय समिति होती है जो सामाजिक मामलों पर नियंत्रण रखती है। जो सामाजिक नियमों का उल्लंघन करता है उसे समाज बाहर किया जाता है या उस पर आर्थिक दण्ड लिया जाता है।

इनके पारंपरिक आदि धर्म में हिन्दू धर्म का प्रभाव है। ग्रामबोंगा गाँव का देवता है। वे

मानसा काली एवं अन्य देवी-देवताओं की उपासना करते हैं। 1981 की जनगणना के अनुसार 98.12 प्रतिशत हिन्दू धर्म को मानते हैं। 0.97 प्रतिशत ईसाई धर्म को मानते हैं, 0.1 प्रतिशत मुस्लिम, 0.78 प्रतिशत अन्य धर्म को तथा 0.12 प्रतिशत किसी धर्म को नहीं मानते।

1981 की जनगणना के अनुसार 10.90 प्रतिशत लोग शिक्षित हैं जिसमें महिलाएँ 2.82 प्रतिशत तथा पुरुष 18.80 प्रतिशत शिक्षित हैं।

कोरा आदिवासियों को झारखंड में धागर कहते हैं। 1981 की जनगणना के अनुसार इनकी जनसंख्या 33952 है जिसमें पुरुषों की संख्या 17138 तथा महिलाओं की संख्या 16814 है। 1991 की जनगणना के अनुसार इनकी आबादी 32532 है जो अपनी कुल आबादी का 0.60 प्रतिशत है।

बिंझिया

बिंझिया आदिवासी लोग निजी समाज के अन्तर्गत अपने को विध्यांसी कहते हैं। उनका कहना है कि छोटानागपुर में बस जाने पर दूसरी जाति के लोगों ने उन्हें बिंझिया कहा। वे कहते हैं कि उन्हें बिंझिया पुकारे जाने पर दूसरे समाज के साथ कई बार लड़ाई करनी पड़ी। आज भी इस सम्बोधन से आक्रोश होता है। लेकिन वे पूर्णतः लड़ाई नहीं करते। बिंझिया लोग दूसरे आदिवासी लोगों से अपना संबंध नहीं रखते। ब्राह्मण, राजपूत अथवा अपने ही समुदाय के घरों के अलावा उनको बिना घी में पकाए भोजन लेने की अनुमति नहीं है। डोम, चमार, घासी, लोहार, मुंडा, उराँव, खड़िया इत्यादि समुदायों का स्पर्श इन्हें अशुद्धता का आभास देता है।

बिंझिया समुदाय विभिन्न सम्प्रदायों में बँटे हैं तथा एक-दूसरे को सम्बन्धी मानते हैं। नाग, दादुल, कांशी, भराण, कच्छप, कोशिक, अग्निहोत्री सात सम्प्रदाय हैं। पारगमन संबंधी विवाह की मनाही नहीं है। समाज के नियम का उल्लंघन करने वाले व्यक्ति का समाज से बहिष्कार किया जाता है। बहिष्कृत व्यक्ति को बिंझिया समाज अपने में कभी शामिल नहीं करता है।

बिंझिया समाज पूर्णतः पुरुष प्रधान समाज है। इस समाज में संयुक्त परिवार को महत्त्व दिया जाता है। परिवार का बुजुर्ग पुरुष परिवार का प्रधान होता है। जिसके नेतृत्व में बाकी परिवार के सदस्य चलते हैं। पिता की मृत्यु होने पर पुत्रों को उनकी सम्पत्ति का बँटवारा किया जाता है। ज्येष्ठ पुत्र को अन्य पुत्रों से अधिक हिस्सा प्राप्त करने का हक है। पुत्रियों को अविवाहित रहने तक भरण पोषण का हक है।

समुदाय के बाहर शादी नहीं रचाई जा सकती। विवाह जीवन का एक आवश्यक पहलू माना जाता है। और जैसे ही एक बिंझिया युवावस्था में प्रवेश करता है विवाह योग्य माना जाता है। विवाह संस्कार की धर्मक्रियाएँ ब्राह्मण और नौवा द्वारा सम्पन्न की जाती हैं। सिंदूर दान, वर-वधू के वस्त्रों का गांठ-बन्धन धर्म विधियों के प्रमुख अंग हैं।

मृत्यु से अपवित्रीकरण समझा जाता है तथा इसका निदान धार्मिक संस्कारों से ही संभव है। अस्वाभाविक कारणों से मरे बच्चों और व्यक्तियों का दफन किया जाता है तथा सामान्य मृत्यु पर शव को दहन किया जाता है।

बिंझिया लोगों के मादी और गुड्डी नामक प्रधान वंशानुगत समुदाय पंचायत में होता है

जिसका प्रमुख आवास टरगा और परणा गाँव में अवस्थित है। जातीय संबंधी निर्णयों के लिए बिंझिया समुदाय में हर एक परिवार के प्रतिनिधियों से बना एक प्रतिनिधि विधान होता है जिसका अध्यक्ष पद वंशानुगत होता है जिसे करटहा कहते हैं। काफी वादविवाद के बाद विधान की सहमति पर अध्यक्ष अपने निर्णय की घोषणा करता है।

बिंझिया लोग टोटेम के आधार पर अपने गोत्र रखते हैं। इनके प्रमुख गोत्र नायक, प्रधान, रौत और मांझी हैं। बिंझिया जनजाति के लोग मुख्यतः सादरी भाषा का प्रयोग करते हैं जो इण्डो-आर्यन परिवार की है। बिंझिया आदिवासी पारम्परिक आदि धर्म और हिन्दू धर्म को मानते हैं। 1981 की जनगणना के अनुसार 97.55 प्रतिशत हिन्दू धर्म को, 0.74 प्रतिशत ईसाई धर्म को तथा 1.71 प्रतिशत अन्य धर्म को मानते हैं।

इनके पर्व-त्योहारों में होली, दीवाली, रामनवमी, करमा, जितीया और सरहुल प्रमुख हैं। ये अपने पारम्परिक तरीके से लोक नृत्य (पारम्परिक नाच) एवं गीत गाते हैं।

1981 की जनगणना के अनुसार 14.5% शिक्षित हैं जिसमें 25.37% पुरुष और 3.67% महिलाएँ हैं। 1981 की जनगणना के अनुसार इनकी आबादी 10009 है। अपनी जनसंख्या का 75.23% कृषक, 18.81% कृषक मजदूर, 1.55% और 4.41% अन्य कारोबार करते हैं। 1991 की जनगणना के अनुसार इनकी आबादी 12990 है जो कुल आदिवासी जाति का 0.21% है।

बाथुडि

झारखंड राज्य में बाथुडि एक छोटी आदिवासी जाति है। ये बाथुडि लोग पर्वत-मालाओं के चारों ओर सिंहभूम जिले के दालभूम क्षेत्र एवं स्वर्ण रेखा नदी के तट पर बसे हुए हैं। रिजले लिखते हैं वे उड़िया राज्य में अत्यधिक संख्या में बसे हैं।

मयूरगंज राज में बाथुडि आदिवासी अध्ययन का सार मिलता है। उनका आगमन हिन्दुओं के प्रभाव से हुआ जिन्होंने ब्राह्मण पुजारियों की सेवा मान ली। वे अपने को आदिवासी पुकारा जाना पसंद नहीं करते। बाथुडि आदिवासियों में गोत्र प्रणाली पाई जाती है। गोत्र टोटेम पर आधारित है। ये टोटेम आधारित गोत्र में विभाजित हैं जिसमें सालुका, कुशमर्डिया, नाग, थरियार, पनिपुक, संखियार, धानफूल आदि। ये अपने उपनाम स्वरूप नामक गिरि, विशाल, रौत, खवली, बन्सुरी, पातरा, मुण्डियार, खनडई, संगिया आदि। ये अपने गोत्र के रूप में नायक प्रधान, दास-छटिया, चौकिया, दिहरी, डकुआ आदि प्रयोग करते हैं। विवाह टोटेमवादी गोत्रों से नियमतः संचालित किया जाता है। उनमें असहगोत्र की भी प्रथा है।

अपनी जाति की एकता को बनाए रखने के लिए उनकी एक राजनीतिक प्रणाली है जो आदिवासी परंपरागत रीति-रिवाजों के अभिभावक की हैसियत से कार्य करता है। देहारी के नेतृत्व में इनकी पारम्परिक पंचायत चलती है। देहारी गाँव का पुजारी भी होता है। यह पद वंशानुगत है। आपसी झगड़े एवं विवादों के निपटारे पारम्परिक कानूनों के प्रावधानों के तहत किए जाते हैं।

बाथुडि समाज में मुर्दे का दहन ससन या मोराकुल में किया जाता है। 10 वर्ष तक के बच्चों का दफन होता है। चेचक, हैजा, और कुष्ठ रोग से मरण मुर्दे का न दहन किया जाता है और न

ही उन्हें दफनाया जाता है बल्कि उनका मृत शरीर जंगल में फेंक दिया जाता है। यदि गर्भकाल में एक स्त्री की मृत्यु हो जाती है तो उसका पति छुरी से उसके पेट को चीर कर फाड़ता है और गर्भ से बच्चा बाहर निकाला जाता है और ससन में दोनों का दफन किया जाता है।

बाथुडि लोग झारखंड के सिंहभूम जिले में निवास करते हैं। इनके रीति-रिवाज में कोई परिवर्तन नहीं हुआ है। ये दावा करते हैं कि उड़ीसा के मयूरभंज जिले से झारखंड में आए। 1981 की जनगणना के अनुसार बिहार में इनकी संख्या 1595 है जिसमें 828 पुरुष तथा 767 महिलाएँ हैं। 1991 की जनगणना के अनुसार इनकी संख्या 1528 है जो कुल आदिवासी जनसंख्या का 0.04% है। 29 व्यक्ति शहरी क्षेत्र में तथा बाकी ग्रामीण क्षेत्र में रहते हैं। ये हिन्दी, कुरमाली और बंगाली भाषा का प्रयोग करते हैं। ये मुख्यतः श्यामसुन्दरपुर क्षेत्र में रहते हैं जो घाटशिला सबडिविजन में पड़ता है।

बाथुडि लोग छोटे कद एवं डील-डौल शरीर, सामान्य नाक एवं चौड़े चेहरे वाले होते हैं। इनका रंग गहरा भूरा एवं काला होता है। ये मांसाहारी होते हैं परन्तु सूअर एवं गाय के मांस से परहेज करते हैं। ये चावल, दाल एवं विभिन्न साग-सब्जियों का सेवन करते हैं। पकाने के लिए सरसों तेल एवं महुआ तेल का प्रयोग करते हैं। महुआ दारू, हड़िया, चाय तथा दूध पीते हैं।

बाथुडि लोग पाबरा पहाड़ी जंगल के क्षेत्र में निवास करते हैं जहाँ से वे महुआ, साल-नीम का फल जमा करते और बेचते हैं। स्वर्ण रेखा नदी से सोना भी जमा करते हैं। इसके साथ वे खेतीबारी भी करते हैं। 1981 की जनगणना के अनुसार 80.16% खेतिहर मजदूर, 12.71% कृषक तथा 2.79% अन्य व्यवसाय करते हैं। 1981 की जनगणना के अनुसार 99.87 प्रतिशत लोग हिन्दू धर्म को मानते हैं तथा 0.13% अन्य धर्म को मानते हैं। बाथुडि आदिवासियों में 13.61% लोग शिक्षित हैं। ये पारम्परिक दवा-दारू का प्रयोग करते हैं। साथ ही अस्पताल भी जाते हैं।

संदर्भ

1. झारखंड विरासत (1994), फादर अलबिनुस मिंज।
2. बैगा (झारखंड जनजातीय कल्याण शोध संस्थान राँची) प्रोफेसर बी.एस. उपाध्याय।
3. भारतीय जनजातियाँ : संरचना एवं विकास (2000)। (राजस्थान हिन्दी ग्रन्थ अकादमी, जयपुर) डॉ. हरिश्चन्द्र उप्रेती।
4. मध्यप्रदेश की जनजातियाँ (1999), मध्यप्रदेश हिन्दी ग्रन्थ अकादमी, डॉ. शिवकुमार तिवारी एवं डॉ. कमल शर्मा।
5. THE SCHEDULED TRIBES (1994), K.S.SINGH
6. प्रभात खबर : झारखंड परिशिष्ट (14 नवम्बर 2001)।
7. उराँव (1993), (बिहार जनजातीय शोध संस्थान राँची), डॉ. प्रकाशचन्द्र उराँव।
8. हिन्दू समाज का गौरवशाली स्तम्भ उराँव जनजाति (2000), सुनील कुमार बरनवाल।
9. मुंडा, बिहार जनजातीय कल्याण शोध संस्थान (1993), राँची—सोमा सिंह मुंडा।

10. THE CHERO (1973) BIHAR TRIBAL WELFARE RESEARCH INSTITUTE, RANCHI
11. लोहरा (1993), बिहार जनजातीय कल्याण शोध संस्थान, राँची, प्रो. एच.आर. नौमानी।
12. खरवार (2000), झारखंड जनजातीय कल्याण शोध संस्थान, राँची, डॉ. आदित्य प्रसाद सिन्हा।
13. बिहार के बेदिया (1997), बिहार जनजातीय कल्याण शोध संस्थान, राँची, डॉ. चन्द्रकान्त शुक्ल।
14. करमाली जनजाति (2001), झारखंड जनजातीय कल्याण शोध संस्थान, राँची, डॉ. चतुर्भुज साहु।
15. डहर (जुलाई 1996), (छोटानागपुर सांस्कृतिक संघ की त्रैमासिक पत्रिका) विसेश्वर प्रसाद केसरी।

झारखंड की आदिम जनजातियाँ
पोषण एवं अस्तित्व की सुरक्षा ही बड़ा सवाल

रणेन्द्र

झारखंड के 30 आदिवासी समूहों में से 8 को आदिम जनजाति की संज्ञा दी गई है। आदिम जनजाति उन जनजाति समूहों की संज्ञा है जिनके बीच निम्नलिखित सामाजिक-आर्थिक स्थितियाँ पाई गईं—

1. जिनके जीवनयापन के तरीके अभी कृषि-पूर्व अवस्था में ही हों,
2. जिनके बीच साक्षरता दर अत्यन्त न्यून स्थिति में हो, एवं
3. जिनका जन्म दर कुपोषण एवं जैनेटिक कारणों से ठिठक गया (stagnant) हो या मृत्यु दर से कम हो।

इन आठ आदिम जनजातियों (असुर, बिरजिया, बिरहोड़, कोरवा, परहैया, माल पहाड़िया, सौरिया पहाड़िया एवं शबर) में से आज भी कई कृषि पूर्व अवस्था में जीवन गुजार रही हैं। इनके परिवार की आर्थिक गतिविधि मुख्य रूप से कृषि पर नहीं बल्कि येन-केन भोजन संग्रहण से जुड़ी है। बिरहोड़ तो अब सरकारी कालोनियों या इंदिरा आवास में स्थिर रूप से जीवन बिताने लगे हैं किन्तु परहैया अभी भी भ्रमणशील जीवन ही बिता रहे हैं। भ्रमणशील जीवन का अतीत, रोजगार की तलाश से बहिर्गमन के लिए भी प्रेरित करता है, ऐसा भी पाया गया है। इन आदिम जनजातियों का लगभग शत प्रतिशत परिवार गरीबी रेखा के नीचे जीवन व्यतीत कर रहा है। किन्तु बिरहोड़, बिरजिया, परहैया, शबर की स्थिति भोजन-पोषण, सुरक्षा की दृष्टि से अत्यन्त ही शोचनीय है। यहाँ गरीबी का अत्यन्त ही निकृष्टतम रूप देखने को मिलता है जो नृशास्त्रीय दृष्टि को नहीं बल्कि मानवीय दृष्टि को उद्वेलित करता है।

अब एक-एक कर इनका परिचय प्राप्त किया जाए। उससे पूर्व 1941-1991 की उनकी जनसंख्या पर एक नजर डाली जाए—

	नाम	*1941*	*1961*	*1971*	*1981*	*1991*
1.	असुर	4,388	5,819	7,026	7,783	8,862
2.	बिरहोड़	2,550	2,438	3,463	4,377	4,984
3.	बिरजिया	2,075	4,029	3,628	4,057	4,620
4.	कोरवा	अप्राप्त	21,162	18,717	21,940	24,983

5.	माल पहाड़िया	40,148	45,432	48,636	79,322	90,324
6.	परहैया	10,134	12,268	14,651	24,012	27,326
7.	सौरिया पहाड़िया	58,654	55,606	59,047	39,269	44,716
8.	शबर	अप्राप्त	अप्राप्त	अप्राप्त	अप्राप्त	3,432
	कुल	1,19,594	1,46,306	1,58,716	1,83,774	2,09,247

असुर

ऋग्वेद से लेकर पुराणों तक में आर्य विद्वेषी के रूप में असुरों की चर्चा खूब मिलती है। ईसा पूर्व मगध में बृहद्रथवंशी असुर सम्राट जरासंध से भी हम इतिहास में परिचित होते हैं। किन्तु क्या वेदों–पुराणों और इतिहास में वर्णित असुर हमारे ये आदिम जनजाति के सदस्य असुर हैं या कोई और, यह अलग ही शोध का विषय है जिस पर अभी काम नहीं हुआ है। 'झारखंड के असुर नव–पाषाण काल से लेकर लौह युग तक छोटानागपुर तक फलते–फूलते रहे। उन्होंने लोहा गलाने से लेकर भवन निर्माण तक की कला विकसित की। उनके बनाए असुरगढ़ों के अवशेष अभी यत्र–तत्र देख सकते हैं।' ईसा पूर्व के स्थापत्य, मृदभांड, औजार मिले हैं, वह यह बतलाना चाह रहे हैं कि सिन्धु घाटी सभ्यता के समानान्तर एक दामोदर घाटी सभ्यता भी झारखंड में विकसित हुई थी। डॉ. बी. वीरोत्तम के अनुसार, 'असुर जनजाति अवश्य सुन्दर भवनों एवं बड़ी बस्तियों में निवास करती थी। खूंटी से 10 किलोमीटर की दूरी पर बिचना गाँव में एक टील्हा है जहाँ असुरों का गढ़ होना बताया जाता है।'

काँची नदी के किनारे पुरातत्त्ववेत्ताओं द्वारा उल्लेखनीय सौ शिव मन्दिरों का उल्लेख या गुमला के आंजन ग्राम की पहाड़ी अंचल में शिवलिंगों की शृंखला की उपस्थिति भी झारखंड क्षेत्र में शिवपूजकों के अस्तित्व की ओर इंगित करती है। पुराणों में असुर भी शिवपूजक ही माने जाते रहे हैं। डॉ. बी. वीरोत्तम के अनुसार असुरों एवं बिरजियाओं ने 1200 ई. पूर्व से 500 ई. पूर्व के बीच लौह–तकनीक का अच्छा विकास कर लिया था। छोटानागपुर का लोहा सुदूर मेसोपोटामिया तक पहुँचता था जहाँ इससे दमिश्क की विख्यात तलवार बनती थी।

पश्चिम एशिया के असारिया, छत्तीसगढ़ के अगारिया, झारखंड के असुर (वीर असुर एवं बिरजिया असुर) एवं लोहरा ऐसी जातियाँ हैं जो लौह निष्कासन के पेशे से जुड़ी हैं। झारखंड के पहाड़ियों में पाए जाने वाले लौह अयस्कों को सखुआ चारकोल की सहायता से बिलकुल सरल विधि से लौह निष्करण आज भी विशेषज्ञों को आश्चर्य में डाल देता है।

संभवत: नन्दवंश एवं मौर्यवंश के समय मगध साम्राज्य के विस्तार में झारखंड के 'लोहा' एवं 'हाथियों' ने महत्त्वपूर्ण भूमिका निभाई होगी। छोटानागपुर में मुंडाओं के आगमन ने असुरों को पीछे हटने पर मजबूर किया। बाद में उराँवों की लहर ने उन्हें नेतरहाट के पार क्षेत्र में सिमट कर रहने को विवश कर दिया।

असुरों के उपवर्ग

असुरों की तीन उपजातियाँ हैं—वीर असुर, बिरजिया असुर और आगरिया असुर। यहाँ वीर का अर्थ जंगल है जो शब्द 'बिरहोड़' यानी 'जंगल का आदमी' में ही संलग्न है। बिरजिया असुर अब केवल बिरजिया के रूप में अलग आदिम जनजाति के रूप में अपनी पहचान स्थापित कर चुके हैं।

'आगरिया' भी छत्तीसगढ़ में अलग जनजाति के रूप में वास कर रहे हैं।

असुर झारखंड के गुमला, लोहरदगा, लातेहार, सिंहभूम, धनबाद जिले में बसे हैं। गुमला जिले में इनकी आबादी चैनपुर प्रखंड, विशुनपुर प्रखंड, घाघरा प्रखंड, डुमरी प्रखंड में बसी है। लोहरदगा जिले में किस्को प्रखंड एवं सेन्हा प्रखंड में ये बसे हैं। लातेहार जिले के लातेहार, महुआटांड, चन्दवा एवं बालूमाथ में इनकी थोड़ी आबादी है। कुछ दर्जन परिवार सिंहभूम व धनबाद जिले में भी आ बसे हैं।

अंग्रेजी हुकूमत के काल में चाय बागान मजदूरों के रूप में इन्हें पश्चिम बंगाल के दार्जिलिंग जैसे क्षेत्रों में बसाया गया। 1981 की जनगणना के अनुसार प. बंगाल में इनकी जनसंख्या 4286 है।

असुर आपस में आसुरी भाषा में बातचीत करते हैं। आसुरी आस्ट्रो-एशियाटिक भाषा परिवार की भाषा है। अन्य लोगों से ये सादरी या हिन्दी में बातचीत करते हैं। लिपि इनकी देवनागरी ही है।

ये थोड़े छोटे कद के दीर्घ शिरस्क (dolichocephalic), मध्यम नासिका और चेहरे वाले होते हैं। रिजले ने इनके गोत्रों को निम्नवत बाँटा है—आईन्द (इल), बारोआ (वाइल्ट कैट), बसरियार (बम्बू), वेलियार (बेल फल), कछुआ, काई, हवार (कैथा), केरकेट्टा (पंछी), मुकरूआर (मकड़ी), नाग, रोते (मेढक), सियार, तिर्की (पंछी), टोप्पो (पंछी)।

पलामू के राजस्व पदाधिकारी श्री एल.आर. फोर्वस द्वारा छोटानागपुर के आयुक्त श्री पी.टी. डाल्टन को भेजे गए प्रतिवेदन (1869) के अनुसार असुर जनजाति आदिम औद्योगिक एवं अस्थायी कृषक थे।

जाड़े के दिनों में ये लोहा गलाने का कार्य करते थे। वर्ष की शेष अवधि में ये अस्थायी कृषि करते थे। जंगल को जला कर ये कृषि के लिए जमीन तैयार करते थे। ये मकई, मडुआ, सरगुजा, कुल्थी आदि उपजाते थे। जंगल जलाने के बाद कुछ दिन उसमें खेती करते थे। पैदावार घटने पर वे दूसरी जगह खेती प्रारम्भ करते थे। अतः इस कुरूआ खेती के कारण वे भी भ्रमणशील नोमेडिक स्वभाव के थे। इस क्षेत्र में सिंचाई के अभाव के कारण खेती पूर्णतया वर्षा पर निर्भर है। अतएव साल भर के लिए खाद्यान्न की सुरक्षा नहीं थी। नतीजतन शेष दिनों में भोजन की व्यवस्था जंगल के कन्द-मूल, शिकार आदि से पूरी करने की कोशिश करते थे। महुलाइन पत्तियों की छतरी एवं खजूर की पत्तियों से चटाई बनाने के कार्य में भी महिलाएँ संलग्न रहती हैं। 1952 के वन कानूनों एवं पाट क्षेत्र में बॉक्साइट माइन्स के कारण असुरों के आर्थिक जीवन में कई परिवर्तन आए हैं जिनका हम अलग से अध्ययन करेंगे।

असुर सिंगबोंगा, मरांग बोंगा आदि देवताओं में आस्था रखते हैं। इनका विश्वास है कि इनके अनगिनत देवी-देवता पहाड़ी पेड़ों एवं आवास के आसपास निवास करते हैं। इनके मुख्य पर्व हैं—सोहराय, सरहुल, करमा, फगुआ, नवाखानी, कथडेली, सरसी, कुरासी। सम्पूर्ण आबादी

ने ईसाई धर्म स्वीकार कर लिया है।

असुरों के अपने गीत एवं अपनी खास तरह की नृत्य शैली है। लाठी लेकर एक समूह के कंधे पर चढ़े हुए दूसरे समूह को एक युद्ध शैली की नृत्य शैली भी इनमें लोकप्रिय है।

बिरजिया

बिरजिया असुर जनजाति का ही एक उपभाग है जो अलग जनजाति के रूप में अपने को स्थापित कर चुका है। इनका अधिवास झारखंड में पलामू जिले के वरवाडीह, भंडारिया और बालूमाथ प्रखंड, लातेहार जिला के गारू और महुआटांड प्रखंड, गुमला जिला के रायडीह एवं विशुनपुर प्रखंड और लोहरदगा जिला के सेन्हा एवं किस्को प्रखंड में है।

बिरजिया का शाब्दिक अर्थ जंगल की मछली है। ऐसे उनकी मान्यता है कि उनकी उत्पत्ति एक पवित्र कौए से हुई है। उनकी मान्यता है कि वे छत्तीसगढ़ के सरगुजा जिले से पलायन कर छोटानागपुर में आए हैं। बिरजिया समाज भी निम्नवत उपजातियों में बँटा है—

- बिरजिया
  - सिन्दूरिया
  - तेलरा
    - दूध बिरजिया
    - रस बिरजिया

सिन्दूरिया बिरजिया शादी में सिन्दूर का प्रयोग करते हैं जबकि तेलरा बिरजिया समाज की स्त्रियाँ सिन्दूर का प्रयोग नहीं करतीं। शादी के समय मांग में तेल का प्रयोग करती हैं। तेलरा में भी दूध बिरजिया गाय का दूध पीते हैं किन्तु मांस नहीं खाते। रस बिरजिया दूध और मांस दोनों का उपयोग करते हैं।

बिरजिया के गोत्र निम्नवत् हैं—लकड़ा, शौन लोधरा, ठिठियो, सिंगीरवान, मैन्थी, बघेरवा, बंसमोरी, बरवा, झलका, सिन्दराही आदि।

बिरजिया जिस भाषा का प्रयोग आपस में बातचीत में करते हैं वह 'बिरजिया' ही कहलाती है। मुंडारी और आसुरी की तरह वह भी आग्नेय भाषा परिवार की सदस्य है। अन्य लोगों के साथ पादरी या हिन्दी में ही बातचीत करते हैं।

बिरजिया का आर्थिक जीवन कुरूआ खेती (shifting cultivation or burn cultivation) पर निर्भर था। ये असुरों की तरह पाए क्षेत्र में निवास नहीं करते बल्कि पहाड़ी ढलान पर बसे होते हैं। जंगल काट कर, जला कर ये खेती किया करते थे जो 1952 के वन कानून के बाद प्रतिबंधित हो गई। अब जो टांड भूमि इनके नाम से बन्दोबस्त हुई है उसमें उगाई गई मडुआ, गोंदली, मकई आदि मोटे अनाज भी 3-4 माह के लिए पर्याप्त नहीं होते। अत: ये कारीगरी का उपयोग जीविका उपार्जन के लिए करते हैं। गुमला जिले के विशनुपुर प्रखंड में ये मुख्य रूप से बांस की कारीगरी पर जीवन गुजार रहे हैं। इनकी आर्थिक गतिविधियों पर अलग से विस्तार से चर्चा करेंगे।

सिर्फ 3-4 माह की खाद्यान्न सुरक्षा ने इन्हें कन्द-मूल जड़ों को भोजनोपयोगी बनाने के लिए विवश किया है। जब हम इनके अधिवास से कुछ किलोमीटर की दूरी पर बैठ कर

भाँति-भाँति के व्यंजनों का आनन्द ले रहे होते हैं, वे भूख से सुरक्षा के लिए निम्नवत् आहार ले रहे होते हैं—

क्र.	कन्द/फल /साग नाम	रंग और आकार	प्राप्ति का स्थान	प्राप्ति का समय	भोजनोपयोगी बनाने का तरीका
1.	कनवद फल	काला	जंगल	अक्टूबर से जनवरी	फल, स्वाद खट्टा-मीठा।
2.	झड़बेर फल	हरा-लाल अंडाकार, गोल, आधा इंच का व्यास	झाड़ी, गाँव के आसपास एवं जंगल	अक्टूबर से दिसंबर	छोटी प्रजाति का खट्टा-मीठा फल
3.	पीढारू कन्दा	सफेद, लंबाई 2 इंच से एक फीट तक	जंगल	नवंबर से जनवरी	हल्का मीठा स्वाद का कन्दा पानी से भापकर छिलका हटाकर खाते हैं।
4.	कटई साग	हरा, आकार आम पत्ते जैसा किंतु छोटा	जंगल	नवंबर	पहले धूप में सुखाते हैं तब 'माड़' (चावल से उबलकर भात बनने के क्रम में शेष पानी) में डाल कर या भूनकर खाते हैं।
5.	डुरू कन्दा	सफेद, लंबाई 2 से 6 इंच	जंगल	दिसंबर से जनवरी	हल्का मीठा, पानी से भापकर, छिलका हटाकर खाते हैं।
6.	हसेर कन्दा	मटमैला, लंबाई 1 फीट तक	जंगल	दिसंबर से जनवरी	हल्का मीठा, आलू जैसा स्वाद, आग में पकाकर या भाप पर पकाकर, छिलका हटाकर खाते हैं।
7.	कस्सा कन्दा	हल्का पीला, लंबाई एक-डेढ़ फीट	जंगल	दिसंबर से जनवरी	हल्का कसैला, पानी में उबाल कर, छिलका हटा कर नमक के साथ खाते हैं।
8.	गेढ़ी कन्दा	मटमैला गोल	जंगल	नव.-दिस. एवं जून-जुलाई	कसैला स्वाद, राख एवं पानी के साथ खौला कर उबालने के बाद टोकरी में पुआल के साथ रख कर, खेत के दरोन में गिरते हुए पानी के नीचे रात भर रखते हैं तब जाकर छिलका हटा

					नमक के साथ खाने योग्य।
9.	महुआ फूल	हल्का पीला, आधा इंच लगभग	जंगल	नव.-दिस. एवं जून-जुलाई	उबालकर नमक के साथ, कूटकर लट्ठा बनाकर, गेहूँ आटा में मिला कर मीठी रोटी मडुआ आटा के साथ कूटकर मीठा पानी के भाप में पकाकर, मसलकर पुनः पानी को सुखाकर जैम की तरह रस पुटका, हल्का भून कर रात भर पानी में फुला कर जो पानी मिला, वह पेय के रूप में।
10.	गुल्लर	हरा, हल्का, लाल गोल	जंगल	मार्च-मई	उबालकर, पकने पर फल की तरह
11.	कचनार या बुरजु का दाना	हल्का हरा गोल, मटर से थोड़ा बड़ा	जंगल	मार्च-मई	हलका मीठा, पानी से भाप कर
12.	सखुआ या शाल बीज	हल्का भूरा, गोल मटर से बड़ा	जंगल	मई-जुलाई	पहले सुखाकर जलाते हैं तब पीटकर दाने निकालते हैं। दाने को राख-पानी के साथ उबालते हैं तब साफ कर महुआ या गुड़ के साथ खाते हैं। सत्तू जैसा कूटकर भी खाते हैं।
13.	कोयनार साग	हरा, छोटा पान के पत्ते जैसा	जंगल	मई-जून	उबालकर नमक के साथ खाते हैं।
14.	पोड़ेहा	लाल, गोल बेर जैसा	जंगल	जून	एक प्रकार का फल सीधे खाने वाला।
15.	करौंदा	हरा लाल, अंडाकार	जंगल	जून-जुलाई	पकने पर खट्टा-मीठा स्वाद
16.	कटहल	गहरा हरा	बाड़ी	जून-अगस्त	कच्चा, उबालकर नमक के साथ पका हुआ फल की तरह

यह सूची वर्ष 1997-98 में जयमन बिरजिया एवं जुम्मन बिरजिया टोला लुसरूकोना ग्राम रांगे पंचायतनामा प्रखंड विशुनपुर (गुमला) से बातचीत पर आधारित है। दोनों बिरजिया युवकों ने 10वें वर्ग तक पढ़ाई की है।

ठीक इसी तरह की सूची श्री हरिमोहन, शोध पदाधिकारी, तत्कालीन बिहार जनजातीय शोध

एवं कल्याण संस्थान, रांची ने 1975 में प्रकाशित अपनी पुस्तक 'द परहैया : ए स्टडी इन कल्चर चेन्ज' के पृष्ठ 87 पर दी है। परहैया जनजाति के भूख से सुरक्षा के लिए संग्रहित किए जाने वाले कन्द-मूलों की सूची भी लगभग वही है जो कि मैंने बिरजिया लोगों के लिए दी है। बिरहोड़ एवं शबर जैसी आदिम जनजातियाँ एवं वनग्रामों में निवास करने वाली सारी आबादी जिनके पास खेती से उसे 6 माह तक का ही खाद्यान्न मिलता है शेष दिनों में ये कन्द-मूल-फलों पर निर्भर रहती हैं।

धार्मिक जीवन

बिरजिया अपने सिंगबोंगा एवं सरना स्थल के प्रति अगाध श्रद्धा रखने वाले लोग हैं। बैगा इनके पुजारी हैं। सरहुल में सरना पूजा या करम पूजा बैगा द्वारा ही की जाती है। खेती करने से पूर्व धरती माता की पूजा एवं फसल पककर घर आने पर नवाखानी करते हैं। इनके पर्व-त्योहार निम्नवत् हैं—

1. रायज करम : भादों एकादशी में
2. सोहराय : कार्तिक अमावस्या में
3. रायज, खरवज करम : अगहन में
4. फगुवा : फागुन में
5. सरहुल : वैशाख-जेठ में
6. आषाढ़ी पूजा : आषाढ़ में

रायज करम

यह पर्व भादों महीने की एकादशी की रात में मनाया जाता है। एकादशी की शाम को एक कुंवारे लड़के द्वारा तीन डालियाँ अखड़ा में गाड़ी जाती हैं। इन डालियों में एक डाली करम की, एक डाली सीधा की और एक डाली धवई की होती है। बैगा (मुख्य पाहन) करम की डाली में सात पुआ (एक पकवान) टांग देता है। यह पर्व भाई एवं बहन का पर्व है। बैगा चावल हँड़िया एवं लाल मुर्गे की बलि से पूजा सम्पन्न करता है। एकादशी के दिन कुँवारी बहनें दिन भर उपवास करती हैं और अखड़ा में जहाँ करम गड़ा रहता है, पूजा करती हैं। पूजा के बाद रात भर अखड़ा में नाच गान होता है। सब भाई-बहन मिलकर करम डाल को दूसरे दिन सवेरे उठाते हैं और नदी या तालाब में विसर्जित कर देते हैं।

सोहराई

कार्तिक माह की अमावस्या में मनाया जाने वाला लक्ष्मी पर्व है। इस पर्व में मुख्य रूप से पशु पूजा का विधान है। पर्व आने के पूर्व ही घर की लिपाई-पुताई की जाती है। सोहराई के पाँच या सात शाम पूर्व से ही जानवरों (गाय-बैलों) के सींग में तेल डाला जाता है। अमावस्या की रात में मिट्टी का दीया जलाया जाता है। अरंडी का पत्ता एवं भेलवा डहुरी छप्पर में खोंसा जाता है। अमावस्या के दूसरे दिन जिसे सोहराई कहते हैं, गाय-बैलों के सींगों में तेल लगा कर, चराने ले जाते हैं। करीब ग्यारह-बारह बजे चराकर एवं उन्हें नहला-धुलाकर लाते हैं तो गोहाल (गौशाला) पूजन किया जाता है। पूजा में मुर्गे एवं शूकर शिशु की बलि दी जाती है। धूप जलाया जाता है एवं सिंदूर का प्रयोग होता है। पशुओं को अरहर के फूल, उरद के फूल एवं मकई के फूल खिलाए जाते हैं एवं हँड़िया भी थोड़ा-सा पिलाया जाता है।

रायज खरवज करम

यह पर्व अगहन और पूस माह के अन्दर मनाया जाता है। बैगा (मुख्य पाहन) ग्राम स्तर पर इस पर्व के लिए दिन तय करते हैं। अत: क्षेत्र विशेष में यह पर्व अलग-अलग दिन मनाया जाता है।

पर्व मनाने की तय तिथि के दिन पूर्व शगुन विचार किया जाता है इसके लिए पुरुष समाज शिकार करने या तालाब-नदी में मछली पकड़ने जाता है। उस दिन किसी भी पेड़ से कोई डाली या दतवन नहीं तोड़ा जाता है। रात में बैगा अपने सहायकों बेसरा और धावक के साथ मिलकर नए घड़े एवं लोटे में पानी लेकर हर घर के आगे थोड़ा-थोड़ा छिड़कते हैं। इसे 'आशीष पानी' के नाम से जाना जाता है। रात में ही खेतों में केकड़ों द्वारा खोदी गई मिट्टी को लाकर उससे महादेव-पार्वती की मूर्ति बनाते हैं। रात में ही सरना स्थल पर पूजा कर उन मूर्तियों को सूप में उठा कर लाते हैं। ग्राम सीमाने से सटे अन्य ग्राम-टोलों के युवा आकर अखड़ा में रात भर नाच-गान करते हैं। बैगा पुन: अपने सहयोगियों के साथ मिलकर सबके घरों में 'आशीष पानी' का छिड़काव करते हैं।

फगुआ

यह पर्व फागुन महीने के अन्त में पूर्णिमा के दिन मनाते हैं। एक दिन पूर्व शगुन के लिए पुरुष शिकार के लिए और मछली पकड़ने जाते हैं। शिकार से लौटते समय कुँआरे किशोर छोटे सेमल को जड़ से काटते हैं, उसे जमीन पर नहीं गिरने देते। लाकर दो सेमल को होलिका दहन के स्थान पर गाड़ते हैं। फूस, झाड़ी, टहनियाँ आदि वहाँ एकत्रित कर देते हैं। एक अविवाहित किशोर आग लेकर उक्त होलिका के पाँच चक्कर लगाने के बाद आग लगा देता है। होलिका दहन के समय राम-लक्ष्मण-सीता से संबद्ध गीतों को गाते हैं। दूसरे दिन अपने-अपने घरों में लाल मुर्गे या शिशु शूकर की बलि दी जाती है। फिर खान-पान रंग-धूल ही खेलते हैं। उस दिन सब घरों में पुआ रोटी अवश्य बनती है।

सरहुल

यह पर्व वैशाख या जेठ महीने में मनाया जाता है। बैगा तृतीया, पंचमी, सप्तमी में से कोई दिन तय करते हैं। शगुन विचार एवं आशीष पानी का छिड़काव भी होता है। गाँव के प्रमुख पुरुषों की उपस्थिति में बैगा सरना स्थल में बीच वाले शाल वृक्ष के नीचे काला बकरा, पाँच मुर्गे, तीन मुर्गी और दो छोटे सूअर की बलि दी जाती है। शाल वृक्ष के चारों तरफ 151 बार सफेद धागे को लपेटा जाता है। तब पूजा की जाती है। महिलाएँ हँड़िया, चावल, तेल, नमक लेकर सरना स्थल पर पूजा के लिए आती हैं। बैगा अपने रीति-रिवाज के अनुसार पूजा करके गुंदली चावल को शाल वृक्ष के नीचे शीश झुकाकर सिर के ऊपर पीछे की ओर से औरतों को अन्न प्रसाद के रूप में देता है जिसे महिलाएँ घर के सभी सदस्यों को 'प्रसाद' के रूप में खिलाती हैं।

सरना-पूजा के बाद बैगा को कंधे पर उठाकर एवं उसकी पत्नी को महिलाएँ पीठ में बाँध कर बेसरा के यहाँ ले आते हैं। इसके बाद अखड़ा में नाच-गान की शुरुआत होती है जो रात भर चलता है। दूसरे दिन शाम को बैगा पुन: आशीष पानी का छिड़काव करता है।

आषाढ़ी पूजा

यह धरती माँ की पूजा है। आषाढ़ महीने में खेती करने के पूर्व अपने-अपने घरों में सफेद और काला मुर्गा चरा कर पूजा करते हैं। यानी मुर्गे की बलि एवं हँड़िया ढलका कर पूजन किया जाता है। इस पूजा के बाद ही कृषि कर्म प्रारम्भ किया जाता है।

बिरजिया द्वारा पूजित देवी-देवता

मड़ई देवता, सिंगी देवता, महादेव पार्वती, बघौत, दरहा, अग्नि और सर्प।

बिरहोर

बिरहोर जनजाति का नामकरण स्पष्टतया वन-प्रांतर में इनके घुमंतू जीवन को ध्यान में रखकर किया गया। बिर का अर्थ जंगल एवं होड़ का अर्थ आदमी है। इन्हीं दो शब्दों से मिलकर बिरहोर नामकरण हुआ। पूर्व में विशिष्ट रूप में घुमंतू बिरहोरों को 'उथलू' बिरहोर एवं स्थायी रूप से टंडा (टोला) में बसे बिरहोर 'जांघी' कहलाते। आज की तिथि में समूची जनजाति सरकारी आवासों-कालोनी या इंदिरा आवासों में ही स्थायी तौर पर निवास कर रही है। यह अलग विषय है कि रोजगार की तलाश में अब उन्हें जंगलों में नहीं; पटना, पंजाब, हरियाणा में भटकना पड़ रहा है।

बिरहोरों का सामाजिक संगठन व्यक्ति-कुम्बा (परिवार), टंडा (टोले) पर आधारित है। इनमें गोत्रों की भिन्नता पाई जाती है जो उच्चस्तरीय सामाजिकता का परिचायक है। शरतचन्द्र राय (1925) ने इनके सैंतीस (37) गोत्रों की चर्चा की है किन्तु डॉ. प्रकाशचन्द उराँव, निदेशक, जनजातीय शोध एवं कल्याण संस्थान राँची को अपने अध्ययन के क्रम में विशुनपुर (गुमला) में सुखराम बिरहोर ने निम्न 14 (चौदह) गोत्रों की सूचना दी—

	गोत्र का नाम	*टोटम*
1.	इन्दवार	मछली
2	खेर	घास
3	गीध	पक्षी
4.	गोलवार	सिलियारी साग
5.	लाकूड चटा	चम्मच
6.	करकेट्टा	पक्षी
7.	टोपवार	टोकरी
8.	सिंगपुरिया	जानवर का सींग
9.	हेम्ब्रेम	धान
10.	हेरे हेम्ब्रेम	धान का भूसा
11.	धुरू हेम्ब्रेम	गौशाला
12.	चोली हेम्ब्रेम	चावल
13.	लुपुर हेम्ब्रेम	चावल का कोढ़ा
14.	सवर	सावल

1993 में अपने शोध के क्रम में डॉ. प्रकाश उराँव ने इनकी जनसंख्या 5017 पाई थी। इस

जनसंख्या का विवरण निम्नवत् है—

1. हजारीबाग जिले में सदर, चुरचू, इचाक, कटकमसांडी, बड़कागाँव, विशुनगढ़, बरही, केसंदरी, करकट्ठा, चौपारण, पतरातु, रामगढ़, मांडू प्रखंडों में।
2. कोडरमा जिले के सतगाँवा, डोमचाच, जयनगर, मरकच्चो प्रखंडों में।
3. गुमला जिले के विशुनपुर, चैनपुर, डुमरी, रायडीह, पालकोट प्रखंडों में।
4. सिमडेगा जिले के सदर एवं कमडारा प्रदेश में।
5. राँची जिले के तमाड़, अड़की, बुण्डू, सिल्लीका अनगड़ा प्रखंडों में।
6. लोहरदगा के चान्हो, सेन्हा, किस्को प्रखंडों में।
7. पलामू जिले के बालूमाथ प्रखंड में।
8. गढ़वा जिले के मेराल, भंडारिया, रंका, प्रखंडों में।
9. धनबाद, सदर।
10. पूर्वी सिंहभूम जिले के चांडिल, पटमदा, घाटशिला प्रखंडों में।
11. पश्चिमी सिंहभूम जिले के टोंटो, सोनुआ, बंदगाँव, खिरचु प्रखंड में।
12. गिरिडीह जिले के गोमियां, डूमरी एवं बगोदर प्रखंडों में।

बिरहोर भी मुंडा लोगों की तरह 'प्रोटो-आस्ट्रेलायड' प्रजाति समूह के सदस्य हैं। इनकी आपसी बोलचाल की भाषा 'आस्ट्रो-एशियाटिक' (मुंडारी) समूह की ही भाषा है। दूसरे समुदायों से सादरी या हिन्दी में ही बातचीत करते हैं।

आर्थिक जीवन

विभिन्न कालोनियों में बस गए बिरहोर समुदाय का आर्थिक जीवन निम्न गतिविधियों पर आश्रित है—

कृषि, रस्सी बुनाई, काष्ठकला, मधु संग्रहण और मजदूरी।

पूर्व में बिरहोर जनजाति मूल रूप से जंगल में पाए जाने वाले फाइबर पौधों से या पेड़ों की छाल से रस्सी बनाने, कंदमूल संग्रहण एवं शिकार द्वारा अपनी आजीविका चलाती थी। कुछ व्यक्ति जिनकी काष्ठकला में रुचि थी वो काठ की कड़ाही, ओखली आदि भी बनाकर बेचा करते थे। एक बिरहोर टंडा दूसरे बिरहोर टंडा से 10 किलोमीटर की दूरी पर बसा होता था ताकि एक बिरहोर को अपनी आजीविका के लिए 20 किलोमीटर परिधि का जंगल दोहन के लिए मिल सके।

सन् 1956 में घुमंतू जीवन पद्धति को बदलकर स्थायी जीवन पद्धति की ओर उन्मुख करने के लिए सरकार द्वारा बिरहोर आवासीय कालोनियों का निर्माण किया गया। प्रथम चरण में हजारीबाग जिले में तीन आवासीय कालोनियाँ क्रमशः पेटा, सुलतान आदरा तथा अमत्तरी में एवं गुमला जिले के विशुनपुर प्रखंड के जेहनगुटवा, बेंती एवं कटिया में बनीं। यहाँ बसने वाले बिरहोरों के लिए प्रति परिवार 5 एकड़ कृषि भूमि, 10 डिसिमल बारी (बागवानी हेतु) भूमि, एक जोड़ा बैल, गाय, बकरी, मुर्गी आदि उपलब्ध कराई गई। बच्चों के लिए आवासीय विद्यालयों की भी व्यवस्था हुई। प्रारंभ में बिरहोर कालोनियों में बसने के लिए तैयार नहीं हुए किन्तु धीरे-धीरे

उनमें स्थायित्व आ गया।

वर्तमान में इनकी आर्थिक गतिविधियों का विश्लेषण अन्यत्र करेंगे।

धार्मिक जीवन/पर्व त्योहार

बिरहोरों में प्रकृति पूजा के साथ-साथ पूर्वजों एवं जीवात्माओं की पूजा का भी प्रचलन है। इनके धार्मिक विश्वासों का सर्वप्रमुख देवता सिंगबोंगा (सूर्य) है। यही सृष्टिकर्त्ता भगवान है। इसके बाद बुरू बोंगा एवं ओरा बोंगा को प्रमुखता दी जाती है। ये गोत्र देवता हैं एवं बीमारी-रोग-शोक निवारक हैं। इनके अलावा महादेव, बुढ़ी माई, देवी माई, काली माई के पूजन का भी रिवाज है।

धार्मिक कार्यों के संपादन हेतु नाया (पाहन) मति, कोटवार, या डीगुआर जैसे पद समाज ने सृजित किए हैं।

बिरहोर गोम्हा मानसा पूजा, करमा, नवाखानी, सोहराई, मकर संक्रांति, फगुआ पर्व मनाते हैं।

गोम्हा मानसा पूजा परिवार का मुखिया घर के अन्दर सावन पूर्णिमा के दिन उस कोने में करता है जहाँ पितरों का वास माना जाता है। यह पूजा धूप-धूवन, आटा चावल, सिंदूर और जलते हुए दीप की सहायता से सम्पन्न होती है।

शेष पर्व तो अन्य जनजातियों के समरूप ही हैं।

कोरवा

कोरवा आदिम जनजाति न केवल झारखंड के छोटानागपुर प्रक्षेत्र में बल्कि छत्तीसगढ़, उड़ीसा एवं पश्चिम बंगाल में भी अधिवास करते हैं। इनकी ही जाति के लोग जो उत्तर प्रदेश के मिर्जापुर जिले में निवास करते हैं, वे जनजाति के रूप में ही अधिसूचित नहीं हैं। कोदेरा नामक वृक्ष से कोरवा नाम की निष्कृति हुई है, ऐसा माना जाता है। 'मिट्टी कोड़ने वाले लोग'। कोड़वा =कोरवा ऐसे भी इस जाति का नामकरण हुआ होगा, ऐसा अनुमान लगाया जाता है। मुंडा, संताल, भूमिज, बिरहोर, असुर आदि की तरह ये भी प्रोटो-आस्ट्रेलॉयड ही माने जाते हैं। इनकी भाषा 'कोरवा' की आग्नेय परिवार की भाषा है। हालाँकि छोटानागपुर प्रक्षेत्र में ये लोग अन्य समूहों से बातचीत में सादरी या हिन्दी का प्रयोग करते हैं। पलामू क्षेत्र में तो अन्य समूहों की तरह भोजपुरी भी बोल लेते हैं।

अधिवासीय वितरण के आधार पर ये दो शाखाओं में विभाजित हो पहाड़िया कोरवा और डिहारिया कोरवा कहलाते हैं। छत्तीसगढ़ के सरगुजा जिले में 12वीं सदी में कोरवा ही शासक हुआ करते थे।

सामान्य तौर पर कोरवा लोगों का कद थोड़ा छोटा, सिर बड़ा, चेहरा चौड़ा, नाक थोड़ी चपटी और पसरी हुई होती है। त्वचा का रंग गहरा साँवला होता है।

झारखंड में कोरवा मुख्य रूप से गुमला, गढ़वा एवं लातेहार जिले में बसे हुए हैं। इनका मानना है कि ये छत्तीसगढ़ के सरगुजा जिले से पलायन करके आए हैं। ये यहाँ सात समूहों में बँटे हुए हैं—छारी, सिन्दूरिया, पहाड़िया, कोराकू, अगारिया, खड़िया सादरी और गुमिंग।

इनके गोत्र निम्नवत् हैं—हुट्टर टिट्टी (चिड़िया), कासी (घास), सुईयाँ (चिड़िया), खप्पो, कोकट एवं बुचंग (चिड़िया)।

धार्मिक जीवन

इनका जीववाद में विश्वास है। इनकी आस्था है कि आसपास का समूचा परिवेश जीवात्माओं से भरा है। इन जीवात्माओं को परंपरागत विधान से यदि पूजा नहीं गया तो वे हानि पहुँचाएँगे। देवी-देवताओं के साथ पूर्वज-पितरों के पूजन का भी प्रावधान है। प्रकृतिपूजक कोरवा सिंगबोंगा (सूर्य) को सर्वशक्तिमान ईश्वर मानते हैं। इनके देवी-देवता निम्नवत् हैं—

पारलौकिक शक्तियाँ	*पूजन का उद्देश्य*
सिंगबोंगा (सूर्य)	सभी की भलाई
इन्द्र	अच्छी वर्षा
धरती माई	अच्छी फसल
महादेव-पार्वती	सभी की भलाई
डीहवा या गंवहेल	गाँव की भलाई
रक्सेल	गाँव एवं मवेशियों की भलाई
दरहा	बुरी आत्माओं से बचाव हेतु
चांडी	परिवार की भलाई
सोखा	परिवार की भलाई
गोरेया	परिवार की भलाई
सतबहीनी	परिवार की भलाई

धार्मिक कृत्यों का नेतृत्व बैगा करता है एवं देवार उसका सहयोगी होता है। कोरवा भी अन्य जनजातियों की तरह सरहुल, करमा, सोहराई, फगुआ, नवाखानी, दशहरा आदि पर्व मनाते हैं।

आर्थिक जीवन

पूर्व में इनका आर्थिक जीवन जंगल से फल-मूल एकत्रित करना, शिकार करना, पशु पालना, खेती करना, हाट-बाजारों में एकत्रित वस्तुओं के विनिमयन तक सीमित था। अब ये मूल रूप से कृषक हैं। कृषि मजदूरी एवं खनन मजदूरी इनकी सहायक आजीविका के साधन हैं।

इनका सांस्कृतिक जीवन भी विकसित है। इनकी अपनी लोककथाएँ, लोकगीत, एवं लोक नृत्य हैं। आधुनिक शिक्षा के प्रति बहुत आग्रह इनके समाज में नहीं देखा गया है।

माल पहाड़िया

यह आदिम जनजाति समूह संतालपरगना के दुमका जिला एवं साहिबगंज जिले के दक्षिण भाग में अधिवास करता है। अधिकांश जनसंख्या दुमका जिले के निम्न प्रखंडों में निवास करती है। यथा राजेश्वर, दुमका सदर, मशलिया, जामा, जरमुंडी, रामगढ़, गोपीकान्दर, काठीकुंड तथा शिकारीपाड़ा। रिजले एवं हीरालाल (1916) का मानना था कि माल, माले, मालेर और माल पहाड़िया राजमहल की पहाड़ियों में रहने वाले शबर जनजाति से अलग हुई एक शाखा है। रिजले (1869) ने विवरण दिया था कि माल पहाड़िया शिकार एवं भूमि खेती से अपनी आजीविका चलाते हैं और माँझी, नायक और सरदार टाइटिल का प्रयोग अपने नाम के साथ करते हैं। उन्होंने माल पहाड़ियों के दो उपवर्गों का

उल्लेख करते हुए कुमार भाग पहाड़िया के रूप में अन्य उपवर्ग की चर्चा की थी।

माल पहाड़िया लोगों का सिर लम्बोतर संकीर्णता लिए होता है जो चौड़ाई का भास देता है। चेहरा लगभग गोलाकार होता है, नासिका छोटी और पसरी हुई होती है। सामान्य तौर पर वे छोटे कद के होते हैं। (सरकार, 1936)

रिजले ने माल पहाड़िया को द्रविड़ जनजाति का माना है। प्रजातीय दृष्टि से इन्हें प्रोटो-आस्ट्रोलॉयड समूह में रखा गया है। इनकी भाषा माल्टो है जो द्रविड़ परिवार की मानी जाती है। माल्टो भाषा का प्रयोग माल पहाड़िया के अतिरिक्त सौरिया पहाड़िया भी करते हैं। उराँव लोगों की भाषा कुड़ुख भी द्रविड़ परिवार की ही है किन्तु वह माल्टो से भिन्न है। दुमका के माल पहाड़िया अन्य लोगों से बोलचाल में अशुद्ध बंगला एवं हिन्दी का भी प्रयोग करते हैं।

माल पहाड़िया का मुख्य आहार चावल है। साथ में मूंग, मसूर, कुल्थी और लर का दाल भी लेते हैं। वे मांसाहारी होते हैं पर गौमांस नहीं खाते। इनके सरनेम सिंह, कुमार, अहरी, डेरही, गृही, मांझी, पुजार, पटोर, धुन्स होते हैं। दरअसल यह विभिन्न व्यावसायिक समूहों को प्रतिबिंबित करता है किन्तु इनके बीच वैवाहिक संबंध मान्य है। रिजले (1891) ने भी माल पहाड़ियों के विभिन्न उपवर्गों का उल्लेख किया है जो निम्नवत् है—अहरिति (शिकारी), डेहरिति (पुजारी), गृही (गृहस्थ), मांझी (ग्राम प्रमुख), पुजोर (पुजारी) और सिकदर। माल पहाड़िया समूह मातृकुल एवं पितृकुल के तीन पुश्तों के बाहर ही शादी करता है। यही सामान्यतया सभी जनजातियों में प्रचलित है। तीन पुश्तों के संबंधियों को ये गोतिया मानते हैं और इनसे हटकर ही शादी करते हैं। कन्या मूल्य बदलते-बदलते अब दहेज में परिवर्तित हो गया है। आपसी रजामन्दी से ही शादियाँ तय होती हैं। एक पत्नी प्रथा सामान्य तौर पर प्रचलित है किन्तु बहु-पत्नी प्रथा भी देखने को मिलती है। विवाहिताएँ सिन्दूर का प्रयोग करती हैं। तलाक प्रथा मान्य है, पुनर्विवाह भी सामान्य है। पैतृक सम्पत्ति बराबर-बराबर पुत्रों में बाँट दी जाती है।

1952 के वन कानून के बाद झूम खेती बन्द हो गई है। अब माल पहाड़िया भी स्थायी कृषक बन गए हैं। खेती के अलावा ये कृषि मजदूर के रूप में, रेजा-कुली के रूप में निर्माण कार्यों में, सरकारी कार्यालयों में श्रमिकों के रूप में, रिक्शाचालक एवं राजमिस्त्री के रूप में अपनी आजीविका चला रहे हैं। कृषि एवं मजदूरी के अलावा शिल्पकारी भी आजीविका का साधन है। चटाई एवं टोकरी बुनना भी एक प्रमुख पेशा बन गया है। पुरुष अनाज रखने वाले बड़े टोकरे बुनते हैं जबकि स्त्रियाँ छोटी टोकरी एवं झाड़ू भी बनाती हैं।

सामाजिक सुव्यवस्था हेतु आन्तरिक स्वशासन की व्यवस्था अन्य जनजातियों की तरह इनके बीच भी शेष है। गाँव का मुखिया माँझी कहलाता है। कई गाँवों के ऊपर सरदार होते हैं। अंग्रेजों ने 'सरदार' पद को सरकारी मान्यता प्रदान कर उनके लिए भत्ता तय किया था। अब यह भूतकाल की बात है।

माँझी गाँव का अभिभावक होता है। उसकी सहायता के लिए प्रमाणिक एवं गोड़ाईत होते हैं। वह माँझी द्वारा दी गई जिम्मेवारी को निभाता है। ग्राम पंचायत की बैठक बुलाता है। माँझी की अनुपस्थिति में बैठक की अध्यक्षता करता है। ग्राम के सभी वयस्क पंचायत के सदस्य होते हैं। ग्राम पंचायत का फैसला बाध्यकारी होता है।

धार्मिक जीवन

यह समुदाय हिन्दू धार्मिक आस्थाओं से जुड़ा है। शिव, दुर्गा, काली इनके आराध्य हैं। स्थानीय देवी-देवता भी पूज्य हैं। जैसे धरती ग्रामीण गोसाईं, बसुमति गोसाईं, बेरू गोसाईं, कान्दो गोसाईं, धरमदेव, जोकदेव, बाघराई, सांपराई।

पर्व-त्योहार में शिवरात्रि, दशहरा, दीवाली के अलावा बीची एराई, गंगी एराई, घघरा पूजा या ओसरी एराई प्रमुख हैं।

बीची एराई खेती प्रारम्भ करने के पूर्व की पूजा है।

गंगी पूजा भादों में होती है। सबसे पहले जाहेरथान पर पूजा चढ़ाया जाता है। (चेंगरी, अंडा, सिन्दूर, हँड़िया) तत्पश्चात् गुमो गोसाईं की पूजा होती है। इस पूजा के बाद ही गंगी भोजन के रूप में उपयोग में आती है।

घघरा पूजा अगहन माह में होती है। पूजा के एक दिन पूर्व जाहेरथान में कान्दो (मचिया) धो-पोंछ कर रख दिया जाता है। इस पर 'कान्दो गोसांई' का वास माना जाता है। डेहरी (पुजारी) की पत्नी कोतवारी उपवास आदि नेमत के साथ पूजा की तैयारी करती है। वहीं बलि (सूअर, चेंगरी, अंडा आदि) के साथ पूजा पूर्ण होती है। गौहाल आदि में भी पूजा सम्पन्न की जाती है। तब 'घघरा' खाने की अनुमति होती है।

माघी पूजा एक महत्त्वपूर्ण पूजा है जिसमें सात बकरों की बलि जाहेरथान के अलावा अन्य स्थानों पर भी चढ़ाई जाती है। यह मूलतः धरती पूजा है। डाल्टन ने इसका जिक्र भूईदेली के नाम से किया है।

माल पहाड़िया अपने को सौरिया पहाड़िया और कुमार भाग पहाड़िया से श्रेष्ठ मानते हैं। वे इन दो उपवर्गों से शादी ब्याह का सम्बन्ध नहीं रखते। ये संतालों एवं सौरिया पहाड़िया लोगों से कच्चा भोजन (भात आदि) ग्रहण नहीं करते उनका मानना है कि यह समुदाय चूँकि गौमांस का सेवन करते हैं अतएव कच्चा भोजन इनके हाथों अग्राह्य है। हालाँकि संताल, कोइरी, घटवाल, केवट, यादव आदि जातियों से पानी एवं पक्का भोजन (रोटी आदि) ग्रहण करते हैं।

पहाड़िया विकास परिषद् द्वारा निरन्तर इनकी आर्थिक-शैक्षणिक स्थिति में सुधार के कार्यक्रम चलाए जाते हैं। धीमा परिवर्तन भी देखा जा सकता है।

रोजगार की तलाश में बहिर्गमन करने वाला इनका समूह बड़ी संख्या में पश्चिम बंगाल के मुर्शिदाबाद जिले में बस गया है। 1981 की जनगणना के अनुसार वहाँ उनकी संख्या 17,020 थी। वहाँ वे मुख्य रूप से बंगला भाषा का ही प्रयोग करते हैं।

सौरिया पहाड़िया

यह आदिम जनजाति मुख्य रूप से संतालपरगना प्रमंडल के साहेबगंज तथा गोड्डा जिले के उत्तरी भाग तथा दुमका जिले में निवास करती है। संतालपरगना के दामिन-ई-कोह (पहाड़ का आँचल) के उत्तरी भाग में जिसका अधिकांश हिस्सा राजमहल की पहाड़ियों से आच्छादित है, इस जनजाति का मुख्य अधिवास है। चन्द्रगुप्त मौर्य के काल में 302 ईसा पूर्व लगभग मैगस्थनीज ने अपने भारत भ्रमण के दौरान राजमहल पहाड़ियों के अधोभाग में रहने वाली आदिम जातियों

का उल्लेख माल्ली (मानव) या सौरि के रूप में किया है। ये ही आज के दिन मलेर या सौरिया पहाड़िया के नाम से जानी जाती हैं इस जनजाति का कद नाटा, नाक चौड़ी, चेहरा गोलाकार, कपाल दीर्घ, रंग हल्के भूरे तथा बाल घुँघराले होते हैं। यह जनजाति भी प्रोटो-आस्ट्रेलॉयड प्रजाति की मानी जाती है।

इनकी भाषा माल्टो है जो द्रविड़ परिवार की भाषा है। उराँवों की भाषा कुड़ुख भी इसी परिवार की है। कई इतिहासकारों एवं भाषाविदों का मत है कि सौरिया पहाड़िया उराँवों की ही एक शाखा है। शरतचन्द्र राय के मतानुसार ये लोग दक्षिण भारत से विंध्याचल पर्वत श्रेणी को पार कर नर्मदा नदी के ऊर्ध्व प्रवाह का अनुसरण करते हुए आगे बढ़े। गंगा नदी को लाँघ कर अरामानगर (आरा) व व्याघ्रानगर (बक्सर) में आ बसे। बाद में मुण्डाओं द्वारा खाली किए गए रोहतासगढ़ तक फैल गए। यहाँ इन्हें मुस्लिम आक्रान्ताओं से संघर्ष करना पड़ा जिसके कारण वे दो शाखाओं में बिखर गए। इनकी एक शाखा (उराँव) मुण्डाओं के मार्ग का अनुसरण कर छोटानागपुर में जा बसी जबकि दूसरी शाखा गंगा की अधोगामी प्रवाह का अनुसरण करती राजमहल की पहाड़ियों में आ बसी।

सौरिया पहाड़िया कई शताब्दियों तक अपने पड़ोसियों से अलग-थलग रही। अंग्रेजों के आगमन तक भौगोलिक अलगाव के कारण यह जनजाति अपनी स्वतंत्रता कायम रख सकी। 1779 ई. में क्लेवलैंड जब भागलपुर जिले का कलक्टर बनां तो इस भू-भाग को व्यक्तिगत सम्पर्क तथा सहानुभूति के आधार पर ब्रिटिश साम्राज्य के अधीन कर लिया।

भौतिक जीवन

आज भी सौरिया पहाड़िया लोगों के आवास-गाँव-टोले लहरदार पहाड़ियों की चोटियों पर तथा जंगल से भरे पहाड़ी ढलानों में हैं। तराई के समतल भू-भाग में इनकी बस्तियाँ बहुत कम हैं, इनके टोले छोटे तथा बिखरे होते हैं, जिसमें 10 से 40 परिवार आवास करते हैं। यह जनजाति प्राय: मिट्टी एवं बाँस-खरपतवारों से निर्मित छोटे-छोटे आयताकार मकानों में रहा करती है।

सामाजिक जीवन

इस जनजाति में गोत्र जैसी सामाजिक इकाई का अभाव देखा गया है। अतएव शादी-विवाह के लिए पितृपक्ष तथा मातृपक्ष की तीन पीढ़ियों तक के सम्बन्धियों के बीच प्राय: विवाह नहीं किए जाते। सामान्यतया एक पत्नी की प्रथा है। किन्तु एक से अधिक पत्नियाँ भी दिख जाती हैं। सौरिया पहाड़िया महिलाएँ अन्य जनजातीय महिलाओं की तरह ही पुरुषों से ज्यादा मेहनत करती हैं। घर-गृहस्थी निपटाने से लेकर कृषि कार्य, मजदूरी हर मोर्चे पर वे आगे रहती हैं किन्तु न तो वे सम्पत्ति की उत्तराधिकारिणी हैं और न धार्मिक कृत्यों तथा ग्राम पंचायत की बैठकों में शरीक होने दी जाती हैं।

ये अपने पड़ोसी मुख्य समाज के लोगों के साथ कृषि कार्यों, पर्व-त्योहारों एवं अन्य खुशी-गमी के मौके पर मिलना-जुलना पसन्द करते हैं ये समाज निम्नवत हैं—संताल, कुमार भाग, माल पहाड़िया आदि। किन्तु माल पहाड़िया और कुमार भाग पहाड़िया के साथ इनका कच्चे

भोजन (भात) के लेनदेन का सम्बन्ध नहीं है।

आर्थिक जीवन

इनकी अर्थव्यवस्था कृषि तथा वनों पर आश्रित है। यह जनजाति चूँकि पहाड़ी के ऊपर रहते हैं अतएव सिंचाई हेतु पानी मिलना कठिन है। अत: इनकी खेती को मानसून पर पूर्णतया निर्भर करना होता है। सौरिया पहाड़िया की आर्थिक गतिविधियों की भूमि को निम्नवत बाँटा जा सकता है—

(1) घरबारी (2) कुर्थी टांड (3) कुरवा (4) धानबारी (5) पकलुबारी

(1) घर के पीछे की जमीन जहाँ वे मकई, बाजरा एवं घंघरा (बरबट्टी) उगाते हैं, घरबारी कहलाती है।

(2) कुर्थी टांड : यह इनकी टांड भूमि है जहाँ मुख्य रूप से बरबट्टी की खेती की जाती है। खेती सिंचाई के लिए सिर्फ वर्षा पर निर्भर रहती है।

(3) कुरवा : यह जंगल काट कर-जला कर तैयार की गई खेती है। प्राय: दो-तीन वर्षों तक लगातार एक प्लॉट में कुरवा खेती करके पुन: उस प्लॉट को उर्वरता प्राप्त करने के लिए तीन-चार वर्षों के लिए खाली छोड़ दिया जाता है। जंगल कटने से भूक्षरण भी तेजी से हो रहा है। अतएव भूमि की उर्वरता निरन्तर घट रही है। साथ ही 1952 के वन कानून के पश्चात् वन विभाग के पदाधिकारी भी कुरवा को नियंत्रित करने का निरन्तर प्रयास कर रहे हैं। नतीजतन इन सबका प्रतिकूल प्रभाव इस जनजाति पर पड़ रहा है।

(4) धानबारी : दो पहाड़ियों के बीच की समतल दोन भूमि धानबारी कहलाती है जहाँ सौरिया धान की खेती करते हैं। एक तो इन्हें धान खेती का अभ्यास नहीं है दूसरे इनके आवास से खेती की दूरी के कारण चोरी-लूट की संभावना बनी रहती है। अतएव अक्सर ये धानबारी को संतालों को बटाई पर दे देते हैं।

(5) पकलुबारी : इस बारी में आसन एवं अर्जुन के पेड़ होते हैं जिन पर तसर का कीड़ा पाला जाता है। कोकून की बिक्री उनकी आय का एक महत्त्वपूर्ण हिस्सा है। गोड्डा जिले में 'प्रदान' संस्था के कोकून उत्पादन में रुचि लेने के कारण सौरिया पहाड़ियों के जीवन में भी सुखद परिवेश आए हैं।

अन्य जनजातियों की तरह ये भी कृषि मजदूर के रूप में अर्थोपार्जन करते हैं साथ ही हाट के दिन जंगल से बांस, जलावन, इमली, महुआ, कटहल, चिरौंजी, सेमल की रूई आदि का संग्रहण कर बिक्री करते हैं और भोज्य पदार्थों की खरीद करते हैं।

इस समाज के कुछ लोग सरकारी नौकरियों में भी हैं। कुछ लोग स्वरोजगार की सरकारी योजनाओं से भी लाभान्वित हुए हैं और मत्स्य पालन एवं पशुपालन से जीविका चलाने की कोशिश कर रहे हैं।

स्वशासन

सौरिया पहाड़िया गाँव का मुखिया माँझी कहलाता है जो पुजारी का भी काम करता है। प्रत्येक 15-20 गाँवों पर एक 'नायक' होता है तथा प्रत्येक 70-80 गाँवों पर 'सरदार' का पद होता है।

गाँव का माँझी, भंडारी (माँझी का सहयोगी), कोटवार (व्यवस्थापक) तथा गिरि (प्रभावशाली व्यक्ति) ग्राम-पंचायत के सदस्य होते हैं। पंचायत सामाजिक कार्यों की देखरेख तथा अपराधों की रोकथाम व दंड व्यवस्था करती है।

सरदार न्यायकर्ता का इलाके का सर्वोच्च पद होता है। सरदार, नायक, माँझी, भंडारी या गोड़ैत सभी पद वंशानुगत होते हैं। प्रायः ज्येष्ठ पुत्र को हस्तांतरित हो जाता है।

औपनिवेशिक काल इनके विद्रोहों के शमन की दृष्टि से अंग्रेज प्रशासकों ने सरदार, नायक, माँझियों के लिए मासिक वृत्ति तय कर दी थी। माँझी को गाँव की लगान वसूली की जिम्मेवारी सौंपी गई थी। सरदारों पर अपने क्षेत्र के गैर-कानूनी कार्यों की सूचना देने तथा जन्म-मरण सम्बन्धी आँकड़ा संकलन का भार सौंपा गया था।

आजादी के बाद पंचायती व्यवस्था लागू किए जाने के पश्चात् इनके गाँव वैधानिक पंचायतों के अंग हो गए। इससे माँझी, नायक, सरदारों के परम्परागत राजनीतिक-प्रशासनिक-न्यायिक अधिकारों को ठेस पहुँची।

धर्म-पर्व-त्योहार

लक्ष्मी पूजक एवं काली पूजक इस जनजाति के बारे में रिजले (1891) का कथन है कि मूलतः ये जीववादी हैं। पूर्वजों की पूजा एवं आत्मा के पुनर्जन्म में इनकी आस्था है। यह जनजाति बैरू गोसाईं (सूर्य देवता), बिल्प गोसाईं (चाँद देवता), लैहू गोसाईं (सृष्टि कर्ता), दरमारे गोसाईं (सत्य देवता), जरमात्रे गोसाईं (जन्म के देवता) इत्यादि की आराधना किया करती है। कान्दो माँझी, कोटवार, चालवे धार्मिक कृत्यों का संचालन करते हैं। ऐसा माना जाता है कि इनमें अलौकिक शक्ति निहित होती है।

देवी-देवताओं को खेत से आया नवान्न का चढ़ावा ही विभिन्न पर्वों के रूप में मनाया जाता है।

मकई की फसल कटने पर 'गांगि आड़या', घंघरा (बरबट्टी) की फसल कटने पर 'ओसरा आड़या' तथा बाजरे की फसल कटने पर 'पुनु आड़या' मनाते हैं।

हर पर्व में जाहेर स्थान पर देवता को एवं घर के विशेष स्थान पूर्वजों को बलि चढ़ाने के उपरान्त ही नवान्नों का भोजन के रूप में प्रयोग किया जाता है।

परहैया

झारखंड में यह आदिम जनजाति बैगा भी कहलाती है। फोर्ब्स (1879) के अनुसार यह जनजाति पलामू की आदि अधिवासी है। प्रसाद (1988) का कथन है कि यह जनजाति महाभारत महाकाव्य में वर्णित पांडवों के वंशज हैं। अतएव पांडववंशी परहैया भी कहलाते हैं। यह आदिम जनजाति पलामू प्रमंडल (लातेहार जिला), गुमला एवं हजारीबाग जिले के पहाड़ी एवं वन क्षेत्रों के भीतर बसे हुए हैं।

इनकी बोली (भाषा) पैरहिया या बैगानी कहलाती है जो इंडो-आर्यन परिवार की भाषा है। सादरी और हिन्दी अन्य भाषाएँ हैं जिनका उपयोग वे लोग अन्य समूहों से बातचीत के क्रम में करते हैं। वे देवनागरी लिपि का उपयोग करते हैं।

सामाजिक जीवन

ये आपस में कई उपवर्गों में बँटे हैं। यथा पांडववंशी, नरकटमा, पकफोड़ और चेरोयान। ये उपवर्ग भी कई खूंट, किली में बँटे हुए हैं। ये लोग अपना सरनेम 'परहिया' और 'बैगा' का उपयोग करते हैं। रिजले (1891) ने इनके निम्न गोत्रों का उल्लेख किया है। यथा बाज, गिद्ध, फतिंगा, कौआ, मैना, नाग, ओफिया, टेटंगा। एक पत्नी प्रथा और वयस्क विवाह सामान्य तौर पर प्रचलित है। विवाहित स्त्रियाँ सिन्दूर का प्रयोग करती हैं एवं अन्य जनजातियों की तरह पति या पत्नी की इच्छा से तलाक हो जाता है और पुनर्विवाह भी स्वाभाविक रूप से प्रचलित है। पिता की सम्पत्ति पुत्रों के बीच समान रूप से वितरित हो जाती है, किन्तु बड़े पुत्र को ही पूर्वजों की पूजा का अधिकार प्राप्त होता है। अन्य समाज की तरह महिलाएँ आर्थिक-सामाजिक जीवन में प्रमुख भूमिका निभाती हैं।

आर्थिक जीवन

परहैया भी अधिकांश आदिम जनजातियों की तरह पूर्व में कुरवा या झूम खेती करते थे। किन्तु वन कानूनों के कारण ऐसा करना अब संभव नहीं रहा। अत: वे अब स्थायी कृषि को अपना रहे हैं। घुमन्तू जीवन छोड़कर सरकारी कॉलोनियों में धीरे-धीरे बस रहे हैं और सरकार द्वारा बन्दोबस्त की गई भूमि में खेती करने का प्रयास भी कर रहे हैं।

तत्कालीन बिहार जनजातीय शोध एवं कल्याण संस्थान, मोराबादी के शोध पदाधिकारी श्री हरिमोहन ने लातेहार जिला के बालूमाथ एवं चन्दवा प्रखंड के 128 परिवारों की कृषि गतिविधियों के अध्ययन (1975) के क्रम में पाया कि उनके पास भूमि की उपलब्धता निम्नवत थी—

भूमि (एकड़ में)	*परिवारों की संख्या*
दो एकड़ से कम	30
2-4	25
4-6	23
भूमिहीन	50
कुल	128

भूमिहीन परहैया लोगों का सरकार ने जब पुनर्वास किया तो प्रति परिवार 5 एकड़ भूमि की बन्दोबस्ती की थी। किन्तु परहैया परिवार अपने लिए बन्दोबस्त कई प्लॉटों में खेती नहीं कर पाया। इसके उन्होंने निम्नलिखित कारण बताए—

1. जो भूमि उनके नाम से बन्दोबस्त की गई है, उस पर अन्य जनजातीय या सदान समूह अपना दावा जताते हैं और भूमि इनके दखल में नहीं आ पाई।
2. उनके पास इतना पैसा भी नहीं है कि वे बन्दोबस्त पायी जमीन को कृषि योग्य बना सकें।
3. जो भूमि उन्हें दी गई वह अनुर्वर टांड़ भूमि है जो खेती योग्य ही नहीं है।

कृषि भूमि की कमी या टांड़ भूमि होने के बावजूद वे कुशल कृषक हैं। वे भदई, अगहनी

और रबी की खेती से खूब परिचित हैं। भदई में वे मकई, सांबा, तिल, मडुआ, ज्योनोरा, गोंदली, उड़द, बोदी आदि की खेती करते हैं। अगहनी में धान की मुख्य खेती होती है एवं रबी में वे जौ, चना, अरहर, कुर्थी, लोटनी आदि को उपजाते हैं।

खेती के अलावा कृषि मजदूरी उनका मुख्य पेशा है। गाँव के या पास गाँव के बड़े किसानों के यहाँ मजदूरी इन्हें मिलती है। जंगलों से कन्द-मूल संग्रहण भी इन्हें भूख से सुरक्षा प्रदान करता है। इनके कन्द-मूलों की सूची श्री हरिमोहन, शोध पदाधिकारी ने अपनी पुस्तक (द परहैया : ए स्टडी इन कल्चरल चेन्ज, पृ. 27) में लगभग वही कन्द-मूलों के नाम हैं जो मेरे द्वारा संकलित बिरजिया लोगों की सूची में हैं।

पशुपालन, लाह की खेती या लाह उत्पादन, बांस की टोकरी बनाना उनकी अन्य सहयोगी आर्थिक गतिविधियाँ हैं।

धर्म-पर्व-त्योहार

परहैया लोग मुख्य रूप से धरती माता के पूजक हैं। ये अपने पूर्वजों की भी आराधना करते हैं। इनके प्रमुख देवी-देवता निम्नवत हैं—

1. देवी, चैत रामनवमी में ग्राम की सुख-समृद्धि के लिए पूजा।
2. गंवहेल या डीहवार, वैशाख में, सरहुल पूजा के दिन इनकी पूजा गाँव एवं ग्रामीण की समृद्धि के लिए।
3. चंडी, ये गाँव की पहाड़ी या घरों के प्रवेशद्वार पर अवस्थित मानी जाती हैं। हर पर्व-त्योहार पर इन्हें स्मरण किया जाता है। गाँव-घर के सुख के लिए पूजित।
4. धरती, शाल वृक्षों या बांस के पास इनका आवास, पत्थर प्रतीक रूप में। रोपा रोपाई के पूर्व इनकी पूजा अच्छी फसल, हारी-बीमारी, जंगली-जानवरों और शत्रुओं से रक्षा के लिए पूजित।
5. भगौती (भगवती), ये गाँव के सीमाने पर निवास करती हैं। पत्थर के रूप में इनका प्रतीक। हर पूजा के अवसर पर याद की जाती हैं किन्तु कटहूल पूजा पर विशेष तौर पर जंगली पशुओं से रक्षा के लिए पूजित।
6. सतबहिनी, यह गाँव के अन्दर बांस झुंड के पास निवास करती हैं। हर पर्व-त्योहार में याद की जाती हैं। गाँव की सुख-समृद्धि के लिए पूजित।
7. डरहा, ये गाँव-घर के अन्दर निवास करते हैं। गाँव के भीतर रहने के कारण बुरी आत्माओं से रक्षा करते हैं। घर में बुरी आत्माओं की छाया से होने वाली बीमारियों से रक्षा करते हैं। हर धार्मिक विधि-विधान में स्मरणीय।
8. गोरेया, गाँव के अन्दर निवास। सोहराय पूजा पर विशेष तौर पर पूजित।
9. मुआ, पूर्वजों की आत्मा के लिए मुआ प्रयुक्त। ये घरों के अन्दर निवास करते हैं। ये हर पर्व-त्योहार, पूजा, शुभ अवसरों पर याद किए जाते हैं। परिवार के कल्याण के लिए पूजित।
10. सूर्य भगवान, ये हर जगह दृश्यमान हैं। ये समाज की समृद्धि के लिए हर अवसरों पर पूजित हैं।

11. इन्द्र भगवान, ये भी सूर्य भगवान की तरह विश्व देवता की तरह मान्य। रोपाई के समय इनकी पूजा अच्छी वर्षा के लिए ताकि फसलें अच्छी हों।

12. महादेव-पार्वती, परहैया मानते हैं कि वे महादेव-पार्वती की ही सन्तान हैं। उन्होंने ही उत्पन्न किया है। अतएव हर पर्व-त्योहार शुभ अवसर पर इन्हें पूजा जाता है।

13. रक्सेल, ग्राम के अन्दर किसी वृक्ष के नीचे वास, पत्थर प्रतीक, विशेषकर सरहूल के दिन पूजित।

14. चानरी (chanri), ये भादों माह में करमा पूजा के अवसर पर पूजी जाती हैं।

15. सोखा, घर के अन्दर निवास। सामाजिक-धार्मिक विधानों पर पूजित।

16. ब्रह्मा, हर सामाजिक-धार्मिक कर्मकांड पर परिवार की सुख शान्ति के लिए पूजित।

इनके पंचायत के प्रमुख 'महतो' कहलाते हैं। महतो के सहायक 'कहतो' होते हैं जो ग्राम सभा की बैठकों आदि का आयोजन करते हैं। धार्मिक कर्मकांड 'बैगा' के जिम्मे होता है। तमाम सामाजिक-आर्थिक मामलों का निपटारा ग्राम पंचायत करती है। इसके निर्णय बाध्यकारी होते हैं।

शबर

शबर और हिल खड़िया दोनों के नाम के बीच कई तरह के विवाद हैं। जनगणना प्रतिवेदनों में दोनों की अलग-अलग जनसंख्या दर्शाई जाती है जो निम्नवत है—

	1951	1961	1971	1981	1991
शबर	1645	1561	3548	3014	6765
हिल खड़िया		9423	10241	12387	7767

डॉ. वी.एस. उपाध्याय ने अपनी पुस्तक हिल खड़िया/शबर की भूमिका में उद्‌धृत किया है। जनसंख्या के घटने-बढ़ने पर पर्याप्त विमर्श, तर्क-वितर्क हो चुके हैं। आदिम जनजातियों की जनसंख्या में अनावश्यक घटाव बढ़ाव मनमानी जनगणना के कारण हैं जो कुप्रशिक्षित एवं अप्रतिबद्ध कर्मियों द्वारा सम्पन्न होती है। हिल खड़िया शबर या शबेर एक ही जनजाति है जो खड़िया जनजाति के तीन उपवर्गों में से एक है। हिल खड़िया जनजाति के लोग अपना सरनेम शबर रखते हैं जिनके कारण जनगणना कर्मियों को यह भ्रम होता है कि ये शबर जनजाति के एक अलग उपवर्ग हैं। इसलिए जनगणना के दस्तावेजों में हिल खड़िया की विश्वस्त जनसंख्या प्राप्त नहीं होती।

अत: नृशास्त्रियों की तरह मानकर चला जाए कि हिल खड़िया, शबर या पहाड़ी खड़िया एक ही जनजाति है। यह नाम संभवत: पहाड़ियों के आसपास इनकी बसावट देखकर इन्हें दिया गया है।

हिल खड़िया या शबर झारखंड में मुख्य रूप से पूर्वी सिंहभूम में बसे हुए हैं। टी.सी. दास (1931) के संक्षिप्त मोनोग्राफ में इन्हें धालभूम के जंगली खड़िया संबोधित किया गया है। शबर आबादी सिंहभूम के पूर्व एवं उत्तरी पूर्व में मिदनापुर एवं बांकुड़ा जिला (प. बंगाल), साथ ही दक्षिण में मयूरभंज, क्योंझर, बेनाई, ढेनकनाल अनुमंडल (उड़ीसा) तक फैली हुई है। यूँ तो

शबर की भाषा भी मुण्डारी भाषा परिवार की सदस्या है किन्तु धालभूम अनुमंडल के शबर अपनी मूलभाषा भूल चुके हैं। वे अशुद्ध बंगला बोलते हैं जिनमें उड़िया शब्द भी बहुलता से घुले- मिले रहते हैं। घाटशीला प्रखंड में रहने वाले मुंडा, संताल, हो सभी लोग बंगला का ही प्रयोग बातचीत के क्रम में करते हैं। किन्तु शबरों की बोली में आने वाले उड़िया शब्द उनके मयूरभंज जिले से इस क्षेत्र में आवर्जन की ओर संकेत करते हैं।

शबर सिंहभूम जिले के तीन प्रखंडों में सीमित हैं यथा पोटका प्रखंड, धालभूम प्रखंड एवं घाटशीला प्रखंड।

जनगणना 1991

	परिवार	जनसंख्या
पश्चिमी सिंहभूम	82	440
पूर्वी सिंहभूम	2047	7327

शबर लोगों के गाँव पहाड़ों के शीर्ष पर या ढलान पर नहीं होते बल्कि पहाड़ों से सटे तराई में होते हैं। पूर्वी सिंहभूम में शबरों की अधिकांश जनसंख्या को 8 आवासीय कॉलोनियों में बसाने का प्रयास किया गया है। शबर नगर जैसे आवासीय कॉलोनी के पास शबर शिशुओं के लिए कल्याण विभाग ने आवासीय विद्यालय भी खोले हैं।

सामाजिक जीवन

शबर जनजाति भी चार उपजातियों में विभाजित है परन्तु वे तीन ही नाम से जाने जाते हैं। जाहरा, बासु और ज्यतापति। धालभूम अनुमंडल में जाहरा उपजाति ही निवास करती है। अन्य तीन उपजातियाँ मयूरभंज (उड़ीसा) में निवास करती हैं।

ये सजातीय विवाह में आस्था रखते हैं। इनमें गोत्र व्यवस्था नहीं पाई जाती इसीलिए विवाह रिश्तेदारी पर आधारित होता है। किन्तु अन्य जनजातियों की तरह मातृपक्ष की तीन पीढ़ियों एवं पितृपक्ष की तीन पीढ़ियों के बाहर ही शादियाँ तय होती हैं। अभी भी बाल विवाह की परम्परा है किन्तु शादी के एक दो दिनों के बाद ही कन्या अपने पिता के घर लौट जाती है। तत्पश्चात् पूर्ण बालिग होने पर ही गौना या दूसरी बार विदाई होती है। अन्य जनजातियों की तरह विवाह का प्रस्ताव वर की ओर से आता है। और वधू-मूल्य चुकाना भी पड़ता है। विवाह सामान्यतया फागुन (फरवरी-मार्च) तथा वैशाख (अप्रैल-मई) माह में सम्पन्न होता है। वर बारात लेकर वधू के द्वार पर पहुँचता है। विवाह सम्पन्न कराने के लिए ब्राह्मण की सहायता ली जाती है। वर द्वारा कन्या की मांग में सिन्दूर भरा जाता है जो विवाह का प्रतीक होता है।

शबर परिवारों की संरचना पितृसत्तात्मक होती है। पिता परिवार का प्रधान होता है। पिता की सम्पत्ति पुत्रों को बराबर-बराबर बाँट दी जाती है।

आर्थिक जीवन

मजूमदार और मदन ने आदिम अर्थव्यवस्था के नौ महत्त्वपूर्ण लक्षण चिन्हित किए हैं। यथा (1) जीवनयापन में नवीन तकनी.कों के सहयोग का पूर्णतया अभाव (2)वस्तुओं के आदान-प्रदान

पर निर्भरता (barter system) (3) लाभ कमाने की मानसिकता का अभाव (4) सहयोगी एवं सहकारी प्रयास (5) परिवर्तन की धीमी गति (6) नियमित हाटों की भूमिका (7) उपभोक्ता वस्तुओं का नियमित उत्पादन (8) विशेषज्ञता की कमी (9) सम्पत्ति के प्रदर्शन की मानसिकता, बचत की आदत का अभाव।

पहाड़िया, कोरवा, बिरजिया आदि की तरह पहले शबर भी झूम खेती किया करते थे। किन्तु वन विभाग ने इसे बन्द करवा दिया। डॉ. वी.एस. उपाध्याय ने अपने अध्ययन के क्रम में धालभूम अनुमंडल के अन्तर्गत शबर ग्रामों का सर्वेक्षण किया है। इन्होंने शबर ग्रामों को दो भागों में बाँटा है। प्रथम, ऐसे ग्राम जो सरकारी योजना के तहत बसाए नहीं गए। द्वितीय ऐसे ग्राम जो सरकारी योजना के तहत बसाए गए हैं।

बसडेरा गाँव प्रथम श्रेणी में आता है। यह शबरों का परम्परागत गाँव है। यहाँ डॉ. उपाध्याय ने पाया कि कुल ग्यारह शबर परिवारों में से मात्र सात के पास ही कृषि योग्य भूमि थी। उनमें से भी मात्र एक परिवार के पास 1.07 एकड़ भूमि (टांड़ II) थी। एक अन्य परिवार के पास 0.20 एकड़ (टांड़ II) उपलब्ध थी। तीन अन्य परिवारों के पास 5 डिसीमल, एक अन्य परिवार के पास 50 डिसीमल और एक दूसरे परिवार के पास 20 डिसीमल की बारी भूमि (garden land) उपलब्ध थी।

डोबकोडीह शबर टोला भी परम्परागत बसावट है। यहाँ 1995 में 41 शबर परिवार थे जिनमें से मात्र दो परिवारों के पास 10-10 डिसीमल टांड़ II प्रकार की भूमि उपलब्ध थी।

धालभूमगढ़ प्रखंड अन्तर्गत हल्दाजुरी (Haldajuri) गाँव में 1995 में शबरों के 25 परिवार रह रहे थे। इनमें से पाँच परिवारों के पास 2-2 डिसीमल भूमि थी एवं अन्य चार परिवारों के पास 4-4 डिसीमल भूमि थी। किन्तु जो कॉलोनी शबरों के लिए सरकार द्वारा बसाई गई थी उसकी स्थिति थोड़ी भिन्न पाई गई। जनजातीय शोध संस्थान मोराबादी, राँची के सर्वेक्षण के अनुसार वन विभाग ने शबर नगर (पोटका प्रखंड, पूर्वी सिंहभूम) के 100 शबर परिवारों के लिए 625 एकड़ भूमि खाली की। 5-5 एकड़ भूमि हरेक परिवार को उपलब्ध करवाई गई। 5 एकड़ भूमि में से 4.5 एकड़ भूमि खेती के लिए थी। 0.5 एकड़ भूमि बाड़ी (gerden) के लिए दी गई थी।

किन्तु जब डॉ. वी.एस. उपाध्याय ने अपने अध्ययन के क्रम में पोटका प्रखंड में अभिलेखों की छानबीन की तो पाया कि शबर नगर कॉलोनी के परिवारों को बराबर-बराबर भूमि नहीं सौंपी गई थी। वैसे भी उस कॉलोनी में 100 परिवारों में से मात्र 45 परिवार ही बचे थे। शेष 55 परिवार अपने पुराने पारम्परिक आवासों-टोलों में लौट गए थे। उन 45 परिवारों में से भी मात्र 18 परिवार को एक एकड़ से भी कम, वह भी टांड़ II भूमि बन्दोबस्त हुई थी। 23 परिवारों के पास 2 से 3 एकड़ भूमि थी। 1 परिवार के पास 4 एकड़ एवं एक अन्य परिवार के पास 5 एकड़ से ज्यादा भूमि थी। हालाँकि इन 45 परिवारों को कुछ न कुछ भूमि उपलब्ध करवाई गई थी किन्तु अन्य कृषि उपकरण के अभाव में ये खेती नहीं कर रहे थे।

घाटशीला प्रखंड के ऊपरपऊरा कॉलोनी के शबर परिवारों के लिए वन विभाग ने 100 एकड़ भूमि खाली की। प्रत्येक परिवार को 2.5 एकड़ प्रति परिवार भूमि बन्दोबस्त भी हुई। वर्तमान के

33 शबर परिवारों के कब्जे में भूमि भी है किन्तु प्रत्येक परिवार के पास कृषि योग्य कितनी भूमि है, यह कोई परिवार बताने की स्थिति में नहीं था।

घाटशीला प्रखंड के ही हलुदवानी कॉलोनी के शबरों को भी 1.5 एकड़ भूमि प्रति परिवार बन्दोबस्त तो हुई है किन्तु इनके पास इस बन्दोबस्त भूमि का पट्टा या कोई कागज नहीं मिला। नतीजतन सारी भूमि पर गाँव के संताल खेती कर रहे हैं।

निष्कर्ष यह कि शबर अपने परम्परागत गाँव-टोले में रह रहे हों या सरकार द्वारा बनाई कॉलोनियों में, उनकी आर्थिक स्थिति में कोई परिवर्तन नहीं आया है। कृषि योग्य भूमि की अनुपलब्धता बड़ी समस्या है। वन विभाग द्वारा एवं सरकार द्वारा भूमि बन्दोबस्ती की कागजी कार्रवाई पूर्ण होने पर भी यथार्थ में खेती योग्य जमीन उनके हाथ नहीं लगी। एक परिवार के पास औसतन कृषि योग्य भूमि कुछ डिसीमल ही है। स्पष्ट है कि चाहकर भी ये जीवनयापन के लिए केवल और केवल खेती पर निर्भर नहीं कर सकते। दुर्भाग्यपूर्ण यह है कि झारखंड की अधिकांश आदिम जनजातियों की स्थिति कमोबेश ऐसी ही है। अतएव शबर खेती के अलावा कृषि मजदूरी, लाह संग्रहण, केन्दुपत्ता संग्रहण, मधु संग्रहण, जलावन बिक्री आदि पर निर्भर करते हैं।

कृषि

झारखंड पठार की विशिष्ट भू-आकृति कृषि भूमि को छह प्रकार में बाँटती है। सर्वप्रथम भूमि को दोन एवं टांड़ दो भागों में बाँटकर हम देख सकते हैं। दोन I भूमि की सबसे अच्छी किस्म है और टांड़ III सबसे खराब। भूमि का यह वर्गीकरण भूमि की उपज एवं जलधारण क्षमता के आधार पर किया गया है। दोन I भूमि धान के लिए सबसे उपयुक्त भूमि होती है क्योंकि भूमि के इन टुकड़ों में छह माह से साल भर पानी रहता है। टांड़ III जमीन एकदम बंजर होती है। उसमें खेती नहीं हो सकती, ज्यादा से ज्यादा सरगुजा, मड़ुआ आदि उग सकते हैं।

दोन I, II, III किस्म में धान की उपज औसतन क्रमश: 14 क्विंटल, 8 क्विंटल एवं 5 क्विंटल हो सकती है। किन्तु शबर लोगों के पास अधिकतर टांड़ भूमि है। टांड़ I और II में भी कई फसलें ली जाती हैं। झारखंड में शबर सहित अधिकतर किसान खरीफ मौसम (वर्षा ऋतु) में निम्नलिखित फसल लेते हैं। यथा धान, मक्का, गोन्दली, मड़ुआ, जटंगी (सरगुजा) आदि। वर्षा अगर अच्छी हुई हो और खरीफ फसल की कटनी के बाद भी अगर भूमि में नमी हो तो रबी फसल में उड़द, चना, अरहर आदि की खेती की जाती है।

खेती के अलावा जीविका का दूसरा महत्त्वपूर्ण साधन कृषि-मजदूरी है। शबर आसपास के बड़े किसानों संतालों, उराँवों, सदानों के यहाँ काम करते हैं और मजदूरी लेते हैं।

हाट के दिन शबर स्त्री-पुरुष जलावन की लकड़ी बेचने के लिए लेकर पहुँचते हैं जिसे बेचकर जरूरी खरीददारी करते हैं। जंगल से केन्दुपत्ता का संग्रहण भी उन्हें आजकल अच्छी मजदूरी उपलब्ध करवा रहा ह।

कुसुम, बेर एवं पलाश वृक्षों से लाह का संग्रहण भी एक तरह की खेती ही है। यह संग्रहण साल में दो बार किया जाता है। प्रथम वैशाखी जो जून माह में संग्रहित लाह फसल को कहते हैं। दूसरी नवम्बर-दिसम्बर में यह संग्रहित की जाती है। हाट में छोटे व्यापारी बहुत कम कीमत में

उनसे झटक लेते हैं।

मधुरस, गोन्द, रेजिन का संग्रहण भी एक सहायक जीविका उपार्जन का साधन है।

राजनीतिक संगठन

शबरों की भी अपनी स्वशासन की परम्परा है। 'प्रधान' ग्राम प्रमुख होता है। यह पद अब वंशानुगत है। 'प्रधान' के परिवार का ज्येष्ठ पुत्र ही 'प्रधान' होता है यदि वह मानसिक-शारीरिक रूप से स्वस्थ हो अन्यथा ज्येष्ठ के बाद का भाई 'प्रधान' पद का दावेदार होता है। प्रधान को सहयोग करने के लिए 'गोड़ायत' होता है जो कि संदेशवाहक होता है। गाँव के बड़े-बुजुर्गों की एक समिति भी न्याय करते समय 'प्रधान' के साथ अखड़ा में बैठती है। प्रधान के नेतृत्व में ग्राम समिति वैयक्तिक झगड़ों, सम्पत्ति विवाद, यौन-अपराध, वैवाहिक विवाद, पशु हत्या, फसल विवाद आदि का नियमित निपटारा किया करती है।

धर्म-पर्व-त्योहार

शबरों के सर्वोच्च देवता 'धरम देवता' हैं जो कि सृष्टि के रचयिता हैं। इन सर्वोच्च देवों में एक सूर्य भगवान भी हैं। सूर्य भगवान की आराधना सफेद मुर्गा, सफेद बकरे की बलि एवं हँड़िया से की जाती है।

'धरम देवता', 'सूर्य देवता' के बाद 'ग्राम देवता' का स्थान है। ग्राम देवता ही ग्रामीणों की विभिन्न हारी-बीमारी, छाया आदि से रक्षा करते हैं। शबर ग्राम देवता के रूप में हाथी या घोड़े की भी कल्पना किया करते हैं।

बासुमाता, पाट देवता, ब्रह्म देवता, अन्य महत्त्वपूर्ण देवी-देवता हैं। शबर काली पूजा एवं मनसा देवी पूजा भी किया करते हैं।

अन्य जनजातियों की तरह ये भी फागु पूजा, सरहूल, करमा, सोहराई, नवारदानी आदि पर्व मनाते हैं। इनके अलावा अन्य पर्व निम्नवत हैं—

पारधी : यह एक शिकार पर्व है जो फागुन पूर्णिमा (फरवरी या मार्च) के दिन मनाया जाता है। 'लोया' (परम्परागत शिकार में नेतृत्व प्रदान करने वाला) इस पर्व में समूह का नेतृत्व करता है। पूजा-पाठ करके ये शिकार के लिए निकलते हैं। शाम तक किसी भी पशु या पक्षी का शिकार कर लौटते हैं।

चैत संक्रान्ति या संक्रान्ति : बुढ़ा-बुढ़ी (पूर्वजों) की पूजा के बाद सत्तू-गुड़ खाते हैं।

गोठ पूजा और गोहाल पूजा : यह सोहराय के अवसर पर की जाने वाली पशु पूजा है।

आदिम जनजाति समूह : परिवर्तन की अत्यन्त धीमी आहट

झारखंड के वन प्रान्तर का कोई कोना अब अछूता नहीं रहा है। वन विभाग, खनन विभाग, खनन परिसर, विद्यालय, आवासीय विद्यालय आदि दूरस्थ क्षेत्रों में भी देखे जा सकते हैं। हर बाहरी या आधुनिक हस्तक्षेप ने सकारात्मक एवं नकारात्मक दोनों तरह के प्रभाव इन समूहों पर डाले हैं। एक ओर 1952 के वन कानूनों ने झूम खेती प्रतिबंधित कर इनके लिए खाद्यान्न का संकट खड़ा

किया। दूसरी ओर वन विकास निगम ने जंगल की कटाई करवा कर इनके लिए भोजन-संग्रहण को दुर्लभ बनाया। लेकिन खनन परिसरों एवं वन कटाई ने रोजगार के नए अवसर भी उपलब्ध करवाए। तीन दशक पूर्व प्रारम्भ हुए आवासीय विद्यालयों ने दूरस्थ क्षेत्रों चौरापाट, सखुआ पानी, जोभीपाट में पहुँच कर भी कई सकारात्मक प्रभाव डाले।

एक-एक कर इन परिवर्तनों के अध्ययन के पूर्व हम 1997-98 में गुमला जिले में करवाए गए एक सर्वेक्षण के आंकड़ों पर नजर डालें। यह सर्वेक्षण जिला प्रशासन द्वारा आदिम जनजाति समूहों के डाटाबेस तैयार करने के उद्देश्य से करवाया गया था। इस सर्वेक्षण का महत्त्व यह है कि यह परिवारवार, ग्रामवार तैयार किया गया है। अत: कई सूचनाएँ विस्तार से इसमें समाहित हैं। इस सर्वेक्षण के दौरान इन पंक्तियों का लेखक बिशनुपुर प्रखंड में पद स्थापित था और उस प्रखंड में न केवल सर्वेक्षण को सम्पादित कर रहा था बल्कि स्वयं भी कई परिवारों का सर्वेक्षण किया था। ध्यातव्य है कि गुमला जिले में बिशुनपुर प्रखंड में ही असुर एवं बिरजिया लोगों की सबसे बड़ी आबादी निवास करती है। 1997-98 के गुमला जिले में आज का सिमडेगा जिला भी अनुमंडल के रूप में समाहित था।

तालिका-1

गुमला एवं सिमडेगा जिले में आदिम जनजातियों का सर्वेक्षण

क्रम	प्रखंड	असुर			बिरहोर			बिरजिया			कोरवा			परहैया			कुल
	का नाम	ग्राम	परिवार	कुल	ग्राम	परिवार	कुल	ग्राम	परिवार	कुल	ग्राम	परिवार	कुल	ग्राम	परि.	कुल	जन.
1.	गुमला	2	3	15	–	–	–	–	–	–	2	20	92	–	–	–	107
2.	डुमरी	7	47	297	2	8	40	–	–	–	24	224	1180	–	–	–	1517
3.	पालकोट	–	–	–	1	15	46	–	–	–	–	–	–	–	–	–	46
4.	घाघरा	19	271	1622	–	–	–	–	–	–	3	41	184	–	–	–	1806
5.	कोलेबिरा	–	–	–	1	6	29	–	–	–	–	–	–	–	–	–	29
6.	सिमडेगा	–	–	–	3	34	135	–	–	–	–	–	–	–	–	–	135
7.	कामडारा	–	–	–	1	11	34	–	–	–	–	–	–	–	–	–	34
8.	चैनपुर	22	315	2361	3	14	87	–	–	–	8	76	393	–	–	–	2841
9.	रायडीह	1	1	6	5	18	71	–	–	–	8	41	223	–	–	–	300
10.	कुरडेग	–	–	–	1	2	6	–	–	–	16	131	561	–	–	–	567
11.	विशुनपुर	24	586	4040	3	55	248	22	287	1415	–	–	–	2	15	71	5774
12.	वोलवा	–	–	–	–	–	–	–	–	–	1	6	16	–	–	–	16
	कुल	75	1223	8341	20	163	696	22	287	1415	62	539	2649	2	15	71	13172

स्रोत : 1997–98 गुमला जिला प्रशासन द्वारा सर्वेक्षणोपरान्त प्रकाशित पुस्तिका समाहजात गुमला, कल्याण विभाग

तालिका–2 प्रखण्ड विशुनपुर

अल्पसंख्यक आदिम जनजातियों की समेकित सूची

क्रम	टोला	ग्राम	पंचायत	जाति	परिवार संख्या	जनसं.	पेशा	साक्षर सदस्यों की सं.	सबसे ज्यादा साक्षर व्यक्ति की योग्यता	दूरी किमी में प्र. से	पं. से	प्रा. वि. से	स्वा. उप केंद्र	आ. वा	बा. जा र	सिं चा ई	जमीन की उप.	आधारभूत संरचना चापाकल	सड़क	इंदिरा आवास
1.	कुजामनाबा	गुरदरी	गुरदरी	असूर	28	199	कृषि मजदूरी	29	मैट्रिक	43	2	1	5	2	9	–	3 एकड़		कच्ची सड़क	4
2.	भठीपाट	कुजाम	गुरदरी	"	22	171	"	15	"	42	6	2	9	2	9	–	4		–	10
3.	ढीढूटोली	"	"	"	7	45	कृषि मजदूरी	3	"	46	6	2	10	4	10	–	–		उपलब्ध	–
4.	पीरहापाट	"	"	"	31	218	कृषि मजदूरी	3	"	48	7	3	7	–	7	–	4	नहीं	–	
5.	रामझरोया	गुरदरी	"	"	16	86	"	12	"	35	2	1½	3	–	12	–	–		कच्ची सड़क	1
6.	पोलपोस	"	"	"	44	318	कृषि मजदूरी	29	बी. ए.	–	2	3	2	2	3	–	–	4		10
7.	कासोपानी	"	"	"	13	17	कृषि मजदूरी	–	–	45	3	–	3	–	2	–	4	उपलब्ध	–	
8.	बरपाट	"	"	"	16	124	"	14	–	55	6	–	5	5	5	–	–		कच्ची सड़क	2
9.	आम्बाकोना	अ.कोना	"	"	4	14	"	–	–	53	5	–	5	–	5	–	4	–	–	
10.	सखुआपानी	स.पानी	"	"	43	328	"	89	बी.ए.	48	–	1½	1½	0	2	–	–		उपलब्ध	–
11.	जबाडीह	चीरोडीह	चापाटोली	"	12	101	"	1	7वां	40	4	4	4	4	5	–	–		कच्ची सड़क	–
12.	छातासराय	"	"	"	11	84	"	–	–	39	6	3	3	3	3	–	43 ए.		"	–
13.	कोचनारपाट	चातम	चापा.	असूर	22	193	कृषि मज.	7	आई.ए.	46	5	1	10	5		10	नहीं	3–50	उपलब्ध	3

14.	अमतीपानी	अमती.	बहागड़ा	"	30	212	"	18	मैट्रिक	37	30	3	5	–	5	–	–	कच्ची सड़क	7
15.	चोटांगपाट	चातम	चापा.	"	22	193	"	7	आई.ए.	46	5	1	10	10	10	–	3–50	"	19
16.	चापाकोना	बहागड़ा	बहागड़ा	"	22	177	"	–	8वां	36	4	1½	3	2	3	–	4–00	कच्ची स.	–
17.	डीपकुजाम	कुजाम	गुरदरी	"	30	210	"	35	बी.ए.	45	5	–	5	5	5	–	3–10	चापाकल	3
18.	ऊपरलोदापाट	बहागड़ा	बहागड़ा	"	39	340	"	32	–	34	4	2	2	–	2	–	–	कच्ची स.	33
19.	ओरया	ओरया	–	"	1	13	"	7	–	20	3	4	3	2	6	×	4–40	–	–
20.	बालायातुपाट	हेलता	हेलता	"	10	61	"	1	सप्तम	10	5	4	4	4	10	कुप	–	–	–
21.	सालम	सालम	नवटोली	"	5	20	"	1	नौवां	11	3	3	3	3	3	–	3:1ए.	कच्ची स.	1
22.	जोभीपाट	नरमाजोभी	पाटनरमा	"	45	388	"	56	बी.ए.	35	3	0	0	0	0	–	4.00	डाड़ी	38
23.	गोरापहाड़	बहागड़ा	बहागड़ा	"	41	307	"	35	मैट्रिक	37	8	2	3	1	3	कुप	–	–	1
24.	खैरीपाट	बहागड़ा	बहागड़ा	असूर	32	221	कृषि मजदूरी	9	मैट्रिक	37	8	2	3	1	3	कुप	3–50	×	6
25.	जिलपीदह	हवाद	जोरी	बृजिया	37	146	बांस	–	–	35	8	3	8	2	8	–	18–00	–	23
26.	जान्हुपाट	"	"	"	5	19	"	–	–	21	6	2	6	2	8	–	–	–	–
27.	जुड़वानी	घाघरा	"	"	16	78	"	9	–	36	7	3	5	3	5	–	–	–	6
28.	जेहन बिरहोर कॉ.	जेहनगुटवा	हेलता	बिरहोर	18	76	रस्सी बु.,खेती	33	नौवां	3	3	0	3	1	3	–	–	–	10
29.	बेती बिरहोर कॉ.	बेती	नरमामरवय	"	24	120	"	42	8वां	13	6	1	1	0	8	कुप	–	कच्ची स.	19
30	कटिया बि. कॉ.	कटिया	जोरी	"	13	52	"	1	5वां	31	8	1	1	1	5	–	–	"	12
31.	बुकी कोना	जमटी	जलटी	पहरिया	10	45	बां.टो, खेती	–	–	38	2	2	2	2	8	–	6–00	–	5
32.	पहरिया टोली	कटिया	जोरी	"	5	26	"	2	–	30	7	1½	3	1½	3	–	–	–	5

तालिका-2ए प्रखण्ड विशुनपुर

अल्पसंख्यक आदिम जनजातियों की समेकित सूची

क्रम	टोला	ग्राम	पंचायत	जाति	परिवार संख्या	जनसं.	पेशा	साक्षर सदस्य की सं.	सबसे ज्यादा साक्षर व्यक्ति की योग्यता	प्र. से	पं. से	दूरी किमी में प्रा. वि. से	स्वा. उप केंद्र	आ. वा	बा. जा र	सिं चा ई	जमीन की उप.	आधारभूत संरचना चापाकल सड़क	इंदिरा आवास
1.	जाहुप	जाहुप	वनारी	वृजिया	16	85	मजदूरी	22	–	8	3	2	3	1	3	–	–	कच्ची सड़क	15
2.	वनारी	वनारी	वनारी	,,	3	16	–	3	–	8	0	2	0	0	0	–	–	,,	1
3.	परसापानी	हेसाग	,,	,,	12	61	मजदूरी	–	–	8	4	4	4	4	4	–	–	,,	12
4.	मंजीरापाट	मंजीरा	विशुनपुर	,,	7	37	मजदूरी	–	–	6	6	3	3	3	6	–	–	,,	7
5.	गढ़ाहाडुप	हाडुप	हाडुप	,,	34	200	खेती, बांस	17	–	5	5	1½	1½	1½	5	–	1½	कच्ची सड़क	10
6.	कबरापाट	हाडुप	हाडुप	,,	8	51	खेती मज.	2	–	7	7	2	2	2	7	–	–	कच्ची सड़क	8
7.	मैलापाट	सेरका	हाडुप	,,	6	27	खेती मज.	1	–	7	7	2	2	2	7	–	–	कच्ची सड़क	6
8.	होसेग	होसेग	,,	,,	11	47	,,	–	–	3½	4	1	3½	1	3½	–	–	कच्ची सड़क	10
9.	जालिम	जालिम	,,	,,	40	214	,,	18	2	35	35	0	4	0	35	–	–	कच्ची सड़क	2
10.	गढ़ा केचकी	केचकी	,,	,,	5	25	,,	–	–	25	25	0	5	3	3	–	–	–	–
11.	सुदीकोना	,,	,,	,,	16	87	,,	5	–	25	25	0	5	3	3	–	–	–	–

12.	सालम	सालम	सालम नवाटोली	,,	5	20	,,	1	–	11	3	3	3	3	3	–	–	कच्ची सड़क	1
13.	लगवा	लगवा	सालम नवाटोली	वृजिया	2	11	खेती मज.	–	–	14	3	1½	3	3	6	–	–	–	–
14.	बेयट	बेयट	,,	,,	14	65	,,	–	–	20	5	1	5	1	7	हां	–	चापाकल	5
15.	हिसिर	हिसिर	,,	,,	4	20	खेती सहार	–	–	25	6	1	6	3	10	–	–	–	–
16.	तुसरु कोना	रागे	नरमा	,,	24	118	खेती मज.	15	–	15	5	8	8	8	10	–	1½	–	19
17.	वृजिया टोली	बेती	नरमा	,,	10	55	खेती मज.	12	–	14	5	1	1½	1½	6	–	3–50	कच्ची स.	–
18.	उपरटुटवा	अपरटुटवा	–	–	7	40	,,	1	28	18	3	3	3	3	–	–	3 ए.	कच्ची स.	4
19.	गम्हारपाट	नरमा	–	–	5	23	खेती मज.	–	–	30	25	3	3	3	–	–	2 ए.	–	4

तालिका–3 विशुनपुर प्रखंड (गुमला) में 1997–98 में परिवारवार/ग्रामवार किए गए सर्वेक्षण का सारांश

क्रम	ग्राम पंचायत	टोला	परिवार संख्या	पु. सं.	स्त्री. स.	जन.	पेशा	साक्षर	उपलब्ध भूमि किस्म	उपलब्ध पशु धन	औसत आय	सरकारी सामान्य सहायता	घर की स्थिति	मौसमवार भोजन उपलब्धता
1.	गुरदरी/ गुरदरी	कुजांम नवाटोली	28	105	94	199	कृषि, खदान मजदूरी	29	4.00 टांड, दोन	बैल–2, बकरी–3 गाय–2	5000	इन्दिरा आवास, कुआँ, बैल, मच्छरदानी, खाद–बीज	ठीक है	जाड़ा–मकई गर्मी–सरई बरसात–कटहल
2.	कुजांम/ गुरदरी	भट्टीपाट	22	103	68	171	कृषि खदान मजदूरी	15	5.00 टांड, दोन	बैल–2 बकरी–2	5000	कुआं, तालाब	ठीक है	"
3.	कुजांम/ गुरदरी	ढोकीटोली	7	20	25	45	"	3	4.00 टांड, दोन	"	5000	कुआं, तालाब	जर्जर है	"
4.	कुजांम/ गुरदरी	पीरहापाट	31	115	103	218	"	3	5.00 टांड, दोन	बैल–2 बकरी–2	5000	कुआं, तालाब	ठीक है	"
5.	गुरदरी/ गुरदरी	रामझरिया	16	42	44	86	"	12	4.00 टांड, दोन	बैल–2 बकरी–2 सूकर–2	7000	कुआं, तालाब इंदिरा आवास	ठीक है	"
6.	गुरदरी/ गुरदरी	पोलपोल	44	160	158	318	"	29	5.00 टांड, दोन	बैल–2 बकरी–2 सूकर–2	7500	कुआं, तालाब इंदिरा आवास	ठीक है	"

7.	गुरदरी/ गुरदरी	काठोपानी	13	9	8	17	"	×	5.00 टांड, दोन	बैल–2 बकरी–2	7500	कुआँ, तालाब	जर्जर	"
8.	गुरदरी/ गुरदरी	वरपाट	16	58	66	124	"	14	4.00 टांड, दोन	बैल–2 बकरी–2	7500	कुआँ, इंदिरा आवास	ठीक है	"
9.	अंबाकोना /गुरदरी	अंबाकोना	4	6	8	14	"	0	5.00 टांड, दोन	बैल–2 बकरी–2	5500	–	जर्जर	"
10.	सखुआपानी /गुरदरी	सखुआपानी	43	171	157	328	"	89	5.00 टांड, दोन	बैल–2 बकरी–2 गाय–1	5500	कुआँ, तालाब इंदिरा आवास	ठीक है	"
11.	चिरोडीह /चंपाटोली	जावाडीह	12	53	48	101	"	1	4 ए. टांड, दोन	"	5500	कृषि उपकरण	ठीक है	"
12.	चिरोडीह /चंपाटोली	छातासराई	11	40	44	84	"	शून्य	–	"	5500	बैल	जर्जर	"
13.	चातका /चंपाटोली	कोमनार.	9	37	37	74	"	3	4.00 टांड, दोन	"	5500	कुआँ, तालाब कंबल, मच्छरदानी	जर्जर	"
14.	चातका /चंपाटोली	चोरंगपाट	22	87	96	193	"	7	4.00 टांड, दोन	"	5500	कृषि उपकरण इंदिरा आवास	ठीक है	"
15.	कुजाम /गुरदरी	डिपाकुजांग	31	103	107	210	"	35	4.00 टांड, दोन	"	5500	कुआँ, तालाब इंदिरा आवास	ठीक है	"

16.	अम्तोपानी /बहागड़ा	अम्तोपानी	30	106	106	212	"	18	4.00 टांड, दोन	बैल–2 बकरी–2	5500	कुआँ, तालाब इंदिरा आवास	ठीक है	"
17.	बहागड़ा/ बहागड़ा	चापाकोला	22	62	55	117	"	शून्य	–	"	–	बैल, कम्बल मच्छरदानी	जर्जर	"
18.	"	लोदापाट	39	188	152	340	"	32	–	"	–	इन्दिरा आवास,बैल भूमि, समतली	ठीक है	"
19.	ओरेया/ बहागड़ा	ओरेया	1	9	4	13	"	7	4.30 टांड, दोन	"	5000/–	–	ठीक है	"
20.	हेलता/ हेलता	बलातुपाट	10	33	28	61	कृषि मज.	1	1.50	"	5000/–	कम्बल, मच्छरदानी	जर्जर	"
21.	सालम/ सालम नवाटोली	सालम	5	12	8	20	"	1	2.50	"	5000/–	इन्दिरा आवास	ठीक है	"
22.	जोभीपाट/ नरमा	जोभीपाट	45	180	208	388	कृषि, खदान मज.	56	2.30	"	6000/–	इन्दिरा आवास	ठीक है	"
23.	बहागड़ा/ बहागड़ा	गोरापहाड़	41	161	146	307	कृषि मज.	35	2.50	"	6000/–	कुआँ, तालाब, बैल, भूमि समतली	जर्जर	"
24.	बहागड़ा/ बहागड़ा	खैरीपाट	31	103	105	212	"	9	3.50	"	5500/–	कुआँ, बैल इन्दिरा आवास	ठीक है	"
	कुल		523	1977	1879	3812		394						

तालिका–4 विशुनपुर प्रखंड (गुमला) में प्रति परिवार किए गए सर्वेक्षण उपरांत वृजियाटोलों का सारांश 1997–98

क्रम	ग्राम पंचायत	टोला	परिवार संख्या	पु. सं.	स्त्री. स.	जन.	पेशा	साक्षर	उपलब्ध भूमि किस्म	उपलब्ध पशु धन	औसत आय	सरकारी सामान्य सहायता	घर की स्थिति
1	जादुप/ वनारी	जादुप	16	37	48	85	मजदूरी बांध कार्य	2	2	0.55 डी	4500/–	इन्दिरा आवास, बैल, बकरी, बीज	अच्छी सामान्य
2.	वनारी/ वनारी	वनारी	3	8	8	16	"	3	–	–	"	"	
3.	हेसराय/ वनारी	परसापानी	12	32	34	66	"	–	2	0.50 टांड, दोन	"	"	अच्छी
4.	मंजीरा/ विशुनपुर	मंजीरापाट	7	20	17	37	"	5	4	3 ए.टांड	5000/–	इन्दिरा आवास, बैल, बकरी, कृषि उप.	"
5.	हाडुप/ हाडुप	गढ़ाहाडुप	35	94	106	200	खेती बांस कार्य	17	3	1 ए.	"	"	सामान्य कुछ जर्जर
6.	–	कबरापाट	8	24	27	51	खेती, खान मज.	2	4	4 ए.	6000/–	"	अच्छी
7.	सेरका/ हाडुप	मैलापाट	6	14	13	27	खेती खान मज.	1	3	"	"	"	अच्छी

8.	होलंग/ हाडुप	होलंग	11	23	24	47	खेती बांस कार्य	"	1	1 ए. टांड	"	"	अच्छी
9.	जालिम/ हाडुप	जालिम	40	108	106	214	खेती, बांस कार्य मज.	18	4	0.50	4500/–	कुआँ, कृषि उप., बैल, बीज खाद	जर्जर
10.	केचकी/ हाडुप	गढ़ाकेचकी	5	12	13	25	"	×	3	1 ए.	5000/–	"	"
11.	"	सुदीकोना	16	45	42	87	"	5	4	–	–	"	"
12.	सालम/ सालम नवाटोली	सालम	5	12	8	20	खेती मज.	1	2	3.50 ए.	6000/–	इन्दिरा आवास, कूप, कृषि उप., बीज	सामान्य
13.	लवगा/ सालम नवाटोली	लवगा	2	4	7	11	खेती बांस कार्य	×	4	2 एकड़	5000/–	इन्दिरा आवास कृषि उप., बैल, बीज	अच्छी
14.	बेघट/ सालम नवाटोली	बेघट	14	36	29	65	"	×	1	1.50 ए.	4500/–	"	कुछ अच्छा कुछ खराब
15.	हिसिर/ सालम नवाटोली	हिसिर	4	13	7	20	लोहारगिरी	×	4	2 ए.	5000/–	"	ठीक : खराब 25:75
16.	रांगे/ नरमा	तुसरुकोना	25	65	53	118	खेती बांस कार्य	15	3	2 एकड़	–	"	अच्छी
17.	बेती/ नरमा	वृजियाटोली	10	27	28	55	"	12	1	3.50 ए.	–	"	सामान्य

18.	अपर टुडुआ	अपर टुडुआ	6	23	15	38	"	×	2	2 ए.	"	"	निर्माणाधीन
19.	नरमा/ नरमा	गम्हारपाट	5	12	11	23	खेती मज.	×	2	2 ए.	"	इन्दिरा आवास, बैल, बकरी, कृषि उप., बीज	निर्माणाधीन
20.	हपाद/ जोरी	जिलपीदह	35	80	67	147	बांस खेती कार्य मजदूरी	×	2	1.50 ए.	4000/–	इन्दिरा आवास, कूप, बैल, खाद, बीज	अच्छी
21.	हपाद/ जोरी	जान्हुपाट	5	8	11	19	"	×	2	1 ए.	"	बैल, बकरी	जर्जर
22.	घाघरा/ जोरी	जुड़वानी	16	44	34	78	"	9	4	2 ए.	"	इन्दिरा आवास, बैल	अच्छी
			286	741	708	1449		90					

तालिका–5 विशुनपुर प्रखंड (गुमला) में 1997–98 में प्रति परिवार/ग्रामवार किए गए सर्वेक्षण का सारांश

क्र.	पंचायत का नाम	टोला का नाम	परिवार की संख्या	पुरुष	स्त्री	योग	पेशा	साक्षर सदस्य	औसत पशुधन	औसत भूमि	औसत आय	सरकारी सहायता	औसत घर की स्थिति	भोजन की उपलब्धि
1.	जेहनगुटुवा हेलता	जेहन बिरहोर कॉलोनी	21	40	44	84	रस्सी बनाना खेती, ड्राइवरी	33	0.5	1.10	4500/–	इन्दिरा आवास कृषि उप., ट्रेक्टर, बीज	अच्छा	चावल जेठीकन्दा आदि
2.	बेती नरमा मखई	बेती बिरहोर कॉलोनी	20	55	63	118	रस्सी बनाना खेती	42	0.75	4.10	"	इन्दिरा आवास ट्रैक्टर बीज, खाद, कृषि उप.	अच्छा	चावल जेठीकन्दा आदि
3.	कटिया जोरी	कटिया बिरहोर कॉलोनी	13	26	26	52	रस्सी बनाना	01	0.15	3.65	"	इन्दिरा आवास	पुराना	चावल जेठीकन्दा आदि
		योग	54	121	133	254		76	0.95					

तालिका-6 विशुनपुर प्रखंड (गुमला) में 1997-98 में परहैया टोलों का सर्वेक्षण सारांश

पंचायत का नाम	टोला का नाम	परिवार की संख्या	पुरुष	स्त्री	योग	पेशा	साक्षर सदस्य	औसत भूमि	औसत पशुधन	औसत आय	सरकारी सहायता	औसत घर की स्थिति	भोजन की उपलब्धि
जमरी/ जमरी	बुकीकोना	10	17	28	45	कृषि, बांस टोकरी निर्माण	शून्य	1 ए.	1	3000/-	इन्दिरा आवास चार परिवारों को	छः परिवार के घर जर्जर	जाड़ा-मकई घट्टा, चावल गर्मी-महुआ,सत्तू
कटिया/ जोरी	परहिया टोली	5	12	14	26	कृषि, रस्सी बनाना	2	0.80	1	3500/-	सभी परिवार इन्दिरा आवास	ठीक	बरसात-कटहल जेठीकन्दा आदि

तालिका–7 झारखंड राज्य में आदिम जनजाति का शैक्षणिक विवरण—उम्र समूह 14 से 60

जनजाति	निरक्षर	साक्षर	प्राइ.	अनौप-चारिक	मिडिल	हाई स्कूल	इंटर-मीडिएट	तकनीकी डिप्लोमा	स्नातक	तकनीकी डिग्री	स्नात-कोत्तर	व्याव-सायिक	अन्य	कुल साक्षर
असुर	1304	89	61	3	80	142	12	0	6	0	0	0	42	435
बिरजिया	858	38	48	1	79	68	6	0	4	0	0	0	2	246
बिरहोर	2501	207	300	11	50	29	6	5	2	0	0	0	363	973
कोरवा	4628	311	111	16	98	100	4	1	9	0	0	0	810	1460
परहिया	265	68	23	3	7	75	2	4	1	0	0	0	157	340
माल परहिया	15445	1844	1113	86	1147	806	151	18	84	4	0	0	399	5652
सौरिया परहिया	5243	504	94	22	277	264	34	6	11	0	0	0	295	1507
शबर	873	29	48	0	33	24	5	6	7	0	0	0	38	190
	31117	3090	1798	142	1771	1508	220	40	124	4	0	0	2106	10803

जुलाई 2003 में झारखंड जनजातीय शोध एवं कल्याण संस्थान, झारखंड सरकार, मोराबादी, रांची द्वारा जारी किए गए आँकड़े।

तालिकाओं का विश्लेषण

तालिकाओं के विश्लेषण के पूर्व राँची विश्वविद्यालय के नृशास्त्र के प्राध्यापक डॉ. अजीत कुमार सिंह के निष्कर्षों पर एक नजर डालें। डॉ. सिंह ने 1978 में अपने शोध के क्रम में आदिवासी विकास के अध्ययन के लिए विशुनपुर प्रखंड (गुमला) का ही चयन किया था। उनके शोधपत्र ए प्रोवेज टू ट्राइबल डेवेलपमेंट इन इंडिया (ए केस स्टडी ऑफ विशुनपुर ट्राइबल डेवेलपमेंट ब्लॉक इन छोटानागपुर) में कई महत्त्वपूर्ण निष्कर्षों से हम परिचित होते हैं जिनका उल्लेख यहाँ आवश्यक जान पड़ता है ताकि हम विकास की प्रकृति को समझ सकें।

डॉ. सिंह के निष्कर्षों के अनुसार, सारी योजनाएँ सरकार के स्तर पर गढ़ी जाती हैं। तत्पश्चात् प्रति वर्ष इन्हें लागू करने के लिए प्रखंड कार्यालयों को भेज दिया जाता है। अन्ततः योजनाओं के कार्यान्वयन का भार प्रखंड के कर्मचारियों के जिम्मे आ जाता है और वे लाभुकों का चयन अपनी पसंद एवं नापसंद के आधार पर करते हैं। योजनाएँ 'प्रखंड विकास समिति' के माध्यम से तय होती हैं जिनके सदस्य सभी मुखिया होते हैं। विशुनपुर के 12 मुखिया में छह सवर्ण जाति के हैं एवं प्रखंड स्तर के दबंग नेता भी हैं। दूसरी ओर ग्राम स्तर के सरकारी कर्मचारी योजनाओं की सूचना उन तक ही पहुँचाते हैं जो दबंग, सम्पन्न, प्रभावशाली एवं आसानी से उपलब्ध हैं। इन कर्मचारियों के साथ बराबरी के स्तर पर जिनका रोज उठना-बैठना है, उसे प्रखंड कार्यालय की सारी सूचनाएँ ज्ञात होती हैं जबकि आदिम जनजाति समूह के सदस्य या दूरस्थ ग्रामों के ग्रामीण इन जानकारियों से सर्वथा वंचित रह जाते हैं। अगर सूचना किसी तरह मिल भी गई, उसके बावजूद स्वीकृति के आवेदन-पत्र पर मुखिया और ग्राम सेवक को ही निर्णय लेना होता है। स्वाभाविक है कि इस प्रक्रिया में दबंग, प्रभावशाली, धनी लोग ज्यादा लाभान्वित होते रहे हैं। विशुनपुर प्रखंड कार्यालय के योजना पंजी के निरीक्षण से उपर्युक्त निष्कर्ष प्रमाणित होता है जहाँ आदिवासी आबादी के 1% को 9.7 योजनाओं से नवाजा गया था, वहीं सदानों की 1% आबादी को 35 योजनाओं का लाभ पहुँचाया गया था।

जो ग्राम प्रखंड मुख्यालय के नजदीक थे, जीप पहुँचने योग्य पक्की सड़कों से जुड़े थे, सदान बाहुल्य थे, प्रखंड स्तर के दबंग नेतृत्व का आवास था, आदिवासी समूह (उराँव, खेरवार) के प्रभावशाली लोग रहते थे, ऐसे ग्रामों में विकास योजनाएँ पहुँची थीं किन्तु प्रखंड मुख्यालय से दूरस्थ, पक्की सड़कों से नहीं जुड़ीं, शत-प्रतिशत आदिवासी आबादी वाले आदिम जनजातियों के गाँवों में तथा नदी नालों से कटे गाँवों में विकास योजनाएँ नहीं पहुँचीं। (डॉ. ए.कु. सिंह एप्रोचेज टु ट्राइबल... पृ. 153-154)

अब हम अगर तालिका-2 पर नजर डालें तो हम पाएँगे असुर टोलों-ग्रामों की दूरी प्रखंड मुख्यालय से औसतन 35 किमी है। यथा गुरदरी पंचायत के बरपाट, अम्बाकोना की दूरी प्रखंड मुख्यालय से क्रमशः 55 और 53 किमी है जबकि हेलता पंचायत के बलातुपाट एवं सालम पंचायत सालम नवाटोली की दूरी क्रमशः 10 एवं 11 किमी है। स्पष्ट है कि निर्धन असुरों के लिए औसतन 35 किमी पैदल चलकर केवल जानकारी लेने प्रखंड मुख्यालय पहुँचना संभव नहीं रहा। दुर्गम निवास स्थानों के कारण सरकारी कर्मचारी भी उन तक नहीं पहुँचे, नतीजतन विकास कार्यक्रमों से ये अछूते रहे।

किन्तु 1978 से 1998 के बीच स्थिति बदली। हम तालिका-3 के कॉलम 13 पर नजर डालते हैं तो यह पाते हैं कि इंदिरा आवास योजना, जलधारा योजना, तालाब आदि का लाभ लगभग सारे असुर ग्राम/टोलों तक पहुँचा। बैल, कृषि उपकरण, कम्बल, मच्छरदानी जैसी कल्याणकारी योजनाएँ उनके टोलों तक पहुँचीं।

सखुआ पानी (गुरदरी) एवं जोभीपाट (नरमा पंचायत) में आवासीय उच्च विद्यालयों एवं चौरापाट में आवासीय कन्या मध्य विद्यालय ने असुरों के बीच साक्षरता पर सकारात्मक प्रभाव डाला है। तालिका-3 के आँकड़ों से 10.33% साक्षरता दर हम पाते हैं। जोभीपाट के चैत टोप्पो (प्रधानाध्यापक आवासीय उच्च वि. डुमरी) एवं सखुआ पानी के झुनझुन असुर के साथ असुर समाज के पाँच स्नातक लोग विशुनपुर प्रखंड के हैं। तालिका से इंटर एवं मैट्रिक लोगों की भी संख्या ज्ञात है। इस प्रकार आवासीय विद्यालयों ने शिक्षा की ओर एक आकर्षण तो जगाया है।

तालिका-3 के कॉलम 8 के अनुसार खेती के अलावा बॉक्साइट माइन्स में मजदूरी दूसरा मुख्य पेशा बन गया है। पाट क्षेत्र में बसे होने के कारण लगभग हर परिवार के पास चार पाँच एकड़ भूमि उपलब्ध है। दो पहाड़ियों के बीच की दोन भूमि भी इनके परिवारों के पास उपलब्ध है। पाट की टांड़ भूमि में ये मुख्य रूप से मकई, मडुआ, गोंदली, सरगुजा (तेलहन), उड़द और बरसाती आलू की खेती करते हैं। दोन भूमि में स्वाभाविक तौर पर धान की खेती करते हैं। बाड़ी में मौसमी सब्जी, बादाम, पपीता, सहजन, कटहल आदि उगाते हैं। खानों में मजदूरी के एवज में मिलने वाली नकद राशि के कारण अब इनका खानपान संग्रहण पर आधारित नहीं रहा। पाट क्षेत्र के टांड़ में मक्का ही मुख्य फसल है। अतएव मक्के का घट्टा मुख्य आहार है।

बिरजिया

तालिका-2 के अध्ययन से यह स्पष्ट है कि असुरों की तरह तो कुछ बिरजिया टोले प्रखंड मुख्यालय से काफी दूर हैं। यथा जिलयीदह ग्राम हयाद पंचायत जोरी 35 किमी, जुडवानी ग्राम घाघरा पंचायत जोरी 36 किमी, सुदीकोना ग्राम केचकी पंचायत हाड़ुप 25 किमी आदि। किन्तु कुछ ग्राम टोले प्रखंड मुख्यालय से तुलनात्मक रूप से नजदीक भी हैं। यथा होलंग पंचायत हाड़ुप मात्र साढ़े तीन किमी, गढ़ाहाड़ुप पंचायत हाड़ुप 5 किमी, जाहुप पंचायत वनारी 8 किमी।

डॉ. अजीत कु. सिंह ने आदिम जनजातियों की दूरावस्था और प्रखंड कार्यालय की योजनाओं की अपहुँच के बीच सीधा संबंध निकाला था। हो सकता है 1973 में वह सत्य हो किन्तु 1998 में निर्मित तालिका-4 को देखने से यह बात स्पष्ट होती है कि अधिकांश बिरजिया टोली में इंदिरा आवास, जलधारा योजना, कृषि उपकरण, बैल, बीज आदि उपलब्ध करवाया गया है। किन्तु जैसा कि परिचय के क्रम में ही हमें ज्ञात है कि बिरजिया लोगों के पास कृषि भूमि का नितान्त अभाव है जो औसतन 1-1.5 एकड़ भूमि उपलब्ध भी है वह टांड़ किस्म की है जिसमें खरीफ में मोटे अनाज के अलावा और कुछ नहीं उपजता। मकई, मड़ुआ, गोंदली, उड़द आदि ही उनकी मुख्य फसलें हैं जो उनकी भोजन आवश्यकता के मात्र 2-3 माह की आवश्यकता की ही पूर्ति करती हैं। अतः खेती के अलावा मजदूरी एवं बांस शिल्प ही उनकी जीविका के मुख्य आधार हैं।

श्रीमती समीरा दासगुप्ता, वरीय तकनीकी सहायक (मध्य), एंथ्रोपोलॉजिकल सर्वे ऑफ

इंडिया, विजय भवन, जगदलपुर ने 1990-91 में बिरजिया समुदाय के जीवनयापन, अर्थव्यवस्था के अध्ययन के लिए विशुनपुर (गुमला) के हाड़ुप, होलोंग और रांगे ग्राम का चयन किया था। उनके अध्ययन का निष्कर्ष सोशल चेन्ज के जून-सितंबर 1993 के अंक में प्रकाशित है। उनके निष्कर्षों के अनुसार, '1952 के वन कानून के पश्चात् जंगल काटकर जलाकर खेती करने की बिरजिया लोगों की पद्धति सरकार द्वारा बंद करवा दी गई। उसके बदले में जो भूमि उन्हें बन्दोबस्त की गई, वह अनुर्वर थी। यह कृषि प्लॉट पहाड़ों की ढलान पर या उनकी जड़ों के पास थे जो कंकड़-पत्थरों से भरा था। इस टांड़ भूमि में तो पशुओं को चराना भी कठिन था। इस बन्दोबस्त भूमि में केवल बरसात के दिनों में ही थोड़ी-बहुत खेती होती थी। ऐसी परिस्थिति में जो खाद्यान्न उपजता, उसकी मात्रा बहुत ही कम होती। अन्य व्यवसाय के रूप में लोहा पिघलाना, उनके कृषि उपकरण बनाकर हाटों में बेचना धीरे-धीरे बंद हो गया क्योंकि बेहतर गुणवत्ता के औजार सस्ते दर पर हाटों में पहुँच गए। अत: वे बांस की टोकरी, सूप बनाना, बांस और लकड़ी काटना, जलावन हाटों में बेचना, मजदूरी करना एवं जंगल से भोजन संग्रहण करना आदि गतिविधियों से जुड़े। एक बांस की टोकरी बनाने में दो दिन लगते हैं जबकि हाट में उनकी कीमत 7 रुपए मात्र होती है जिसके भरोसे परिवार का पेट पालना कठिन है। श्रीमती दासगुप्ता ने रांगे के रिजर्व फॉरेस्ट में बांस की कटाई के मजदूरी के रूप में आमदनी या वनारी वन कार्यालय से 1 रुपए की परमिट पर जंगल में जाकर लकड़ी कटाई की आमदनी पर सन्तोष व्यक्त किया है। रिजर्व फॉरेस्ट में बांस कटाई के लिए मजदूरी के तौर पर एक बिरजिया व्यक्ति 125/- से 150 रुपए की कमाई कर रहा था। किन्तु आज के दिन यह भी अतीत की बात हो गई। सर्वोच्च न्यायालय के एक फैसले के बाद आरक्षित वनों से बांस या लकड़ी की कटाई एकदम बंद हो गई है। बांस शिल्प के लिए भी बांस काटने का परमिट नहीं मिलता। नतीजतन उन्हें चोरी-चुपके बांस काट कर लाना होता है किन्तु हाट में टोकरी-सूप की बिक्री पर फॉरेस्ट गार्ड 2 रुपए से 5 रुपए की वसूली कर लेते हैं। अतएव आज के दिन टांड़ खेती, मजदूरी, बांस शिल्प, लघु वन उत्पाद (महुआ, केन्दुपत्ता आदि) संग्रह उनकी जीविका का मुख्य आधार हैं।

बिरहोर

तालिका-5 के अध्ययन से स्पष्ट है कि जेहनगुटवा बिरहोर कॉलोनी के बिरहोरों को औसतन 1.10 एकड़, बेंती बिरहोर कॉलोनी के बिरहोरों को औसतन 4.10 एकड़ एवं कटिया बिरहोर कॉलोनी के बाशिंदों को औसतन 3.65 एकड़ भूमि उपलब्ध है। लेकिन जनजातीय शोध एवं कल्याण संस्थान मोराबादी, राँची के निदेशक डॉ. प्रकाश उराँव को सर्वेक्षण के क्रम में जेहनगुटवा बिरहोर कॉलोनी के शनिचरवा बिरहोर ने बताया कि एल.पी. विद्यार्थी ने जेहनगुटवा के बिरहोरों को 85 एकड़ जमीन सरकार से दिलवाई थी। इसके लिए गाँव में एक बोर्ड भी टाँग दिया गया था। लेकिन पूरी जमीन का पता नहीं चल पाया और अभी जेहनगुटवा के बिरहोरों को मात्र 17 एकड़ भूमि पर ही हक मिल पाया है।

तालिका-5 से यह भी स्पष्ट है कि जेहन एवं बेंती कॉलोनी में कृषि के लिए एक-एक

ट्रेक्टर भी सरकार की ओर से दिया गया है। पानी का पम्प भी इन कॉलोनियों में उपलब्ध है। बीज-खाद एवं कृषि उपकरण भी कई बार उपलब्ध करवाए गए हैं। लेकिन खरीफ की खेती के अतिरिक्त बिरहोर कोई और फसल नहीं उपजाते हैं। कटिया कॉलोनी के लोग खरीफ की खेती और महुआ संग्रहण के समय ही कटिया कॉलोनी में रहते हैं। शेष समय वे लोग बेंती कॉलोनी में ही आकर रहते हैं। इसका कारण इस कॉलोनी का दुर्गम एवं निर्जन स्थल पर बसा होना है।

खरीफ की एक फसली खेती के अतिरिक्त रस्सी बुनाई, मजदूरी, लघु वन उत्पाद संग्रहण बिरहोरों का मुख्य पेशा है। लकड़ी के ओखल-मूसल कठौत आदि की माँग रहने पर निर्माण करते हैं। दो ट्रेक्टरों का नियमित उपयोग ईंट, बालू, सीमेंट की आपूर्ति के लिए किया जाता है। 8-10 परिवारों का पेट दोनों ट्रेक्टरों की मदद से भरता है।

परहैया

तालिका-6 से स्पष्ट है कि बिशनुपुर में मात्र पंद्रह परहैया परिवार बसे हैं। इनकी टोली जमटी ग्राम/पंचायत के बुकीकोना में एवं ग्राम कटिया के परहिया टोली जोरी पंचायत मैं स्थित है। इनके पास औसतन भूमि एक एकड़ से भी कम है। इनकी जो बसावट है वह टुंगरी के पास है। अतएव भूमि की प्रकृति भी टांड़ II एवं III है। अत: खरीफ के दिनों में भी मडुआ, मक्का और धान जैसी मोटी फसल ही ये उपजा पाते हैं। अत: जीवनयापन का मुख्य आधार पास के उराँव एवं खेरवार किसानों के खेतों में मजदूरी करना, बांस टोकरी बनाना, रस्सी बुनना एवं लघु वन उत्पादों का संग्रहण करना है। इतनी मेहनत के बावजूद इनके परिवार का आहार जाड़ों में मकई घट्टा, चावल, गर्मी में महुआ घट्टा, शाल बीजों का सत्तू एवं बरसात में कटहल, गोड़ी कन्दा आदि हैं।

लघु वन उत्पाद संग्रहण : वर्तमान एवं संभावना

हमने विश्लेषण के क्रम में देखा कि माल पहाड़िया, सौरिया पहाड़िया, शबर कोरवा, असुर, बिरहोर, बिरजिया, परहैया सबके जीवन में लघु वन उत्पाद संग्रहण एक महत्त्वपूर्ण भूमिका निभाता है। इन आदिम जनजातियों की अर्थव्यवस्था का 20% से 60% इस संग्रहण पर निर्भर करता है। गुमला, सिमडेगा, लोहरदगा, पूर्वी सिंहभूम, पश्चिमी सिंहभूम, राँची, दुमका, गोड्डा जैसे जिलों में जहाँ अभी भी आदिवासी आबादी का बड़ा प्रतिशत जंगलों के आसपास बसा है, उनकी आर्थिक गतिविधियों का 10 से 20-30% इन लघु वन उत्पाद संग्रहण से ही जुड़ा होता है।

इस प्रकार ये वन उत्पाद न केवल आदिवासी अर्थव्यवस्था में महत्त्वपूर्ण भूमिका निभाते हैं बल्कि गैरकृषि दिनों में रोजगार के अच्छे अवसर मुहैया कराते हैं। वन उत्पादों को दो भागों में बाँटा गया है—

1. काष्ठ आधारित वन उत्पाद यथा इमारती लकड़ी, लघु काष्ठ एवं जलावन।
2. अकाष्ठ आधारित वन उत्पाद यानि लघु वन उत्पाद यथा (a) फाइबर (रेशे), और फ्लॉसेज (रोमल), (b) घास, बांस, बेत, बीज, (c) तैलीय घास, (d) तैलीय बीज,

(e) छाल और प्राकृतिक रंग, (f) गोंद, रेजिन, (g) जड़ी-बूटी, मसाले, जहर, कीटनाशक, (h) पत्तियाँ, (i) खाद्य उत्पाद, (j) लाह, (k) तसर सिल्क, (l) मोम, (m) मधु, (n) अन्य उत्पाद।

झारखंड के जंगलों में सौ किस्मों से ज्यादा लघु वन उत्पाद उपलब्ध हैं जिनमें 14 लघु वन उत्पाद सर्वाधिक महत्त्वपूर्ण हैं क्योंकि ये ही जनजातीय अर्थव्यवस्था में महत्त्वपूर्ण भूमिका निभाते हैं। केन्दुपत्ता इनमें सर्वप्रथम है। 50% भूमिका यह अकेले निभाता है। वन विकास निगम एवं जनजातीय सहकारिता विकास निगम दोनों 1997 से संयुक्त रूप से इसकी खरीद करते हैं। खरीद दर हर वर्ष तय होती है। अत: इनके संग्रहण से आदिम जनजाति के सदस्यगण भी आमदनी कर लेते हैं।

1997 के पश्चात् वन विकास निगम ने जो खरीद की है उसका 20% शाल बीज था। आंवला, हर्रे, बहेड़ा, इमली, करंज, नीम-बीज, चिरौंजी, गोंद, लाह, महुआ, महुआ-बीज, मधु, तसर आदि अन्य महत्त्वपूर्ण लघु वन उत्पाद हैं।

लघु वन उत्पादों में कुछ राष्ट्रीयकृत हैं जिनमें केन्दुपत्ता, शाल, महुआ, हर्रे-बहेड़ा शामिल हैं। इनकी खरीद वन विकास निगम करता है। इमली, मधु, चिरौंजी, लाह, गोंद, महुलान पत्ता आदि की खरीद जनजातीय सहकारिता विकास निगम करता है। आयुर्वेदिक दवाओं की कम्पनियाँ जड़ी-बूटियों की खरीद करती हैं। हालाँकि जनजातीय सहकारिता विकास निगम को सहयोग प्रदान करने के लिए 481 लैम्पस (Large Area Multiple Purpose Society) की स्थापना की गई थी जिसमें मात्र 241 ही कार्यरत हैं। पिछले कई दशकों से सक्रिय वन विकास निगम, ज.सह.वि. निगम, लैम्पस, स्वयंसेवी संस्थाएँ, किसी ने भी लघु वन उत्पादों के परिष्करण, गुणवत्ता वृद्धि आदि में भूमिका नहीं निभाई। झारखंड के शत-प्रतिशत वन उत्पाद बिना किसी परिष्करण (processing) के सीधे-सीधे संग्रहण के पश्चात् बिक्री के लिए उपलब्ध हो जाते हैं जिसके कारण संग्रहणकर्ताओं को बहुत ही कम आमदनी हो पाती है। सारे परिश्रम के बावजूद वे अपनी गरीबी के खोल से निकल नहीं पाते। सारे परिश्रम के बदले न्यूनतम मजदूरी भी नहीं मिल पाती।

लघु वन उत्पादों में गुणवत्ता वृद्धि

इसे दो भागों में बाँटा जा सकता है। प्रथम तो ऐसे तरीके जिनका उपयोग हमारे आदिम जनजाति समूह के सदस्य या अन्य आदिवासी परिवार अपने घरों में ही कर सकते हैं। इसके लिए थोड़े बहुत प्रशिक्षण की आवश्यकता होगी। यथा इमली के रेशे और बीज निकालना, अखाद्य तेलों की पेराई, झाड़ू निर्माण, गोंद की ग्रेडिंग, पत्तल प्लेट निर्माण, बीड़ी निर्माण आदि जिनके लिए बिजली या मशीन की आवश्यकता नहीं है।

दूसरे ऐसे तरीके जिनमें बेहतर प्रशिक्षण, अच्छी मशीन, बिजली एवं पूँजी की आवश्यकता पड़ेगी। यथा इमली के केक बनाना, बीजों से एक्सपेलर या पावरघानी से तेल निकालना, शाल-बीज से केमिकल सोलवेन्ट की मदद से तेल निकालना, शिकाकाई का पाउडर तैयार करना आदि।

इतना तो तय है कि इन्हें बड़े पैमाने पर प्रसारित किया जाए। प्रशिक्षण, विभिन्न योजनाओं के तहत पूँजी एवं विपणन की व्यवस्था की जाए तो आदिम जनजातियों के बीच समृद्धि की रोशनी की संभावना निश्चित तौर पर है। लेकिन यह भी तय है कि केवल सरकारी प्रयासों की सफलता संदिग्ध रही है। यथा लातेहार में 1986 में स्थापित बिहार सोलवेन्ट रंग केमिकल लि. (शाल बीज से तेल निकालने हेतु), 1989 में खूंटी में स्थापित करंज एक्सपेलर फैक्ट्री, टेनिन फैक्ट्री लातेहार, सारे के सारे यूनिट बन्द पड़े हैं।

आहार में प्रोटीन की कमी, कुपोषण, बीमारी

राँची विश्वविद्यालय के नृशास्त्र विभाग के प्राध्यापक डॉ. प्रभात सिंह ने चर्चा के क्रम में बताया कि जंगलों के क्षीण होने के कारण आदिम जनजाति समूह के सदस्यों के भोजन में मांसाहार घटता चला गया है। नतीजतन अनाज, महुआ और कन्दमूल के रूप में कार्बोहाइड्रेट की मात्रा तो लगभग प्राप्त हो जाती है किन्तु प्रोटीन का प्रतिशत घट गया है। चूँकि प्रोटीन ही एमीनो एसिड के रूप में शरीर के ऊत्तकों का निर्माण करता है अत: शिशुओं में प्रोटीन की कमी न केवल शारीरिक विकास बल्कि मानसिक विकास को भी कुप्रभावित करती है। अगर शून्य से सात वर्ष तक के आयु वर्ग के बच्चों के भोजन में प्रोटीन या किसी अन्य पोषक तत्त्व की कमी हो जाए तो उनके शारीरिक-मानसिक विकास को इतनी क्षति पहुँच चुकी होती है जिसकी भरपाई पूरे जीवन में नहीं हो सकती।

ऊपर के विश्लेषण में हमने पाया है कि असुर से लेकर कोरवा तक सबके भोजन में जंगल से संग्रहित भोज्य पदार्थ अवश्य रहते हैं। खरीफ फसल की कटनी के पश्चात् कुछ माह ही घर का खाद्यान्न भोजन में प्रमुख रहते हैं। उनके समाप्त होते संग्रहित पदार्थों की मात्रा बढ़ती जाती है। जंगल से संग्रहित भोज्य पदार्थों में मुख्य रूप से साग-भाजी, कन्द-मूल, जंगली फल, महुआ फूल ही होते हैं। अन्य न्यून महत्त्व के भोज्य पदार्थों में मधु, मशरूम, लावां आदि हैं। (रॉय और राव, 1962, रॉय 1969, रॉय और राव 1973)

जंगल में किए गए शिकार से प्राप्त मांस इनके भोजन का बहुत ही न्यून हिस्सा है। इनके द्वारा संग्रहित भोज्य पदार्थों में कैलोरी की कितनी मात्रा होती है एवं अनाज-मोटे अनाजों (मडुआ, गोदली आदि) में कैलोरी की कितनी मात्रा होती है, नीचे दर्शाया गया है। (एक्रोयड : गोपालन एवं बाला सुब्रह्मण्यम द्वारा संशोधित, 1969, रॉय और रॉय, 1973)

भोज्य पदार्थ	प्रति 100 ग्राम में कैलोरी की मात्रा
कन्दमूल	अधिकतम 50 से 100
जंगली फल	अधिकतम 40 से 90
सागभाजी	अधिकतम 30 से 60
महुआ फूल (ताजा)	70 से 80
महुआ फूल (सुखाया हुआ)	280 से 310
अनाज और मोटे अनाज	340 से 350

ऊपर के आँकड़ों से स्पष्ट है कि अनाज से प्राप्त कैलोरी कन्दमूल से 7 गुना ज्यादा, फलों

में 4 से 9 गुना ज्यादा, सागभाजी में सात से बारह गुना ज्यादा है। केवल सुखाया हुआ महुआ ही कैलोरी के परिप्रेक्ष्य में अनाज के लगभग समतुल्य है। जनजातीय क्षेत्रों में महुआ सुखाने के उपरान्त ही पकाकर भोजन के रूप में उपयोग में लाया जाता है। (रॉय, 1970)

न्यूट्रिशन एक्सपर्ट ग्रुप ने दिन-रात शारीरिक परिश्रम करने वाले लोगों के लिए पोषणहार की दैनिक आवश्यकताओं की अनुशंसा की है। यह अनुशंसा आदिम जनजाति समूह के लोगों पर भी लागू होती है। (डॉ. एस.पी. सिन्हा, 1991) विवरण निम्नवत् है—

क्रम	*विवरण*	*ऊर्जा की आवश्यकता कैलोरी में*	*प्रोटीन की आवश्यकता ग्राम में*
1.	पुरुष	3000	55
2.	स्त्री	3000	45
3	गर्भवती स्त्रियाँ	3300	55
4.	दूध पिलाने वाली माताएँ	3700	65
5.	शिशु (प्रति किलो शारीरिक वजन पर)		
	0-6 माह	100	1.5 से 1.8
	7-12 माह तक	120	1.8 से 2.3
6.	बच्चे		
	दो वर्ष	1200	18
	तीन वर्ष	1200	20
	चार वर्ष	1500	22

विशुनपुर (गुमला) के 22 अफसर परिवारों का इस दृष्टि से अध्ययन किया गया कि वे भोजन में क्या और कितना लेते हैं। साथ ही इंडियन काउंसिल ऑफ मेडिकल रिसर्च द्वारा अनुशंसित पोषक तत्त्वों के चार्ट के साथ तुलनात्मक अध्ययन किया गया। (सत्यप्रकाश गुप्ता, 1976) तुलनात्मक आँकड़ों की तालिका निम्नवत् है—

1. कुल अध्ययन किए गए परिवारों की संख्या : 22
2. परिवार का आकार (औसतन) : 8.18
3. प्रति व्यक्ति प्रतिदिन किया गया भोजन :

	ग्राम में	आई.सी.एम.आर. द्वारा अनुशंसित
1. चावल	414	
2. मोटे अनाज	147	370
3. दाल	31	70
4. हरी पत्तीदार सब्जियाँ	23	114
5. अन्य सब्जियाँ	14	125
6. कन्दमूल	14	–
7. फल	–	37

8. दूध और घी	–	218
9. मांस	35	57
10. चीनी-गुड़	–	40
4. पोषक तत्त्वों का ग्रहण		आई.सी.एम.आर. द्वारा अनुशंसित
1. कैलोरी	2,106	2,400
2. प्रोटीन (ग्राम)	44.0	66.3
3. तेल/घी (ग्राम) 12.1		25.0 या ज्यादा
4. कैल्शियम (ग्राम)	0.23	0.5–1.0
5. आयरन (मि. ग्राम)	29.0	20–40
6. विटामिन ए और कैरोटिन (I.U.)	3,411	3,750
7. विटामिन बी (मि.ग्रा.)	2.5	3.5–5.0
8. विटामिन सी (मि.ग्रा.)	42.3	50 या ज्यादा

उपर्युक्त आँकड़ों से स्पष्ट है कि कार्बोहाइड्रेट के कारण कैलोरी की प्राप्ति बहुत कम नहीं है किन्तु दाल, हरी सब्जी, फल की कमी एवं दूध-घी चीनी-गुड़ की अनुपलब्धता ध्यान खींचती है। प्रोटीन एवं कई अन्य पोषक तत्त्वों की कमी के कारण बीमारियाँ देखी जा सकती हैं। रक्त अल्पता, घेंघा, रतौंधी आदि बीमारियाँ इन आदिम जनजातियों के बीच बहुत ही सामान्य हैं।

कल्याण विभाग द्वारा जनजाति-आदिम जनजातियों के लिए चलाई जा रही योजनाएँ : एक दृष्टि

कल्याण विभाग, झारखंड, राँची द्वारा अनुसूचित जाति, अनुसूचित जनजाति, पिछड़ी जाति एवं अल्पसंख्यकों के शैक्षणिक, आर्थिक तथा सामाजिक विकास हेतु कल्याण की विभिन्न योजनाएँ चलाई जा रही हैं। 1991 की जनगणना के अनुसार झारखंड राज्य की कुल जनसंख्या 218.44 लाख है जिसमें अनुसूचित जनजाति की जनसंख्या 60.44 (27.76%) तथा अनुसूचित जाति की जनसंख्या 25.89 (11.5%) है।

कल्याण विभाग द्वारा चलाई जा रही योजनाओं के कार्यान्वयन हेतु स्वीकृति आदेश की विवरणी निम्नवत् है—

वित्तीय वर्ष 2002-03

बजट उपबंध	स्वीकृत एवं निर्गत राशि
210.86 (करोड़)	185.02 (करोड़)

वित्तीय वर्ष 2003-04

बजट उपबंध	स्वीकृत एवं निर्गत राशि
211.18 (करोड़)	149.61 (करोड़)

1. अनु. जा./अनु. जनजाति एवं पिछड़े वर्गों के छात्र-छात्राओं को छात्रवृत्ति

इस योजना का उद्देश्य अनुसूचित जाति, अनुसूचित जनजाति एवं अन्य पिछड़े वर्ग के छात्रों को प्राथमिक, मध्य, उच्च विद्यालय छात्रवृत्ति, प्रवेशिकोत्तर छात्रवृत्ति, मुशहर छात्रवृत्ति, तकनीकी

छात्रवृत्ति, क्रीड़ा छात्रवृत्ति इत्यादि उपलब्ध कराना है।

वित्तीय वर्ष 2002-03 में 6172.20 लाख रुपए का आबंटन किया गया था जिसके विरुद्ध 4933.90 लाख रुपए का व्यय हुआ है, जिसमें 10,52,066 विद्यार्थी लाभान्वित हुए हैं। शेष राशि वितरण की प्रक्रिया में है।

वित्तीय वर्ष 2003-04 में 6131.65 लाख रुपए के बजट उपबंध के विरुद्ध 5803.63 लाख रुपए की स्वीकृति दी जा चुकी है।

2. साइकिल वितरण की योजना

इस योजना का उद्देश्य अनुसूचित जाति, अनुसूचित जनजाति एवं पिछड़ी जाति के गरीबी रेखा से नीचे बसर करने वाले परिवार की छात्राओं के उच्च विद्यालय में नामांकन के बाद उनके Dropout को रोकना है। चूँकि गाँव से उच्च विद्यालयों की दूरी अधिक होने के कारण उन्हें आने-जाने में काफी कठिनाई होती है और वे इस कठिनाई के कारण अपना अध्ययन बीच में ही छोड़ने के लिए मजबूर हो जाती हैं। इस समस्या को दूर करने के लिए ही इस योजना को प्रारंभ किया गया है।

वित्तीय वर्ष 2002-03 में इस योजना के लिए 773.48 लाख रुपए की राशि स्वीकृत की गई थी जिसके विरुद्ध 763.83 लाख रुपए का व्यय हो चुका है। इस योजना के अन्तर्गत 49375 छात्राओं को साइकिल उपलब्ध कराई गईं।

वित्तीय वर्ष 2003-04 में अष्टम वर्ग की अनुसूचित जाति, अनुसूचित जनजाति एवं पिछड़े वर्ग की छात्राओं के लिए 330.95 लाख रुपए स्वीकृत किए गए हैं। इस राशि से 21393 छात्राओं को लाभान्वित करने का लक्ष्य है। साइकिल क्रय करने की कार्रवाई की जा रही है।

3. आर्थिक उन्नयन योजना (बस वितरण की योजना)

इस योजना का उद्देश्य अनुसूचित जाति एवं अनुसूचित जनजाति के सदस्यों का आर्थिक उन्नयन करना है, ताकि स्वरोजगार के माध्यम से वे आर्थिक रूप से सम्पन्न हो सकें। इस योजना के अन्तर्गत राज्य सरकार के द्वारा भारत सरकार के जनजातीय कार्य मंत्रालय एवं सामाजिक न्याय एवं अधिकारिता मंत्रालय से प्राप्त विशेष केंद्रीय सहायता की राशि से आय वृद्धि योजना के तहत शिक्षित बेरोजगार युवक/युवतियों के लिए ऑटोरिक्शा, बस, टाइपराइटर मशीन आदि उपलब्ध कराई जाती हैं।

वित्तीय वर्ष 2002-03 में जनजातीय युवक-युवतियों को 10-10 के समूह में कुल 589 टाटा बस उपलब्ध कराई गईं। इस योजना के अन्तर्गत 3992.54 लाख रुपए व्यय किया गया।

वित्तीय वर्ष 2003-04 में अनुसूचित जाति के सदस्यों को उपर्युक्त योजना के अन्तर्गत बस उपलब्ध कराने का प्रस्ताव है।

4. बिरसा मुंडा आवास योजना

इस योजना का उद्देश्य अगले दस साल में सभी आदिम जनजातियों को आवास उपलब्ध कराया जाना है। अनुसूचित जनजातियों में अति पिछड़े 9 आदिम जातियों के कल्याण के लिए शत-

प्रतिशत अनुदान पर विशेष आवास योजना प्रारंभ की गई है। 56,000/- रुपए प्रति आवास की लागत से उन्हें रहने के लिए सुविधा उपलब्ध कराई जाती है। लाभान्वितों का चयन जिला कल्याण पदाधिकारी/मेसो पदाधिकारी के माध्यम से किया जाता है तथा इन्हीं लोगों के द्वारा ही विभागीय स्तर पर निर्माण कराया जाता है।

वित्तीय वर्ष 2002-03 में 6538 आवासों के निर्माण के लिए 3661.28 लाख रुपए की राशि स्वीकृत की गई थी, जिसके विरुद्ध अब तक 1726 आवासों का निर्माण पूरा हो चुका है। शेष आवासों को दिनांक 7.8.2003 तक पूरा कर लेने का निर्देश दिया गया है।

वित्तीय वर्ष 2003-04 में बिरसा आवास के प्राक्कलित राशि में वृद्धि करते हुए प्रति आवास दर 64,600/- रुपए रखी गई है। इस योजना के लिए 2529.74 लाख रुपए की स्वीकृति दी गई है, जिससे 3916 आवास बनाने का लक्ष्य है।

5. ग्रामीण अस्पताल निर्माण योजना

झारखंड राज्य के गरीब ग्रामीणों को बेहतर चिकित्सा सेवा मुहैया कराने हेतु चालू वित्तीय वर्ष में प्रति मेसो क्षेत्र में 120 लाख रुपए की दर से कुल 14 ग्रामीण अस्पतालों के निर्माण के लिए 1680 लाख रुपए की स्वीकृति प्रदान की गई है।

इन ग्रामीण अस्पतालों का संचालन गैर सरकारी संगठनों द्वारा कराया जाएगा।

6. एकलव्य आवासीय विद्यालय योजना

ग्रामीण क्षेत्र में अनुसूचित जनजाति के छात्र एवं छात्राओं को बेहतर शिक्षा प्रदान करने के उद्देश्य से कुल 6 स्थानों पर यथा राँची, दुमका, साहिबगंज, चाईबासा, सरायकेला एवं गुमला में 393.72 लाख रुपए प्रति विद्यालय की दर से एकलव्य आवासीय विद्यालय निर्माण करने की स्वीकृति दी गई है। इन विद्यालयों में 6 से 12 कक्षा तक की पढ़ाई सम्पन्न होगी।

7. तीरंदाजी, हॉकी एवं छउ नृत्य अकादेमी की स्थापना

संविधान की धारा 275 (1) के अन्तर्गत भारत सरकार से प्राप्त निधि से राँची जिला में 1.50 करोड़ रुपए की लागत से हॉकी अकादमी, सरायकेला-खरसावां में 63.00 लाख रुपए की लागत से तीरंदाजी अकादमी तथा 1.00 करोड़ रुपए की लागत से छउ नृत्य अकादेमी स्थापित करने की योजना है। योजना स्वीकृति की प्रक्रिया अन्तिम चरण में है तथा 15.8.2003 तक स्वीकृत्यादेश निर्गत होने की संभावना है।

8. पायलट प्रशिक्षण

इस योजना का उद्देश्य अनुसूचित जनजाति के छात्रों को निःशुल्क व्यावसायिक पायलट प्रशिक्षण प्रदान करना है। कल्याण विभाग द्वारा अनुसूचित जनजाति के 25 छात्रों के निःशुल्क व्यावसायिक पॉयलट प्रशिक्षण की योजना प्रारंभ की गई है। इस योजना में लाभुकों के लिए इस शर्त का प्रावधान किया गया है कि स्वयं प्रशिक्षित होने एवं सेवा में आने के बाद एक शिक्षित बेरोजगार युवक की अपने खर्च पर स्नातक स्तर तक शिक्षा का भार वहन करेगा। लिखित एवं मौखिक परीक्षा के आधार पर 25 सफल प्रतिभागियों का प्रशिक्षण के लिए चयन किया गया है। इन

प्रशिक्षणार्थियों का प्रशिक्षण पांडिचेरी एवं कानपुर स्थित उड्डयन प्रशिक्षण संस्थान द्वारा दिया जाएगा। दिनांक 7.7.2003 को माननीय मुख्यमंत्री एवं माननीय कल्याण मंत्री के द्वारा इस योजना का शुभारंभ किया गया तथा 8.7.2003 को प्रशिक्षणार्थियों को प्रशिक्षण के लिए उड्डयन संस्थानों में भेजा गया।

वित्तीय वर्ष 2002-03 में इस योजना के लिए 274.23 लाख रुपए आबंटित किए गए जिसके विरुद्ध अब तक 252.17 लाख व्यय हो चुका है।

9. अनुसूचित जनजाति आवासीय विद्यालयों में कम्प्यूटर स्थापना

कल्याण विभाग द्वारा संचालित अनुसूचित जाति/अनुसूचित जनजाति आवासीय विद्यालयों के छात्र/छात्राओं को बेहतर तकनीकी शिक्षा देने के उद्देश्य से यह योजना वित्तीय वर्ष 2001-02 में आरंभ की गई थी।

वित्तीय वर्ष 2003-04 में इस योजना के लिए 40.00 लाख रुपए का बजट उपबंध है। योजना की स्वीकृति अन्तिम चरण में है। 15.8.2003 तक स्वीकृत्यादेश निर्गत होने की संभावना है।

10. छात्रावास निर्माण

इस योजना का उद्देश्य, अनुसूचित जाति/अनुसूचित जनजाति एवं पिछड़े वर्गों के विद्यार्थियों को शिक्षा प्राप्ति हेतु आवासीय सुविधा उपलब्ध कराना है।

कल्याण विभाग द्वारा विभिन्न जिलों में अनुसूचित जाति, अनुसूचित जनजाति, पिछड़े वर्गों के विद्यार्थियों के लिए छात्रावास संचालित है। राज्य गठन के बाद अनुसूचित जाति/अनुसूचित जनजाति एवं पिछड़े वर्गों के विद्यार्थियों के लिए अब तक 210 विभिन्न क्षमता वाले छात्रावासों का निर्माण कराया जा रहा है।

वित्तीय वर्ष 2003-04 में इस योजनान्तर्गत 1166.00 लाख रुपए का बजट उपबंध है। योजना की स्वीकृति अन्तिम चरण में है। 15.8.2003 तक स्वीकृत्यादेश निर्गत होने की संभावना है। इस राशि से लगभग 35 नए छात्रावास चालू वित्तीय वर्ष में बनाए जाएँगे।

11. पुस्तक अधिकोष योजना

इस योजना का उद्देश्य तकनीकी कॉलेजों में अध्ययनरत कमजोर वर्ग के छात्रों को निःशुल्क पुस्तकें उपलब्ध कराना है जिससे वे अपनी पढ़ाई समुचित ढंग से कर सकें और इन्हें महँगी पुस्तकों का क्रय स्वयं नहीं करना पड़े चूंकि इसके लिए वे स्वयं सक्षम नहीं होते हैं। अनुसूचित जाति एवं अनुसूचित जनजाति के मेडिकल, इंजीनियरिंग, पोलिटेकनिक, एग्रीकल्चर, भेटनरी महाविद्यालय में पढ़ने वाले छात्र-छात्राओं को दो छात्रों पर एक सेट पुस्तक मुफ्त उपलब्ध कराई जाती है। इस योजना के अन्तर्गत संबंधित संस्थानों के प्रधान द्वारा जिला कल्याण पदाधिकारी को पुस्तकों की सूची दी जाती है जहाँ से ये पुस्तकें क्रय कर संस्थानों को उपलब्ध कराई जाती हैं।

वित्तीय वर्ष 2002-03 में इस योजना के लिए 35.75 लाख रुपए की स्वीकृति दी गई थी जिसका पूर्ण व्यय हो चुका है। जिला कल्याण पदाधिकारियों से वित्तीय वर्ष 2002-03 के लिए संपूर्ण राशि का उपयोगिता प्रमाण-पत्र प्राप्त हो चुका है।

वित्तीय वर्ष 2003-04 में 75.75 लाख रुपए की राशि स्वीकृत की गई है।

12. पोशाक आपूर्ति योजना

इस योजना का उद्देश्य अनुसूचित जाति एवं जनजाति की छात्राओं को मुफ्त पोशाक उपलब्ध कराना है। अनुसूचित जाति एवं जनजाति की छात्राओं को पोशाक देने की योजना का क्रियान्वयन किया जा रहा है। यह योजना मात्र सरकारी विद्यालयों में पढ़ने वाली छात्राओं के लिए है।

वित्तीय वर्ष 2002-03 में इस योजना के अन्तर्गत 179.84 लाख रुपए की राशि स्वीकृत की गई थी जिसके विरुद्ध 106.75 लाख रुपए का व्यय किया जा चुका है। इस योजना के अन्तर्गत 21350 छात्राओं को लाभान्वित किया गया है।

वित्तीय वर्ष 2003-04 में इस योजना के लिए 169.85 लाख रुपए स्वीकृत किए गए हैं। पोशाक तय करने की कार्रवाई की जा रही है।

13. बिरसा मुंडा तकनीकी छात्रवृत्ति

इस योजना का उद्देश्य राज्य के बाहर मेडिकल एवं इंजीनियरिंग संस्थानों में अध्ययनरत अनुसूचित जनजाति के छात्र/छात्राओं को उच्चस्तरीय तकनीकी संस्थानों में नामांकन एवं अध्ययन हेतु आर्थिक मदद किया जाना है। इस योजना के अन्तर्गत छात्र/छात्राओं को 10 माह की छात्रवृत्ति, शिक्षण शुल्क, प्रवेश शुल्क, परीक्षा शुल्क एवं विश्वविद्यालय को दी जाने वाली अनिवार्य शुल्क दी जाती है। इस योजना हेतु आदिवासी कल्याण आयुक्त कार्यालय द्वारा समय-समय पर विभिन्न समाचार-पत्रों में विज्ञापन निकाला जाता है। प्राप्त आवेदन पत्रों को जाँचोपरान्त योग्य छात्र/छात्राओं को दी जाने वाली राशि सीधे संबंधित महाविद्यालय के प्राचार्य को उपलब्ध करा दी जाती है।

इस योजना के अन्तर्गत अब तक 225.77 लाख रुपए का आबंटन निर्गत किया गया है, जिसके विरुद्ध 61.00 लाख रुपए व्यय हुए हैं। इस योजना के अन्तर्गत 417 छात्र-छात्राएँ लाभान्वित हुए हैं। अखबारों के माध्यम से इस योजना का प्रचार-प्रसार कराया जा रहा है ताकि और अधिक प्रस्ताव प्राप्त हो सकें। कम प्रस्ताव प्राप्त होने के कारण ही अभी तक संपूर्ण राशि का व्यय नहीं हो सका है।

14. अम्बेडकर तकनीकी छात्रवृत्ति

बिरसा मुंडा तकनीकी छात्रवृत्ति की तर्ज पर अनुसूचित जाति के छात्र/छात्राओं के लिए अम्बेडकर तकनीकी छात्रवृत्ति का प्रावधान वित्तीय वर्ष 2003-04 में किया गया है। यह एक नई योजना है। इस योजना के अन्तर्गत वर्ष 2003-04 में 50.00 लाख रुपए का बजट उपबंध है। योजना की स्वीकृति अन्तिम चरण में है। 15.8.2003 तक स्वीकृत्यादेश निर्गत होने की संभावना है। अखबारों के माध्यम से प्रस्तावों की मांग की जा चुकी है।

15. पहाड़िया वोकेशनल शिक्षा योजना

इस योजना का उद्देश्य पहाड़िया जातियों के शिक्षित बेरोजगार युवकों/युवतियों को स्वरोजगार हेतु प्रशिक्षित करना है। इस योजना के अन्तर्गत पहाड़िया जातियों को शिक्षित बेरोजगार युवकों/

युवतियों को स्वरोजगार उपलब्ध कराने हेतु कल्याण विभाग द्वारा राँची में विभिन्न तरह के प्रशिक्षण यथा टीवी, रेडियो, साइकिल, पम्पसेट मशीन आदि की मरम्मत का नि:शुल्क प्रशिक्षण दिया जाता है। संतालपरगना प्रमंडल के उप-निदेशक, कल्याण के द्वारा विभिन्न समाचार पत्रों में विज्ञापन के माध्यम से आवेदन आमंत्रित कर लाभान्वितों का चयन किया जाता है।

वित्तीय वर्ष 2002-03 में इस योजना के लिए 18.20 लाख रुपए का आबंटन निर्गत किया गया था। योजना का कार्यान्वयन जेवियर समाज संस्थान, राँची द्वारा किया जा रहा है।

वित्तीय वर्ष 2003-04 में इस योजना के लिए 20.00 लाख रुपए का बजट उपबंध है। योजना की स्वीकृति अन्तिम चरण में है। 15.8.2003 तक स्वीकृत्यादेश निर्गत होने की संभावना है।

16. अनु. जाति/अनु. जनजाति के छात्र/छात्राओं को स्वेटर की आपूर्ति

इस योजना के अन्तर्गत आवासीय विद्यालयों में अध्ययनरत छात्र/छात्राओं को स्वेटर की मुफ्त आपूर्ति की जाती है।

वित्तीय वर्ष 2002-03 में इस योजना के लिए क्रमश: 30.45 लाख रुपए का आबंटन दिया गया था। अब तक 21.11 लाख रुपए के व्यय से 10,265 विद्यार्थी लाभान्वित हुए हैं।

वित्तीय वर्ष 2003-04 में इस योजना के लिए 169.85 लाख रुपए का बजट उपबंध है। योजना की स्वीकृति अन्तिम चरण में है। 15.8.2003 तक स्वीकृत्यादेश निर्गत होने की संभावना है।

17. हड़गड़ी/मसना जहीर स्थान की घेराबंदी

वित्तीय वर्ष 2002-03 में कल्याण विभाग द्वारा अनुसूचित जनजातियों के सामाजिक विकास के उद्देश्य से उनके धार्मिक-सांस्कृतिक स्थानों यथा हड़गड़ी/मसना एवं जहीर स्थान को अतिक्रमण से बचाने के उद्देश्य से वहाँ चारदीवारी निर्माण करने की योजना लागू की गई है।

वित्तीय वर्ष 2002-03 में इस योजना के अन्तर्गत 80.00 लाख रुपए की स्वीकृति दी गई थी जिसके तहत 19 स्थानों की घेराबंदी का कार्य किया गया है।

वित्तीय वर्ष 2003-04 में इस योजना के लिए 280.00 लाख रुपए का बजट उपबंध है। योजना की स्वीकृति अन्तिम चरण में है। 15.8.2003 तक स्वीकृत्यादेश निर्गत होने की संभावना है।

18. अल्पसंख्यक कब्रिस्तानों की घेराबंदी

कल्याण विभाग द्वारा अल्पसंख्यक समुदाय के कब्रिस्तानों की घेराबंदी के लिए वित्तीय वर्ष 2002-03 में 500.00 लाख रुपए की स्वीकृति दी गई है। जिला स्तर पर योजनाओं का कार्यान्वयन किया जा रहा है।

वित्तीय वर्ष 2003-04 में इस योजना के लिए 590.00 लाख रुपए का बजट उपबंध है। योजना की स्वीकृति अन्तिम चरण में है। 15.8.2003 तक स्वीकृत्यादेश निर्गत होने की संभावना है।

19. यूनिवर्सिटी पॉलिटेक्निक

इस योजना का उद्देश्य अनुसूचित जनजाति, अनुसूचित जाति के छात्र-छात्राओं में तकनीकी शिक्षा का विकास करना है।

अनुसूचित जनजाति, अनुसूचित जाति के छात्र-छात्राओं में तकनीकी शिक्षा के विकास हेतु बी.आई.टी. मेसरा में यूनिवर्सिटी पॉलिटेक्निक का संपोषण किया जा रहा है। इसमें इंजीनियरिंग डिप्लोमा के निम्नलिखित पाठ्यक्रमों को शामिल किया गया है—ऑटोमोबाइल इंजीनियरिंग, इलेक्ट्रॉनिक इंजीनियरिंग, कम्प्यूटर विज्ञान, प्रोडक्शन इंजीनियरिंग।

उपर्युक्त पाठ्यक्रमों में 100 छात्रों का नामांकन किया जाता है जिनमें 45 अनुसूचित जनजाति के, 15 अनुसूचित जाति एवं 40 सामान्य वर्ग के छात्र होते हैं।

बी.आई.टी. मेसरा द्वारा प्रति वर्ष समाचार पत्रों में इन पाठ्यक्रमों में नामांकन हेतु विज्ञापन प्रकाशित किया जाता है तथा प्राप्त अभ्यावेदनों पर उच्च प्राप्तांक प्राप्त आवेदनकर्ता का चयन किया जाता है। पाठ्यक्रम की अवधि तीन वर्ष है। इस पाठ्यक्रम में आदिम जनजाति के विद्यार्थियों के लिए 5 सीट आरक्षित हैं।

वित्तीय वर्ष 2003-04 में इस योजना के लिए 20.00 लाख रुपए का बजट उपबंध है। योजना की स्वीकृति अन्तिम चरण में है। 15.8.2003 तक स्वीकृत्यादेश निर्गत होने की संभावना है।

20. आवासीय विद्यालय निर्माण

इस योजना का उद्देश्य आवासीय विद्यालयों में पढ़ने वाले छात्रों को नि:शुल्क आवासीय सुविधाएँ एवं अन्य सुविधाएँ उपलब्ध कराना है। झारखंड राज्य में कल्याण विभाग द्वारा 87 आदिवासी एवं 21 अनुसूचित जाति एवं 2 पिछड़ी जाति आवासीय विद्यालयों का संचालन एवं संधारण किया जा रहा है। इन आवासीय विद्यालयों में पढ़ने वाले विद्यार्थियों को नि:शुल्क आवासीय सुविधा, भोजन, पोशाक, पठन-पाठन सामग्री, सोडा-साबुन आदि के साथ-साथ प्रत्येक तीन वर्ष पर कम्बल, दरी, चादर, मच्छरदानी, तौलिया आदि की आपूर्ति की जाती है।

आवासीय विद्यालयों में नामांकन क्रमशः वर्ग 1, वर्ग 6, एवं वर्ग 9 के स्तरों पर रिक्तियों के आधार पर प्रमंडलीय स्तर पर गठित परीक्षा समिति के दिशानिर्देश में लिखित/मौखिक परीक्षा के माध्यम से किया जाता है।

कल्याण विभाग द्वारा संचालित आवासीय विद्यालय का संचालन मानव संसाधन विकास विभाग द्वारा संचालित राजकीय विद्यालयों के पैटर्न पर संचालित है।

वित्तीय वर्ष 2002-03 में इस योजना के अन्तर्गत 102.79 लाख रुपए का आबंटन निर्गत हुआ था। इस राशि से हजारीबाग एवं पलामू जिले में दो आवासीय विद्यालयों का निर्माण किया गया है।

वित्तीय वर्ष 2003-04 में इस योजना के अन्तर्गत 550.00 लाख रुपए का बजट उपबंध है। योजना की स्वीकृति अन्तिम चरण में है। 15.8.2003 तक स्वीकृत्यादेश निर्गत होने की संभावना है।

21. संविधान की धारा 275 (1) के अन्तर्गत प्रस्तावित योजनाएँ

संविधान की धारा 275 (1) के तहत वित्तीय वर्ष 2003-04 में निम्नांकित योजनाएँ प्रस्तावित हैं—

1. सिमडेगा, गुमला एवं खूंटी में Astro Turf निर्माण। कुल लागत राशि 9.00 करोड़ रुपए।
2. राँची, हजारीबाग एवं दुमका में Cold Storage निर्माण। कुल लागत राशि 6.00 करोड़ रुपए।
3. प्रत्येक मेसो क्षेत्र में एक-एक बहुउद्देशीय भवन का निर्माण। कुल लागत राशि 10.50 करोड़ रुपए।

22. झारखंड राज्य आदिवासी सहकारिता विकास निगम, राँची द्वारा संचालित योजनाएँ

झारखंड राज्य आदिवासी सहकारिता विकास निगम, राँची के द्वारा अनुसूचित जनजातियों/अनुसूचित जातियों/ पिछड़े वर्गों/ सफाई कर्मियों (भंगियों)/अल्पसंख्यकों के आर्थिक एवं सामाजिक उन्नयन के लिए राज्य सरकार एवं राष्ट्रीय वित्तीय संस्थाओं के द्वारा योजनाएँ स्वीकृत की जाती हैं। इन योजनाओं का उद्देश्य मुख्यतः उपर्युक्त समुदायों की पारिवारिक आय में वृद्धि करना है। झारखंड राज्य आदिवासी सहकारिता विकास निगम, राँची को राज्य सरकार द्वारा राज्य के उपर्युक्त समुदायों को स्वीकृत योजना अन्तर्गत सावधि ऋण मुहैया कराने के लिए Channelising agency घोषित किया गया है।

एन.एस.टी.एफ.डी.सी./एन.एस.सी.एफ.डी.सी./एन.बी.सी.एफ.डी.सी./एन.एस.के.एफ.डी.सी./एन.एम.एफ.डी.सी. के द्वारा झारखंड आदिवासी सहकारिता विकास निगम को स्वीकृत योजनाओं के विरुद्ध 4 प्रतिशत चक्रवृद्धि ब्याज की दर पर सावधि ऋण उपलब्ध कराती है। आय वृद्धि योजनाओं में मुख्यतः निम्नलिखित योजनाएँ हैं—

ट्रैक्टर वितरण, ट्रेकर वितरण, जीप वितरण, डीजल ऑटोरिक्शा वितरण, ऑटोमोबाइल रिपेयरिंग दुकान, किराना दुकान, रेडिमेड वस्त्र दुकान, टेण्ट हाउस, टेलीफोन बूथ, साइकिल रिपेयरिंग शॉप, होटल-ढाबा खोलना, हस्तशिल्प एवं मछली पालन इत्यादि। लाभुकों के चयन के लिए विभिन्न समाचार-पत्रों में विज्ञापन प्रकाशित कराया जाता है। प्राप्त आवेदन-पत्रों पर योजनानुसार विधिवत् गठित समिति द्वारा लाभुकों का चयन किया जाता है। चयनित लाभुकों को दोहरी गरीबी रेखा (Double poverty line) का लाभ देते हुए उनके योजनानुसार 6-9 प्रतिशत साधारण ब्याज पर विधिसम्मत इकरारनामा करा कर सावधि ऋण उपलब्ध कराया जाता है।

वित्तीय वर्ष 2002-03 में निगम को 961.00 लाख रुपए का आबंटन प्राप्त हुआ था जिसके अन्तर्गत विभिन्न योजनाओं में 5250 लोगों को लाभान्वित किए जाने का लक्ष्य था। अब तक इस योजना में कम्प्यूटर प्रशिक्षण के लिए 114.86 लाख रुपए व्यय किया जा चुका है। लाभान्वितों की संख्या 833 है। पंपसेट वितरण में 44.18 लाख रुपए व्यय किया जा चुका है। इस योजना में

भी लाभान्वितों की संख्या 833 है। इसी प्रकार साइकिल-रिक्शा वितरण पर 12.15 लाख रुपए व्यय किया गया है एवं लाभान्वितों की संख्या 415 है। शेष योजनाओं का कार्यान्वयन चल रहा है।

NSFDC नई दिल्ली से अनुसूचित जातियों के लिए 600.55 लाख रुपए प्राप्त हुए थे जिसमें से 16.6.2003 तक 489.35 लाख रुपए का व्यय किया जा चुका है। इस राशि से 68 ट्रैक्टर, 120 डीजल ऑटोरिक्शा, 47 डीजल जीप और 18 डीजल ट्रैक्टर का वितरण किया जा चुका है।

इसी प्रकार NSFDC, नई दिल्ली से अनुसूचित जनजातियों के लिए 586.78 लाख रुपए प्राप्त हुए थे जिसमें से 16.6.2003 तक 492.30 लाख रुपए का व्यय किया जा चुका है। इस राशि से 65 ट्रैक्टर, 111 डीजल ऑटोरिक्शा, 43 डीजल जीप/स्पेशियो एवं 31 टेम्पो ट्रैक्स का वितरण किया जा चुका है।

संदर्भ

1. डॉ. बी. वीरोत्तम, छोटानागपुर—इतिहास एवं संस्कृति : सभ्यता एवं संस्कृति, पृ. 579।
2. डॉ. बी. वीरोत्तम, उपरोक्त, पृ. 594।
3. डॉ. बी. वीरोत्तम, छोटानागपुर—इतिहास एवं संस्कृति : आर्थिक जीवन, पृ. 609।
4. डॉ. सुरेश कुमार सिंह, द शिड्यूल ट्राइब्स : ऑक्सफोर्ड।
5. डॉ. सत्यप्रकाश गुप्ता, द असुर (इथनो-बायोलोजिकल प्रोफाइल)।
6. श्री बिजल महतो, बिरजिया।
7. डॉ. प्रकाशचन्द्र उराँव, बिहार के बिरहोर।
8. डॉ. एल.पी.विद्यार्थी, द बिरहोर : ए स्टडी इन इकोलोजी एण्ड वायरिंग।
9. डॉ. एल.पी. विद्यार्थी, ट्राइबल कल्चर ऑफ इंडिया, कान्सेप्ट पब्लिकेशंज़, नई दिल्ली।
10. श्री हरिमोहन, कोरवा, बिहार जनजातीय शोध संस्थान प्रकाशन।
11. श्री सच्चिदानन्द, सर्वे ऑफ ट्राइबल डेवेलपमेंट ब्लॉक्स : भंडरिया, पलामू
12. श्री हरिमोहन, द चेंजिंग कोरवा सीन : ए माइक्रो स्टडी ऑफ कोरवा विलेज, बुलेटिन ऑफ टी.आर.आई., रांची, भाग XXIV, सं. 1-2, 1982।
13. श्री कीर्ति विक्रम, माल पहाड़िया, बिहार जनजातीय कल्याण शोध संस्थान प्रकाशन।
14. अम्बष्ट मोहनप्रसाद, माल पहाड़िया मैटिरियल कल्चर (बिहार जनजातीय शोध संस्थान बुलेटिन), खंड 5, अंक 1, पृ. 69-81, मार्च 1967।
15. श्री बजरंग सिंह, पहाड़िया विकास सार्थक पहल की जरूरत, ब. फा., मिहिजाय, दुमका।
16. श्री उमेश कुमार वर्मा, सौरिया पहाड़िया, बिहार जनजातीय शोध संस्थान प्रकाशन।
17. श्री डी.पी. सिन्हा, द संताल एंड पहाड़ियाज : पास्ट एंड प्रेजेण्ट इन सौरिया पहाड़िया ऑफ राजमहल हिल्स, बिहार टी.आर.आई, 1991।
18. श्री बजरंग सिंह, सौरिया पहाड़िया : एक लुप्त होती जनजाति, बदलाव फाउंडेशन, मिहिजाय, दुमका।
19. डॉ. वी.एस. उपाध्याय, हिल खड़िया/शबर, झारखंड जनजातीय शोध कल्याण संस्थान, राँची।
20. श्री सुरेश भगत, शबर, झारखंड जनजातीय शोध कल्याण संस्थान बुलेटिन, पृ. 18-20।

21. श्री हरिमोहन, द परहैया : ए स्टडी इन कल्चर चेंज, बिहार ट्राइबल वेलफेयर रिसर्च इंस्टीट्यूट, 1974।
22. समीरा दासगुप्ता, बिरजिया इकोनॉमी एट द क्रॉस रोड ऑफ चेन्ज : सोशल चेन्ज, जून–सितम्बर, 1993, वोल्यूम 23, पृ. 283।
23. आशीष चक्रवर्ती, कम्युनिटी कॉरौलिंग चेक्स इन, न्यूज रिसर्च, जनवरी 2000, पृ. 9–12।
24. जे.के. रॉय : आइडेंटिफाइंग ए फूड गेदरिंग ट्राइब फ्रॉम द न्यूट्रीएशन्स पॉइंट ऑफ व्यू।
25. डॉ. यू.एम. झा और डॉ. ए.के. झा, प्रॉबलम्स एंड प्रोस्पेक्ट्स ऑफ वैल्यू एडीशन ऑफ माइनर फॉरेस्ट प्रोड्यूस इन ट्राइबल रूरल इकॉनोमी ऑफ बिहार, पृ. 89–91।

झारखंड के दलित

राजेन्द्र विश्वबन्धु

झारखंड देश का नवसृजित राज्य है। इसकी स्थापना झारखंड के महान सपूत जननायक बिरसा मुंडा की जन्मतिथि 15 नवम्बर 2000 ई. को हुई। झारखंड राज्य का निर्माण दलितों, आदिवासियों एवं यहाँ के मूलवासियों द्वारा किए गए लंबे संघर्ष का परिणाम है। झारखंड के धरती पुत्रों तिलका माँझी, सिद्धू, कान्हू, चाँद-भैरव, फूलो, झानो, मनी, देवमणि, वीरबन्धु भगत, शेख भिखारी, ठाकुर विश्वनाथ शाहदेव आदि ने ब्रिटिश हुकूमत के विरुद्ध संघर्ष किया। झारखंड की धरती ऐतिहासिक संघर्ष की धरोहर है।

दलित की परिभाषा

किस जाति को किस राज्य में दलित कहा जाए या किस राज्य में नहीं, इस संबंध में कोई स्थिर और निश्चित मापदंड आज तक नहीं बन पाया। जो जाति एक राज्य में अनुसूचित जाति में है, तो वही दूसरे राज्यों में पिछड़ी जाति या आदिवासी सूची में। उराँव झारखंड में अनुसूचित जनजाति में हैं तो यही उराँव मिर्जापुर (UP) में अनुसूचित जाति में हैं। उत्तर भारत में धोबी अनुसूचित जाति (SC) में हैं तो दक्षिण भारत में पिछड़ी जाति की सूची में। सूण्डी (शराब बनाने वाली जाति) बिहार, झारखंड और कई राज्यों में पिछड़ी जाति की सूची में है लेकिन सूण्डी पश्चिम बंगाल में अनुसूचित जाति (SC) में दर्ज है, यानी सूण्डी वहाँ अछूत जाति है।

कई राज्यों में कुम्हार पिछड़ी जाति में हैं, लेकिन मध्यप्रदेश के कई जिलों में अनुसूचित जाति के अन्तर्गत आते हैं। भुइयाँ कई राज्यों में अनुसूचित जाति में है। परंतु उड़ीसा में यह अनुसूचित जनजाति में दर्ज है। अन्य कई जातियों को उदाहरण स्वरूप लिया जा सकता है।

इसलिए सिर्फ अनुसूचित जाति को लेकर एक राष्ट्रीय परिभाषा 'दलित' की नहीं बनाई जा सकती। दलित, पिछड़े एवं आदिवासी को लेकर दलित को परिभाषित किया जा सकता है। यह एक व्यापक अर्थ में परिभाषा हो सकती है। कई विद्वान सिर्फ दलितों/आदिवासियों को ही दलित मानते हैं।

और अब तो अनुसूचित जाति के लोगों को ही 'दलित' कहा जा रहा है।

यहाँ हम अनुसूचित जाति (SC) को ही 'दलित' समझकर लिख रहे हैं।

'दलित' मराठी शब्द है जिसका अर्थ है 'टूटा हुआ' अर्थात् दबे-कुचले लोग।

हिन्दू धर्म (ब्राह्मण धर्म) द्वारा स्थापित चारों वर्णों (ब्राह्मण, क्षत्रिय, वैश्य, एवं शूद्र) में दलित नहीं आते। दलितों को पाँचवाँ वर्ण या पंचमा कहा गया। इन्हें वर्णबाह्य, अछूत, अस्पृश्य,

अंत्यज, शूद्र, दस्यु, असुर, अवर्ण, दास, चाण्डाल आदि विभिन्न नामों से नवाजा गया। ये नाम इन्हें घृणा एवं अपमान के लिए हैं।

झारखंड के दलित

अन्य राज्यों की तरह झारखंड में भी दलित हैं। इनकी संख्या लगभग 13% है। वर्णबाह्य होते हुए भी ब्राह्मण धर्म (हिन्दू धर्म) की वर्ण व्यवस्था की चक्की में इनका जीवन पिसता रहा है। ये झारखंड के काले अछूत हैं। धर्मशास्त्र इन्हें गाँव की दक्षिण दिशा में रहने की इजाजत देता है।

निम्नलिखित दलित जातियाँ झारखंड में पाई जाती हैं—

1. बन्तर	2. बौरी	3. भोगता
4. चमार/मोची	5. चौपाल	6. दबगर
7. धोबी	8. डोम	9. दुसाध
10. घासी	11. हलाल खोर	12. हाड़ी, मेहतर, भंगी
13. कंजर	14. कुटारियर	15. लाल बेगी
16. मुसहर	17. नट	18. पान या सेवासी
19. पासी	20. रजवार	21. तुरी
22. भुइयाँ		

ऐतिहासिक पृष्ठभूमि

सैकड़ों वर्षों से झारखंड में दलित आदिवासी एक साथ रह रहे हैं। सामाजिक, आर्थिक और सांस्कृतिक दृष्टिकोण से कमोबेश दलितों और आदिवासियों में समानता भी पाई जाती है। परन्तु मुख्य बात है कि आदिवासियों की अपेक्षा दलितों में अत्यधिक शोषण, दमन और उत्पीड़न हुआ। आदिवासी अछूत नहीं थे, परन्तु दलित अछूत थे। घृणित, अपमानित और उत्पीड़ित समुदाय।

दलितों की कई जातियाँ जो आज अनुसूचित जाति/पिछड़ी जाति में दर्ज हैं, 1931 ई. की जनगणना रिपोर्ट में आदिवासी सूची में थीं। कुडमी, खतौरी, घटवार आदि जातियाँ 1931 ई. तक आदिवासी सूची में थीं, वे आज पिछड़ी जाति में हैं।

पान, घासी, बाउरी, भुइयाँ, तुरी, भोक्ता आदि जातियाँ आज अनुसूचित जाति में हैं लेकिन 1931 ई. में ये आदिवासी सूची में थीं। विदित हो कि 1931 ई. में ही अंतिम बार भारत में जाति के आधार पर जनगणना हुई। आजादी के बाद भारत सरकार ने जातिवार जनगणना को समाप्त कर दिया। सिर्फ SC/ST को छोड़कर आदिवासियों के पास अपनी जमीनें थीं। कहीं अपना काम था। दलित इससे वंचित थे। कुछ अपवादों को छोड़ दिया जाए तो स्थिति भयावह थी।

पलामू जिले में दोमंजिला डोम किला मिलता है। संभव है वह किसी डोम समाज के मुखिया का मकान हो। झारखंड में कई क्षेत्र के जमींदार भुइयाँ भूमिज और बौरी जाति के थे।

1856-57 ई. के करीब चतरा जिले के हिरिंग गाँव में रक्शा पासवान के दो भाइयों की जमींदारी थी। यह जमींदारी राजा रामजी के अधीन थी। बक्सर जिले के केशर चोंगाई नामक

स्थान से आए राजपूतों ने रक्शा पासवान और उसके भाई को खत्म कर वहाँ की जमींदारी छीन ली थी। झारखंडी राजाओं/जमींदारों का रहन-सहन साधारण था। कोई राजसी ठाट-बाट न था। पहनावा भी जनसामान्य की तरह था। पलामू जिले के चैनपुर प्रखंड के सेमरा गाँव में मुथहरों के पास भी जमीनें थीं। जमीनों के कागजात भी थे। लेकिन वहाँ के ब्राह्मण जमींदारों ने धोखे से जमीनें और जमीन के कागजात हड़प लिए।

जिलावार जनसंख्या वितरण

1981 ई. की जनगणना के आधार पर दलितों की संख्या

क्र.सं.	*जिले का नाम*	*जनसंख्या*	*प्रतिशत*
1.	संतालपरगना	1,00255	8.25%
2.	गोड्डा	77907	6.62%
3.	देवघर	93210	13.15%
4.	साहेबगंज	40429	6.57%
5.	धनबाद	330767	15.64%
6.	गिरिडीह	225993	13.05%
7.	हजारीबाग	414971	18.88%
8.	पलामू	478225	24.94%
9.	राँची	98094	5.38%
10.	लोहरदगा	8280	3.60%
11.	गुमला	51725	5.09%
12.	सिंहभूम	137005	4.79%

उपरोक्त जनसंख्या वितरण 12 जिलों का है। यह 1981 ई. की जनगणना पर आधारित है।

1991 ई. की जनगणना के आधार पर जिलावार दलितों की संख्या

क्र.सं.	*जिले का नाम*	*जनसंख्या*	*प्रतिशत*
1.	प. सिंहभूम+सरायकेला	89496	5.01%
2.	पूर्वी सिंहभूम	77194	4.79%
3.	राँची	123239	5.57%
4.	गुमला+सिमडेगा	61299	5.31%
5.	दुमका+जामताड़ा	104094	6.96%
6.	साहेबगंज	70788	5.44%
7.	पलामू+लातेहार	423730	25.68%
8.	हजारीबाग+कोडरमा	338489	15.17%
9.	गोड्डा	72893	8.46%
10.	धनबाद	312467	16.03%
11.	बोकारो	197365	13.57%

12.	लोहरदगा	10919	3.78%
13.	गिरिडीह	202084	13.51%
14.	गढ़वा	190830	23.81%
15.	देवघर	115697	12.40%
16.	चतरा	198688	32.42%
17.	पाकुड़	21484	
कुल जनसंख्या		701616 (2001 के अनुसार)	

उपरोक्त आंकड़े से पता चलता है कि झारखंड राज्य में सबसे अधिक दलितों की संख्या चतरा जिले में है। यहाँ इनकी संख्या 32.42% है। दूसरा स्थान पलामू का है जहाँ दलितों की संख्या 25.68% है। तीसरा स्थान गढ़वा का है। वहाँ यह संख्या 23.81% है।

व्यावहारिक रूप से देखा गया है कि जहाँ-जहाँ दलितों की संख्या है, वहाँ- वहाँ इनका जमकर शोषण हुआ है। इन्हें इंसान की तरह नहीं देखा गया है। बेगार की मेहनत कराना, बंधुआ मजदूरी, न रहने का घर, कुपोषित लोग और बच्चे, मान सम्मान का पूर्णविराम। इस शोषण और जुल्मोसितम के गर्भ से उग्रवाद का जन्म होता है।

उग्रवादी गतिविधियों का जोर उसी जिले में है जिस जिले में दलित/आदिवासियों का शोषण और पग-पग पर अपमान भरी जिन्दगी झेलनी पड़ी।

देश भर में दलितों की संख्या 16.48%

झारखंड में दलितों की संख्या 13% (लगभग)

2001 के अनुसार दलितों की संख्या झारखंड में — 2589252

झारखंड की दलित जातियाँ

1. **बन्तर :** दलितों की सबसे पिछड़ी हुई जाति है बन्तर। यह द्रविड़ मूल की जाति है। कम जनसंख्या वाली इस जाति का मुख्य पेशा टोकरी बनाना तथा बांस व अन्य सामग्री बनाना है। ये घरों के छप्पर निर्माण का कार्य भी करते हैं। बन्तर लोग सूअर पालते और खाते भी हैं। एच.एच. रिसले के अनुसार बन्तर जाति का स्तर दुसाध से भी है। अब इस जाति के लोग मेहनत-मजदूरी करके अपनी जीविका चलाते हैं।

2. **बौरी :** अनार्य समूह के बौरी जाति का मुख्य पेशा कृषि कार्य और पालकी ढोना था। एक दन्तकथा के अनुसार देवताओं के भीज से भोजन चुराने की वजह से इनकी अवनति हुई। दूसरी दन्तकथा के अनुसार ये लोग एक शादी की बारात से लौट रहे थे तो पालकी बेचकर शराब पी गए तथा गुरु पर भी आक्रमण कर दिए। इससे गुरु ने अभिशाप दिया कि वे अपने-अपने समुदाय में सबसे नीच रहेंगे। बौरी जाति की नौ उपजातियाँ हैं। कुछ उपजातियों में शादी भी होती है। कुछ में नहीं। टोटेनिक दृष्टि से बौरी जाति के लिए कुत्ता और लाल पृष्ठ का सारस सम्माननीय जन्तु हैं।

झारखंड में बौरी जाति आदिवासी सूची में 1931 तक थी। यह भी आदिवासी ही थी लेकिन आज अनुसूचित जाति की सूची में दर्ज है।

3. भोगता : अब भोगता अनुसूचित जाति में है। झारखंड में भोगता 1931 ई. तक अनुसूचित जनजाति की सूची में थी। बिहार में यह भुइयाँ की उपजाति है। कहीं-कहीं यह खरवार की उपजाति है। भूत-प्रेत, मसान, डाक, डाकिन आदि ही इनके देवी-देवता हैं।

4. चमार : जैसा कि नाम से ही स्पष्ट है कि चमार, चमड़े के कार्य करने वाली जाति है। चर्म शोधन कर, टेनिंग कर, काट कर चमड़े के उपयोगी सामान बनाए जाते हैं। चमड़े के जूते बनाए जाते हैं। अब तो चमड़े के बैग भी बनाए जाते हैं। यह एक चर्म कल्प है परन्तु वर्णवादी समाज ने इनकी कला को कला का सम्मान नहीं दिया। चमार एक प्राचीन् जाति है।

नेसिफिल के अनुसार चमार यदु कबीला (जनजाति) से निकली शाखा है जिसमें कृष्ण पैदा हुए थे। 'द चमार' के लेखक G.W.Brisses के अनुसार 'चमार जाति के उद्‌गम का मूल स्रोत प्राचीन काल में गाँवों की सीमा पर रहने वाला वर्ग था जो चमड़े का काम करता था। इस समूह ने जो निश्चित रूप से अनार्य था, सदियों तक अपने को बनाए रखा।'

14वीं सदी के संत रविदास के अनुयायी अपने को रविदास या रविदास के वंशज बताते हैं। रामदासी चमार बुनकर हैं। संयुक्त प्रांत की जनगणना रिपोर्ट (1911) में इन्हें हिन्दू नहीं माना गया है।

झारखंड क्रे चमारों की संख्या अच्छी है। चर्म कार्य को इतना घृणित रूप से देखा गया कि चमार शब्द गाली के रूप में प्रयुक्त होता है। आज दलितों में चमार (रविदास) एक शक्तिशाली जाति है। शिक्षा और नेतृत्व में सबसे आगे हैं।

5. दबगर : चमारों की वैसी शाखा जो कच्चे चमड़े से सामग्री बनाते हैं। ढोल का चमड़ा, श्यान और ढाल भी बनाते हैं। इनकी आर्थिक-सामाजिक स्थिति अच्छी नहीं। संख्या भी कम है। अब ये मजदूरी करके जीवनयापन करते हैं।

6. धोबी : कपड़े धोने और साफ करने वाली जाति को धोबी जाति कहते हैं। करीब-करीब यह जाति हर प्रदेश में पाई जाती है। दक्षिण भारत के कई प्रदेशों में धोबी पिछड़ी जाति की सूची में हैं। उत्तर भारत में यह अनुसूचित जाति की सूची में हैं।

'मनु' के अनुसार धोबी जाति का एकमात्र धन गधा और कुत्ता होता है।

एच.एच. रिसले ने धोबी और डोम को सजातीय नस्ल का बताया है।

कभी-कभी धोबी जाति के लोग शिक्षा और नौकरी पा गए हैं परन्तु अधिकतर जगह गरीब और बेरोजगार मिलते हैं। धोबी मेहनत करने वाली जाति है लेकिन इनकी मेहनत को कभी सम्मान नहीं मिला। धोबी को अपमानित करने वाली कई कहावतें प्रचलित हैं।

7. डोम : डोम एक प्राचीन जाति है। सुनने से ही पता चलता है कि यह एक अछूत जाति है। यह द्रविड़ मूल की जाति है। कहीं इसे चाण्डाल कहा जाता है। डोम लोगों का कई स्थानों पर राज था, कई जगह किले भी थे। यहाँ झारखंड में पलामू जिले में दोमंजिला डोम किला है जो अब खँडहर के रूप में है।

डोम जाति की आर्थिक-सामाजिक और शैक्षिक स्थिति अब दयनीय है। सूप या बांस के अन्य सामान बनाकर यह गुजर-बसर करते हैं। मेहनत-मजदूरी करते हैं। अन्य कार्य के लिए जाति इनके आड़े आती है। कहीं-कहीं सफाई कार्य करके अपना गुजारा करते हैं।

8. दुसाध : दुसाध अनुसूचित जाति में एक लड़ाकू जाति की तरह है। अंग्रेजों ने इस जाति को अपराधी जाति घोषित किया था लेकिन चौकीदार भी अधिक इस जाति से थे। आज दुसाध अछूत हैं।

बिहार के चम्पारण जिले में दुसाध जाति का राज था। कुछ विद्वानों के अनुसार दुसाध चमार से निकली हुई जाति है।

चमार जाति की तरह दुसाध जाति में भी शिक्षा का प्रचार-प्रसार हुआ। यह समाज अब नेतृत्व के दृष्टिकोण से भी आगे आ रहा है लेकिन अभी भी ग्रामीण इलाकों में स्थिति अच्छी नहीं है।

कुछ वर्ष पूर्व तक दुसाध जाति के लोग 'नेटुवा' नाच, शादी, विवाह के अवसर पर किया करते थे। पूरे सैनिक साज-गाज में यह नाच उनकी कला थी। उसे अब महत्त्वहीन समझा गया है। इस कला को लोग अब भूल भी रहे हैं।

9. घासी : 1911 से 1931 ई. तक की जनगणना रिपोर्ट में घासी आदिवासी सूची में थे। अभी घासी जाति अनुसूचित जाति (दलित) में है। इनकी सामाजिक- आर्थिक स्थिति डोम और मुथहल से अच्छी नहीं है। कहीं-कहीं घासी लोग ढोल नगाड़ा बनाते हैं। कहीं-कहीं घासी शादी-विवाह में नाच-गाने का भी काम करते हैं।

दलितों में यह संगीतकार जाति है। वैसे गाने, बजाने, नाचने का गुण दलितों में भी पाया जाता है। घासी जाति के लोग मछली पकड़ने में भी पारंगत हैं। यह द्रविड़ मूल की जाति है। कर्नल डाल्टन ने घासी को आर्यों का दास (भूदास) बताया है।

झारखंड में घासी मुख्यत: तीन उपजातियों में बँटे हैं—सोना, सिमरलोका और हारी।

झारखंड में 1872 और 1881 में घासी की संख्या

	जिला	*संख्या*	
		1872	1881
1.	संतालपरगना	—	230
2.	हजारीबाग	3119	4200
3.	लोहरदगा	15700	16394
4.	सिंहभूम	3976	2667
5.	मानभूम	4105	2100

10. हलालखोर : हलालखोर, भंगी, मेहतर की तरह ही एक जाति है, जो सफाई करती है। अब तो ये लोग मेहनत-मजदूरी करके जी रहे हैं। मुस्लिमों में भी हलालखोर जाति है। हलाल का अर्थ है वैध। हलालखोर का अर्थ है वैध कमाई खाने वाला। अभी इसकी आर्थिक-सामाजिक स्थिति अच्छी नहीं है।

11. हाडी/मेहतर/भंगी : ये अछूत जातियाँ हैं। गंदगी साफ करना, मैला ढोना इनका पुश्तैनी कार्य समझा जाता है। Dr. wise के अनुसार ये हिन्दूकृत आदिम जाति के अवशेष हैं। इसे बंगाल में डोम, मध्य भाग में चाण्डाल या भंगी, पंजाब में चूहड़ा नाम से पुकारा जाता है।

भंगी जाति व्यवस्था की सबसे निम्नतर पायदान की जाति है।

आज भी ये सिर पर मैला ढोने का अमानवीय कार्य कर रहे हैं। इनके पुनर्वास के लिए केन्द्र सरकार ने 1993 में भंगी मुक्ति कानून बनाया था जो अब तक झारखंड में लागू नहीं हुआ है। घृणा और छुआछूत का सबसे ज्यादा शिकार भंगी जाति है। भूमिहीन, घर विहीन और किसी भी सरकारी सुविधा से वंचित।

12. कंजर : उत्तर पश्चिमी राज्यों की द्रविड़ियन मूल की घुमक्कड़ जाति है। इसका मुख्य पेशा सियार का शिकार करना, सांप पकड़ना और खाना भी है। सन या कपास की रस्सी बनाना भी इस जाति का पेशा है। बिहार में ये लोग रस्सी बनाते हैं।

13. मुथहर : मुथहर शब्द से ही स्पष्ट है कि यह मुथ (चूहा) पकड़ने वाली जाति है। कुछ लोग मुथहर शब्द की उत्पत्ति 'मुथ रहा' शब्द से बताते हैं। 'मुथ रहा' यानी चूहों को मारने वाला। J.C.Nesfield के अनुसार माथु और हेरा से मुथहर बना है। माथु यानी मोथ, खोजने वाला—हेरा। अधिकतर लोगों का यह भी कहना है कि यह नाम उनके चूना खाने की वजह से था।

A.K. Biswas बताते हैं 19वीं सदी के पूर्वार्द्ध तक ये लोग भागलपुर में गंगा किनारे घड़ियालों को पकड़ते एवं मारते थे। उस समय वहाँ घड़ियाल अधिक मात्रा में पाए जाते थे। वे कहते हैं कि मुथहरों की इस बहादुरी का तत्कालीन समाज पर कोई प्रभाव नहीं पड़ा और समाज ने उसे चूहा खाने वाली प्रजाति कहकर छोड़ दिया।

H.H. Risley और J.C. Nesfield ने माना है छोटानागपुर के मुथहर द्रविड़ियन मूल के भुईयाँ की प्रथा एक है। मुथहा और भुईयाँ भी कुछ अर्थों में एक ही थे। मुथहर अपने महान पूर्वजों की पूजा 'वीर' नाम से करते हैं। इनके 6 वीर हैं— 1.तुलसी वीर 2. रिकमन वीर 3. राम वीर 4. मवार वीर 5. आसन वीर और 6. चरख वीर। शराब और सूअर से इन 6 वीरों की पूजा करते हैं।

पलामू के रहने वाले मुथहर जड़ी-बूटी बेचते हैं, साँप भी पकड़ते हैं, खेत में धान काटे जाने के बाद ये लोग खेत से चूहा और धान निकालकर खाते हैं। ये भूमिहीन, शिलाविहीन हैं। इनका रहन-सहन आदिम युग का है, आदिवासियों से बहुत कुछ मिलता-जुलता है। इनके पास जमीन नहीं है, लेकिन कहते हैं कि पूरा राज मेरा है।

आपराधिक आँकड़ों में भी ये पीछे हैं। 1911 ई. की जनगणना के अनुसार 104 भूमिहार, 321 ब्राह्मण, 377 राजपूत तथा 133 मुथहर विभिन्न जेलों में बंद थे।

14. पासी : पासी एक प्राचीन जाति है। अभी अनुसूचित जाति में सूचीबद्ध है। स्वाभिमान के लिए संघर्ष करना इनका इतिहास रहा है। ताड़ या खजूर के वृक्ष से ताड़ी (रस) बनाना पासी का जातिगत पेशा है। कुछ लोगों के अनुसार पासी शब्द फाँसी (फंदा) से बना है जो शिकार करने की स्थिति को बताता है। पासी जाति शासक जाति रही है। उत्तर प्रदेश के कई क्षेत्रों में पासी जाति व राजाओं के किले हैं। अन्य राज्यों की अपेक्षा झारखंड में पासी जाति की आर्थिक-सामाजिक स्थिति खराब है।

15. रजवार : रजवार एक लड़ाकू जाति (माशेल रेस) है। यह अपने मान सम्मान और

स्वाभिमान के लिए जीते हैं। दलितों में रजवार ही एक ऐसी जाति है जिसमें महिलाओं की इज्जत-आबरू बची रहती है। रजवार अब खेतिहर मजदूर हैं। इनमें शिक्षा का अभाव है। कुछ लोग रजवार को घटवार के समकक्ष रखते हैं। राजगीर (बिहार) तो पूरा रजवारों का क्षेत्र रहा है।

16. तुरी : 1931 ई. तक तुरी आदिवासी सूची में शामिल थे। बाद में इसे अनुसूचित जाति की सूची में रख दिया गया। आज भी दूर देहात के तुरी जाति के लोग आदिवासी की तरह ही रहते हैं। जंगल से इनका गहरा संबंध है। जंगल से बांस लाकर ये सूप, मौनी आदि अन्य सामान बनाकर बेचते हैं।

एच.एच. रिसले ने तुरी जाति को बिहार की पाँचवीं उपजाति बताया है। कहीं-कहीं तुरी लोग शादी-विवाह या अन्य कार्यों में ढोल-नगाड़ा बजाने का काम करते हैं। तुरी लोग अभी भी आदिम युग में जी रहे हैं।

17. भुइयाँ : भूईयाँ यानी धरती का मालिक। कुछ विद्वानों के अनुसार भूइयाँ यानी धरती के बच्चे। कुछ ने इसे मुण्डा जनजाति से जोड़ा है। एस.सी.रॉय ने भी तुरी जाति को मुंडा ट्राइब में ही रखा है। झारखंड में भूइयाँ लोग ही इलाका प्रधान होते थे जिन्हें टिकैट कहा गया। अंग्रेजी जमाने में भूइयों की स्थिति अच्छी नहीं थी। ये भूमिहीन, गृहविहीन हैं। इनमें शिक्षा भी अभी तक आई नहीं। मेहनत-मजदूरी कर ये जीविका चलाते, मुख्य रूप से आज की तारीख में ये मजदूर हैं। मुथहरों की तरह इनके भी देवता वीर ही होते हैं।

18. लालबेगी : यह भंगी/मेहतर की तरह की जाति है। गंदगी साफ करना, सफाई कार्य करना इनका कुछ वर्षों का पेशा रहा है। मुसलमानों में भी लालबेगी और हलालखोर पाए जाते हैं। गैर-मुस्लिम लालबेगी का भी यही पेशा रहा है।

कुड़ुख समाज और संस्कृति

अजय कुमार तिर्की

उत्पत्ति

कुड़ुख जाति भारत की आदि निवासी है। ऐसा विद्वानों की राय है। आदिवासी, जन-जाति, देशज, बनवासी, इंडिजिनियस आदि शब्दों में संबोधित की जाने वाली यह जाति क्या सचमुच यहाँ की आदि निवासी है ? कुड़ुख लोग सचमुच यहाँ के इंडिजिनियस लोग हैं ? ये बाहर से आए विदेशी नहीं हैं ? ये भारतीय उपमहाद्वीप के धरती पुत्र हैं ? इस बात की सच्चाई का ठोस प्रमाण नहीं मिलता कि कुड़ुख लोग भारत के बाहर कभी नहीं रहे ? इसकी जानकारी के लिए हमें कुड़ुख उत्पत्ति एवं इतिहास पर एक नजर डालनी होगी।

कुड़ुख जाति की उत्पत्ति के संबंध में विद्वानों में मतैक्य नहीं है। अत: इनका उद्‌गम स्थान कहाँ था। निश्चित रूप से नहीं कहा जा सकता है। इतना तो निश्चित है कि बिहार में कुडुख लोग प्रवासी बनकर आए हैं। इनका उद्‌गम स्थान भारत के अन्य स्थान में हुआ होगा। शारीरिक बनावट, लक्षण एवं भाषा की विशिष्टता के अनुसार ये द्रविड़ ग्रुप में आते हैं। इस आधार पर यह अनुमान लगाया जा सकता है कि कुडुख लोग सर्वप्रथम द्रविड़ ग्रुप के अन्य जातियों तमिल, तेलुगू, मलयाली तथा कन्नरीज लोगों के साथ दक्षिण भारत के निवासी रहे होंगे। कर्नल डाल्टन के मतानुसार कुड़ुख संभवत: डेक्कन का कोंकण तट इनका उद्‌गम स्थान रहा होगा। एक मत यह व्यक्त किया जाता है कि ई.पू. कई वर्षों तक कुड़ुख कर्नाटक के प्राचीन पाण्डय राज्य की प्रजा रहे होंगे। एक अन्य मतानुसार लगभग 3500 ई.पू. कुड़ुख लोग सिन्धु घाटी के निवासी थे। इसका प्रमाण इस बात से मिलता है कि सिन्धु एवं सतलुज नदी के तट पर स्थित मोहनजोदड़ो एवं हड़प्पा की खुदाई से प्राप्त अवशेष द्रविड़ संस्कृति के हैं। अर्थात् सिन्धु घाटी की सभ्यता जो कि 3500 ई.पू. वर्ष पुरानी सभ्यता, द्रविड़ सभ्यता थी। खुदाई से प्राप्त अनेक अवशेष कुड़ुख संस्कृति से मिलते जुलते हैं। खुदाई में नदी किनारे कब्रगाह मिला है। कुड़ुख लोग गाँव बसाने के पहले भौगोलिक रूप से नदी किनारे निवास करते हैं। नदी किनारे शव दफन कर सामूहिक स्नान कर घर वापस आते हैं। कुड़ुख लोग गढ़ निर्माण कार्य में निपुण थे। रोहतासगढ़, विजयगढ़, नवागढ़ (चुनारगढ़) बनाए थे। संभवत: सिन्धु सभ्यता में मिले पक्की ईंटों से परिचित थे। ये कपास के बने वस्त्र धारण करते हैं। सूती वस्त्र का नमूना भी सिन्धु घाटी में मिला है। ये प्रकृति की पूजा करते हैं तथा महादेव को धर्मेश कहते हैं। सिन्धु सभ्यता में चित्रलिपि का प्रयोग होता था जिसको अभी तक पढ़ा नहीं जा सका है। उसी प्रकार की चित्रलिपि रोहतासगढ़ की दीवारों में भी

अंकित है। कुड़ुख महिलाओं के शरीर के गोदना भी उस चित्रलिपि से मिलते-जुलते नजर आते हैं। यह प्रथा परम्परा से चली आ रही है। मुहर में मिले सांड़ से पता चलता है कि कृषि कार्य में बैल की महत्त्वपूर्ण भूमिका थी। आज भी ये जीविका के लिए कृषि पर निर्भर करते हैं तथा पहले इनका व्यापार लदनी बैल में गट्ठर बाँध कर किया जाता था। इनकी कुड़ुख भाषा अन्य द्रविड़ भाषा समूहों के काफी नजदीक एवं मिलती-जुलती है।

परन्तु फिर भी यह रहस्य आज भी रहस्य ही बनकर रह गया है कि ये कहाँ से बिहार, उत्तर प्रदेश, मध्य प्रदेश, उड़ीसा और नेपाल में आकर बसे। अगर सचमुच में ये सिंधु घाटी के निर्माता थे तो किन कारणों और किन मार्गों से होकर यहाँ पहुँचे। शायद इतने लंबे प्रवास एवं दूसरी जातियों से जूझते रहने के कारण ये अपनी लिपि खो बैठे।

देशान्तरण

यह एक निर्विवादित सत्य है कि कुड़ुख प्रवासी बनकर बिहार के अन्य प्रांतों, छोटानागपुर, रोहतास, उत्तर बिहार, नेपाल, उत्तर प्रदेश, मध्य प्रदेश, असम और बंगाल में बस गए। किन्तु ये कहाँ से आए इनका प्रवास कितने लंबे समय का था और इन्होंने कौन-सा मार्ग अपनाया—शोधकर्ता कुड़ुख प्रवास एवं उत्पत्ति की संभावित परिकल्पनाएँ प्रस्तुत करते हैं।

शरतचन्द्र रॉय, पीटर डेहों, ग्रियर्सन तथा कर्नल डाल्टन का मत है कि कुड़ुख लोग संभवत: डेक्कन के कोंकण क्षेत्र से आए। इस परिकल्पना के अनुसार दक्षिण भारत के कोंकण तट से कुड़ुखों का प्रवास हुआ होगा। इसे अगर सच माना जाए तो कर्नाटक के प्राचीन पाण्डय राज्य में लंबे समय तक इनका निवास रहा होगा। पश्चिमी समुद्र तट के मार्ग से होकर ये नर्मदा के मुहाने तक आए तथा नदी के तटीय क्षेत्र से होकर पूर्व दिशा की ओर आगे बढ़े होंगे। कालान्तर में इन्होंने विंध्याचल पर्वत पार कर अमरकंटक होते सोन नदी की घाटी से आगे बढ़ते हुए बिहार के शाहाबाद के पठार में प्रवेश किया। वहाँ लगभग 800 ई. पूर्व उन्होंने अपना जीवन आरम्भ किया होगा। ग्राम स्थापित किए, अपना प्रशासन सुदृढ़ किया और अपना प्रभुत्व स्थापित किया होगा। इस परिकल्पना के आलोक में इनकी पौराणिक कथाओं में नन्दनगढ़, पिपरापाठ, पिपरीगढ़, गढ़पिपरा, हरदीबन जैसे नामों का जिक्र मिलता है। ये स्थल संभवत: वर्तमान गुजरात के नर्मदा तट पर स्थित पिपला तथा हरदीनगर आदि गाँवों के नाम थे।

शारीरिक बनावट एवं भाषा की विशिष्टता के अनुसार ये द्रविड़ियन मूल की उपजाति है। इस आधार पर ये द्रविड़ समूह के तेलुगू, तमिल, मलयाली तथा कन्नरीज लोगों के साथ दक्षिण भारत के निवासी रहे होंगे। कर्नाटक, तमिलनाडु, आन्ध्र, उड़ीसा, मध्य प्रदेश के रास्ते सोन नदी घाटी होते बिहार के शाहाबाद पठार तक पहुँचे होंगे। इतिहास प्रमाणित करता है कि सिंधु सभ्यता द्रविड़ सभ्यता थी जो कि आर्यों के आक्रमण या अन्य प्राकृतिक कारणों से गुजरात के कच्छ क्षेत्र होते दक्षिण भारत पहुँच गई होगी, फिर उत्तर की ओर बढ़ी होगी।

एक नवीनतम विचारधारा यह है कि इनके पूर्वज सिंधु घाटी के मूल निवासी थे। उन्होंने ही सिंधु सभ्यता का विकास किया था और पतन देखा। ये सिंधु एवं सतलुज नदी तट पर मोहनजोदड़ो और हड़प्पा में निवास करते थे। बाह्य आक्रमण या किन्हीं बड़े प्राकृतिक कारणों से इन्हें सिंधु

घाटी से पलायन करना पड़ा। संभवत: शक्तिशाली आर्यों के आक्रमण के कारण लगभग 18वीं-17वीं सदी ई.पू. सिंधु घाटी छोड़नी पड़ी और वर्तमान पंजाब, हरियाणा होते गंगा-यमुना के समतल मैदानों को पार करते प्रयाग, मिर्जापुर, आजमगढ़ होते शाहाबाद के पठार में होते बिहार के अन्य प्रांतों छोटानागपुर, नेपाल, मध्य प्रदेश, उड़ीसा, बंगाल, असम तक पहुँच गए। महाभारतकालीन कुरुक्षेत्र कुड़ुख क्षेत्र रहा होगा। इस आलोक में कुड़ुख लोगों का अपने गीतों एवं कथाओं में अक्सर गंगा-यमुना का वर्णन मिलता है और जब कभी जुड़वाँ बच्चे होते हैं तो उसका नामकरण गंगा-जमुनी, काशी-प्रयाग आदि रखते थे। पूर्वी क्षेत्र में आकर कुड़ुख लोगों ने इन सुरक्षित पठारों में विजयगढ़, नवांगढ़, चुनारगढ़, रोहतासगढ़ आदि स्थानों में अपना प्रभुत्व कायम किया। इस परिकल्पना को इस बात से बल मिलता है कि उत्तर प्रदेश के आजमगढ़, मिर्जापुर, चुनार, बिहार के नगर, रोहतासगढ़ आदि जगहों में आज भी ये बहुसंख्य रूप में पाए जाते हैं। इस क्षेत्र में इन्हें 'धांगर' कहा जाता है।

कुड़ुख कथाओं में रोहतासगढ़, नवांगढ़, विजयगढ़, चुनारगढ़ आदि सुदृढ़ प्रशासन का वर्णन मिलता है परन्तु इसका कोई लिखित प्रमाण नहीं मिलता। दूसरी जातियों द्वारा इन गढ़ों से कुड़ुख लोगों को भगाने के बाद का कुछ लिखित इतिहास मिलता है। किन्तु मिर्जापुर गजेटियर (यू.पी. प्रान्त 1911 Vol. 27 पृ. 236-237 इलाहाबाद संपादक डी.एल. ड्रेक ब्रोकमन I.C.S अंग्रेज अफसर थे) पढ़कर आप भी अचंभित हुए बिना नहीं रह सकते कि कुड़ुख लोगों ने विजयगढ़ में अंग्रेज अफसर मेजर पोम्फम के आधुनिक अस्त्रों से लैस सेना को भी हार खानी पड़ी थी। बाद में फिर हार गए और वहाँ की कुड़ुख शासिका (रानी) को जीविका खर्च देकर अंग्रेजी साम्राज्य में सम्मिलित कर लिया। इस क्षेत्र में अब भी कुड़ुख लोग अपनी भाषा बोलते हैं।

कुड़ुख लोगों का रोहतासगढ़ का शासन काल एक स्वर्णकाल माना जाता है। यहाँ तुर्कों के आक्रमण के बाद सोन नदी घाटी होते कोयल नदी की तराई होते पलामू जिले के रास्ते से छोटानागपुर आगमन हुआ। यहीं से मध्य प्रदेश एवं उड़ीसा तक फैल गए। परन्तु इससे एक बात की पुष्टि नहीं होती है कि उड़ीसा के गंगापुर, संबलपुर तथा मध्य प्रदेश के रायगढ़, जबलपुर और सुरगुजा के उत्तर प्रदेश सीमा क्षेत्रों में इनका आगमन उत्तर प्रदेश की ओर से हुआ अथवा दक्षिण भारत की ओर परन्तु छोटानागपुर से सटे इलाके जशपुर, सुरगुजा, बरवे, छेछाड़ी, सिंहभूम, बंगाल, उड़ीसा आदि प्रवास तो छोटानागपुर के रास्ते से हुई है। पलामू के रास्ते से हजारीबाग तक एवं उत्तर बिहार के सिवान, चम्पारण, नेपाल आदि रोहतासगढ़ के रास्ते तथा कुड़ुख लोगों की एक शाखा रोहतासगढ़ से राजमहल की पहाड़ियों की तरफ संतालपरगना तक हुई जिन्हें मालेर अथवा माल पहाड़िया कहा जाता है, जिनकी भाषा कुड़ुख ही है।

भाषा एवं लिपि

कुड़ुख लोग अपने आपको कुड़ुखत अथवा 'नाम कुड़ुखत' कहते हैं जिससे इनकी जाति एवं भाषा दोनों इंगित होती है। इनकी भाषा 'कुड़ुख' है न कि 'उराँव'। 'उराँव' नाम दूसरों द्वारा वर्णभावना से ग्रस्त हिन्दुओं की तिरस्कारपूर्ण दी गई उपाधि है। कुड़ुख भाषा का वर्गीकरण द्रविड़ भाषा समूह के तमिल, मलयाली, तेलुगू, कन्नरीज आदि भाषाओं के साथ होता है। यह भाषा

कन्नड़, तमिल और तेलुगू भाषा के काफी नजदीक मानी जाती है। शारीरिक बनावट एवं भाषा के आधार पर कुड़ुख लोगों में कई दक्षिण भारतीय द्रविड़ समुदायों से काफी निकट की समानता पाई जाती है।

कुड़ुख भाषा का कोई प्राचीन साहित्य नहीं है सिर्फ प्रचलित लोकगीतों एवं लोकगाथाओं में ही सिमट कर रह गई है। जो श्रुति विद्या आधारित पीढ़ी दर पीढ़ी चली आ रही है। लिखित साहित्य के रूप में कुछ अंग्रेज अधिकारियों, पादरियों और कुछ बुद्धिजीवियों द्वारा लिखी गई पुस्तकें, जिन्हें उँगलियों पर गिना जा सकता है। इनका मानना है कि कभी इनकी भी अपनी लिपि थी जो कि इतिहास के कई उतार–चढ़ाव में खो गई है और यह मौखिक मात्र रह गई है। कहा जाता है कि इनकी लिपि 'चित्रलिपि' थी। सिंधु घाटी की खुदाई से प्राप्त लिपि सदृश्य रोहतासगढ़ की दीवारों में अंकित है, जिसे आज तक पढ़ा नहीं जा सका है। उसी चित्रलिपि सदृश्य कुड़ुख महिलाओं के तन पर गोदना की परम्परा है। परन्तु आज यह अर्थहीन लगती है। यद्यपि कुड़ुख भाषा आज भी जीवित है। इसे आज भी भाषाविद् समझ नहीं पाए हैं कि दक्षिण भारतीय अन्य द्रविड़ भाषा कन्नड़, तमिल, तेलुगू और मलयालम की तरह इसका विकास क्यों नहीं हुआ?

आज सभी अपनी–अपनी भाषा संस्कृति के विकास में लगे हैं। कुड़ुख भाषा भी इस दौड़ में पीछे–पीछे कोशिश में लगी है। अभी तक यह भाषा रोमन और देवनागरी लिपि में पाई जाती है। इसकी अपनी लिपि नहीं है। लिपि की खोज की जा रही है। इस संदर्भ में दक्षिण भारतीय अनंती जेवा सिंह द्वारा कुड़ुख लिपि में 'कुड़ुख भारती' नामक पुस्तक प्रकाश में आई है। इसमें देवनागरी मिश्रित अन्य दक्षिण भारतीय द्रविड़ियन भाषा की लिपि मिश्रित है। लेकिन यह सर्वमान्य नहीं हो पाई। इधर कुछ वर्षों से डॉ. नारायण उराँव की 'तोलोंग लिपि' प्रकाश में आई है। इसमें कुड़ुख लोगों द्वारा प्रयोग में आने वाली वस्तुओं को संकेतिक रूप से अंकित किया गया है। यह लिपि भी अभी तक सर्वमान्य नहीं है। अभी तक देवनागरी लिपि का ही सहारा लिया जा रहा है।

भाषाविदों का कहना है कि जिस भाषा में शब्दों का उच्चारण जितना लंबा होता है वह भाषा उतनी ही पुरानी होती है और जिस भाषा के शब्द का उच्चारण छोटा होता है, उसकी उत्पत्ति बाद में हुई है। जैसे विलिचना, लवकारना, खुशमारना, रिझिरना, मेंझरना, कच्छनखरना, झिलमिलरना आदि हिन्दी शब्द से इसका उच्चारण लंबा है।

उसी तरह कुड़ुख भाषा की दूसरी विशेषता यह है कि किसी भी चीज को बतलाना या उसकी व्याख्या जितना सटीक ढंग से कर सकती है, वैसा हिन्दी अथवा अंग्रेजी भाषा भी नहीं कर पाती। वैसे शब्दों को व्याख्या करने या बतलाने के लिए हिन्दी अथवा अंग्रेजी में शब्द बहुत कम हैं।

गाय भोकरारआ लगी।

खूड़ी कुद्दा अम्बा कला।

ओड़ा चिंखा लगी।

एन्देरगे को हेड़ेम जेड़ेम मंदय।

हिन्दी या अंग्रेजी में साधारणत: कोई भी कपड़ा पहनने को सिर्फ कपड़ा पहनना कहते हैं। परन्तु कुड़ुख में हर एक कपड़े पहनने की सटीक ढंग से व्याख्या मिलती है।

किचरी कूरना, करया चोआना, झुला उत्तना, बरकन झपरआ।

उसी तरह से दिन को बतलाने के लिए हिन्दी में कल याने आने वाला कल या बीता हुआ कल होता है परन्तु कुड़ुख में अंग्रेजी के साथ मिलता-जुलता है बीता हुआ कल को चेरो, आने वाला कल नेला, नेला के आगे दिन को नेल-बेंज्जा, चेरो के पहले के बीते हुए दिन को होरभरे कहा जाता है। कुड़ुख भाषा तमिल और कन्नड़ भाषा से काफी मेल खाती है।

कुड़ुख	*तमिल*	*हिन्दी*
पल्ल	पल्ल	दांत
ख़न्न	कन्न	आंख
इन्ना	इनरू	आज
नेला	नालै	कल
नीन	नी	तुम
ईद	ईदु	यह
मुच्चा (मुंद)	मुंदू	बन्द करना
कुटुम	सट्टम	रिश्तेदार
दुखम	दुक्कम	दुःख
उला	उल्ला	भीतर
कुड़ुख	*कन्नड़*	*हिन्दी*
खन्न	कन्नू	आँख
मुंई	मुगू	नाक
इन्ना	इन्न	आज
नेला	नाले	कल
एन्दरा	एन्नू	क्या
मल्ला	इल्ला	नहीं है
मुंध	मुद	आगे
नीन	नीन	तुम
नामे	नाबू	नाम
मुच्चना	मुचू	बंद करना
तुक्कना	तल्लू	ढकेलना
ईद	ईदु	यह
डहरे	डारी	रास्ता
लेक्खा	लेक्खा	के समान
आर	आवरू	वे
ईपक्खे	इपक्खा	इस पार
आपक्खे	आपक्खा	उस पार
बेरख़ा	बेक्क	बिल्ली

जिया	जीमा	हृदय
धूली	धुलू	धूल

कुड़ुख भाषा में संज्ञा की विशेषता खास विशेषणों द्वारा की जाती है।

ठिम-ठिम ना आलस = गठीला आदमी

डग-डग ना मेच्छा आलस = काफी लम्बा आदमी

(ऊँचाई को बताने के लिए)

रिम रिम ना बन्ना। चखरका।

गण्डलखो रिम रिम रअन एकाली

टह टह चन्दो विल्ली। रक रक ना बिड़ना

घुट घुट माख़ा या गुपुज माख़ा, गुल-गुल माख़ा

रिंगी-चिंगी डौड़ा

खल-खल कुड़ना, कल-कल बिसाही,

बीनको जोर-जोर रफई-मिटिक मिटिक रफई

इसी प्रकार रंगों की गहराई बताने के लिए पण्डरू-सफेद

मोखारो-काला, इस रंग की गहराई बतलाने के लिए

फिट-फिट पण्डरू-ज्यादा सफेद

घोंय-घोंय मोख़ारो-ज्यादा काला

जर-जर खे़सों-ज्यादा लाल

उसी प्रकार कुड़ुख भाषा में ख़ उच्चारण मिलता है जो हिन्दी में नहीं है जैसे खा़ंड़, टटख़ा, ततख़ा। इसकी दूसरी विशेषता यह है कि कुडुख में दीर्घ आ, ई, ए, ऐ, ऊ से भी लंबा उच्चारण करना पड़ता है जैसे—आली, आलस, लाता, एरना, एप, ईरूस, ईरू, एड़ा, एरना, मूंखा, चूतना आदि कुछ ह्रस्व से भी छोटा उच्चारण होता है रअई, बअय, नेएय, चिउ, खेअय, चोअय आदि और कुडुख में 'स' केवल प्रयोग किया जाता है।

कुड़ुख—शब्द व्युत्पत्ति

कुडुख लोग अपने आपको अथवा समूह को 'कुड़ुखत' अथवा 'कुड़ुखर' कहते हैं। परन्तु इन्हें देश के अलग-अलग भागों में अलग-अलग नाम से पुकारा जाता है। बिहार, उत्तर प्रदेश, मध्य प्रदेश, नेपाल, उड़ीसा एवं पूर्वोत्तर में 'उराँव' या धांगर बिहार, उत्तर प्रदेश एवं मध्य प्रदेश के सीमा क्षेत्रों में 'धांगर', उड़ीसा के गंगपुर, संबलपुर आदि क्षेत्र में 'किसान कोड़ा' या 'धांगर कोड़ा' कहा जाता है (धांगर—श्रमिक, काम करने वाला, किसान कोड़ा—कृषि कार्य करने वाला) एवं देश के अन्य भागों या सरकारी रिकार्ड में 'उराँव' नाम ज्यादा प्रचलित है।

'उराँव' नाम इन्हें संभवत: हिन्दुओं ने दिया है। प्राचीन काल में आर्यों का सामना जंगल में रहने वाले वीर आदिवासी कबीलाई सरदारों से हुआ था। बहुत जगहों में आर्यों को मुँह की खानी पड़ी थी और उन्होंने कूटनीति से दोस्त बनाकर समझौता किया। इस कारण उन्हें असुर, दैत्य, दानव, बनवासी आदि संज्ञा दी। बहुत से आलोचक अब यह स्वीकार करने लगे हैं कि रामायण

काल में राम की मदद करने वाले ये आदिवासी ही थे। ये वानर सेना या पूँछ वाली कोई प्रजाति नहीं थी अपितु ये नर थे। जिन वीर आदिवासियों से इनका सामना हुआ था उन्हें दैत्य, असुर दानव एवं जो इनके सहयोगी हुए उन्हें 'वानर राज' की उपाधि दी। आदिम काल से ही कुड़ुख लोग पूंछनुमा तोलोंग (करया) पहनते हैं। इस कारण ये वानर अथवा हनुमान की संज्ञा पाए। उस काल में रावण आर्यों का सबसे बड़ा शत्रु था। इस कारण इन्हें सर्वप्रथम रावण-पूत या ऊ-रावण कहते-कहते इसका अपभ्रंश शब्द 'उराँव' बना। इस बात का जिक्र एस.सी. रॉय ने भी अपनी पुस्तक 'Oraons of Chotanagpur' में की है।

दूसरे मतानुसार ये 'उर' अर्थात् छाती से उत्पन्न हुए हैं। इनका मानना यह है कि इनकी उत्पत्ति एक मुनि की छाती से निकले अशुद्ध रक्त से हुई है। वे उरगन ठाकुर कहलाते थे। अन्तत: वे 'उराँव' कहलाए। 'उराँव' नाम के संबंध में मत जो भी हो, अधिकांश यह मानते हैं कि वर्णभावना से ग्रस्त हिन्दुओं ने उन्हें यह तिरस्कार पूर्ण उपाधि दी है।

इसी प्रकार भारत सरकार की जनगणना ने तो कुड़ुख लोगों का टोटेम (गोत्र) हटाकर 'उराँव' टोटेम लगा दिया, तब से इनकी जाति एवं भाषा के रूप में यह इनके रिकार्डों में दर्ज हो गया। साधारणत: इनके नामों के पीछे इनका टोटेम जुड़ता है। इससे जानकारी होती है कि ये किस गोत्र या कुल के हैं। इनके सामाजिक नियमानुसार सगोत्र विवाह वर्जित है और यह उराँव या भगत लिखने से पता नहीं चलता है।

कुछ विद्वानों का मानना है कि कुड़ुख लोगों की एक शाखा राजमहल की पहाड़ियों में निवास करती है। इन्हें मालेर अथवा माल पहाड़िया कहा जाता है। ये कुड़ुख लोगों के सहोदर हैं। इनकी भाषा मानतो और कुड़ुख में बहुत ही नगण्य अंतर है। 'माले' अर्थात् 'मनुष्य' हो सकता है कि कुड़ुख लोगों का नाम माले रहा हो।

'कुड़ुख' या 'कुड़ुखर' शब्द की व्युत्पत्ति के संबंध में भी अनेक विचार आए हैं। संभवत: इनके कठिन परिश्रमी एवं कृषि कार्यों में दक्ष होने से इन्होंने जंगलों को काटकर खेती लायक जमीन बनाया, जोत-कोड़कर भूमि को आबाद किया। इस जमीन को 'कोड़कर' कहा जाता है। इससे शायद 'कुड़खर' शब्द बना हो। कुड़ुख विश्वास के अनुसार धर्मेश ने भइया-बहिन (आदिमानव) को बनाया तथा उन्हें कृषि कार्य सिखाया। उन्होंने जंगलों को साफ करके गढ़ों को कोड़कर सात-पट्टी खेत तैयार किया था। इसे 'सातो-पटी नाल' कहा जाता है। शुरू से ही यह जाति कृषि प्रधान रही है। एक मतानुसार पाषाणकाल में जब अग्नि का आविष्कार हुआ और लोगों ने पकाकर खाना सीखा, 'कुड़ा-अक्खर' याने पकाना सीखा या जाना से 'कुड़ुख़र' शब्द की उत्पत्ति हुई हो।

एस.सी. रॉय के अन्य मतानुसार पौराणिक राजा कुड़ुख के नाम पर 'कुड़ुख' पड़ा होगा। इस प्रकार 'कुड़ुख' या 'कुड़ुखर' उस पौराणिक राजा कुड़ुख की जाति या कड़क देश का निवासी रहा होगा।

एक विचार यह हो सकता है। कुड़ुख संबोधन उनके निवास स्थान के नाम पर पड़ा हो। इस मत के समर्थकों का मानना है कि ये छोटानागपुर आगमन से पूर्व लंबे समय तक कर्नाटक के पाण्डय राज्य से आए हैं। ताम्रपानी नदी तट पर स्थित कोरकई, ईसा पूर्व लंबे समय तक प्राचीन

पाण्डय राज्य की राजधानी रही थी। 'कुड़ुख' और 'कोरकई' नाम में समानता देखते हुए यह कहा जा सकता है कि कुड़ुख या कुड़ुखर का अर्थ कोरकई के लोग रहा हो।

कुड़ुख नाम का मूल और व्युत्पत्ति जो कुछ भी हो। कुड़ुख से उनकी जाति और भाषा दोनों का ही बोध होता है।

उराँव अथवा कुड़ुख

कुड़ुख जात के लोग 'नाम कुड़ुखत' अर्थात् हम कुड़ुख लोग कहते हैं। इससे उनकी भाषा एवं जाति दोनों का ही बोध होता है। ये 'नाम उराँव' अथवा 'नम्हैं भाखा उराँव' है। अर्थात् हम 'उराँव' अथवा हमारी भाषा 'उराँव' है, ऐसा नहीं कहते हैं। 'उराँव' शब्द दूसरों द्वारा कुड़ुख लोगों को संबोधित करने के लिए प्रयोग किया जाता है। संभवत: सवर्ण हिन्दुओं द्वारा वर्णभावना से ग्रस्त हीनभावना से किया जाता है और आज यही शब्द सरकारी रिकार्डों, भूमि संबंधी कागजातों और इनके जाति एवं भाषा का सूचक बन गया है जैसे एतवा उराँव, ललित उराँव, कार्तिक उराँव आदि और यह सरकारी रिकार्डों में दर्ज होने के बाद 'उराँव' नाम प्रचलित हो गया। सच तो यह है कि हर एक कुड़ुख नाम के पीछे उसका टोटेम (गोत्र) लगता है जैसे एतवा मिंज ललित कुजूर कार्तिक लकड़ा आदि। आज कुछ लोग अपने नाम के पीछे गोत्र के स्थान में 'भगत' लिख रहे हैं जिससे इनकी पहचान मिटती जा रही है। जब तक वह कुड़ुख भाषा नहीं बोलेगा तब तक उसकी कुड़ुख पहचान नहीं होती। हालाँकि उसका भी गोत्र लकड़ा, मिंज, कुजूर, टोप्पो आदि है। कुछ उच्च ओहदेदार कुड़ुख अपने को आदिवासियों से ऊँचा एवं सवर्ण की गिनती में आने के लिए भी अपना गोत्र परिवर्तित कर रहे हैं ताकि लोग उन्हें आदिवासी न समझें। ऐसा वह हीनभावना से ग्रसित होकर कर रहे हैं। इससे शादी-ब्याह के अवसर पर गोत्र पहचान में कठिनाई होती है। कुड़ुख जाति में सगोत्र विवाह वर्जित है। यदि कोई ऐसी भावना से अपना गोत्र बदलता है, फिर भी वह सवर्ण नहीं बन सकता। वे आदिवासी ही रहेंगे। अन्तत: वह अपनी भाषा संस्कृति से ही कट जाता है। कुछ शिक्षित तबका अपनी मातृभाषा को छोड़कर हिन्दी और अंग्रेजी को अपनी मातृभाषा बनाने लगा है। एक तो वह अपनी भाषा को छोड़कर एवं अपने गोत्र की जगह में भगत, उराँव, मुंजनी, कच्छप, टाइगर आदि पर्यायवाची शब्द लगाकर अपनी पहचान को मिटाता जा रहा है। दूसरी तरफ दूसरे समाज की संस्कृति और धर्म भी कुड़ुख लोगों की पहचान मिटाते जा रहे हैं।

अन्तत: संस्कृति एवं धर्म-परिवर्तन तथा गोत्र-परिवर्तन से इनकी कुड़ुख पहचान आज खतरे में है। और यदि इसी तरह से यह क्रम जारी रहा तो इनका अस्तित्व खतरे में पड़ जाएगा। आज भी लोग इन्हें उराँव, आदिवासी, बनवासी, धांगर, किसान कोड़ा कहकर पुकारते हैं। इसलिए अपनी कुड़ुख पहचान इनकी भाषा एवं संस्कृति से ही बच सकती है। अत: इन्हें निर्णय कर लेना चाहिए कि ये कौन हैं। उराँव हैं ? बनवासी हैं ? धांगर हैं ? या कुड़ुख हैं ?

रोहतासगढ़ : स्वर्णकाल (रोहतासगढ़ से पलायन)

कुड़ुख लोगों का रोहतासगढ़ का प्रवास स्वर्णकाल माना जाता है। यहाँ से पलायन की घटना कुड़ुख जाति के सच्चे इतिहास की शुरुआत है। इसके पहले का पूर्वकालिक या प्रागैतिहासिक

काल है। कुड़ुख जाति की उत्पत्ति और प्रवास के संबंध में निश्चित जानकारी नहीं है। अतः हम लोकपरम्परा, लोककथा तथा लोकगीतों के कुछ प्रामाणिक तथ्यों से अनुमान लगा सकते हैं। इनके अनुसार कुड़ुख जाति शारीरिक बनावट एवं भाषा की विशेषता अनुसार द्रविड़ परिवार की शाखा है। इसमें कोई दो मत नहीं हैं। ये रोहतास में कर्नाटक नर्मदा की ओर से कब आकर बसे— यह अज्ञात है। दूसरी विचारधारा यह भी है कि ये सिंधु सभ्यता के निर्माता थे। वहाँ से दक्षिण होते या फिर गंगा-यमुना की घाटियों से होते रोहतास पहुँचे होंगे। बहुत से लोकगीतों में गंगा-यमुना का वर्णन मिलता है। तथा उत्तर प्रदेश के मिर्जापुर, चुनार आदि क्षेत्रों में आज भी इनका वास है। इस कारण ज्यादा तथ्यपरक लगता है कि गंगा-जमुना की घाटियों से होते हुए शाहाबाद के पठारी क्षेत्रों में इनका प्रवेश हुआ। विभिन्न कुड़ुख सरदारों द्वारा विभिन्न गढ़ों का निर्माण किया गया। नवांगढ़, विजयगढ़, चुनारगढ़, रोहतासगढ़ आदि, जिसमें रोहतासगढ़ सबसे प्रमुख है। मुगलों के 'शाहनामा' एवं रोहतासगढ़ गजेटियर में कुड़ुख लोगों का विवरण, रोहतास के आसपास पाए जाने वाले शिलालेखों तथा छोटानागपुर में बसे कुड़ुख लोगों की परम्परागत प्रचलित गोदना, जनी शिकार और सरहुल पर्व के गीतों एवं कथाओं से इनका इतिहास बहुत कुछ स्पष्ट हो जाता है। जिस काल में इनका रोहतासगढ़ से पलायन तथा छोटानागपुर में आ बसने के बाद भी दीर्घकाल तक कुड़ुख लोगों का रोहतास के आसपास के क्षेत्रों में भी आधिपत्य था। कुड़ुख कथाओं में रोहतासगढ़ के अलावा भी कई गढ़ों का जिक्र मिलता है। जैसे विजयगढ़, नन्दनगढ़, नवांगढ़, चुनारगढ़ आदि। मिर्जापुर गजेटियर (यू.पी. प्रान्त 1911 Vol. 27 पृष्ठ 236-237 अलहाबाद के सम्पादक डी.एल. ड्रेक ब्रोकमन (I.C.S) अंग्रेज अफसर थे) से यह पुष्टि होती है कि कुड़ुख लोगों ने विजयगढ़ में अंग्रेज अफसर मेजर पोम्फस के आधुनिक अस्त्रों से लैस सेना को भी हरा दिया था। बाद में फिर हार गए और रानी को जीविका खर्च देकर अंग्रेजी साम्राज्य में सम्मिलित कर लिया गया। इस क्षेत्र में आज भी कुड़ुख लोगों को 'धांगर' के नाम से जाना जाता है। परन्तु रोहतासगढ़ के सुदृढ़ शासन को कुड़ुख लोगों का स्वर्णकाल माना जाता है। यहाँ तुर्कों के आक्रमण के बाद छोटानागपुर पलायन हुआ और कुछ कुड़ुख लोग जिस क्षेत्र में थे उसी क्षेत्र में बसे रहे। लेकिन रोहतासगढ़ के आक्रमणकारी कौन थे। और यह घटना कब घटी यह अब तक स्पष्ट नहीं है। बहुत-सी लोक कथाओं में प्रचलित है कि ये तुर्क आक्रमणकारी थे इतना भी कहा जाता है कि शेरखां ने रोहतासगढ़ पर आक्रमण किया और उसने छल से कुड़ुख लोगों का साम्राज्य छीना। उसने 1538 ई. में रोहतासगढ़ पर कब्जा किया।

रोहतासगढ़ घटना से बिहार के दक्षिण-पश्चिमी रोहतासगढ़ जिले की ओर इनके प्रवास की प्रामाणिक जानकारी प्रारम्भ होती है। इस घटना की अनेक लोकगाथाएँ आज भी इनके मन एवं भावनाओं में रोहतासगढ़ गाथा की मजबूती से पकड़ है। रोहतासगढ़ के साथ कुड़ुख लोगों की उस समय की यादें गुँथी हुई हैं जब वे यहाँ के स्वतंत्र निवासी थे उनका अपना प्रमुख था और उन पर उनके अपने प्रमुख या सरदारों का शासन था। इनका राज्य संचालन प्रजातांत्रिक ढंग से होता था एवं सार्वजनिक रूप से चुने गए मुखिया ही राजकाज सँभालते थे। जब तक कि कपटी शत्रुओं ने धोखा देकर उन्हें निष्कासित नहीं कर दिया।

स्वर्णयुग की प्रचलित लोकगाथा

जब ये रोहतासगढ़ में अपनी शासन व्यवस्था अपनी परम्परानुसार चलाते थे, ये अपने राजा के अधीन सुखी सम्पन्न जीवन व्यतीत कर रहे थे। इनकी अपनी जीवनशैली थी। इनका जीवन समाजवाद की नींव पर खड़ा था। ये प्रजातांत्रिक मूल्यों को महत्त्व देते थे। 14वीं सदी के प्रारम्भ में अफगान तुर्क पठानों की कुदृष्टि रोहतास के सुदृढ़ किले पर पड़ी और उनके सुदृढ़ किले पर कब्जा करने की ठान ली। उनकी सेना रोहतासगढ़ की तराई पर पहुँची। उन्होंने किले पर हमला कर दिया। संयोग से उस समय कुड़ुख लोग नया साल अर्थात् खद्दी (सरहुल) का त्योहार मना रहे थे। सारे पुरुष शराब के नशे में चूर थे। ऐसी विकट स्थिति में कुड़ुख स्त्रियाँ ही पुरुष वेश में तुर्कों से लड़ती और गढ़ की सुरक्षा करती रहीं। कुड़ुख स्त्रियाँ भी युद्ध विद्या में इतनी पारंगत थीं कि पठानों की सेना उनका सामना करने में असमर्थ रही। ये स्त्रियाँ जिले के हर मोर्चे में संगठित रूप से मोर्चाबंदी करती थीं। वे इतने सधे हुए तीरों की ऐसी बौछार करती थीं कि वे सीधे आक्रमणकारियों के कलेजे को छेद देती थीं और जो मोर्चे के पास आते उनको अपने चमचमाते तलवार और बलुए से मौत की नींद सुला देती थीं। आक्रमणकारी उनके तीरों की मार के सामने टिक नहीं पाते और भागकर जंगलों में जा छिपते थे। इसी तरह से कई दिनों तक हमलावरों के हमले होते रहे और स्त्रियाँ उन्हें खदेड़ती रहीं। इस प्रकार से स्त्रियाँ बारह सालों के अन्तराल में तीन बार तुर्कों की सेना को हराई थीं। सिनगी दई, चम्पु दई और कइली दई आदि कई वीरांगनाओं के नेतृत्व में अलग-अलग सेना की टुकड़ियों का संचालन करती थीं। जिनकी प्रमुख नेत्री तत्कालीन राजा की पुत्री सिनगी दई थी तथा अन्य उनकी सहेलियाँ थीं।

लोकगीत :

रोहिदस गढ़ेनू सिनगी दई रहचा रोहिदस नू नमन बच्छाबाचा
(रोहतासगढ़ में सिनगी दीदी थी जिन्होंने हमें बचाया)

इस प्रकार से शत्रुओं को कई दिनों तक मुँह की खानी पड़ी। आगे चलकर उन्होंने कूटनीति का सहारा लिया। 'घर का भेदिया लंका ढाए' वाली युक्ति इनके साथ भी चरितार्थ हुई। दुश्मनों ने लुंदरी नामक ग्वालिन जो कि नित्य गढ़ में दूध पहुँचाने जाती थी को धन का लालच देकर अपनी ओर मिला लिया। उसने किले के सभी रहस्यों का खुलासा कर दिया कि कुड़ुख लोगों को, खद्दी (सरहुल) त्योहार के अवसर पर ही हमला करने से हरा सकते हैं अन्यथा नहीं। क्योंकि उस दिन से सप्ताह भर तक पुरुष उल्लसित होकर शराब के नशे में मदमस्त रहते हैं इतना ही नहीं ऐसी हालत में स्त्रियाँ पुरुष वेश में किले की सुरक्षा करती हैं। स्त्रियों के पुरुष वेश में लड़ने की बातों का खुलासा कर दिया। परन्तु स्त्रियों की सेना के इतने संगठित हमले से तुर्कों की पस्त सेना को विश्वास नहीं हुआ। तब उन्होंने अविश्वास जताया तो उन्होंने कहा कि जब दुश्मनों को ये स्त्रियाँ सोन नदी के पार तक खदेड़कर वापस लौटेंगी तो नदी पार करते समय उनके दोनों हाथों से मुँह धोने की कथा सुनाई। स्त्रियाँ मुँह धोते समय दोनों हाथों से धोती हैं। पुरुष एक हाथ से। जब हारी हुई तुर्क सेना ने छिपकर इसका मुआयना किया, बात सच्ची निकली। उन्होंने जब अपनी आँखों से यह दृश्य देखा तो उन्हें विश्वास हो गया। उन्हें स्त्रियों से हार खाने की लज्जा एवं ग्लानि हुई। और उन्होंने अपनी फौज को ललकारा कि हम स्त्रियों से बार-बार हार खा रहे हैं।

उन्होंने पुनः संगठित रूप से किले पर आक्रमण किया। लड़ने वालों में केवल स्त्रियाँ थीं।

इधर चम्पु दई को भी लुंदरी की विश्वासघाती होने का पता चल चुका था। और वह सजग हो गई। सिनगी दई के नेतृत्व में चम्पु और कइली दई अलग-अलग टुकड़ियाँ बनाकर दुश्मनों से लोहा लेती रहीं। डटकर दुश्मनों से मुकाबला किया। परन्तु दुश्मन भी इस बार सचेत हो चुके थे। फिर भी किले के हर मोर्चे से तीरों की वर्षा एवं चमचमाती तलवारों से दुश्मनों के हमले को नाकाम कर रही थीं। गढ़ की सुरक्षा इतनी थी कि जब दुश्मन गढ़ की ओर आते तो ऊपर से पत्थर लुढ़का कर उनका सामना करती थीं। इतने पर भी दुश्मन लगातार आगे बढ़ते गए। तब उन्होंने देखा कि अब उन्हें खदेड़ना मुश्किल हो गया अब हार निश्चित है। और कुड़ुख मर्दों का कोई भरोसा नहीं क्योंकि वे तब बेसुध थे। तब उन्होंने किले के गुप्त रास्ते से सभी को सुरक्षित निकालने का काम किया और कैमूर की पहाड़ियों में सुरक्षित शरण ली।

सरदारियों ने देखा कि किला खाली हो गया उन्होंने किले का प्रधान द्वार खुलवा दिया। दुश्मन अन्य मोर्चा छोड़कर उसी ओर आने लगे । और जीत की खुशी में मस्त हो गए। इधर सरदारिनें द्रुत गति से निकलकर अपने छिपे साथी दलों के साथ जा मिलीं। तुर्क सैनिकों ने किला फतह की खुशी में मस्त हो कुड़ुख लोगों का पीछा करना छोड़ दिया।

अब कुड़ुख दल सोन नदी की सहायक नदी कुइल की तराई होते हुए पलामू से छोटानागपुर पहुँचे। और छोटानागपुर से मध्य प्रदेश, उड़ीसा, बंगाल में बस गए। कुछ लोग रोहतास में ही रह गए। उनमें से एक ग्रुप ने राजमहल की ओर प्रवास किया। जो पहाड़िया, माल पहाड़िया अथवा मालेर कहलाए। कुछ उत्तर बिहार की ओर गए और नेपाल तक फैले हुए हैं।

आज भी ये अपने लोक गीतों एवं कथाओं में अपने स्वर्णयुग की यादों को पिरोए हुए हैं। रोहतास से पलायन के समय पलामू होते कुइल और औरंगा नदी के रास्ते से छोटानागपुर पहुँचे। औरंगा नदी के किनारे अवस्थित पुराने किले का भग्नावशेष है शायद कुड़ुख लोगों ने ही बनाया था। जिसे बाद में चेरो लोगों ने कब्जा किया होगा। क्योंकि आज भी पलामू क़िले के आस-पास के गाँवों सतवरबा, तुम्बागढ़ा मणिका आदि में आज भी कुड़ुख लोग बसे हैं। चेरो राजा के पहले से रहने से कुड़ुख लोग उस क्षेत्र में बस नहीं पाते। कुड़ुखों का बास उस क्षेत्र में पहले था इसके प्रमाणस्वरूप यह कहा जा सकता है कि उस क्षेत्र के कुड़ुखों में चेरो संस्कृति का प्रमाण मिलता है।

सामाजिक रीति-रिवाज

संसार के हर मानव समूह का अपने व्यक्तिगत एवं सामाजिक जीवन के संचालन के लिए अपनी प्रथाओं नेग-दस्तूर, रीति-रिवाज आदि का प्रचलन होता है। जो समाज या समुदाय विशेष के अपने सामाजिक एवं धार्मिक व्यवहार होते हैं। जो कि सदियों से प्रचलित होते आ रहे हैं। कुड़ुख समाज में भी इनका अपना अलग-अलग नेग-दस्तूर है जो कि अन्य जाति समुदाय से इन्हें अलग करती हैं। उनकी अपनी विशिष्ट परम्पराएँ हैं। जो इस समाज में सदस्यों के जीवन के मुख्य-मुख्य क्षणों में सपन्न की जाती हैं। ये क्रियाएँ जीवन के संस्कार हैं जो समुदाय के सदस्यों के जन्म, विवाह और मृत्यु की घटनाओं से संबंधित हैं। इन क्रियाओं को संपन्न करने का मुख्य

उद्देश्य समुदाय के सदस्यों को जीवितों एवं मृतकों के समुदाय में समावेश करना होता है। इस प्रकार एक बच्चे के जन्म से लेकर मृत्यु तक के हरेक पहलू के अलग-अलग संस्कारों से होकर गुजरना पड़ता है और हरेक अवसरों पर समाज के सभी लोगों की भागीदारी होती है।

जन्म

कुड़ुख विश्वास के अनुसार पुनर्जन्म में विश्वास किया जाता है कि उनके पूर्वज का किसी बच्चे के माध्यम से फिर से आगमन उसी परिवार में होता है। इसलिए पूर्वजों की पूजा की जाती है तथा बच्चे का नामकरण भी किसी पूर्वज के नाम पर रखा जाता है।

कुड़ुख समाज में जब कोई स्त्री पहली बार गर्भ धारण करती है तो उस स्त्री के पिता के पूर्वजों के नाम से पूजा की जाती है। इस परम्परा का यह विश्वास है कि उस स्त्री का उनके पूर्वजों के साथ का संबंध तोड़ दिया जाता है। क्योंकि अब वह अपने पति के 'कुल' का सृजन करने वाली है। क्योंकि वह विवाहोपरांत अपने पति के कुल की अंग बन जाती है। इस कारण पितृपक्ष से उसका संबंध टूट जाता है।

बच्चे को जन्म देने के पश्चात, शुद्धिकरण संस्कार तक वह स्त्री अशुद्ध मानी जाती है। शुद्धिकरण तक माता घर के हाँडी-बर्तन आदि को नहीं छूती है। इस संस्कार द्वारा बच्चे के जन्म के कुछ दिनों पश्चात् स्नान कर अपने को शुद्ध कर लेती है। तत्पश्चात् गाँव के पीने के जल स्रोत—डाड़ी-कुआँ आदि के पाट में सिंदूर लगाती है। यह इस बात का सूचक है कि नवजात बच्चे की माता ने अपना शुद्धिकरण कर लिया है। अब वह घर का सारा कार्य कर सकती है। अर्थात् उससे दूरी समाप्त हो जाती है।

नामकरण संस्कार (छठी)

नवजात शिशु का कोई नाम नहीं होता वह विजातीय होता है। वह समुदाय का सदस्य तब तक नहीं होता जब तक उसका नामकरण संस्कार नहीं होता है। नामकरण संस्कार के बाद ही वह समुदाय का सदस्य बन जाता है। जब तक उसका नामकरण संस्कार नहीं होता है लोग उसके जन्म दिन के अनुसार सोमरा, मंगरा, एतवारी आदि कहकर पुकारते हैं। अथवा पर्व-त्योहार विशेष में जन्म लिए हुए बच्चे को उस पर्व के नाम पर, करमा, धरमा, फगुवा, सोहराई आदि नामों से पुकारते हैं। बच्चे का नामकरण संस्कार और माँ का शुद्धिकरण आमतौर पर एक ही दिन में होता है। बच्चे के नामकरण संस्कार को 'छठी' कहा जाता है। उस दिन बच्चे के सिर का बाल उतार दिया जाता है। बाल उतारने वाला कोई विशेष व्यक्ति होता है। मेहमान घर में जमा होते हैं। तत्पश्चात आँगन में चटाई बिछा कर बुजुर्ग लोग काँसे के बर्तन में पानी एवं धान को नाखून से निकाल कर अरवा चावल तथा दूब घास आदि लेकर पूर्वजों के नाम से सगुण विचार करके नाम खोजा जाता है। इस विधि को 'पितर-एत्तआना' कहा जाता है।

बच्चे के सिर मुण्डन के पश्चात शकुन विचार के लिए बच्चे के पिता एवं बुजुर्ग चटाई पर पूरब की ओर मुँह करके बैठ जाते हैं और काँसे के बर्तन में पानी लेकर कुछ धान को नाखून से निकालकर चावल निकालते हैं। तत्पश्चात एक बुजुर्ग धर्मेस को याद करते हुए 'उपरे परमेश्वर

हेठे पंच' कहते हुए धर्मेस के नाम से चावल के एक दाने को पानी में धीरे से गिराता है। इसी प्रकार दूसरा चावल पंच के नाम से गिराता है। तीसरा शिशु के नाम से उनके पूर्वज के नाम लेते हुए धीरे से गिराता है। पुत्र होने से पिता के पूर्वज अथवा पुत्री होने से माता के पूर्वज का नाम लेकर चावल गिराया जाता है। तीनों चावल पानी की सतह पर तैरते रहते हैं। धर्मेस, पंच और शिशु के नाम से गिराए गए तीनों आपस में जुड़ जाएँ तो वही नाम शिशु को दिया जाता है। नहीं मिलने पर दूसरे नाम से फिर एक बार दुहराया जाता है जब तक कि तीनों चावल आपस में जुड़ न जाएँ। इस विधि से बच्चे के नाम की सहमति या धर्मेस की इच्छा जानी जाती है। शिशु धर्मेस का वरदान एवं पूर्वज को जीवन के इस रहस्य का साक्षी माना जाता है। उसी दिन से शिशु को दिया गया नाम पुकारा जाता है। इसे 'नामें पिंजना' या छठी कहा जाता है। छठी पारिवारिक उत्सव है। यह शिशु के जन्म के बाद नामकरण संस्कार के रूप में मनाया जाता है। इसमें गाँव के बुजुर्ग एवं सगे-संबंधी आमंत्रित किए जाते हैं। तथा विशेष रूप से जचगी में शामिल दाइयों को बुलाया जाता है। उन्हें उपहार भी दिए जाते हैं।

इस प्रकार से शिशु के नामकरण संस्कार (छठी) में सभी इष्ट-मित्र उपस्थित होकर खुशियाँ मनाते हैं और छठी भोज का आनंद लेते हैं। आजकल यह संस्कार ईसाई बने कुड़ुख लोगों के बीच चर्च में किया जाता है। तत्पश्चात परम्परागत तरीके से छठी एवं सिर-मुंडन विधि एवं भोज का आयोजन किया जाता है।

युवावस्था

बच्चे जैसे-जैसे बड़े होते हैं वे युवा अवस्था को प्राप्त करते हैं। यह समय इनके लिए बहुत ही महत्त्वपूर्ण होता है। समाज में लोगों के बीच उठने-बैठने, रीति-रस्मों को जानने, गार्हस्थ्य जीवन की जिम्मेदारियों को समझने, हरेक प्रकार के कार्यों को सीखने एवं पारिवारिक जिम्मेदारियों के प्रति वफादार होने का समय होता है। कुड़ुख समाज में अलग से कोई शिक्षा का केन्द्र नहीं होता था लोग समाज में रहकर ही बड़े बुजुर्गों से व्यावहारिक शिक्षा का ज्ञान प्राप्त करते थे। गृहस्थ कार्यों से लेकर सामाजिक कार्यों तक की जानकारी हरेक युवक-युवतियों का कर्तव्य होता है। समाज में उठने-बैठने, बोली-बचन और कार्यों से जो व्यक्ति युक्त होता है उसकी समाज में हरेक कोई इज्जत करता है। कृषि कार्य जैसे खेती करना, हल जुवाठ बनाना, रस्सी बनाना, घर बनाना, लड़कियाँ घर के कामों के अलावा खेती-बारी का काम, चटाई, झाड़ू आदि बनाना बुजुर्गों से सीखती हैं। इसके अलावा नाच-गान, दवा-दारू आदि का भी ज्ञान रखना बहुत जरूरी है। युवा अवस्था में युवक-युवतियाँ धुमकुड़िया की सदस्य बन जाती हैं। पहले जमाने से ही आम कुड़ुख लोगों का घर छोटा होता है जिसमें एक अनाज रखने का कमरा, एक चूल्हा-चौका करने का एक मवेशियों का एक लम्बा-सा ढाबा होता है जिसमें लोग उठते-बैठते हैं। तो युवाओं को सोने के लिए अलग कमरे की व्यवस्था नहीं रहती थी। तो युवक गाँव के किसी 'गोल्लस'(धनी आदमी) के घर जिसमें अनेक कमरे हों। गाँव के युवक एक साथ सोते थे। और युवतियाँ गाँव की ही किसी विधवा महिला के यहाँ सोती थीं। इस समय धुमकुड़िया ही शिक्षा का केन्द्र हुआ करता था जिसमें बड़े लड़के-लड़कियों से छोटे लड़के-लड़कियाँ व्यावहारिक शिक्षा ग्रहण करते थे।

लोक गीत, लोक कथा आदि श्रुति विद्या के माध्यम से जाने जाते थे। आम व्यावहारिक कार्य वे बड़ों से ही सीखते थे।

धुमकुड़िया

कुड़ुख लोगों के बीच 'धुमकुड़िया' शिक्षा का केन्द्र था जिसमें युवक-युवतियाँ व्यावहारिक ज्ञान प्राप्त करते थे। धुमकुड़िया युवक और युवतियों के लिए अलग-अलग होता था। हालाँकि पर्व-त्योहार के समय सम्मिलित रूप से नाच-गान का आयोजन अखड़ा में करते थे।

धुमकुड़िया गाँव के बीच एक अलग कमरा होता है। जिसमें एक दरवाजा के अलावा खिड़की नहीं होती है। अंधकार होने की वजह से इसे 'धुमकुड़िया' कहा जाता है यह धुमकुड़िया कहीं-कहीं अलग से होता है या गाँव के गोल्लस (धनी व्यक्ति) के घर का बाहरी कोई कमरा होता है। उसमें गाँव के युवक एक साथ रात्रि विश्राम करते हैं। रात्रि विश्राम के समय लोग अपने अनुभव के आधार पर छोटों को शिक्षा देते हैं। लोक गीतों एवं लोक कथाओं का सिलसिला शुरू हो जाता है तो कोई कहावत या बुझौवल बुझाने लगता है। इस प्रकार छोटे लोग सुन-सुन कर जानकारी प्राप्त करते हैं। दोपहर में कोई रस्सी बनाता तो कोई हल बनाता। जड़ी-बूटी का जानकार व्यक्ति जड़ी-बूटी से दवा बनाना भी सिखाता। कभी-कभी साँप के विष को उतारने के लिए मंत्र विद्या भी लोग सीखते हैं इसे 'नगमतिया' कहा जाता है। इसी प्रकार से अनेक प्रकार की विद्याओं का केन्द्र था धुमकुड़िया, पहले जमाने में युद्ध विद्या सीखने के लिए पाइका नाच सीखा जाता था। तो शिकार खेलने के लिए विभिन्न प्रकार के शिकारी विद्या लड़के 'जोख एड़पा' में रहते थे इनके बीच एक सरदार होता था जो धुमकुड़िया के अनुशासन को बनाए रखता था।

इसी प्रकार से लड़कियों के लिए भी अलग से धुमकुड़िया होता था जिसे 'पेल्लो-एड़पा' कहते थे। किसी विधवा के घर में युवतियाँ सामूहिक विश्राम करती थीं। इनकी देख-रेख एवं अनुशासन का जिम्मा कोई विधवा लेती थी। युवतियाँ भी अपने अनुभवों से छोटों को शिक्षा देती थीं। इनके बीच भी कहावत कहानियों का सिलसिला चलता। तथा अन्य समय में चटाई बनाना, झाड़ू, नेठो आदि बनाने का कार्य सीखती थीं। ये भी विविध कलाओं को सिखातीं।

धुमकुड़िया के उदय होने के कुछ कारण हैं—

1. यह उस समय से शिक्षा का केन्द्र था जहाँ व्यावहारिक शिक्षा सिखाई जाती थी और लोग हरेक प्रकार की जिम्मेदारियों का साहसपूर्वक वहन करते थे।

2. उस समय के साधारण कुड़ुख लोगों के घर अपेक्षाकृत छोटे होते थे इस कारण घर में उन्हें सोने की जगह कम होने की वजह से युवक-युवतियाँ अलग जगह में एकत्रित सोते थे। क्योंकि घर में एक कमरे में अनाज, दूसरे में चूल्हा-चौका, बरामदे में माता-पिता तथा छोटे बच्चे सोते थे।

3. पुराने जमाने में कबीलाई जिन्दगी जीना पड़ती थी। हर समय बाह्य आक्रमण का डर हुआ करता था इस कारण गाँव के युवकों का संगठित होना अति आवश्यक था कि शत्रु द्वारा रात्रि में आक्रमण होने से युवक एक साथ उनका मुकाबला कर सकें और गाँव की सुरक्षा कर सकें। इसलिए धुमकुड़िया में माँदर-नगाड़े के साथ-साथ युद्ध अस्त्र जैसे—तीर-धनुष, बल्लम-

बलुआ, तलवार आदि साजो-सामान रखते थे।

शांति के समय, खेती गृहस्थी का कार्य करते तथा पर्व-त्योहारों एवं सामाजिक उत्सवों में सज-सँवरकर अखड़ा में नाचते, जतरा एवं पड़हा जतरा के समय जतरा टांड़ के नाच-गान में सम्मिलित होते थे। युवतियाँ लड़कों के लिए चटाई आदि बनाकर देती थीं। गाँव में किसी जरूरतमंद लोगों की मदद भी किया करते थे। जानकार व्यक्ति के माध्यम से दवा, जड़ी-बूटी, गीत, लोक कथा आदि सीखते थे। परन्तु आज विकास की इस होड़ में पहुँचकर तथा शिक्षा-नीति में बदलाव के कारण आज धुमकुड़िया मृतप्राय हो गया है। शिक्षा की जगह स्कूल कॉलेज और जड़ी-बूटी की जगह अस्पताल तथा समय के बदलाव के कारण धुमकुड़िया अपनी अंतिम साँसें गिन रहा है।

विवाह

किसी भी समुदाय में विवाह सामाजिक और धार्मिक दोनों दृष्टिकोण से जीवन की महत्त्वपूर्ण घटना है। विवाह केवल वर-वधू को ही नहीं परन्तु दो परिवारों को भी जोड़ता है। यह एक पवित्र बंधन है। जिसे उन्हें जीवन पर्यन्त निभाना पड़ता है। तलाक की अनुमति नहीं दी जाती है। इस संस्कार से नव-दम्पति के कंधों पर परिवार बसाने तथा बच्चों के पालन-पोषण करने की जिम्मेदारी और कर्तव्य की जिम्मेदारी सौंपी जाती है। इसलिए नव-दम्पति का इन जिम्मेदारियों को बखूबी निभाने के लिए हर दृष्टिकोण से परिपक्व होना बहुत जरूरी है। कुड़ुख समुदाय में वयस्क विवाह की मान्यता दी जाती है। इनके बीच सजातीय एवं कुलेतर (कुल के बाहर) विवाह की प्रथा है। नजदीक के रिश्ते में भी विवाह वर्जित है। यह विवाह संबंध समझौता या बातचीत के लंबे दौर के बाद वर-वधू की इच्छानुसार होता है। रिश्ते के इच्छुक परिवारों के बीच मेहमानी होती है। इसमें मध्यस्थ 'अगुवा' की भूमिका शुरू से अंत तक महत्त्वपूर्ण होती है। प्रस्तावित रिश्ते पर दैवी सहमति ज्ञात करने के लिए सगुनों पर विशेष ध्यान रखा जाता है। जैसे शुरू-शुरू में मेहमानी जाते समय—खाली घड़ा देखना, सियार द्वारा रास्ता काटना आदि अपशकुन माना जाता है।

विवाह के प्रकार

1. प्रथम श्रेणी का विवाह

(क) चरबियाह : इस प्रकार का विवाह सामाजिक परम्परानुसार दोनों परिवारों की आपसी सहमति एवं रीति विधि अनुसार होता है। इस विवाह में दोनों पक्षों में मड़वा गाड़ा जाता है। और दोनों तरफ बराबर खर्च उठाना पड़ता है। इसमें वर पक्ष के लोग बारात लेकर कन्या पक्ष के घर कनिया लाने जाते हैं। वधू के घर में ही मड़वा के नीचे विवाह कार्य संपन्न होता है और लड़की लेकर वापस लड़के के घर आते हैं तथा तीसरे दिन लड़की घर से बारात लेकर लड़के के घर 'कनियाँ देखने' जाते हैं। खान-पान के बाद दूसरे दिन बारात विदा की जाती है। फिर समधी न्योत शादी के कुछ दिन बाद होता है।

(ख) कनियाँ होअना चिअना (लड़की पहुँचा देना) : इस प्रकार का विवाह भी

सामाजिक परम्परानुसार ही होता है। परन्तु लड़की के घर मड़वा नहीं गाड़ा जाता है। लड़के के घर में ही शादी विधि संपन्न होती है। इसमें लड़की पक्ष वाले बारात के साथ लड़की को लड़के के घर पहुँचा देते हैं वहीं सारा कार्यक्रम चलता है खानपान के बाद दूसरे दिन बारात विदा हो जाती है ऐसा उस स्थिति में होता है जब कन्या पक्ष की आर्थिक स्थिति कमजोर होती है अथवा उस घर विशेष में लड़कियों की शादी में मड़वा गाड़ना शकुन नहीं होता है। इसलिए गाँव के पंचगण, लड़की वालों को खिलाना नहीं पड़ता है। सिर्फ अपने गाँव एवं अपने रिश्तेदारों को खिलाना- पिलाना पड़ता है।

(ग) घर दामाद : जिस कुल में लड़के नहीं होते हैं सिर्फ एक लड़की अथवा अनेक लड़कियाँ होती हैं, तो उस वंश परम्परा को बनाए रखने के लिए एक लड़की के लिए दामाद ढूँढ कर सामाजिक परम्परा अनुसार शादी कर लड़के को लड़की के घर लाया जाता है उस दिन से लड़का उस घर का सदस्य एवं सम्पत्ति का वारिस हो जाता है।

2. द्वितीय श्रेणी का विवाह

सगाई : कुड़ुख समाज में पति अथवा पत्नी के किसी कारणवश मृत्यु हो जाने से पुनर्विवाह अथवा विधवा विवाह की अनुमति दी जाती है। इस विवाह में किसी विधुर अथवा विधवा का पुनर्विवाह होता है। यह भी सामाजिक विधि अनुसार ही होता है। अथवा गाँव के पंचों एवं तमाम रिश्तेदारों की उपस्थिति में सिंदूर दान किया जाता है। तत्पश्चात् दोनों फिर से दाम्पत्य जीवन शुरू करते हैं। शादी के उपलक्ष में खान-पान होता है।

3. तृतीय श्रेणी का विवाह

भागा-भागी या ओढरिया : यह शादी पारिवारिक अथवा सामाजिक दस्तूरों के अनुसार नहीं होती है। इसमें लड़का-लड़की की आपसी रजामंदी से होती है और वे घर बसा लेते हैं। इसमें जब कोई लड़का किसी लड़की की आपसी मंजूरी के बिना गवाह के सिंदूर देता है इससे वह यह प्रमाणित करता है कि उसने अमुक लड़की से शादी कर ली है और उसे अपने घर ले आता है। इस शादी को सामाजिक मान्यता नहीं दी जाती है। परन्तु लड़की के कपाल में सिंदूर लग जाने से उसका कुँवारापन समाप्त हो जाता है। और वह उसके अधीन हो जाती है तब समाज को मान्यता देनी पड़ती है।

खड़िया जनजाति

पुष्पा टेटे

प्रारंभ में एक खड़िया गाँव सामान्यत: एक ही परिवार से बना-बढ़ा। ऐसे गाँव की समूची या अधिकांश जनसंख्या एक ही दिमतांग या गोत्र की होती थी। खड़िया नौ गोत्र में विभाजित हैं— सोरेंग, डुंगडुंग, बिलुंग, बा, टो:पो, किड़ो, केरकेट्टा, टेटे एवं कुल्लू। प्राचीनकाल में प्रवासी खड़िया अपने पूर्वजों की हड्डियों को लाकर मूल अधिवास (भूंइहरी) में गाड़ते थे। खड़िया जाति के सभी मूल अधिवास नवरतनगढ़ के इर्द-गिर्द हैं जो प्राचीन शहर डोइसा नगर के नाम से जाना जाता है तथा गुमला जिले के सिसई में अवस्थित है। जनसंख्या में वृद्धि के कारण खड़िया झारखंड क्षेत्र के चारों ओर फैल गए एवं कालांतर में भारत के अन्य भूभाग में तथा कुछ विदेशों में।

खड़िया आचार संहिता द्वारा प्रत्येक व्यक्ति का पूर्ण जीवन शासित होता है। कोई खड़िया यदि उस संहिता का उल्लंघन करता हो, तो उसकी चेतना (आत्मा) उसे या उसके परिवार को गाँव के बड़े-बूढ़ों के पास जाने के लिए बाध्य करती है एवं उल्लंघन के लिए क्षमादान या पापमोचन अनुरोध करती है। औपचारिक अनुष्ठान के द्वारा वह उल्लंघन के पाप से मुक्त हो जाता है। गैर खड़िया युवक-युवतियों के यौन संबंध, कचहरी में शादी, गिरजा-विवाह या सह-पलायन जैसे जघन्य मामले में किसी भी खड़िया का स्थायी रूप से बहिष्कार किया जाता है। गाँव सभा को सजग होकर यह भी देखना पड़ता है कि खड़िया रस्म-विधि जैसे जन्म-शादी-ब्याह-मरण (दाह-संस्कार लगन) आदि में होने वाले रीति-रिवाज का विधिपूर्वक अनुपालन होता है या नहीं ताकि भू-संपत्ति के उत्तराधिकार आदि से कोई वंचित न हो जाए।

एक खड़िया सदस्य द्वारा गोहत्या करना या उसका गोश्त खाना एक घोर अपराध है। यदि खड़िया जानबूझ कर अपराध करता है तो उसे इस कर्म के लिए प्रायश्चित्त करना होता है। एक खड़िया से यह आशा की जाती है कि संयोगवश भी गोहत्या करे या गोमांस खाए तो उसका मन-चित्त बेचैन हो और व्याकुल हो।

खड़िया समाज में दूसरा जघन्य पाप एक ही गोत्र के लड़का-लड़की का यौन संबंध या शादी करना है। यदि गलती से ऐसी जोड़ी शादी करती है तथा इस गलती का पता चल जाता है तो ऐसी जोड़ी समाज द्वारा देवी-देवताओं को अर्पित गोश्त-भात या हँड़िया पान समारोह में शरीक होने का हक खो बैठती है। यदि वे अलग रहने लगते हैं या अलग हो जाते हैं तो उन्हें भाई-बहन की तरह रहना पड़ता है। समान गोत्र में ब्याही बेटी को अपने पिता के गोशाला में

प्रवेश की अनुमति है। भिन्न गोत्र के लड़के के साथ शादी करती है तो अपने पिता के गोशाला में प्रवेश निषेध है। ऐसा यदि करती है तो अनधिकार प्रवेश कहा जाएगा।

यदि किसी पुरुष का कोई बेटा नहीं हो, मात्र बेटियाँ ही हों वैसे पुरुष गाँव-सभा के अपने गोत्र-समूह की सहमति से सबसे बड़े दामाद को घर दामाद रख सकता है। दामाद के लिए गाँव सभा की सहमति से कृषि योग्य-जमीन का प्रबंध किया जाएगा। पिता बेटी के घर की दाल-रोटी खाएगा। शादीशुदा बेटी अपने पिता के घर में पिता के लिए खाना नहीं बनाएगी, ऐसा नियम है।

खड़िया संस्थाएँ जैसे ग्राम सभा, खूंट, घाट, करटाहा, न्यायालय अपने कार्य समुचित ढंग से निभा सकें, इसके स्पष्ट विधान हैं। प्रारंभ में खड़िया महासभा की बैठक तब होती थी जब सभा की कार्यवाही या किसी करटाहा के अपने अधिकार में लिए गए निर्णय को दूसरे घाट का करटाहा या उस घाट का कुटुंब चुनौती देता था। ऐसी परिस्थिति में महासोरेंग अधिवेशन बुलाते थे, जहाँ झारखंड के सभी करटाहा (पूर्व दक्षिणी बिहार, उत्तरी उड़ीसा, पूर्वी मध्य प्रदेश) भाग लेते थे।

19वीं शताब्दी के द्वितीय अर्धशतक में बहुत से खड़िया भाइयों ने ख्रीस्तीय धर्म अंगीकार कर लिया, पर शीघ्र ही उन्हें यह एहसास हुआ कि अन्य जातीय वर्ग के ख्रीस्तीय खड़िया संस्कृति एवं अस्मिता को क्षति पहुँचाने में प्रयासरत हैं। ऐसी स्थिति को भाँपकर, धर्मांतरित खड़िया भाइयों ने ख्रीस्तीय धर्म छोड़ दिया। करीब 20 वर्ष बाद अन्य ख्रीस्तीय धर्म पंथ ने खड़िया क्षेत्र में पैर रखा जब वीर तेलेंगा, खड़िया का प्रभाव क्षीण हो रहा था। फादर जेडी स्मेट एस.जे. द्वारा उद्धरित प्रथम खड़िया का बपतिस्मा 1888 में नवाटोला पारिश में केथलिक फादर द्वारा दिया गया। उस वक्त के ख्रीस्तीय मिशनरी, खड़िया, मुंडा, उराँव जाति के सदस्यों को राजा/जमींदार के दमन से विमुक्ति दिलाने में खूब दिलचस्पी लेते थे। वे खड़िया एवं अन्य जातीय-सभ्यता एवं अस्मिता के प्रशंसक भी थे। खड़िया लोग उनके व्यवहार से सम्मोहित होकर भारी तादाद में ख्रीस्तीय बन गए। समस्त खड़िया क्षेत्र में उन्होंने मिशन स्कूल खोला। खड़िया लोगों में साक्षरता बढ़ी-फैली और वे ख्रीस्तीय धर्म में दृढ़ होते गए। दुर्भाग्य ही कहा जाए कि यहाँ भी मिशन स्कूलों तथा चर्च ने खड़िया सदस्यों के गोत्र बदलकर अन्य जातीय गोत्र में मिलाने का कार्य आरंभ कर दिया, और उनके युगों से संचित विलसित रीति-रिवाज में दखलंदाजी करने लगे। उन्होंने गिरजा प्रथा मिशन अधिकारियों से मिल बैठकर समस्या के समाधान का प्रयास किया, पर चर्च अधिकारियों ने कोई विशेष ध्यान नहीं दिया।

इसके बाद खड़िया करटाहा रीति-रिवाज ज्ञाता ने आम सभाएँ कीं। आह्वान किया गया कि सभी खड़िया भाई अपने-अपने गोत्र तथा रीति-रिवाज को अक्षुण्ण रखने का संकल्प लें। चर्च एवं स्कूल की बही में उल्लिखित गोत्र को ठीक कराने का नारा दिया गया। इस आह्वान से खड़िया क्षेत्र के सभी ख्रीस्तीय एवं गैर- ख्रीस्तीय खड़िया भाइयों में चेतना का संचार हुआ। आदिवासी नेता स्व. जयपाल सिंह ने खड़िया समाज के प्रति पक्षपातपूर्ण रवैया अपनाया। इससे खड़िया आंदोलन और जोर से भभक उठा। स्व. जयपाल सिंह चाहते थे कि खड़िया भाई अपने जातीय वर्ग तथा गोत्र बदल लें। खड़िया भाइयों ने एक गाँव में स्वतंत्र रूप से स्वयं स्कूल खोलने का बीड़ा उठाया। चर्च अधिकारियों को यह रास नहीं आया। कठिन परिस्थितियों में भी खड़िया

भाइयों ने स्वशासन की अपनी पद्धति कायम रखी है, जो उनके स्वाभिमान एवं दृढ़ निश्चय को दर्शाता है।

किसी भी जाति की वर्तमान स्थिति उसके अतीत की देन होती है, इसलिए उस जाति को समझने के लिए उसके अतीत पर अध्ययन करना आवश्यक हो जाता है। खड़िया जाति की वर्तमान स्थिति एवं उसकी आंतरिक आकांक्षाओं को समझने के लिए उसके अतीत के इतिहास पर संक्षिप्त नजर डालना आवश्यक है।

अंग्रेजों और विदेशी मिशनरियों के आने के पहले खड़िया के विषय में कुछ भी नहीं लिखा गया था। डाल्टन, हण्टर, बाल ड्राइवर रसल, रिसले, हीरालाल, ग्रियर्सन आदि के अध्ययन से खड़िया जाति का लिखित रूप मिलना प्रारंभ होता है। खड़िया जाति की भाषा पर पूर्ण अध्ययन सन् 1894 में श्री गगनचन्द्र बनर्जी ने 'इण्ट्रोडक्शन टू दी खड़िया लैंग्वेज' शीर्षक के अंतर्गत किया। इसके बाद फादर फलोर और धीसेन्स ने एक हैण्डबुक तैयार किया जिसका शीर्षक है—'डिक्शनरी ऑफ दी खड़िया लैंग्वेज'। खड़िया भाषा पर वास्तव में गहरा अध्ययन जर्मन लेखक एच.जे. पिन्नो ने किया जिन्होंने इसी भाषा पर डाक्टर और डी.लिट्. की उपाधि प्राप्त की। उनकी पुस्तक का नाम है 'खड़िया टेक्स्ट : प्रोज एण्ड पोएट्री'। इसी तरह विलीगिरी ने भी खड़िया भाषा पर गहरा अध्ययन करके डाक्टर की उपाधि प्राप्त की। उन्होंने 'खड़िया फोनोलोजी ग्रामर एण्ड वोकेब्युलरी' नामक पुस्तक लिखी। इन गैर-खड़िया लेखकों के बाद स्वयं खड़िया-भाषी लेखकों ने भी अपनी कलम उठाई और खड़िया भाषा पर अध्ययन प्रारंभ किया जिनमें मतियस डुंगडुंग एस.जे., जुलियस बा, आर.पी. साहू एवं स्व. पौलुस कुल्लू एस.जे. प्रमुख हैं।

खड़िया जाति पर मानव-विज्ञान की दृष्टि से सर्वप्रथम अध्ययन एल. कारडोन एस.जे. ने किया। उन्होंने खड़िया जाति और उसके रीति-रिवाजों के बारे में लिखा। मानव-विज्ञान की दृष्टि से किए गए अध्ययनों में श्री शरतचन्द्र रॉय और रमेशचन्द्र रॉय का सह-अध्ययन सभी दृष्टि से पूर्ण है, और खड़िया जाति उनके प्रति आभारी है।

खड़िया शब्द की उत्पत्ति कैसे हुई—यह एक बड़ा ही पेचीदा सवाल है। कुछ विद्वानों का कहना है कि यह शब्द खड़खड़िया शब्द से बना है। राजाओं और जमींदारों को ढोकर चलने के लिए जो डोलियाँ बनाई जाती थीं उन्हें खड़खड़िया कहा जाता है। खड़िया लोग उन्हीं डोलियों को ढोया करते थे इसलिए उन्हें खड़िया कहा गया। लेकिन कुछ अन्य विद्वानों ने इसे यह कहकर सच नहीं माना है कि खड़िया लोग इस तरह का निम्न-स्तर का कार्य करने वाले कभी नहीं थे। कहा जाता है कि पुराने जमाने में खड़िया लोग ही सभी जातियों के लिए पूजा-पाठ का कार्य करते थे, और वे ही जनेव के एकमात्र अधिकारी थे। वे जनेव धारण करते थे। आज भी खड़िया लोग जनेव लुट जाने या दूसरों के हाथों चले जाने की चर्चा अवश्य करते हैं।

खड़िया जाति का इतिहास कभी किसी ने नहीं लिखा है, इसलिए उसके इतिहास के लिए मौखिक श्रुतियों, दंतकथाओं, जगहों के नाम एवं दार्शनिक विचारों पर आधारित होना पड़ता है। इस पर अच्छे शोधपरक अध्ययन की अत्यन्त आवश्यकता है।

खड़िया जाति के लोग बनावट की दृष्टि से मंगोलाइड जातियों से मिलते-जुलते हैं। खड़िया

जाति में बहुत कम लोगों की दाढ़ी होती है, शरीर और छाती में बाल भी बहुत कम लोगों के होते हैं। उनका रंग भी गोरेपन की ओर अधिक झुका हुआ है। नाक और भौंहें तथा कुछ हद तक चेहरे की बनावट भी उन्हीं से समीपता रखती है। इन्हीं कारणों से खड़िया जाति को 'मंगोलाइड' जाति कहा जाता है।

खड़िया जाति का आगमन भारत में कहाँ और किधर से हुआ, इसके बारे में अनेक धारणाएँ हैं। अधिकतर खड़िया जानकार लोगों का कहना है कि खड़िया जाति का आगमन पश्चिम की ओर से खैबर घाटी के रास्ते हुआ है, क्योंकि प्राय: सभी जातियों के आगमन के बारे में यही कहा जाता है। इस धारणा के विपरीत अन्तोनी डुंगडुंग एस.जे. खड़िया जाति के आगमन को बर्मा और रंगून की ओर से मानते हैं। वे अपना सिद्धांत खड़िया लोकगीतों पर आधारित करते हैं जिनमें तिब्बड् बीरू (तिब्बत पर्वत), रायलोंग किनिर (रंगून जंगल), लोरेङबीरू (सफेद पर्वत) आदि नाम मिलते हैं। लेकिन ये लोकगीत कहाँ तक मौलिक और ऐतिहासिक हैं, कहना कठिन है।

भाषा की दृष्टि से खड़िया जाति के आगमन को निश्चित करना और भी कठिन है, क्योंकि लोगों के कथनानुसार खड़िया भाषा बनावट की दृष्टि से हिब्रू, ग्रीक, लैटिन, संस्कृत आदि प्राचीन भाषाओं से मिलती-जुलती है और उन भाषाओं के कुछ शब्द भी जड़ रूप में खड़िया शब्दों से मिलते हैं। 'तारदी' पत्रिका मई 1979 में श्री कोनोन सोरेङने लैटिन, ग्रीक, जर्मन, पारसी और खड़िया शब्दों का कुछ मिलता-जुलता रूप दिया है। भाषाविदों ने खड़िया भाषा को ऑस्ट्रिय परिवार माना है क्योंकि यह भाषा उससे अधिक समीपता रखती है।

खड़िया जाति को मंगोलाइड शाखा मानकर अधिकतर खड़िया विचारक खड़िया जाति के आगमन को मंगोलिया से कश्मीर के रास्ते मानते हैं। ऐसा लगता है कि खड़िया कश्मीर क्षेत्र में काफी वर्षों तक बस गए थे क्योंकि 'कुल्लू घाटी' खड़िया लोगों का दिया हुआ नाम प्रतीत होता है। कुल्लू और तुरियागढ़ से खड़िया लोग क्यों चले गए? हो सकता है प्राकृतिक आपदाओं जैसे वर्षा, चट्टानों का खिसकना, जंगली जानवरों का आतंक या अन्य जातियों का आगमन और आक्रमण भी हो सकता है। खड़िया जाति कुल्लू एवं तुरियागढ़ को छोड़कर सिंधु नदी के किनारे-किनारे आगे बढ़ी। आधुनिकमोहनजोदड़ो, हड़प्पा आदि स्थानों में बस गए। इन स्थानों में वे हजारों वर्षों तक रहे और यहीं उन्होंने अपनी सभ्यता का विकास किया। उन्होंने नगर बसाए, पंचायत शासन-प्रणाली का विकास किया, लेकिन उन्होंने लिखने की प्रणाली का विकास नहीं किया।

दूसरों को लूटना, आक्रमण करना, हत्या करना जैसी बुरी भावनाएँ खड़िया लोगों के दिमाग में नहीं थीं। 'यहीं से वे धीरे-धीरे अन्य कबीलों के आक्रमण के बाद इधर-उधर भटकते गए और पूरे भारत में फैल गए। इतने लम्बे वर्षों में एवं जातियों के सम्पर्क में आने के बाद इनकी संस्था एवं जैसे पहचान ही मिटती चली गई। वर्तमान में खड़िया मध्य प्रदेश, उड़ीसा एवं झारखंड में बहुतायत में हैं।'

सन् 1793 में अंग्रेजों ने पूरे भारत को जमींदारी पद्धति में जकड़ दिया। गाँव-गाँव उन्होंने जमींदारों को नियुक्त कर दिया और तब से आदिवासियों के दुर्दिन शुरू हो गए। जमींदारों ने

आदिवासियों की सबसे उत्तम जमीनें अर्थात् मझियास खेतों को छीन लिया। उन्होंने 'बैठ बेगारी', मालगुजारी आदि के द्वारा आदिवासियों पर इतना अत्याचार किया कि युगों तक के लिए आदिवासियों की रीढ़ ही मानों टूट गई। आदिवासी लोग सब ओर से घिर चुके थे। वे कहीं भी भागकर छिप नहीं सकते थे। हाँ, मुंडा, हो, संताल आदि ने यदा-कदा असफल विद्रोह भी किया। खड़िया लोगों ने भी गोरिल्ला तरीके अपनाकर चोरी-छिपे मारकाट की। कहा जाता है कि बीरू क्षेत्र के हर खड़िया परिवारों में देशी बंदूकें थीं। यह भी कहा जाता है कि 'ब्रिटिश मेमोआर' में खड़िया जाति को विद्रोही जाति कहा गया है। अंग्रेजों और जमींदारों के इन अत्याचारों के परिणामस्वरूप छोटानागपुर की धरती पर प्रकाशपुंज की तरह तेलेंगा खड़िया नामक महान आदिवासी क्रांतिकारी वीरपुरुष का जन्म हुआ। अंग्रेजों के खौफ और जमींदारों के जुल्म के कारण इतने महान आदिवासी क्रांतिकारी वीर की गाथा छोटानागपुर के पहाड़ों और जंगलों के वीरानों में दबकर रह गई।

वीर तेलेंगा खड़िया का जन्म ग्राम मुरगु थाना सिसई जिला गुमला में नौ फरवरी 1806 को एक साधारण कृषक परिवार में हुआ था। इनकी जन्मतिथि के विषय में लोगों की अलग-अलग धारणाएँ हैं। ग्राम मुरगु तेलेंगा के पूर्वज खड़िया जाति के लोगों का प्राचीनतम निवास स्थान माना जाता है। बचपन से ही तेलेंगा वीर और साहसी थे। कद पाँच फीट आठ इंच, ऊँचे साँवले रंग के तेलेंगा शरीर से बहुत हृष्ट-पुष्ट थे। बचपन से ही उनके समाजसेवी गुण उभरकर सामने आ गए और अधिक बोलने वाले इंसान के रूप में उसकी प्रसिद्धि हो गई। इस काल में स्थानीय जमींदारों और ठेकेदारों का शोषण और अत्याचार चरम सीमा पर था। लोगों से मनमाना कर वसूलना, बेगारी कराना और कर वसूलने के बर्बर तरीकों के साथ उन्होंने आदिवासियों की इज्जत और अस्मिता पर भी अपने हाथ बढ़ा दिए। उनके जुल्म से जनता में त्राहि-त्राहि मच गई। सत्यवादी और ईमानदार तेलेंगा इन जुल्मों को देखकर चुप नहीं रह सके और एक दिन उन्होंने उस शोषण और जुल्म के विरोध में अंग्रेजी सरकार, जागीरदारों और जमींदारों से टकराने का संकल्प कर लिया।

अंग्रेजों की इतनी बड़ी शक्ति से लोहा लेना कोई आसान काम नहीं था। पहले उन्होंने गाँव-गाँव जाकर 'जूरी पंचायत' का गठन कर लोगों को एकता के सूत्र में बाँधने का कार्य किया। 'जूरी पंचायत' तेलेंगा खड़िया द्वारा स्थापित एक सशक्त एवं जनसंपर्क अभियान साबित हुआ। इस अभियान के माध्यम से जूरी पंचायत में अधिक लोगों को जोड़ने का काम किया। अपने पैतृक गाँव मुरगु को उन्होंने इस क्रांति का केंद्र बनाया। मुरगु से करीब तीन मील पूर्व की ओर सिसई गाँव के मैदान में वे अपने शिष्यों को अस्त्र-शस्त्र चलाने के साथ-साथ संगठनात्मक कार्य का प्रशिक्षण भी दिया करते थे। शीघ्र ही तेलेंगा काफी लोकप्रिय हो गए। उनके नेतृत्व का विस्तार तेजी से बढ़ने लगा। आसपास और दूर-दूर से लोग तेलेंगा के प्रशिक्षण केंद्र में आने लगे। उन्होंने जूरी पंचायत का गठन करके निम्नलिखित केंद्र की स्थापना की। सिसई थाना के अन्तर्गत ग्राम मुरगु, जुरा डोइगा नगर गुमला थाना के अंतर्गत ग्राम ढेढौली, दुन्दरिया, सोसो और नीमटोली, पालकोट थाना के अन्तर्गत ग्राम बघिमा और नाथपुर, बसिया थाना के अन्तर्गत ग्राम कुम्हारी, चैनपुर थाना के अन्तर्गत ग्राम बेन्दोरा, कोलेबिरा थाना के अन्तर्गत ग्राम कोलेबिरा तथा बानो

थाना के अंतर्गत ग्राम महाबुआंगा तेलेंगा के नौ सौ कर्मठ और सक्रिय शिष्य थे जिनकी चर्चा लोकगीतों में मिलती है।

ग्राम ढेढौली उनके क्रांतिकारी कार्यक्रमों का एक अन्य मुख्य केंद्र था। अंग्रेजी सरकार ने तेलेंगा की योजना भाँपकर उसे पकड़ने का आदेश जारी कर दिया। तेलेंगा ने गाँव छोड़कर जंगल की शरण ली लेकिन जमींदारों के दलालों की सूचना द्वारा अंग्रेज पुलिस द्वारा पकड़ा गया। कलकत्ता जेल से छूटने के बाद अगले दिन 23 अप्रैल 1880 ई. की सुबह प्रशिक्षण दे रहे तेलेंगा पर बोधनसिंह ने गोली चलाई। बोधनसिंह ने जमींदारों एवं अंग्रेजों के कहने पर ही गोली चलाई। घटनास्थल पर ही तेलेंगा की मृत्यु हो गई। तेलेंगा की मृत्यु का समाचार जंगल में आग की तरह फैल गया और पूरे क्षेत्र में भयमिश्रित शोक फैल गया। तेलेंगा खड़िया महान क्रांतिकारी वीर थे जिन्होंने लोगों के हित में शोषण के विरुद्ध संघर्ष किया। आज भी खड़िया समाज के लोग इस महान क्रांतिकारी शहीद की याद में दुःख भरे गीत गाते हैं और अपने शौर्यपूर्ण इतिहास पर गर्व करते हैं।

देश की आजादी के बाद परिस्थितियाँ बदलीं और खड़िया समाज धीरे-धीरे शिक्षा के प्रति काफी जागरूक हुए। शिक्षा का नाम लेते ही अनायास प्यारा केरकेट्टा का नाम उभर कर आता है। इनका जन्म सिमडेगा बोलवा में हुआ था। शुरुआती दिनों में ये मुरहु मिशन स्कूल में शिक्षक नियुक्त हुए। वे वहाँ मिडिल स्कूल में पढ़ाया करते थे। देश प्रेम की भावना उनके मन में कूट-कूट कर भरी हुई थी। इसी से प्रभावित होकर वे कांग्रेस पार्टी में शामिल हो गए। इन्होंने रामगढ़ के कांग्रेस अधिवेशन में भी भाग लिया। लेकिन इस अधिवेशन में जयपाल सिंह मुंडा के भाषण से नाखुश होकर उन्होंने कांग्रेस छोड़ दी। इसके बाद वे रायडीह कोनरा आए जहाँ वे डेढ़ साल तक रहे और वहाँ के स्कूलों को सुधारने का काम किया। उस जमाने के सिमडेगा सबडिवीजन के अन्तर्गत 76 गाँवों में प्राइमरी स्कूल खुलवाए। साथ ही प्राइमरी स्कूलों को ठीक करके मिडिल एवं हाई स्कूल की नींव रखी। केरसाई जहाँ मिडिल स्कूल था उसे उन्होंने कॉलेज के रूप में तब्दील किया।

मन में शिक्षा के प्रति गहरी लगन ने इन्हें आगे बढ़ने के लिए प्रेरित किया। इसी के फलस्वरूप प्यारा केरकेट्टा कोरमगिया, लड़बा, हाटिंगहोड़े, बानो, चापाबारी, भेलवाडीह, भालूकोना, तलभंगा, अवंगा एवं कुरडंग में मिडिल स्कूल संचालित करने में सफल हुए। सिमडेगा एस.एस. स्कूल जिसकी प्यारा केरकेट्टा ने नींव डाली, अब राज्य सरकार चला रही है। शिक्षा के प्रति खड़िया लोगों में जागरूकता बढ़ती ही गई। वर्तमान में अन्य जनजातियों की तुलना में खड़िया जाति ही ज्यादा शिक्षित है। इसका उजागर कई प्रकार के सरकारी एवं गैर-सरकारी संस्थाओं के शोधकार्यों से हुआ है।

खड़िया समाज में बहुत सारे सामाजिक निषेध भी हैं। परंपरा से चली आ रही प्रथा के अनुसार खड़िया समाज में कुछ कार्यों के लिए स्त्रियों पर प्रतिबंध है अर्थात् उन कार्यों को सिर्फ पुरुष कर सकते हैं, स्त्रियाँ नहीं। हल को छूना, हल चलाना, बीज बोना और छत पर चढ़ना। इन कार्यों को करते समय पुरुष किसी बच्ची तक को अपनी गोद में नहीं ले सकते हैं क्योंकि यह परोक्ष रूप से स्त्रियों का काम कहलाएगा। इस विषय पर दोषी पाए जाने वालों को एक तरह से

समाज से बहिष्कृत कर दिया जाता है। गाँव के सामूहिक धार्मिक अनुष्ठान में भी स्त्रियाँ भाग नहीं लेती हैं। पूजा-मांस और पूजा-हँड़िया में भी सम्मिलित नहीं होती हैं। पूजा बलिदान में भाग लेना वास्तव में उनके लिए निषेध ही है।

स्त्रियाँ गाँव की पंचायत में भी भाग नहीं लेती हैं लेकिन उन्हें गवाही देने अथवा किसी विशेष बात को सुनाने के लिए जरूरत अनुसार पंचायत बुलाया जाता है और पुरुष रहित परिवार की स्त्रियों को पंचायत की बातें सुनने के लिए निमंत्रित किया जाता है, लेकिन वे गाँव की पंचायत में भाग नहीं लेती हैं। परंतु अब ये धारणाएँ धीरे-धीरे टूटने लगी हैं। ग्रामीण इलाकों में महिलाएँ अब पंचायत का काम बखूबी कर रही हैं और पंचायत की हर बैठक में उनकी उपस्थिति बढ़ने लगी है। महिलाओं में काफी जागरूकता भी बढ़ी है।

उराँव, मुंडा जनजातियों की अपेक्षा खड़िया जनजातियों की संख्या अपेक्षाकृत काफी कम है। इनकी जनसंख्या कम होने के भी कई कारण बताए जाते हैं। खड़िया जाति के लोग अपनी आर्थिक सुदृढ़ता बढ़ाने के लिए हर तरह के कार्यों से जुड़े हुए हैं। पलायन इनकी काफी बड़ी समस्या रही है। वर्तमान समय में देखें तो झारखंड की खड़िया जनजातियों का पलायन असम के चाय बागानों एवं अंडमान में काफी बड़ी तादाद में हुआ है। जहाँ वे पूरी तरह से रस-बस गए हैं और वे वहीं के होके रह गए। खड़िया जनजातियों की जनसंख्या को देखें तो वर्ष 1991 के अनुसार इनकी जनसंख्या 1,41,771 रही है और प्रतिशत है 2.44। वहीं अन्य जनजातियों की तुलना में खड़िया लोगों में साक्षरता 24.8% है। वहीं लेबर के रूप में उनका प्रतिशत 38.83 है, काश्तकारी में 72.99% है। खनन के रूप में 12.94% है तो वहीं व्यापार में 1.15%, यातायात में 33.03% और अन्य क्षेत्रों में 0.81% है।

खड़िया लोककथा मनुष्य की सभ्यता के क्रमबद्ध विकास की ओर इंगित करती है। ऐसा विकास जो सीधे उनके आर्थिक जीवन को प्रभावित करता है। खड़िया समाज की नीतियों का पालन करना हर व्यक्ति का कर्तव्य माना जाता है, चूँकि लोग गाँवों में एक साथ रहते हैं। सबके अपने मकान खेत-टाँड़ और मवेशी हैं। भाइयों के बीच सम्पत्ति का बँटवारा आवश्यक है इसलिए शांतिपूर्ण जीवन के लिए उचित सामाजिक-व्यवस्था बनानी पड़ती है।

खड़िया जाति के अनुसार सभी जातियाँ और सब लोग बराबर हैं, इसलिए कोई भी जाति न उच्च है, न नीच। इसी कारण सभी जातियों को अपनी भाषा, संस्कृति, धर्म और जाति को बनाए रखने और उनका विलास करने का अधिकार है, लेकिन किसी के ऊपर उन्हें थोपने अथवा श्रेष्ठ घोषित करने का अधिकार नहीं है। खड़िया जाति के अनुसार यही सच्ची स्वतंत्रता भी है।

खड़िया में पर्व-त्योहार और धार्मिक-अनुष्ठान लोककथा और धार्मिक विश्वास पर आधारित हैं, जो मुख्यत: कृषि की मुख्य घटनाओं जैसे जोतना, बोना, रोपना, फसल का बढ़ना-काटना-मिसना, नई फसल खाना आदि से संबंधित हैं। चूँकि कृषि कार्य में मवेशी अभिन्न अंग है, इसलिए उनका पर्व अलग से मनाते हैं जिसको बंदोई कहा जाता है। इनके अलावा खड़िया लोग कर्म, जितिया, इन्द आदि का पर्व भी मनाते हैं। इन्हीं मुख्य पर्वों के समय ही धार्मिक-अनुष्ठान भी किया जाता है। इस तरह पर्व-त्योहार और धार्मिक-अनुष्ठान को अलग नहीं किया जा सकता है।

खड़िया जाति में जन्म से लेकर मरण तक और मरण के बाद तक तीन मुख्य संस्कार हैं— जन्म से संबंधित, शादी से संबंधित और मृत्यु से संबंधित। जन्म और शादी के बीच भी कुछ बालिग संस्कार हैं, जैसे कर्ण छेदन, बाल-बंधन, सिक्का बैठाना और गोदा लगवाना। इनके अलावा प्रथम जन्म के पहले भी एक संस्कार है जिसको 'दोर्हो जो:डोम' या 'आंचरील उतारना' कहा जाता है। इस संस्कार को प्रथम गर्भाधान संस्कार कह सकते हैं। इन्हीं भिन्न-भिन्न संस्कारों के द्वारा एक खड़िया अपनी जाति का पूर्ण सदस्य बन जाता है।

संताली संस्कृति

अशोक सिंह

संतालपरगना, झारखंड का उत्तरी भूभाग है जो इन दिनों संतालपरगना प्रमंडल के रूप में जाना जाता है। इसके अन्तर्गत दुमका, देवघर, साहेबगंज, गोड्डा, पाकुड़ और जामताड़ा नामक छह जिले हैं। यह क्षेत्र अनेक छोटी-बड़ी पहाड़ियों और जंगलों से घिरा है। अतीत में यह जंगलतरी कहलाता था जिसके मध्य को बाद में ब्रिटिश सरकार ने दामिन-ई-कोह के नाम से विभाजित करके इस क्षेत्र के सबसे पुराने निवासी पहाड़िया लोगों के लिए आरक्षित कर दिया था।

मुगल काल के दौरान सन् 1757 में जब पलासी युद्ध हुआ तब अंग्रेजों की ईस्ट इंडिया कंपनी के हाथों बंगाल के तत्कालीन नवाब सिराजुद्दौला को पराजित होना पड़ा। सिराजुद्दौला की पराजय के बाद इस भूभाग पर कंपनी सरकार का आधिपत्य हो गया। उन दिनों इस क्षेत्र में मुख्यत: पहाड़िया, घटवाल, खेतौरी, भुइयाँ आदि जातियों के लोगों का निवास था। इसमें पहाड़िया जाति के लोगों की विशेषता यह थी कि वे प्राय: पहाड़ों पर रहने के आदी थे।

ऐसे में तत्कालीन ब्रिटिश सरकार ने उन्हें पहाड़ियों से उतरकर मैदानी भागों में बसने और जंगल-झाड़ काटकर खेतीबाड़ी करने लायक जमीन तैयार करने का प्रलोभन दिया। प्रलोभन में यहाँ तक कहा गया कि जंगल-झाड़ काटकर जितनी जमीन खेतीबाड़ी करने लायक वे तैयार करेंगे उतनी जमीन उन्हें बिना मालगुजारी के स्थायी रूप से बन्दोबस्त कर दी जाएगी। लेकिन स्वच्छन्द जीवन यापन करने वाले ये पहाड़िया ब्रिटिश सरकार के प्रलोभन में नहीं आए। तब कंपनी सरकार ने वीरभूम, सिंहभूम, सांतभूम आदिक्षेत्रों में रहने वाले वीर साहसी और मेहनती संताल लोगों को यहाँ आकर बसने के लिए प्रोत्साहित किया। तब ब्रिटिश सरकार के प्रोत्साहन पर संताल लोग इस क्षेत्र में पहुँचकर बसने और जंगल-झाड़ काट-छाँटकर खेतीबाड़ी करने लायक जमीन तैयार करने लगे।

ऐतिहासिक तथ्यों के अनुसार इस क्षेत्र में संतालों का प्रवेश सन् 1770 और 1810 की अवधि में बड़ी संख्या में हुआ। 1851 ई. तक लगभग 1473 गाँव इस क्षेत्र में उनके बस गए जिनकी कुल जनसंख्या 82,725 थी। धीरे-धीरे उन लोगों ने अपने द्वारा तैयार की गई जमीन पर खेतीबाड़ी करना शुरू कर दिया। फिर उन दिनों बात यह हुई कि जहाँ पहाड़िया लोगों से कोई मालगुजारी नहीं ली जाती थी वहीं संताल लोगों से मालगुजारी वसूल की जाने लगी। बीघे-कट्टे के हिसाब से वसूली जाने वाली कुल मालगुजारी जहाँ 1836-37 में 2622 रुपए थी वहीं 1854-55 ई. में बढ़कर 58,033 रुपए की हो गई। उन्हीं दिनों राजमहल क्षेत्र में रेलवे लाइन बिछाने का काम जोरों से शुरू हुआ जिसमें संताल मजदूरों को भारी संख्या में काम पर लगाया गया। काम के दौरान

ब्रिटिश रेलवे अधिकारी और कार्यकर्ता उन संताल मजदूरों पर अत्याचार करने लगे। कुछ सूदखोर महाजन और जमींदार भी उन गोरे साहबों से मिले थे। इसलिए उस संताल किसान मजदूरों पर हो रहे जुल्म में वो भी शामिल थे। जब उनका जुल्म और अत्याचार बढ़ने लगा तो उन किसान मजदूरों के भीतर विद्रोह पनपने लगा। परिणामत: साहेबगंज के अन्तर्गत भोगनाडीह गाँव के सिद्धू-कान्हू और चाँद-भैरव नामक चार भाइयों के नेतृत्व में कंपनी सरकार के विरुद्ध सन् 1855 में जो सशस्त्र क्रांति हुई आज भी वह संताल विद्रोह के नाम से जानी जाती है। इस विद्रोह में कंपनी सरकार के ब्रिटिश पदाधिकारी ही नहीं, उसके समर्थक जमींदार और सूदखोर महाजनों की भी धज्जियाँ उड़ गईं तब संताल विद्रोह नामक उस जनक्रांति के बाद ब्रिटिश सरकार ने 1855 ई. के अधिनियम 37 के तहत दामिन-ई-कोह तथा भागलपुर और वीरभूम जिले के कुछ भागों को लेकर संतालपरगना नामक एक नए जिले का निर्माण कर दिया, जो नॉन-रेगुलेटेड एरिया के रूप में एक उपायुक्त के अधीन प्रशासित होता रहा जिसका मुख्यालय दुमका रहता आया। तत्पश्चात् एक लम्बे समय के बाद स्वतंत्र भारत में 1983 ई. से संतालपरगना को प्रमंडल का दर्जा मिला, जिसके अधीन आज दुमका, देवघर, साहेबगंज, गोड्डा, पाकुड़ और जामताड़ा कुल छ: जिले आते हैं। आदिवासियों की सुरक्षा के नाम पर किया गया नॉन-रेगुलेटेड एरिया संबंधी अधिनियम अब भी यहाँ लागू है, जिसके प्रावधानों के अनुसार इस संभाग के खास-खास क्षेत्रों में जमीन का हस्तांतरण पूर्णत: वर्जित है।

अब जहाँ तक सवाल इस क्षेत्र की प्रमुख जनजाति संताल आदिवासी समाज एवं उसकी संस्कृति का है, तो सामान्य तौर पर हम यह जानते हैं कि किसी भी जाति के लोगों के रहने का जो एक प्रकार का तरीका होता है, वही उसकी अपनी संस्कृति होती है।

संताल जाति के लोगों के रहने का तरीका अन्य जाति के लोगों के रहने के तरीके से भिन्न है। जन्म से मृत्यु तक संताल समाज में जो संस्कार, रीति-रिवाज, पर्व-त्योहार, शादी-ब्याह, घर-द्वार, धर्म-कर्म, रहन-सहन, पहनावा-ओढ़ावा, नृत्य-संगीत, कार्यकलाप होते हैं वे अपने ही ढंग के होते हैं, जो संताल संस्कृति के विभिन्न अंग एवं उपकरण माने जाते हैं।

संताल संस्कृति को समग्रता से जानने-समझने के लिए सर्वप्रथम संताल जाति के उद्‌भव और विकास को जानना अत्यावश्यक है। संताल जाति की उत्पत्ति एवं विकास के संबंध में 'काराम बिनती' में लोकगीत प्रचलित है, जिसके अनुसार संताल समाज की मान्यता है कि हम लोग 'हिहिड़ी' में जन्मे, 'खोज कामान' में हम खोजे गए, 'हारता' में हम बढ़े अर्थात् हमारा विकास हुआ और 'सासाङ बेड़ा' में हमें जाति दी गई। अपने पूर्वज यानि सृष्टि के पहले स्त्री-पुरुष के संबंध में इनकी धारणा है कि हमारी उत्पत्ति 'पिलचू हाड़ाम' और 'पिलचू बूढ़ी' नामक एक आदिमानव दम्पति से हुई। इस आदिमानव दम्पति को लेकर संताल समुदाय में तरह-तरह के किस्से प्रचलित हैं। एक कथा के अनुसार पिलचू हाड़ाम और पिलचू बूढ़ी का जन्म हंस और हंसिनी पक्षी के दो अंडों से हुआ। हंसिनी और हंस पक्षी ने पहले अंडा दिया। यह पहला जन्म था। पुन: उस अंडे से पिलचू हाड़ाम और पिलचू बूढ़ी का जन्म हुआ। यह दूसरा जन्म था। दो बार जन्म लेने के कारण संताल लोग द्विज हैं।

'काराम बिनती' एवं विद्वानों के मतानुसार 'हिहिड़ी-पिपिड़ी' भूमध्य सागर में स्थित सिसली

है। फारसी भाषा में सिन्धु का हिन्द तथा कभी-कभी 'ल' 'ड़' में परिवर्तित हो जाने के कारण 'सिसिली' हिहिड़ी है तथा पिपिड़ी सहचर शब्द है, लेकिन अन्य कारम बिनती गुरुओं एवं विद्वानों के मतानुसार 'पिपिड़ी' से पश्चिम का कोई स्थान है जहाँ खुदाई में आष्ट्रिक जाति के लोगों के अवशेष मिले हैं। 'खोज कामान' का पता अब तक नहीं चल पाया है। 'हाराता' आरारात पर्वत है जिसे फारसी के इतिहास में मनुष्य का मूला (क्रेडल) कहा गया है। 'सासाङ बेड़ा' लाल सागर की घाटी मानी जाती है। इस तरह संताल लोग जारपी देश, आयरे देश, कायडे देश, चाय देश एवं चाम्पा देश, तथा वहाँ से भारत के विभिन्न स्थानों जैसे सिखार, नागपुर, सांतभूम, संतालपरगना आदि क्षेत्रों तक फैल गए। जारपी फारस का एक हिस्सा है। 'आयरे देश' ईरान है। कायडे देश अफगानिस्तान का कंधार या गांधार है। चम्पा देश वर्तमान पंजाब की सिन्धुघाटी का क्षेत्र समझा जाता है। सिखार हजारीबाग है। नागपुर मध्यप्रदेश का नागपुर तथा छोटानागपुर है। सांतभूम, मिदनापुर का सिलदा है, इस तरह सांतभूम में रहने के कारण ये लोग सांवताल या संताल कहलाए।

संताल समुदाय की मान्यता के अनुसार पिलचू बूढ़ी और पिलचू हाड़ाम के सात बेटे और सात बेटियाँ कुल चौदह संतानें हुईं। कालांतर में सातों बेटों को लेकर पिलचू हाड़ाम 'युरूवीर' चला गया और पिलचू बूढ़ी अपनी सातों बेटियों को लेकर 'सूड़कूवीर' चली गई। सालों बाद जब सातों जवान लड़के और सातों जवान लड़कियाँ आपस में मिले तो उनकी लालसाएँ ज्वार भरने लगीं। परिणामतः इन सात जोड़ों के सम्मिलन से सात संताल कुलों का विकास हुआ और उन्हीं से आगे चलकर पूरा संताल समाज बना, जो आगे चलकर होड़ कहलाए। संतालों के अनुसार उन्हीं सात कुलों से सात पारिस (गोत्र) बना, जो आज भी किस्कू, मुर्मू, मराण्डी, टुडू, हम्ब्रेम, सोरेन और हांसदा के नाम से जाने जाते हैं। शेष अन्य पाँच पारिसों की उत्पत्ति समय बीतने के साथ हुई, जो बास्की, चौड़े, पांवरिया, बेसरा तथा बेदिया के नाम से जाने गए। चौड़े गोत्र के संताल बहुत कम ही पाए जाते हैं जबकि बेदिया संताल राँची के सिल्ली एवं अनगड़ा प्रखंड साथ ही हजारीबाग के गोल प्रखंड में निवास करते हैं। एक मान्यता के अनुसार कहा जाता है कि संताल समाज के इन गोत्रों का नाम पशु-पक्षियों तथा वनस्पतियों पर आधारित है। यही कारण है कि आज भी कुछ संताल, कुछ विशेष पशु-पक्षियों के मांस नहीं खाते हैं।

इस तरह से हम देखते हैं कि संताल एक समुदाय है। अन्य समुदायों की तरह इस जन समुदाय के भीतर भी लोग जन्म लेते हैं, शादी-विवाह होता है और एक दिन मर जाते हैं, लेकिन इस दौरान जन्म से मृत्यु तक के बीच जीवन में कई तरह के कार्य व्यापार होते हैं। घर-परिवार, समाज, रोजी-रोटी, धर्म-कर्म, पूजा-पाठ, पर्व-त्योहार, नाच-गान आदि जो अन्य समुदायों से भिन्न तथा अपने ढंग के अनोखे हैं। जिसको विस्तार से जाने बगैर संस्कृति की चर्चा अधूरी है। तो आइए, सबसे पहले हम संताल समुदाय की सामाजिक व्यवस्था पर चर्चा करते हैं।

सामाजिक व्यवस्था

प्रत्येक संताली गाँव में आज भी एक परंपरागत सामाजिक व्यवस्था कायम है, जिसके तहत गाँव का प्रधान 'माँझी हाड़ाम' कहलाता है जो गाँव का सबसे मुख्य व्यक्ति होता है। उसकी सहायता के लिए एक सहायक 'पारानिक' होता है। और 'पारानिक' की सहायता के लिए 'गोड़ेत' होता

है। गोड़ेत का काम माँझी हाड़ाम तथा पारानिक के विचारों और आदेशों को गाँव वालों तक पहुँचाना है। इस सामाजिक व्यवस्था में 'जोग माँझी' और 'नाईकी' भी होता है। जोग माँझी गाँव के यौन संबंधी परंपरागत नियमों के अनुसार गाँव के युवक-युवतियों तथा अन्य दम्पतियों के आचरण पर नजर एवं अंकुश रखता है। नाईकी का काम गाँव में पूजा-पाठ तथा पर्व-त्योहारों में धार्मिक अनुष्ठान आयोजित करना है।

संतालों की सामाजिक व्यवस्था में 'पारगाना' पद सबसे ऊपर होता है। पारगाना पद कई गाँवों को मिलाकर बनता है। पारगाना, माँझी, पारानिक तथा गोड़ेत पद वंश-परंपरा से होते हैं। संतालों की परंपरागत सामाजिक व्यवस्था क्रमशः टोला, माँझी, मापाझी, पारगाना, देश पारगाना एवं लोबिर में नायके द्वारा सम्पन्न होती है। 'लोबिर' अंतिम विचार व्यवस्था है। संताल समाज पितृसत्तात्मक है। पैतृक सम्पत्ति का अधिकार पुरुष वर्ग को ही होता है। महिलाओं को अपने पिता की सम्पत्ति पर अधिकार नहीं होता है।

आर्थिक व्यवस्था

संताल आदिवासी लोगों का मुख्य पेशा कृषि है। ये लोग मुख्यतः खेतीबाड़ी करते हैं, साथ ही पशुपालन और मजदूरी भी। ये लोग मुख्य रूप से धान की खेती करते हैं। इसके अलावा और भी कई तरह की फसलें उगाते हैं, लेकिन पर्याप्त मात्रा में नहीं। वे एक-दूसरे के घर तथा आसपास के शहरी क्षेत्रों में मजदूरी भी करते हैं। इनकी जीविका के साधनों में पशुपालन का भी विशेष स्थान है। संताल लोग गाय, बैल, बकरी, सूअर, मुर्गी आदि भी पालते हैं। संताल समाज व्यक्तिगत सम्पत्ति की जगह सामूहिक सम्पत्ति की अवधारणा में विश्वास रखता है। जंगल के कंदमूल, फल, जड़ी बूटियाँ तथा स्थानीय संसाधनों से कुछ घरेलू उपयोग की वस्तुएँ बनाकर बेचना भी इनकी आय का मुख्य स्रोत है। अपने रहने के लिए वे कच्चा मकान बनाते हैं, जिसकी दीवार मिट्टी की बनी होती है और ऊपर का छप्पर खपरैल तथा फूस का होता है। इनके घर की दीवारें बहुत चिकनी, सुडौल और प्राकृतिक रंगों से रंगी-पुती होती हैं जो मेहनत और सुरुचि संपन्नता की कथा कहती हैं। नीचे का फर्श भी समतल चिकना और साफ-सुथरा होता है। साफ-सफाई के मामले में भी ये बहुत सजग होते हैं।

धार्मिक व्यवस्था

संताल लोग धर्म के मामले में बहुत सजग होते हैं। ये मूलतः प्रकृति के पूजक हैं, इनका मूल धर्म 'सरना' है। इनके देवी-देवता मारांग बुरू, जाहेर ऐरा, गोसाईं एरा, सिम बोंगा, गोराम बोंगा आदि हैं जिनकी पूजा-अर्चना ये लोग ऐरोक् हरियाड़, इड़ी, गुन्दली, नावाई, जान्थाड़, सोहराय, सकरात, माग, बाहा आदि पर्व-त्योहारों पर करते हैं। इनके धार्मिक स्थल माँझीथान, जाहेरथान, गोड़टाडी आदि कहलाते हैं। माँझीथान गाँव के बीच में होता है। 'जाहेरथान' गाँव से बाहर जंगल या पेड़ों की झुरमुट के बीच स्थापित होता है। जहाँ पाँच पेड़ों का होना अनिवार्य है। इन पाँच पेड़ों में चार साल और एक महुआ का पेड़ होता है। तीन साल पेड़ों के नीचे एक-एक पत्थर होता है जो जाहेरएरा, मोड़े तुरूई एवं मारांग बुरू के नाम स्थापित होता है। चौथे साल पेड़ के नीचे का

स्थापित पत्थर पारगाना बोंगा तथा महुआ पेड़ के नीचे का पत्थर गोसाईं ऐरा के नाम रहता है। गाँव की धार्मिक व्यवस्था नाईकी के जिम्मे होती है।

पर्व-त्योहार

संतालों में पर्व-त्योहार मनाने का तौर-तरीका भी बड़ा मनोरंजक और मनभावन है। उमंग उत्साह और मौज-मस्ती से ओत-प्रोत इनके पर्व-त्योहार एवं उसके मनाने के विधि-विधान उनके जीवन जीने की कला की ओर संकेत करते हैं। सभ्य समाज ने जंगलों, पहाड़ों को उजाड़कर उन्हें बेघर और विस्थापित तो कर दिया, लेकिन पर्व-त्योहार को उनसे अलग नहीं कर पाए। आज भी सबसे अलग उनके पर्व-त्योहारों की एक विशिष्ट पहचान बरकरार है।

संतालों के पर्व-त्योहार, अवसर विशेष एवं माह पर निर्भर करते हैं। इन पर्व-त्योहारों से संबंधित लोकगीत एवं नृत्य भी मौसम के अनुसार बदलते रहते हैं। इनके अनेक छोटे-बड़े पर्व-त्योहारों में सोहराय या बांदना, साकारात माघ, बाहा, एरोक, हारियाड़, जान्थाड़ और दसांई आदि प्रमुख हैं। अलग-अलग मौसम और महीने में मनाए जाने वाले इन सभी पर्व-त्योहारों की अपनी-अपनी विशेषता है, जो उनके जीवनचक्र में बड़े संतुलित और व्यावहारिक ढंग से जुड़ा है। इन तीज-त्योहारों में संताल समुदाय बाहरी दुनिया से एकदम बेखबर होकर अपनी समस्त गतिविधियाँ स्वयं में तथा अपने समुदाय में ही केन्द्रित कर देता है। इन अवसरों पर पूरा समुदाय भोजन, मदिरा, नृत्य, संगीत, पूजा-पाठ और आमोद-प्रमोद में डूब जाता है जो इनके जीवन का प्रमुख अंग रहा है।

जातीय संस्कार

अन्य जाति, धर्म, समुदाय की तरह संताल जाति के लोगों को भी जन्म से मृत्यु तक कई जातीय संस्कारों से गुजरना पड़ता है। जानाम छटियार, बापला और भाण्डान आदि इनके मुख्य जातीय संस्कार हैं। इनके अलावा चड़ी-संस्कार, कर्ण छेदन संस्कार, गोदना सिखा संस्कार आदि जैसे कई छोटे-मोटे संस्कार भी होते हैं।

जानाम छटियार

बच्चों के जन्म पर जातक का छट्ठी संस्कार है, जो लड़का होने पर पाँच दिन और लड़की होने पर तीन दिन में मनाया जाता है। इस बीच गाँव में छूतक रहता है, जिसमें कोई पर्व-त्योहार या अन्य धार्मिक कार्य नहीं मनाए जाते। चाचो छटियार, चूड़ाकरण संस्कार मनाया जा सकता है, जो एक प्रकार से जातक को समाज में सम्मिलित करने का संस्कार है। जिसका चाचो छटियार नहीं हुआ हो उसकी मृत्यु होने पर उसे जलाया नहीं जाता। विवाह से पहले चाचो छटियार होना अनिवार्य है। 'बापला' विवाह संस्कार है और 'भाण्डान' मृत्यु-संस्कार। इन सारे संस्कारों का अपना अलग-अलग महत्त्व है। सबकी अपनी-अपनी विशेषताएँ हैं जो व्यक्ति के समस्त जीवन को प्रभावित करती हैं। इन संस्कारों के भी कई भेद-उपभेद हैं जो व्यक्ति, समय, स्थान एवं परिस्थिति विशेष पर निर्भर करते हैं।

कुछ महत्त्वपूर्ण संस्कारों के कई रोचक पहलू भी हैं। जैसे जन्म संस्कार के तहत बच्चों के नामकरण में लड़का होने पर उसको उसके दादा का नाम दिया जाता है एवं लड़की होने पर दादी का। उसके बाद होने वाले लड़के को नाना और लड़की को नानी का नाम दिया जाता है। नामकरण संस्कार में नीम की पत्ती और चावल की खिचड़ी पकाई जाती है और देवताओं को चढ़ाने के बाद गाँव के लोगों में बाँट दी जाती है। नीम की खिचड़ी बनाने का अर्थ है कि जिस तरह नीम की पत्ती कड़वी होने के कारण, उसको खाने से देर तक तिताई रहती है, ठीक उसी तरह लड़का या लड़की का नाम भी बहुत दिनों तक याद रहता है।

संतालों के विवाह संस्कार में भी कई रोचक और महत्त्वपूर्ण पहलू देखने को मिलते हैं। संतालों में विवाह को 'बपला' कहा जाता है। यह कुल बारह प्रकार के होते हैं--रायबार बपला, गोलांटी बपला, हीरोम चेतना बपला, ईतयूत बपला, जबाय किरिन बपला, मुन्डु और आगू बपला, नीर बोलोक् बपला, तुन्की विपिल बपला, अपानगिर बपला, सहाय बपला, घर जवाय बपला, घरदी जवाय बपला। लेकिन इनमें मुख्य रूप से सामाजिक मान्यता प्राप्त चार प्रकार के विवाह ही प्रचलित हैं। संताल समुदाय में एक ही गोत्र के अन्दर विवाह वर्जित है। यह नियम आज भी कठोरतापूर्वक इस समुदाय में लागू है। इसका उल्लंघन करने पर 'बिठलाहा' जैसे सामूहिक बहिष्कार दण्ड का विधान निर्धारित है।

संताल समुदाय में तलाक का रिवाज भी है साथ ही पुनर्विवाह का भी। तलाक या विधवा होने पर लड़का-लड़की दोनों सहजता से पुनर्विवाह कर सकते हैं।

शादी-विवाह से संबंधित इस समुदाय में और भी कई महत्त्वपूर्ण बातें हैं जो रेखांकित करने योग्य हैं। जैसे संतालों में दहेज प्रथा का प्रचलन नहीं है। लड़के वाले ही लड़की को खोजते हैं और सिर्फ 12 रुपए वधू शुल्क चुका कर लड़की को लेते हैं जिसको संताली में 'गोनोङपोन' कहते हैं। 'विवाह' वधू की माँग पर वर द्वारा सिन्दूरदान से सम्पन्न होता है। वयस्क लड़के-लड़कियों का ही आपस में विवाह तय किया जाता है। इसमें बाल-विवाह का रिवाज नहीं है। विधवा विवाह मान्य है। इसके अलावा इनके शादी-विवाह से संबंधित और भी कई उल्लेखनीय पहलू हैं जो व्यक्ति, समय, स्थान और परिस्थिति विशेष पर कभी-कभी, अलग-अलग ढंग से देखने को मिलते हैं।

अन्य संस्कार की तरह मृत्यु संस्कार भी जीवन का प्रमुख अंग है। संताल समाज में जब कोई मरता है तो दो तरह से उसका शव संस्कार किया जाता है। एक मृत शरीर को जलाकर और दूसरा दफनाकर। वर्तमान में दफनाने का प्रचलन ज्यादा देखा जाता है। चिता या कब्र उत्तर-दक्षिण बनाया जाता है, जिसमें मृतक का सिर दक्षिण दिशा में रखा जाता है। जलाने या दफनाने के क्रम में मृतक की निजी उपयोग में लाई जाने वाली वस्तुएँ उसे सौंप दी जाती हैं। मृतक का पहला उत्तराधिकारी उसके मुख में अग्नि और कब्र में मिट्टी देता है। फिर श्राद्ध कर्म भी आयोजित किए जाते हैं जिसे 'भण्डान' कहा जाता है। इस अवसर पर गाँव, समाज और रिश्तेदारों को भी बुलाया जाता है। भोज के दिन मृतक के नाम पर बलि दी जाती है। जोग माँझी एवं ग्रामीण हिहिड़ी-पिपिड़ी की कथा कहते हुए विनती करते हैं और अपने पूर्वज पिलचू हाड़ाम और पिलचू बूढ़ी के आकाश स्थित खटोला के पास पवित्र स्वर्ग में भेज देते हैं।

अंधविश्वास

अन्य जाति, धर्म, समाज की तरह संताल समाज में भी कई तरह के अंधविश्वास आज भी व्याप्त हैं। इस समुदाय का विश्वास है कि सारी परेशानियों और बीमारियों की जड़ 'बोंगा' अर्थात् शैतान प्रेतात्माएँ हैं जिनको प्रसन्न या शांत रखने का उपाय ओझा-गुरुओं के नियंत्रण में है। संतालों के अनुसार मुख्यत: दो तरह के 'बोंगा' होते हैं। पहला 'ओड़ाक् बोंगा' अर्थात् घर का बोंगा और दूसरे 'बाहरे बोंगा' अर्थात् घर के बाहर का बोंगा। 'बोंगा' से संताल समुदाय सदैव भयभीत रहता है, तथा इन्हें प्रसन्न रखने के लिए ओझा-गुरुओं के आदेश पर मुर्गा, बकरा, सूअर, हँड़िया, पोयई तथा अन्य संबंधित वस्तुओं पर रुपए खर्च करने के लिए तैयार रहता है। संताल समुदाय का मानना है कि 'बोंगा' के नाराज होने से तरह-तरह की बीमारियाँ, महामारी और अन्य परेशानियों का सामना करना पड़ता है।

इन अंधविश्वासों के तहत संताल समाज में कई चीजें वर्जित हैं, जिनमें खासकर महिलाओं के लिए बंधन ज्यादा हैं। इस समाज की मान्यता के अनुसार महिलाएँ हल नहीं छू सकतीं, छप्पर नहीं छा सकतीं, तीर-धनुष नहीं छू सकतीं, धार्मिक स्थलों में पूजा-पाठ नहीं कर सकतीं, किसी का बाल काट नहीं सकतीं और न ही जाहेर वृक्ष पर चढ़ या उसकी डालियाँ तोड़ सकती हैं। पुरुषों के लिए भी कई कार्यकलाप वर्जित हैं। जैसे गाँव की गली को जोतना, जाहेर वृक्ष को काटना, कच्चा चावल खाना और तेल के बर्तन को मिट्टी के ढक्कन से बन्द करना आदि। इसके अलावा और भी कई तरह की बंदिश और वर्जनाएँ हैं, जिनको लेकर संताल समाज की अपनी कुछ मान्यताएँ हैं।

इन अंधविश्वासों के दुष्परिणाम से जो सबसे महत्त्वपूर्ण और मुख्य मुद्दा उभरकर सामने आता है वह है 'डायन प्रथा' जिसका आतंक इन दिनों संतालपरगना के चप्पे-चप्पे में फैला है। प्रतिमाह औसत 7-8 डायन हत्या की खबर सुनने को मिल ही जाती हैं। इन बीभत्स 'डायन हत्याओं' के पीछे आज भी आदिवासी समुदाय में भूत, प्रेत, जादू टोना, बोंगा, चुड़ैल इत्यादि दुष्ट आत्माओं के अस्तित्व के प्रति गहरा तथा अटूट अंधविश्वास है, जिसका फायदा असामाजिक तत्त्वों द्वारा विधवा महिलाओं के जमीन-जायदाद हड़पने के लिए बड़े पैमाने पर हो रहा है।

रहन-सहन और खान-पान

संताल आदिवासी लोगों का रहन-सहन बड़ा साफ-सुथरा और सादा होता है। वे लोग बहुत भोले-भाले और दिल के सच्चे, ईमानदार तथा मेहनती होते हैं। इनमें सामूहिकता तथा परस्पर सहयोग की भावना होती है। ये लोग सबों को अपना 'पेड़ा' अर्थात् मेहमान मानते हैं। घर आए मेहमानों का आवभगत तथा स्वागत करना इनका संस्कार है। अपने मेहमानों और रिश्तेदारों के प्रति इनके अभिवादन के तौर-तरीके भी बहुत महत्त्वपूर्ण और अन्य समुदाय से भिन्न हैं। रिश्ते के अनुकूल अभिवादन के अलग-अलग तरीके हैं। यह तौर-तरीके इतने स्पष्ट और पारदर्शी होते हैं कि कोई भी परिचित, संतालों के बीच सलाम करने के तौर-तरीके को देखकर बता सकता है, कि उनके बीच किस तरह का संबंध है।

संताल लोग सत्य के पुजारी होते हैं और अपने वचन के पक्के। सत्य बोलना ये लोग धर्म

समझते हैं। इसलिए सच-सच बोलने को ये लोग धर्म-धर्म बोलना कहते हैं। ये लोग लोभी और लालची नहीं बल्कि संयमी और संतोषी होते हैं। अपनी आवश्यकताओं को ये लोग अनावश्यक रूप से नहीं बढ़ाते। जिन चीजों की जरूरत इन्हें होती है, उसी का वे संग्रह करते हैं, अन्य चीजों के संग्रह की प्रवृत्ति इनमें नहीं होती।

व्यक्तिगत की जगह सामूहिकता की भावना इनमें होती है, जिसमें प्रेम, सौहार्द, भाईचारे की भावना निहित होती है।

वैसे खान-पान के मामले में संताल आदिवासी लोग अन्य समुदाय से बहुत भिन्न नहीं होते। हाँ, कुछ स्तर पर इसमें विभिन्नताएँ देखी जाती हैं जो उनकी जाति या स्थान विशेष पर आधारित होती हैं। इस समुदाय के लोगों का मुख्य भोजन चावल और प्रिय पेय पदार्थ 'हँड़िया' एवं 'पोयई' होता है। ये लोग मछली मांस खाने के भी प्रेमी होते हैं। मुर्गा, बकरी, सूअर तथा अन्य जीव-जन्तुओं के मांस का भक्षण भी ये लोग सहजता से करते हैं। कुछ पशु-पक्षियों का मांस खाना इस समुदाय में वर्जित होता है। इसके अलावा जंगल के कंदमूल, फल आदि भी इनके भोजन के अंग हैं। वैसे अन्य खाद्य पदार्थों के प्रति भी इनमें कोई अरुचि नहीं होती है, लेकिन सुबह, दोपहर, शाम हो या रात, चावल इनके लिए प्रिय हैं और हँड़िया, पोयई का तो कहना ही क्या। इसके बिना तो इस समुदाय में कोई भी काम सम्पन्न नहीं होता चाहे पूजा-पाठ हो या पर्व-त्योहार या कि कोई पंचायत। पर्व-त्योहार या अन्य अवसर विशेष पर कुछ विशेष प्रकार के भोज्य पदार्थ एवं पर-पकवान आदि का उपभोग भी ये लोग बड़े उत्साह और चाव से करते हैं।

पहनावा-ओढ़ावा (वस्त्र-आभूषण)

संताल समुदाय के लोग परंपरागत वस्त्र-आभूषण पहनते हैं। पुरुष वर्ग पांची- धुती, फुटा-धुती, गामछा-धुती तथा दाहड़ी या पगड़ी पहनते हैं। महिलाएँ साड़ी पांड़हांड तथा बच्चे काछा एवं बेदेम पहनते हैं। वैसे इन दिनों ये लोग भी आधुनिक पोशाक ज्यादा पहनने लगे हैं। संताल युवतियाँ तथा महिलाएँ काँसे, पीतल, चाँदी तथा शंख से निर्मित आभूषण गले में हंसुली एवं माला, हाथ में साकोम, बाजू, चुर, बाला, खागा, टोडोर आदि पहनती हैं। वे पाँवों में खाड़वा, पांयड़ी, लिपुर, बाटरी तथा कानों में पानकाठा पागरा आदि तथा नाक में फुली, माकड़ी, लुलुक आदि पहनती हैं। संताल महिलाएँ अपने जूड़े को गोलाकार रूप में विशेष ढंग से बाँधती हैं जिसे 'रोत' एवं 'सूत' कहते हैं। आदिवासियों में 'गोदना' का भी प्रचलन है। स्त्री-पुरुष दोनों, खासकर स्त्रियाँ अपने शरीर—हाथ, बाँह, सीना, गला इत्यादि अंगों पर 'गोदना' गोदवाती हैं, जो विभिन्न आभूषणों की आकृतियों का होता है। इस संबंध में इनकी मान्यता है कि मरने पर सब यहीं रह जाता है। शरीर पर 'गुदा-गोदना' ही साथ जाता है।

भाषा-साहित्य

संताल जाति के लोगों की मुख्य भाषा संताली है जो इनकी मातृभाषा है। यह पूर्वी दीपपुंज की मोन-दमेर, निकोबर द्वीप की निकोबरी, श्रीलंका की बेद्दा, पूर्वोत्तर भारत की खासी आदि भाषाओं की सहोदरा मानी जाती है। भारत में मुंडारी, हो, खड़िया, कोरकू, कोरबा, बिरहोड़,

जुआङ आदि संताली की सजातीय भाषाएँ हैं। इन सभी भाषाओं का आधुनिक नाम अन्तर्राष्ट्रीय क्षेत्र में 'आस्ट्रिक' है जो हिन्दी में 'आग्नेय' के रूप में जानी जाती हैं। आग्नेय भाषाएँ भारतीय आर्य भाषाओं या द्रविड़ भाषाओं से बिलकुल भिन्न हैं। वैसे शब्दावलियों का आदान-प्रदान अवश्य होता आया है, परन्तु व्याकरण और संरचना में आग्नेय भाषाओं की, जिनमें संताली भी है, अपनी अनेक विशेषताएँ हैं। यह मुख्यतः देवनागरी और रोमन लिपि में लिखी जाती है, बंगाल में बंगला से भी। इन दिनों इसके लिए 'ओलचिकी लिपि' विकसित की जा रही है जो अभी पूर्णतः विकसित नहीं हो पाई है। अब जहाँ तक संताली भाषा के साहित्य का सवाल है तो निःसंदेह इसका साहित्य बहुत समृद्ध है। लेकिन विडंबना यह है कि इस भाषा में लिखित साहित्य का अभाव रहा है। इनका साहित्य, परंपरा से चले आ रहे इनके लोकगीतों, लोककथाओं, लोकोक्तियों, पहेलियों आदि में सुरक्षित है, जो मौखिक रूप से पीढ़ी-दर-पीढ़ी स्वयं हस्तांतरित होती चली आ रही है। लेकिन अब संताली भाषा के साहित्य का तेजी से विकास हो रहा है। सरकारी, गैर-सरकारी स्तर पर इसके लिए कुछ-कुछ किया जा रहा है। जहाँ विश्वविद्यालय स्तर पर इसकी पढ़ाई हो रही है, वहीं आकाशवाणी और दूरदर्शन पर भी इससे संबंधित कार्यक्रम प्रसारित किए जा रहे हैं। साथ ही इस भाषा-भाषी के लोग जहाँ परंपरागत लोकगीत, लोककथाओं का लिप्यंतरण कर रहे हैं वहीं कुछ साहित्यकार नए साहित्य सृजन में भी लगे हैं।

कला

कला के मामले में संताल आदिवासी समाज बहुत समृद्ध रहा है। इनके रहन-सहन, पहनावे-ओढ़ावे, नाच-गान तथा गृह-निर्माण और वास्तुशिल्प आदि में इनकी कलात्मक अभिरुचियों का पता चलता है। अध्ययन में सुविधा के दृष्टिकोण से इसे निम्नलिखित ढंग से वर्गीकृत किया जा सकता है—

लोकगीत

जिस तरह संतालपरगना की छाती पर फैले कठोर ग्रेनाइट पत्थरों वाली प्रागैतिहासिक राजमहल पर्वतमाला की ऊँचाइयों से 'मोती झरना' का प्रवाहित होना एक सत्य है, उसी तरह यहाँ के त्रासद-खुरदरे-संघर्षमय श्रमसिक्त संताल आदिवासियों के जीवन की गहराइयों से लोकगीतों और लोकसंगीत की निर्झरिणी का बहना यहाँ का दूसरा सत्य है। अपूर्व प्राकृतिक सम्पदा के बीच निवास करने वाले संतालों को गीत-संगीत विरासत में मिले हैं। तभी तो इनके बीच यह कहावत प्रचलित है कि 'रोड़ाक् गी राड़ाक्, ताड़माक् गी हिलावाक्' अर्थात् हमारी वाणी ही संगीत है और हमारी चाल ही नृत्य।

संताल आदिवासियों के बीच अलग-अलग गीतों के मौसम पर्व-त्योहार और अवसरों के लिए अलग-अलग गीतों के विधान हैं। गीत को संताली में 'सिरीञ' कहते हैं, जो कई प्रकार के होते हैं।

दोङ अर्थात् विवाह गीतों के अतिरिक्त सोहराय, दुरुमजाक्, बाहा, लांगड़े, रिजां मतवार, डान्टा और कराम संतालपरगना के प्रमुख लोकगीत हैं।

लोकगीतों का संसार सत्य का संसार है। इसमें लौकिक सभ्यता, लौकिक आचार, लौकिक व्यवहार, रीति-रिवाज और परंपराओं का प्रतिबिम्ब झलकता है, जिसमें सम्पूर्ण लोक के मानव प्राणियों के सामान्य मानस-व्यापार संयुक्त होते हैं। प्राकृतिक तत्त्वों के साहचर्य से निर्मित होने के कारण प्रकृति की सम्पूर्ण मधुरता का समावेश इनमें होता है।

लोकगीत स्वतः संभूत हैं। इनका निर्माण अपने-आप विशाल जनसमूह के द्वारा होता है, किसी व्यक्ति विशेष के द्वारा नहीं। इसमें जनजीवन के हर्ष और विषाद, सुख और दुख, आशा और निराशा, शांति और विद्रोह सभी की अभिव्यक्ति होती है। इसमें कल्पना भी अपना काम करती है, रस वृत्ति और भावना भी, और नृत्य की हिलोर भी। मौखिक परंपरा इनकी कसौटी है। खेत, नदी, जंगल, पहाड़, मैदान, घर सभी इनके निर्माणस्थल हैं। जीवन का सहज एवं नैसर्गिक आनन्द इनमें अन्तर्निहित है। स्त्री हो, पुरुष हो, बच्चे हों या बूढ़े, लोकगीतों को गाने में सभी की सहभागिता होती है।

इस तरह हम देखते हैं कि संताली लोकगीतों में संताल जीवन के विभिन्न पहलुओं के अलावे जहाँ एक ओर प्रकृति के विभिन्न उपादानों की सहज क्रियाओं के भाव मिलते हैं, वहीं दूसरी ओर अपने देवी-देवताओं के प्रति उनकी धार्मिक आस्थाएँ भी दिखती हैं। साथ ही वृक्ष, नदी, पहाड़, जंगल, पशु-पक्षी, सूर्य, चाँद, तारे इत्यादि की पूजा-अर्चना के दृष्टांत भी मिलते हैं। इतना ही नहीं संताली लोकगीतों में समयुगीन राजनीतिक परिस्थितियों की झलक भी मिलती है। संताल विद्रोह के समय गाए जाने वाले गीतों में इसका प्रमाण मिलता है, जो आज भी सुना जा सकता है।

'लय' लोकगीतों की आत्मा होती है। ग्रामीण जनता के हृदय से निःसृत सीधे-सादे शब्दों का संस्पर्श जब इस 'लय' तत्त्व से होता है, तब वे अद्वितीय सौन्दर्य से संयुक्त होकर असीम आनन्द की सृष्टि करते हैं। शुष्क और निरर्थक शब्द भी मधुर कंठ-स्वर की लहरों पर तैरता हुआ विलक्षण सरसता को प्राप्त करता है। ग्रामीण संताल जनजाति के स्त्री-पुरुषों में गीतों के 'लय' की अद्भुत क्षमता होती है जिसे इस समुदाय के पर्व-त्योहार एवं शादी-विवाह के अवसरों पर शिद्दत से देखा-सुना जा सकता है।

संताली लोकगीतों के गायन में किसी पंक्ति विशेष की पुनरावृत्ति एक महत्त्वपूर्ण क्रिया है। साधारणतः गीत की प्रथम या द्वितीय पंक्ति की आवृत्ति की जाती है। प्रत्येक गीत में एक टेक पद होता है। गायक उन टेक-पदों की पुनरावृत्ति द्वारा श्रोताओं के अन्तःकरण में विशेष प्रभाव की उत्पत्ति कर देता है। पंक्तियों की पुनरावृत्ति से गीत में संगीत का सौन्दर्य बढ़ जाता है। सूक्ष्म विवेचना से यह भी पता चलता है कि कभी-कभी लय तथा तुक की व्यवस्था के लिए लोकगायक अनेक निरर्थक शब्दों का समावेश भी कर देते हैं जो संभवतः संगीत की रक्षा के लिए होता है।

संताली लोकगीतों में मनोभावों की अभिव्यक्ति कथोपकथन के रूप में भी होती है। गीत की प्रथम पंक्ति में प्रश्न/उपमा और द्वितीय पंक्ति में उत्तर/विषय की योजना रहती है। इस प्रकार की प्रणाली से गीतों में जिज्ञासोत्पादक उत्कण्ठा का आविर्भाव होता है, जो श्रोता के लिए आनन्दकारी सिद्ध होता है।

एक और मुख्य विशेषता इन संताली गीतों में देखी जाती है। वह है वस्तुओं, संबंधियों,

आभूषणों आदि की दीर्घ परिगणना, जिससे विभिन्न प्रकार की वस्तुओं के समावेश के कारण क्षेत्रीय परिचय प्राप्त करना आसान हो जाता है। जिस क्षेत्र का गीत होगा, वहाँ की विख्यात वस्तुओं अथवा बहुत प्रचलित सामग्रियों का समावेश उसमें होगा, ऐसा देखा-सुना जाता रहा है।

लोकनृत्य

'नृत्य' आदिवासी समुदाय के जीवन की धड़कन है। यह केवल मनोरंजन के लिए नहीं होते बल्कि जीवन को सुंदर, सुखमय, व्यवस्थित और आनन्ददायी बनाने के लिए भी होते हैं। अन्न तथा कर्म की तरह उनके जीवन में 'नृत्य' को महत्त्वपूर्ण स्थान प्राप्त है। संताल आदिवासियों में अनेक प्रकार के नृत्य प्रचलित हैं जो स्थान, समय और अवसर विशेष पर अलग-अलग तरह के होते हैं। कुछ नृत्य ऐसे होते हैं जिनमें केवल पुरुष लोग ही भाग लेते हैं। जैसे दासांय, रिंजा, डान्टा और बिर लांगड़े के साथ-साथ नटुवा, रिंजा, मोर, भिनसार आदि। बाकी अन्य नृत्यों में स्त्री-पुरुष दोनों भाग लेते हैं। जैसे सोहराय, दोङ, लांगड़े, बाहा, गोलवारी, डाहार, मातवार, दुरुमजाक, बोने-बुनी, होड़ो रोहोय, दाराम-दाक् आदि। ये सारे नृत्य भिन्न-भिन्न अवसरों के लिए हैं एवं इनकी लय, भाव भंगिमा, आंगिक चेष्टा तथा इनकी गति-यति का प्रवाह भी भिन्न-भिन्न है। ये सारे नृत्य सामूहिक हैं जो शादी-विवाह, पर्व-त्योहार, धार्मिक पूजा-पाठ तथा फसल लगाने और काटने से लेकर शिकार करने आदि जैसे अवसरों पर भी किए जाते हैं। आदिवासी नृत्य केवल धार्मिक एवं सांस्कृतिक कर्म ही नहीं होते, बल्कि वे जीवन को रंगीन बनाने के लिए भी होते हैं। संताल आदिवासी लोग जीवन की जड़ता, खिन्नता दूर करने, चित्तवृत्तियों को उल्लसित करने तथा तन-मन की थकान मिटाने के लिए गीत नृत्य का सहारा लेते हैं। नृत्य के प्रकार, नृत्य गुण तथा समय और नृत्य गीत आदि के आधार पर लोकनृत्य को सामान्यतः तीन तरह से विभाजित कर देखा जा सकता है।

1. शौर्य तथा वीर श्रीयुक्त नृत्य
2. धार्मिक स्वरूप के नृत्य
3. सामाजिक नृत्य।

शौर्य तथा वीर श्रीयुक्त नृत्य के तहत वे नृत्य आते हैं जिनमें युद्ध, शिकार तथा अन्य स्थिति में विजयी अर्थात् जीत का भाव परिलक्षित होता है। धार्मिक नृत्य के तहत वे नृत्य आते हैं जो आदिवासियों द्वारा अपने धार्मिक स्थलों पर पूजा-पाठ के अवसर पर ईश्वर अथवा प्रेतात्माओं को खुश करने के लिए किए जाते हैं। इसी प्रकार वृक्ष के चारों ओर वृत्त में खड़े होकर भी नृत्य किए जाते हैं। ऐसे नृत्यों के प्रति आदिवासियों की धारणा है कि वृक्ष उनकी मनोकामना पूर्ण करता है।

सामाजिक नृत्य के तहत वे सारे नृत्य आते हैं जो आदिवासियों द्वारा शादी-विवाह, पर्व-त्योहार, मेला-जतरा तथा किसी के स्वागत एवं मौसम विशेष कृषि कार्य आदि के समय किए जाते हैं।

वैसे आदिवासियों में नृत्य के लिए कोई विशेष समय निर्धारित नहीं होता, फिर भी प्रायः शाम और आधी रात खासकर चाँदनी रात में देर रात नाचते ये देखे जाते हैं। स्थान को लेकर भी कोई

विशेष बाध्यता नहीं होती, लेकिन व्यावहारिक तौर पर किसी का खुला आँगन या फिर 'कुली' अर्थात् गाँव की सड़क के साथ-साथ खेत खलिहान, चौपाल, मेला और जाहेर तथा माँझीथान जैसे देवस्थल पर इनको नाचते- गाते देखा जा सकता है।

इनके नाचने की प्रक्रिया भी बड़ी सुंदर और अनोखी है। सुर-ताल और लय के अनुकूल पैरों का उठना-गिरना, हाथ, कमर और सिर का हिलना-डुलना इनके नृत्य की अद्‌भुत विशेषता है जिसमें अनुशासनबद्धता देखते ही बनती है। सबको एक-दूसरे का रंगरूप दिखाई दे, तथा सबकी सहभागिता हो, इसलिए अधिकतर लोकनृत्यों में वृत्त या अर्धवृत्त बनाकर नाचने की परंपरा है। इन नृत्यों में एक तरफ महिलाएँ, अपने पारंपरिक पोशाकों में, एक-दूसरे का हाथ पकड़कर पंक्तिबद्ध खड़ी होती हैं और दूसरी तरफ पुरुषों का दल परंपरागत वाद्य यंत्रों के साथ आमने-सामने होता है। पुरुष बाजा बजाते हैं और महिलाएँ गीत गा-गाकर उनके सुर-ताल पर नाचती हैं। नाचते-नाचते वे एक दिशा से दूसरी दिशा की ओर धीरे-धीरे घूमते जाते हैं। किसी-किसी नृत्य में पुरुष लोग एक-दूसरे के कंधे पर खड़े होकर अजीबोगरीब करतब भी दिखलाते हैं जिसमें उनका संतुलन देखते ही बनता है।

संथालों में मुख्य त्योहार के आधार पर जो वर्ष भर नृत्य-संगीत होता है वह इस प्रकार है—जनवरी (पूस माह) में बंधना या सोहराय नृत्य, फरवरी (माघ माह) में माघी नृत्य, मार्च (फाल्गुन माह) में बाहा नृत्य, अप्रैल (चैत माह) में पता पोराब नृत्य, मई (वैशाख माह) में बोनाबुनी यानि एरोंक् नृत्य, अगस्त (सावन माह) में धान रोपनी के समय, होड़ो रोहोय नृत्य संगीत, सितम्बर (भाद्र माह) में गॉजोन, अक्टूबर (आश्विन माह) में दसांई नृत्य, नवम्बर (कार्तिक माह) में जन्थाड़ नृत्य और दिसम्बर (अगहन माह) में काराम नृत्य। ध्यातव्य हो कि संतालों में सारे नृत्यों के नाम उनके पर्व-त्योहारों के नाम पर ही रखे गए हैं। संताली में संगीत की धुन को 'रू' कहते हैं जो मोटे तौर पर दो तरह के होते हैं एक तीव्र गति की धुन और दूसरा धीमी गति की धुन। इन धुनों को अलग-अलग संगीत-नृत्य के आधार पर अलग-अलग ढंग से बजाया जाता है, जिसमें आरोह-अवरोह का पूरा-पूरा ख्याल रखा जाता है।

नृत्य के समय पुरुष लोग जहाँ अपने पारंपरिक पोशाकों में पाँची, दहड़ी (पगड़ी), हरहरी, लुतूर, पंगरा, माला, कलंगा, मान्दोली, खागा, टोडोर, फुदना, पैंगान और घुँघरू आदि पहनते हैं, वहीं आदिवासी महिलाएँ पाँची, पाँड़हाँ, सीतापट्टी, सिकड़ी, सुलोक, लुतूर मागरा, हँसली, सिकड़ी, माला, खागा, बाला, बाँकी, मन्दोली, मुन्दोम (हाथ-पैर की अँगुली के लिए), बाटरी, हरहरि, खण्डी, एवं ब्लाउज पहनती हैं। साथ ही साथ खोपा में स्थानीय फूल-पत्तियाँ भी खोंस लेती हैं।

नृत्य-संगीत के समय जिन पारंपरिक वाद्य-यंत्रों का उपयोग वे करते हैं उनमें माँदल, नगाड़ा, ढोल, रहड़, बांसुरी, निरियो, बनाम, रामसिंगा, माँदन, भेड़, कोरताल आदि प्रमुख हैं।

इनमें बहुत सारी चीजों का उपयोग अब इनके संगीत-नृत्य में देखने को नहीं मिलता। चाहे वह पारंपरिक पोशाक हो या आभूषण या वाद्य यंत्र। आधुनिकता की अंधी दौड़ में अब इनके संगीत-नृत्य भी प्रभावित होने लगे हैं।

वाद्य यंत्र

गीत और नृत्य का गहरा संबंध संगीत से है और संगीत के लिए जरूरी हैं वाद्य यंत्र। संताल आदिवासी समाज द्वारा अपने विभिन्न सांस्कृतिक उत्सवों एवं पर्व-त्योहारों तथा शादी विवाह आदि के अवसर पर उपयोग में लाए जाने वाले प्रमुख वाद्य यंत्र निम्नलिखित हैं—

ढोल (ढाक)

यह लकड़ी का बना होता है। इसका आकार बेलननुमा और मोटा होता है। इसके दोनों सिरों पर पट्टी के सहारे चमड़े लगे होते हैं जो डोरी के सहारे स्थिर कर दिया जाता है। जनजातीय लोग ढोल का उपयोग मुख्य रूप से करमा नृत्य एवं शादी-विवाह आदि के अवसर पर किया करते हैं। इसकी आवाज अन्य वाद्य यंत्रों से भिन्न होती है जो काफी ऊँची होने के कारण बहुत दूर तक जाती है।

मांदल (तुम्दाक्)

मांदल आदिवासियों के सभी वाद्य यंत्रों में विशेष स्थान रखता है। यह प्रमुख वाद्य यंत्र है जिसका उपयोग प्रायः हर प्रकार के उत्सवों में किया जाता है। यह लम्बा गोलाकार तथा मोटा होता है, जो मिट्टी का बना होता है। इसके दोनों छोर पर एक विशेष प्रकार की पट्टी के सहारे अच्छा किस्म का चमड़ा लगा होता है। साथ ही एक छोर से दूसरे छोर तक चमड़े अथवा धागे की डोरी के द्वारा नियंत्रित रहता है, जिससे मीठी एवं सुरीली आवाज निकलती है। मांदल वाद्य यंत्र जनजातियों के नृत्य एवं संगीत का लय और ताल की मात्रा को व्यक्त करता है।

डीगा (टामाक)

जनजातीय नृत्य-संगीत में जितना महत्त्व माँदल का है, उतना ही 'डीगा' अर्थात् टामाक् का है। एक दूसरे के बिना ये अर्थहीन हो जाते हैं। यह प्रायः काठ अथवा लोहे का बना होता है, जो कढ़ाईनुमा होता है। इसके ऊपरी सिरे पर अच्छे किस्म का चमड़ा एक पट्टी के सहारे लगा होता है जो चमड़े अथवा धागे की डोरी के माध्यम से पूरी तरह कसा हुआ होता है जिसे बजाने पर आवाज निकलती है। डीगा के माध्यम से जनजातीय नृत्य एवं गीत के ताल को व्यक्त किया जाता है।

बाँसुरी

बाँसुरी आदिवासियों का सबसे प्यारा वाद्य यंत्र है। अगर इसे इनका जीवनसाथी कहा जाए तो कोई अतिशयोक्ति नहीं होगी। इसका आकार लम्बा और पतला होता है। इसमें कुल सात छिद्र होते हैं जिसमें एक छिद्र कुछ बड़ा होता है। इस छिद्र के द्वारा मुँह से होंठ के सहारे हवा भरकर आवाज निकाली जाती है। बाकी छः छिद्रों पर दोनों हाथों की तीन-तीन अँगुलियाँ रखकर निकली हुई ध्वनि को नियंत्रित किया जाता है। इस बाँस की बाँसुरी को प्रायः लाठी की तरह सुबह से शाम तक वे अपने पास रखते हैं। विपत्ति के समय यह संरक्षण का कार्य भी करती है और सुख के समय

सुरीली आवाजों से मन को मधुर अनुभूति का अनुभव भी कराती है।

मुरली

मुरली भी आदिवासियों का एक प्रिय वाद्य यंत्र है। वैसे तो यह बाँसुरी की तरह ही होता है लेकिन बाँसुरी और मुरली में थोड़ी भिन्नता होती है। इसकी आवाज बाँसुरी की अपेक्षा ज्यादा मधुर और सुरीली होती है।

सिंगाबाजा (सिंगा)

'सिंगाबाजा' संतालों के वाद्य यंत्रों में एक महत्त्वपूर्ण स्वर यंत्र है जिसका उपयोग विभिन्न प्रकार के उत्सवों पर किया जाता है। खासकर इसका उपयोग आदिवासी लोग शिकार तथा लड़ाई के अवसर पर करते हैं। शादी-विवाह के अवसर पर सिंगाबाजा बजाना शुभ माना जाता है। जाहेरथान जैसे देवस्थलों पर इसका प्रयोग अवश्य किया जाता है। यह वाद्य यंत्र जानवरों के सींग (भैंस अथवा भैंसा) का बना होता है। आजकल यह प्राय: लोहे के पतले चदरे से बनाया जाता है, जो सींगनुमा ही होता है। सिंगाबाजा की आवाज को आदिवासी लोग विजय का प्रतीक भी मानते हैं।

तुतरू बाजा (मान्दान भेड़)

तुतरू बाजा लोहे के पतले चदरे का बना होता है। इसका एक छोर पतला और दूसरा छोर मोटा होता है, बीच में खोलनुमा छिद्र होता है। आदिवासी लोग इसका उपयोग शादी-विवाह के अवसरों पर अपने शुभचिन्तकों को सूचना या आमंत्रण देने के लिए करते हैं।

घुंघरू (झुनका)

संताल आदिवासी नृत्य में घुंघरू का विशेष स्थान है। प्राय: प्रत्येक उत्सव पर विशेष रूप से घुंघरू का उपयोग किया जाता है। संतालों में कई नृत्य ऐसे होते हैं जिनमें घुँघरू को मालानुमा बनाकर शरीर में धारण कर नृत्य किया जाता है जो काफी आकर्षक होता है। यह पीतल अथवा कसकूट का बना होता है। कुछ घुंघरू बड़े तथा कुछ छोटे आकार के होते हैं।

झाल (करताल)

यह तस्तरीनुमा पीतल का बना होता है। इसके बीच में एक छोटा-सा छिद्र होता है जिसमें डोरी लगी होती है। उसी डोरी को पकड़कर इसे बजाया जाता है। यह एक ही आकार-प्रकार का दो, यानि जोड़ा-भर होता है, जिसे दोनों हाथों में लेकर आपस में मिलाते हुए बजाया जाता है। खासकर 'बाहा' नृत्य के अवसर पर इसका उपयोग ज्यादा देखने को मिलता है।

बनाम (एकतारा)

यह भी एक प्रकार का वाद्य यंत्र है जिसका उपयोग आदिवासी लोग अपने विभिन्न नृत्य-संगीत में करते हैं। यह काठ का बना होता है। इसमें चार पहल होते हैं जो आयताकार रहते हैं। इसके

ऊपरी भाग पर काफी आकर्षक आकृतियाँ बनी होती हैं। इसमें दो तार लगे होते हैं जिसको अँगुलियों के सहारे हिलाने–डुलाने से मधुर आवाज निकलती है। बनाम अर्थात् एकतारा के ऊपरी हिस्से पर कुछ महत्त्वपूर्ण और आकर्षक आकृतियाँ बनी होती हैं जो आदिवासियों के जीवन से संबंधित होती हैं।

बुआंग बाजा

'बुआंग बाजा' जनजातियों का अति प्राचीन वाद्य यंत्र है, जो अब प्राय: लुप्त–सा होता जा रहा है। इसकी बनावट बड़ी विचित्र होती है। सूखे कद्दू के खोल के अंदर एक लाठीनुमा बांस लगा होता है और उस बांस में एक चमड़े का धागा कसकर लगा होता है। इसी धागे को धीरे–धीरे खींचने और छोड़ने पर कर्णप्रिय आवाज निकलती है। ऐसा प्रतीत होता है जैसे किसी के मुँह से बुआंग शब्द का उच्चारण किया जा रहा हो। इसका उपयोग आदिवासी लोग नृत्य करते समय करते हैं।

इसके अलावा और भी कई प्रकार के छोटे–बड़े वाद्य यंत्र होते हैं, जिनका उपयोग आदिवासी लोग स्थान, समय और अवसर विशेष पर छिटपुट किया करते हैं। कुछ तो इस दौर में प्राय: लुप्त से हो गए हैं।

जादोपटिया चिंत्रकला

संताल आदिवासी चित्रकला में 'जादोपटिया पेंटिंग' का महत्त्वपूर्ण स्थान है। जादो पटिया पेंटिंग मूल रूप से तीन अलग–अलग शब्दों का समायोजित रूप है। 'जादो' एक जाति है जो चित्रकारी का काम करती है। 'पटिया' कागज, कपड़ा आदि का वह पट जिस पर यह चित्र बनाया जाता है। और पेंटिंग अर्थात् चित्रकला का मतलब रेखाओं तथा रंगों के माध्यम से की गई चित्रकारी। इस प्रकार 'जादोपटिया पेंटिंग' का अर्थ कलाकार, उसका औजार और उसकी कला तीनों हैं। संतालपरगना में 'जादोपटिया पेंटिंग' की पुरानी परंपरा है। यह संताल जनजाति की प्राचीन लोक चित्रकला शैली है जो वंश परंपरा से एक जाति विशेष के लोक कलाकारों द्वारा पोषित होती तथा समाज में प्रतिष्ठा प्राप्त करती थी, आगे चलकर इसकी लोकप्रियता घटने लगी और वह लुप्त होने लगी।

'जादोपटिया पेंटिंग' का मुख्य विषय परालौकिक है, जिसमें स्वर्ग–नरक से संबंधित अनेक दृश्य अंकित होते हैं। साथ ही इसमें संतालों की उत्पत्ति, पर्व–त्योहार, लोकगाथा एवं इससे संबंधित अनेक मिथकों को रूपांकित किया जाता है। खासकर 'काराम विनती' पर आधारित सृष्टि की उत्पत्ति एवं उसके विकास की कथा की एक लम्बी सीरीज तो देखते ही बनती है। प्राकृतिक रंगों एवं स्थानीय संसाधनों से बना यह चित्र एक विशेष प्रकार की पट्टिका पर अंकित होता है जिसे एक छोटे से डंडे में लपेट कर रखा जाता है और आवश्यकता पड़ने पर धीरे–धीरे रीलनुमा खोलकर दिखाया जाता है। वैसे जो भी हो इसका व्यावहारिक पक्ष बहुत महत्त्वपूर्ण होता है। विशेषकर सामाजिक संतुल.न बनाए रखने में इसकी सार्थकता देखी–समझी जा सकती है। अच्छे आचरण की शिक्षा देने वाले लघुकथाओं के चित्रण की यह एक लंबी और सुंदर परंपरा रही है। कहा जाता है कि जादोपटिया 'जनजातीय नैतिक शिक्षा' का एक सशक्त माध्यम रहा है।

बीच में इसके दुरुपयोग से इसकी लोकप्रियता घटती गई लेकिन इधर हाल के कुछ वर्षों से इस पर अच्छा काम हो रहा है।

भित्ति-चित्र

चित्रकला के क्षेत्र में संताल आदिवासियों की अपनी एक विशिष्ट एवं समृद्ध परंपरा रही है, जिसकी अलग-अलग शैलियाँ हैं। उन्हीं में से एक 'भित्ति चित्र' भी है जिसका संताल समुदाय में अच्छा-खासा महत्त्व है। 'भित्ति चित्र' का सीधा अर्थ है दीवार पर अंकित चित्र। संताल आदिवासी बस्तियों से होकर गुजरते हुए उनके घर की दीवारों पर उकेरे गए ऐसे चित्रों को देखा जा सकता है। उनके घर की दीवारें लाल, गेरू, नीली, काली तथा सफेद मिट्टी से रंगी-पुती होती हैं, जो काफी आकर्षक तथा मनभावन होती हैं। इन दीवारों पर फूल-पत्ती के साथ-साथ पक्षियों और जानवरों आदि के भित्ति चित्र भी उभरे हुए दिखाई पड़ते हैं। इन भित्ति चित्रों में फूल-पत्तियों के साथ-साथ मुख्य रूप से हाथी, मोर, ऊँट आदि भी बने होते हैं जो काफी सजीव मालूम होते हैं। इनकी आकृतियाँ इतनी सरल और सीधी होती हैं कि उनमें इनका सरल स्वभाव स्पष्ट नजर आता है। इस प्रकार के भित्ति चित्र मुख्यत: मिट्टी एवं प्राकृतिक रंगों से रंगे जाते हैं। आदिवासी अपने घर की दीवारों पर हाथी, मोर, ऊँट आदि की कलाकृतियाँ क्यों उकेरते हैं ? इसके बारे में ग्रामीणों से बात करने पर पता चला कि जनजातीय लोगों का निवास स्थान प्राय: जंगल, पहाड़ आदि क्षेत्रों में ही रहता आया है। इस क्रम में जिन-जिन जंगली जानवरों को देखने-समझने का मौका उन्हें मिला उनकी आकृतियाँ उनके मानसपटल पर अंकित होती गईं। जिसका उपयोग वे अपने घर की दीवारों पर भित्ति चित्र के रूप में करते रहे। इसके पीछे इनके जीवन से संबंधित कुछ महत्त्वपूर्ण और गूढ़ तत्त्व भी छिपे हैं। मोर पक्षी को आदिवासियों ने शांति और सौंदर्य के रूप में स्वीकार किया है। बरसात के दिनों में मोर का पंख फैलाकर नाचना देख आदिवासी आनंदित होते रहे हैं। यही कारण है कि आदिवासी को 'मोर नृत्य' आज भी प्रिय है।

आदिवासियों को लेकर एक आम धारणा है कि ये लोग बहुत शांतिप्रिय होते हैं। मेहनत, ईमानदारी और सच्चाई इनका प्रमुख गुण है। लेकिन इसका दूसरा और महत्त्वपूर्ण पक्ष यह भी है कि इनमें हाथी की तरह अपार शक्ति भी छिपी होती है। जैसे हाथी समय आने पर ही अपनी शक्ति प्रदर्शित करता है, ठीक उसी तरह आदिवासी भी समय आने पर अपनी शक्ति उजागर करते हैं, जिसका अप्रत्यक्ष संबंध उनके भित्ति चित्र से माना जाता है।

ऊँट के संबंध में भ्रांतियाँ हैं कि आदिवासी लोग दीवारों पर ऊँट का चित्र क्यों उकेरते हैं जबकि संतालपरगना या छोटानागपुर में कहीं ऊँट नहीं पाए जाते। इसके पीछे प्राचीन इतिहास छिपा है। संतालों का इतिहास काफी पुराना है। कहा जाता है कि संताल लोग सबसे पहले पंजाब के चम्पागढ़ नामक स्थान में रहा करते थे, जहाँ कई तरह की कठिनाइयों के कारण वह क्षेत्र उन्हें छोड़ना पड़ा। इस तरह जब वहाँ वे लोग पूरब की ओर प्रस्थान कर भटकते हुए यहाँ पहुँचे तो रास्ते में दुर्गम पहाड़ियों, जंगलों तथा रेगिस्तानों से होकर उन्हें गुजरना पड़ा। संभव है रेगिस्तानों को पार करने में उन्होंने ऊँटों का सहारा लिया हो या उन्हें देखा हो, जिस कारण उनके मानसपटल पर ऊँटों की अमिट छाप पड़ी हो, और उसके प्रति कृतज्ञ भाव प्रकट करने के लिए अपने भित्ति

चित्र में उसको प्रमुख स्थान दिया हो।

वैसे भित्ति चित्र का प्रचलन काफी प्राचीन काल से चला आ रहा है जिसमें बुद्धलीला, कृष्णलीला, जातक कथाओं इत्यादि की विभिन्न विषयवस्तु को लिया गया है। कहीं-कहीं भित्ति-चित्र चूने-सुरखी के मिश्रण से भी तैयार किया जाता रहा है।

स्थापत्य कला

संथालों की स्थापत्य कला अपने आपमें अनोखी है। इनके घर साफ-सुथरे, सुंदर व्यवस्थित और कलात्मक होते हैं। ये लोग प्रायः मिट्टी के घर बनाते हैं जिसके छप्पर फूस या खपरैल के होते हैं। दीवारें इतनी चिकनी और सुडौल, मानों सीमेंट की बनी हों। घर के नीचे, चारों ओर लगभग दो फुट चौड़ी एवं 3 फुट ऊँची देहरी बनी होती है जो काले रंगों से लिपी-पुती होती है। ऊपर का छप्पर भी एक समान व्यवस्थित और ठोस होता है। घर के अंदर प्रवेश के लिए एक ही तरफ दरवाजे होते हैं, जो मुख्य सड़क की ओर न होकर पीछे की ओर होते हैं। सड़क यानि कुली की तरह मुख्यद्वार नहीं होता है। मुख्यद्वार लकड़ी के बने होते हैं, जिस पर कुछ आकर्षक कलाकृतियाँ होती हैं। दीवारों पर भित्ति चित्र अवश्य होते हैं जो फूल-पत्तियों के अतिरिक्त विभिन्न पक्षियों और जानवरों के होते हैं। इनके घरों में खिड़कियाँ नहीं होतीं, बल्कि दीवार के ऊपरी छोर पर कहीं-कहीं बड़े छिद्र होते हैं। इनके घर प्रायः समूह में होते हैं। अधिकतर घर चौतरफा आकृति लिए होते हैं। यानि चारों तरफ से छोटे-बड़े अनेक कमरे और बीच में खुला-सा बड़ा आँगन होता है। नीचे का फर्श भी बहुत चिकना और समतल होता है। सामान रखने के लिए कहीं-कहीं ताखे भी होते हैं। ये लोग अपने पालतू पशुओं जैसे गाय, बैल, बकरी, सूअर, मुर्गी आदि के भी घर बनाते हैं। जो छोटे-छोटे सुंदर और व्यवस्थित होते हैं। घर की रंगाई-पुताई के लिए प्राकृतिक रंगों की जैसे लाल, गेरुए, नीली, काली तथा सफेद मिट्टी का उपयोग करते हैं। काला रंग, गोबर और जले हुए पुआल से बनाते हैं। इनकी बस्तियों से होकर गुजरते हुए इनके गृह निर्माण कला तथा उसमें सन्निहित उनकी रुचि, कल्पनाशीलता, मेहनत और स्वच्छता का अंदाजा लगाया जा सकता है।

हस्तकला

हस्तकला के मामले में भी संताल आदिवासी समुदाय बहुत सिद्धहस्त होते हैं। घरेलू उपयोग में आने वाली बहुत सारी वस्तुओं का निर्माण वे खुद करते हैं। कुछ ऐसी वस्तुएँ भी वे सरलता से बना लेते हैं जो किसी जाति विशेष के पेशे से जुड़ी होती हैं।

ये लोग मुख्य रूप से दोना, पत्तल, चटाई, झाड़ू, पंखा, तीर-धनुष, बांसुरी, मछली पकड़ने के जाल का सैयरा, रस्सी इत्यादि बनाते हैं। इनके द्वारा बनाया गया बरसाती जिसे 'घोघी' या 'पतरो' भी कहते हैं, काफी सुंदर और आकर्षक होता है। इनके द्वारा बनाया गया बांस का छाता भी देखने लायक होता है। ये लोग अनाज रखने के लिए खोंचर भी बनाते हैं जो पुआल के मोटे रस्से से लपेट कर बनाया जाता है। ये लोग लकड़ी से अपने घर के दरवाजे, चौखट ही नहीं, पालकी, काठ के बक्से और कठपुतली भी बनाते थे, जो अब लुप्त-प्रायः हो गया है। अभी भी

खेती के लिए हल, जुआट, अरगोम (चौकी), सागर, करहा (गड्ढे में मिट्टी भर कर समतल करने के लिए), झाबा (मिट्टी उठाने के लिए एक प्रकार का डलिया) आदि ये लोग खुद बनाते हैं।

इसके अलावा बनाम (सारंगी की तरह का एक बाजा), तुरही, मुरली आदि भी बनाते हैं। कुछ लोग ताड़ या खजूर के पत्ते से चूड़ी, बाल, अँगूठी भी बनाते देखे गए हैं। ये लोग तीर रखने का तरकश, गुलेल, चूहा फँसाने के लिए गुड्डू पानी आदि भी बनाते हैं।

इस तरह और भी अनेक छोटी-बड़ी घरेलू वस्तुएँ हैं जो आवश्यकता पड़ने पर वे लोग स्थानीय संसाधनों से बना लेते हैं। उन वस्तुओं को बारीकी से देखने-समझने पर उनकी उस सिद्धहस्त कारीगरी कला का पता चलता है जो सदियों से परंपरा में वे लोग पीढ़ी-दर-पीढ़ी करते आ रहे हैं।

निष्कर्ष

इस प्रकार उपर्युक्त तथ्यों के आधार पर कहा जा सकता है कि संताल संस्कृति भारत की प्राचीनतम संस्कृति है। यह भारतीय संस्कृति का अभिन्न अंग है, जो अपनी विशिष्ट परंपराओं के कारण काफी समृद्ध रही है। यह समाज जहाँ अपनी कर्मठता, श्रमशीलता और ईमानदारी तथा शांतिप्रियता के लिए बहुत प्रसिद्ध रहा है, वहीं इसकी परंपरागत सामाजिक एवं धार्मिक व्यवस्था बहुत सशक्त और सुव्यवस्थित रही है। हाँ, आर्थिक मामले में यह समाज थोड़ा पिछड़ा और कमजोर जरूर रहा है, लेकिन कला-संस्कृति के मामले में इस समाज की अपनी एक विशिष्ट पहचान रही है जो अन्य जाति वर्ग समुदाय के लोगों के लिए आकर्षण का केन्द्र रहा है। यह सच है कि इधर आधुनिकता की अंधी दौड़ में पाश्चात्य संस्कृति के अतिक्रमण से इनकी संस्कृति के स्वरूप में थोड़ी विकृतियाँ जरूर आई हैं, लेकिन साथ ही यह भी सच है कि अन्य समाज की तरह इस समाज में भी कई विसंगतियाँ हैं। बावजूद इस सबके संताल आदिवासी समाज की संस्कृति में कई महत्त्वपूर्ण एवं उल्लेखनीय पहलू ऐसे हैं जो तथाकथित सभ्य समाज के लिए अनुकरणीय हैं।

संदर्भ

1. संतालपरगना गजेटिया
2. होड़ संवाद
3. हिजला मेला स्मारिका
4. संताल जीवन और संस्कृति (पुस्तक)
5. युद्धात आम आदमी आदिवासी खंड-2
6. दुमका दर्पण (साप्ताहिक) का स्वतंत्रता विशेषांक

इसके अलावा

निर्मला पुतुल, बासुदेव बेसरा, बाबूलाल मुर्मू आदिवासी, महादेव मरांडी, नरेश मरांडी, मुन्नी, ललित मोहनराय और उमाशंकर पंडित आदि संबंधित व्यक्तियों से प्राप्त जानकारी के आधार पर।

झारखंड में मुस्लिम समुदाय

डॉ. एम.पी. हसन/प्रो. खुर्शीद आलम

झारखंड में संभवत: मुसलमान सबसे पहले उस समय आए जब मुगल सम्राट हुमायूँ द्वारा खदेड़े जाने पर शेरशाह सूरी ने इस भू-भाग में शरण ली थी, उसके साथ आने वाले मुसलमानों पठानों की संख्या सर्वाधिक थी। बाद में इनमें से कुछ पलामू के हुसैनाबाद के आसपास के इलाकों में बस गए। उस भूभाग में 'बिल ग्रामी' लोग संभवत: उन्हीं के वंशज हैं। इससे पहले फिरोजशाह इस भू-भाग से गुजरे थे। मुस्लिम समुदाय का यह पहला काफिला था जिसके पाँव इस सरजमीन पर पड़े।

बड़े पैमाने पर मुसलमानों का जत्था कोकराह या खोखरा के राजा दुर्जनशाल के समय जहाँ (Migrate) माइग्रेट करके आया था, उस समय हिन्दुओं के अहीर, कुम्हार, भवास तथा कुछ पिछड़ी जातियों के साथ-साथ मुस्लिम समुदाय की पिछड़ी जातियों के लोग भी आए (जिसमें अधिकतर जुलाहे थे)। हिन्दू तबके के लोग हिन्दू जागीरदारों के साथ आए थे। जबकि मुस्लिम आबादी उन सेनाओं के साथ आई थी जो कोकराह पर चढ़ाई करने के लिए भेजी गई थी। उनमें से कुछ लोग कोकराह के शासकों से जागीर लेने में सफल हुए और राँची के आसपास नीची जातियों के मुसलमानों का उस समय अधिकांश हिस्सा इन्हीं के धर्म फैलाने के उत्साह का परिणाम था। उस समय कुछ गाँव के नाम भी इस तथ्य की पुष्टि करते हैं जैसे शमशेरा, रहमशेरा (By S.C. Roy, Munda & their Country paper 109)

बिहार थ्रु एनेज के लेखक आर.आर. दिवाकर के अनुसार मुस्लिम समुदाय उराँव जनजाति के साथ बख्तियार खिलजी की सेना के साथ आए जो झारखंड की संस्कृति में इस तरह रच-बस गए कि यहाँ के निवासियों और उनमें कोई विशेष अंतर बाकी न रहा। यहाँ के निवासियों ने यहाँ फारसी और अरबी के बहुत से शब्दों को अपनाया (Father Hoffmann)। वहीं मुंडारी भाषा के बहुतेरे शब्द भी इनके शब्दकोश की जीनत बन गए और 1, 2 के लिए 'बा' शब्द ('बारह, बाश्स बानवे...') लहंगा, आँचल, काजल, गागई। (सैयद टसम असकरी— 'उर्दू-हिन्दी जुबानेइ') इन्हीं संपर्कों (समावेश) के कारण एक नई भाषा 'सादरी' का जन्म हुआ। मुसलमानों का छोटे-छोटे जत्थों में इस भूभाग में आकर बस जाने का सिलसिला मुगलकाल से जारी रहा। इस भूभाग ने अपने प्राकृतिक स्वरूप (जंगल, पहाड़) के कारण आगंतुकों को न केवल प्रश्रय प्रदान किया बल्कि अपने राज्य को दोबारा हासिल करने के लिए तैयारी का अवसर भी प्रदान किया, जिसमें प्रमुख रूप से शेरशाह और गौव का सुल्तान शाह हुसैन के नाम का उल्लेख किया जा सकता है।

अपनी इसी प्रकृति की वजह से 1857 के बाद भी अंग्रेजों के दमन/जुल्म से बचने के लिए बहुत सारे मुसलमान यहाँ आए और अधिकतर यहीं बस गए। इस दौर में मुसलमानों की बस्तियाँ करीब-करीब हरेक झारखंडी राजाओं के राज्य में थीं जिनमें काँटाटोली, बरियातू और महेशपुर प्रमुख हैं। लेकिन मुसलमान बनने की प्रक्रिया ने भक्तिक़ाल में जोर पकड़ा जिसमें मुस्लिम सूफियों का योगदान सर्वाधिक था। मुस्लिम सेनाओं के साथ उनके धर्मगुरु भी आते थे। ये मुख्यत: सैयद या शेख होते थे। ये धर्मगुरु मुस्लिम सैनिकों के साथ-साथ अन्य लोगों को भी इस्लाम की शिक्षा दिया करते थे। इस्लाम के मानवीय पक्षों से प्रभावित होकर यहाँ के बहुत से लोगों ने इस्लाम धर्म को अपनाया। शीराजी ने अपनी पुस्तक मोनाकिबे मुहम्मवत में लिखा है कि हजरत सैयद मोहम्मद ने कोल सरदारों और गवालों में मुस्लिम धर्म की तबलीग की और गवालों के नव मुस्लिम सरदार का नाम सादिक रखा।

1661 ई. में मुसलमानों ने इस क्षेत्र में पहली मस्जिद 'दाउदनगर' में बनाई। यह इस बात का संकेत है कि मुसलमान इसके पूर्व नमाज अपने घरों में अदा किया करते थे, जो यहाँ के मुसलमानों की सहिष्णुता एवं समझौतावादी मनोवृत्ति को दर्शाता है मदरसों की स्थापना का सिलसिला तो इसके बाद आरंभ हुआ। शुरू में आने वाले मुसलमान, जो सेनाओं के उच्च पद पर आसीन थे, उनके संबंधी थे। जागीरदारी या जमीनदारी हासिल करने में सफल हुए बाकी लोग खेती भी किया करते थे।

भक्तिकाल में जो यहाँ आए थे, मुख्यत: कपड़ा बुनने से जुड़े हुए थे। ये लोग उत्तर भारत से अपने साथ जो साड़ी लाए थे वो आज भी झारखंड में पहनी जाती है जिसे पड़हा साड़ी के नाम से जाना जाता है। अंग्रेजों के समय यहाँ जो मुसलमान थे, उनके जमींदारों को छोड़कर अधिकतर मुलाजमत या तिजारत से जुड़े थे। तिजारत में सब्जी का धंधा मुख्य था जो आज भी बरकरार है। सब्जी की खेती भी मुस्लिम समुदाय अधिकतर किया करते थे। आज भी राँची में यह बात देखी जा सकती है।

मुलाजमत में मुसलमानों का प्रतिशत बँटवारे से पहले तक संतोषप्रद था जो घट कर बहुत कम हो गया है।

राजनीतिक स्थिति

मुसलमान यहाँ के हर जन आंदोलन में शामिल रहे। चाहे वह 783-84 में खनियापांक के जमींदार के नेतृत्व में था या 1800 ई. में पलामू के मुखम सिंह चेदो के नेतृत्व में होने वाले संघर्ष रहे हों। आजादी की पहली लड़ाई 1857 के गदर में भी इस क्षेत्र के मुसलमानों का योगदान स्मरणीय है। स्वतंत्रता संग्राम में चतरा के नादरअली, चुट्टूपालू के शेख भिखारी शहीद हुए। इस क्रम में चाईबासा के सलामत अली और शेख हरू को काला पानी की सजा हुई।

1905 ई. में कांग्रेस की स्थापना के पश्चात् इस क्षेत्र के मुसलमानों ने अपना पूर्ण समर्थन दिया जो 'मुस्लिम लीग' के बनने के बाद भी जारी रहा। मौलाना आजाद का राँची में नजरबंद होना इस क्षेत्र के मुसलमानों के लिए वरदान साबित हुआ। मुसलमानों में न केवल राष्ट्रवादी भावना मजबूत हुई, बल्कि उनके शैक्षणिक एवं सामाजिक विकास के लिए भी निर्णायक साबित

हुआ। इसी दौरान (1516-20) अंजुमन इस्लामिया का गठन, अपर बाजार राँची का मदरसा कपाक में आया। मस्जिद का निर्माण भी मौलाना आजाद ने करवाया था। मुसलमानों में अंतर्जातीय विवाह, निचले तबकों से भेदभाव नहीं करने की दिशा में उचित पहन (ज्ञात हो कि वे हलालखोर जाति के लोगों के यहाँ भी खाना खाया करते थे) एवं हिन्दू मुस्लिम एकता को बढ़ाने में भी इनकी भूमिका अहम है। इसी क्रम में वे नागरमल मोदी, प्रफुल्लचंद्र मिश्रा व गुलाब तिवारी आदि के यहाँ इमाम अली के साथ जाया करते थे। इनके इन्हीं प्रयासों से मुतसिर होकर हिन्दुओं ने अपर बाजार स्थित मदरसा के निर्माण एवं संचालन में बढ़कर मदद की थी। अपर बाजार स्थित जामा मस्जिद में एक कमरा था जहाँ जुम्मे के दिन गैर मुस्लिम भी अच्छी संख्या में मौलाना आजाद को सुनने आया करते थे। यह उस दौर की धार्मिक एकता की ओर संकेत करता है। 1923 ई. में मुड़मा के मैदान में छोटानागपुर स्तरीय सम्मेलन के दौरान ऑल इंडिया मोमिन कान्फ्रेंस तस्कीम दिया गया जिसमें जलियांवाला बाग नरसंहार की भर्त्सना की गई और शहीदों को श्रद्धांजलि दी गई। इसके अलावा इस सम्मेलन का उद्देश्य झारखंड में बसे बुनकर समुदाय के हितों की रक्षा करना एवं अंग्रेजों के अत्याचार से बचाना था। इस क्षेत्र में रहने वाले मुसलमानों पर मुस्लिम लीग का प्रभाव नहीं के बराबर रहा और उन्होंने हमेशा अपनी सहभागिता कांग्रेस के साथ दिखाई, चाहे वह स्वतंत्रता संग्राम का दौर हो या 1946 के संविधान सभा का चुनाव। इस चुनाव में छह की छह सीटें कांग्रेस ने हासिल कीं। मुस्लिम लीग एक भी सीट नहीं ला सकी। फलस्वरूप इसके दो महत्त्वपूर्ण परिणाम सामने आए। एक, पुरुलिया तक का हिस्सा भारत में ही रहा और दूसरा, इस भूभाग से मुसलमानों का माइग्रेशन (पाकिस्तान के लिए) लगभग नगण्य रहा।

मुसलमानों की राजनीतिक सक्रियता और महत्त्व का अंदाजा इस बात से लगाया जा सकता है कि 1932 के पहले चुनाव में राँची के पहले सांसद डोरंडा निवासी स्व. श्री इब्राहीम अली हुए। इन्होंने अपना चुनाव कांग्रेस के बेनर तले लड़ा था। 1952 के विधानसभा चुनाव में इस क्षेत्र की अधिकतर सीटें कांग्रेस के हिस्से में आईं, जो निस्संदेह मुसलमानों की भूमिका को दर्शाता है। मुसलमानों की कांग्रेस के प्रति निष्ठा 'इमरजेंसी' से पहले तक अटूट रही। इमरजेंसी के दौरान की गई ज्यादतियों (खासकर तुरकमान गेट कांड) मुल्क में जयप्रकाश आंदोलन के मद्देनजर पहली बार मुसलमानों ने कांग्रेस का साथ छोड़ दिया। और चुनाव में जनता पार्टी के रवीन्द्र वर्मा भारी बहुमत से विजयी हुए। लेकिन 1980 के मध्यावधि चुनाव में फिर मुसलमान कांग्रेस के साथ हो गए। कांग्रेस के साथ मुसलमानों को जोड़े रखने में स्व. अब्दुल कय्यूम अंसारी, स्व. जहूर अली (भूतपूर्व एम.एल.सी.), स्व. अब्दुल रज्जाक अंसारी, स्व. इमाम अली और अमानत अली जैसे नेताओं की भूमिका महत्त्वपूर्ण रही। 1967 के हिन्दू-मुस्लिम दंगों के फलस्वरूप हिन्दुओं और मुसलमानों के बीच एक खाई-सी बनी, जिस कारण राजनीतिक नेतृत्व (मुसलमानों का) इस क्षेत्र में थोड़ा कमजोर पड़ा।

शैक्षणिक स्थिति

आरंभ में आर्थिक दृष्टि से कमजोर होने के कारण मुसलमानों के साक्षरता का प्रतिशत कम था। मुसलमानों की अधिकतर आबादी शिक्षा के लिए मदरसों पर आश्रित थी, जो उन्हें धार्मिक शिक्षा

प्रदान करने में तो सक्षम था परंतु अन्य विषयों की जानकारी स्तरीय न थी। इस क्षेत्र के मुसलमानों के शैक्षणिक पिछड़ेपन का दूसरा मुख्य कारण स्वतंत्रता संग्राम में इनकी सहभागिता रही। 'खिलाफत आंदोलन' तथा गाँधी जी के आह्वान पर इस क्षेत्र के मुसलमानों ने भी सरकारी स्कूलों और कॉलेजों को छोड़ा। जहाँ देश के अन्य क्षेत्रों में वैकल्पिक व्यवस्था आरंभ की गई वहीं मुसलमानों द्वारा इस दिशा में बड़े पैमाने पर शैक्षणिक संस्थान नहीं खोले गए। उस समय उच्च शिक्षा हासिल करने वालों को पटना या मुजफ्फरपुर जाना पड़ता था। इन्हीं सब परेशानियों को देखते हुए जमशेदपुर के सैयद तफज्जुल करीम ने 1945 ई. में एक स्कूल (मकतब) की बुनियाद डाली जो 1956 में करीम मिडिल स्कूल तथा 1961 ई. में करीम सिटी कॉलेज का रूप धारण कर लिया। दक्षिणी बिहार में यह मुसलमानों का पहला कालेज था जो मुसलमानों के शैक्षणिक एवं बौद्धिक विकास में वही भूमिका अदा कर रहा है जो उत्तर प्रदेश में अलीगढ़ मुस्लिम विश्वविद्यालय ने निभाई। इसी कारण स्व. सैयद करीम को जमशेदपुर का सर सैयद कहा जाता है। आधुनिक युग में कंप्यूटर शिक्षा तो यहाँ उपलब्ध है ही और यह भी कि बिहार का पहला कालेज है जहाँ आदिवासियों की पढ़ाई होती है। करीम सिटी कालेज के अलावा मुसलमानों का उच्च शिक्षा में दूसरा संस्थान राँची का मौलाना आजाद कालेज है। हजारीबाग, धनबाद, गोड्डा, साहेबगंज में मुसलमानों के कई शैक्षणिक संस्थान खोले जो इस दिशा में अपनी भूमिका अदा कर रहे हैं।

शैक्षणिक स्थिति अच्छी नहीं होने के बावजूद इस भूमि ने देश को बहुत से लेखक/कहानीकार/शायर/साहित्यकार दिए हैं जिनमें ग्यास अहमद गद्दी एवं इम्तियाज अहमद गद्दी (साहित्य अकादमी पुरस्कृत), मंचर काजमी, नवी अनवर, डॉ. सिद्दिक मुजीवी, जहीर गाजीपुरी, शोएल, रहबमनी, नदीम दलवी, महजूर शम्सी, रोनकी दक्खनी, मंजर शहाब, हबीब अरबी, डॉ. शीन अख्तर ए बहिदूल हसन, शाहिद अहमद आदि का जिक्र है। इस सरज़मीन से डॉ. राही मासूम रज़ा, डॉ. शकिहुर्रहमान (भूतपूर्व कुलपति) अनवर अजीम, शहजाद मंजर, कलाम हैदरी, अख्तर पयामी (डॉअ के संपादक) जैसे प्रतिष्ठित एवं विख्यात साहित्यकारों ने लेखकीय शीलन की शुरुआत की थी।

लेकिन यह बात साफ तौर पर कही जा सकती है कि उत्तर बिहार (अब बिहार) की अपेक्षा शैक्षणिक दृष्टि से यहाँ के मुसलमान बहुत पिछड़े हैं।

सामाजिक स्थिति

पूरे भारतवर्ष में मुसलमानों की स्थिति से झारखंडी मुसलमानों की स्थिति भिन्न नहीं है। धर्म को छोड़कर बाकी जीवन के सभी आयामों में यहाँ के मुस्लिम समुदाय (खासकर गाँव में) अन्य निवासियों से बिलकुल परे नहीं हैं। उनके रहने-सहने का ढंग, पोशाक (पहनावा), रीति-रिवाज इनकी मूलभूत समस्याएँ इत्यादि वैसी ही हैं जैसी यहाँ के दूसरे समुदायों की। यदि फर्क है तो आर्थिक एवं राजनीतिक बदहाली का। जहाँ-जहाँ से मुस्लिम समुदाय समाज के दूसरे तबकों (खासकर हिन्दुओं) से संपर्क में हैं वहाँ इनकी हालत कुछ अच्छी है। लेकिन बिहार की तुलना में यहाँ के मुस्लिमों की स्थिति खराब है। चाहे वह सत्ता में भागीदारी की बात हो या शिक्षा का स्तर हो या फिर आर्थिक पहलू हो। आज भी गाँव में रहने वाले साधारण मुस्लिम परिवार

आदिवासियों जैसा ही जीवन व्यतीत कर रहे हैं या अगर हम यह कह लें कि इनकी हालत उनसे भी बदतर है तो कोई गलत बात न होगी। राजनीतिक हिस्सेदारी में कमी का मूल कारण मुस्लिम बहुल क्षेत्रों का 'आरक्षित' हो जाना है। इस राज्य में राज्य स्तरीय मुस्लिम नेताओं का भी घोर अभाव है। गाँव में शिक्षा का अभाव, खेती करने लायक जमीन की कमी, बेरोजगारी इत्यादि उनमें आर्थिक पिछड़ेपन के प्रमुख कारण रहे हैं। इस कारण इनमें ढेर-सी सामाजिक कुरीतियाँ आती चली गई हैं।

मुसलमानों की स्थिति आँकड़ों के आईने में

1991 में जनगणना के अनुसार देश में 12 प्रतिशत मुसलमान थे। झारखंड में मुस्लिम आबादी 12.18 प्रतिशत थी।

देश	बिहार	झारखंड
12 प्रतिशत	14.81 प्रतिशत	12.18 प्रतिशत

पता नहीं क्यों हुकूमत मुसलमानों के बारे में जनगणना से संबंधित संपूर्ण जानकारियों को प्रकाशित करने से कतराती है? ऐसी जानकारियों के अभाव में मुसलमानों के बारे में आँकड़े सहित विवेचन (datawise discussion) मुश्किल हो जाता है और तब गैर-सरकारी संगठनों अथवा व्यक्ति विशेष द्वारा किए गए छोटे-छोटे रैंडम सैंपल सर्वे द्वारा ही काम चलाना पड़ता है। जाहिर है कि इनके आधार पर जो नतीजे बरामद होते हैं, वे संपूर्ण देश का प्रतिनिधित्व करें—कोई जरूरी नहीं है। झारखंड के मुसलमानों के संबंध में अलग से कोई सर्वेक्षण नहीं हुए हैं। जो भी आँकड़े उपलब्ध हैं, वे अविभाजित बिहार से संबंधित हैं। पर इतना तो स्पष्ट है कि भिन्न नहीं हैं बल्कि उनसे निम्न ही हैं।

आर्थिक पक्ष

इस संबंध में VCAER के सर्वे शरीफ अबु साजेद द्वारा 1999 इंडिया ह्यूमन डेवलपमेंट रिपोर्ट तथा अन्य दीगर सर्वे का सहारा लिया गया है।

वार्षिक आय (रु. में)

	प्रति परिवार	भारत में प्रति व्यक्ति
मुसलमान	22,807	3,678
हिन्दू	25,713	4,514
औसत	25,653	4,485

केरल और बिहार में मुसलमानों की स्थिति जरा भिन्न थी।

	केरल		बिहार	
	प्रति परिवार	प्रति व्यक्ति	प्रति परिवार	प्रति व्यक्ति
मुसलमान	29,991	3,826	21,369	3,479
हिन्दू	26,334	4,235	22,812	3,276

केरल में मुसलमानों का प्रति परिवार जबकि बिहार में आय हिंदुओं से ज्यादा था। उपर्युक्त

आँकड़ों के आधार पर झारखंडी मुसलमानों की दयनीय आर्थिक स्थिति को बखूबी समझा जा सकता है क्योंकि धन-संपदा मुस्लिम परिवारों का बेहतर प्रतिशत उत्तर बिहार (अब बिहार) में रहता है।

भारत में रोजगार के प्रकार का प्रतिशत

1999-2000

		मुस्लिम	हिन्दू	अन्य सभी धार्मिक सं.
नियमित वेतन वाला रोजगार	27		43	40
स्वरोजगार		52	37	39
अनियमित मजदूरी		15	14	14

एन.एस.एस.ओ.आर. रिपोर्ट

अजरम रौनक और अनिल गोवर के द्वारा किए गए सर्वे के मुताबिक शहरी क्षेत्रों में रोजगार के प्रकार का प्रतिशत

		मुस्लिम	हिन्दू
स्वरोजगार		53.4	35.6
संगठित सेक्टर	28.9	46.7	

ग्रामीण क्षेत्रों में रोजगार के प्रकार का प्रतिशत

	मुस्लिम	हिन्दू
खेतिहर मजदूर	36.3	72.2
गैर कृषि कार्य में	21.2	11.7

कृषि वर्चस्व

भूमि जुताई (प्रतिशत में)

जमीन (हे. में)	मुस्लिम	हिंदू	अन्य धार्मिक समूह
	51.2	40	41
01-1.0	38.2	39	39
4 या अधिक	1.2	3.1	3.0

एन.एस.एस.ओ.आर. रिपोर्ट 468

National sample servay के एक सर्वे के अनुसार अविकसित बिहार में दस हेक्टेयर से ज्यादा जमीन रखने वाले मुस्लिम परिवारों का प्रतिशत 0.5 प्रतिशत है। ज्यादातर मुसलमान या तो भूमिहीन हैं या फिर मामूली या छोटे दर्जे के किसान हैं। जहाँ अविभाजित बिहार में 23.13 प्रतिशत छोटे स्थान मुसलमान के हाथों में थे वहीं राँची में इसका प्रतिशत 24.02 प्रतिशत था।

1983 में गोपाल सिंह पैनल के जायजे के मुताबिक

	केन्द्रीय स.	राज्य स.	पब्लिक से.	प्राइवेट से.
क्लास-1	8.14	2.95	400	
क्लास-2	2.11	7.51	4.56	500
सुपरवाइजर				

क्लास-3	4.50	5.55	21.30	6.44
क्लर्क क्लास-4	5.78	6.74	12.84	3.44
कुल	5.43	5.92	16.45	5.13

उपर्युक्त तालिका इस बात की ओर संकेत करती है कि राज्य सरकार मुसलमानों को रोजगार मुहैया कराने की दिशा में और केंद्र सरकार की नीतियों में कोई भिन्नता नहीं है। इनको सबसे ज्यादा रोजगार पब्लिक सेक्टर से ही प्राप्त हुआ है। औसत दर्जे (क्लर्क) में ही इनकी भागीदारी अधिक दिखती है।

इसी सर्वे में अविभाजित बिहार में पड़ने वाले झारखंड के दो जिलों की स्थिति कुछ इस प्रकार है—

	बैंक	केन्द्रीय सरकार	राज्य सरकार
राँची	3.03	4.95	4.79
धनबाद	2.37	5.47	7.88

जबकि सर्वे के लिए चुने गए जिलों में सबसे अच्छी स्थिति पुरुलिया की थी।

पुरुलिया	7.97	9.44	8.24

एक सर्वे के मुताबिक 2000 में भारत में मुसलमानों की नौकरियों में प्रतिशत

I.A.S./ I.P.S	1.8%
CLASS - 1	1.2%
BANK	1.4%
CLASS IV	4.6%
MEDICAL pra.	2.5%
C.A.	1%

जबकि आजादी के पहले सरकारी और इंतजामी नौकरियों में मुसलमानों का प्रतिशत 37 था।

मुसलमानों की भलाई का दंभ भरने वाले दो अग्रणी राज्य यू.पी. और बिहार पुलिस मुकदमों में मुसलमानों की स्थिति का अंदाजा इस जायजे से लगाया जा सकता है (1994 में)। यू.पी. में पुलिस अफसरों में मुसलमानों का प्रतिशत सिर्फ .04 था। बिहार में सब-इंस्पेक्टरों में मुसलमान सिर्फ 2 प्रतिशत था जबकि यू.पी. के 3000 में 116 (3.86 प्रतिशत)।

कारपोरेट जगत में मुसलमानों की स्थिति

पाँच करोड़ से ज्यादा टर्नओवर वाली 2,832 औद्योगिक इकाइयों में सिर्फ 4 (याने 0.14 प्रतिशत)। ऐसी इकाइयों में कुल 8 मुस्लिम निदेशक थे। छोटी इकाइयों में भी कमोबेश यही स्थिति है।

	टिस्को में मुस्लिम	महिंद्रा एवं महिंद्रा में
आफिसर	4.10	1.48
सुपरवाइजर	5.6	2.25
मजदूर	10.3	5.02

बाकी प्रतिष्ठानों में मुसलमानों की स्थिति इससे भी खराब है। इस तरह के प्रतिष्ठान

एचइसी तथा मेकन में अभी मुसलमानों का प्रतिशत नगण्य है।

1999-2000 में भारत में बेरोजगारी का प्रतिशत

	मुस्लिम	हिन्दू	अन्य
ग्रामीण	2.1	1.4	1.5
शहरी	5.0	4.7	4.8

शहरी क्षेत्रों में मुसलमानों एवं अन्य समूहों के बीच बेरोजगारी के प्रतिशत में बहुत ज्यादा फर्क नहीं है किंतु 1993-94 की बेरोजगारी तालिका को देखा जाए तो शहरी क्षेत्रों में बेरोजगार मुसलमानों के प्रतिशत में अपेक्षाकृत ज्यादा बढ़ोतरी हुई है।

मुसलमानों में शहरीकरण की प्रवृत्ति

शहरों में रहने वाले समूहों का प्रतिशत

मुस्लिम	हिन्दू	औसत
34 प्रतिशत	22 प्रति.	25 प्रति.

1981 की जनगणना के अनुसार झारखंड के कुछ जिलों में शहरों के मुसलमान का प्रतिशत कुछ इस प्रकार है।

	मुसलमान	अन्य
राँची	42.7	20.9
सिंहभूम	81.5	32.1
पलामू	8.9	5.6
हजारीबाग	17.8	15.1
धनबाद	16	50.6
गिरिडीह	14.6	14.3
संतालपरगना	6.9	6.9

स्रोत : 1981 जनगणना

1993-94 के NCEAR ने पाँच राज्यों बिहार, यूपी, कर्नाटक, केरल और पश्चिम बंगाल, जहाँ मुसलमानों की आबादी बसती है, का सर्वे किया। इसके अनुसार 35 प्रतिशत मुसलमान भूमिहीन थे जबकि केरल 28 प्रतिशत हिंदू के पास भूमि नहीं थी। पाँच एकड़ या इससे ज्यादा जमीन केवल 1 प्रतिशत मुस्लिम के पास थी, वहीं 25 प्रतिशत हिंदुओं के पास ये सुविधा उपलब्ध थी।

झारखंड के संदर्भ में भी यही बातें उभरकर सामने आती हैं जिस कारण यहाँ के मुसलमानों ने शहर का रुख किया। भूमि की कमी, बेरोजगारी, भुखमरी आदि से तंग होकर मुसलमान शहर की ओर कूच करने लगे। नौकरियों में भी मुसलमानों का प्रतिशत निम्न है—

भारत में शिक्षा पर वार्षिक खर्च

मुस्लिम	625 रुपए
हिन्दू	667 रुपए
औसत (भारतीय)	680 रुपए

NCAER सर्वे के अनुसार

यूपी	प. बंगाल	प्रतिशत
552	419	25
705	594	–
689	–	–

यूपी (जहाँ मुस्लिम आबादी का 17 प्रतिशत रहते हैं)। अ.वि. बिहार एक ऐसा राज्य है जहाँ शिक्षा पर मुसलमान हिंदुओं से ज्यादा वार्षिक खर्च करता है।

मुस्लिम	734	हिन्दू	676

राष्ट्रीय क्षितिज में मुसलमानों की स्थिति

7 या इससे अधिक आयु वर्ग में साक्षरता दर

	पुरुष	महिला	कुल
मुस्लिम	59.5	38.0	49.5
हिन्दू	65.9	39.2	53.3
अन्य	65.6	40.1	53.5

शरीफ (1999) और NCAER 1999

नामांकन प्रतिशत

	पुरुष	महिला	कुल
मुस्लिम	66.2	56.6	61.6
अन्य	77.1	46.8	71.4

स्कूल छोड़ने का औसत दर 6–14 आयु समूह में

	पुरुष	महिला	कुल
मुस्लिम	6.4	7.7	6.9
अन्य	4.8	7.6	6.0

शरीफ 1998

उपर्युक्त आँकड़ों के आलोक में यह स्पष्ट है कि मुसलमानों की शैक्षणिक स्थिति बहुत खराब है। आर्थिक रूप से पिछड़े होने के कारण यहाँ के मुसलमान चाहकर भी उचित शिक्षा प्राप्त नहीं कर पाते। जिस कारण उनमें साक्षरता दर कम है, नामांकन दर भी बहुत कम है और स्कूल छोड़ने की दर भी अधिक है।

झारखंडी संस्कृति : लोक का आलोक

रणेन्द्र /अजय कुमार तिर्की

झारखंड की अपनी विशिष्ट संस्कृति निर्विवाद रूप से यहाँ की आदिवासी संस्कृति है। दामोदर घाटी की गोद में जो हजारों वर्ष पूर्व पली-बढ़ी। प्रकृति पर विजय नहीं बल्कि उसकी पूजा और उसके साथ सामंजस्य करती सामुदायिकता-सामूहिकता पर आधारित श्रम रस में रची पगी, उत्सवधर्मी संस्कृति आदिवासियत की विशेषता है। यह सत्य है कि उन्नीसवीं सदी के पूर्वार्द्ध से ही बहिरागतों की तेज लहर के कारण जनगणना की सांख्यिकी में उसकी आबादी का प्रतिशत घटते-घटते 30 प्रतिशत के आसपास रह गया है किन्तु खुदकट्टीदारी गाँवों के बसाने के समय दैनिक आवश्यकता की पूर्ति हेतु जो कारीगर जातियाँ साथ-साथ बसाई गई थीं, जिनका बहुलांश अनुसूचित जातियों का था एवं कुछ पिछड़ी जातियाँ भी थीं, उनकी भी जीवन-शैली, रहन-सहन, पूजा-पाठ, पर्व-त्योहार लगभग एक समान थे। मूल खुदकट्टीदार आदिवासी गोत्र का सरना ही पूरे गाँव का सरना था। सबके खेतों में भरपूर फसल हो, इसके लिए पाहन उसी सरना में पहनाई के संग विवाह रचाते थे। इसलिए प्रकृति के विविध रंगों के अनुरूप नाचती-गाती, दुख-सुख झेलती जो आदिवासियों-सदानों की एकरूप संस्कृति झारखंड के अरण्यकानन में विकसित हुई। जिसे सभी ने अंगीकार किया और जिसने सबको अपनी गोद में समेट लिया, वही झारखंडी संस्कृति है। हो सकता है यह तस्वीर थोड़ी-सी रूमानी लगे किन्तु यही सच्चाई है।

डॉ. रामदयाल मुण्डा का भी यह मानना है कि, 'झारखंडी संस्कृति की पहचान का आधार यहाँ की आदिवासी संस्कृति की विरासत ही है। हम यह मानकर चलते हैं कि यहाँ का गैर-आदिवासी भी उसके आदिवासीपन के कारण ही झारखंडी है।' (आदिवासी अस्तित्व और झारखंडी अस्मिता के सवाल, पृ. 29)

साहित्यकार विद्याभूषण के अनुसार, 'इस प्रकार समग्र झारखंडी संस्कृति के बारे में यह धारणा बनती है कि वह प्रथमत: जनजातीय प्रभुत्व की संस्कृति है। जिसे सदानी जातियों ने भी प्रभावित-पुष्ट किया है। समान भौतिक परिवेश, ऐतिहासिक विरासत और सदियों की सहयात्रा से जो सामाजिक संस्कृति विकसित हुई है, वह झारखंड की भौगोलिक सीमाओं के बाहर की मैदानी संस्कृति से अलग है।' (मड़ई 2001 : विकास झंझावात में फँसी संस्कृतियों का दौर, पृ. 46)

ऐसे तो लोक और संस्कृति दोनों व्यापक संज्ञाएँ हैं। साथ ही लोक और संस्कृति को अलग-अलग करके नहीं देखा जा सकता। फिर भी दोनों शब्दों के अर्थ की व्यापकता को मापना आवश्यक दिखता है।

लोक

वसन्त निरगुणे के अनुसार, 'लोक शब्द देखने के अर्थ में प्रयुक्त होता है। अवलोकन शब्द इसी से बना है। लोक का अर्थ हुआ देखने वाला। जो लोक को स्वयं अपनी आँखों से देखता है, वही व्यक्ति लोक को समझ सकता है। लोक का केन्द्रीय विषय मनुष्य है। मनुष्य द्वारा रचित सभी कृतियाँ लोक की धरोहर हैं। मनुष्य की सामाजिक, आर्थिक, राजनीतिक, वैज्ञानिक और आध्यात्मिक, भौतिक उपलब्धियाँ लोक से बाहर नहीं होतीं।' (लोक संस्कृति, पृ. 22-23)

लोक की सुन्दरता समूह तक विद्यमान रही है, क्योंकि समूह में व्यापकता थी। वह भिन्नता को सृजन संभावनाओं में ढालने का अद्भुत कारखाना था। समूह के सौन्दर्य आकल्पन में बहुलता से संश्लेषित वैसी एकरूपता थी, जैसी प्रकृति में होती है। लोक अपने आनन्द में वैसा उत्फुल्ल होता है, जैसे प्रकृति उत्फुल्ल रहती है। इसलिए लोक का रचनात्मक आनन्द कहीं भी व्यक्तिगत नहीं है। व्यक्ति समूह बनकर ही आनन्द का आस्वादन करता है। इसीलिए इस आनन्द पर सबका अधिकार है। लोक अधिकतर सामूहिक संरचना में ही अपने को अभिव्यक्त करता है। लोक गायिकी में व्यक्तिगत गायिकी नहीं है। अनेक आवाजों की लयगत सामूहिकता से न तो किसी का अहंकार व्यक्त होता है। न ही किसी का अधिकार। लोकनृत्यों में भी यही सामूहिकता है। धुर आदिवासी क्षेत्रों में तो एकल नृत्य की पुरा परिपाटी ही नहीं है। चित्रकला जैसी कला-संरचना में भी सामूहिकता को लोक सुरक्षित बचाए है।

सामूहिकता का यह सृजन सौन्दर्य का बँटवारा नहीं मानता। उत्पादन और आस्वादन दोनों का संबंध समूह से है। प्रकृति और व्यक्ति-चेतना का एकात्म्य अंत:स्राव लोक-कलाओं में रसानुभूति का संचार कर रहा है। यहाँ लोक-कलाओं में प्रकृति-सत्य और व्यक्ति का आत्म-सत्य एकभावेन सहसंयोजनकारी एवं समावेशी होकर सृजन में आविष्कृत हुआ है। प्रकृति का अनित्य सौन्दर्य लोक-कलाओं की तरोताजगी का आधार रहा है। लोक-कलाओं के सौन्दर्य में श्रम चेतना का महत्त्वपूर्ण स्थान है। श्रम, लोक-सौंदर्य के ऊर्जा रूपांतरण का आनन्द स्रोत रहा है। श्रमजनित संघ आनन्द की अनुभूति, मांसपेशियों का आकुंचन-विकुंचन और रक्तप्रवाह की गतिमयता तथा शारीरिक संघर्ष से प्राप्त होने वाला मानसिक तोष लोक के आनन्द का एक आदि स्रोत है। समूहगत संरचना में बुभुक्षा (भूख), सिसृक्षा (सृजन इच्छा) और रिरंक्षा इन तीनों आदिम इच्छाओं का समावेश है। (डॉ. दुबे श्यामसुन्दर, मड़ई-2002, लोक की सौन्दर्यशास्त्र की भूमिका, पृ. 39)

संस्कृति

संस्कृति (सम्यक कृति) मनुष्य की वह रचना है जिसमें मानव की सृजनात्मक शक्ति और योग्यता का चरम निहित है। संस्कृति में मनुष्य समाज के इतिहास की विकास कड़ियों के सूत्र दर्ज हैं। संस्कृति जीवन और उ‐की क्रिया-प्रतिक्रियाओं का संचय है।

उसमें प्रकृति और मनुष्य की सहभागिता से निर्मित जीवन की भौतिक सामग्रियों की उपयोगिता की संकल्पनाएँ समाहित हैं। संस्कृति में मनुष्य की बाह्य और आन्तरिक मूल्यों की अभिव्यंजना होती है। संस्कृति मनुष्य की नियन्ता और उपभोग्या भी है। संस्कृति वह जीवनशैली है जिसे मनुष्य

पूर्वजों से ग्रहण करता आया है। संस्कृति मनुष्य को जीवन जीने की एक उच्च भाव भूमि प्रदान करती है। प्रत्येक जनगण की संस्कृति अलग होने का कारण मनुष्य की आवश्यकताओं की पूर्ति का अलग-अलग ढंग, प्राकृतिक पर्यावरण और सामाजिक मान्यताओं के विकसित ढाँचे पर निर्भर होना है। (डॉ. दुबे श्यामाचरण : मानव और संस्कृति, पृ. 70-71)

लोक संस्कृति

'लोक संस्कृति' का नाम आते ही अनजाने-अनचाहे भी दो प्रकार की संस्कृतियों की धारणा उपस्थित हो जाती है। उसे कोई भी नाम दिया जाए भद्र संस्कृति और लोक संस्कृति, शिष्ट संस्कृति और ग्राम संस्कृति, उच्च संस्कृति और गौण संस्कृति इत्यादि। समाज वैज्ञानिकों की भाषा में सम्पूर्ण-समूह के आचार व्यवहार की समग्रता को 'संस्कृति' कहा जाता है। उसमें चाहे इस आचार-व्यवहार के अभिव्यक्त रूप हों या अनभिव्यक्त, संस्कार बौद्धिक चेतना हो या अबौद्धिक प्रेरणाएँ। किन्तु संस्कृति का स्वरूप 'सम्पूर्णता' और 'समग्रता' से ही निर्धारित होता है। 'लोक संस्कृति' की अवधारणा में इस सम्पूर्णता और समग्रता का खंडन अंतर्निहित है। आदिम संस्कृतियों में हम 'लोक' और 'शास्त्र' (या शिष्ट) का भेद नहीं करते। सभ्य समाज की परिस्थितियों में जरूर हम आदिम कलाओं और आदिवासी संस्कृतियों को अलग से पहचानने के लिए उन्हें 'लोक' की उपाधि देते हैं। विनिमय और नगर-सभ्यता के विकास के साथ-साथ लोक संस्कृति का दायरा भी विस्तृत होता है और उसमें किसान जीवन से जुड़े सांस्कृतिक रूप भी सम्मिलित कर लिए जाते हैं। खेतिहर समाज के सामंती वातावरण में आदिम और आदिवासी संस्कृतियाँ लोक संस्कृति में गिनी जाती हैं। सामंतवर्ग के मुकाबले साधारण किसानों के सांस्कृतिक जीवन को भी लोक संस्कृति के निकट या उसी का एक रूप माना जाता है। पूँजीवाद के विकास के साथ आदिम ही नहीं, खेतिहर और किसानी संस्कृति भी लोक संस्कृति का अभिन्न अंग बन जाती है।

यहाँ दो बातें शुरू में ही स्पष्ट हो जाती हैं। पहली यह कि समाज में वर्ग-विभाजन के साथ संस्कृति का विभाजन भी होता है और लोक संस्कृति का अस्तित्व प्रकट होता है। दूसरी यह कि लोक संस्कृति की अवधारणा समाज के विकास और सामाजिक अवस्थाओं के अनुसार बदलती रहती है। (तिवारी, अजय : मड़ई-2002 : बाजार और लोक संस्कृति : अव्यवस्थित टिप्पणियाँ)

लोक संस्कृति की झारखंडी खुशबू

गृह मंत्रालय, भारत सरकार द्वारा गठित झारखंड विषयक समिति ने इस क्षेत्र की सांस्कृतिक एकरूपता को सन् 1989 में यहाँ के अपने दौरे में अनुभव किया और अपनी रिपोर्ट में दर्ज किया कि आदिवासियों और गैर-आदिवासियों ने आपसी व्यवहार से जीवन-शैली के एक विशिष्ट साँचे का विकास किया है। पुनः समिति ने अपनी रिपोर्ट में स्वीकार किया कि छोटानागपुर तीन प्रमुख भाषा परिवारों का मिलन स्थल भी रहा है—इन्दो आर्यन, द्रविड़ और अस्ट्रो-एशियाटिक। इनके बीच शब्दों का आदान-प्रदान तो हुआ ही, इनसे भाषाई क्षेत्रों में संरचनात्मक अनुकूलन भी

हुआ। निस्संदेह नागपुरी और अंगिका जनजातीय भाषाई समूहों के बीच की कड़ी के रूप में विकसित हो रही है।

झारखंड में सांस्कृतिक समानता का दूसरा क्षेत्र लोककथा, संगीत-नृत्य, रूपंकर कलाओं तथा कविता का है जो विभिन्न जातीय समुदायों को एक सूत्र में जोड़ता है। उक्त रिपोर्ट के तीसरे अध्याय में समिति के निष्कर्ष इस प्रकार दर्ज हैं। पिछले चालीस वर्षों में झारखंड क्षेत्र में ऐतिहासिक विकास की स्पष्ट धारणा विकसित हुई है। लोक विधाओं की ठेठ देशी परम्पराओं के अध्ययन से यह सिद्ध हुआ है कि पड़ोसी सांस्कृतिक भाषाई क्षेत्रों की सांस्कृतिक प्रणाली से यह क्षेत्र भिन्न है। (विद्याभूषण : मड़ई : 2001 : विकास, झंझावात..., पृ. 45)

लोक संस्कृति के विभिन्न रूप

लोक संस्कृति के विभिन्न आयाम जीवन, साहित्य और कला परम्परा में सन्निहित होते हैं। संस्कृति के ये आयाम संस्कृति के स्वरूप को गढ़ने का काम करते हैं और उसके संवाहक भी होते हैं। समाज के किसी समूह या जाति की जीवन परम्परा में संस्कृति, साहित्य और कला के कितने ही तत्त्व मौजूद होते हैं। यहाँ इनकी प्रेक्षा और व्याख्या असंगत नहीं होगी। प्रथा, परम्परा, रीति-रिवाज, संस्कार, लोकगीत, लोकगाथा, लोककथा, मिथक, लोकचित्र, लोकोक्ति, पहेली, कहावत, मुहावरे, लोकनृत्य, लोकनाट्य, लोक संगीत, लोकवाद्य, लोकशिल्प, लोक विश्वास, लोक देवता, लोक धर्म, लोक व्यवहार आदि को परिभाषित करने से संस्कृति के मूल स्वरूप को समझने में बहुत मदद मिलेगी क्योंकि ये ही आधार संस्कृति का रूप भी खड़ा करते हैं। इन मूलाधारों में लोक संस्कृति का वास होता है। (निरगुणे, वसन्त लोक संस्कृति, पृ. 57)

लोक इतिहास

लोक इतिहास संस्कृति समय है। परम्परा के पीछे भी कोई इतिहास होता है। गीत, कथा, मिथक, कहावतें किसी न किसी इतिहास की देन हैं। लोक संगीत, नृत्य भी लोक इतिहास की पारम्परिक अनुगूँजों को दोहराता है। लोक इतिहास जब मिथक बन जाता है तब वह संस्कृति का हिस्सा हो जाता है। किंवदंतियाँ लोक इतिहास की कल्पनाशील रचनाएँ होती हैं। वास्तविक इतिहास को जानने में किंवदंतियाँ अत्यधिक सहायक होती हैं।

मिथक और किंवदंतियों के रूप में इतिहास लोक स्मृतियों में पीढ़ी दर पीढ़ी यात्राएँ करता है। झारखंड के हर आदिवासी समूहों के आव्रजन का इतिहास इसी रूप में स्मृतियों में सुरक्षित है। उराँव समाज के हर बुजुर्ग की स्मृति में रूईदास (रोहतास) कौंधता रहता है। अभी 19 अक्टूबर 2003 को राँची में संपन्न हुए 'आदिवासी पत्रकार सम्मेलन' में डॉ. बी.डी. शर्मा के साथ उड़ीसा से आए दो बुजुर्ग टाना भक्तों ने झारखंड के लोक-इतिहास की जो बानगी प्रस्तुत की, वह अद्भुत थी। उनकी वाचिक परम्परा में राजा दुर्जन साल भी थे, अंग्रेज भी, गाँधी, जयपाल सिंह और नाथूराम गोडसे भी। आजादी का संघर्ष उनकी स्मृति में परम्परा अनुरूप मानकी-पाहन व्यवस्था की पुनःस्थापना के लिए था। गाँधी के रामराज्य का यह अर्थ था। इसी को लाने जयपाल सिंह के साथ गाँधी जी जर्मनी गए थे। किन्तु नाथूराम नहीं चाहता था कि पुनः मानकी-पाहन राज

हो सो उसने गांधी जी को गोली मार दी। यही उन बुजुर्गों के वाचिक लोक इतिहास का सारांश है। स्पष्टतया थोड़े से प्रयास से ही स्मृतियों में यात्रा करते आए इस किंवदंतीनुमा वाचिक लोक इतिहास में इतिहास की चमक खोजी जा सकती है।

परम्परा

मानव ने अपने सामाजिक जीवन के सुचारु रुप से संचालन के लिए आचरण के सर्वमान्य-सर्वप्रिय नियम गढ़े। इनमें से कई नियम जो काल की कसौटी पर खरे उतरते पीढ़ियों की यात्रा करते रहे। उन्होंने परम्परा का रूप ग्रहण कर लिया। परम्पराएँ व्यक्ति के नैतिक एवं सामाजिक जीवन के स्तर को ऊँचा उठाती हैं। स्वार्थवश परम्परा में बहुत से हानिकारक पहलू भी जुड़ते चले जाते हैं, तब परम्परा रूढ़ि का रूप धारण कर लेती है। रूढ़ि समाज की प्रगति को अवरुद्ध कर देती है। नए विचार के लोग ऐसी रूढ़ियों को तोड़ देते हैं और उसकी जगह नवाचार की ताजी हवा में नई परम्परा को जन्म देते हैं।

रूसी मानवशास्त्री युलिआना, ब्रोमलेय के अनुसार, 'अनेक पीढ़ियों तक वही परम्पराएँ बनी रहती हैं, जो जीवन की परिस्थितियों के अनुकूल होती हैं। एक ओर परम्पराओं तथा दूसरी ओर सामाजिक एवं भौगोलिक परिवेश के बीच दोतरफा सम्बन्ध निरन्तर कार्यरत रहता है। कुछ परम्पराओं को पुनर्गठित करता है, कुछ को अस्वीकार। सामाजिक व्यवहार प्रत्येक समाज में प्रचलित रूढ़िबद्ध आचार नियमों को परखता और अपने अनुकूल ढालता है।' (मानव और संस्कृति : प्रगति प्रकाशन : मास्को)

प्रथा

प्रथा तो सहज रूप से मानी जाने वाली परम्परा है। प्रथाओं का कोई लिखित रूप नहीं होता, वे समाजों के मस्तिष्क में इतिहास की तरह जमी रहती हैं और आवश्यकता पड़ने पर वर्तमान की तरह तरल रूप में बहने लगती हैं। प्रथाएँ जीवन के अनेक मिथकों, संस्कारों, परम्पराओं और व्यवहारों को खोलती हैं। प्रथा के निर्माण में बहुत कुछ प्रकृति, परिवेश, परम्परा और प्रतिभा का योगदान होता है। इसीलिए विभिन्न समाजों की प्रथाओं में विभिन्नताएँ स्वाभाविक हैं। पुरानी जड़ प्रथाएँ समय के साथ बदलती रहती हैं। नई प्रथाएँ भी धीरे-धीरे पनपती रहती है। आदिवासी समाजों में गोत्र (किली) व्यवस्था और उसके अनुपालन की प्रथा, उराँव समाज में हर गोत्र का अपना पड़हा होता और उसके पड़हा राजा होते हैं। पड़हा मुड़मा जतरा में 22 पड़हाओं के राजा मिल बैठकर पूरे क्षेत्र के लिए नियम गढ़ते रहे हैं।

उसी प्रकार हर मुंडारी खूंटकट्टी या उराँव भूंइहरी गाँव में मूल गोत्र का जो सरना होता है वही अन्य रैयत गोत्रों या अन्य जातियों के लिए भी सरना स्थल होता है। यही प्रथा चली आ रही है कि एक गाँव में एक ही सरना होगा।

रीति-रिवाज

प्रथा और परम्पराओं को निभाने की विधि रीति कहलाती है। रिवाज, रीति की सामूहिक स्वीकृति है। दोनों का योग ही रीति-रिवाज कहलाता है। रीति-रिवाज भी काल की कसौटी पर खरे उतरते

हुए प्रथा और परम्परा का रूप ग्रहण करते हैं। रीति-रिवाज किसी छोटे से दायरे से निकल कर व्यापक स्वीकृति का रूप धारण करते हैं तब वह प्रथा बन जाती है और जब वह व्यापक स्वीकृत संस्कृति का अनिवार्य अंग हो जाते हैं तो परम्परा में तब्दील हो जाते हैं।

सरहूल-करमा जैसे पर्व-त्योहार, पूजा, अनुष्ठान, जन्म से लेकर मरण तक का नेत्र-दस्तूर रीति-रिवाज के ही उदाहरण हैं।

लोक विश्वास

प्रकृति की दृश्य-अदृश्य शक्तियों, घटना, वस्तु आदि पर लोक समाज स्वाभाविक रूप से आस्था या भरोसा रखता आया है। यही व्यापक अवधारणा लोक विश्वास कहलाता है। जब कोई आस्था व्यष्टिगत रूप से प्रसारित होकर समष्टिगत स्वरूप को ग्रहण करती है तो वह लोक विश्वास कहलाती है। आदिवासी समाज प्रकृति की दृश्य-अदृश्य, अच्छी-बुरी शक्तियों में विश्वास करता है और उन्हें ही प्रसन्न रखने के लिए पूजा-पाठ, अनुष्ठान का सहारा लेता है। लोक विश्वास के अनुसार सर्वशक्तिमान ईश्वर धर्मेस, सिंगबोंगा है एवं प्रकृति की अच्छी-बुरी शक्तियाँ नाद या बोंगा के रूप में चिन्हित होती हैं।

लोक देवता

प्रकृति की गोद में पलने-बढ़ने वाला आदि समाज उसकी दृश्य-अदृश्य शक्तियों से भय भी खाता था और श्रद्धा भी रखता था। प्राकृतिक शक्तियाँ एक रहस्य थीं जिन्हें सुलझाने में वह असमर्थ था। इसी रहस्य भय और श्रद्धा ने ईश्वर का आविष्कार किया। आदिम समूहों ने पेड़-पौधों, जल, अग्नि, सूर्य और चन्द्र आदि में देवता होने की कल्पना की, यहाँ तक कि बीमारियों तक को देवी-देवताओं की संज्ञा दे दी। तब से आज तक अलौकिक रहस्यमयी शक्तियों के प्रति आदिम समाज सम्पूर्ण आस्था, विश्वास और पूजा भाव रखता आया है।

बसन्त निरगुणे के अनुसार आदिम समूहों में ईश्वर और धर्म की अवधारणा उनकी मान्यताओं, विश्वासों और मिथकों में मिलती है। इन्हीं मूल अवधारणाओं के परिष्कृत रूप विकसित समाजों ने ग्रहण किए और लोक में नए देव लोक की स्थापना हुई।

लोक में दो तरह के देवताओं के स्वरूप मिलते हैं। एक प्रारंभिक प्रतिष्ठित देवता और दूसरे स्थानीय देवी-देवता। लोक-देवता कई तरह के होते हैं। पाप नाश करने वाले, बीमारी फैलाने वाले और दूर करने वाले, अनिष्टकारी देवता, संकट दूर करने वाले और रक्षा करने वाली माताएँ, अनिष्ट करने वाली शक्तियाँ सुख संपदा देने वाली, स्वस्थ रखने वाले गाँव के देवता, रास्ते के देवता, गाँव की सीमा के देवी-देवता, प्रकृति देवता, नदी, पहाड़, पनघट के देवता, कुल देवता, घर के देवता आदि। लोक में ऐसी कोई जगह या सोच नहीं है जहाँ कोई न कोई देवता न बिराजे हों। (निरगुणे वसन्त : लोक संस्कृति, पृ. 71)

झारखंडी लोक जीवन के सर्वशक्तिमान ईश्वर धर्मेस/चाला, सिंगबोंगा, मराङ; बुरू महादेव आदि हैं। इनके अतिरिक्त कई अच्छी-बुरी शक्तियाँ भी विभिन्न अवसरों पर पूजित हैं जो नाद या बोंगा कहलाती हैं। यथा दरहा, गाँव की रक्षा करने वाली शक्ति, देसौली, गाँव की रक्षा करने वाली

स्त्री-शक्ति, खूँट-नाद, गाँव के सीमान की रक्षा करने वाली शक्ति, चंडी शिकार के समय रक्षा करने वाली शक्ति चोर देवा, फसल की रक्षा करने वाला देवता, आचराइन, तंग करने वाली बुरी शक्ति—चुड़ैल आदि।

लोक धर्म

अलौकिक अदृश्य शक्तियों के जो संकेत आदेश हैं वही लोक धर्म की सीमा में आते हैं। लोक धर्म स्वरूप वाचिका ही होता है। इसका कहीं भी लिखित स्वरूप नहीं पाया जाता। प्रथागत नेत्र-दस्तूर पूजा-अनुष्ठानों के माध्यम से ही लोक धर्म अपने को प्रकट करता है। लोक धर्म लोक व्यवहार और आस्था से निर्मित होता है। पूरे समूह-गाँव के लिए सुख, शान्ति, भरपूर फसल, पशुओं की रोग-शोक से मुक्ति की कामना के लिए अदृश्य सर्वशक्तिमान ईश्वर से प्रार्थना ही लोक धर्म का आधार है।

उसी प्रकार सरहूल पूजा के अवसर पर सरना स्थल पर पाहन-पहनाइन की शादी, धर्मेस एवं पृथ्वी के बीच शादी के प्रतीक रूप में की जाती है। शादी, प्रजनन हेतु यानी अच्छी फसल हेतु, रोग-शोक से मुक्ति परिवार की, गोत्र की, गाँव की, फसलों की, पशुओं की। सरहूल पूजा के अवसर पर गाया जाने वाला कुड़ुख गीत निम्नवत् है—

चानुम चानुम नैयगाओ,
बेलर लेखा बेंजर : आ लगदैय।
खद्दी पैरीबारी नैय गाओ,
बेलर लेखा बेंजर : आ लगदैय॥

(अनुवाद)

साल साल पाहन भाई,
राजा की तरह शादी कर रहे हो!
सरहूल की सुबह पाहन भाई,
राजा की तरह शादी कर रहे हो॥

लोक सम्बन्ध

मुंडाओं के खुदकट्टी गाँव एवं उराँवों के भूइँहर गाँवों के बसने के क्रम में ही हर तरह की आवश्यकता की पूर्ति के लिए कई तरह की कारीगर-सहयोगी जातियाँ बसाई गई थीं यथा कपड़ा बुनाई हेतु स्वांसी/चिक बड़ाईक/ तांती, लोहा के काम हेतु, लोहरा, बांस के कार्य हेतु तुरी/ महली/नायक/गंझू कुम्हार, अहीर, महतो आदि। समूह में रहने की इच्छा एवं आपसी आवश्यकताओं ने आपसी व्यवहार-सम्बन्ध विकसित किए। झारखंड में सहिया/फूल/मीत (मित्रता) जोड़ने की परम्परा समाज की तरह ही आदिम है। यह सहिया/फूल/मीत जोड़ने की आदि परम्परा से जो सम्बन्ध विकसित हुए वही लोक सम्बन्ध कहलाए जो झारखंडी संस्कृति को बाँधे रखने वाली सबसे मजबूत कड़ी है।

लोक संगीत

लोक संगीत लोक की वाचिक परम्परा का बहुत ही खूबसूरत अंग है। जन-गण के जीवन का कोई भी ऐसा अवसर नहीं है जब वह गाता-बजाता नहीं हो। वह जन्म से मरण तक, ऋतुओं के बदलाव से जुड़े पर्व-त्योहारों पर, श्रम से जुड़े हर सामूहिक-गतिमय अवसर पर गाता-बजाता है। गीतों में लोक स्वर बसता है और यही मूल-स्वर है जो लोक संगीत को जन्म देता है। लोक धुन लोक संगीत का स्वरूप निर्धारित करती है।

वसन्त निरगुणे के अनुसार, 'लोक के संगीत की प्रकृति और प्रवृत्ति सहज है, जैसे मधुमास के आते कोयल गाने लगती है वैसे ही जन पर्व-त्योहार उत्सव आते ही गाने लगते हैं। लोक संगीत की उत्पत्ति नदियों की सरसराहट, झरनों की झरझर, बादलों की गड़गड़ाहट, गाय के रंभाने, बकरी के मिमियाने, सिंह के दहाड़ने, कोयल की कुहुक, मुर्गे की बांग आदि मूल स्वरों से हुई है। आदि मानव ने इस प्रकृति के उपादानों को स्वाभाविक रूप से नाचते, गाते और थिरकते देखा तो संवेदनशील मनुष्य भी आनन्दातिरेक या पीड़ा के क्षणों में नाचने-गाने और थिरकने लगा।' (निरगुणे वसन्त, लोक संस्कृति, पृ. 81)

आदिवासियों ने प्रकृति से नाचना और गाना सीखा है। आकाश में उड़ती हुई कुरुल पक्षियों की कतारों ने उन्हें नृत्य में एक कतार बनाने की प्रेरणा दी है। वन में उगे हुए वृक्षों ने उन्हें समूह में रहना सिखाया। हवा के झोंकों से लहराती हुई खेत की फसलों, जंगल की वनस्पतियों ने इन्हें नृत्य का लोच सिखाया और नदी-नालों के पानी में उठती हुई लहरों ने इन्हें नृत्य को गोल घेरे में बाँधना सिखाया। बादलों की गरज-तरज तथा कड़क और चमक ने इन्हें माँदर व टिमकी वाद्य की ध्वनि दी और सनसनाती हुई हवा ने इन्हें बांसुरी सिखाई। गरज ये कि इन्होंने अपने नृत्य व गीतों में प्रकृति की छटा को बाँधा और प्रकृति ने ही इन्हें नृत्य-गीत की शिक्षा दी। (शेख गुलाब : गोंड मोनोग्राफ)

लोक वाद्य

स्वर, गीत और वाद्य मिलकर ही संगीत की रचना करते हैं। झारखंड में क्षेत्र विशेष एवं हर आदिवासी समूह विशेष का अपना गीत, अपना विशिष्ट लय और ताल होता है। धुन, लय-ताल की भिन्नता के कारण वाद्य-यंत्रों में भी भिन्नता पाई जाती है। उदाहरण के तौर पर हम माँदर की भिन्नताओं को देखें, संताल और हो लोगों का माँदर का आकार छोटा होता है। उराँव, नागपुरिया और खड़िया माँदर का आकार तुलनात्मक रूप से बड़ा होता है। सदानी माँदर लम्बा किन्तु एक ओर (बाईं ओर) फूला हुआ होता है। उसी प्रकार संताल और हो लोगों का नगाड़ा छोटे आकार का होता है उराँवों का नगाड़ा मध्य आकार का होता है। और मुण्डाओं के नगाड़े का आकार विशाल होता है जो जमीन पर रख कर बजाया जाता है। वाद्ययंत्र लय-ताल की भिन्नता दर्शाते हैं। उसी अनुपात में नृत्य की गति भी प्रभावित होती है। मुंडाओं के नृत्य में बहुत ही गति पाई जाती है। इसके विपरीत संतालों के गीत नृत्य की गति बहुत ही धीमी होती है। कुछ-कुछ शास्त्रीय संगीत-नृत्य की भाँति।

लोक नृत्य

आदि मानव ने अपनी भावनाओं को व्यक्त करने के लिए सबसे पहला माध्यम जिसे चुना वह

नृत्य था। पंछियों और पशुओं को यहाँ तक तेज हवा के झोंके में वनस्पतियों को झूमते उसने देखा और भाव और अभिव्यक्ति के इस माध्यम को उसने सहज ही अपना लिया। उसे अपने सुख-दुख, खुशी-उल्लास, हर्ष-विषाद व्यक्त करने का सबसे सहज माध्यम थिरकना और नाचना ही लगा। आदि समुदायों में नाचना एकल नहीं होता, गेहूँ-धान के पौधे अकेले नहीं झूमते और न ही पंछी ही अकेले आकाश में कतार बनाते हैं। अत: आदिवासी भी अकेले नहीं नाचता। उसका हर पर्व-त्योहार हर अनुष्ठान का नृत्य सामूहिक नृत्य ही है।

वसन्त निरगुणे के अनुसार, 'आदिम नृत्य प्रतीकात्मक होते हैं। मध्य में वादक और नर्तक की गोलाकार परिधि सृष्टि केन्द्र बिन्दु और परिधि सृष्टि का प्रतीक है। नृत्य मुद्राओं में कमर तक झुकना पृथ्वी को प्रणाम करना है और ऊपर उठना पृथ्वी के चुम्बकीय प्रभाव से मुक्त होना है। एक साथ पैर का उठाना सामूहिक प्रगति का प्रतीक है। दूसरे पैर से पीछे हटना संतुलन का प्रतीक है। एक दूसरे की कमर में हाथ डाल कर नृत्य करना सहअस्तित्व का प्रतीक है। कतारबद्ध नाचना आदिम भावनात्मक एकता का प्रतीक है। गोल-गोल घूमना पृथ्वी की गति का प्रतीक है। आदिम नृत्य प्राय: किसी देवी-देवता या पराशक्तियों को प्रसन्न करने की गरज से किए जाते हैं। आदिम विश्वास के तहत पेड़-पौधों, नदी-नालों पर किसी न किसी देवी-देवता का निवास होता है, उनके सहज विश्वास के कारण, जहाँ जो जगह या वस्तु उनके लिए थोड़ी-सी भी महत्त्वपूर्ण और उपयोगी हुई कि वह या तो भगवान हो जाती है या किसी न किसी देवता का वहाँ वास हो जाता है और उन्हें प्रसन्न रखने के लिए पाठ-पूजन, बलि के साथ नृत्य, गीत का आयोजन होता है। नृत्य से आदिम समूह एक नई सामूहिक ऊर्जा और चैतन्य का अनुभव करता आया है, इसीलिए आदिवासियों के सभी नृत्य समूहगत रचना होते हैं और सामूहिक रूप से वे नृत्य चरम आनन्द को प्राप्त करते हैं। यही कारण है कि नृत्य में थकान जैसी कोई चीज नहीं होती, यदि थकान हो भी तो एक प्रकार की अकथनीय आत्मिक विश्राम का अनुभव होता है। नृत्य समाप्ति पर एक आदिवासी नर्तक आत्मसंतोष और आत्मगौरव से भर जाता है।' (निरगुणे वसन्त : वही, पृ. 95)

लोक-नाट्य

लोक में अपने जन-गण के मनोरंजन की विशिष्ट परम्पराएँ रही हैं। इन परम्पराओं में कई ऐसी विधाएँ हैं जो लोक नाट्य की सम्पूर्ण अभिव्यक्ति में सक्षम होती हैं। झारखंड के कई अंचलों में जतरा यानी कई गाँवों के बीच नाच-गान प्रतियोगिताओं की परम्परा रही है। इसके लिए किसी-किसी पड़हा में भूमि का खास हिस्सा—टांड़, उक्त जतरा के लिए सुरक्षित रहता है। उसे जतरा टांड़ पुकारा जाता है। इन्हीं कई प्रकार के जतराओं (पड़हा जतरा, सोहराई जतरा, करमा जतरा, जेठे जतरा) में से जेठे जतरा के अक्सर किसी-किसी इलाके में गीति नाट्य की एक परम्परा रही है।

'खरसांवा राज के संरक्षण में विकसित हुई 'छउर' भी मुखौटों के साथ नृत्य नाटिका है। नृत्य में विभिन्न पात्रों के माध्यम से धार्मिक कथाओं का मंचन ही 'छउर' की विशेषता है।

लोकगीत

लोक अपने मन की बातों को, सुख-दुख को, जन्म से मरण तक के विशेष भावों को, उल्लास-

उत्सव को आदिकाल से गाकर व्यक्त करता रहा है। गद्य के बदले पद्य को जन-गण ने हमेशा से प्राथमिकता दी है। गेय रूप से हृदय की अनुभूतियाँ अपने चरम को स्पर्श करती हैं। विवाह के बाद बेटी की विदाई के समय आँसुओं और हिचकियों के साथ फूटता दर्द की लहरों पर बहता गीत पत्थरों को भी पिघलाने की ताकत रखता है।

वसंत निरगुणे के अनुसार, 'लोकगीत लोक कण्ठ की धरोहर है। एक कण्ठ से दूसरे कण्ठ, एक पीढ़ी से दूसरी पीढ़ी तक पहुँचने वाले लोकगीत शब्द और स्वर के दोहराव से संचरित होते हैं। दोहराव लोकगीतों का शेष नहीं, गुण है, उसकी शक्ति है, जिसके कारण नई पीढ़ी सरलता से अपनी स्मृति में गीतों को ग्रहण करने में सक्षम होती है।' (निरगुणे वसंत, वही, पृ. 108)

लोक कथा

मिथ और लोक इतिहास पीढ़ी दर पीढ़ी यात्रा करते हैं। इनकी यात्रा के माध्यम हैं—दादी, नानी, बड़े-बुजुर्गों की किस्सा-कहानियाँ। इन गप्पों-गल्पों-कथाओं में सिर्फ कल्पना ही सतरंगी रूपों में नहीं रहती बल्कि लोक संस्कृति के हर अंग में थोड़ा-थोड़ा स्थान छेके रहते हैं। डॉ. श्यामाचरण दुबे के अनुसार, 'संस्कृति के आद्य धरातल पर जीवन निर्वाह करने वाले मानव समूह में कम से कम दो प्रकार की कहानियों का प्रचलन पाया जाता है। प्रथम वर्ग में तात्कालिक घटनाओं तथा अनुभवों का वार्तालाप शैली में निकट यथार्थ का वर्णन होता है। इनमें न साहित्य सौन्दर्य होता है और न स्थायित्व। दूसरी श्रेणी में वे कथाएँ आती हैं जो अपनी कथावस्तु तथा कथन की कलात्मक शैली के कारण एक विशिष्ट साहित्यिक सौन्दर्य प्राप्त कर लेती हैं। लोकवार्ताविद इस श्रेणी की कहानियों को ही कथा कहते हैं। कथाएँ गद्यात्मक होती हैं और पद्यबद्ध भी।' (डॉ. दुबे श्यामाचरण : मानव और संस्कृति)

झारखंडी समाजों की लोक कथाओं के संग्रहण का कार्य बहुत सुव्यवस्थित ढंग से हुआ है। पी.ओ. बोर्डिंग ने संताली लोक कथाओं का संग्रहण किया है तो श्री जगदीश त्रिगुणायत ने मुण्डारी लोक कथाओं का एवं शान्ति प्रबल बाखला ने कुडुख लोक कथाओं के संग्रहण में अपनी महती भूमिका निभाई है।

लोकोक्ति

वसंत निरगुणे के अनुसार, 'लोकोक्ति लोक की ऐसी अनुभवपरक अभिव्यक्ति है, जिसमें जीवन के सुख-दुख, हास-परिहास, रंग-व्यंग्य, अतीत-वर्तमान की छोटी से छोटी धड़कन देखी जा सकती है। तब यह कहा जा सकता है कि लोक की कोई सारगर्भित उक्ति लोकोक्ति है। लोकोक्ति में कहावतें, पहेलियाँ आदि हैं।'

कहावत

कहावत का शाब्दिक अर्थ कही हुई बात है। कहावत ज्ञान और अनुभव की घनीभूत रचनाएँ हैं। कहावतों में मनुष्य के सदियों के लोक व्यवहार के निष्कर्ष और परम्परागत सामाजिक दृष्टिकोण होते हैं। कहावतों का अनुभव संसार अत्यन्त व्यापक होता है। वह भौतिक संसार से लगाकर

अदृश्य संसार की ऊँची से ऊँची और सूक्ष्म से सूक्ष्म परत तक फैला हुआ होता है। कहावत सूत्र वाक्य है। आप्त वचनों की तरह कहावतें स्वयंसिद्ध वाक्य हैं। निरगुणे का कथन है कि, 'कहावतों की भाषा देखकर सबको आश्चर्य होता है। कहावतों की भाषा, किसी काव्य से कम नहीं होती। कहावतों में जीवन के कड़वे-मीठे अनुभवों को अत्यंत सुन्दर ढंग से काव्यमयी भाषा में देखा जा सकता है। कहावतों में रूपक, उपमा, श्लेष, यमक और अन्योक्ति आदि अलंकार अपनी पूरी क्षमता के साथ अवतरित होते हैं।' यथा :

नेखय कत्था एम्बा आ रही भण्डी एम्बा

अर्थ : जिनका बोल मीठा उनका भात भी मीठा।

उफड़ारना चोट्टा अम्ण डीनू हुउरई

अर्थ : नाचने वाला चूहा माड़ में फँसता है।

किटयम डुम्बारी, तो सरगे येन एरना

अर्थ : गोद में बच्चा नगर में ढिंढोरा।

पहेली

पहेली ऐसी वाक्य या वाक्य रचना है जिन्हें जानबूझकर द्विअर्थक बनाया गया हो अथवा जिसके अभीष्ट को साभिप्राय छुपाए रखा गया हो ताकि दूसरे उसकी खोज करें। दरअसल पहेली में प्रयुक्त शब्दों के सीधे-सीधे अर्थ करने पर इच्छित अर्थ तक नहीं पहुँचा जा सकता है। उन शब्दों या शब्दों के अर्थों की लक्षणा, व्यंजना को ग्रहण करना पड़ता है। तब कहीं जाकर पहेली के सही उत्तर तक पहुँचा जा सकता है। चित्रात्मकता और बिम्बात्मकता पहेली की पहली शर्त है। यथा :

कुट्टका ओंसगा खेखलन तूरई। (उसांगी)

अर्थ : आग में पका चूहा, धरती छेदता है। (हल का फाल)

प्रतीक

लोक में कल्पना ने न केवल जीवन व्यापारों को विस्तार दिया, अपितु विकल्प चयन की भी शक्ति-चेतना दी। लोक में कल्पना और स्मृति ने सृजन के जो परिकल्प प्रस्तुत किए उनमें प्रतीक सबसे महत्त्वपूर्ण रचना-विधान है। लोक और ग्राम्य संस्कृति में प्रतीक का प्रचलन लगातार चलता रहा है। धार्मिक प्रतीकों, यौन प्रतीकों, गार्हस्थिक प्रतीकों का संसार बहुत व्यापक और विस्तृत है। प्रतीक संरचना में कल्पना और स्मृति के साथ-साथ मेधा का संयोग हुआ तो प्रतीक विधान रूढ़ कलात्मक रूपों में स्थायी होने लगा। (डॉ. दुबे श्यामसुन्दर, मड़ई : 01 : लोक की... पृ. 41)

शाल वृक्ष में देवता की कल्पना की गई तब पूरा पेड़ प्रतीक बन गया। मराङ बुरू की कल्पना में पूरा पहाड़ प्रतीक है। महादेव-पार्वती के प्रतीक के रूप लिंग-योनि की पूजा सृष्टि सृजन का ही प्रतीक है।

मिथक

लोक में मिथ और मोटिफ का अपना महत्त्वपूर्ण स्थान है। प्रायः लोक संस्कृति का अधिकांश

उसके मिथ और मोटिफ में समाहित है। इतिहास एवं जीवनगत घटनाओं के अनेक परिवृतों को एकदम सघनतापूर्वक जब स्मृति-उपाख्यान के अंतराल में बिन्दुकीलित कर दिया जाता है, तब मिथ का उदय होता है। यह चूंकि अत्यधिक दबावों के बीच जन्मा कलात्मक प्रकार्य है, इसीलिए इसमें इतनी ऊर्जा होती है कि यह युगों-युगों तक अपनी सृजन शक्ति से नए-नए वितान तानता रहता है। लोक के मिथ उसके धार्मिक कर्मकांड में, उसकी लोक कथाओं में, उसकी प्रदर्शनकारी कलाओं में विद्यमान हैं।

लोक चित्र

गाँव-घर में सोहराई (दीवाली) पर्व के पूर्व घर की लिपाई-पुताई के बाद उसे सुन्दर स्वरूप प्रदान करने के क्रम में प्रारम्भ हुआ। रेखांकन और अलंकरण ही लोकचित्र के मूल आधार हैं। झारखंड में हजारीबाग के गाँवों में दो तरह के लोक चित्र द्रष्टव्य होते हैं। एक तो वही सोहराई चित्र जिनका पूर्व में उल्लेख हुआ है दूसरा कोहबर चित्र। कोहबर उस कमरे विशेष को कहते हैं जहाँ नवविवाहिता दुल्हन को रखा जाता है। स्वाभाविक विवाह जैसे उल्लासपूर्ण अवसर पर उस कमरे विशेष की दीवारों को अलंकृत किया जाना अपरिहार्य होता है। इन दोनों तरह के चित्रों में झारखंड की प्रकृति पशु-पक्षी दर्शाए जाते हैं। दूसरी ओर संतालों की मिट्टी के घर की दीवारों को इतने तरह के प्राकृतिक रंगों से सजाया जाता है कि बिना किसी अन्य अलंकरण या रेखांकन के भी पूरा घर एक मनभावन चित्र सा दिखता है। साथ ही संतालों में जादूपटिया की भी परम्परा है जिसमें ताड़ के पत्तों पर मृत्यु के बाद के स्वर्ग-नरक की परिकल्पनाएँ उकेरी रहती हैं।

गोदना

गोदना केवल शरीर का स्थायी चित्रित अलंकार ही नहीं है, वह जातीय पहचान, बीमारियों से बचाने, विषैले कीड़ों के दंश से बचने, जादुई प्रभावों और पराशक्तियों के प्रकोपों को अनुकूल करने और प्रजनन के प्रतीक के रूप में प्रतिष्ठित है। शरीर आलेखन अनुष्ठान के लिए तो करते हैं। कभी-कभी उनसे लोक इतिहास भी झाँकता हुआ मिल जाता है। यथा उराँव महिलाओं के ललाट या कनपटी पर गुदवाई गई तीन लकीरें उस रोहतासगढ़ युद्ध की याद दिलाती हैं जिसमें तीन-तीन बार पुरुष वेश में महिलाओं ने तुर्क-अफगान सेनाओं को पराजित किया था।

क्या लोक संस्कृति की चर्चा केवल रूमानियत है ?

आजकल हमारे देश की फिजां ऐसे मुकाम पर आकर ठिठक गई है जहाँ अतीत-राग आठों पहर का राग हो गया है। ठीक-ठीक कहें तो अतीत के स्वर्णयुग का अखंड कीर्तन आठोयाम चल रहा है। प्रतिगामिता को युगधर्म बनाने की कोशिश की जा रही है और जन्मना भेदभाव पर आधारित संस्कृति के एक रंगारंग में पूरे देश को रंगने की कोशिश की जा रही है। ऐसे माहौल में लोक संस्कृति की चर्चा करना सुभाष गाताड़े को रूमानियत लगे, तो आश्चर्य नहीं है। श्री गाताड़े के अनुसार, 'लोक संस्कृति का रूमानीकरण एक ऐसे तबके का शगल हो गया है जो या तो कार्लमार्क्स की जुबां में कहें तो समस्या की जड़ तक पहुँचने से कतरा रहा है या तो उसने 'परिवर्तनगामिता' की उत्कट अभिलाषा का परित्याग किया है।' (श्री गाताड़े सुभाष : मड़ई 01

: लोक संस्कृति का 'नोस्टेल्जिया', पृ. 12)

अगर लोक संस्कृति के नाम पर सारी अच्छी-बुरी परम्पराओं-प्रथाओं की विरुदावली गाई जाए तो बात सही भी लगती है। जैसे झारखंडी सुभाष गाताड़े की ससंकृति के नाम पर नशापान, डाईन बिसाही जैसी परम्पराओं के पक्ष में भी तर्क जुटाना। किन्तु जब दो-दो खतरे प्रत्यक्ष हों प्रथम तो राष्ट्रीयता और मुख्यधारा के नाम पर एकरंगी संस्कृति में रंगने का खतरा, दूसरा वैश्वीकरण के नाम पर पूरे विश्व को अमेरिकी संस्कृति में ढालने का जबरदस्त अभियान तो ऐसे विकल समय में झारखंड की लोक संस्कृति की विशेषताओं को रेखांकित करना युद्ध के एक मोर्चे पर सन्नद्ध होना है। अमेरिकी संस्कृति का सर्वभक्षी दानव कोई कपोल कल्पना नहीं है। गिरीश मिश्र के अनुसार, 'न्यूयार्क टाइम्स के स्तंभकार टॉमस एल. फ्रीडमैन का मानना है कि अमरीकी मूल्यों, जीवनशैली और दृष्टिकोण अपनाने से ही विश्व के लोगों में समरसता आएगी और द्वन्द्व तथा उसके विभिन्न रूप समाप्त होंगे तथा शान्ति आएगी। उनका दावा है कि मैकडोनाल्ड के हैमबर्गर खाने वाले तथा कोकाकोला पीने वाले देशों और समाजों के बीच कभी टकराव नहीं होता। अमरीकी पॉप म्यूजिक और हॉलीवुड की फिल्में देखने वाले भला क्यों आपस में लड़ेंगे। अगर विश्वास न हो तो उनकी बहुचर्चित और बहुपठित पुस्तक 'दी लेक्सस और ओलिव ट्री' देखें जो 1999 में प्रकाशन के बाद से अब तक कई बार मुद्रित हो चुकी है। उन्होंने अपने हाल के लेखों में भी यही दृष्टिकोण दुहराया है।'
(मिश्र गिरीश, मड़ई 01 : भूमंडलीकरण के युग में लोक संस्कृति, पृ. 1)

मुख्यधारा की पहेलिका

राष्ट्र के बड़े चिन्तकों, बुद्धिजीवियों, समाजशास्त्रियों खासकर राजनेताओं का यह मानना है कि आदिवासी समुदायों को मुख्यधारा में शामिल किए बिना उनका विकास नहीं हो सकता। अब इस मुख्यधारा की पहेलिका के लक्षण-व्यंजनाओं को समझे बिना सही अर्थ तक नहीं पहुँचा जा सकता। ईस्ट इंडिया कम्पनी के साथ आए वाणिज्यिक पूँजीवाद ने सामंती भारत के चरित्र को वर्गीय चरित्र में बाँटना शुरू किया था। आजादी के बाद के औद्योगिक पूँजी ने आभिजात्य वर्ग की ताकत को और ज्यादा बढ़ाया। मध्यवर्ग-निम्नमध्य वर्ग इसी पूँजीवादी संस्कृति की मुख्यधारा में बह चले और अपने वर्गीय चरित्र-संस्कृति को भूल गए। लोलुप उच्च वर्ग की संस्कृति ही उनके लिए मॉडल बन गई। आदिवासी समुदाय का पढ़ा-लिखा तबका भी मैकॉले के कारखाने से अनुकूलित हो कर उत्पादित हुआ। उसकी लोक संस्कृति की खुशबू उसके व्यक्तित्व से स्कूल से नौकरी तक की प्रोसेसिंग में गर्दो-गुबार की तरह झाड़ दी गई। अन्य निम्न, मध्य वर्ग की तरह जड़ से कटा हुआ 'त्रिशंकु' आदिवासी ही सचमुच इस कृषि मुख्यधारा में सम्मिलित माना गया।

राजाराम भादू ने इस प्रक्रिया को यूँ व्याख्यायित किया है, '...कमोबेश यही प्रक्रिया देश के आदिवासी समुदायों के साथ घटित हुई है। यदि उन्हें सत्ता में भागीदारी करनी है, तंत्र की प्रणालियों में हिस्सा लेना है, व्यवस्था में नौकरियाँ हासिल करनी हैं तो उन्हें अपने सामाजिक-सांस्कृतिक सन्दर्भों को छोड़ना होगा। पर संस्कृति ग्रहण उनके सामाजिक उन्नयन की एक पूर्व शर्त है। वहाँ अंग्रेजी से नीचे हिन्दी के वर्चस्व की एक और परत है। आदिवासियों पर थोपी गई

इस परसंस्कृति-ग्रहण की प्रक्रिया को उनके मुख्यधारा से जुड़ने का नाम दिया गया है। जब एक बार इस प्रक्रिया ने गति पकड़ ली तो विकास के बुलडोजर के लिए रास्ता साफ हो गया।

इस आन्तरिक उपनिवेशन ने आदिवासी की सहज जिन्दगी को ही अस्त-व्यस्त नहीं किया, उनकी पहचान को विकृत किया है, उनके आत्मविश्वास को तोड़ा है और इससे उनकी आत्म-छवि को आघात लगा है। आरक्षण जैसे प्रावधानों ने उनकी सामाजिक गत्यात्मकता को भले ही बढ़ावा दिया हो, आधुनिक शिक्षा और विकास ने उनके जीवन स्तर में गुणात्मक बदलाव किया हो, लेकिन यह भी सही है, सांस्कृतिक हीनता बोध भी उनमें बढ़ता गया है।' (भादू राजाराम : लोक आदिवासी संस्कृति का सवाल, पृ. 342)

आदिवासी संस्कृति विकास विरोधी है

मुख्यधारा संस्कृति के मानस ने यह छवि गढ़ने में सफलता पा ली है कि आदिवासी संस्कृति विकास विरोधी है। राष्ट्र की प्रगति में रोड़े अटकाती है। वह विद्युत उत्पादन कर राष्ट्र-प्रगति में भूमिका निभाने वाली कोयलकारो परियोजना का विरोध करती है। और तो और वह राष्ट्र की शक्ति और साहस की प्रतीक सैनिकों के युद्धाभ्यास हेतु अपरिहार्य नेतरहाट फायरिंग रेंज का भी विरोध करती है। किन्तु तथ्य कुछ और ही कहते हैं। डॉ. रामदयाल मुण्डा ने इसे यूँ विश्लेषित किया है, '...किन्तु आजादी के तुरन्त बाद पंचवर्षीय योजनाओं के कार्यान्वयन के साथ वर्तमान पठारी एवं पहाड़ी क्षेत्रों से भी अचानक और बड़ी संख्या में कथित राष्ट्रहित में कारखानों, बड़े बाँधों के निर्माण और खान-खनिजों की खुदाई की शुरुआत के साथ इन क्षेत्रों से लोगों का पलायन शुरू हुआ। 50 के दशक से आज तक देश में जितनी भी इस प्रकार की योजनाएँ कार्यान्वित हुईं, उनका अधिकांश बोझ आदिवासी क्षेत्रों पर ही पड़ा। यह काम इतनी हृदय-हीनता से हुआ कि देश की पूर्ण आदिवासी आबादी (आठ करोड़) की एक चौथाई से भी अधिक आबादी अपनी जड़ों से उखाड़ दी गई है जिसकी कोई चिन्ता इस देश को नहीं है।... दूसरी ओर अपनी अस्मिता की रक्षा के लिए जब भी आदिवासी खड़ा हुआ, तो देश ने उसे विकास-विरोधी और देश-विरोधी कारण दिया।' (डॉ. मुण्डा रामदयाल : आदिवासी अस्तित्व और झारखंडी अस्मिता के सवाल, पृ. 46-47)

बाजार के रैपर में लोक संस्कृति

आज वैश्वीकरण की आँधी में जब हर कुछ 'माल' में तब्दील होता जा रहा है तो क्या लोक संस्कृति बचेगी? यह बड़ा प्रश्न है। हम प्रतिदिन झारखंडी लोकगीतों को प्रदूषित होते देख रहे हैं। चूँकि लोक धुनों में मिलावट न चाहते हुए भी हमारे कानों तक पहुँच जाती है अत: इसकी गिरावट या बाजारू होते हम आसानी से पहचान लेते हैं। लेकिन बाजार का खतरा बहुआयामी और ज्यादा गहरा है। इस सम्बन्ध पर अजय तिवारी की टिप्पणियाँ इस प्रकार हैं, जैसे-जैसे पूँजीवादी सभ्यता मानव-जीवन के सभी पक्षों को घेरती गई वैसे-वैसे वह उत्पादन और उपभोग को, श्रम और सृजन को, वस्तु और कला को, उपयोग और मानव को एक-दूसरे से दूर और विरोधी बनाती गई है। लोक-संस्कृति में श्रम और सृजन की एकता पर आधारित मानव-

व्यक्तित्व का जो संगठन और पूर्णता निहित है, वह बाजार-व्यवस्था के साथ विखंडित होती जाती है। लोक संस्कृति में हम अनुभव, स्मृति और विश्वास का जो समन्वित रूप देखते हैं, वह 'आधुनिक' संस्कृति में क्रमशः विच्छिन्न होता जाता है। पहले रचनाकार की आंतरिकता बाजार की माँग और आत्मिक विश्वास में विखंडित होती है, फिर उत्तर-आधुनिक (वृद्ध पूँजीवाद) दौर तक आते-आते अनुभव का स्थान भोग ले लेता है, विश्वास का स्थान प्रतीक (ब्रांड) ले लेता है और स्मृति की जगह आनंद आ बैठता है।...

भावना, मानवीयता यानी मनुष्य की 'आत्मा' का प्रतिबिंब लोक संस्कृति है। बाजार की दुनिया में यह आत्मा मर रही है इसीलिए वह अधिक मूल्यवान हो गई है। बाजार इस मूल्य को समझता है और लोक संस्कृति को भी मोल-तोल की वस्तु बना देता है। वह लोक-संस्कृति की स्थानीयता और आंचलिकता में निहित शक्ति को जानता है और उसे 'एथनिक' गुण की तरह इस्तेमाल करता है। उसे अपने मूल संदर्भ से हटाकर सजावट की वस्तु बना देता है। (तिवारी अजय : मड़ई 02 : बाजार और लोक संस्कृति, पृ. 6-7)

इसी विकट-त्रासद अन्तःसम्बन्ध को विश्लेषित करते हुए गिरीश मिश्र निम्न उद्धरणों से समस्या के विकराल विकृत स्वरूप को हमारे समक्ष रखते हैं, अमरीका से प्रकाशित होने वाली पत्रिका, 'टेक्नोलॉजी रिव्यू (जुलाई-अगस्त 2001)' में 'हेनरी जेकिंस' का एक लेख 'डिजिटल रेनासां कल्चर गोज ग्लोबल' छपा है। जिसमें दिखलाया गया है कि किस प्रकार लोक संस्कृति भूमंडलीकरण की प्रक्रिया से प्रभावित हो रही है। ओसनिया ग्रुप ने मॉवरी आदिवासी संगीत को वर्तमान ब्रिटिश टेक्नो-बीट के साथ जोड़ा है। इसी प्रकार भारतीय शास्त्रीय संगीत को केल्टिक संगीत के साथ जोड़कर नया स्वरूप दिया गया है। आपाचे इंडियन ने रेग्गे, हिप-हॉप और भांगड़ा का मिश्रण तैयार किया है। 'जार्ज लिपस्ट्जि' ने अपनी पुस्तक 'डैंजर्स क्रास-रोड्स : पॉपुलर म्यूजिक, पोस्ट-माडर्निज्म एंड दी पॉलिटिक्स ऑफ प्लेस' (लंदन, वर्सो 1997) में विस्तार से लोक संगीत और लोक संस्कृति के ऊपर भूमंडलीकरण के असर का विश्लेषण किया है—

'...जेरमी रिफ्किन ने दो बड़ी कंपनियों अमरीका ऑन लाइन और टाइम वार्नर के विलय के बाद एक लेख लिखा था ('दी न्यू कैपिटलिज्म इज अबाउट टर्निंग कल्चर इंटु कॉमर्स' इंटरनेशनल हेराल्ड ट्रिब्यून, 17 जनवरी 2000) जिसमें उन्होंने रेखांकित किया था कि पूँजीवाद के वर्तमान भूमंडलीकरण के दौर में प्रवेश करते ही मानव संस्कृति का माल में रूपांतरण होने लगा है। दूसरे शब्दों में संस्कृति को खरीद-बिक्री की चीज बनाया जा रहा है। बहुराष्ट्रीय मीडिया कंपनियाँ जिनके संचार नेटवर्क सारी दुनिया में फैले हैं, विश्व के हर भाग से स्थानीय सांस्कृतिक संसाधनों को जुटा कर सांस्कृतिक मालों तथा मनोरंजन के साधनों के रूप में सजा-सँवार कर बाजार में बिक्री के लिए रख रहे हैं। विश्व की जनसंख्या का ऊपरी 20 प्रतिशत सांस्कृतिक मालों पर उतना ही खर्च कर रहा है जितना विनिर्मित वस्तुओं और बुनियादी सेवाओं पर। कहना न होगा कि सांस्कृतिक मालों का बाजार बड़ा ही नहीं बल्कि निरंतर विस्तारशील और मुनाफादायक है। संचार के साधनों और फिल्मों, टी.वी. चैनलों, इंटरनेट आदि पर नियंत्रण कर अमरीका ऑन लाइन-टाइम वार्नर जैसी कम्पनियाँ संस्कृति (जिसमें लोक संस्कृति प्रमुख है) को मनचाही दिशा दे रही हैं।

...अन्त में रिफ्किन ने चेतावनी दी है कि मानवीय अनुभव के हजारों सालों की समृद्ध सांस्कृतिक विविधता से संबंध टूटने का नतीजा वैसा ही विध्वंसात्मक होगा जितना जैविक विविधता के पूर्णतया समाप्त होने पर।' (मिश्र गिरीश : मड़ई 01 : भूमंडलीकरण के युग, पृ. 3-4)

इस आलेख का अन्त पी.सी. जोशी के इस कथन के साथ कि, 'आज के इस विकृत सांस्कृतिक परिदृश्य की तुलना में लोक संस्कृति की स्वस्थ परंपराओं की याद दिलाना कतई पुराने को रोमांटिसाइज करना नहीं है।' (अवधारणाओं का संकट, पृ. 51)

सन्दर्भ

1. डॉ. मुण्डा, रामदयाल : आदिवासी अस्तित्व और झारखण्डी अस्मिता के सवाल : प्रकाशन संस्थान, नई दिल्ली।
2. निरगुणे, वसन्त : लोक संस्कृति : मध्य प्रदेश/हिन्दी ग्रन्थ अकादमी भोपाल।
3. विद्याभूषण : विकासी झंझावात में फँसी संस्कृतियों का दौर : मड़ई-2001 : रावतनाच महोत्सव समिति बिलासपुर का प्रकाशन।
4. डॉ. दुबे, श्यामसुन्दर : लोक की सौंदर्यशास्त्रीय भूमिका : तदैव।
5. मिश्र, गिरीश : भूमंडलीकरण के युग में लोक संस्कृति : तदैव।
6. तिवारी, अजय : बाजार और लोक संस्कृति : अव्यवस्थित टिप्पणियाँ : मड़ई-2002 : रावत नाच महोत्सव समिति बिलासपुर का प्रकाशन।
7. गाताड़े, सुभाष लोक संस्कृति का 'नोस्टेल्जिया' : तदैव।
8. कुण्डु, मानसेन्दु : आदिवासी संस्कृति के संकट : लोक सम्पादक : पीयूष दईया : भारतीय लोक कला मंडल, उदयपुर (राजस्थान)।
9. भादू, राजाराम : आदिवासी संस्कृति का सवाल : तदैव।
10. बद्रीनारायण : पूरबी बनिज लोक संस्कृति एवं विकास का संदर्भ : तदैव।

संताली भाषा और उसका साहित्य

डॉ. डोमन साहु 'समीर'

'संताली' हमारे देश, भारतवर्ष, के आग्नेय प्रजातीय 'संताल' लोगों की मातृभाषा है। ये लोग सामान्यतः आदिवासी और विधानतः अनुसूचित जनजाति के अंतर्गत परिगणित हैं। इस देश के झारखंड, बिहार, पश्चिम बंगाल, उड़ीसा, असम, त्रिपुरा आदि राज्यों के मुख्यतः वन-पर्वतीय अंचलों में बसे हुए संताल लोगों की कुल संख्या लगभग 50 लाख है जिनमें से लगभग 22 लाख लोग झारखंड-बिहार में तथा लगभग 16 लाख पश्चिम बंगाल में हैं। झारखंड राज्य का संतालपरगना संभाग (डिवीजन) संताल लोगों का सबसे सघन क्षेत्र है जहाँ इन लोगों की आबादी लगभग 13 लाख की संख्या में है जबकि अवशिष्ट 8-9 लाख लोग झारखंड के गिरिडीह, हजारीबाग, बोकारो, धनबाद, पूर्वी और पश्चिमी सिंहभूम जिले में तथा बिहार के जमुई, मुंगेर, बांका, भागलपुर, कटिहार और पूर्णिया जिले में हैं।

अंग्रेजों की ईस्ट इंडिया कंपनी के शासन के विरुद्ध 1855 ई. में वर्तमान संतालपरगना संभाग में सिद्धू, कान्हू, चाँद और भैरव नामक चार संताल भाइयों की अगुवाई में एक भीषण सशस्त्र क्रान्ति हुई थी, जो 'संताल-विद्रोह' के नाम से अभिहित है। उस क्रान्ति का दमन तो तत्कालीन कंपनी सरकार ने बड़ी क्रूरतापूर्वक कर डाला था, किंतु संताल लोगों को प्रसन्न करने की नीति से ब्रिटिश सरकार ने उस समय के भागलपुर और वीरभूम जिले के कुछ भागों को लेकर संतालपरगना नामक एक नए जिले का गठन कर दिया था जिसकी शासन व्यवस्था यहाँ के अन्यान्य क्षेत्रों की शासन व्यवस्था से भिन्न रखी गई थी। उसके अनुसार इस क्षेत्र की जमीन की खरीद-बिक्री पूर्णतः निषिद्ध कर दी गई थी। वह व्यवस्था संतालपरगना संभाग में अब भी जारी है।

सन् 1983 ई. में बिहार सरकार ने अपने एक अधिनियम द्वारा पूर्वोक्त संतालपरगना जिले को एक संभाग बना दिया है जो संप्रति झारखंड राज्य के अंतर्गत है और जिसके अधीन इस समय दुमका, देवघर, गोड्डा, साहेबगंज, पाकुड़ और जामताड़ा नामक कुल छः जिले हैं। ये छः जिले पहले संतालपरगना जिले के अनुमंडल थे। दुमका संतालपरगना संभाग का मुख्यालय है जो झारखंड राज्य की उप-राजधानी के रूप में जाना जा रहा है।

हमारे देश के अलावा संताल लोगों की आबादी नेपाल और बंगलादेश में भी हजारों की संख्या में है जहाँ उन्होंने अपनी मातृभाषा संताली को अक्षुण्ण रखा है।

संताली भाषा का उद्भव और विकास

संताली भाषा का उद्भव दक्षिण-पूर्वी एशिया के बृहद् मैले-पॉलिनेशियन भाषा-परिवार की

ऑस्ट्रो-एशियाटिक (दक्षिण देशीय) प्रशाखा से हुआ है। उस परिवार की भाषाओं को सबसे पहले 1906 ई. में जर्मन विद्वान पी.डब्ल्यू. स्मीट ने 'ऑस्ट्रिक' के नाम से अभिहित किया है जिसके लिए हिंदी में 'आग्नेय' शब्द प्रचलित है। बात है कि सुमात्रा, जोवा, बोर्नियो आदि पूर्वद्वीप-पुंज भारत के अग्निकोण में पड़ते हैं। अतएव वे 'आग्नेय'(ऑस्ट्रिक) हैं। उन द्वीपों की मोन, ख्मेर, सेकई, सेमङ, बहनार आदि, श्रीलंका की येद्दा, निकोबर द्वीप की निकोबरी आदि भाषाओं का पारिवारिक और व्युत्पत्तिमूलक संबंध अनेकशः हमारे देश की संताली, मुंडारी, हो, खड़िया, कोरवा, कोरकू आदि जनजातीय भाषाओं से है। सर्वनामों, संख्यावाचक विशेषणों, शारीरिक अंगों, प्राकृतिक पदार्थों आदि से संबंधित शब्दावली में उन भाषाओं के साथ इन भारतीय भाषाओं का साम्य बहुलशः है। इस प्रकार स्पष्ट है कि संताली और इसकी सजातीय मुंडारी, हो, खड़िया, कोरकू आदि जनजातीय भाषाओं का उद्‌भव उपर्युक्त आग्नेय भाषाओं से तथा इनका विकास संस्कृत, प्राकृत, अपभ्रंश, हिंदी, बांग्ला आदि प्राचीन, मध्यकालीन और आधुनिक भारतीय आर्य भाषाओं के संपर्क और सान्निध्य से हुआ है। संताल लोग प्राचीन काल से ही इस देश में रहते आए हैं।

संताली अपनी सहोदराओं या सजातीय भाषाओं में सर्वाधिक प्रोन्नत और प्रगतिशील हैं। झारखंड राज्य में प्राथमिक कक्षा से लेकर उच्चतम एम.ए. वर्ग तक तथा पश्चिम बंगाल में, जहाँ तक इस लेखक की जानकारी है, माध्यमिक विद्यालयी स्तर तक संताली भाषा-साहित्य के अध्ययन-अध्यापन का प्रावधान है जबकि आकाशवाणी (और दूरदर्शन) के कोलकाता, राँची, जमशेदपुर आदि केन्द्र से संताली की रचनाओं और सामयिक समाचारों के प्रसारण की व्यवस्था भी है। कोलकाता से प्रतिदिन तथा अन्यान्य केन्द्रों से समय-समय पर।

संताली युगों से केवल वाचिक या बोलचाल की बोली के रूप में जीवित रहती आई है। जहाँ तक इस लेखक की जानकारी है, इस बोली (भाषा) को सबसे पहले 1845-50 ई. के आसपास उड़ीसा में रहने वाले जर्मिया फिलिप्स नामक एक विदेशी पादरी साहब ने लिपिबद्ध किया था। संक्षिप्त संताली व्याकरण और शब्दावली-विषयक 'एन इण्ट्रोडक्शन टु दि संताली लैंग्वेज' नामक उनकी पुस्तक का प्रकाशन 1852 ई. में हुआ था जबकि उससे कुछ पहले उनके द्वारा कुछ संताली लोकगीतों और लोककथाओं का प्रकाशन किया गया बताया जाता है यद्यपि उनका कोई प्रकाशन इस समय कहीं उपलब्ध नहीं है।

संताली की अपनी कोई लिपि नहीं है। वैसी स्थिति में, जैसाकि संताली के एक प्रमुख विदेशी अध्येता, पी.ओ. बोडिंग की उक्ति है, उपर्युक्त फिलिप्स साहब ने संताली के लिए बांग्ला लिपि का प्रयोग किया था जिस (बांग्ला लिपि) की जानकारी उन्हें थी, परंतु बाद में, ई.एल. पक्सले, एल.ओ. स्क्रेफ्सरुड, जे. मैकफैल, पी.ओ. बोडिंग आदि सभी विदेशी मिशनरियाँ संताली में या संताली के बारे में जो कुछ लिखा, उन सबमें इस भाषा के लिए रोमन लिपि का प्रयोग किया है। फिर भी, बिहार, झारखंड, पश्चिम उड़ीसा के विभिन्न अंचलों में इस भाषा के लिए देवनागरी, बांग्ला, उड़िया और अब 'ओल चिकि' नाम की एक नई आविष्कृत लिपि का प्रयोग भी होता आया है, सर्वत्र किसी एक ही लिपि का नहीं।

व्याकरणिक विशेषताएँ

संताली भाषा की विभिन्न ध्वनियों के लिए देवनागरी लिपि में ऋ, अः, श और ष वर्णों को छोड़कर सभी स्वर और व्यंजन वर्ण उपयुक्त हैं। उदाहरण के लिए, आम = तुम/आप, इञ = मैं, ती = हाथ, उल = आम, मूं = नाक, एदरे = क्रोध, ऐख़ा = बशर्ते, ओड़ाक् = घर, औड़ी = व्यर्थ, आंट = ज़ोर (से), कोड़ा = लड़का, खोदा = गोदना, गापा = कल (आगामी), घाड़वा = बगरो, बाङ = नहीं, चेत् ? = क्या ?, छाले = मलाई, जो = फल, झुरी = सूखी टहनी, ञू = पीना, टोया = नीलकंठ, ठेंगा = लाठी, काडा = भैंसा, ढेना = छोटा-सा, काण्डा = घैला (घड़ा), तोवा = दूध, थो = थूक, देया = पीठ, धिरी = पत्थर, नित = अब, पेड़ा = पाहुना, फुड़क् = दोना, बिर = वन, भुगाक् = छेद, मोचा = मुँह, आयमा = बहुत, राचा = आँगन, लाचू = पेट, लोवा = गूलर, साकाम = पत्ता, हाको = मछली इत्यादि।

परंतु इस भाषा में उपर्युक्त वर्णों से अभिव्यक्त ध्वनियों के अतिरिक्त, स्वर ध्वनियों में एक परिवर्ती 'अ' / 'आ' एक प्रसृत 'ए' और एक प्रसृत 'ओ' तथा व्यंजन वर्णों में चार किंचित् अवरुद्ध हलन्त क्, च्, त् और प् से अभिप्रेत ध्वनियाँ भी हैं जिनका विवेचन संक्षेपतः इस प्रकार है।

1. परिवर्ती 'अ'/'आ'—इसे 'परिवर्ती' इसलिए कहा जा रहा है कि पूर्ववर्ती या परवर्ती इ-ईकार या उ-ऊकार के प्रभावस्वरूप संस्कृत, हिंदी बांग्ला आदि भाषाओं की 'अ' या 'आ' ध्वनि संताली में किंचित् परिवर्तित हो जाया करती है जिसकी मात्रा के रूप में आ-कार (ा) के नीचे एक बिंदु का प्रयोग किया जा रहा है। जैसे 'अति' = आ़डी (बहुत), 'गाड़ी' = 'गा़ड़ी', 'आलू' = 'आ़लू', 'बाबू' = 'बा़बू' इत्यादि।

2. प्रसृत 'ए'—एक सामान्य 'ए' की ध्वनि से किंचित् प्रसृत ध्वनि (अंग्रेजी के cat, hat आदि शब्दों के 'a' के उच्चारण की तरह) है जिसकी मात्रा के रूप में ए-कार (े) के साथ चन्द्र-कला (ॅ) का प्रयोग अपेक्षित है। जैसे 'एॅकेॅन' = सिर्फ़, 'गेॅडेॅ' = बत्तख आदि।

3. प्रसृत 'ओ'—यह सामान्य 'ओ' की ध्वनि से किंचित् प्रसृत (अंग्रेजी के hot, pot आदि शब्दों के o के उच्चारण की तरह) ध्वनि है जिसकी मात्रा के रूप में ओ-कार(ो) के नीचे एक बिंदु का प्रयोग किया जा रहा है। जैसे — 'ओ़ल' = लिखना, 'जो़' = फल इत्यादि।

4. किंचित् अवरुद्ध हलन्त व्यंजन क्, च्, त् और प् ध्वनियाँ—ये सभी मूलतः हलन्त व्यंजन ध्वनियाँ ही हैं जिनके उच्चारण में भीतर से बाहर आती हुई ध्वनि तनिक से झटके से, मुँह में ही रोक-सी ली जाती है जिससे बहिःस्फोट नहीं होता है। (अफ्रीका की बांट् भाषा की लगभग 'क्लिक' ध्वनि की तरह)। जैसे दाक् = पानी, लाच् = पेट, मात् = बांस, उप् = बाल आदि। ये चारों ध्वनियाँ हलन्त इसलिए हैं कि इनके बाद कोई स्वर ध्वनि (वर्ण) आने पर क् = ग, च् = ज, त् = द और प् = ब हो जाया करते हैं जो संधि के नियमानुकूल है। जैसे माक् + ओक् = मागोक् (कटना), रेच् + ए= रेजे (किसी से कुछ छीनना), केत् + आ = केदा (किया), आ़युप् + ओक् = आ़युबोक् (सांझ होना) इत्यादि।

संज्ञापद

संताल मानस सामान्यतः स्थूल संकल्पनाओं का अभ्यासी रहा है। सूक्ष्म संकल्पनाओं का प्रायः

नहीं। फलतः संताली भाषा में भाववाचक संज्ञापदों का बहुत अभाव है। उदाहरण के लिए 'मनुष्य' के लिए इस भाषा में 'होड़' शब्द तो है परन्तु 'मनुष्यता' के लिए कोई शब्द नहीं है। फलतः उसका काम प्रकारान्तर से किसी तरह चलाया जाता है। फिर भी, विशेषण या क्रियापद से भाववाचक पद बनाने की प्रविधि इस भाषा में, अत्यल्प ही सही, बीज रूप में विद्यमान है। जैसे—'जेलेञ' (लंबा) से 'जेतेलेञ' (लंबाई) 'ञुम' (नाम लेना) से 'ञुतुम' (नाम) आदि।

सर्वनाम

संताली के सर्वनाम लगभग अपने ही आग्नेय मूल के हैं जिनमें पुल्लिंग-स्त्रीलिंग का कोई विभेद नहीं है। इस भाषा में व्याकरणिक 'वचन', संस्कृत और अरबी भाषाओं की तरह, तीन हैं—एकवचन, द्विवचन और बहुवचन। तदनुसार, इस भाषा के पुरुषवाचक सर्वनाम निम्नांकित हैं—

सर्वनाम	*एकवचन*	*द्विवचन*	*बहुवचन*
उत्तम पुरुष	इञ;	आ़लिञ, आलाङ;	आले, आबो (न)।
(हिंदी	मैं;	हम दोनों;	हम लोग)।
मध्यम पुरुष	आम;	आबेन;	आपे
(हिंदी	तू, आप;	तुम/आप दोनों;	तुम/आप लोग)।
अन्य पुरुष	आच्,	आ़किन;	आको।
(हिंदी	वह स्वयं;	वे दोनों स्वयं;	वे लोग स्वयं)।

'इञ' मूलतः 'आ़ञ' के रूप में था, जैसा कि संताली की सजातीय मुंडारी और हो भाषाओं में अब भी है। तद्नुसार, ध्यातव्य है कि संताली के सभी पुरुषवाचक सर्वनामों के आरंभ में 'आ-' उपसर्गवत् प्रयुक्त है, जिसे हटा देने पर उनके अंश क्रमशः 'ञ - लिञ/ लाङ, -ले/-बो (न); - म, -बेन, -पे तथा (-य), - किन और -को', के रूप में रह जाते हैं। ये सभी अंश सार्वनामिक कर्तृप्रत्ययों के रूप में इस भाषा की प्रत्येक समापिका क्रिया के पहले या पीछे अनिवार्यतः प्रयोग में आते हैं बशर्ते कर्ता प्राणिवाचक (सजीव) हो। उदाहरण के लिए, 'दाकाञ जोम केदा' या 'दाका जोम किदा़ञ' (मैंने भात खाया)। यहाँ के पहले वाक्य में कर्ता 'मैं' का सार्वनामिक कर्तृ-प्रत्यय '-ञ' समापिका क्रिया 'जोम केदा' (खाया) के पहले ('दाका' के साथ) तथा दूसरे वाक्य में समायिका क्रिया के पीछे ('केदो' के साथ) आया है। ये ही सार्वनामिक प्रत्यय, कर्म प्राणिवाचक रहने पर, मध्यम पुरुष के एकवचन में किंचित् परिवर्तन के साथ सार्वनामिक कर्म-प्रत्ययों के रूप में समापक क्रिया पदों के बीच में आया करते हैं।

संताली सर्वनामों में कोई आदरसूचकता नहीं होती है, बड़े-छोटे सबके लिए एक ही सर्वनाम प्रयोग में आता है। हाँ, सास, ससुर, जेठ, जेठ सास और बड़ी ननद के साथ दामाद, पुतोहू और अनुज-वधू के व र्तालाप में द्विवचन 'आ़लिञ' (हम दोनों) और 'आबेन '(तुम/आप दोनों) सर्वनामों के प्रयोग किए जाने का विधान है। उसी प्रकार, समधी लोगों में बहुवचन 'आपे' या 'आबो' के प्रयोग किए जाने का नियम है। उदाहरण के लिए, 'ओकायेनाबेन, जावांय ?' = 'किधर गए आप, पाहुना जी ?' दामाद के प्रति ससुर या सास और 'ओपायेनापे, सुमधी ?' = 'किधर गए आप, समधी जी ?' (समधी के प्रति समधी) की वार्ता।

संताली के द्विवचन और बहुवचन उत्तम पुरुष सर्वनामों की एक विशेषता यह है कि 'आलाङ' (हम दोनों, मैं और तू या आप) तथा 'आबो' ('मैं और तुम या आप लोग' अथवा 'हम लोग और तू या आप') श्रोता-समावेशी हैं अर्थात् इनमें वक्ता के साथ श्रोता के शामिल रहने का आशय है, जबकि 'आ़लिञ' (हम दोनों, मैं और कोई अन्य) तथा 'आले' ('मैं और अन्य लोग' अथवा 'हम लोग और कोई अन्य') श्रोता-अपवर्जी हैं अर्थात् इनमें श्रोता के शामिल नहीं रहने का आशय है। संताली की यह विशेषता संस्कृत और अरबी में भी नहीं है जबकि उन दोनों भाषाओं में भी 'वचन' तीन-तीन हैं।

पुरुषवाचक सर्वनामों को छोड़कर संताली के अन्यान्य सर्वनामों में सजीवता और निर्जीवता का विभेद होता है। जैसे—

सर्वनाम	*एकवचन*	*द्विवचन*	*बहुवचन*
सजीव	नुइ = यह	नुकिन = ये दोनों	नोको = ये सब
निर्जीव	नौआ = यह	नोआकिन = ये दोनों	नोआको = ये सब
सजीव	उनी = वह	उनकिन = वे दोनों	ओनको = वे सब
निर्जीव	ओना = वह	ओनाकिन = वे दोनों	ओनाको = वे सब
सजीव	ओकोय ?=कौन ?	ओकोयकिन=कौन-कौन दो	ओकोयको = कौन-कौन
निर्जीव	ओका=कौन-सा	ओकाकिन = कौन-से दो	ओकाको ? = कौन-से
सजीव	चेले = क्या ?	चेलेकिन ?=क्या-क्या दो ?	चेलेको ?=क्या-क्या ?
निर्जीव	चेत् ? = क्या ?	चेत्किन ?=क्या-क्या दो ?	चेत्को ? = क्या-क्या
सजीव	जाहांय = कोई	जाहांयकिन = कोई दो	जाहांयको = कोई सब
निर्जीव	जाहाँ = कुछ	जाहांकिन = कोई दो	जाहांको = कोई सब

ज्ञातव्य है कि पुरुषवाचक सर्वनामों के अलावा अन्यान्य सर्वनाम, संज्ञाओं की तरह, अन्य पुरुष के होते हैं, इसलिए उन सभी के कर्तृ-प्रत्यय और कर्म-प्रत्यय अन्य पुरुष के ही अर्थात् -य,-किन और -को होते हैं। ध्यातव्य यह भी है कि तीनों पुरुषों में एकवचन के कर्तृ-प्रत्यय -ञ, -म, और -य के विकल्प में क्रमशः -इञ, -एम और -ए भी होते हैं। उदाहरण के लिए, 'उलिञ जोमा' = मैं आम खाऊँगा, 'उलेम जोमा' = तू आम खाएगा और 'उले जोमा' = वह आम खाएगा में 'उलिञ', 'उलेम' और 'उले' के साथ क्रमशः कर्तृ-प्रत्यय '-इञ', '-एम', और '-ए' लगे हुए हैं।

लिंग-भेद

संताली में यौन लिंग (पुल्लिग-स्त्रीलिंग) की अपेक्षा जैव लिंग (सजीवता-निर्जीवता) को प्रमुखता प्राप्त है। इस भाषा में कतिपय प्राणवाचकों के लिए पुल्लिग और स्त्रीलिंग में भिन्न-भिन्न शब्द तो हैं, किंतु अधिकांश में पुल्लिग के लिए 'आ़ण्डिया़' या 'सा़ण्डी' (नर) और स्त्रीलिंग के लिए 'एंगा'(मादा) शब्दों के प्रयोग करके उनका लिंग-भेद प्रकट किया जाता है। जैसे 'हेरेल' = पुरुष, 'मायजिउ' = स्त्री, 'काडा' = भैंसा, 'बितकिल' = भैंस आदि, परंतु 'आ़ण्डिया़ सेता' = कुत्ता, 'एंगा सेता' = कुतिया, 'सिम सा़ण्डी' = मुर्गा, 'सिम एंगा' = मुर्गी

इत्यादि। इस संबंध में खास बात यह है कि यौन लिंग अर्थात् पुल्लिग-स्त्रीलिंग के विभेद के कारण इस भाषा के क्रियापदों में कोई अन्तर नहीं होता है जबकि जैव लिंग अर्थात् सजीवता-निर्जीवता के विभेद के कारण उनमें अन्तर अनिवार्यतः हुआ करता है। उदाहरण के लिए 'उनी कोड़ाय हेच् एना' = वह लड़का आया, 'उनी कुड़ीय हेच् एना' = वह लड़की आई (यौन लिंग), परंतु, 'आयमा हो़ड़ नेस दो़को बा़ड़िच एना' = बहुत-से लोग इस साल नष्ट हो गए, 'आयमा ओड़ाक् नेस दो़ बा़ड़िच एना' = बहुत-से घर इस साल नष्ट हो गए। (जैव लिंग)। ध्यातव्य है कि पहले दोनों वाक्यों के कर्ता ('कोड़ा' और 'कुड़ी') पुल्लिग और स्त्रीलिंग रहने पर भी उनके क्रियापद 'हेच् एना' एक ही हैं, जबकि अंतिम दोनों वाक्यों में एक का कर्ता 'हो़ड़' सजीव रहने के कारण उसका कर्तृ-प्रत्यय '-को' (ब.व.) समापिका क्रिया के पहले 'दो़' के साथ है, किंतु दूसरे (वाक्य) का कर्ता 'ओड़ाक्' (घर) निर्जीव रहने के कारण उसके लिए कोई कर्तृ-प्रत्यय नहीं है। इसी प्रकार 'आच् रेन कोड़ा' = उसका लड़का और 'आच् रेन कुड़ी' = उसकी लड़की, में यौन लिंग-भेद रहने पर भी दोनों के लिए एक ही कारक-चिह्न 'रेन' (का, की) है, परंतु 'गाडा रेन हाको' = नदी की मछली और 'गाडा रैयाक् दाक्' = नदी का पानी, में 'हाको' (मछली) और 'दाक् (पानी) में जैव लिंग (सजीवता-निर्जीवता) का विभेद रहने के कारण 'हाको' के लिए कारक-चिह्न 'रेन' (की) जबकि 'दाक्' के लिए 'रेयाक्' (का) है।

क्रियापद

संताली की अकर्मक क्रियाओं के लिए वर्तमान, भूत और भविष्य काल के आस्पद (काल-प्रत्यय) हैं—'ओक् काना; एना, आकाना, लेना, और ओक्-आ' तथा सकर्मक आस्पद हैं—'एदा; केदा, आकादा, लेदा और -आ'। विशेषता यह है कि इस भाषा की प्रत्येक समापिका क्रिया के अंत में एक '-आ' रहा करता है। जैसे काना = कान+आ, एना = एन+आ, ... एदा = एत्+आ, केदा = केत्+आ इत्यादि। इस '-आ' को हटा देने पर अपेक्षित क्रियापद कृदन्त-विशेषण हो जाता है। जैसे 'हिजुक् कान हो़ड़' = जो आ रहा है वह आदमी, 'हेच् आकान हो़ड़' = जो आया है वह आदमी, 'हिजुक् होड़' = जो आवेगा वह आदमी, इत्यादि। इस भाषा में अकर्मक और सकर्मक आस्पदों (काल-प्रत्ययों) से ही अपेक्षित क्रियापदों का काल-निर्धारण हुआ करता है। जैसे—

'सेनोक् काना = जाता है; सेन ऐना = गया; सेन आकाना = गया है; सेन लेना = गया था; सेनोक्-आ = जाएगा' (अकर्मक) तथा जोम एदा = खाता है; जोम केदा = खाया; जोम आकादा = खाया है; जोम लेदा = खाया था; जोमा = खाएगा (सकर्मक), इत्यादि।

क्रियापदों का सार्वनामीकरण

संताली के सकर्मक समापक क्रियापदों की विशेषता यह है कि वाक्य के कर्ता, कर्म और संबंधवान् सजीव रहें तो उनके सार्वनामिक प्रत्यय (संक्षिप्त अंश) अनिवार्यतः अपेक्षित समापक क्रियापदों में समाहित रहा करते हैं जिससे सामान्यतः एक ही शब्द अपने-आप में एक वाक्य हो

जाया करता है। जैसे (सादोम) 'इदीकेदेतामाय' = वह तुम्हारे (घोड़े) को ले गया। यहाँ 'इदीकेदेतामाय' अपने में एक शब्द-जैसा ही रहने पर भी, वास्तव में, एक वाक्य है—'वह तुम्हारे (घोड़े) को ले गया।'

इस प्रसंग में ज्ञातव्य है कि संताली के सार्वनामिक कर्तृ-प्रत्यय, जैसा कि पूर्वोक्त है, निम्नांकित हैं—

पुरुष	*एकवचन*	*द्विवचन*	*बहुवचन*
उ.पु.	ञ/-इञ (मैं)	लिञ/लाड़ (हम दोनों)	ले/बोन (हम लोग)
म.पु.	म/-एम (तू)	बेन (तुम दोनों)	पे (तुम लोग)
अ.पु.	य/-ए (वह)	किन (वे दोनों)	को (वे लोग)

सार्वनामिक कर्म प्रत्यय भी कर्त-प्रत्ययों के समान ही है, सिर्फ म.पु. ए.व. में कर्म-प्रत्यय '-मे' (तुझे) हो जाता है। इसी प्रकार संबंध-प्रत्यय तीनों पुरुषों और तीनों वचनों में निम्नाकिंत हैं—

उ.पु.	तिञ (मेरा)	तालिञ/-तालाड़ (हम दोनों का)	ताले/ताबोन (हम लोगों का)
म.पु.	ताम (तेरा)	ताबेन (तुम दोनों का)	तापे (तुम लोगों का)
अ.पु.	ताय (उसका)	ताकिन (उन दोनों का)	ताको (उन लोगों का)

इस प्रकार, उपर्युक्त सार्वनामिक कर्तृ, कर्म और संबंध-प्रत्ययों के परिप्रेक्ष्य में संताली के सकर्मक समापक क्रियापदों का गठन इस प्रकार हुआ करता है—

धातु + काल-प्रत्यय + कर्म-प्रत्यय + संबंध-प्रत्यय + आ (समापक) + कर्तृ-प्रत्यय (यदि वह समापिका क्रिया के पहले न आया हो तो)। इस दृष्टि से पूर्वोक्त क्रियापद (सादोम) 'इदीकेदेतामाय' = 'वह तुम्हारे (घोड़े) को ले गया' का विग्रह है— 'इदी' (धातु) + 'केत्' (सामान्य भूतकालिक प्रत्यय) + 'ए' (कर्म-प्रत्यय, अ.पु., ए.व.) + 'ताम' (संबंध-प्रत्यय, म.पु., ए.व.) + आ + (समापक) + य (कर्तृ-प्रत्यय, अ.पु., ए.व.) = ले गया (घोड़े) को तुम्हारे वह (वह तुम्हारे घोड़े को ले गया)।

क्रियापदों के सार्वनामीकरण की उपर्युक्त विशेषता हिंदी में तो नहीं, हिंदी की कतिपय जनपदीय भाषाओं में अंशतः विद्यमान है। उदाहरण के लिए, अंगिका भाषा के 'देख लियो' = मैंने तुझे देखा, 'कहलकै' = उसने उसे (उससे) कहा— जैसे प्रयोगों में कर्ता और कर्म अंतर्भुक्त हैं यद्यपि यह विलगाना आसान नहीं है कि उनमें कौन-सा अंश कर्ता के लिए और कौन-सा अंश कर्म के लिए है। संताली में उन्हें विलगाया जाना अत्यन्त सरल है।

संख्यावाचक शब्द

संताली के संख्यावाचक शब्द मूलतः एक से दस तक ही हैं—मित् = एक, बार/बारया = दो, पे/पेया = तीन, पोन/पोनया = चार, मोंड़े = पाँच, तुरुइ = छः, एयाय = सात, इराल = आठ, आरे = नौ और गेल = दस। उससे ऊपर की संख्याएँ, आवश्यकता पड़ने पर, दस अथवा बीस (इसी = कोरी) की आवृत्ति पर हुआ करती हैं। गेल-मित् = दस-एक (ग्यारह), गेल-बार = दस-दो (बारह), बार-गेल = दो-दस (बीस) अथवा मित् इसी = एक कोरी, मित्-इसी-मित् = एक

कोरी-एक (इक्कीस) इत्यादि। एक सौ से ऊपर की संख्याओं के लिए हिंदी के हजार, लाख, करोड़ आदि शब्द ही इस भाषा में प्रचलित हैं। हाँ, संख्यावाचक शब्दों के क्रमबोधक रूप 'पहिल' (पहला), दोसार (दूसरा), 'तेसार' (तेसार) आदि; वितरण बोधक रूप 'मिमित्' (एक-एक), 'बाबार' (दो-दो), 'पेपे'(तीन-तीन) आदि तथा समुच्चयबोधक रूप 'बानार' (दोनों), 'पेने' (तीनों), 'पोनोन' (चारों) आदि भी इस भाषा में हैं।

विशेषणों, क्रिया-विशेषणों, अनुसर्गों, समुच्चयबोधक अव्ययों आदि के लिए भी संताली में अपने मूल के अथवा हिंदी, बांग्ला आदि से आदत्त शब्द हैं जिनके विस्तार में जाने का अवकाश यहाँ नहीं है।

शब्द-भंडार

संताली भाषा की मौलिक शब्दावली मुख्यत: शारीरिक अंगों, प्राकृतिक पदार्थों तथा आहार-निद्रा-भय-मैथुन विषयक क्रियाकलापों से संबंधित है। बो़हो़क् = सिर, उप् = बाल, मेंत् = आँख, मूं = नाक, मोचा = मुँह, लाच् = पेट, देया = पीठ, ती = हाथ, ओ़त = पृथ्वी, सेरमा = आकाश, रिमिल= मेघ, दाक् = पानी, हासा = मिट्टी, दारे = पेड़, बिर = वन, बुरू = पहाड़, जोम = खाना, ञू = पीना, गिति्च = सोना, ओको = छिपना इत्यादि; परंतु इस देश की एक अति प्राचीन भाषा होने के फलस्वरूप यहाँ की संस्कृत, प्राकृत, अपभ्रंश, हिंदी, बांग्ला आदि भाषाओं की शब्दावली भी बहुलश: संताली में आदत्त है। उदाहरण के लिए, संस्कृत से (संस्कृत-संताली के क्रमानुसार) अधर्म = आदो़म (कुछ), एरण्ड्म = एराडोम (रेंड़ी), कार्पासम = कास्कोम (कपास), कर्कट्म = काटकोम (केंकड़ा), पर्यंक्म = पारकोम (खाट), दण्डम् = डाण्डोम (सजा, बेंट) इत्यादि। ध्यातव्य है कि उपर्युक्त संस्कृत शब्दों की अंतिम ध्वनि 'म्' संताली में 'म' के रूप में सुरक्षित है जिसका तात्पर्य यह है कि ये शब्द सीधे संस्कृत से संताली में आदत्त हैं।

संस्कृत के अनेक क्रियामूल भी, किंचित् परिवर्तित रूपों में, संताली में हैं। जैसे अंज् = ओ़जोक् (लगाना, तेल आदि), क्री= किरिञ (खरीदना), जिघ्र = जी (सूँघना), जम् = जोम (खाना), दह् = डाहाव (जलाना), घ्रास = गासाव (घिसना), चिञ = चिया़ (चुनना), रू = रू (बजाना), रुह् = रो़हो़य (रोपना), सी = सी (जोतना) इत्यादि।

प्राकृत/अपभ्रंश से आदत्त—अकुट्ट = अकुट (सघन), अदु/आदु = आदो़ (तब), अद्द = ओदा (नम), कुञ = कुञ (कुआं), कद किद = केदा (किया), णिद्दा = ञिन्दा (रात), रोवं = रों (मक्खी), णाहल = नाहेल (हल), उसिण = इसिन (उबालना), णच्चइ = एने्च (नाच), रुजं = रुआ़ (ज्वर) इत्यादि।

हिंदी से आदत्त—आलू = आ़लू, छाता = छातार, ढेला = ढेलाक, द्वार = दुवा़र, नींबू =लेम्बो, भादो = भादोर, सावन = सान, थाली = था़री, तोरी = तुड़ी (सरसों), धोती = धुती, पोथी = पुथी, धोबी = धुबी, ढेंकी = ढिडकी, दूहना = दुहाउ, बिताना = बिता़उ, पीटना = पिटा़उ इत्यादि।

बांग्ला, पंजाबी आदि भाषाओं से आदत्त—आख = आ़क (ऊख), येमन = जेमोन (जैसे), तेमन = तेमोन (तैसे), खोंड़ा = खोड़दा (लंगड़ा), जिरानो = जिरा़उ (सुस्ताना), इस्तक =

इस्तोक (सब), ये = जे (कि), हेनस्ता = हेनोस्ता (निंदन), घन-घन = घाने-घाने (बार-बार), सरोपा = सिरोपा (पाग, पुरस्कार), कुड़ी = कुड़ी (लड़की), बुटा = बुटा़ (वृक्ष), माँदे = माँदा (सर्दी) इत्यादि।

अरबी-फारसी, अंग्रेजी आदि विदेशी भाषाओं के शब्द भी, हिंदी-बांग्ला के माध्यम से संताली में काफी आए हुए हैं। जैसे अक्ल = अकिल, उम्र = उमेर, आईन = आ़न, कानून = का़नून, जरूर = जा़रुड़, दख्ल = दो़खो़ल, फर्क = फाराक, लाइक = लेक (लायक), अर्ज = आरो़ज, ख़बर = खो़बो़र, जिंस = जिनिस, फिक्र = फिकिर, उज्र = उजुर, कागज = कागो़ज , जब्त = जो़बो़द, वक्त = ओ़क्ते, सुबूत = सा़बुद, अंदाज = आम्दाज, खुशी = कुसी, जानवर = जानवार,जख्म = जो़खो़म, जुदा = जुदा, खर्च = खो़रों़च, जमीन = जुमी, ग्लास = गिला़स, नोटिस = लुटिस, टिकेट = टिकिट, पेन्सिल = पिन्सिल, स्कूल = इस्कूल, स्लेट = सिलेट, टेबल = टिबुल इत्यादि। संताली के विदेशी अध्येता पी.ओ. बोडिंग ने यथार्थ ही लिखा है कि 'संताली ने अन्यान्य भारतीय भाषाओं से बहुत अधिक शब्द ग्रहण किए हैं।... मुंडा-कुल की भाषाएँ (जिनके अंतर्गत संताली भी है) विजातीय भाषाओं से, खासकर हिंदी से, किसी-न-किसी रूप से प्रभावित रही हैं। (मैटिरियल्स फॉर ए सान्ताली ग्रामर, पार्ट-1, 1930, पृ. 131 और 72 : पाद-टिप्पणी) स्पष्ट है कि संताली में पहले भी विजातीय शब्दावली ग्रहण की जाती रही है तथा अब भी की जा रही है। साहित्य, व्याकरण, धर्म, दर्शन, गणित, विज्ञान, आधुनिक सभ्यता आदि से संबद्ध अपनी मौलिक शब्दावली के अभाव में इस भाषा में विजातीय शब्दावली का आदान अनिवार्य ही है।

संताली साहित्य

संताली साहित्य को दो भागों में रखा जा सकता है—लोक-साहित्य और शिष्ट साहित्य (तथाकथित) के रूप में । इनमें से लोक-साहित्य के अंतर्गत इस भाषा में परपंरागत रूप से प्रचलित लोकगीत , लोककथाएँ, लोकोक्तियाँ, मुहावरे, पहेलियाँ आदि हैं जबकि शिष्ट साहित्य के अंतर्गत कविता, कहानी, नाटक, उपन्यास, आलेख आदि विभिन्न विधाओं में विरचित आधुनिक साहित्य है।

लोक-साहित्य

संताली में लोकगीतों, लोककथाओं, लोकोक्तियों, पहेलियों आदि के रूप में प्रचुर साहित्य लोक-कंठों में विद्यमान है जिसमें से कुछ का संकलन और प्रकाशन छिटपुट रूप में जब-तब होता रहा है। श्री डब्ल्यू.जी. आर्चर और श्री जी.जी. सोरेन द्वारा संकलित और प्रकाशित 'हो़ड़ सेरेञ' और 'दोङ सेरेञ', डॉ. सहदेव मरंडी द्वारा संकलित और प्रकाशित 'सोहराय सेरेञ' और 'दोङ सेरेञ', पद्मश्री भागवत मुर्मू द्वारा संकलित और सं.प. सेवामंडल, देवघर द्वारा प्रकाशित 'सोहराय सेरेञ' और 'दोङ सेरेञ' इस लेखक द्वारा संकलित और जनजातीय कल्याण शोध संस्थान, रांची द्वारा प्रकाशित 'सोहराय सेरेञ' आदि संताली लोकगीतों के कतिपय संग्रह हैं। उसी प्रकार पी.ओ. बोडिंग द्वारा कतिपय लोककथाओं का संग्रह 'हो़ड़ का़हनी को' (1929), श्री भागवत मुर्मू द्वारा संगृहीत 'संताली लोककथाएँ', इस लेखक द्वारा हिंदी में अनूदित और नेशनल बुक ट्रस्ट, इंडिया, नई दिल्ली द्वारा प्रकाशित 'संताली लोककथाएँ' आदि हैं। संताली पहेलियों

और लोकोक्तियों के दो-तीन छोटे-छोटे संग्रह भी पिछले दिनों प्रकाशित हुए हैं। फिर भी, अधिकांश लोक-साहित्य अब तक अप्रकाशित ही है।

लोकगीत

संताल समाज में जन्म से मृत्यु तक छट्ठी, विवाह, श्राद्ध आदि जातीय संस्कार और वर्ष-भर में सोहराय, बाहा, एरोक्, दासांय आदि अनेक त्योहार हैं। उन संस्कारों और त्योहारों के अवसरों पर इन लोगों में नृत्य-गीत-संगीत की धूम रहा करती है। इस प्रकार संताली में दोङ, लांगड़े, सोहराय, बाहा, भिनसार, मातवार, डाहार, गोलवारी, रिंजा, झिका, दासांय, काराम इत्यादि नामों से विभिन्न रागों और भावों के लोकगीत प्रचुर मात्रा में प्रचलित हैं और लांगड़े गीत मुख्यत: प्रणय, शृंगार और विवाह संबंधी गीत हैं जबकि सोहराय गो-पूजन, गार्हस्थ्य जीवन, दाम्पत्य-प्रेम विषय तथा बाह्य प्रकृति और जातीय देवी-देवताओं माराङ बुरू = महादेव, 'जाहेर एरा' = भगवती आदि (विषयक) गीत हैं। 'काराम गीतों में संताली जाति के आव्रजन-प्रव्रजन कर्म-विधान आदि की बातें रहा करती हैं।'

संताली लोकगीतों का भाव-सौंदर्य यत्र-तत्र अनूठा रहा करता है। अज्ञात रचनाकारों द्वारा रचित इन लोकगातों में कहीं-कहीं उपमा, उत्प्रेक्षा आदि की छटा देखते ही बनती है। एक गीत में नायिका की विरहाग्नि की उपमा 'बोरसी' (अंगीठी) की आग से, जो भीतर-ही-भीतर सुलगती रहती है, इस प्रकार दी गई—'पहाड़ पर जो आग लगती है उसे तो सब लोग देख लिया करते हैं; मेरे मन में जो आग जलती है उसे कौन देखेगा? मेरे मन की आग तो बोरसी की आग है, जो भीतर-ही-भीतर जला करती है, धुआँती तक नहीं है।' (अनुवाद)। एक अन्य गीत में कहा गया है, 'प्राण (जीव) पवन है और शरीर मिट्टी है। यह जीव पीपल के पत्ते की तरह डोलता रहता है, अरुई के पत्ते पर पड़े हुए जल-बिंदु की तरह ढुलमुल है, (न मालूम कब ढुलक पड़े)। प्रात:काल की यह ओस स्थिर रहने वाली नहीं है।' (अनुवाद)

लोककथाएँ

संताली लोककथाएँ मुख्यत: सृष्टि की उत्पत्ति, पुरखों की बातों, गोत्रों के विभाजन, जातीय संस्कारों के प्रचलन, हास्य-विनोद और चतुराई-मूर्खता संबंधी प्रसंगों, पशु-पक्षियों से संबंधित कहानियों आदि के बारे में हैं। एक कथा में कहा गया है कि मनुष्य (संताल) की उत्पत्ति हंस-हंसिनी नामक पक्षी-युग्म से हुई है, 'पिलचू हाड़ाम' और 'पिलचू बूढ़ी' प्रथम मानव-दम्पति हैं, उन्हीं से संताल जाति की वंश-वृद्धि हुई है जो हांसदाक्, मुर्मू, सोरेन, किसकू, हेम्बरोम, मरण्डी आदि बारह गोत्रों में विभाजित हैं। हम लोगों के पुरखे किसी 'हिहिड़ी-पिपिड़ी' से चलकर 'खोज-कामान', 'हाराता', 'सासाङ बेडा' आदि अनेक स्थानों (भूभागों) से होते हुए भारतवर्ष के विभिन्न स्थानों में आ बसे हैं। बाघ, सिंह, भालू, सियार, गिद्ध, चील आदि पशु-पक्षियों से संबंधित अनेक लोककथाएँ संताली में हैं। बाघ-भालू को इन कथाओं में सियार का मामा बताया गया है जबकि सियार की चतुराई की बात इन कथाओं में भरपूर है।

लोकोक्तियाँ, पहेलियाँ आदि

जीवन और जगत् संबंधी अनुभव विषयक बड़ी सटीक लोकोक्तियाँ और पहेलियाँ संताली में हैं। उदाहरण के लिए, एक लोकोक्ति में कहा गया है—'पति-पत्नी के बीच होने वाला झगड़ा पुआल की आग है, जो तुरन्त बुझ जाती है।' उसी तरह, एक अन्य लोकोक्ति है—'पति-पत्नी के बीच होने वाले विवाद में खाट पंच हुआ करती है।' (अनुवाद) इसी तरह एक पहेली है—'अभी यहाँ, अभी वहाँ', जिसका उत्तर है 'आँख' (दृष्टि)।

शिष्ट साहित्य

संताली का तथाकथित शिष्ट साहित्य जो सुज्ञात लेखकों द्वारा रचित हुआ करता है, बाल्यावस्था में है। कहा जा चुका है कि यह भाषा पहले-पहल 1845-50 ई. में लिपिबद्ध हुई है और उसका श्रेय विदेशी मिशनरियों को है। उस सिलसिले में जर्मिया फिलिप्स लिखित 'एन इंट्रोडक्शन टू दि सान्ताली लैंग्वेज' (1852), ई.एस. पक्सले लिखित 'ए वोकेब्युलरी ऑफ दि सान्ताली लैंग्वेज' (1868), एल.ओ. स्क्रेफ्सरुड लिखित 'ए ग्रामर ऑफ दि सान्ताल लैंग्वेज' (1873), ए. कैम्पबेल लिखित 'ए सान्ताली इंग्लिश एण्ड इंग्लिश-सान्ताली डिक्शनरी' (1879), पी.ओ. बोडिंग लिखित 'मैटिरियल्स फॉर ए सान्ताली ग्रामर' पार्ट 1-2, (1922, 1929) तथा 'ए सान्ताली-डिक्शनरी' (जिल्द 1-5, 1929-36) के प्रकाशन उल्लेख्य हैं। परंतु वे सभी प्रकाशन संताली संबंधी रहने पर भी प्रधानतः अंग्रेजी भाषा की संपत्ति हैं, जो साहित्यिक नहीं, वैज्ञानिक अधिक हैं। उसी क्रम में, कल्याण हाड़ाम नामक एक वयोवृद्ध संताल से सुनकर पूर्वोक्त स्क्रेफ्सरुड और जुगिया हाड़ाम नामक एक संताल द्वारा संताली भाषा में लिखित पुस्तक 'होड़को रेन मारे हापड़ामको रेयाक् काथा' (संताल लोगों के पुरखों की बातें) विशेष रूप से चर्चित है जिसका प्रकाशन पहली बार 1887 ई. में हुआ था। रोमन लिपि में प्रकाशित उस पुस्तक में संताल लोगों की सृष्टि-कथा, प्रव्रजन, गोत्र-विभाजन, जातीय संस्कार, पर्व-त्योहार, रीति-रिवाज, मनोरंजन आदि से संबंधित बातों का संकलन है। फिर भी, उसे साहित्यिक कृति के अंतर्गत परिगणित नहीं किया जा सकता।

काव्य साहित्य

संताली के तथाकथित शिष्ट (लिखित) साहित्य का आरंभ काव्य-साहित्य से हुआ है। पाकुड़िया (संतालपरगना) के श्री पाउल जुझार सोरेन (1892-1954) के संताली कविता-संकलन 'ओंनोंड़हें बाहा डालवाक् (काव्य कुसुमों की डाली) संताली शिष्ट साहित्य की प्रथम कृति है, जिसमें जातीय गौरवगान, मातृभाषा प्रेम, प्रकृति वर्णन, उद्बोधन के स्वर आदि विशेषतः मुखरित हैं। उधर, मेंदिनीपुर जिले (पश्चिम बंगाल) के साधु रामचांद मुर्मू (1897-1954) द्वारा विरचित संताली कविताएँ उनकी मृत्यु के बाद, 'सारी धोरोम सेरेञ' (यथार्थ धार्मिक गीत) के नाम से 1979 और 1972 ई. में दो भागों में प्रकाशित हैं। संप्रति सर्वश्री नारायण सोरेन 'तोड़े सुताम', आदित्यमित्र 'संताली', ठाकुर प्रसाद मुर्मू, भागवत मुर्मू ठाकुर, डोमन साहु, 'समीर', बाबू लाल मुर्मू आदिवासी, बालकिशोर बासकी अरमान, सारदा प्रसाद किसकू, वासुदेव बेसरा, शिकार

किसकू, अन्नदा किसकू रापाज, गोराचांद टुडू, सहदेव मरण्डी, हरप्रसाद मुर्मू, डोमन हांसदाक्, महादेव हांसदाक्, रूप नारायण हांसदाक्, रूप नारायण टुडू, गोमास्ता प्रसाद सोरेन, लक्ष्मी नारायण मुर्मू 'पानीर पियो', तेज नारायण मुर्मू, भैया हांसदाक् 'चासा', रघुनाथ मुर्मू , दुगाई टुडू, कृष्णचन्द्र टुडू आदि संताली के चर्चित कवियों में हैं।

'तोड़े सुताम' (1923-1989) एक प्रतिभाशाली कवि, कहानीकार, नाटककार साहित्यकार थे। उनके कविता-संकलन 'गिरा़'(आमंत्रण), 'किरता़न का़ली' (कीर्तन पदावली) और 'आसाड़ बिनती' (आषाढ़-स्तवन) प्रकाशित है जबकि 'उफा़दिया़' (उत्पाती), 'उरनी सेंगेल' (वन की आग), 'धरती दुरङ' (धरती के गीत), 'कायेकटी इल' (कुछ पंख) आदि संकलन अब तक अप्रकाशित ही हैं। आपकी कविताओं की भाव संपदा और भाषा-सौंदर्य आवर्जक है। 'किरता़न का़ली' की कविताएँ तो मुख्यतः मातृशक्ति के प्रति निवेदित हैं जबकि 'आसाढ़ बिनती' की कविताएँ प्राकृतिक सौंदर्य की प्रतिपादिकाएँ हैं। अन्यान्य कवियों की कविताएँ भी अपनी-अपनी विशेषताएँ लिए हुए हैं जिनके विस्तार में जाने का अवसर यहाँ नहीं है।

संक्षेपतः आदित्य मित्र 'संताली' कृत 'गोसो बाहा' (मुरझाया हुआ फूल), 'आदिवासी' कृत 'कोयोक् होर' (प्रतीक्षा), सारदा प्रसाद किसकू-कृत 'भुरका इपिल' (शुक्रतारा), 'कुहूबाउ' (लुका-छिपी) और 'लाहाक् होर रे' (प्रगति पथ पर), गोराचांद टुडू कृत 'चांदमाला' और 'बाखरा', वासुदेव बेसरा कृत 'बिडरा़उ' (हरण), पानीर पियो कृत 'जेरेत दिवहा' (प्रज्वलित दीपक), हरिहर हांसदाक् कृत 'तिरिया़-तेताङ' (बांसुरी की प्यास), रघुनाथ मुर्मू कृत 'पा़रसी बाहा' (भाषा-सुमन), समीर कृत 'सेताक्' (सबेरा), कृष्ण चन्द्र टुडू कृत 'सेरेञ बिंडा़' (गीत-गुच्छ) इत्यादि संताली कविताओं के उल्लेख्य संकलन हैं।

कथा-साहित्य

कथा-साहित्य के अंतर्गत उपन्यास और कहानी-संग्रह मुख्य हैं। इस प्रसंग में उपर्युक्त कवि-साहित्यकारों के अतिरिक्त सर्वश्री हृदय नारायण मंडल, टी.के. रापाज, रूप नारायण 'श्याम', नुनुलाल हेम्बरोम, इग्ना़तियुस सोरेन, एस.डी. बेसरा, भोगला सोरेन, सोमनाथ बेसरा, 'समीर' आदि प्रकाश में हैं। संतालपरगना के भूतपूर्व उपायुक्त आर. कासर्टेयर्स लिखित अंग्रेजी उपन्यास 'हाड़मा'ज भिलेज' का श्री आर.आर.के. रापाज कृत अनुवाद 'हाड़मावाक् आतो' (हाड़मा का गाँव) नामक उपन्यास (1946) इस जिले में संताल लोगों के प्रवेश और 1855 ई. में हुए 'संताल विद्रोह' की पृष्ठभूमि में रचित है जिसमें ब्रिटिश शासन की 'फूट डालकर राज करने की नीति' सुस्पष्ट है। संताली में उसका अनुवाद अच्छा हुआ है। उसी प्रकार, वाल्टर ड्राविक्स के पत्रात्मक अंग्रेजी उपन्यास, 'आई लव्ड ए गर्ल' का श्री गोराचांद टुडू कृत संताली अनुवाद 'मित् टेन कुड़ीञ दुला़ड़ केदेया' अपने ढंग की विशिष्ट कृति है। संताली के मौलिक उपन्यासों में श्री डोमन हांसदाक् के 'आतो-ओड़ाक्' (गाँव-घर), श्री नुनकू सोरेन के 'मुहिला चेचेत् दा़इ'(शिक्षिका मुहिला), 'गा़ड़बा़न रेन कोड़ा' (गाड़ीवान का लड़का) और 'आपा-बारे कुसी बापला' (बाप-भाई की मर्जी पर की गई शादी), 'तोड़े सुताम' के 'माठा सुड़ा़' (शाक-विशेष) आदि के नाम परिगणित हैं।

संताली कहानी संग्रहों के रूप में इस लेखक लिखित 'बुल मुंडा़', 'माताल' (पियक्कड़/ मत्त), श्री अरमान लिखित 'कुकमू' (सपना) और 'पे पावा चावले' (तीन पाव चावल), श्री नुनुलाल हेम्बरोम लिखित 'दुलाड़- चिन्हा़' (प्रेम-चिह्न), टी.के. रापाज लिखित 'आराक् पेयालापुर' (लाल प्यालापुर), आदिवासी जी लिखित 'दिसोम भोक्ता' (देशभक्त) आदि हैं। संताली कथा साहित्य के विषय मुख्यतः समाज-सुधार, नशाबंदी, देशभक्ति, प्रेम-प्रसंग, सेवाभाव, दाम्पत्य जीवन के ऊहापोह, निर्धनता का अभिशाप इत्यादि रहे हैं।

नाटक-साहित्य

नाटक लिखने और मंचित करने की प्रवृत्ति संताली साहित्यकारों में भी विशेष रूप से रही है। तद्नुसार पिछले दिनों उड़ीसा के पं. रघुनाथ मुर्मू लिखित 'बिदु-चान्दन' और 'खेरवाड़ वीर' संताली के अच्छे मौलिक नाटक बांग्ला लिपि में प्रकाशित हैं। पहले का प्रकाशन 1942 ई. में और दूसरे का 1952 ई. में हुआ है। अन्यान्य संताली नाटकों में अरमान जी का 'आ़किल आ़र' (ज्ञानदर्पण), लुदाई सोरेन का 'टुडू कोड़ा मान्दाड़िया़' (माँदरवादक टुडू युवा), श्याम लिखित 'आले आतो' (हमारा गाँव) और 'मानगाड़ माँझी' 1966, सहदेव मरण्डी लिखित 'हासा आर भासा' (मिट्टी और भाषा, 1977) और 'पा़हिल मारसाल' (पहला प्रकाश), वासा जी लिखित 'हो़ड़ाक् बापला' (संताल विवाह), कृष्ण चन्द्र टुडू लिखित 'जुरी खा़तिर' (पत्नी के लिए), तोड़े सुताम जी लिखित 'भिनसार मायाम' (उषाकाल का रक्त) इत्यादि मुख्य हैं। इन सबकी विषयवस्तुओं के बारे में विस्तार में जाने का अवसर यहाँ नहीं है।

अन्यान्य

अन्यान्य शिष्ट (लिखित) साहित्य में निबंध, जीवनी, पाठ्यपुस्तकें आदि हैं जो प्रगति-पथ पर हैं। इस प्रसंग में उपर्युक्त 'हो़ड़को रेन मारे हापड़ामको रेयाक् काथा' के अलावा श्री रामदास टुडू रसिका लिखित 'खेरवाल बोंसा धोरोम पुथी' (1900), श्री सी.एच. कुमार लिखित 'संतालपरगना, संताल आर पहाड़ियाकोवाक् इतिहास' (1937), श्री एस.एच. मुर्मू लिखित 'काराम आर चाचो छटियार' (1945 : काराम यज्ञ और चूड़ाकरण संस्कार) और 'हो़ड़ बापला पुथी' (1961, संताल विवाह), श्री महादेव मरण्डी लिखित 'बादोली-कोयण्डा' (1967, बादोली और कोयण्डागढ़), श्री मनीन्द्र हांसदाक् लिखित 'काराम' (यज्ञ) आदि हैं। इन प्रकाशनों के अलावा बाल-वर्ग से लेकर एम.ए. वर्ग तक के लिए विभिन्न पाठ्यपुस्तकों का प्रकाशन भी स्वतंत्र भारत में हुआ है।

पत्र-पत्रिकाएँ

संताली में अब तक किसी दैनिक समाचार-पत्र का प्रकाशन तो नहीं हो सका है, परंतु साप्ताहिक, मासिक और त्रैमासिक पत्रिकाएँ देवनागरी, बांग्ला, 'ओल चिकि', उड़िया और रोमन लिपियों में अनेक प्रकाशित होती रही हैं जो मुख्यतः साहित्यिक हैं। इस लेखक के संपादकत्व में देवनागरी लिपि में प्रकाशित प्रथम संताली साप्ताहिक पत्र 'हो़ड़-सो़म्बाद' का प्रकाशन बिहार-झारखंड सरकार द्वारा जुलाई, 1947 ई. से पहले देवघर (सं.प.) से और अब दुमका से होता रहा है। इस

लेखक ने उसका संपादन लगातार 36 वर्षों तक किया है। संप्रति 'सिलि', 'सागेन साकाम', 'उमुल', 'जुग सिरिजोल', 'चिठी साकाम' इत्यादि संताली की साहित्यिक पत्रिकाएँ झारखंड, पश्चिम बंगाल और उड़ीसा के विभिन्न स्थानों से प्रकाशित हो रही हैं।

सारांशत: संताली हमारे देश की एक प्रगतिशील आधुनिक भाषा है और इसका साहित्य बड़ी द्रुत गति से प्रगति-पथ पर अग्रसर है।

संदर्भ

1. एल.ओ. स्क्रेफ्सरुड : 'होड़को रेन मारे हापड़ामको रेयाक् काथा' (1887) तथा 'ए ग्रामर ऑफ दि सान्ताल लैंग्वेज', 1873।
2. पी.ओ. बोडिंग : 'मैटिरियल फॉर ए सान्ताली ग्रामर' पार्ट 1-2 : 1922, 1929 तथा 'ए सान्ताल डिक्शनरी' (1-5 : 1929-1936)।
3. डॉ. जी.ए. ग्रियर्सन : लिंग्विस्टिक सर्वे ऑफ इंडिया, जिल्द-4, (1906)।
4. डॉ. सुनीति कुमार चटर्जी : 'ऑरिजिन एण्ड डेवलपमेंट ऑफ बेंगाली लैंग्वेज',(1986)।
5. डॉ. रामविलास शर्मा : 'भारत के प्राचीन भाषा-परिवार और हिंदी', (1981)।
6. आचार्य देवेन्द्रनाथ शर्मा : 'भाषाविज्ञान की भूमिका', (1978)।
7. डॉ. रिचर्ड पिशल /अनु. डॉ. हेमचंद जोशी : 'प्राकृत भाषाओं का व्याकरण', (1958)।
8. डॉ. डोमन साहु 'समीर' : 'संताली भाषा और साहित्य : उद्‌भव और विकास' (1990), 'संताली प्रकाशिका' (1964), 'हिंदी और संताली : तुलनात्मक अध्ययन' (1998), 'होड़-सोम्बाद' (संताली साप्ताहिक पत्र, 1947-1983 संपादित) इत्यादि।

मुंडारी भाषा और साहित्य

डॉ. बी.बी. नाग

मुंडा जनजाति भारत के झारखंड, बिहार, बंगाल, उड़ीसा, मध्य प्रदेश, आसाम और अंडमान निकोबार में मुख्यत: निवास करते हैं। मानव जाति के अन्तर्गत ये प्रोटो-आस्ट्रोलायड ग्रुप में आते हैं और भाषा तत्त्व की दृष्टि से आस्ट्रो-एशियाटिक भाषा परिवार में। मुंडारी झारखंड राज्य के राँची, सिंहभूम, हजारीबाग, धनबाद और पलामू जिले में बोली जाती है।

आस्ट्रिक भाषा परिवार के अन्तर्गत आने वाली भाषाएँ भारत के अतिरिक्त इंडोनेशिया, पोलिनेशिया, मेडागास्कर आदि में भी बोली जाती हैं। ऐसी स्थिति में आस्ट्रिक भाषा-परिवार को दो भागों में बाँटा गया है। एक आस्ट्रो-एशियाटिक और दूसरा आस्ट्रोनेशियन। भारत में बोली जाने वाली आस्ट्रिक भाषाएँ आस्ट्रो-एशियाटिक और भारत से बाहर पाई जाने वाली आस्ट्रिक भाषाएँ आस्ट्रो-नेशियन भाषा-परिवार के अंतर्गत आती हैं। आस्ट्रो-एशियाटिक को दो शाखाओं में बाँटा गया है—मुंडा और मोन-खमेर। मुंडा के भाग हुए—खेरवारी और अन्य। खेरवारी के अन्तर्गत मुंडारी, संताली, हो, खड़िया, असुरी, बिरहोरी, थारू आदि।

व्युत्पत्ति की दृष्टि से आस्ट्रिक

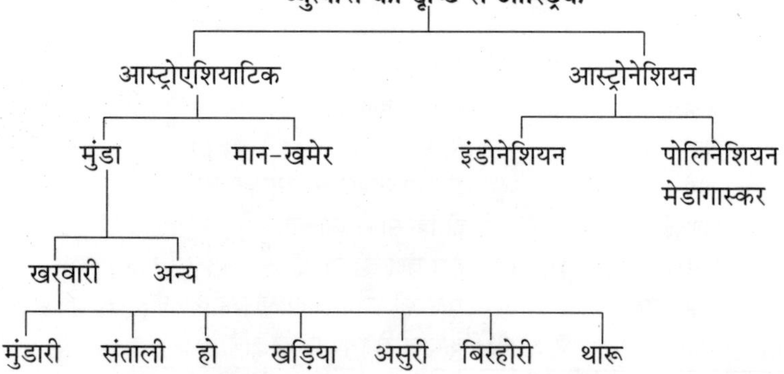

मुंडारी के चार बोली भेद हैं—हसाद:, नगुरी, तमाड़िया और केर: मुंडारी। इन चारों में हसाद: को मुंडारी का केंद्र माना गया है। राँची जिले के दक्षिण में हसाद: मुंडारी, पश्चिम में नगुरी मुंडारी और पूर्व में तमाड़िया मुंडारी बोली जाती है। ऐसा भी कह सकते हैं कि खूंटी और मुरहू प्रखंडों के पूर्वी भाग और अड़की प्रखंड के दक्षिण की बोली हसाद: मुंडारी। कर्रा, गोबिन्दपुर, बानो, कोलेबिरा, तोरपा इलाकों की बोली नगुरी और बुण्डु, तमाड़, सोनाहातु

इलाकों की बोली तमाड़िया मुंडारी है। हसा का अर्थ होता है—मिट्टी और दः का अर्थ है—पानी। मिट्टी से निकला हुआ पानी साफ रहता है। हसादः मुंडारी में अन्य बोलियों का कम प्रभाव पड़ा है क्योंकि हसादः इलाके में मुंडाओं को छोड़कर दूसरे लोग बहुत कम हैं। नगुरी मुंडारी में नागपुरी का प्रभाव काफी पड़ा है। तमाड़िया मुंडारी में बांग्ला उच्चारण का प्रभाव पड़ा है। किसी व्यंजन वर्ण का बिना ओ का उच्चारण वे नहीं कर पाते हैं। बुण्डू और तमाड़ के आसपास के लोग ज्यादा बोलते हैं इसलिए इसे तमाड़िया मुंडारी कहते हैं। केरः मुंडारी राँची के इर्द-गिर्द की बोली है, जिसे उराँव और मुंडा समान रूप से प्रयोग में लाते हैं। केरः मुंडारी में उच्चारण के आधार पर कुड़ुख (उराँव) बोली का प्रभाव ज्यादा लगता है। प्रायः सभी वाक्य में रः का प्रयोग होता है। इसलिए इस बोली भेद को केरः मुंडारी बोलते हैं। छोटानागपुर में ये चारों बोली भेद हैं। ऐसा लगता है कि मुंडा लोगों ने छोटानागपुर को बहुत दिनों तक अपना निवास स्थान बनाया था और अब भारत के अन्य क्षेत्रों में बस गए हैं।

मुंडारी और हिन्दी भाषा दो परिवारों की भाषाएँ हैं। मुंडारी आस्ट्रिक भाषा परिवार एवं हिन्दी आर्य भाषा परिवार के अन्तर्गत आते हैं। अतः एक भाषा परिवार के मूल शब्दों को दूसरे भाषा परिवार के शब्दों में परिणत करने में कठिनाइयों का आना स्वाभाविक है। भाषाविदों के अनुसार दो भाषा परिवारों के शब्द स्तर पर अधिक से अधिक पच्चीस प्रतिशत ही साम्यता पाई जा सकती है।

मुंडारी में एक क्रिया के लिए कहीं-कहीं एक शब्द नहीं होता है, बल्कि उसकी विविध क्रियाओं के लिए अनेक शब्द होते हैं। जैसे काटना के लिए कोई एक शब्द नहीं परंतु अनेक शब्द होते हैं।

शब्द	*अर्थ*
मः	कुल्हाड़ी से काटना
हद	छुरी से काटना
इर	हँसुआ से काटना
लटब	कैंची से काटना
हुअः	दाँत से काटना
गेद	मांस काटना
तोपं	इच्छित लंबाई के अनुरूप काटना
गण्डुई	दो हिस्सों में काटना
हेसे	हेसे वृक्ष की शाखा काटना
हेसे गिड़ि	वृक्ष की सभी शाखाओं को काटना
चलुः	कुदाल से मिट्टी काटना

हिन्दी में सजीव-निर्जीव का भेद मुंडारी की तरह नहीं है। हिन्दी में जिसमें प्राण हो उसे सजीव और जिसमें प्राण न हो उसे निर्जीव माना गया है। मुंडारी में चलने पर विशेष ध्यान रखा गया है। पेड़-पौधे चल-फिर नहीं सकते हैं, इसलिए उन्हें निर्जीव की तरह प्रयोग में लाते हैं। चाँद-सितारे और सूर्य चलते से नजर आते हैं, इसलिए उन्हें सजीव माना गया है।

हिन्दी में वचन दो हैं—एकवचन और बहुवचन किन्तु मुंडारी में तीन वचन हैं—एकवचन,

द्विवचन और बहुवचन। द्विवचन के अलिङ और अलङ का अर्थ भेद हैं। अलिङ कहने से दूसरे को छोड़ने, अलङ कहने से तीसरे को छोड़ने का अर्थ प्रकट होता है।

अलिङ जोम तना—हम दोनों खा रहे हैं।

खाने का काम उत्तम पुरुष और अन्य पुरुष के साथ हो रहा है और मध्यम पुरुष को सूचना दी जा रही है।

अलङ दुबा—हम दोनों बैठेंगे।

बैठने का काम उत्तम पुरुष और मध्यम पुरुष के साथ हो रहा है।

अले सेनो: तना—हम लोग जा रहे हैं।

अबु दुबा—हम लोग बैठेंगे।

अले और अबु में भी अर्थ का भेद है। अले कहने से उत्तम पुरुष (कहने वाला), मध्यम पुरुष (सुनने वाला) को बता रहा है कि वे लोग जा रहे हैं। सुनने वाला साथ नहीं जा रहा है। उत्तम पुरुष और समूह जा रहा है।

अबु कहने से उत्तम पुरुष समूह को कह रहा है कि वह भी साथ में बैठ रहा है किन्तु दूसरा समूह या अन्य पुरुष को छोड़कर बैठने का काम हो रहा है।

मुंडारी भाषा के लिए देवनागरी वर्णों का प्रयोग अच्छा माना गया है क्योंकि देवनागरी लिपि में जैसा हम लिखते हैं, वैसा ही हम पढ़ते हैं। रोमन लिपि में लिखने पर ऐसी बात नहीं है। हम कुछ लिखते हैं और उसका उच्चारण अलग करते हैं। जैसे But और Put का उच्चारण करते समय U का एक सा उच्चारण नहीं किया जाता है। उसी प्रकार देवनागरी के वर्णों को रोमन लिपि में लिखते समय चिन्हों का हमें प्रयोग करना पड़ता है। लेकिन देवनागरी में यह झंझट नहीं है।

मुंडारी भाषा में देवनागरी वर्णों का प्रयोग हम करते हैं, लेकिन सब वर्णों की जरूरत नहीं पड़ती। हिन्दी में ए और ओ का दीर्घ उच्चारण होता है। मुंडारी में इन दो वर्णों से अनेक शब्द मिलते हैं। दीर्घ से ज्यादा ह्रस्व उच्चारण मिलता है। इसलिए ए और ओ वर्ण को मुंडारी में ह्रस्व मान लिया गया है।

ह्रस्व	दीर्घ
ए	ए'
ओ	ओ'

देवनागरी के कुछ वर्ण मुंडारी में प्रयोग नहीं होते हैं क्योंकि मुंडारी और हिन्दी का उच्चारण भेद है। देवनागरी के मुंडारी में नहीं आने वाले वर्ण—

व्यंजन

ष, श, क्ष, त्र, ज्ञ, ऋ

विसर्ग का प्रयोग मुंडारी में बहुत होता है किन्तु हिन्दी अथवा संस्कृत के विसर्ग के उच्चारण से भिन्न मुंडारी में होता है।

अत्र:	कोत: — कहाँ
अत:	नेत: — यहाँ

हिन्दी में संस्कृत के विसर्ग का उच्चारण करते समय अन्त में ह का उच्चारण आता है। किन्तु मुंडारी के विसर्ग का उच्चारण करते समय विसर्ग के पहले स्वर का दो बार उच्चारण करते हैं।

शब्द के अंत में अगर हम आकार लगाते हैं तो हिन्दी की तुलना में कम बलाघात करते हैं।

हिन्दी	मुंडारी
सका	सका—हाथी दाँत की चूड़ी
लोटा	लोटा
	पोटा—अंतड़ी

काव्यभाषा

छन्दों के बंधन में बँधे रहने और अन्य काव्य रूढ़ियों के कारण हर साहित्य में काव्य की भाषा गद्य की भाषा से अलग होती है। मुंडारी गीत-कविता (विशेषकर लोकगीत) साहित्य पढ़ते-सुनते समय पाठक-श्रोता को भाषागत परिवर्तनों को ध्यान में रखना चाहिए।

1. शब्द का पहला वर्ण स्वर या ह, ल हो तो गाते समय न का उच्चारण किया जाता है।

अला	—	नला	—	खिलना
ओको —	नोको	—	कहाँ	
ओकोए	—	नोकोए	—	कौन
अलेअः	—	नलेअः	—	हम लोगों का
इअम	—	निअम	—	रोना
इलि	—	निलि	—	हंड़िया
इसु	—	निसु	—	बहुत
उदुब	—	नुदुब	—	बताना
उलि	—	नुलि	—	आम
एकेला	—	नेकेला	—	हिलना
एदेल	—	नेदेल	—	सेमल
एरङ	—	नेरङ	—	गाली देना
हतु	—	नतु	—	गाँव
हड़ागुन	—	नड़ागुन	—	उतरना
हिसि	—	निसि	—	बीस
हेसः	—	नेसः	—	पीपल
होसोर —	नोसोर	—	घिसकना	
लुतुम	—	नुतुम	—	नाम
लेल	—	नेल	—	देखना

2. मुंडारी छंद के एक प्रकार में किसी पद गुच्छ के प्रथम पद में दो अक्षरों (स्वर सहित दो व्यंजनों) का होना आवश्‍यक है। जब यह शर्त गद्य की भाषा से पूरी नहीं होती है तो इसे पूरी करने के लिए वैसी जगहों में ए का आगमन होता है।

सिद लेगे मोनीञा मनि दो—सिदे लेगे मोनीञा मनि दो।

'मुझे सरसों का साग तोड़ने का मन करता है।' इसमें सिद—तोड़ना को गाते समय सिदे उच्चारण करना पड़ता है।

सुद दः रेगे अटामे—सुदे दगे रेगेञ अटामेअ।

'पक्षी मैं तुम्हें झरने के पानी के पास फँसाऊँगा।'

बुरु अते लेल मेरे गतिञ—बुरु अते लेले मेरे गतिञ।

'प्रिय, जब मैं तुम्हें पहाड़ पर से देखता हूँ।'

एंगाम को बा कटब तना—एंगामे को बा कटब तना।

'हे लड़की, तुम्हारे माँ-बाप सरहुल का उपवास कर रहे हैं।'

3. क्रियापूरक अ का लोप : सातपदी पंक्तियों को छोड़कर अन्य सभी पंक्तियों में अंतिम क्रियापूरक अ का लोप होता है।

अम दो मइ कम जुड़िजना—अम दो मइ कम जुड़िजन।

'हे लड़की तुम्हारी जोड़ी नहीं लगी।'

ददाया कञ इतुअना—ददाया कञ इतुअन।

'हे भाई, मुझे (दिकु भाषा) नहीं आती।'

लगोम दो कम कुलादिञा—लगोम दो कम कुलादिञ।

'(हे राजा), तुमने मेरे लिए लगाम नहीं भेजी।'

4. छन्दगत आवश्यकताओं के कारण कभी-कभी कुछ क्रियाओं का भी लोप होता है।

क. तन 'कोई होना' क्रिया का लोप—

नेअ दोगो नेअ दो चिकन दरु तनः—नेअ दोगो नेअ दो चिकन दरु।

'प्रिय, यह पेड़, यह कौन सा पेड़ है?'

नइ दो हो ओकोरेन बण्डा सेता तनिः—नइ दो हो ओकोरेन बण्डा सेता।'

'साथी, यह कहाँ का पूँछविहीन कुत्ता है?'

ऊपर के उदाहरणों में क्रिया रूप तनः, तनिः 'है' का लोप हो गया है।

ख. मेनः 'कहीं होना' क्रिया का लोप—

बुरु रे बुरु रे मनि मेनः—बुरु रे बुरु रे मनि दो।

'पहाड़ पर, पहाड़ पर सरसों है।'

मेरोम गुपि चोड़ेंअ मयङ रे रंगा रुतु मेनः—मेरोम गुपि चोड़ेंअ मयङ रे रंगा रुतु।

'बकरी चराने वाले छोकड़े के कमर में रंगीन बांसुरी है।'

ग. हिजुः 'आना' का लोप—

चेतनाते सर्गा दंगिड़ि हिजुः तना—चेतनाते सर्गा दंगिड़ि।

'ऊपर से सराक युवती आ रही है।'

बुरु सोंगा, सोंगाते दो होयो चि सरजोम हिजुः तना—
बुरु सोंगा, सोंगाते दो होयो चि सरजोम।

'पहाड़ों के बीच से हवा या साखू की पत्तियाँ आ रही हैं?'

ऊपर के उदाहरणों में हिजुः तना 'आ रही है' क्रिया का लोप हो गया है।

5. काव्य भाषा में प्रायः संयोजकों का अभाव पाया जाता है।

क. ओड़ोः 'और' का लोप—

बुरु रेदो हो बुरु सिसि बा।

गड़ा रेदो हो गड़ा नचल बा।

'पहाड़ में भाई सिसि फूल है।

नदी में भाई नचल फूल है।'

ख. मेन्दो 'लेकिन' का लोप—

बको: होले बइअ: इअ।

बको: हो हुल: जन।

'हमने उसके लिए अंकुश बना दिया।

साथी अंकुश टूट गया।'

6. विसर्ग (:) का लोप : गायन में गेय पंक्ति में स्वर अनवरुद्धता की आवश्यकता होती है। इसलिए ऐसी इकाइयों से विसर्ग (:) का लोप होता है क्योंकि स्वरावरोध ही इस ध्वनि की प्रकृति है।

अलेअ: दिसुम तेपे सेनो: रेदो—अलेअ दिसुम तेपे सेनो रेदो।

'यदि तुम हमारे देश जाओगे तो...'

हिजु: सेनो: राजाञ लेल मेअ—हिजु सेनो राजाञ लेले मेअ।

'राजा, मैं तुम्हें आते-जाते देखता हूँ।'

7. मुंडारी काव्यभाषा में कुछ ऐसे शब्दों का प्रयोग होता है जो बोलचाल (गद्य) की भाषा में प्रयुक्त नहीं होते।

जोता — जोड़ी। चिरि — डरना, घबराना।

डरे — रास्ता। गमए — इलाका।

नपए — अच्छा। सुद — स्रोत (सोता)।

सुअण — सुनना। चिमए — कहाँ।

किरूम — खून। बटे — आँगन।

किदर—कोदोर — लहलहाना। सलन्दि — घर का पिछवाड़ा।

नचुर — आना। सेगेद — गाली देना।

संगञ — मेरे साथी।

8. पुनरावृत्ति : मुंडारी लोक (परंपरागत) काव्यभाषा में पुनरावृत्ति की बहुलता एक ऐसी प्रकृति है जो इस भाषा की काव्य परंपरा को समस्त भारतीय भाषाओं में एक विशिष्टता प्रदान करती है। इस पुनरावृत्ति सिद्धांत के अनुसार प्रत्येक गेय वाक्य या वाक्यांश किसी न किसी रूप में पुनरावृत्त होता है। गेय तत्त्वों पर बल देना और उन्हें एक दूसरे पर्यायवाची वाक्य द्वारा स्मरण करना ही इस प्रक्रिया के मूल उद्देश्य लगते हैं।

ददाया दिकु कजि दो ददाया कञ इतुअन।

ददाया बंगालिअ दो ददाया कञ सरिअन।

'हे भाई, दिकु भाषा, हे भाई, मैं नहीं जानता।'

'हे भाई, बंगला भाषा, हे भाई, मुझे नहीं आती।'

एला रे सरजोम बा, एला रे हड़ागुन मे।

एला रे सुड़ा संगेन, एला रे होसोरेन मे।

'आओ हे साखू के फूल, आओ उतरो।'

'आओ हे नवपल्लव, आओ सरको।'

मुंडारी बिंबविधान को इस पुनरावृत्ति प्रकृति से निश्चित रूप से एक बल मिलता है।

भाषा और साहित्य में कार्य-प्रगति

मुंडारी भाषा और साहित्य में काम हो रहा है, किन्तु संतोषप्रद नहीं कहा जा सकता है। शुरू में व्याकरण लिखने की परंपरा चली। उसके बाद संग्रह का काम हुआ। इस समय विभिन्न विधानों में लिखने का काम भी चल रहा है जिसकी चर्चा मैं कर रहा हूँ—

1. फादर होफमैन राँची जिले के मुरहू प्रखंड के अन्तर्गत सरवदा गिर्जा के पुरोहित थे। यह इलाका हसादः मुंडारी का है। फादर होफमैन ने पुरोहित के रूप में क्षेत्र के लोगों की सेवा करते हुए यह अनुभव किया होगा कि मुंडारी बोली की जानकारी रखना भी उतनी ही जरूरी है। एक विदेशी होते हुए भी फादर होफमैन ने मुंडारी की जानकारी हासिल की। उन्होंने मुंडारी ग्रामर लिखा जो 1903 में कलकत्ता से प्रकाशित हुआ। इस पर उन्हें संतुष्टि नहीं मिली और एन्साइक्लोपीडिया मुंडारिका 15 खंडों में लिखा। अंतिम खंड अधूरा था और इस काम को फादर पोनेट ने पूरा किया। 14 खंड पटना से 1938 में और अंतिम खंड 1979 में प्रकाशित हुआ।

2. जोसेफ टोपनोओः सेंट जोन्स हाई स्कूल में शिक्षक थे। सरकारी अधिकारी जो मुंडारी सीखने में रुचि रखते थे, उन्हें भी पढ़ाया करते थे। उन्होंने 'मुंडारी सीखने का सरल व्याकरण' 1968 में प्रकाशित कराया। यह व्याकरण फादर होफमैन के मुंडारी ग्रामर के आधार पर देवनागरी में लिखा गया व्याकरण है।

3. जे.सी. तिलमिङ पहले प्राध्यापक थे। बाद में राँची में वकालत करने लगे। उन्होंने 'मुंडारी सरल शिक्षा' नामक पुस्तक प्रकाशित कराई। इस पुस्तक में व्यावहारिक वाक्यों के माध्यम से प्रश्न पूछे गए हैं और उनके उत्तर दिए गए हैं। अन्त में क्रिया का रूप बताने से संबंधित प्रश्न पूछे गए हैं और उत्तर भी दिए गए हैं।

4. जगन्नाथ महतो पेशे से वकील थे। मुंडारी उनकी मातृभाषा नहीं थी, परन्तु भाषा की अच्छी जानकारी थी। उन्होंने 'मुंडारी शिक्षक' नामक पुस्तक का प्रकाशन कराया। मुंडारी सीखने वालों की माँग को देखते हुए उन्होंने यह पुस्तक लिखी।

पहले अध्याय में प्रतिदिन व्यवहार होने वाले शब्द दिए गए हैं। दूसरे अध्याय में व्याकरण का सारांश दिया गया है। तीसरे अध्याय में क्रिया की रूपावली का सारांश अंग्रेजी व्याकरण के आधार पर दिया गया है। यह पुस्तक तमाड़िया मुंडारी को मानक मानकर लिखी गयी है।

5. डॉ. एन.के. सिन्हा की पहली पुस्तक 'Mundari Phonetic Reader' है और यह CIIL, Mysore से 1974 में प्रकाशित हुई। इस पुस्तक में मुंडारी को उच्चारण के आधार पर किस प्रकार लिखा जा सकता है तथा इनका उच्चारण स्थान कहाँ है, बताया गया है।

डॉ. एन.के. सिन्हा की दूसरी पुस्तक 'Mundari Grammar' है और यह CIIL, Mysore से 1975 में प्रकाशित हुई। डॉ. सिन्हा का शोधकार्य हसादः मुंडारी (खूंटी) क्षेत्र रहा है। उनकी मातृभाषा नहीं होते हुए भी मुंडारी की अच्छी पकड़ है। बड़ी बात तो यह है कि लिखते समय भाषा वैज्ञानिक तरीका अपनाया गया है।

6. डॉ. रामदयाल मुंडा विश्व स्तर के भाषा वैज्ञानिक हैं। मुंडारी उनकी मातृभाषा है। उन्होंने 'मुंडारी व्याकरण' 1980 में प्रकाशित कराई। इस पुस्तक के प्रकाशन के संदर्भ में वे स्वयं कहते हैं कि मुंडारी साहित्य के विकास की समस्याएँ हैं। सबसे बड़ी समस्या भाषा में मानकीकरण की है। पुराने आग्रह चले आ रहे हैं और नई सूझ-बूझ भी प्रकाशित की जा रही है। प्रस्तुत पुस्तक के लिखने का मूल उद्देश्य लेखन को एक वैज्ञानिक आधार देना ही है।

डॉ. रामदयाल मुंडा की व्याकरण से संबंधित पुस्तक 'मुंडारी पाठ' भी है जो 1981 में प्रकाशित हुई। इस पुस्तक में ध्यान रखा गया है कि जो मुंडारी नहीं जानते, उन्हें बोलने और समझने में सुविधा हो सके।

7. श्री निकोदीम केरकेट्टा सरकारी सेवा में थे। मुंडारी उनकी मातृभाषा है। उनकी 'बइअडकिर' नामक पुस्तक 1981 में प्रकाशित हुई। मुंडारी में हिन्दी व्याकरण में प्रयुक्त शब्दों की व्याख्या वाली यह पहली पुस्तक है। लेखक का भी मानना है कि मुंडारी में लिखी गई यह पहली पुस्तक है।

8. डॉ. नोर्मन एच. जाईड भाषा वैज्ञानिक हैं। शिकागो विश्वविद्यालय में भाषा विज्ञान के प्रोफेसर थे। उन्होंने 'Studies in the Munda Numerals' पुस्तक लिखी है। डॉ. जाईड ने स्वयं मुंडा क्षेत्र में शोध कार्य किया था। उनकी पुस्तक से भी हमें मुंडारी लिखने में मदद मिलेगी। यह पुस्तक 1978 में CIIL, Mysore से प्रकाशित हुई।

9. मेरे पी-एच.डी. शोधप्रबंध का विषय था— 'मुंडारी भाषा का वैज्ञानिक अध्ययन'। अब तक प्रकाशित व्याकरण की जितनी भी पुस्तकें मुझे देखने को मिलीं, उनसे मैंने मदद ली है और कई बिन्दुओं पर अपनी ओर से प्रस्ताव रखा है। शोध प्रबंध, पुस्तक के रूप में जल्द ही आएगी।

दूसरी पुस्तक 'आइए मुंडारी सीखें' की पांडुलिपि भी तैयार है। मुझे आशा है, जो मुंडारी नहीं जानते हैं उन्हें बोलने और समझने में सुविधा होगी।

सम्पादित पुस्तकें

1. डब्ल्यु.जी. आर्चर प्रशासक थे। उन्होंने मुंडारी लोकगीतों का संग्रह कराया और 'मुंडा दुरङ' नामक पुस्तक का प्रकाशन कराया। इस पुस्तक में लोकगीतों का संग्रह मात्र है, अनुवाद नहीं है।

2. श्री जगदीश त्रिगुणायत एस.एस. हाई स्कूल में शिक्षक थे। उन्होंने मुंडारी भाषा और साहित्य से संबंधित तीन पुस्तकों का प्रकाशन कराया। पहली पुस्तक 'बांसुरी बज रही है'। यह मुंडारी लोकगीत संग्रह है और हिन्दी में इन गीतों का अनुवाद कर लिया गया है। दूसरी पुस्तक 'मुंडा लोककथाएँ' हैं। यह मुंडा लोककथा संग्रह है और इनका भी हिन्दी अनुवाद है। दोनों पुस्तकें बिहार राष्ट्रभाषा परिषद्, पटना द्वारा क्रमशः 1957 और 1968 में प्रकाशित हुईं।

तीसरी पुस्तक 'सोसो बोंगा' है। इसका प्रकाशन शिक्षक सहयोग भंडार, राँची द्वारा हुआ। सोसो बोंगा गीत कथा है। मुंडाओं की प्रसिद्ध धर्म गाथा है। यह कथा अधर्म पर, धर्म की क्रूरता पर कोमलता की विजय कथा है।

3. भैयाराम मुंडा द्वारा भी लोककथाओं का संग्रह हुआ है। यह संग्रह पुस्तक के रूप में 'दड़ां जमाकन कानिको' का प्रकाशन कल्याण विभाग, पटना द्वारा हुआ है।

4. प्रो. मनसिद्ध बड़ायउद ने 'जोनोका कजिको ओड़ो: कजि रअ: जुगुतुको' नामक पुस्तक का संपादन किया और यह 1987 में प्रकाशित हुई। इस पुस्तक के मुहावरे और कहावतें बड़े ही उपयोगी हैं।

5. डॉ. रामदयाल मुंडा द्वारा संपादित मुंडारी गीतों की दो पुस्तकें प्रकाशित हुई हैं। पहली पुस्तक 'हिसिर' सहकारी प्रकाशन समिति राँची द्वारा 1967 में प्रकाशित हुई। दूसरी पुस्तक 'बुदु बाबु और उनकी रचनाएँ' 1974 में प्रकाशित हुई। इस पुस्तक में बुदु बाबु द्वारा लिखे गए सारे गीत हैं और इनके हिन्दी अनुवाद हैं।

6. मझिया मुंडा ने रामायण का मुंडारी अनुवाद किया है। यह पुस्तक देश धर्म सेवा संस्थान द्वारा 1988 में प्रकाशित हुई।

अन्य प्रकाशित पुस्तकें

1. डॉ. रामदयाल मुंडा की दो पुस्तकें और प्रकाशित हुई हैं। पहली पुस्तक 'सेलेद' है। यह पुस्तक सहकारी प्रकाशन समिति राँची द्वारा 1967 में प्रकाशित हुई। इसमें 65 मुंडारी गीत हैं और बाकी 36 उनकी नागपुरी कविताएँ हैं।

दूसरी पुस्तक 'एअ नव कानिको' है जिसमें 7 नई मुंडारी कहानियाँ हैं। विषयवस्तु इस क्षेत्र की समस्याओं से संबद्ध है जो अनायास ही ध्यान आकृष्ट करती है।

2. दुलायचन्द्र मुंडा की दो पुस्तकें हैं। पहली पुस्तक 'बम्बरू' 1978 में छपी। दूसरी पुस्तक 'सुड़ा-संगेन' का प्रकाशन बिहार राष्ट्रभाषा परिषद्, पटना द्वारा 1966 ई. में हुआ। दोनों पुस्तकों में उनके स्वरचित मुंडारी गीत हैं जो नृत्य के अखाड़े में गाने योग्य हैं।

3. काण्डे मुंडा की दो पुस्तकें प्रकाशित हैं। पहली पुस्तक 'गुइरम' है। यह उपन्यास है। मुंडारी साहित्य संग्रह एवं प्रकाशन समिति, राँची द्वारा 1980 में प्रकाशित हुआ।

दूसरी पुस्तक 'ससं बा' है और मुंडारी साहित्य संग्रह एवं प्रकाशन समिति, राँची द्वारा 1988 में प्रकाशित हुई। इस पुस्तक में उनके ही रचित सारे मुंडारी गीत हैं।

4. दाउद दयाल सिंह होरो द्वारा लिखे गए मुंडारी गीत संग्रह 'सुरुद सलुकिद दुरङ' सी.एन.आई. चर्च, राँची द्वारा 1931 में प्रकाशित हुआ है।

5. विशप दिलबर हंस ने 'होड़ो ससंकिर बमबरु' का प्रकाशन कराया है। यह पुस्तक एक नाटक है।

6. डॉ. एम.एम. मुण्डु ने 'मुंडारी-अंग्रेजी-हिन्दी शब्दकोश' तैयार किया है और यह 1995 में प्रकाशित हुआ। डॉ. मुण्डु ने मुंडारी भाषा की जानकारी राष्ट्रीय से अन्तर्राष्ट्रीय स्तर तक पहुँचाने में बहुत काम किया है।

7. श्रीमती स्वर्णलता प्रसाद, बिहार जनजातीय कल्याण शोध संस्थान, राँची में निर्देशिका के पद पर थीं। उन्होंने 'मुंडारी-हिन्दी शब्दकोश' तैयार किया और 1973 में संस्थान द्वारा प्रकाशित कराया। कहीं-कहीं मुद्रण में अशुद्धियाँ आ गई हैं, उसे सुधारने पर इसकी उपयोगिता बढ़ेगी।

दूसरी पुस्तक 'हिन्दी-मुंडारी शब्दकोश' है और यह 1976 में संस्थान द्वारा प्रकाशित हुआ।

यह शब्दकोश हिन्दी भाषा-भाषियों के लिए समकक्ष मुंडारी शब्द जानने की सुविधा प्रदान करता है।

तीसरी पुस्तक 'मुंडारी वार्तालाप निर्देशिका' है और संस्थान द्वारा प्रकाशित हुई। इस वार्तालाप निर्देशिका में विभिन्न परिस्थितियों में बोले जाने वाले हिन्दी वाक्यों के सान्निध्य में मुंडारी के वाक्यों का उल्लेख किया गया है जिससे जो मुंडारी नहीं जानते हैं, उन्हें बोलने और समझने में सुविधा हो सके। सरकारी सेवकों एवं भाषा प्रेमियों के लिए लाभकारी सिद्ध होगा।

संदर्भ

J.B. Hoffmann : Mundari Grammar, Calcutta, 1903।

रामदयाल मुंडा : मुंडारी व्याकरण, मुंडारी साहित्य परिषद्, राँची, 1980।

जोसेफ तोपनोओ : मुंडारी सीखने का सरल व्याकरण, राँची 1968।

N.K. Sinha : Mundari Phonetic Reader, CIIL, Mysore, 1974।

स्वर्णलता प्रसाद : हिन्दी-मुंडारी शब्दकोश, बिहार जनजातीय कल्याण शोध संस्थान, राँची, 1976।

स्वर्णलता प्रसाद : मुंडारी वार्तालाप निर्देशिका, बिहार जनजातीय कल्याण शोध संस्थान, राँची।

कुड़ुख भाषा और साहित्य

डॉ. मंजुला कुमारी

भूमिका

झारखंड का यह भूभाग विश्व के प्राचीनतम भूभागों में से एक है। यहाँ आदिम समुदाय के लोग निवास करते हैं। झारखंड का मनोरम स्थल, दुर्गम अखंड अरण्यों से और दुर्गम पहाड़ियों से घिरा प्रदेश अर्कखंड, कर्कखंड, नागदेश, कोकरा, खुखरा, हीरा नागपुर, चुटिया नागपुर तथा छोटानागपुर आदि कई नामों से विख्यात रहा है। इस खंड प्रदेश में रहने वाले कुड़ुख भाषी लोग भाषा साहित्य और संस्कृति की दृष्टि से अत्यन्त समृद्ध एवं महत्त्वपूर्ण हैं। इस खंड में प्राचीन काल से तीन भाषा परिवार एक साथ निवास करते आ रहे हैं। इन तीनों भाषा परिवारों के अंतर्गत कई भाषाएँ तथा उपभाषाएँ हैं और कुड़ुख भाषा ने इन सभी भाषाओं के बीच रहकर अपना अस्तित्व बचाए रखा है।

भाषा का संबंध समाज में प्रत्येक प्राणी से है और उराँव लोग भाषा के मामले में काफी धनी हैं। किसी भी जाति की भाषा में उनकी जीवन प्रणाली, इतिहास और परंपराओं का प्रतिबिंब झलकता है। कुड़ुख भाषा का दक्षिण भारतीय भाषा से संबंध रहने के कारण उसकी अपनी विशेष उच्चारण विधि है जो झारखंड की किसी भी भाषा से समानता नहीं रखती। यही इसकी मूल विशेषता है। इसकी उच्चारण पद्धति बहुत ही जटिल है लेकिन भाषा में मधुरता भी है।

नामकरण

'कुड़ुख' उराँव जनजाति की भाषा है। कुड़ुख से कुड़ुखर एक जाति विशेष के लिए प्रयुक्त शब्द है। कुड़ुख द्रविड़ियन शब्द है और द्रविड़ भाषा में कुड़ुख शब्द का अर्थ 'मनुष्य' होता है।

कुड़ुख भाषी लोगों के लिए कुड़ुख शब्द की उत्पत्ति कैसे हुई? इस संबंध में विभिन्न विद्वानों ने अपने-अपने तरीके से विचार देने का प्रयत्न किया है। कतिपय विद्वान पौराणिक कालीन 'कीकट' प्रदेश से जोड़कर कुड़ुख शब्द की निष्पत्ति मानते हैं तो कुछ विद्वानों ने करख देश के रहने वालों को कुड़ुख कहा है।

शरत्चन्द्र तथा अन्य विद्वानों के विचारानुसार दक्षिण के पाण्डयों के राज्य में कोरख नाम का एक पराक्रमी राजा हुआ था जिसकी राजधानी कोरकई थी। इसी राजा के वंशधर बाद में आधुनिक सासाराम जिले के रोहतासगढ़ में आकर बस गए, और बाद में वे वहाँ के अधिपति बन गए। उन्होंने अपने पूर्व पुरुष 'कोरख' के नाम पर अपने प्रजावासी का नाम 'कुड़ुख' या 'कोरख'

या करूष रखा जो 'ष', 'ख' में उच्चरित होकर करूख से कुड़ुख हो गया। 'ष' का 'ख' में परिवर्तन अन्य भाषाओं में भी दिखाई पड़ता है।

कुड़ुख शब्द का संबंध संस्कृत धातु 'कृष' से माना गया है। संस्कृत शब्द 'कृष' का शाब्दिक अर्थ कृषक है यानी कृषि कार्य करने वाला, या हल चलाने वाला। संस्कृत शब्द 'खर' का अर्थ बहुत 'सख्त' या 'तेज' होता है। वस्तुतः कुड़ुख शब्द का विकास सस्कृत की 'कृष' धातु से ही हुआ है जो बाद में 'कृषक' शब्द से कुड़ुख तथा कुड़ुखर हो गया।

भाषा परिवार

भाषा मनुष्य की एक ऐसी सांस्कृतिक निधि है जिसमें कोई पुरावशेष भी उपलब्ध नहीं है। और न ही ऐसा मानव समाज या होमिनिदों की ऐसी कोई जाति जीवित है जो किसी प्रकार की आदिम मानव की भाषा बोलती हो। आज जितनी भी भाषाएँ बोली जाती हैं, वे सभी विकसित भाषाएँ हैं। जिस प्रकार परिवारों में आदिपुरुष होता है और उससे कई शाखाएँ फूट निकलती हैं उसी प्रकार आज भाषाएँ भी संसार में मौजूद हैं। उपर्युक्त भाषा विकास में इसकी चर्चा हो गई है जो उनकी भी आदिभाषाएँ रही होंगी। आज संसार में हजारों भाषाएँ मौजूद हैं। प्रत्येक भाषा-परिवार किसी एक विशेष समुदाय द्वारा प्रयुक्त होती है।

इस प्रकार विभिन्न भाषाओं की संरचनाओं में पाई जाने वाली समानता के आधार पर संसार की समस्त भाषाओं को अलग-अलग भाषा परिवारों में विभाजित किया गया है। जैसे योरोपीय परिवार, सामी अथवा सैमेटिक, हामी अथवा हैमेटिक, बाटू, द्रविड़, चीनी-तिब्बती, यूराल-अल्टाई, मलय पाली नेशी, काकेशी, आस्ट्रिक, जापानी-कोरियाई, अमेरिकी आदि।

उपर्युक्त भाषा परिवारों में कुड़ुख 'द्रविड़' भाषा परिवार के अन्तर्गत आती है। द्रविड़ एक जाति विशेष का नाम है और उस जाति द्वारा बोली जाने वाली समस्त भाषाओं का सामूहिक नाम 'द्रविड़' है। द्रविड़ भाषा परिवार के अन्तर्गत तमिल, तेलुगू, मलयालम, कन्नड़ एवं कुलू, कुर्ग, टोडा, कोज, गोंड, कुड़ुख, मल्तो, कुई तथा ब्राहुई भाषाएँ आती हैं। दक्षिण भारतीय तमिल, मलयालम, कन्नड़ आदि भाषाओं की संज्ञा, सर्वनाम, काल और संख्यावाचक विशेषणों से कुड़ुख भाषा की अधिक निकटता घोषित है।

विशुद्ध कुड़ुख भाषा क्षेत्र राँची जिले के खुखरा परगना को माना जाता है। वहाँ से जैसे-जैसे ये दूर हटते जाते हैं वैसे ही अन्य भाषाओं का सम्मिश्रण दिखता जाता है। जशपुर, सुरगुजा, बरवे तथा उदयपुर के आसपास बसने वालों पर छत्तीसगढ़ी का प्रभाव दिखता है। हजारीबाग और पलामू की ओर बढ़ने पर मगही तथा भोजपुरी का प्रभाव है। इसी प्रकार राँची के आसपास नागपुरी तथा मुंडारी का स्पष्ट प्रभाव दिखता है। निम्न उदाहरणों को देखने से यह स्पष्ट होता है—

	कुड़ुख	मुंडारी	नागपुरी	हिंदी अर्थ
1.	किचरी	किचरी	लूगा	कपड़ा
2.	मंडी	मांडी	भात	भात
3.	पेठ	पीठिया	पेठिया/पेइठ	बाजार

कुड़ुख भाषा का विकास

कुड़ुख भाषा के विकास के संबंध में विद्वानों ने ज्यादा स्पष्ट नहीं किया है। भाषा सरिता की तरह सदा चलती-बहती रहती है। जीवंत भाषा नदी की धारा की तरह चंचल है। यह रुकना नहीं जानती। यदि कोई इसे बलपूर्वक रोकना भी चाहे तो यह (भाषा) उसके बंधन को तोड़कर आगे निकल जाती है और यह उसकी स्वाभाविक प्रकृति और प्रवृत्ति है। भाषा का यही स्वरूप, उसका विकास कहलाता है। भाषा का स्वरूप तथा संचालन कालान्तर में बदल जाता है। यह परिवर्तन ही भाषा का विकार या विकास है।

कुड़ुख भाषा का विकास प्राचीनकाल में भी था। 'सिनगी दई' त्रैमासिक पत्रिका के एक लेख के अनुसार, कुड़ुख भाषा पहले अपनी उन्नत अवस्था में थी। कुड़ुख समाज में सुख-सम्पन्नता का वातावरण था। 4200 वर्ष पहले कुड़ुख भाषी लोग मोहनजोदड़ो और हड़प्पा में निवास करते थे। आर्यों के आगमन से कुड़ुख जाति के लोग वहाँ से बिखर कर पूर्व में गंगा-यमुना नदी के किनारे होते हुए विंध्याचल पर्वत के उत्तर से होते हुए पूरब जाने लगे। इस प्रकार उनके अस्तित्व को मिटाने के लिए आर्यों ने भरसक प्रयत्न किया।

समस्त द्रविड़ भाषाओं में तमिल का स्थान प्रमुख है। इसका साहित्य बहुत ही समृद्ध और उन्नत है जिसमें तीसरी सदी तक का साहित्य मिलता है। मलयालम तमिल की ही एक शाखा है। यह तमिल से नवीं सदी में अलग हुई है। इसका क्षेत्र दक्षिण कोना है। इसकी प्राचीनता, तेरहवीं सदी तक जाती है। कन्नड़ मैसूर राज्य की भाषा है। यह 8वीं सदी में अलग होकर विकसित हुई है। इसकी लिपि तेलुगू से और भाषा तमिल से मिलती है। यह समस्त द्रविड़ भाषाओं में सबसे पुरानी है। गोंडी मध्यवर्ती वर्ग की सबसे बड़ी भाषा है। उसके बाद कुड़ुख (उराँव) भाषा का स्थान आता है।

प्रत्येक भाषा अनेक भाषातत्त्वों के संक्रमण से निर्मित होती है। जिस प्रकार एक मूल परिवार पीढ़ी-दर-पीढ़ी के बाद अनेक शाखाओं में विभाजित हो जाता है और इन शाखाओं के व्यक्तियों के स्वभाव, रूपरेखा, जीवन-पद्धति अपने मूल पूर्वजों से प्राय: भिन्न हो जाते हैं फिर भी सभी शाखाएँ एक ही मूल परिवार से संबद्ध मानी जाती हैं। उसी प्रकार एक मूल भाषा से विघटित काल-भेद तथा देश-भेद से पृथक्-पृथक् सत्ता तथा स्वरूप की दृष्टि से मूल भाषा से ही संबद्ध मानी जाती है। मूल द्रविड़ भाषा से निकली कुड़ुख भाषा तमिल भाषा के अधिक निकट है। जैसे—

कुड़ुख	तमिल	हिंदी अर्थ
एजेरआ	एगुरु	जागो
पटदा/पल्ली	पलायम/पल्ली	नगर/गाँव
पटरा	पाला	बहुत
पचगी	पलया	बूढ़ा/कमजोर

सुदूर अन्य भाषा-भाषियों के बीच बसने वाले अन्य भाषाओं को जहाँ प्रभावित करते हैं, वहीं स्वयं भी प्रभावित होते हैं। इसके बाद भी आज कुड़ुख भाषा का अपना स्वरूप कायम है जो अपने आप में एक मिसाल है। अब यह विकास की स्थिति में है। अब लोग अपनी भाषा के

महत्त्व को समझने लगे हैं, जिससे विकास स्तर में तेजी आने लगी है। कुड़ुख भाषा पहले से ही विकसित और समृद्ध है। आज कुड़ुख गद्य-पद्य दोनों रचनाएँ समान रूप से मिलती हैं। कुड़ुख भाषा के निरन्तर विकास के साथ ही साथ साहित्य की सभी विधाओं की रचनाएँ मिलती हैं। इसमें कई व्याकरण तथा शब्दकोश हैं। लोगों में जागरूकता आने के कारण नूतन सृजन, संकलन, खोज तथा प्रकाशन का स्तर बढ़ गया है। राँची विश्वविद्यालय के अन्तर्गत कई शोधकार्य हुए हैं—

1. ए.मी. डीन द्वारा 'उराँव लोकगीतों का सांस्कृतिक अध्ययन' शोधकार्य हुआ है।
2. डॉ. नारायण उराँव द्वारा 'उराँव रीति-रिवाज' नामक विषय पर काम हुआ है।
3. डॉ. मंजुला कुमारी द्वारा 'कुड़ुख तथा नागपुरी' भाषा का तुलनात्मक अध्ययन नामक विषय पर शोधकार्य हुआ है।

इसके अतिरिक्त कई विषय अभी स्वीकृत हो चुके हैं और कुछ शोधकार्य में लगे हुए हैं।

बोलने वाली जातियाँ

कुड़ुख भाषा विशेषकर उराँव जनजाति की अपनी मातृभाषा है। फिर भी इसे कई समुदाय के लोग बोलते हैं। जैसे उराँव जनजाति, ईसाई आदिवासी, विदेशी ईसाई मिशनरियाँ, अन्य भाषा-भाषी।

उराँव जनजाति के लोग कुड़ुख भाषी हैं और सभी गाँवों में वे अपनी मातृभाषा का ही प्रयोग करते हैं। शहरों में बसने वाले उराँव जनजाति के लोग कुड़ुख भाषा का प्रयोग थोड़ा कम करते हैं। ईसाई आदिवासी भी कुड़ुख भाषा का प्रयोग अपनी मातृभाषा के रूप में करते हैं जो कभी उराँव जनजाति के थे मगर बाद में धर्म परिवर्तन कर उन्होंने ईसाई धर्म को अपना लिया।

कुड़ुख भाषा को लिपिबद्ध करने का श्रेय सर्वप्रथम ईसाई मिशनरियों को है। जब उन्होंने 1845 में छोटानागपुर के पठारी इलाके में प्रवेश किया था तब उनके साथ भाषा की सबसे बड़ी समस्या थी। यदि वे अपनी अंग्रेजी भाषा में धर्म का प्रचार-प्रसार करते थे तो यहाँ की जनता उनकी भाषा को नहीं समझ पाती थी। अत: अपने विचारों को समझने के लिए यहाँ की भाषा को सीखना अति आवश्यक था। इस प्रकार ईसाई मिशनरियों के जो पुरोहित या पादरी का कार्य करते थे, इनको कुड़ुख भाषा सीखने तथा सिखलाने के लिए कई पुस्तकें प्रकाशित की गईं तो एक के बाद एक पुस्तकें लिखीं और प्रकाशित होती गईं।

आज भी दूरदराज के गाँवों में रहने वाले विदेशी प्रचारक गिरजाघरों में कुड़ुख भाषा में ही ईसा का उपदेश दिया करते हैं। अन्य भाषाभाषी लोग भी कुड़ुख भाषा आसानी से बोलते और समझते हैं जैसे सदान जाति के लोगों में तुरी, अहीर, लोहरा, चीक बड़ाईक, धांसी, तेली, चमार इत्यादि हैं जो एक ही गाँव में वर्षों से सहनिवास के कारण कुड़ुख भाषा आसानी से बोल लेते हैं। इसके अतिरिक्त भी वर्षों से गाँव में साथ रहने वाले बनिया, राजपूत तथा मुस्लिम धर्म के लोग भी जो कुड़ुख भाषी गाँव में रहते हैं, वे अपनी मातृभाषा के अलावा सम्पर्क भाषा के रूप में कुड़ुख भाषा का प्रयोग करते हैं।

क्षेत्र

कुड़ुख भाषा क्षेत्र का वास्तविक मानचित्र आज तक नहीं उभरा है। यह प्रायः समस्त भारत में बोली जाती है। वैसे तो कुड़ुख भाषा मध्यवर्ती समुदाय की भाषाओं के अन्तर्गत आती है। ये मध्य भारत में तथा बरार से लेकर उड़ीसा, बंगाल और बिहार तक फैली हुई है। झारखंड राज्य में तो कुड़ुख भाषियों का गढ़ ही है। समस्त राँची, गुमला तथा लोहरदगा जिले में इनकी संख्या अधिकाधिक है। साथ ही ये पलामू, हजारीबाग, लातेहार, चतरा, सिंहभूम, संतालपरगना तथा गिरिडीह जिले में भी बसे हुए हैं। बिहार के अन्य जिलों जैसे शाहाबाद, सहरसा, दरभंगा, चम्पारण, भागलपुर, पूर्णिया तथा रोहतास में भी ये फैले हुए हैं।

झारखंड राज्य से बाहर कुड़ुख भाषियों का विस्तार मध्यप्रदेश, पश्चिम बंगाल, पंजाब, दिल्ली, नेपाल की तराई वाले इलाके, असम के चाय बागानों और कछार तक है। इसके अलावा केन्द्रशासित प्रदेश अण्डमान निकोबार द्वीपसमूह में भी कुड़ुख भाषी बड़ी संख्या में निवास करते हैं। कुछ कुड़ुख भाषी (जनजाति) बंगला देश में भी बसे हुए हैं। पश्चिम बंगाल के पुरुलिया, बाँकुड़ा, मिदनापुर, जलपाईगुड़ी तथा दार्जिलिंग के चाय बागानों के कुछ हिस्सों में तथा बिहार से सटे सीमा प्रदेश में भी ये लोग बसे हुए हैं। उड़ीसा राज्य के बामड़ा, राउरकेला, बोनईगढ़, तालचर, कुरडेग, सुन्दरगढ़, गांगपुर तथा संबलपुर जिले में यह बोली जाती है। मध्यप्रदेश के सुरगुजा, उदयपुर, जशपुर, अम्बिकापुर, कोरिया, रायगढ़ तथा छत्तीसगढ़ रियासतों में भी बोली जाती है। उत्तरप्रदेश के मिर्जापुर जिले में बोली जाती है। असम के कछार, दरांग, नोआगाँव, कामरूप, शिवसागर, लखीमपुर, गोलपाड़ा, सिलहट, नागापर्वत, खासी, जयन्तिया पर्वत, एवं लुसाई पर्वत के चाय बागानों में काम करने वाले आदिवासियों द्वारा कुड़ुख भाषा का प्रयोग किया जाता है।

नेपाल की तराई वाले इलाके जो चम्पारण से सटे हुए हैं, में कुड़ुख भाषा का प्रयोग किया जाता है। इन लोगों ने वर्षों तक वहाँ काम करते रहने के कारण अपनी घर-गृहस्थी वहीं बसा ली है। इसके अलावा त्रिपुरा राज्य और केन्द्रशासित प्रदेश दिल्ली में भी कुड़ुख भाषी लोग बड़ी संख्या में बसे हुए हैं।

कर्नाटक राज्य के मंगलौर में भी कुड़ुख भाषी लोग बसे हुए हैं। वैसे तो कुड़ुख भाषी लोग संपूर्ण भारत में फैले हुए हैं लेकिन अधिकतर कुड़ुख भाषी लोग उत्तर-पूर्व और मध्य भारत में पूरी तरह से बिखर गए हैं जो आज भी अपनी मातृभाषा का प्रयोग बखूबी करते हैं।

व्याकरणिक विशेषताएँ

कुड़ुख भाषा में भी हिंदी की तरह ही वर्णों के दो भेद हैं—

स्वर वर्ण (Vowel) तथा व्यंजन वर्ण (Consonant)

स्वर वर्ण (vowel)

अॅ	अ	आ
–	–	ा
इॅ	इ	ई
ि	ि	ी

उँ उ ऊ

इस प्रकार कुड़ुख भाषा में व्यवहृत हरेक स्वर की तीन-तीन श्रेणियाँ होती हैं—न्यूनतम ह्रस्व, ह्रस्व, दीर्घ स्वर

कुड़ुख भाषा के स्वर की विशेषता को देखते हुए डॉ. फ्रांसिस एक्का ने लिखा है—

"Kurux vowel will be described in the high, lower mid and low on the basis of the relative height of the tongue. They will be called front or back depending upon the part of tongue involved in the arliculation"

उन्होंने कुड़ुख भाषा के उच्चारण की शुद्धता को निम्न भागों में बाँटा है—

		Front	Back
High	:	i	u
Lower high	:	I	U
Higher mid	:	e	o
Mean mid	:	E	n
Lower mid	:	-	A
Low	:	-	a

स्वर वर्ण अॅ का उच्चारण कुड़ुख भाषा में साधारण ह्रस्व 'अ' से भी अल्प उच्चारण के लिए उपयोग किया जाता है। जैसे बअॅई—बोलती है, रअॅई—है।

उपर्युक्त ध्वनि के उच्चारण में प्रथम वर्ण के उच्चारण के साथ ही अन्दर से आने वाली हवा पूर्ण रूप से क्षण भर के लिए रुक जाती है और अन्तिम वर्ण के उच्चारण के साथ ही खुलती है तथा हवा घर्षण के साथ मुँह से बाहर निकलती है। तब इस प्रकार की ध्वनि उत्पन्न होती है।

बड़ी 'ई' का उच्चारण शुरू और अंत में बराबर होता है। जैसे ईरत-ई-देखवाती है (अर्थात् देखने का आग्रह करती है), ईद-ई-दिखाती है।

कुड़ुख भाषा में शब्द के शुरू में 'ऊ' के उच्चारण में बलाघात होता है। जैसे ऊखा-अँधेरा, हु-वह, मुखा-मेढक, ऊज्जना-घर-घर जाकर चंदा जमा करना इत्यादि।

कुड़ुख में 'ऋ' अथवा 'ृ' मात्रा का व्यवहार नहीं होता है।

कुड़ुख भाषा में उच्चारण की अनुकूलता के लिए उर्दू के समान नुक्ता चिन्हों की आवश्यकता होती है। जैसे माख़ा-रात, मोख़ा-खाओ।

कुड़ुख भाषा में वर्ण 'ङ', 'ञ', 'ण', 'न', 'म' अनुनासिक वर्ण का व्यवहार होता है। जैसे गङगा-नदी, बेञजा-शादी, मन्ज्जा-हुआ बस, ओण्टा-एक बङगस-बाबा।

'अ:' का उच्चारण कुड़ुख में आश्चर्य प्रकट करने के लिए किसी के मुँह से अदः, इदः जैसे शब्द निकलते हैं। कुड़ुख भाषा में इस ध्वनि (.) को उच्चारण करते समय जीभ का पिछला भाग ऊपर सट जाता है और भीतर से आने वाली गर्म हवा जोर से बाहर घर्षण के साथ निकलती है।

न्यूनतम स्वरों का प्रयोग कुड़ुख में साधारणत: ऐसे अवसर पर होता है जबकि न्यूनतम स्वर के पहले सजातीय मात्रा किसी व्यंजन वर्ण में लगकर आए तथा बाद में कोई विजातीय स्वर वर्ण

हो। जैसे विइँओ शब्द में 'इँ' न्यूनतम स्वर है, उससे पहले के वर्ण 'व' में सजातीय मात्रा 'ि' है और बाद में 'ओ' विजातीय स्वर है।

न्यूनतम स्वर के बाद अगर सजातीय स्वर आता है तो न्यूनतम स्वर नहीं रहता है बल्कि न्यूनतम स्वर और सजातीय स्वर के बदले सजातीय दीर्घ स्वर बन जाता है। जैसे 'बिइना' क्रिया से बने शब्द 'बिई'।

कुड़ुख भाषा की अपनी विशेषता है कि भाषा को भावानुकूल होने के लिए वर्ण या मात्रा के ऊपर या नीचे (–) या (.) चिन्ह दिया जाता है। जैसे कुड़ुख शब्द पेसना–चुनना, उठाना (किसी वस्तु को) और 'पे.सना'–आदेश देना। ऊपर के कुड़ुख शब्द पेसना और पेसना दोनों में समान वर्णों का प्रयोग हुआ है लेकिन उच्चारण संबंधी विशेषता के कारण दोनों के अर्थों में भिन्नता पाई जाती है।

कुड़ुख में 'ख' वर्ण का उच्चारण दो प्रकार से होता है। प्रथम 'ख' वर्ण का उच्चारण अन्य भाषाओं के समान ही होता है। दूसरे प्रकार के 'ख़' में नीचे नुक्ता (.) चिन्ह दिया जाता है। अत: 'ख़' का उच्चारण साधारण 'ख' से थोड़ा भिन्न होता है। इसमें कोमल तालू और कंठ आपस में नहीं सटते हैं। और दोनों के बीच हल्का सा स्थान रहने से अन्दर से निकलने वाली हवा के घर्षण से इस प्रकार की ध्वनि उत्पन्न होती है।

कुड़ुख में 'ङ' का उच्चारण स्वतंत्र तथा संयुक्त दोनों प्रकार से होता है। जैसे अयङ–माँ, माता, तङगड़ी–उसकी बहन।

कुड़ुख में 'ञ' वर्ण का उच्चारण अनुनासिक होता है।

कुड़ुख भाषा में उपसर्ग नहीं होता है लेकिन उपसर्ग के समान ही उच्चारण तथा प्रयोग होता है। जैसे निसब्द–निर्जन, शान्त, आवाजरहित। मलदव–खराब, बुरी, एंगददस–मेरा भाई, निंग नासगो–तेरी भाभी।

उपर्युक्त उदाहरणों में 'एंग', 'निंग', 'मल' शब्द जुड़कर संबंधसूचक शब्दों की गहराई को स्पष्ट करते हैं। अत: यह उपसर्ग–सा प्रतीत होता है।

कुड़ुख में संबंधसूचक शब्दों को एकवचन से बहुवचन बनाने के लिए 'गर' तथा 'बगर' प्रत्ययों का व्यवहार होता है। यथा—

प्रत्यय	*एकवचन*	*बहुवचन*	*अर्थ*
गर	आयो	आयोगर	माताएँ
बगर	एंगदा	एंगदाबगर	बेटियाँ

इसके अलावा 'बगय' 'गुट्ठियाय' या 'गुट्ठियर' प्रत्यय जोड़कर संबंधसूचक बहुवचन शब्द बनते हैं।

कुड़ुख के कृत प्रत्यय से बने विशेषण शब्द में 'उर', 'ऊर' लगाने से क्रिया की विशेषता बताने वाले अलग शब्द बनते हैं। जैसे बेचुर–खेलने वाला, पाडुर–गाने वाला, पढ़ऊर–पढ़ने वाला इत्यादि। उपर्युक्त सभी क्रिया शब्द अपनी विशेषता प्रकट कर रहे हैं।

कुड़ुख शब्दों की विशेषता है कि कोई उपसर्ग 'मूलपद' में आकर जुट जाता है तो अक्सर 'मूल शब्द' के पहले के अर्थ के ठीक विपरीत अर्थ का बोध कराता है।

कुड़ुख भाषा की दूसरी विशेषता है कि हर पुल्लिग शब्द के मूलावस्था में दो रूप होते हैं जो क्रमश: 'मूल पद' तथा 'अगला पद' में व्यवहृत होते हैं। मूल पद सदा अपरिवर्तनशील रहता है।

कुड़ुख भाषा की दूसरी विशेषता है कि यह विशेषण का भी काम करता है। मूल पद से अलग पद बनाने के लिए पुल्लिग शब्द के मूल पद के अन्त में 'स' प्रत्यय जोड़ा जाता है, और यदि अन्त में दीर्घ स्वर है तो उसे ह्रस्व कर दिया जाता है। यह विशेषता सिर्फ पुल्लिग रूप के लिए ही व्यवहृत होती है।

कुड़ुख में परमेश्वर और मृत आत्माएँ तथा भूतों का हमेशा पुल्लिग व्यवहार होता है। कुड़ुख में एकवचन पुल्लिग शब्द तथा एकवचन स्त्रीलिंग शब्द दोनों ही अलग-अलग होते हैं। जैसे आस कादस (वह जाता है) और आद काली (वह जाती है)।

कुड़ुख की विशेषता है कि स्त्रियों की आपसी बातचीत के क्रम में पुल्लिग बहुवचन 'र' न लगा कर 'य' लगाया जाता है।

कुड़ुख में स्त्रीवाची शब्द को बहुवचन बनाने के अलग नियम हैं। यदि अन्त में दीर्घ स्वर हो, तो उसे हटा कर बहुवचन 'र' लगाया जाता है।

कुड़ुख में संबंधकारक के संज्ञा शब्द संबंधवाचक शब्दों को व्यक्त करते समय उसका रूप बदल जाता है।

कुड़ुख की अन्य विशेषता है कि एकवचन से बहुवचन के प्रयोग में पुल्लिग बातचीत के लिए पृथक व्यवहार होता है। यह केवल संबंधकारक के लिए प्रयुक्त होता है।

कुड़ुख भाषा में शब्द निजवाचक सर्वनाम के एकवचन में मानव प्राणी स्त्रीलिंग रूप और मानवेतर प्राणी के व्यवहार में समानता रहती है।

कुड़ुख में आदरसूचक 'आप' के अर्थ में प्रयोग करने के लिए अलग से कोई विशेष शब्द नहीं है।

कुड़ुख की विशेषता है कि अकर्मक और सकर्मक दोनों प्रकार की क्रियाओं के नियम समान होते हैं।

पुरुष-पुरुष या स्त्री-पुरुष की बातचीत के अन्य पुरुषों में पुल्लिग एकवचन बनाने के लिए क्रिया से भूतकालिक रूपान्तर 'ा' के बदले 'स' होगा। जैसे कि स्त्रीलिंग शब्द 'बरचा' (आई) से पुल्लिग शब्द 'बरचस' आया होगा।

कुड़ुख में सामान्य वर्तमान काल की क्रिया बनाने के विशेष नियम हैं। क्रिया के धातु में पुरुष-पुरुष या स्त्री-स्त्री की बातचीत में उत्तम पुरुष, मध्यम पुरुष तथा अन्य पुरुष के लिए क्रमश: 'दन', 'दय', 'दिन', 'दस', 'इ', 'ि', 'ई', 'ी' आदि लगाने से एकवचन बनता है और बहुवचन बनाने के लिए 'दन', 'दत', 'दर', 'नर', 'इ', 'ि' तथा 'ई', 'ी' लगाना पड़ता है।

काना क्रिया अपवाद रूप में है जिसका विधि रूप क्रिया में 'आ' के बदले 'ला' का व्यवहार होता है।

सामान्य भविष्यत काल की क्रिया बनाने के लिए किसी भी क्रिया के विधि रूपान्त मात्रा 'ा' या 'आ' के बदले में एकवचन उत्तम पुरुष और मध्यम पुरुष तथा अन्य पुरुष के लिए 'ओन', 'ओय', 'ओस', 'ओ' आदि लगाया जाता है। उसी प्रकार बहुवचन के लिए 'ओन', 'ओत',

'ओर' तथा 'ओ' लगाने से पुरुष या स्त्रियों के बीच की बातचीत के सामान्य भविष्यत काल की क्रिया बन जाती है। इसी प्रकार यदि स्वर वर्ण 'आ' से अन्त होता है तो वहाँ उसके बदले में स्वर वर्ण 'ओ' का व्यवहार होता है।

कुड़ुख भाषा की अपनी विशेषताएँ हैं कि संज्ञा, सर्वनाम, विशेषण या क्रिया में जोर देने के लिए 'इम', 'दिम' और 'म' लगाया जाता है तो उससे उसकी निश्चितता का अर्थ प्रकट होता है। जैसे नीनिम-तू ही।

जिस निश्चयवाचक संज्ञा, सर्वनाम, विशेषण या क्रिया में जोर देने के लिए 'इम' लगाया जाता है यदि उसके अंत वाले अक्षर से पहले के अक्षर में ह्रस्व मात्रा हो तो वह दीर्घ हो जाती है। जैसे कुड़ुख शब्द 'अबड़द' से अबड़ादिम-वे ही (प्राकृत लिंग) प्रयोग होता है।

व्याकरण

व्याकरण में पद-प्रकृति आदि की व्यवस्था तथा शब्दों की प्रयोग-विधि समझाई जाती है। व्याकरण भाषा पर शासन नहीं करता है, भाषा के अनुसार ही व्याकरण चलती है और वह भाषा की गति भंग करने वाले अज्ञानी या उच्छृंखल जनों को सही रास्ते पर लाती है। व्याकरण अपनी आज्ञा से शब्दों के स्वरूपों में कोई परिवर्तन नहीं कर सकती है न ही उनके अर्थों में कोई हेर-फेर कर सकती है। पहले भाषा बनती है तब उसका व्याकरण बनता है। इस प्रकार जब कोई भाषा विकसित होकर पूर्ण हो जाती है और वह अपने कामकाज में किसी दूसरी भाषा की मोहताज नहीं रहती, तब उसमें साहित्य की रचना होने लगती है और उसका व्याकरण बनता है तब उसके अंग-प्रत्यंगों का विश्लेषण-निरूपण किया जाता है, यही व्याकरण है।

कुड़ुख की अपनी भाषा और व्याकरण है। अब कुड़ुख व्याकरण के सभी अंगों पर प्राय: पूर्ण रूप से काम हुआ है। पहले आवश्यकतानुसार कुड़ुख भाषा को सीखने तथा सिखाने के प्रयास से उसके कुछ अंगों को प्रकाशित किया गया था। लेकिन अब पूर्ण रूप से कार्य हुआ है जो निम्नलिखित है—

1. रेभरेण्ड एफ. बैच (Batch) ने कुड़ुख का प्रथम व्याकरण सन् 1868 ई. में — Brief Grammer and Vocabulary of Oraon Language प्रस्तुत किया है यह an Asiatic society of Bengal के जरनल अंक 35 में प्रकाशित हुआ।
2. रेभरेण्ड ओ. फलैन्स और जार्ज कैम्पबेल ने सन् 1874 ई. में An Introduction to the Oraon Language नामक पुस्तक प्रकाशित की। यह कुड़ुख भाषा का दूसरा व्याकरण है।
3. रेभरेण्ड एफ. बैच ने Apitaf of the Grammer of Oraon Language नामक दूसरी किताब सन् 1874 ई. में ही प्रकाशित की।
4. रेभरेण्ड एफ. हान का कुड़ुख ग्रामर 1898 ई. में प्रकाशित हुआ।
5. रेभरेण्ड ए. गिननार्ड A Grammer of the Oraon Language and study in Oraon adversaria नामक किताब सन् 1924 ई. में प्रकाशित हुई।
6. आह्लाद तिर्की की 'कुड़ुख सइहा' सन् 1949 ई. में प्रकाशित हुई।

7. डॉ. मिखाइल तिग्गा की 'कत्थ अरा कत्थ बिल्लिन इदऊ' सन् 1952 ई. में प्रकाशित हुई।
8. शान्तिप्रकाश प्रबल बाखला का 'कुड़ुख नैगस' उराँव शिक्षक 1962 ई. में प्रकाशित हुई। इस व्याकरण में उराँव भाषा सीखने के लिए कुछ अंशों, वाक्यों एवं शब्दों का संग्रह किया गया है।
9. पी.सी. बेक्स कृत 'कुड़ुख कत्था बिल्ली' व्याकरण नामक पुस्तक सन् 1978 ई. में प्रकाशित हुई है। यह पुस्तक राँची विश्वविद्यालय की कक्षाओं के लिए अभिस्तावित है। देवनागरी लिपि में छपने के कारण गैर-कुड़ुख भाषी लोग भी आसानी से इसे पढ़ सकते हैं। कुड़ुख कत्था बिल्ली व्याकरण में भाषा और अक्षर का सही उच्चारण दिया गया है।

कुड़ुख भाषा में स्वर वर्णों का प्रयोग शब्द के शुरू, बीच और अन्त में कैसे होता है तथा दो स्वरों का एक के बाद दूसरे स्वर का आना, विशेषकर क्रियाओं के लिए यह साधारण विषय-सा है।

10. अली मुहम्मद अंसारी कृत 'कुड़ुख कत्थ बिड़ना इदऊ' सन् 1980 ई. में प्रकाशित हुई। यह भी देवनागरी लिपि में छपी उराँव भाषा का एक सरल व्याकरण है।
11. आह्लाद तिर्की लिखित 'चुरकी डहरे कुड़ुख' नामक व्याकरण सन् 1882 ई. में प्रकाशित हुई। यह देवनागरी लिपि में छपा है। ग्रीष्मकालीन भाषा सीखने के लिए सन् 1951-56 ई. तक 'कुड़ुख भाषा' की स्थापना हुई थी। इस व्याकरण में प्रशासकीय प्रशिक्षण संस्थान तथा महाविद्यालयों के छात्र-छात्राओं एवं प्रशासकीय पदाधिकारियों को कुड़ुख सिखाने की सरल प्रणाली बतलाई गई है।
12. डॉ फ्रांसिस एक्का कृत 'Kurux Phonetic Reader' नामक पुस्तक सन् 1985 ई. में प्रकाशित हुई। इस किताब में कुड़ुख ध्वनि पर विस्तृत चर्चा की गई है। यह पुस्तक रोमन लिपि में लिखी गई है। इस प्रकार कुड़ुख भाषा व्याकरण के क्षेत्र में अच्छा काम हुआ है।

कुड़ुख शब्दकोश

1. रेभरेण्ड एफ. हान. द्वारा लिखित 'Kurux English Dictionary' सन् 1900 ई. में प्रकाशित हुई। यह कुड़ुख भाषा का प्रथम शब्दकोश है।
2. रेभरेण्ड टी. बोटसन की 'Oraon Dictionary' प्रकाशित हुई जो 'A' से 'Z' तक है।
3. रेभरेण्ड ए. ग्रिननार्ड द्वारा लिखित 'An Oraon Dictionary' सन् 1924 ई. में छपी थी। इस समय उनकी दूसरी किताब भी प्रकाशित हुई।
4. सी. ब्लीस लिखित 'An oraon English Dictionary' सन् 1956 ई. में प्रकाशित हुई।
5. श्रीमती स्वर्णलता प्रसाद कृत 1977 ई. में प्रकाशित हुई। इस हिंदी कुड़ुख नामक पुस्तक के पहले पृष्ठ में 'क' से 'च' तक संक्षिप्त व्याकरण है तथा पृष्ठ एक से अंत तक हिंदी कुड़ुख शब्दकोश है।
6. श्रीमती स्वर्णलता प्रसाद द्वारा लिखित दूसरा कुड़ुख-हिंदी शब्दकोश सन् 1979 ई. में प्रकाशित हुआ। इस कुड़ुख-हिंदी शब्दकोश नामक किताब में भी पहले पृष्ठ में 'क' से

'ज' तक संक्षिप्त व्याकरण है और पृष्ठ एक से कुड़ुख- हिंदी शब्दकोश है।

लोक साहित्य

लोक साहित्य का क्षेत्र बहुत ही व्यापक एवं विस्तृत है। शहर की चकाचौंध भरी आधुनिक सभ्यता के प्रभाव से दूर रहने वाली गाँव की जो निरक्षर जनता है उसकी आशा-निराशा, हर्ष-विषाद, जीवन-मरण, लाभ-हानि, रोना-हँसना, गाना-खेलना, कूदना-नाचना तथा सुख-दुःख की अभिव्यंजना जिस साहित्य में प्राप्त होती है, उसे लोक साहित्य कहते हैं।

लोक-साहित्य ऐतिहासिक दृष्टि से 'आदिम मानव' में जो गुण, धर्म और विशेषताएँ होती हैं, उन्हीं का प्रतीक यह शब्द है। लोक साहित्य परंपरा-प्राप्त साहित्य है। इसमें हमारे पुराने इतिहास की कड़ियाँ जुड़ी रहती हैं जिससे सामाजिक विकास के स्तरों को समझने में मदद मिलती है। कुड़ुख भाषी क्षेत्रों में आज भी बौद्धिक चेतना, सुसंस्कृत तथा परिष्कृत रुचि वाले मनुष्यों के समुदाय से अलग अभिजात्य संस्कार, पांडित्य एवं शिक्षा से दूर अल्पशिक्षित मनुष्यों का एक ऐसा समुदाय है जो मानव की आदिम प्रवृत्तियों तथा परंपरा की धारा में बहता हुआ अकृत्रिम जीवन जीने में विश्वास रखता है।

कुड़ुख लोक साहित्य का संकलन और प्रकाशन नहीं के बराबर हुआ है। अतः कुड़ुख लोक साहित्य आज भी मौखिक रूप में ही प्राप्य है जिसमें सामाजिक जीवन का सहज और स्वाभाविक चित्रण मिलता है। लोक साहित्य की आधारशिला धर्म की धरती पर टिकी हुई है और धर्म लोक जीवन का प्राण है। लोक साहित्य रचा नहीं जाता, वह बादलों की तरह झरता और घास की तरह उगता है और अपने क्षेत्र की मिट्टी पानी में ठीक उसी तरह उगता और फलता-फूलता है जिस रूप में समाज के लिए वह उपयोगी सिद्ध होता है। कुड़ुख लोक साहित्य आज भी जीवन की श्रमशील परिस्थितियों, समाज के सक्रिय संघर्षों, विषमताओं और प्रकृतिजन्य बाधाओं के बीच लोककंठों में निहित है। जिसमें विश्वास, तंत्र-मंत्र, परंपरा, जीवन के आनन्द, पर्वोत्सव, नृत्य, संगीत, वार्ताएँ, अर्थशास्त्र, ज्ञान, साहित्य, कला के विभिन्न स्वरूप, भाषाओं और शब्दों के भण्डार, इतिहास, कृषि इत्यादि कहीं न कहीं सुरक्षित हैं।

कुड़ुख लोक साहित्य में देश-देशान्तर के गढ़, किले, अनेक मुख्य स्थानों, ऐतिहासिक अवशेषों, तत्त्वों का उल्लेख, जो इतिहास के पन्नों में उपलब्ध नहीं हैं, उनके राजाओं की स्थिति, शान्ति तथा युद्ध की अनेक गुत्थियाँ छिपी हुई हैं। कुड़ुख लोक साहित्य पर अभी तक कोई महत्त्वपूर्ण कार्य नहीं हो पाया है। कुड़ुख लोक साहित्य के अध्ययन और प्रकाशन का पहला श्रेय रेभरेण्ड एफ. हान को जाता है। उन्होंने 1909 में 'कुड़ुख फोकलोर' का प्रकाशन कर कुड़ुख समाज को ऋणी बना दिया। ए. ग्रिननार्ड का 'कुड़ुख फोकलोर' लगभग उसी समय प्रकाशित हुआ।

लोकगीत

गीत की परिभाषा प्रस्तुत करते हुए महादेवी वर्मा ने लिखा है—''सुख-दुख की भावावेशमयी अवस्था का विशेषकर गिने-चुने शब्दों में स्वरसाधना के उपयुक्त चित्रण कर देना ही गीत है।''

उपर्युक्त परिभाषा से स्पष्ट होता है कि प्रत्येक मानव चाहे वह असभ्य हो अथवा सभ्य,

शिक्षित हो अथवा अशिक्षित उसमें अपनी अनुभूति को व्यक्त करने की इच्छा और क्षमता निश्चित रूप से होती है। ग्रामीण मानव में भी जब स्वानुभूति से प्रेरित होकर उसकी रागात्मक प्रवृत्ति लयबद्ध होकर निकलती है तब गीत का रूप धारण कर लेती है।

लोकगीत, लोकजन द्वारा विशेष परिस्थिति, स्थल, कर्म तथा संस्कार के समय हुई अनुभूतियों की लयपूर्ण सामूहिक अभिव्यक्ति है।

लोकगीत न तो नया होता है और न पुराना। वह तो जंगल के एक वृक्ष के समान है जिसकी जड़ें भूतकाल की जमीन में गहरी धँसी हुई हैं, परन्तु निरन्तर नई डालियाँ, पल्लवित और पुष्पित होती रहती हैं।

कुड़ुख लोकगीतों में मानव जीवन की विभिन्न रागात्मक वृत्तियों की अभिव्यक्ति है जिसमें मानव जीवन की घटनाओं का विस्तृत समावेश है। मानव जीवन की विभिन्न घटनाओं में जन्म, विवाह, मृत्यु के साथ-साथ जीवन के उल्लास, मानवीय भावों, विचारों एवं परिस्थितियों से संबंधित विविध विषय हैं जिनका न कोई निर्माता है न स्वर संधाता। वह तो मानव समुदाय में सहज ही स्वयं उद्धरित हो उठा है और बिना प्रयास के सहज ही कंठ से कंठ उतरती हुई अपनी परंपरा स्थापित करता रहा है।

कुड़ुख लोकगीतों का संग्रह कई विद्वानों ने किया। रेभरेण्ड एफ. हान, धर्मदास लकड़ा, और डब्ल्यू.बी. आर्चर की 'लील खो-रआ-खेखेल' (दो भाग) 1941 ई. में प्रकाशित हुए। 'लील खो-रआ-ख़ेख़ेल' 2660 कुड़ुख गीतों का संग्रह है लेकिन इसके सारे गीत नागपुरी भाषा में हैं। गीत उराँवों के हैं।

बिहारी लकड़ा का 'कुड़ुख डंडी' तथा तेजू भगत, थोने उराँव और जमुना भगत का 'चाजिका कुड़ुख डंडी' भी लोकगीतों का संग्रह है। जी. आर्थर ने कुड़ुख लोकगीतों की व्याख्या में तीन पुस्तकें अंग्रेजी में लिखी हैं। ये 'दि ब्लू ग्रोथ' 1944, 'दिडञ एण्ड दि लेपर्ड' 1941 और 'एमंग दि ग्रीन लीव्स' प्रकाशित हुईं। प्रो. इन्द्रजीत उराँव लिखित 'कुड़ुख सहे डंडी' है। प्रो. बासन्ती कुजूर की 'दव बिल्ली' संग्रह है।

लोककथा

कुड़ुख लोककथाओं में धार्मिक आचार-विचार, विश्वास, आस्था सृष्टि संबंधी नियम है। इनका विभाजन कई दृष्टियों से किया जा सकता है जैसे धार्मिक, आनुष्ठानिक, पौराणिक, सामाजिक तथा काल्पनिक आदि। इन लोककथाओं में समाज की परंपरा, विश्वास, रीति-रिवाज, रूढ़ि, शकुन-अपशकुन, कर्मफल, जादू टोना, डाह, ईर्ष्या, प्रेम, स्नेह आदि हैं। कुड़ुख लोकगीतों की तरह ही लोककथाओं में भी युद्ध, आखेट, कृषि कार्य, अनुष्ठान, प्रेम, श्रृंगार, पशुपालन, सामाजिक समता, विषमता से संबंधित संघर्षशील जीवन, अलौकिक शक्ति, चमत्कार, मंगल कामना की भावना, रहस्य, रोमानी, स्वप्निल, आदर्शवादी प्रवृत्तियाँ विद्यमान हैं।

कुड़ुख लोककथाओं के संग्रह में जुलियस तिग्गा का महत्त्वपूर्ण योगदान रहा है। उनकी तीन महत्त्वपूर्ण पुस्तकें हैं—'कुड़ुख सन्नी ख़ीरी', 'कुड़ुख कत्थ खोड़हा' और 'कुड़ुख कत्थ जंतरा'।

आह्लाद तिर्की का 'पुरखा ख़ीरी' प्रकाशित है। एडमण्ड टोप्पो द्वारा संग्रहित 'कुड़ुख अतख़ा पंडी' है।

लोकगाथा

लोकगाथा पर विद्वानों ने अपनी लेखनी उठाई है लेकिन अभी तक प्रकाशित नहीं हो पाई हैं।

प्रकीर्ण साहित्य

प्रकीर्ण साहित्य लोक साहित्य का ही एक प्रमुख अंग है। इसे संस्कृत में 'कहावत', हिंदी में 'लोकोक्ति', नागपुरी में 'कहाउत' और कुड़ुख में 'बंको कत्था' कहा जाता है। प्रकीर्ण साहित्य ज्ञान का भण्डार है और यह जन साधारण में इधर-उधर बिखरा पड़ा है। इस साहित्य के अंतर्गत कहावतें, मुहावरे तथा पहेलियाँ आती हैं। यह मानवीय ज्ञान का घनीभूत रत्न है जो अनन्त काल से तपकर सदा आलोक बिखेरता रहता है। अतः बुद्धि और अनुभव की किरणों से फूटने वाली ज्योति अपनी प्रखर किरणों को जन समाज में चारों ओर फैलाती रहती है। इसमें कुड़ुख समाज की संस्कृति, विश्वास, मान्यता, अभिरुचि, रूढ़ियाँ, प्रतीक, आत्मचरित, विधिनिषेध और संपूर्ण जीवन दर्शन की भावना प्रतिबिंबित होती है। इसमें मनुष्य की व्यावहारिक जीवन की गुत्थियों को सुलझाने में सहायता मिलती है। लोकोक्तियाँ मानवी ज्ञान के चोखे और चुभते हुए व्यंग्य हैं। इन्हें समाज के अहंकारी व्यक्तियों, अज्ञानी, तथा क्षुद्र लोगों पर कसा जाता है।

प्रो. इन्द्रजीत उराँव की पुस्तक 'कुड़ुख बुझ नरखना, बई तुर्रा अरा बंको कत्था' प्रकाशित है। इसमें लोगों को चोट पहुँचाने की भावना न होकर परोपकारी, सत्य, ज्ञान, ईमानदारी तथा मंगलभावना की दृष्टि से किया कटाक्ष प्रहार होता है।

शिष्ट साहित्य

कुड़ुख शिष्ट साहित्य के दो भेद हैं—गद्य और पद्य।

गद्य

गद्य के अंतर्गत निम्नलिखित विधाएँ आती हैं—

उपन्यास, कहानी, नाटक, निबंध, संस्मरण, यात्रा वृत्तांत, आत्मकथा, रिपोर्ताज, डायरी और जीवनी इत्यादि।

उपन्यास

उपन्यास के क्षेत्र में कुड़ुख भाषा पर अच्छा काम हुआ है। जस्टिन एक्का कृत 'नम्है एड़पा' उपन्यास अपना महत्त्वपूर्ण स्थान रखता है। श्री इगनेस कुजूर का लिखा उपन्यास 'इन्नेलाता' है। तीसरी किताब झनकू उराँव द्वारा लिखित 'टूरा खद्द' है इसमें बिना माँ-बाप के बच्चों की परिस्थितियाँ क्या होती हैं, का भाव व्यंजित है।

कहानी

कुड़ुख कहानी को दो भागों में बाँटा जा सकता है—पौराणिक कहानी और आधुनिक कहानियाँ।

पौराणिक कहानी : पौराणिक कहानी में राजा-रानी की कहानी, राजकुमारी राजकुमार, जादू टोना, परी कथा, इत्यादि होता है जिसमें बच्चों के साथ-साथ युवकों में भी मनोबल की वृद्धि होती है।

आधुनिक कहानी : आधुनिक कहानी में वर्तमान समाज की समस्याओं, दु:ख सुख, मनोरंजन आदि के विविध विषय होते हैं। आधुनिक कहानियों के संग्रह में श्री आह्लाद तिर्की का महत्त्वपूर्ण स्थान है।

प्रो. इन्द्रजीत उराँव कृत 'पुना ख़ोर' कुड़ुख की आधुनिक कहानी है। इसमें आधुनिक जीवन दृष्टि का उल्लेख मिलता है।

नाटक

नाटक के क्षेत्र में कुड़ुख भाषा में अच्छा काम हुआ है। प्रो. इन्द्रजीत उराँव द्वारा लिखित नाटक 'खल्ली अयंग' में यथार्थ जीवन का चित्रण है। समाज में एक सौतेली माँ का व्यवहार दूसरे बच्चों के प्रति कैसा होता है, इस नाटक की मूल विषयवस्तु है। दूसरा नाटक पीयूष लकड़ा द्वारा रचित 'अयंग जिया' है। श्री इगनेस कुजूर द्वारा लिखा गया नाटक 'अयंग गही जिया' है। कुड़ुख नाटक में और कार्य हो रहे हैं।

श्री आह्लाद तिर्की द्वारा लिखित नाटक 'पालकी' है लेकिन असामयिक निधन के कारण अप्रकाशित ही है।

निबंध

इस विधा पर डॉ. निर्मल मिंज, जस्टिन एक्का, श्री आह्लाद तिर्की तथा लोहरा उराँव आदि विद्वानों ने काम किया है परन्तु प्रकाशित नहीं है। जगदीश त्रिगुणायत लिखित 'उराँव भाषा और साहित्य' निबंध है जो कुड़ुख समाज के लिए अमूल्य देन है।

जीवनी

जीवनी साहित्य में स्वर्गीय कार्तिक उराँव की जीवनी प्रकाशित है। बंदी उराँव ने भी अच्छा काम किया है।

अन्य विधाओं में भी कुड़ुख भाषा साहित्य में धीरे-धीरे लिखे जाने लगे हैं।

पद्य

पद्य के अंतर्गत कविता, गीत इत्यादि आते हैं। कुड़ुख भाषा में कई कविताएँ रची गई हैं। फादर अलबानुस मिंज द्वारा रचित कुड़ुख 'हास भांसी' है। दबले कुजूर द्वारा रचित 'मुंता पुंप झुम्पा' (गीतों का गुच्छा) है। इन लोगों की रचनाएँ, उपदेशात्मक, सामाजिक पर्व-त्योहार तथा ईश्वर संबंधी विषय मुख्य हैं। प्रवृत्ति की दृष्टि से भक्ति, श्रृंगार, प्रकृति, युद्ध, प्रेम तथा सामाजिक परिस्थितियाँ विशेष रूप से हैं।

कुड़ुख भाषा साहित्य, संस्कृति, इतिहास से संबंधित पुस्तकें

	पुस्तकें	लेखक
1.	The Oraons of Chotanagpur	S.C. Roy
2.	The Oraons Customs & Religions	S.C. Roy
3.	कुड़ुख वर्णमाला	सामुएल रंका
4.	कुड़ुख वचना गहि मुंता पुथी	प. मिखाइल तिग्गा
5.	अलखना-रिरियारना	प. मिखाइल तिग्गा
6.	परिदगरेग अगियाना पुथी	प. मिखाइल तिग्गा
7.	कुड़ुख शिष्ट काव्य	दवले कुजूर
8.	कुड़ुख सहे डंडी	प्रो. इन्द्रजीत उराँव
9.	कुड़ुख कल्प जतरा	जुलियस तिग्गा
10.	कुड़ुख डंडी नीना पुथी	डरबानुस कुजूर
11.	कुड़ुख कत्थ सिखरआगे पुंता पुथी	जोहन मिंज
12.	बोलो गणित	सी.के. टोप्पो
13.	कुड़ुख फोनेटिक रीडर	डॉ. फ्रांसिस एक्का
14.	कुड़ुख वर्णमाला	निरंजन एक्का
15.	राजी पड़हा की अनमोल कड़ियाँ-1	चिखरम भगत
16.	लाहरा का गोत्रर अरा कुड़ुखर	शान्ति प्रकाश बाखला
17.	कुड़ुख तोलोंग सिकि अरा वक गढ़न	डॉ. नारायण उराँव
18.	फादर कॉन्सटंट लीदन्स और छोटानागपुर	महली लिवीनस तिर्की
19.	The Oraons and Mundas—A Constructive History of Oraons and Munda—1909	A.S. Grinnard

पत्र-पत्रिकाएँ

कुड़ुख भाषा साहित्य की कई पत्र-पत्रिकाएँ समय-समय पर निकलती रही हैं। जैसे—

1. सिनगी दई, त्रैमासिक, दिल्ली।
2. नाम कुड़ुखत, रायगढ़, छत्तीसगढ़।
3. सरना फूल, विशेषांक, राँची।
4. आदिवासी पड़हा, पटना।
5. आदिवासी, राँची।
6. करमा-धरमा, राँची।
7. धुमकुड़िया, राँची।
8. ट्राइबल वेलफेयर रिसर्च इंस्टीट्यूट विशेषांक, राँची।

संदर्भ

1. सर जार्ज अब्राहम, ग्रियर्सन : भारत का भाषा सर्वेक्षण, खंड–1, भाग–1, प्रयाग।
2. राजेन्द्र द्विवेदी, भाषा शास्त्र का पारिभाषिक शब्दकोश।
3. महली लिवीनस तिर्की, सिनगी दई, त्रैमासिक पत्रिका।
4. A.R. Desai (ed.) Rural Sociology in India, Bombay
5. डॉ. फ्रांसिस एक्का, कुड़ुख फोनेटिक रीडर, मैसूर।
6. पी.सी. बेक्स, कुड़ुख कत्था बिल्ली, राँची।
7. उदयनारायण तिवारी, भारत का भाषा सर्वेक्षण, अनूदित।
8. डॉ. सत्यकाम वर्मा, भाषातत्व और वाक्य पदीय, दिल्ली।
9. बाबूराम सक्सेना, सामान्य भाषा विज्ञान, प्रयाग।
10. S.C.Roy : The Oraons of chotanagpur, Calcutta
11. वामन शिवराम आप्टे, संस्कृत हिंदीकोश, वाराणसी।

हो भाषा और साहित्य

सरस्वती गागराई

हो जनजाति झारखंड राज्य की मुख्य जनजातियों में एक है। हो भाषा आस्ट्रिक भाषा परिवार की भाषा है। भारत में बोली जाने वाली आस्ट्रिक भाषाएँ आस्ट्रोएशियाटिक और भारत से परे पाई जाने वाली आस्ट्रिक भाषाएँ आस्ट्रोनेशियन भाषा परिवार के अंतर्गत आती हैं। आस्ट्रोएशियाटिक को दो शाखाओं में विभक्त किया गया है—

1. मुंडा 2. मोनख्मेर।

मुंडा की भी दो शाखाएँ हुईं—

1. खेरवारी 2. अन्य

खेरवारी के अंतर्गत मुंडारी, हो, संताली, खड़िया, असुरी, बिरहोरी आदि भाषाएँ आती हैं।

आस्ट्रोनेशियन को भी तीन भागों में बाँटा गया—

1. इंडोनेशियन 2. पोलिनेशियन 3. मेडागास्कर।

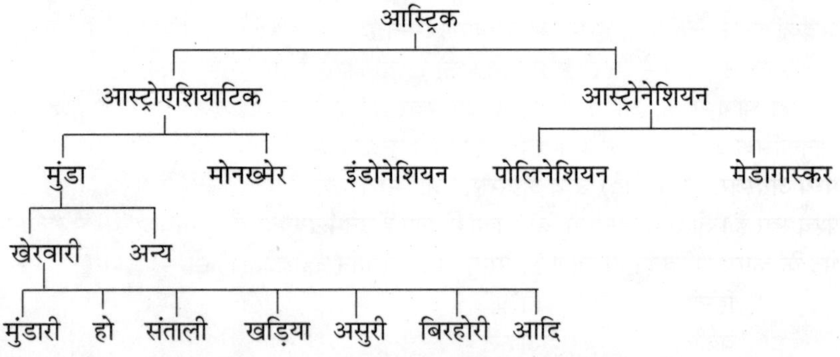

हो भाषी झारखंडी राज्य के अतिरिक्त उड़ीसा, पश्चिम बंगाल, बिहार, असम आदि क्षेत्रों में मिलते हैं। प्राचीन काल में हो भाषा भारत के अतिरिक्त पूर्वी द्वीप समूह इंडोनेशिया, जावा, सुमात्रा, बोर्निया (बुरुनई), आइलैंड (बन्दाडिया), मलेशिया, पोलेनेशिया, मॉरिशस आदि क्षेत्रों में फैली हुई थी।

भारत में हो भाषा बोलने वालों की संख्या भारत सरकार के महानिबंधक एवं जनगणना आयुक्त के पेपर 1, वर्ष 1997 के अनुसार 9,49,216 है तथा झारखंड में संताली, मुंडारी के बाद तीसरी बड़ी जनजातीय भाषा है जिनकी कुल जनसंख्या 6,53,172 है।

मुंडा भाषाएँ योगात्मक परिवार की भाषाएँ हैं और इस परिवार की विशेषताएँ 'हो' भाषा में विद्यमान हैं। योगात्मक भाषा में संबंध तत्व, अर्थतत्व के साथ जोड़ दिया जाता है। इसके तीन वर्ग होते हैं—अश्लिष्ट, श्लिष्ट और प्रश्लिष्ट। अश्लिष्ट योगात्मक भाषाओं में अर्थतत्व के साथ संबंधित तत्व अवश्य जुड़ता है पर दोनों की सत्ता स्पष्ट झलकती है। यह योग पूर्व, मध्य और अन्त, तीनों में होता है। आग्नेय भाषाएँ एक साथ मध्य योगात्मक, अंत्य योगात्मक और पूर्वान्त योगात्मक हैं।

मध्ययोगात्मक—(हो)

सेन (चलना)	सेसेन (चलने लगना)
दल (मारना)	दपल (मारपीट करना)

म:अ (काटना) म: पअ (एक दूसरे को काटना) आदि।

'हो' भाषा में एकवचन, द्विवचन तथा बहुवचन तीन वचन पाए जाते हैं। संज्ञा में अन्य पुरुष सर्वनाम के द्विवचन तथा बहुवचन के रूप जोड़ने से ही दोनों वचन सम्पन्न होते हैं।

एकवचन	द्विवचन	बहुवचन
हो (आदमी)	हो किन (दो आदमी)	हो को (कई आदमी)

मुंडा भाषा के ध्वनिसमूह में स्वर तथा सघोष, अघोष, अल्पप्राण और महाप्राण व्यंजन मौजूद हैं। हो भाषा में अधिकांशत: अघोष एवं अल्पप्राण व्यंजन ही पाए जाते हैं। मुंडारी में घर के लिए 'ओड़ा' का प्रयोग करते हैं जबकि हो में 'ओअ: ' का व्यवहार होता है। हो भाषी 'घर' के लिए 'गर', खाना के लिए 'काना', हाथी के लिए 'हाति', 'भालू' के लिए 'बालु' उच्चरित करते हैं। हिन्दी के सभी स्वर वर्ण — य, र, ल, व, स, ह, 'हो' में पाए जाते हैं। पर इनके अलावा अर्द्धव्यंजन क्, च्, त्, प् हैं जिनका उच्चारण भिन्न है।

इनके उच्चारण में पहले साँस अन्दर को खींची जाती है, तब स्पर्श होता है, फिर स्फोट।

हो भाषा में अ, आ, इ, ई, उ, ए, ओ, स्वर वर्ण हैं जो लंबे, छोटे, अल्पप्राण, महाप्राण, आनुनासिक आदि ध्वनि रूप में प्रयुक्त होते हैं। मूलत: 'अ' अल्प (धीमा) केन्द्रीय स्वर, 'ए' मध्य अग्रस्वर, 'ई' (आई) उच्च अग्रस्वर, 'ओ' मध्य पार्श्व (पश्च) स्वर तथा 'उ' (यू) उच्च पश्च स्वर हैं। जो शब्द हिन्दी से 'हो' भाषा में आए हैं उनमें प्रयुक्त व्यंजन अथवा स्वर में उच्चारण भेद के कारण परिवर्तन हो जाता है, परन्तु अर्थ परिवर्तन नहीं होता। जैसे—

हिन्दी		हो
वकील		उकिल
वजन		ओजोन
वंश	बोंस	आदि।

इसी प्रकार से हिन्दी में प्रयुक्त 'य' हो भाषा में 'ज' हो जाता है। जैसे—

हिन्दी	हो	
यात्रा	जतरा	
योगी	जुगि	
युग	जूगु	आदि।

उच्चारण में कुछ व्यंजन का लोप भी हो जाता है। जैसे—

महाजन	माजोन।

हिन्दी में उच्चरित व्यंजन ध्वनियाँ हो भाषा में प्रयुक्त होने पर अघोष बन जाती हैं। जैसे—

हिन्दी	हो	
ठीक	टिइकि	
सुख	सुकु	
दुःख	दुकु	आदि।

हो भाषा में संज्ञा के भेद हिन्दी व्याकरण से भिन्न हैं। इनमें सजीव एवं निर्जीव के लिए दो संज्ञा भेद हैं। उसी प्रकार सर्वनाम में भी सजीव और निर्जीव के अनुसार भेद पाए जाते हैं। हो भाषा में व्यक्तिवाचक सर्वनाम के 11 भेद हैं।

		हो	हिन्दी
	एकवचन	हो	हिन्दी
1.	उत्तमपुरुष	अञ	मैं
2.	मध्यम पुरुष	अम	तुम
3.	अन्य पुरुष	अ:ए	वह
	द्विवचन		
1.	उत्तम पुरुष (जोड़कर)	अलङ	तुम और मैं
2.	उत्तम पुरुष (छोड़कर)	अलिङ	वह और मैं
3.	मध्यम पुरुष	अबेन	तुम दोनों
4.	अन्य पुरुष	अकिङ	उनमें से दो।
	बहुवचन		
1.	उत्तम पु. (जोड़कर)	अबू	हम लोग तीनों (तुम को लेकर)
2.	उत्तम पु. (छोड़कर)	आले	हम लोग तीनों (तुमको छोड़कर)
3.	मध्यम पु.	अपे	तुम लोग तीनों (तीन या अधिक)
4.	अन्य पुरुष	अको	वे लोग (तीन या अधिक)

हो भाषा में कुछ ऐसे शब्द हैं जिनका प्रयोग संज्ञा, क्रिया तथा विशेषण के रूप में किया जाता है। जैसे—

संज्ञा	चकड़	धोखा
क्रिया	चकड़	धोखा देना
विशेषण	चकड़	धोखेबाज

हो भाषा के परसर्ग में में, पर, तक, से, आदि के चिन्ह निम्न प्रकार से लगाए जाते हैं—

चिन्ह	हो	प्रयोग	अर्थ
पर	रे	परकोम रे	खाट पर
में	रे	ओअः रे	घर में
तक	ते	ओअः ते	घर तक

तक	जोका/जोओं	ओअः जोका/जोओं	घर तक
से	एते	ओअः एते	घर से

हो भाषा में भी सकर्मक और अकर्मक क्रियाएँ होती हैं। इन क्रियाओं के अंत में कारक का चिन्ह लगाकर वाक्य पूरा किया जाता है। जैसे—

चिन्ह	क्रिया	प्रयोग	अर्थ
में	दुब	दुब में	तुम बैठो
बेन	दुब	दुब बेन	तुम दोनों बैठो
पे	दुब	दुब पे	तुम सभी बैठो

लिंग भेद 'हो' भाषा में भी होता है। परन्तु लिंग भेद बताने के लिए स्त्री, पुरुष वाची शब्दों में जोड़ना पड़ता है। इसके लिए 'कोवा', कुई, एंगा, सन्डी आदि शब्दों का प्रयोग होता है। जैसे—

लिंग	हिन्दी	हो	
पुल्लिग	लड़का	कोवा होन	
स्त्रीलिंग	लड़की	कुई होन	
पुल्लिग	मुर्गा	सन्डी सिम	
स्त्रीलिंग	मुर्गी	एंगा सिम	आदि

इस प्रकार से मनुष्य के लिए 'कौवा-कुई' तथा पशु-पक्षियों के लिए 'एंगा-सन्डी' का प्रयोग होता है।

हो भाषा में क्रिया का लिंग भेद नहीं होता परन्तु क्रिया का वचन, पुरुष और काल से संबंध होता है। प्राणीवाचक और अप्राणीवाचक करके विभक्ति होती है। जैसे—

आता है	हुजुः तनाए
आती है	हुजुः तनाए

हो भाषा गुणवाचक विशेषण का अर्थबोध करने के लिए 'एसु' या 'पुराः' शब्द जोड़ दिया जाता है। जैसे—

हिन्दी	हो
अच्छा	बुगिन
बहुत अच्छा	एसु बुगिन
खराब	एड़का
बहुत खराब	एसु एड़का

हो भाषा की यह भी खास विशेषता है कि इसमें क्रियाओं के अनुरूप अलग-अलग शब्द होते हैं। जैसे—

हो	हिन्दी
मः अ	कुल्हाड़ी से काटना
हड्	छुरी से काटना
इर	हँसुआ से काटना

लटब	कैंची से काटना
चलुः	कुदाली से मिट्टी काटना
हेसे	वृक्ष की शाखा काटना

हिन्दी एवं अन्य लोक भाषाओं के शब्दों के आ जाने से 'हो' के शब्दकोश में भी वृद्धि हुई है।

हो लोक साहित्य

हो लोक साहित्य अधिकांशतः मौखिक रूप में ही विकसित हुआ है। 19वीं शताब्दी के पूर्व की लिखित सामग्री उपलब्ध नहीं है। हो लोक साहित्य का संकलन लोक कथाओं के रूप में श्री शरतचन्द्र राय, डॉ. डी.एन. मजुमदार, बी. सकुमार, हलधर, कान्हुराम देवगम आदि लोगों ने किया है। इन कथाओं का प्रकाशन 1915-1926 तक काफी संख्या में हुआ है। हो कथाओं, पहेलियों, कहावतों, मुहावरों आदि का प्रकाशन जर्नल ऑफ बिहार एंड उड़ीसा रिसर्च सोसाइटी, मैन इन इंडिया, जर्नल ऑफ द एन्थ्रोपोलोजिकल सोसाइटी ऑफ बाम्बे, आदि प्रतिष्ठित एवं ख्यातिप्राप्त पत्रिकाओं में हुआ। हो लोक साहित्य की कई पत्र-पत्रिकाएँ प्रकाशित हुईं जिनमें डॉ. एस.के. तियु द्वारा प्रकाशित तुर्तुड, सांयाँ मरसल आदि मुख्य हैं, जिनका हो भाषा एवं साहित्य की प्रगति की दिशा में सराहनीय योग रहा। इसके अतिरिक्त राँची से प्रकाशित जनसम्पर्क विभाग बिहार की पत्रिका, 'आदिवासी' भी हो लोक कथाओं, गीतों आदि को प्रकाशित करती रही है। राँची से प्रकाशित 'जोहरा' पत्रिका भी हो भाषा-साहित्य के विकास में प्रयत्नशील रही।

श्री डी.एन. मजुमदार ने अपनी पुस्तक 'द अफेयर्स ऑफ ए ट्राइब' में कुछ हो लोक कथाओं का संकलन किया है। हो भाषा एवं साहित्य के विकास के लिए अन्य विद्वानों का भी योग है। इनमें जयदेव दास अभिनव कृत आंदी, सरजोम बा डुम्बा, हो भाषा और साहित्य; डब्ल्यू.जी. आर्चर कृत हो दुरङ; सी.एच. बोम्पास का फोकलोर ऑफ कोल्हान आदि प्रमुख हैं।

हो शिष्ट साहित्य

हो शिष्ट साहित्य में निम्नलिखित पुस्तकें प्रकाशित हुई हैं—

सतीश कुमार कोड़ा लिखित सेंगेल (क्रांतिकारी एवं देशप्रेम से संबंधित कविताएँ), सतीश रूमुल (प्रेरणाप्रद जागृति कविताएँ), हो चपाकड़ कहनि, सतीश तंत्र संहिता, चास रेयः ताक; शिवचरण विरुवा लिखित दिशुम रुमुल मागे दुरङ; डॉ. दुर्गा पुरती लिखित आदिवासी सिविल दुरङ (आदिवासी एकता एवं जागरण से संबंधित), आदिवासी देयोंआ, आदिवासी मुनि, उरिः केड़ा कोवा रेड-रानु (मवेशियों की बीमारी के उपचार एवं दवाओं से संबंधित), प्रधान गागराई लिखित बोंगा बुरु को, (हो देवी-देवताओं से संबंधित), होड़ो होन को, मरङ बोंगा, गोसाइ-देवगम मागे पोरोब (मागे पर्व से संबंधित), लको बोदरा कृत बाराङ चिति (हो लिपि से संबंधित), पोम्पो, शाहर होरा (नाटक), रघुवंश (नाटक), होरा-बारा, हो हयम (भाषा व्याकरण), हलङ-हलपुङ, जिबोन गम्पए दुरङ, बोंगा सिंगिराई (उपन्यास); दुम्बी हो लिखित हो कुड़ि (उपन्यास), प्रो. जानुम सिंह सोय लिखित हो कुड़ि उपन्यास, आधुनिक हो शिष्ट काव्य; प्रो.

बलराम पाट पिंगुआ लिखित जैरा जिबोन दस्तुर, दुरं दुदुगर, हो भाषा शास्त्र एवं व्याकरण; धनुसिंह पुरती लिखित हो दिसुम हो होन को (सात भागों में जिसमें हो जनजातियों के रीति-रिवाज, पर्व-त्योहार, पूजा-पाठ, देवी-देवताओं, कहानियाँ, पहेलियाँ, लोककथा, जन्म, विश्वास, मरण, शिकार, खेल आदि का संकलन किया गया है); श्री कमल लोचन कोड़ाह लिखित इटा बटा नला बसा, जोअर, पेरेम सनङ (प्रेम काव्य) सरजोम बा तरल आदि। श्री कमल लोचन कोड़ाह प्रगतिशील लेखक एवं कवि हैं। इन लेखकों एवं कवियों ने हो साहित्य की समृद्धि में अहम भूमिका निभाई है। ये साहित्य प्रेमी हो भाषा में नित्य नई-नई रचनाओं का सृजन कर हो शिष्ट साहित्य को सँवार रहे हैं।

हो भाषा के अन्य यशस्वी रचनाकारों में, श्री देवेन्द्र नाथ सिंहकू, अनन्त कुमार पिंगुआ, प्रो. बी.पी. पिंगुआ, योगेन्द्र मुनि, बी.एल. तमसोय, मुनि चक्रधर गुइया, शिवाराम दोराईबुरु, सामुचरण तुविद, विश्वनाथ बोदरा आदि का नाम प्रशंसनीय है। हो लोकगीत, राष्ट्रीय भावना की कविता, ललित निबंध, हो पर्व-त्योहार, हो संस्कृति के विकास आदि से संबंधित अनेक रचनाएँ प्रकाशित हो रही हैं जो हो भाषा-साहित्य के विकास के मार्ग को प्रशस्त कर रही हैं।

हो भाषा के विकास के लिए 1915 ई. में श्री लाइनोज बरो ने 'हो व्याकरण' की रचना की थी। रे.ए. नरीरोट ने 'ग्रामर ऑफ द कोल' की रचना की थी। 'इन्साइक्लोपीडिया मुंडारिका' जॉन हॉफमैन द्वारा लिखी गई जो मुंडारी के साथ-साथ हो शब्दकोश के रूप में अत्यंत महत्त्वपूर्ण कृति है। 'जेवियर हो प्रकाशन' संत जेवियर उच्च विद्यालय लुपुङ गुटु चाईबासा द्वारा हो भाषा एवं साहित्य के विकास की दिशा में उल्लेखनीय कार्य किए जा रहे हैं। इसी प्रकाशन के द्वारा प्रकाशित फादर डीनी एस.जे. द्वारा रचित हो ग्रामर एंड वोकेब्यूलरी तथा हो इंगलिश डिक्शनरी, हो साहित्य सर्जन के लिए अमूल्य निधि हैं। ब्रजबिहारी लिखित नागालैंड कोहिमा से प्रकाशित हिन्दी हो शब्दकोश तथा डॉ. आदित्य प्रसाद सिन्हा लिखित हो लोककथा : एक अनुशीलन एवं हो भाषा और साहित्य का इतिहास प्रमुख है। डॉ. आदित्य प्रसाद सिन्हा ने अथक प्रयास कर हो भाषा-साहित्य को सजाया-सँवारा है। पत्र-पत्रिकाओं में जोहार, तुर्तुङ, ओतोरोङ, सरनाफूल आदि के माध्यम से भी हो भाषा-साहित्य के विकास में सराहनीय योग रहा है।

प्राइमरी स्तर से लेकर स्नातकोत्तर स्तर तक हो भाषा में पठन-पाठन का कार्य चल रहा है। आकाशवाणी राँची, चाईबासा से हो भाषा में विभिन्न प्रकार के आलेख, अखड़ा प्रोग्राम आदि का प्रसारण किया जा रहा है। इस प्रकार हो लिखित साहित्य में लोककथा, लोकगीत, निबंध, पहेली, बुझौवल, कहावत एवं मुहावरा आदि उपलब्ध हैं।

हो लिखित साहित्य का विकास धीरे-धीरे हो रहा है। यह खुशी की बात है कि नई पीढ़ी में भाषा-साहित्य के विकास के प्रति सुगुबुगाहट दृष्टिगोचर होने लगी है। भले ही यह मद्धिम हो, पर सही दिशा में आगे बढ़ रही हैं। उनमें भाषा और साहित्य के विकास की ललक उत्पन्न हुई है। आज के संदर्भ में आवश्यकता है तो बस मार्ग-निर्देशन की।

खड़िया भाषा और साहित्य

डॉ. रोज केरकेट्टा

झारखंड प्रदेश की मुख्य आदिवासी जातियों में खड़िया भी एक है। भाषा परिवार के अनुसार खड़िया भाषा भारत के आग्नेय कुल (आस्ट्रो-एशियाटिक) के मुंडा-समूह में वर्गीकृत है। इस समूह में मुंडा, हो, संताली आदि मध्य भारत की आदिवासी जातियों की भाषाएँ आती हैं। नार्मन जाइड ने झारखंड की भाषाओं का वर्गीकरण इस प्रकार किया है—

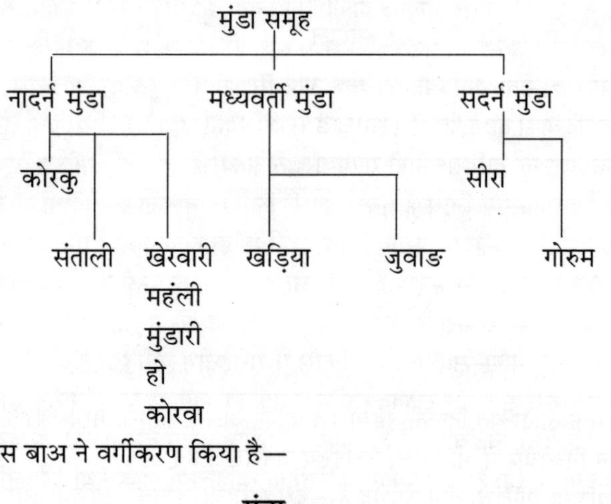

जुलियस बाअ ने वर्गीकरण किया है—

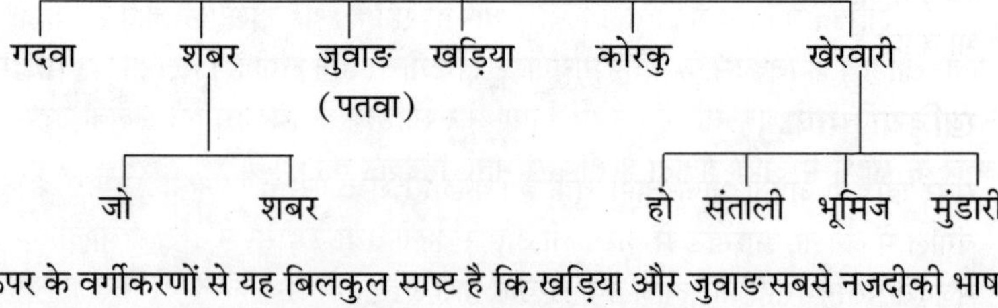

ऊपर के वर्गीकरणों से यह बिलकुल स्पष्ट है कि खड़िया और जुवाङ सबसे नजदीकी भाषा हैं। जुवाङ उड़ीसा में और सिंहभूम क्षेत्र में निवास करते हैं। कई मानवशास्त्रियों ने सिंहभूम के

जुवाङ और खड़िया को हिल खड़िया कहा है। नीचे की तालिका से यह साफ हो जाएगा कि खड़िया भाषा और जुवाङ का संबंध कितना नजदीकी है—

खड़िया	*जुवाङ*	*हिन्दी*
मोञ	मोञ	एक
उबर	उबर	दो
अमअ	अमअ	तुम्हारा
गोने	गोने	दांत
लुतुर	लुतुर	कान
लाङ	इलाङ	जीभ
लेबु	जुआङ	आदमी
लेरङ	लेरङ	चाँद, महीना
कोनघेर	कोनघेर	युवक
कोनसेल	जुवाङ डाय	युवती
बेड़ो	बेला	सूर्य
सिंकोय	संगोल	मुर्गा

खड़िया भाषा-भाषियों का क्षेत्र पश्चिम बंगाल, उड़ीसा, छत्तीसगढ़, मध्य प्रदेश और झारखंड का जुड़ा हुआ क्षेत्र है। झारखंड से अधिक संख्या इनकी उड़ीसा में है। जनगणना रिपोर्ट 1985 के अनुसार खड़िया भाषी राज्यवार इस प्रकार हैं—

झारखंड (बिहार)	1,21,771
उड़ीसा	1,44,178
मध्य प्रदेश	56,892
प. बंगाल	75,912
महाराष्ट्र	11,412

इसके अतिरिक्त दिल्ली, हिमाचल प्रदेश, असम, त्रिपुरा, मेघालय, नागालैंड, मणिपुर और अंडमान निकोबार में भी इनकी उल्लेख्य जनसंख्या है।

खड़िया जाति के तीन उपभेद हैं—दूध खड़िया, डेलकी खड़िया और सबर खड़िया। सबर खड़िया और पतुवा या जुवाङ जो पहाड़ों-जंगलों में रहते हैं, कुछ मानवशास्त्री इन्हें हिल खड़िया भी कहते हैं।

खड़िया भाषा

सबर खड़िया अपनी भाषा त्याग चुके हैं। कुछ ही शब्द ऐसे हैं जिनका उपयोग वे करते हैं। प. बंगाल में बंगला, झारखंड में कुरमाली और संताली तथा उड़ीसा में उड़िया बोलते हैं। वस्तुतः ये मजदूरी पर निर्भर हैं और आज तक सरकार द्वारा इन्हें पुनर्वासित करने की योजना विफल रही है। जीविका के लिए दूसरों पर आश्रित लोग अपनी भाषा की रक्षा और विकास की बात सोचें, यह

अपेक्षा नहीं की जा सकती है।

ढेलकी खड़िया की भाषा खड़िया ही है। उनके उच्चारण और प्रवाह मुंडारी की तरह हैं। खड़िया में घोष वर्णों का उच्चारण अधिक बलाघात के साथ होता है जबकि ढेलकी खड़िया में मुंडारी की तरह अघोष की ओर झुकाव होता है।

खड़िया भाषा के व्यंजन

क ख ग घ ङ	– कण्ठ्य
च छ ज झ ञ	– तालव्य
ट ठ ड ढ –	– मूर्धन्य
त थ द ध न	– दन्त्य
प फ ब भ म	– ओष्ठ्य
य र ल व	– अन्तस्थ
स ढ ढ़ ड ड़	– ऊष्म
ह	– प्राणध्वनि

स्वर : अ, आ, इ, ई, उ ऊ, ए, ओ

उच्चारण : खड़िया व्यंजनों में प्रत्येक वर्ग का तीसरा वर्ण दो प्रकार से उच्चरित होता है। एक सामान्य और दूसरा ग्लोटल चेक या क्लिक ध्वनि की सहायता से। जैसे—

क्रिया	*एकवचन अन्य पुरुष*	*हिन्दी*
जब्ना	जाबे	पहुँचेगा
डेज़ना	डेजे	काटेगा (काटो)
गजना	गजे	भूनेगा (भूनो)
गअछोड्ना	गअछोडे	छौंक लगाओ

कहने का तात्पर्य है कि ग, ज, ड, द, ब का उच्चारण सामान्य तरीके से तथा ग्लोटल चेक की सहायता से भी होता है। ऊपर के उदाहरणों में क्रिया का उच्चारण जब भी होगा, ग्लोटल चेक की मदद से होगा।

इसी तरह स्वरों के उच्चारण में भी सामान्य के साथ-साथ आवश्यकतानुसार ग्लोटल चेक या क्लिक ध्वनि की मदद ली जाती है।

व्यंजन में 'ण' तथा स्वरों में ऐ, औ के स्थान पर अइ, अउ का प्रयोग किया जाता है।

खड़िया भाषा की विशेषताएँ

1. भाषा की दृष्टि से खड़िया योगात्मक भाषा है। जैसे धोओना (पकड़ना) — कोलधोओना (एक दूसरे को पकड़ना)— कोलधोओनाबर (दूसरों को पकड़ लो)— इसमें कोल उपसर्ग लगा कर शब्द बना उसमें 'बर' अंत में जोड़ कर क्रिया को पूरा कर लिया गया।

इसी तरह ञोओना (खाना)—कोलओबञोओना (एक दूसरे को अपने हाथों से खिलाना) में 'बर' प्रत्यय लगा देने से अर्थ निकलेगा—एक दूसरे को अपने हाथों से खिलाओ।

2. ह्रस्व प्रधान है। आस्ट्रिक परिवार की सभी भाषाएँ ह्रस्व प्रधान हैं। परन्तु लिखने के समय संताली में बंगला के प्रभाव के कारण दीर्घ स्वर लगाया जाता है। खड़िया में भी लिखने में ढीले-ढाले व्यक्तित्व के अनुरूप दीर्घ स्वरों का प्रयोग किया जाता है। जैसे कयर (आम)—कयार—कायार भी लिखते हैं।

अम (तुम)—आम

होकड़—होकाड़

अमबर (तुम दोनों)—आमबार आदि।

3. ग्लोटल चेकयुक्त शब्दों का भाषा में स्थान है। इसकी चर्चा ऊपर की जा चुकी है।
4. प्रत्यय प्रधान है।

मध्य प्रत्यय—गिल—गिनिल (मार)

ओड़ेब—ओबड़ेब (ठंडा करना)

डेब—डेनेब—चढ़ान

व्याकरण

खड़िया विद्वानों ने खड़िया भाषा का व्याकरण हिन्दी के आधार पर तैयार किया है। संज्ञा, सर्वनाम, क्रिया, विशेषण और क्रिया-विशेषण को हिन्दी के आधार पर चिन्हित किया है।

व्याकरण पर काम सुन्दरगढ़ निवासी नुअस केरकेट्टा ने किया। उनकी पांडुलिपि अभी तक पुस्तक रूप में सामने नहीं आई है।

श्री पौलुस कुल्लू और आर.पी. साहू ने भी व्याकरण पर काम किया है। पौलुस कुल्लू के व्याकरण के साथ संक्षिप्त शब्दकोश भी है। श्री जुलियस बाअ ने भाषा और व्याकरण पर काम करते हुए खड़िया ध्वनिशास्त्र लिखा है। सारे वैयाकरणों की सहमति व्याकरण के स्वरूप पर है। सभी परिभाषाएँ हिन्दी पर आधारित हैं, सिर्फ वचन पर अंतर है। सभी आग्नेय कुल की भाषाओं की तरह खड़िया में भी तीन वचन हैं।

	एकवचन	*द्विवचन*	*बहुवचन*
उत्तम पुरुष	इङ (मैं)	अनञ इंजर	अनिङ एले
मध्यम पुरुष	अम	अमबर	अमपे
अन्य पुरुष	होकड़	होकियर	होकी

उत्तम पुरुष के द्विवचन में अनङ का प्रयोग मैं (वक्ता) और तुम (श्रोता) दोनों को शामिल किए जाने पर प्रयोग होता है। इसी तरह इंजर (हम दोनों) में मैं (वक्ता) और वह (श्रोता नहीं) यानी अन्य के शामिल होने का बोध होता है।

उत्तम पुरुष के बहुवचन में अनिङ (हम सब), वक्ता और श्रोता जो सामने वार्ता में शामिल हैं, का बोध होता है। एले (हम सब) में वक्ता और अनुपस्थित अन्य के शामिल होने का बोध होता है। इसमें श्रोता शामिल नहीं होता है।

शब्द भांडार

खड़िया का शब्द भांडार सीमित है। सामान्य दैनिक जीवन में भावाभिव्यक्ति के लिए भाषा सक्षम है, किन्तु आज के विकसित युग में विभिन्न भाषाओं के संपर्क में आने के बाद साहित्यिक भावाभिव्यक्ति के वैज्ञानिक तथा कानूनी शब्द या तो ज्यों के त्यों ग्रहण कर लिए गए हैं। कुछ शब्द खड़िया की प्रकृति के अनुरूप ढाले गए हैं। जैसे मास्टर–मसटार या मासटर, स्कूल–इसकुल आदि।

छन्द : खड़िया भाषा सहित सभी आग्नेय कुल की भाषाओं में मात्रिक छन्द और वार्णिक छंद नहीं हैं। जो कुछ है वह लय छंद है।

मुहावरे : खड़िया भाषा में मुहावरों का प्रयोग होता है। जैसे डेड़ेङ उम सेएना– सींग न समाना। गुरगुर पोंडोड उम रामना–गिरा तिनका न उठाना यानी आलसी।

अन्य भाषाओं के शब्दों के साथ समानता एवं भिन्नता

मुंडारी के शब्दों से, विशेषकर शरीर के विभिन्न अंगों के नाम तथा पशुओं के नाम खड़िया भाषा से मिलते हैं। जैसे—

हिन्दी	*खड़िया*	*मुंडारी*
पैर	कटा	कटा
कात	लुतुर	लुतुर
हाथ	ति:	ति:
पेड़	दरु	दरु
बकरी	मेरोम	मेरोम

नियमानुसार थोड़े परिवर्तन के साथ—

हिन्दी	*खड़िया*	*मुंडारी*
आंख	मोड़	मेद
सिर	बोकोब	बो:/भो:
लज्जा	गियल	गियु:
पहाड़	बीरु	बुरु

बिलकुल ही भिन्न शब्द—

हिन्दी	*खड़िया*	*मुंडारी*
पत्री	उलंअ	सकम
उरद	मासो	रमड़ा
मनुष्य	लेबु	होड़
चाँद	लेरङ	चण्डु
सूर्य	बेड़ो	सिंगी
तारे	सिनकोम	इपिल

अन्य विद्वानों के खड़िया पर कार्य

खड़िया भाषा पर 1894 में गगनचन्द्र बनर्जी ने सर्वप्रथम काम किया। उनकी पुस्तक का नाम ही 'एन इन्ट्रोडक्शन टू खड़िया लैंग्वेज' है। इस पुस्तक में उन्होंने ध्वनि, वर्ण, शब्द एवं व्याकरणिक अध्ययन प्रस्तुत किया है। पुस्तक के अंत में शब्द-सूची दी गई है।

असम के चाय बागानों में झारखंड से कुली चालान किए गए थे। फादर फलोर और हुअर्ट ने 1939 में इन कुलियों से संवाद बनाने के लिए खड़िया-इंगलिश, इंगलिश-खड़िया में बोलचाल के उपयोगी वाक्यों का संग्रह किया है। 1965 में डेकन कॉलेज पूना से जी.एच. बिलिगिरि ने खड़िया भाषा पर काम किया। उन्होंने खड़िया भाषा की ध्वनि पर विशेष काम किया और 1500 शब्दों की सूची भी दी। 1967 में डी.एल. स्टाम्प और नार्मन जाइड ने 'दि पोजीशन ऑफ खड़िया-जुवाङ इन दि मुंडा फैमिली' लिखा।

'कुछ खड़िया शब्दों की निरुक्ति' नामक निबंध में डॉ. वीरभारत तलवार ने प्रमाणित करने की कोशिश की है कि प्राचीन काल में वियतनाम और पूरे हिन्दचीन क्षेत्र में आस्ट्रिक भाषा परिवार के मीन ख्मेर समुदाय की भाषाएँ बोली जाती थीं। उन्होंने खड़िया के अनेक शब्दों का सामीप्य सेदाङ, कातू, ब्राउ और च्राउ (वियतनामी भाषाएँ) के शब्दों और खड़िया के शब्दों की निरुक्ति पर विचार किया है। भारत में पूर्वी भारत की खासी भाषा से खड़िया का सामीप्य है। कई मानवशास्त्री भी खड़िया जाति का संबंध हिन्दचीन और वियतनामी जाति आदि से नाक-नक्श के आधार पर करते हैं। एक उदाहरण देखें—नाक खड़िया में रोमोङ है। मूल शब्द मुह है जो च्राउ में है। खड़िया में मु से पहले रो और अंत में ङ जोड़ा गया। कातू और सेदाङ में मोह है।

मानवशास्त्रीय अध्ययन शरदचन्द्र राय ने सम्पूर्णता में किया। इससे पहले राखालदास, हीरालाल आदि ने खड़िया जाति के अध्ययन की नींव रखी। एल.पी. विद्यार्थी ने आधुनिकता के आलोक में खड़िया जाति का अध्ययन किया।

साहित्य

खड़िया साहित्य को दो भागों में रखकर देखना उचित है। प्राचीन अलिखित साहित्य जो लोक साहित्य के रूप में जाना जाता है, से प्राचीन लोक प्रवृत्ति, दृष्टि और दिशा का पता चलता है। खड़िया लोक साहित्य भी अति समृद्ध है। इसी समृद्धि का प्रमाण है कि खड़िया जाति और भाषा अनेक जटिल परिस्थितियों के बाद भी जिन्दा है।

लोक-साहित्य

ऊपर कहा जा चुका है कि लोक-साहित्य अलिखित है। यह श्रुति पर आधारित है और पीढ़ी-दर-पीढ़ी हस्तांतरित होता आ रहा है। लोक-साहित्य के अन्तर्गत लोकगीत, लोककथाएँ, मुहावरे, कहावतें और पहेलियाँ आते हैं। जब लोककथाओं की चर्चा होती है तब उससे जुड़े पर्व-त्योहार और जातीय रीति-रिवाजों का अध्ययन और विश्लेषण होता है। इससे उस जाति या समुदाय की विशेषताओं की जानकारी मिलती है और जातीय पहचान भी बनती है।

लोकगीत

खड़िया लोकगीतों का संबंध भी प्राचीन जीवन का विस्तृत अवलोकन कराता है। तब मनुष्य का जीवन प्रकृति से जुड़ा था। इसलिए प्रकृति के आलम्बन के रूप में रखकर मनुष्य ने अपने हर्ष-विषाद और भावनाएँ प्रकट की हैं। इन गीतों के माध्यम से अपना अस्तित्व, इतिहास, युद्ध और जीवन-दर्शन प्रकट किया है।

लोकगीत प्रश्नोत्तर के रूप में गाए जाते हैं। कई गीत अकेले गाए जाते हैं। समूह में बैठकर, राह चलते, काम की जगह पर अथवा नृत्य करते हुए भी गीत गाए जाते हैं। ये सारे गीत मौसम पर आधारित हैं। मौसम अनुसार विषय और राग निश्चित हैं।

'खड़िया आलोङ' नाम से पहला गीत संग्रह सन् 1942 में प्रकाशित हुआ। इसका श्रेय डब्ल्यू.जी. आर्चर को जाता है। उन्होंने अपने प्रशासकीय जीवन में खड़िया, मुंडारी, कुड़ुख, संताली आदि लोकगीतों को संग्रह कर प्रकाशित कराया। 'खड़िया आलोङ' में गीत संग्रह करने वालों में मनमसीह टेटे (सिमडेगा), दाऊद डुंगडुंग (सिमडेगा) और जतरू खड़िया (तारालोया) थे। इस पुस्तक में 1528 लोकगीत और 446 पहेलियाँ संकलित हैं।

खड़िया लोकगीतों पर निबंध और लेख आदिवासी पत्रिका चौमासा (भोपाल) आदि पर प्रकाशित होते रहे हैं। हाल के दिनों में लोकगीतों के कई संकलन कैथलिक मिशन राँची ने प्रकाशित किए हैं। इन संकलनों में आधुनिकता की छाप साफ दिखाई देती है। लोकगीत जीवन से संबंध रखते हैं। यदि मनुष्य के जीवन-प्रवाह में बाधाएँ आ खड़ी हों, जीवन-क्रम दिशा बदल दे तो इस परिस्थिति में जीवन विचलित होता है। अस्थिरता की दशा में उत्पन्न गीतों और लय तथा रागों में गंभीरता भी नहीं रहती और न आनन्द। एक प्रकार का छिछोरापन ही अधिक दीखता है।

प्रोफेसर इग्नासिया टोप्पो ने अपनी पी-एच.डी. डिग्री के लिए खड़िया लोकगीतों पर काम किया है।

लोककथाएँ

लोककथाएँ मनोरंजन के लिए, अपने इतिहास को सुरक्षित रखने के लिए रची गईं। दूसरी ओर इन्हीं के माध्यम से पर्व-त्योहारों की स्थापना, विधि एवं निषेधों की रचना की गई। लोककथाओं के माध्यम से ही अगली पीढ़ी को नीति-शिक्षा दी गई। इस तरह लोककथाएँ बहुआयामी हैं।

सबसे पहले एशियाटिक सोसायटी द्वारा प्रकाशित होने वाले 'मैन इन इंडिया' में 'पंडुक और उसके बच्चे' नामक लोककथा प्रकाशित की। स्थानीय पत्र-पत्रिकाओं में कई खड़िया लोककथाएँ प्रकाशित हुईं।

रोज केरकेट्टा ने पी--एच.डी. की उपाधि के लिए लोककथाओं पर काम किया। इन्होंने 'खड़िया लोककथाओं का साहित्यिक और सांस्कृतिक अध्ययन' नामक पुस्तक प्रकाशित कराई।

पहेलियों, मुहावरों, कहावतों, छन्द और अलंकार का क्षेत्र अभी अध्ययन की दृष्टि से अछूता है। लोककथाओं का कुछ भाग, खेल के गीत एवं बोल, मंत्र आदि शरदचन्द्र राय की 'द खड़ियाज़' में संकलित हैं। फादर मथियस डुंगडुंग की पुस्तक 'खड़िया और हिन्दी की तुलना' में

तथा जोवाकिस डुंगडुंग की पुस्तक 'खड़िया जीवन और परंपराएँ' में कुछ लोककथाएँ संगृहीत हैं।

शिष्ट साहित्य

शिष्ट साहित्य को भी काल के हिसाब से विभाजित किया जाता है--

1. स्वातंत्र्योत्तर पूर्व 2. स्वातंत्र्योत्तर पश्चात

स्वातंत्र्योत्तर पूर्व खड़िया साहित्य

स्वतंत्रता प्राप्ति से पहले अंग्रेजों के शासन काल में यूरोप से ईसाई मिशनरी आए। इनमें अंग्रेजों के साथ अंग्रेज मिशनरी थे जिन्होंने एस.पी.जी. मिशन स्थापित किया। बेलजियम से मुख्य रूप से आए मिशनरी कैथलिक चर्च से जुड़े थे। जर्मनी से आए मिशनरी जी.ई.एल. चर्च से जुड़े थे। यूरोप में अंग्रेजों और जर्मनों के बीच जमकर संघर्ष होता था। प्रथम महायुद्ध के समय जर्मन मिशनरियों को भारत छोड़ना पड़ा था। युद्ध समाप्ति के बाद जब संधि हो गई तब फिर से जर्मन मिशनरी आए। लेकिन 1939 के विश्व युद्ध में पुन: मिशनरी जो जर्मनी से आए थे, को भारत में वापस भेजा गया। प्रथम महायुद्ध के बाद जर्मन मिशन के मिशनरी सतर्क हो गए और दूसरी वापसी से पहले उन्होंने जी.ई.एल. चर्च को अन्य चर्चों में विलय करने के बदले स्वायत्तता दे दी।

इसी तरह संतालपरगना में मेथोडिस्ट चर्च और फ्री चर्च की स्थापना हुई। कुछ स्थानों में कई अन्य चर्च स्थापित हुए, जिनका यहाँ की भाषा और साहित्य-संस्कृति से कोई विशेष संबंध नहीं रहा।

जी.ई.एल. चर्च ने स्वायत्तता के बाद क्रिश्चियन लिटरेरी मिशन स्थापित किया। लेकिन असम के गोताघाट में जे. पास्टर द्वारा ईसाई गीत जो खड़िया भाषा में रचे गए थे, 1935 में प्रकाशित किए गए। यह बंगला लिपि में हैं। फा. नुअस केरकेट्टा ने भी 'प्रभुवअ पतर' नाम से खड़िया ईसाई भजन प्रस्तुत किए। 1951 में 'खड़िया अलोङ' नाम से जी.ई.एल. चर्च ने खड़िया ईश भक्ति गीतों की किताब छापी।

यद्यपि ईश भक्ति के गीतों में काव्यत्व का अभाव है। लेकिन कुछ अलंकारों का प्रयोग हुआ है। साथ ही प्राचीन लोकगीतों के छंदों का प्रयोग भी हुआ है। भावनाओं की अभिव्यक्ति खड़िया-दर्शन के अनुकूल है।

गद्य के रूप में जी.ई.एल. चर्च ने कोनोन कटेकिस्म (1949), जोहना: लिखा सु:खो कायोम (1957) में छापा। ये अनूदित पुस्तकें हैं। नथनिएल और हाबिल डुंगडुंग ने अफ्रीकन कहानियों के आधार पर 'केलोम बॅअखड़ी' नामक पुस्तिका प्रकाशित की। इन्हें साहित्य की कोटि में नहीं रखा जा सकता है परन्तु नथनिएल कुल्लू की कहानियों में कहानी के बीज हैं। पात्रों और उनके कार्यकलाप, भाव-केंद्र और कल्पना तथा भाषा कहानी कला को प्रदर्शित करते हैं। आगे चलकर इस तरह की कहानियाँ खड़िया में फिर कभी नहीं लिखी गईं।

स्वातंत्र्योत्तर काल और खड़िया साहित्य

स्वतंत्रता के पश्चात् कई पत्रिकाएँ निकलीं। सरकार ने आदिवासी नामक पत्रिका निकाली। इसमें खड़िया सहित सभी आदिवासी भाषाओं के साहित्यकारों को भरपूर मौका मिला। आदिवासी

पत्रिका में सन् 1952 के आसपास से ही प्यारे केरकेट्टा, अगुस्तीन डुंगडुंग, रोज केरकेट्टा एवं सरोज केरकेट्टा ने अपनी रचनाएँ प्रकाशित कीं। इसके बाद आकाशवाणी राँची द्वारा गद्य और पद्य में इनकी रचनाएँ प्रसारित हुईं। छोटानागपुर संदेश, संवाद तथा समाचार पत्रों में विशेषकर प्रभात खबर और राँची एक्सप्रेस ने भी आदिवासी भाषाओं की रचनाओं को उनकी भाषा तथा हिन्दी में प्रकाशित किया। कई संस्थाओं ने भी अपनी स्मारिकाओं में खड़िया भाषा की रचनाएँ प्रकाशित कीं।

पद्य

प्यारा केरकेट्टा की कविताएँ, लमलम, किनिर आदि खड़िया जनजीवन से संबंधित हैं जबकि महाजियोम गाँधी, झाड़ी धरम मोञ, अअपे बोतोङना, सांगो, जोहार आदि कविताएँ राष्ट्रभक्ति से संबंधित हैं।

रोज केरकेट्टा की कविताएँ मुक्ति सेनाअ घड़, तोनमे, मेमोन, बोतोङ, सोरीना, आदि अनेकों कविताएँ हैं।

सरोज केरकेट्टा ने राष्ट्रीय झंडे को संबोधित करते हुए कविताएँ लिखीं। परन्तु श्रेष्ठ कविताएँ लिखी हैं नुअस केरकेट्टा ने। उनकी दो कविताएँ लय और छंद की दृष्टि से उत्तम हैं। वे हैं खड़िया लड़ाइयअ पेड़ेड् सड़ा (खड़िया संघर्ष की बिगुल ध्वनि) और सेनेल (प्रार्थना)। ये पहली बार 'जामबहार' नामक रिपोर्ट के साथ 1962 में छपीं। उनकी लम्बी कविता हेपड़ अवकड़िञ बेर (मेरा पड़ोसी कौन) खंड काव्य की श्रेणी में आएगी। इसमें उन्होंने खड़िया जाति के निवास क्षेत्रों के जंगल, भूगोल और दैनिक जीवन को सँजोया है।

लोरेङ टेटे, जुएल सोरेङ और करोलिना मिंज ने अच्छी कविताएँ लिखीं। फुलजेन्स किड़ो:, भगवान खड़िया और महेन्द्र किड़ो: की एक-दो कविताएँ अच्छी बन पड़ी हैं।

खड़िया गद्य

बाइबिल के अनूदित खंडों में गद्य का रूप दिखाई देता है। पर निबंध और कहानियों में गद्य का सुन्दर रूप उभरा है।

निबंध

प्यारा केरकेट्टा के निबंध 'जामबहार' तथा 'मेरोमडअ डोकलोओ' में सर्वप्रथम देखने को मिलते हैं। उन्होंने खड़िया जीवन, संस्कृति तथा गाँवों के नामकरण पर निबंध लिखे। खड़िया जीवन के विकास के लिए निबंध लिखे जिसमें कार्लाइल, विवेकानंद, अरविन्द घोष, हब्शी कवि मार्क फिशर आदि के उद्धरण दिए।

विश्राम टेटे ने भी कुछ निबंध लिखे जिनका आशय खड़िया लोगों को महाजनों से मुक्ति दिलाना, श्रम की महत्ता, कर्ज लेने से नुकसान आदि है। जुलियुस बाअ ने भी कुछ लेख लिखे हैं।

कहानियाँ

'बेरथअ बिहा' प्यारा केरकेट्टा लिखित खड़िया भाषा की पहली आधुनिक कहानी है। इस क हानी में ईसाई होते समय के संक्रांति काल की घटना का जिक्र है कि किस तरह से खड़िया

रीति-रिवाजों में परिवर्तन आ रहा था। कई अच्छाइयाँ छूट रही थीं और बुराइयों को लोग अपना रहे थे। खड़िया समाज में बिखराव का यह एक कारण था। उनकी अन्य कहानियाँ हैं—लोदरो सोमधि, कोरमो जवानी, सनिकाअ सांगो और कोनसेलडुअ किते संघ्राना। लोदरो सोमधि और जवानी तथा कोरमो नशापान से होने वाले सामाजिक क्षय को दर्शाती हैं। बेरथअ बिहा की शैली गंभीर और लोकजीवन के यथार्थ को दर्शाने वाली है। इसमें उन्होंने मुहावरों का प्रयोग भी किया है।

लोदरो सोमधि भी नशापान से होने वाले नुकसान को दिखाता है। इसकी भाषा शैली अन्य कहानियों से बिलकुल भिन्न है। हास्य रस से भरपूर इस कहानी से पाठक जितने रोमांचित होते हैं शराबी उतने ही अपने नैतिक पतन के बारे में लज्जित होते हैं। अन्य कहानियों में भी शराब के नशे की हालत में पतन, पश्चात्ताप, उत्थान और नुकसान आदि केंद्रीय बिन्दु हैं। शराबी अपना तथा अपनी अगली पीढ़ी को स्वास्थ्य और सामाजिक दृष्टि से नुकसान पहुँचाते हैं—आदि विषय हैं। हरेक कहानी की भाषा आकर्षक और मन को छूने वाली है। इस कहानी संग्रह की आलोचना इग्नासिया टोप्पो ने की है जो 'युद्धरत आम आदमी' में छपी है।

रोज केरकेट्टा की पहली कहानी 'पग्हा जोरी-जोरी रे घाटो' है। इसमें दया नामक बच्ची चरवाही करते-करते शिक्षा पाने को प्रेरित होती है। उसकी अन्य कहानियाँ कोनोन किमिन (छोटी बहू), कन्डेइर-कन्डेइर ते अबु कामेम (कोंपलों को मत तोड़ना), बुडम्म (साँप), मसी मसटार (मसी मास्टर), भंवर, सोफियाअ माडोम (सोफिया की माँ) आदि हैं। इन कहानियों में अनाथ बच्चों की समस्या, गरीबी से संघर्ष और प्रकृति से अलग रहने वालों के जीवन विषय हैं।

पतरस, बाअ, जुएल सोरेङ, कुमार बाअ आदि ने कहानियाँ लिखना आरंभ किया था। परन्तु अब उन्होंने लिखना छोड़ दिया है।

इलियास केरकेट्टा ने आत्मकथात्मक शैली में कहानियाँ लिखना आरंभ किया था। 'बाइद' और 'चौंरा रो चिंयोब' ऐसी ही रचना है। कुछ और लोगों ने भी कहानियाँ लिखने की कोशिश की है लेकिन वे विवरण अधिक हैं, कहानी कम।

नाटक

सिर्फ प्यारा केरकेट्टा ने जुझइर डांड़ नाटक लिखा है। इसमें बीरू परगना का इतिहास है। बीरू खड़िया जाति का गढ़ था लेकिन गंगवंशियों के हाथ चला गया। खड़िया लोगों के ईर्ष्या और असंगठित रहने का ही यह फल है। नाटक के माध्यम से उन्होंने खड़िया लोगों को संगठित होने का आह्वान किया है।

उनके दो नाटक अप्रकाशित हैं जिसमें खड़िया लोगों के राजनीतिक जीवन का बिखराव और बिगड़े लड़कों की समस्या विषय है।

अनुवाद

रोज केरकेट्टा ने प्रेमचंद की दस कहानियों का खड़िया में अनुवाद किया है। खड़िया इस क्षेत्र में पिछड़े हैं। उनकी संकुचित मानसिकता विश्व साहित्य की श्रेष्ठता को स्वीकार नहीं करती।

आलोचना

पौलुस कुल्लू ने सेवार्थम में 'प्रेमचंदअ लुड्कोय'(प्रेमचंद की कहानियाँ) की आलोचना की है। आलोचना के सिद्धांतों पर और न कृतियों पर किसी तरह की आलोचना हुई है।

साहित्य सिद्धांत, उपन्यास और काव्यशास्त्र खड़िया भाषा में छुआ भी नहीं गया है। इसका अपना शब्दकोश भी नहीं है।

शिक्षा और खड़िया भाषा

सन् 1958 में बिहार सरकार के बिहार टेक्स्ट बुक कमेटी की सहायता से प्यारा केरकेट्टा ने कक्षा दो तक के लिए प्राइमर तैयार किया था परन्तु स्कूलों में इनकी पढ़ाई नहीं हुई। सन् 1975 में मोस्सनर कॉलेज में मुंडारी और कुड़ुख की पढ़ाई आरंभ हुई। 1977 में गोस्सर कॉलेज में खड़िया की पढ़ाई आरंभ हुई पर अभी तक खड़िया प्रोफेसर का पद सृजित न करना उस कॉलेज की अन्दरूनी राजनीति का खुलासा करता है।

राँची विश्वविद्यालय के स्नातकोत्तर विभाग में सन् 1981-82 से खड़िया भाषा और साहित्य की पढ़ाई हो रही है। जनजातीय अकादमी की स्थापना के साथ ही खड़िया की पुस्तकें मात्र सात छपी हैं। कैथलिक चर्च के मिशनरी खड़िया पर काम कर रहे हैं परन्तु वे दर्शन और धर्म से समाज और समुदाय को विश्लेषित करते हैं। उनके पदों के अनुरूप उनसे साहित्य-सृजन की अपेक्षा नहीं की जा सकती। महाविद्यालयों के प्राध्यापकों में रचनाधर्मिता का सर्वथा अभाव है जिससे भाषा और साहित्य का विकास नहीं हो रहा है।

भाषा और साहित्य के विकास में दूसरा बाधक तत्त्व है पाठकों का अभाव। पाठकों के अभाव के कारण पुस्तकें छापने से लेखक कतराते हैं।

तीसरी बाधा है—लोग भाषा-साहित्य और संस्कृति को अपने विकास से नहीं जोड़ कर देखते। वे रुपया कमाना और नौकरी पाना चाहते हैं जिससे एकल परिवार और नौकरशाही मानसिकता का विकास हुआ है। इससे लोग आजाद जीवन और सम्मानपूर्वक जीवन नहीं चाहते।

चौथी बड़ी बाधा है सरकार की। वह भाषाओं को प्रोत्साहन नहीं देती। नतीजा आज भी आदिवासी विशेषकर खड़िया जाति पिछड़ी हुई है।

पाँचवीं बाधा है खड़िया लेखन-प्रणाली। समाज की मानसिकता नौकरशाहों पर टिकी रहती है। नौकरशाह जो स्वयं मौलिकता और आत्मसम्मान को महत्त्व नहीं देते, साहित्य सर्जना में टाँग अड़ा कर बाधा पहुँचा रहे हैं।

आवश्यकता है खड़िया समुदाय में सही समझ बनाने और सही मार्गदर्शन की जो उसकी शक्ति को विपथगामी होने से बचा सके।

कुरमाली भाषा और साहित्य

डॉ. एच.एन. सिंह

कुरमाली भाषा का नामकरण कुर्मी जाति के नाम पर हुआ है। 'कुर्म' शब्द में 'आली' प्रत्यय जोड़कर 'कुर्माली' शब्द बना है। जैसे देशाली, गढ़वाली आदि। इस प्रकार 'कुरमाली' कुरमी जाति का द्योतक है।[1] इसे 'महतो भाषा' की संज्ञा भी प्राप्त है।[2] झारखंड क्षेत्र की अधिकांश भाषाओं का नामकरण जाति के आधार पर हुआ है। यथा मुंडा से 'मुंडारी', संताल से 'संताली', हो से 'हो', खड़िया से 'खड़िया' तथा कुरमी से 'कुरमाली'। इसके विपरीत बांग्ला, मैथिली, भोजपुरी, मगही, ओड़िया, नेपाली, गुजराती, पंजाबी आदि भाषाओं का नामकरण का आधार भौगोलिक है। यही नहीं, दक्षिण भारतीय भाषाओं तमिल, कन्नड़, तेलुगू आदि के नाम भी स्थानवाची हैं। परन्तु झारखंड क्षेत्र में भाषाओं के नाम स्थानवाची न होकर जाति या समुदायसूचक हैं।[3] इस भाषा का नाम 'कुरमाली' इसलिए पड़ा क्योंकि इसका संबंध कुरमी जाति से रहा है जो 'महतो' कहलाते हैं और जिनका इस भाषा को बोलने वालों में आधिक्य है, यद्यपि यह भाषा उन्हीं तक सीमित नहीं है।[4] वस्तुतः झारखंड की भाषाओं के नाम जातिसूचक शब्दों के आधार पर बने हैं।[5]

डॉ. जी.ए. ग्रियर्सन ने मुख्य रूप से कुरमियों द्वारा बोली जाने वाली भाषा को 'कुरमालीठार' की संज्ञा दी है।[6] डॉ. उदयनारायण तिवारी[7] तथा डॉ. धीरेन्द्र नाथ साहा[8] ने इसे 'कुड़माली' नाम से अभिहित किया है। इस प्रकार कुरमाली भाषा को कुरमालीठार, महतो भाषा, कुड़माली इत्यादि कई नामों की संज्ञा प्राप्त है।

डॉ. ग्रियर्सन ने कुरमाली को आर्यभाषा परिवार की भाषा माना है।[9] डॉ. विश्वनाथ प्रसाद एवं डॉ. सुधाकर झा शास्त्री[10] ने स्वीकार किया है कि कुरमाली निश्चित रूप से बिहारी बोली है जिसका मगही के साथ पर्याप्त साम्य परिलक्षित होता है। प्रसिद्ध भाषाविद् डॉ. उदयनारायण तिवारी ने ग्रियर्सन की भाँति कुरमाली को 'कुरमालीठार' की संज्ञा दी है। कुरमालीठार का अर्थ उन्होंने आर्यभाषा का कुरमाली रूप लिया है।[11] गुप्तनाथ सिंह ने पूर्वांचल के कुरमियों की भाषा को पश्चिमी भारत की हिंदी से मिलती-जुलती भाषा कहा है।[12] जनगणना संबंधी विवरण का हवाला देते हुए डॉ. लाल जी सिंह ने कुरमाली के संबंध में अपना मत व्यक्त करते हुए लिखा है कि 'कुरमाली कुर्मियों की क्षेत्रीय भाषा है और वह बिहारी भाषा के अन्तर्गत है।'[13] कुरमाली के मूर्धन्य विद्वान डॉ. नन्दकिशोर सिंह की मान्यता है कि 'ऐतिहासिक निकास-विकास की दृष्टि से कुरमाली उसी मागधी प्राकृत से प्रसूत है जिससे बांग्ला, ओड़िया और असमिया भाषाएँ विकसित हुई हैं।[14] डॉ. सन्तोष कुमारी जैन ने इसे मागधी प्रसूत भाषा माना है।[15] राधागोविन्द महतो का

मानना है कि जिस प्रकार कोल, भील, सांताल, मुंडा, हो, एक भाषा गोष्ठी (आग्नेय परिवार) की हैं उसी प्रकार कुरमाली, खोरठा, नागपुरिया, पंचपरगनिया, छत्तीसगढ़ी, बुन्देलखंडी आदि भूमध्य सागरीय भाषाएँ एक ही भाषा गोष्ठी की हैं।[16] लोक साहित्य के अध्येता एवं भाषाविद स्व.डॉ. डी.एन. साहा ने कुरमाली को नव्य भारतीय आर्य भाषा कहा है।[17]

कुरमाली के संबंध में प्रसिद्ध इतिहासकार काशीप्रसाद जायसवाल का मत है कि कुरमाली भाषा संस्कृत, प्राकृत और अपभ्रंश भाषाओं की एक स्वतंत्र शाखा है, यह किसी भाषा की उपभाषा नहीं बल्कि एक स्वतंत्र भाषा है और उतनी ही स्वतंत्र है जितनी कि मगही, मैथिली और भोजपुरी हो सकती है।[18] डॉ. लक्ष्मीनारायण सुधांशु ने स्वीकारा है कि झारखंड में बसने वाले कुर्मी के पूर्वज अति आदिकालीन निवासी हैं तथा उनकी अपनी एक स्वतंत्र भाषा और निजी संस्कृति है।[19]

निष्कर्ष स्वरूप कहा जा सकता है कि पार्श्ववर्ती भाषाओं के साथ अनेक समानताओं के बावजूद कुरमाली की अपनी निजी विशेषताएँ हैं जो इसे अन्य मागधी-प्रसूत भाषाओं से पृथक करती हैं। इसकी ध्वनिगत विशेषताएँ, मुहावरों, लोकोक्तियों, सुर, ताल, लय तथा विविध गीत इसके पार्थक्य के आधारभूत तत्त्व हैं। अत: निश्चित रूप से कहा जा सकता है कि कुरमाली बांग्ला, ओड़िया और असमिया की भाँति मागधी-प्रसूत है और इन्हीं की तरह एक स्वतंत्र भाषा है। कुरमाली भाषा के उद्‌भव और विकास के संबंध में निश्चयपूर्वक कुछ भी कहना कठिन है। लेकिन इतना निश्चित है कि इसके विकास या रूप-विधान में कुरमियों की भूमिका सर्वाधिक महत्त्वपूर्ण है। कुरमाली में लोकगीतों, लोककथाओं, लोकोक्तियों और पहेलियों की संख्या बहुल है। इन लोकगीतों, लोककथाओं और लोकोक्तियों में कुरमाली जनजीवन की छाप स्पष्ट परिलक्षित होती है। इन विधाओं की विविध रचनाओं से ज्ञात होता है कि कुरमाली साहित्य जितना समृद्ध है, भाव सौंदर्य की दृष्टि से भी उतना ही उत्कृष्ट है। कुरमाली की ध्वनि शास्त्रीय विशेषताओं, लोकोक्तियों, मुहावरों और रचना वैशिष्ट्य को देखते हुए सर जॉर्ज ग्रियर्सन ने इसे 'विचित्र भूभाग के विचित्र लोगों की भाषा कहा है।'[20]

क्षेत्र

कुरमाली एक अन्त:प्रांतीय भाषा है। कुरमाली के क्षेत्र-विस्तार के संबंध में एक लोकोक्ति प्रचलित है—'उड़िष्य शिखर नागपुर, आधा-आधी खड़गपुर।' अर्थात् उड़ीसा, छोटानागपुर और पश्चिम बंगाल के खड़गपुर तक इसकी सीमा है। आज तक इसकी जो सीमा-रेखा निर्धारित की गई है, वह भ्रमात्मक है। अनुसंधान-कर्ताओं ने अपने-अपने ढंग से कुरमाली भाषिक क्षेत्रों का उल्लेख किया है। किसी ने दूसरे क्षेत्र का विस्तार दिखाया है तो किसी ने अत्यन्त सीमित क्षेत्रों में इसे माना है। इस संदर्भ में विभिन्न विद्वानों के मतों का उल्लेख करना अत्यन्त समीचीन प्रतीत होता है। डॉ. ग्रियर्सन ने मानभूम, खरसवां, सरायकेला, राँची, उड़ीसा के मयूरभंज, बामड़ा, क्योंझर आदि क्षेत्रों को कुरमाली-भाषी क्षेत्र माना है।[21] डॉ. उदयनारायण तिवारी ने लिखा है—'मानभूम, मयूरभंज तथा बामड़ा में पूर्वी मगही, कुड़माली तथा पश्चिमी माल्दह में यह 'खोण्टाली' कहलाती है। मयूरभंज तथा बामड़ा में यह चारों ओर उड़िया से तथा माल्दह में चारों ओर बांग्ला

से घिरी है। मानभूम तथा खरसवां के लोग, विशेषत: कुरमी लोग पूर्वी मगही के बोलने वाले हैं।'[22] डॉ. तिवारी का यह सीमा-रेखांकन डॉ. ग्रियर्सन की पुस्तक 'लिंग्विस्टिक सर्वे ऑफ इंडिया' पर आधारित है।.डॉ. सम्पत्ति आर्याणी ने हजारीबाग के दक्षिण-पूर्व भाग, मानभूम, राँची जिले का पंचपरगना, दक्षिण पूर्व भाग, खरसवां, उड़ीसा के मयूरभंज तथा बामड़ा एवं मालदा जिले के पश्चिमी भाग को कुरमाली भाषी क्षेत्र के रूप में स्वीकारा है।[23] देवकीनन्दन प्रसाद का मत है—'कुरमाली भाषा का क्षेत्र बिहार राज्य के दक्षिण पूर्वी अंचल का क्षेत्र है। इसका एक छोर बंगाल को छूता है तो दूसरा उड़ीसा को ।'[24] डॉ. विद्याधर शुक्ल विद्यार्थी ने सिंहभूम, मानभूम, देवघर, राँची, छोटानागपुर और उसके आस-पास के क्षेत्रों को कुरमाली क्षेत्र के रूप में माना है।[25] डॉ. रमण शाण्डिल्य ने मयूरभंज और बामड़ा को कुरमाली भाषा का क्षेत्र माना है।[26] कुरमाली भाषिक क्षेत्र के संबंध में डॉ. नन्दकिशोर.सिंह ने लिखा है—'कुरमाली का क्षेत्र समस्त छोटानागपुर तो है ही, उड़ीसा और पश्चिम बंगाल के कुछ हिस्से भी हैं। भौगोलिक दृष्टि से बिहार में इस बोली का विस्तार धनबाद, राँची, सिंहभूम और हजारीबाग जिले हैं। उड़ीसा के मयूरभंज, क्योंझर, बोनय और बामड़ा तथा बंगाल के पुरुलिया, झाड़ग्राम, मिदनापुर, बांकुड़ा, मालदा, दिनाजपुर के वे भाग जो बिहार से सटे हैं, यह बोली जाती है।'[27] इसी प्रकार डॉ. संतोष कुमारी जैन ने बिहार के धनबाद, राँची, सिंहभूम, हजारीबाग और संतालपरगना, पश्चिम बंगाल के झाड़ग्राम, पश्चिमी बांकुड़ा, पश्चिमी वीरभूम, पुरुलिया जिले के तुलीन, झालदा, इचाग, बाघमुण्डी तथा उड़ीसा के क्योंझर, बोनय, बामड़ा, मयूरभंज और सुन्दरगढ़ के अतिरिक्त पटना, मुंगेर, पूर्णिया, भागलपुर, असम, मध्यप्रदेश को कुरमाली भाषी क्षेत्रों के रूप में स्वीकार किया है।[28] गिरीशचन्द्र महन्ता कुरमाली भाषा के क्षेत्र को परिसीमित करने के पक्ष में नहीं हैं। उन्होंने लिखा है—'कुरमाली भाषा कहने से किसी भौगोलिक सीमा की भाषा नहीं लगती। जिस प्रकार नागपुरिया, भोजपुरी, मैथिली, छत्तीसगढ़ी आदि भाषा कहने से किसी अंचल की भाषा लगती हैं। इस प्रकार कुरमाली भाषा कोई भौगोलिक सीमा क्षेत्र में आबद्ध नहीं। बंगाल, बिहार, उड़ीसा, असम या मध्यप्रदेश में जहाँ भी कुरमी लोग बसते हैं, वहीं पर यह भाषा है।'[29] कुरमाली भाषिक क्षेत्र के संबंध में और अनेकानेक विद्वानों के मत आए हैं, उन सभी के विचारों को स्थानाभाव के कारण उद्धृत करना सम्भव नहीं है। निष्कर्ष स्वरूप कहा जा सकता है कि कुरमाली भाषा-भाषी का एक विशाल क्षेत्र है तथा झारखंड में एक भाषा बोलने वालों में कुरमाली भाषियों की संख्या सर्वाधिक है।

कुरमाली भाषा-भाषी

कुरमाली शब्द वस्तुत: जाति-बोधक है। परन्तु इसके बोलने वाले केवल कुरमी ही नहीं, बल्कि कुरमियों के साथ-साथ अन्य जातियाँ भी हैं। डॉ. विश्वनाथप्रसाद ने लिखा है कि भुइयाँ, लोहार, जोलहा, रजवाड़, ब्राह्मण, मुसलमान और मोची भी कुरमाली बोलते हैं।[30] डॉ. सम्पति आर्याणी ने माना है कि 'कुरमाली' कुरमियों तक सीमित नहीं है। यह बोली सभी जातियों और वर्गों द्वारा बोली जाती है। जैसे रजवाड़, कुल्हू, लोहार, भुइयाँ, कुम्हार, मोची, जोलहा, मैथिली ब्राह्मण और भूमिहार ब्राह्मण आदि।[31] डॉ. नन्दकिशोर सिंह ने कुरमाली भाषी लोगों के संबंध में लिखा

है—राँची, हजारीबाग (गिरिडीह सहित) जिलों में कुरमियों के अलावा करमाली, घासी, डोम, तेली, बनिया, सोनार, चमार, तुरी, भूमिहार, जुलाहा एवं अन्य जनजातियाँ यह भाषा बोलती हैं।[32]

संक्षेप में कहा जा सकता है कि यह भाषा कुरमियों तक सीमित नहीं है, बल्कि इन क्षेत्रों में अवस्थित अन्य जातियों ने भी इसे अपनाया है। विशेषकर आग्नेय और द्रविड़ भाषा परिवार के सदस्य भी इसका व्यवहार सम्पर्क तथा मातृभाषा के रूप में करते हैं।

जनसंख्या

कुरमाली भाषा-भाषियों की संख्या के संबंध में विद्वानों में मतैक्य नहीं है। वस्तुत: आज तक इस भाषा-भाषियों की जो संख्या दर्शाई गई है, वह भ्रमात्मक है। कहीं पर कुरमियों को ही कुरमाली भाषी के रूप में दर्शाया गया है तो कहीं पर पंचपरगनिया, तमारिया या मगही के अन्तर्गत समावेश करके इनकी संख्या दी गई है। फलस्वरूप सही आँकड़ा प्रस्तुत नहीं किया जा सका है। डॉ. ग्रियर्सन ने अपनी पुस्तक 'लिंग्विस्टिक सर्वे ऑफ इंडिया' में हजारीबाग जिले में कुरमाली भाषियों की संख्या 7,333 दर्शाई है तो मानभूम में मगही और कुरमाली की संयुक्त संख्या 111,100 मानी है।[33] विस्तार भय के कारण यहाँ पर अन्य क्षेत्रों के कुरमाली भाषियों की संख्या का उल्लेख करना उचित प्रतीत नहीं होता। डॉ. ग्रियर्सन का कार्य प्रतिनिधियों के माध्यम से हुआ है। फलस्वरूप उनके ग्रंथ में भाषा-संबंधी तथ्य तोड़-मरोड़ कर प्रस्तुत किए गए हैं। कुछ तथ्य तो अविश्वसनीय ही नहीं, भ्रमात्मक भी हैं। डॉ. एन.के. सिंह ने कुरमाली भाषियों की संख्या साठ लाख मानी है।[34] खुदीराम महतो ने सन् 1971 ई. की जनगणना में प्रदर्शित कुरमाली भाषियों की संख्या को भ्रमात्मक बताते हुए झारखंड में उक्त भाषियों की संख्या अस्सी लाख मानी है।[35] आदिवासी कुरमी समाज के एक स्मारक-पत्र में छोटानागपुर, संतालपरगना, पश्चिम बंगाल और उड़ीसा में कुरमियों की संख्या एक करोड़ से अधिक दर्शाई गई है।[36] कुरमाली अकादमी ने सन् 1981 की जनगणना का विवरण प्रस्तुत करते हुए झारखंड प्रदेश में कुरमाली भाषियों की संख्या सत्तर लाख मानी है।[37] डॉ. चन्द्रमोहन महतो ने कुरमाली भाषा-भाषियों की संख्या प्रदेश में 85 लाख स्वीकार की है।[38] काँची साहित्यिक त्रैमासिकी पत्रिका के संपादकीय में 1991 के भाषा सर्वेक्षण के दिए गए आँकड़ों का उल्लेख करते हुए लिखा है कि झारखंड में कुरमाली भाषियों की संख्या लगभग 18 लाख है।[39] निष्कर्ष स्वरूप कहा जा सकता है कि झारखंड प्रदेश में कुरमाली भाषा-भाषियों की संख्या सर्वाधिक प्रतीत होती है। कुछ विद्वानों ने कुरमियों को ही कुरमाली भाषा के रूप में स्वीकारा है। डॉ. ग्रियर्सन तथा उसके परवर्ती विद्वानों ने अपनी-अपनी भाषा में कुरमाली को आत्मसात कर भाषा-भाषियों की संख्या दर्शाई है। वस्तुतः कुरमाली भाषियों की संख्या कितनी है, इसका कोई पृथक विश्लेषण नहीं मिलता। सभी आँकड़े त्रुटिपूर्ण तथा भ्रमात्मक हैं। अत: इस संबंध में अलग से सर्वेक्षण की अपेक्षा है।

ध्वनिगत विशेषताएँ[40]

1. कुरमाली भाषा की विभिन्न ध्वनियों के लिए देवनागरी की स्वर ध्वनियाँ ही व्यवहृत होती हैं। परन्तु 'ऐ', 'ओ' को क्रमश: 'अइ' और 'अउ' लिखने और उच्चारण करने की प्रवृत्ति मिलती है।

जैसे पइसा, कउआ, नउआ आदि। 'ऋ' का उच्चारण 'रि' होता है। यथा ऋण > रिन, ऋतु > रितु, ऋषि > रिसि आदि।

2. 'ण' का प्रयोग कुरमाली में स्वतंत्र रूप से नहीं होता। जैसे गुण > गुन, ऋण > रिन आदि।

3. श, ष और स में केवल 'स' का प्रयोग मिलता है। शब्द के आरम्भ में 'य' और 'व' ध्वनियाँ नहीं मिलतीं। अत: 'य' के स्थान पर 'ज' और 'व' के स्थान पर 'ब' ध्वनियाँ मिलती हैं। यथा यदि > जदि, यम > जम, युग > जुग, वर > बर आदि। 'य' और 'व' का उच्चारण मध्य अथवा अन्त में वही रहता है।

4. संयुक्त 'क्ष' का उच्चारण 'छ' अथवा 'ख' होता है। जैसे क्षमा > छमा या खमा। कुरमाली में संयुक्ताक्षर भी प्राय: नहीं होते। शब्दों में सब अक्षर पृथक-पृथक होते हैं। यथा प्रभु > परभु, अच्छा > आछा, वास > बाछा, लक्ष्मी > लखी, क्षमता > खेमडता आदि।

5. कुरमाली में 'अकार' के स्थान पर 'आकार' की प्रवणता पाई जाती है। जैसे घर > घार, गगरा > गागरा, पहाड़ > पाहाड़, पटना > पाटना इत्यादि।

6. कुछेक शब्दों के मध्य में 'इ' का आगम करके उच्चरित किए जाते हैं। जैसे—दाल > दाइल, रात > राइत, जाति > जाइत, लात > लाइत आदि।

रूपात्मक विशेषताएँ[41]

कुरमाली के पुल्लिग और स्त्रीलिंग संज्ञापदों के रूपों में कोई अन्तर नहीं है। संज्ञापदों के साथ टा, टि, टाइ प्रत्यय बहुतायत से प्रयोग किए जाते हैं। यथा गरूटा, गरूटि, गरूटाइ, खुखड़िटा, खुखड़िटि, पाहाड़टा आदि।

पुल्लिग और स्त्रीलिंग के लिए क्रिया के एकवचन तथा बहुवचन के भिन्न-भिन्न रूप होते हैं। यथा राम जाता है > राम जाइसाहे। सीता जाती है > सीता जाइसाहि। वे लोग जाते हैं > अरा जाहात।

क्रियाएँ काल, वचन एवं पुरुष के अनुसार भिन्न-भिन्न होती हैं। महिला के प्रति आदर का भाव प्रदर्शित करने के लिए क्रिया के बहुवचन रूप का प्रयोग किया जाता है। जैसे मेरी सास आएंगी > मर सास आवता। अप्राणीवाचक शब्दों में टा, टि लगाकर लिंग-भेद करने की प्रवृत्ति पाई जाती है। उदाहरणस्वरूप कुकुरटा, कुकुरटि, खुखड़िटा, खुखड़िटि, गाछटा, गाछटि आदि। कभी-कभी सर्वनाम पदों का लिंग क्रियाओं द्वारा निर्धारित होता है। जैसे वह गया > उ गेलाक, वह गई > उ गेली। कुरमाली में चाँद, सूरज और हाथी शब्द स्त्रीलिंग माने गए हैं। 'तारा' एकवचन में स्त्रीलिंग की भाँति प्रयोग किया जाता है जबकि बहुवचन में पुल्लिग। यथा एकटि तारिया उगलि। तारियागिला उगला।

सर्वनाम

कुरमाली में मोंय, हामें, हामरा, तोंय, तरा, तरवरा, ओयं, अरा, अखरा, एइं, अहे, एहे आदि पुरुषवाचक सर्वनाम हैं। निजवाचक सर्वनाम में 'आपन' या निज का व्यवहार होता है। निश्चयवाचक सर्वनाम तीन हैं—निकटवर्ती के लिए 'इ', दूरवर्ती के लिए 'उ' और अधिक दूरी

जताने के लिए 'हाऊ' का व्यवहार होता है। जैसे इ लगगिला। उ लगगिला। हाऊ पाहाड़टा आदि। अनिश्चयवाचक सर्वनाम के लिए केवे, किछु, कनड, फालना आदि का व्यवहार होता है। जेइं, तेइं, जारा, तारा संबंधवाचक सर्वनाम हैं। कन, किना, कहाँ प्रश्नवाचक सर्वनाम हैं। कुरमाली में अलग से कोई आदरसूचक सर्वनाम या शब्द नहीं हैं बल्कि सर्वनाम के बहुवचन रूप का प्रयोग होता है। किसी महिला के प्रति आदर का भाव प्रदर्शित करने के लिए मध्यम पुरुष के बहुवचन रूपों का व्यवहार किया जाता है। जैसे तरा, तहरा, आदि।

विशेषण

कुरमाली में विशेषण के दो रूप मिलते हैं—लघु और गुरु। जैसे बड़ड और बड़श, छटड़ और छटकी या छटका। संज्ञापदों के लिंग विशेषणों में शिथिल हैं। वे अनिवार्य रूप से नहीं आते। जैसे सुन्दर और सुन्दरी—दोनों रूप चलते हैं। विशेषणों में स्त्रीलिंग बनाने के लिए पुल्लिग विशेषणों के अन्त में 'ई', 'इन' आदि प्रत्यय जोड़े जाते हैं। जैसे कंका-कंकी, आदिखलाहा-आदिखलाहि, लउठाहा-लउठाहि, बाघ-बाघिन आदि। कभी-कभी अनिश्चय संख्यावाचक विशेषण बनाने के लिए निश्चित संख्यावाचक शब्द के बाद 'एक' प्रत्यय लगाया जाता है। यथा गटा आठेक खुखड़ि। कुरमाली में खेल के लिए पृथक संख्यावाचक विशेषण प्रयुक्त होते हैं। यथा एक से दस तक के लिए एड़ी, दड़ी, घुरन, चाइल, चम्पा, झेंइऊ, सुतेइल, अठई, नमी, बांड़ी जबकि दैनिक व्यवहार में हिंदी में संख्यावाचक शब्द व्यवहृत होते हैं। बीस के लिए 'कुड़ी' शब्द प्रचलित है परन्तु परिमाणवाचक विशेषण में बीस के लिए 'खंड़ी' तथा चालीस के लिए 'काठ' शब्द व्यवहृत होते हैं।

क्रिया विशेषण

भावों की सूक्ष्माभिव्यक्ति के लिए कुरमाली में अव्यय और अनुकरणवाचक शब्दों की बहुलता है। बेजाइं, दम, दमतल, दमाट, बा, किमबा, चाहे, नितड़, चाड़ें, ले, रिचिक इत्यादि अनेक अव्यय हैं। निषेध के लिए नि, नेहि, ठेपो का व्यवहार होता है।

कारक

कुरमाली में कर्ताकारक परसर्ग रहित होता है।[42] परन्तु संज्ञा शब्द में विभक्ति के स्थान पर ए, इ, उ मात्राओं का विस्तार पाया जाता है। जैसे राम ने खाया > रामे खाल, सीता ने खाया > सीताइं खालि। कर्म के लिए 'के', करण के लिए दारा, लेइ, केरि आदि। सम्प्रदान के चिन्ह लाइ, लागिन, खातिर, हांतिर, तेहें, लेल हैं। अपादान कारक का चिन्ह ले है तथा संबंध कारक के चिन्ह क, कर हैं। अधिकरण कारक के चिन्ह 'ऊपर' और 'माहान' हैं। सम्बोधन के लिए हे, एगो, हेहो, एहो विभक्तियाँ प्रयुक्त होती हैं।

लिंग

डॉ. संतोष कुमारी जैन ने कुरमाली में दो लिंग स्वीकारी हैं—पुल्लिग और स्त्रीलिंग। उनके मतानुसार वस्तुतः प्राणिवाचक शब्दों पुरुष जातीय शब्द पुल्लिग होते हैं, स्त्री जातीय वस्तु स्त्रीलिंग हैं। अप्राणिवाचक शब्द प्रायः पुल्लिग होते हैं। कभी-कभी प्रत्ययों के द्वारा लिंग विभेद

किया जाता है। जैसे गाछटा, गाछटि आदि। क्रियाओं में भी लिंग के कारण अन्तर होता है। जैसे जेठु आवताउ > जेठु आएगा, बुधनी आवती > बुधनी आएगी। सकर्मक और अकर्मक क्रियाओं में लिंग कर्ता के अनुसार होता है। कभी-कभी सर्वनाम पदों का भी लिंग-ज्ञान क्रियाओं द्वारा निर्धारित होता है, उ गेली > वह गई, उ गेलाक > वह गया। सजीव प्राणियों में व्यर्थ प्रत्यय लगाकर लिंग-भेद किया जाता है। जैसे कुकुरटा (कुत्ता)-कुकुरटि (कुतिया), खुखड़िटा (मुर्गा)-खुखड़िटि (मुर्गी) आदि।

इसके विपरीत कुरमाली के वैयाकरणों ने चार लिंग माने हैं।[43]

1. पुल्लिग — मरद, बरद, काड़ा, सांड़हा, दामड़ा आदि पुल्लिग हैं।
2. स्त्रीलिंग — गाय, ढाइड़, फेटाइन, संड़हुर आदि स्त्रीलिंग हैं।
3. उभयलिंग — गरू, बाछुर, खुखड़ी, छवा, पेरूवा आदि।
4. नपुंसक लिंग — गाछ, भूंइ, डाइर आदि।

कुरमाली में छोटे प्राणियों को स्त्रीलिंग माना गया है। जैसे चिमटिइं चाबलि। माछिइं चाबेसाहि। टिकटिकी गिरलि। खांखड़ा बिछाइं बिंधलि इत्यादि। 'हाथी' हिंदी में पुल्लिग है परन्तु कुरमाली में इसे स्त्रीलिंग माना गया है। यथा हाथी आवेसाहि > हाथी आ रही है।

वचन

कुरमाली में बहुवचन के लिए पृथक शब्द नहीं हैं बल्कि एकवचन में रा, सम, गिला, गिलि, गिलिन, गुला प्रत्यय जोड़कर बहुवचन बनाने की प्रवृत्ति पाई जाती है। जैसे गरूगिला, छागेइरगिलि, बैटारा, छवासम, गायणिकि इत्यादि।

संख्यावाचक विशेषण संज्ञापद के पहले लगकर बहुवचन का बोध कराते हैं। जैसे आनखाइ माछि, बेदार टेमरस, दमे उड़ीस, दमतक डिंगला, ससता गेड़े आदि। हाला, कुधा, डिंग, गठ, झंपेइर, गंछा, धंप, झंप, घउद, नुड़ा आदि समूह के द्योतक हैं।

क्रिया

कुरमाली में पुल्लिग और स्त्रीलिंग के लिए क्रिया के एकवचन एवं बहुवचन के भिन्न-भिन्न रूप होते हैं। जैसे जेठु जाइसाहे > जेठ लगता है, बुधनी गाइसाहि > बुधनी जाती है, अरा जाहात > वे जा रहे हैं। क्रियाएँ, काल, वचन एवं पुरुष के अनुसार भिन्न-भिन्न हुआ करती हैं। यही नहों, कुरमाली में आहे, आहों, आहेइक, हेके, आहिस होना क्रिया के कई रूप हैं तथा इनका प्रयोग भिन्न-भिन्न अर्थों में होता है। इन क्रियाओं के निषेधात्मक रूप इनसे भिन्न हैं। हेकइक क्रिया का निषेधात्मक नहेइक, हेतेइक का निहेतेइक, हेके का नहे आदि। 'अम', 'आव' प्रत्यय जोड़कर प्रेरणार्थक क्रियाएँ बनाई जाती हैं। 'आल' प्रत्यय जोड़कर भूतकालिक क्रिया बनाई जाती है। भविष्य काल में 'ब' प्रत्यय का प्रयोग होता है। निषेध के लिए ना, नि, नेहि, निहि, ठेपो का क्रिया रूप प्रचलित है।

शब्द-स्त्रोत[44]

जैसा कि पहले कहा जा चुका है कि कुरमाली मागधी प्रसूत है। अतः इसमें तत्सम, तद्भव और

अर्द्धतत्सम शब्दों का बाहुल्य है। देशज शब्दों की भी कमी नहीं है। विदेशी प्रभाव के कारण अरबी-फारसी, तुर्की, पुर्तगाली के शब्द भी कुरमाली में आत्मसात हो गए हैं। आंचलिक प्रभाव के कारण मुंडारी, संताली, हो एवं कुड़ुख भाषा के शब्द भी कुरमाली में पर्याप्त मात्रा में मिलते हैं। इनके अतिरिक्त भारतीय आर्यभाषाओं के अन्तर्गत परिगणित होने वाली भाषाओं—मराठी, पंजाबी, भोजपुरी, मगही, मैथिली, बांग्ला, असमी आदि के शब्द भी कुरमाली में दृष्टिगोचर होते हैं। संस्कृत के शब्दों का सरलीकरण कर कुरमाली में अपनाया गया है।

मुहावरे और लोकोक्तियाँ[45]

कुरमाली	*हिंदी*
आइग लागा	झगड़ा कराना
गात जरि उठा	क्रुद्ध होना
पातेइर चाटाहा	लोभी
मायेक थन काटाहा	कृतघ्न होना
रे टे निकरा	मृतप्राय: होना
जिंयत जम	जिद्दी होना
पानी पावा	प्रसव होना
भेइरना करा	खूब पिटाई करना

लोकोक्तियाँ[46]

कुरमाली	*हिंदी*
आगुक लेड़हाआर पेछुक घोड़ा	मन्द नियमित गति।
आगा गुने पांगा, लरा गुने टांगा	जैसा बाप, वैसा बेटा।
जइ लांइड़ा तइ परबत	अपनी अपनी डफली, अपना-अपना राग
चरिक धन न मांदेइरेक पइला	जैसा आया वैसा गया
डंगुवा जेनिक घार आर दामड़ा गरूक हार	नीम हकीम खतरे जान
हेंठ मुड़िया, बेड़े ऐंड़िया	मधुर वाणी दगाबाजी की निशानी
ताकर मुंह ताकरे बाड़ी	जिसकी लाठी उसकी भैंस
चेंकाक डरे पाराइ, न तेंतेइर तरे बासा	एक तो करेला दूजो नीम
परेक देखी करे हाय जेऊ रहे सेऊ जाय	लालच बुरी बला

पहेलियाँ[47]

1. लक-लक डांडी, चक-चक पात।
   खाइत के मधुरस, उलगेइस के कपास॥ — ईख
2. डुबी-डुबी जाय, पुंइछे चारा खाए॥ — सूई

3. राइते गरू गठाला, दिने गरू नाइ
कन डहरे गरू गेला, गठे गोबर नाइ॥ — तारों का अस्त होना

4. उलुक घोड़ा, दुलुक चापे।
काठ खायके सिंदूर हागे॥ — आग

5. केरिया चुका, धुंध लुका — बैंगन

6. बाघ-बाघिन हार जते, कुकुर बुने धान
बनके बांदर नुड़ा झाड़े, खेड़िया किसान॥ — दांत, जीभ, हाथ, पेट

साहित्य

कुरमाली लोक साहित्य सभी दृष्टियों से समृद्ध है। यह परिमाण में जितना समृद्ध है काव्यगत विविधताओं में उतना ही उत्कृष्ट है। इसका इतिहास बहुत प्राचीन है। इसके गद्य रूपों में लोककथा, मुहावरे, लोकोक्तियाँ और पहेलियाँ हैं। काव्य रूप में लोकगीत हैं। इन लोकगीतों में कुरमाली संस्कृति, रीति-रिवाज, विचारधारा, चिंतन-पद्धति, कृषक-जीवन, धर्म, विश्वास एवं दार्शनिक भाव अभिव्यक्त हुए हैं। इस संदर्भ में एक बात का उल्लेख करना अत्यन्त समीचीन प्रतीत होता है कि कुरमाली के जनकवियों के गीत भी बहुत प्राचीन हैं। ये गीत जनमानस के कण्ठहार बन गए हैं। यद्यपि ये गीत लोकगीतों की परिधि में नहीं आते फिर भी इनकी लोकप्रियता इन्हें लोकगीतों के समीप खड़ा कर देती है। परन्तु लोकगीतों की संख्या इनसे कहीं ज्यादा है। साधारणतः कुरमाली साहित्य को दो भागों में विभक्त किया जा सकता है—लोक साहित्य और शिष्ट साहित्य।

लोक साहित्य की जो सामग्रियाँ मिलती हैं, उन्हें मोटे तौर पर पाँच वर्गों में रखा जा सकता है—लोकगीत, लोककथाएँ, लोकनाट्य, कहावतें और पहेलियाँ।

लोकगीत

कुरमाली में लोकगीतों की संख्या बहुत है। आज भी ये गीत लोकमुख में जीवित हैं। गीत अत्यन्त सरस और मर्मस्पर्शी हैं। कुरमाली लोकगीतों की परंपरा अति प्राचीन है। कोई भी अनुष्ठान गीत एवं नृत्य के बिना सम्पन्न नहीं होता। अधिकांश गीत नृत्य गीत हैं। राग के द्वारा ही गीतों के पार्थक्य और वैशिष्ट्य को समझा जा सकता है। कुरमाली के हरेक पहलू, विविध दृष्टिकोण और बहुआयामी विचारधाराओं को कुरमाली लोकगीत संस्पर्श करता है। कुरमाली लोकगीतों की प्रमुख विशेषता यह है कि अधिकांश गीत प्रश्नोत्तर रूप में हैं। छन्द विधान के नियम से पूर्णतः मुक्त हैं। इसके अपने छन्द हैं जो गेय हैं। गीतों की लय द्वारा ही शैलीगत तत्त्व को पहचाना जा सकता है। कहीं-कहीं स्वतः अलंकारों का प्रयोग हुआ है।

कुरमाली के प्रमुख लोकगीत हैं—उधवा, ढप, बिहा, डमकच, सरहुल, टुसू, नटुवा, डांइड़घरा, जावा, करम, एढेइया, डाबका, बांदना, कुंवारी झुपान, महराई आदि। कुरमाली के लोकगीतों में अधिकतर प्रकृति का चित्रण हुआ है। करमगीतों में अंकुरोदय, पुनर्विवाह, कृषिकर्म, हास्य-व्यंग्य, जीवनयापन की पद्धति का उल्लेख मिलता है तो विवाह में कुरमाली संस्कृति, सामाजिक व्यवहार, खान-पान, दैनिक-कर्म, रहन-सहन की छाप परिलक्षित होती है। कुरमी

समाज में कन्या का महत्त्वपूर्ण स्थान है। वह परिवार पर बोझ नहीं समझी जाती। जिस प्रकार वन की शोभा पुष्प हैं उसी प्रकार घर की शोभा कन्या। प्रस्तुत विवाह गीत में इसका कितना सरस वर्णन हुआ है—

बाबा वन, माझे, फूटल धधकी फूला,
हाय रे, वन सोमी गेला।
घारा माझे बेटी जनम लेला
हाय रे, घारा सोभी गेला रे।

कुरमाली के बांदना (सोराई) गीतों में कृषक जीवन का सजीव चित्रण हुआ है। मवेशी उनके जीवन के हमजोली हैं। यही कारण है कि छोटानागपुर के कृषकों के मुख्य त्योहार के रूप में बांदना प्रतिष्ठित है।

कुरमाली के कुँवारी झुपान गीतों में जादू-टोना, तंत्र-मंत्र एवं अंधविश्वास का वर्णन मिलता है। इसी प्रकार डमकच गीतों में भाव-सौन्दर्य के साथ-साथ हास्य का पुट भी मिलता है। यहाँ एक गीत द्रष्टव्य है—

आमे का धंपा देखी लेबदा चालाली हो
बड़'-बड़' आमगिला, खंइछाइं साजली हो
छट'-छट' आमगिला, देइ देवर भुलाली हो।

इसी प्रकार डांइड़घरा, ढप आदि गीतों में दार्शनिक भाव झलकता है। यहाँ पर दार्शनिक भाव से संबंधित एक गीत का उल्लेख करना पर्याप्त है—

मानुस जनम झींगा फूल रे भाई
साइझे फूटे, बिहाने, झड़ी जाइ
ताउ फूल नाचे-हांसे
पिरथिबिक भालो बांसे
जायके खने कांदेइ निरे भाई।

प्रस्तुत गीत में मानव जीवन की तुलना झींगा फूल से की गई है। कुरमाली के उधवा गीत मुख्यतः प्रेम-प्रसंग से संबंधित हैं। ये गीत प्रायः वन-जंगलों या लम्बी राह तय करते समय सामूहिक रूप से गाए जाते हैं। इन गीतों में प्राकृतिक छटा को देखकर नायक के हृदय में उठने वाले आवेगों, उद्‌गारों को प्रश्नोत्तर शैली में व्यक्त किया जाता है। इन गीतों में जीवन की गहरी अनुभूति सन्निहित है। यहाँ पर नमूने के तौर पर एक गीत प्रस्तुत है—

तोहें जे जाबे पिया हो
अनिज बनिजवा हो
हामहूं जाइबो तोरे संग
दुखे, विपते, पिया हो, पानिया सुसारब
आरो देबों आंचर बिछाई।

कुरमाली समाज अत्यन्त नृत्य-प्रेमी है। गीत और नृत्य जीवन के अभिन्न अंग हैं। झारखंडी जनजीवन को गीतों और नृत्यों की संस्कृति कहा जाए तो कोई अत्युक्ति नहीं होगी। यदि किसी

नायिका को अखाड़े में नाचने से वर्जित किया जाए तो उसकी मन:स्थिति क्या होती है, इसका वर्णन निम्न गीत में मिलता है—

छटड मटड आखड़ा, गटा गाँवेक भेंसुरा
नाचे गेले मके छलके ना बनेगो।
खावा-दावा करि साँइझे, जाऊँ जदि मनेक रिझे
नाहाइ हेती मके उठी बिहानेगो।
एक त फाटल लुगा, हिंदे-हुंदे गटाइ भुगा
भींजल देखी मके, सासे बखाने गो
हेलों गाँवेक बवासिन, केसे के नाचम उठीन
एसन गाँवे बिहा देला कनेगो।

नायिका अपने माता-पिता को कोसती है कि उसके माता-पिता ने उसे ऐसे गाँव में विवाह क्यों किया है जहाँ उसे नृत्य करने में असुविधा हो रही है क्योंकि उस गाँव के सभी नर्तक उसके भेंसुर हैं। कुरमी समाज में भेंसुर-बवासिन का संबंध अस्पर्श है। फलत: नायिका को नृत्य करने में अत्यन्त असुविधा हो रही है। स्थानाभाव के कारण कुरमाली के सभी लोकगीतों का सोदाहरण वर्णन संभव नहीं है। संक्षेप में कहा जा सकता है कि कुरमाली लोकगीतों में जीवन के विभिन्न पहलुओं का यथार्थ और सजीव चित्रण हुआ है।

लोककथाएँ

कुरमाली में लोककथाओं का विशाल भंडार मिलता है। साधारणत: लोककथाओं का मुख्य उद्देश्य मनोरंजन करना ही रहा है। लोग रात को घर में खलिहान के कुम्बा या 'धंधौरा' के चारों ओर बैठकर जाड़े की लम्बी रात काटने के लिए कहानियाँ कहते हैं। कुरमाली लोककथाओं में अलौकिक और असंभव बातों की भरमार है। पहाड़, नदी, वृक्ष को देवता माना गया है। सूर्य, चन्द्रमा पृथ्वी आदि प्राकृतिक उपादानों को भी देवता के रूप में प्रतिष्ठित किया गया है। कुरमाली लोककथाओं को विषयवस्तु की दृष्टि से इस प्रकार वर्गीकृत किया जा सकता है-

व्रत संबंधी कथाएँ, त्योहार संबंधी कथाएँ, हास्य-व्यंग्यपूर्ण कथाएँ, अलौकिक तत्त्वों से युक्त कथाएं, नीति कथाएँ, पशु-पक्षी की कथाएँ, परी कथाएँ, सामाजिक कथाएँ, कारण-निर्देशक कथाएँ, बुझोवल कथाएँ, क्रमबद्ध कथाएँ, लोकोक्तियों पर आधारित कथाएँ और प्रकीर्ण कथाएँ।

कुरमाली लोककथाओं का विषयक्षेत्र बहुत व्यापक और विशाल है। इन कथाओं में जीवन में घटने वाली विविध घटनाओं और कार्य व्यापारों का बड़ा सुन्दर चित्रण हुआ है।

लोकनाट्य

कुरमाली के प्रमुख लोकनाट्य हैं—छौ नृत्य, नटुवा नृत्य, डमकच, माछानी आदि। छौ नृत्य में नर्तक अपने मुँह पर मुखौटा धारण करता है और अपने अंग-प्रत्यंग के हाव-भाव द्वारा भावों को अभिव्यक्त करता है। कथावस्तु के रूप में पहले गीत प्रस्तुत किया जाता है। गीत के द्वारा ही दृश्य

परिवर्तन होता है। यह मौसमी नृत्य है। परन्तु अपनी लोकप्रियता के कारण अब यह अखाड़े से निकलकर अन्तर्राष्ट्रीय रंगमंच पर आ गया है।

नटुवा एक पारंपरिक नृत्य है। गीत के द्वारा इस नृत्य में कथावस्तु का परिचय दिया जाता है। यह वीर रस का नृत्य है। नर्तक अपने शरीर को रंगीन फीतों से सुसज्जित करता है और अपने हाथ में ढाल और तलवार लेकर नृत्य करता है। उसकी भंगिमा युद्ध की स्थिति की होती है।

डमकच विवाह के अवसर पर होने वाला नृत्य है। जब वर विवाह करने के लिए चला जाता है तो घर एवं अड़ोस-पड़ोस की स्त्रियाँ मर्दों की पोशाक पहनकर नृत्य करती हैं। कभी-कभी वे विवाह का अभिनय भी करती हैं तो कभी-कभी किसी अन्य कथावस्तु को लेकर अभिनय करती हैं। गीत प्रश्नोत्तर के रूप में होते हैं जिसे हम कथोपकथन शैली भी कह सकते हैं।

कहावतें

कुरमाली कहावतों के संबंध में कहा जा सकता है कि हास्य-व्यंग्य, ललकार, चेतावनी, सूचना, सूक्ति के द्वारा गूढ़ बातों की शिक्षा दी जाती है। कुरमाली जाति के आचार-विचार, रीति-रिवाज, धार्मिक, राजनीतिक, सांस्कृतिक जीवन की अभिव्यंजना मिलती है। जीवन सत्य और यथार्थ रूप इन लोकोक्तियों में दिग्दर्शित होते हैं। वर्ण्य विषय के आधार पर कुरमाली कहावतों के कई वर्ग बन सकते हैं। यथा—

धर्म संबंधी	—	जे करे पुइन, से हेइ ढिपासुइन।
सूचना संबंधी	—	माघेक बाछी आर सावनेक गाछी।
कृषि संबंधी	—	आमे बाम, तेंतेइरे टान।
नीति संबंधी	—	हेंठ मुड़िया, बेड़े एंड़िया।
शिक्षा संबंधी	—	घुसल चट नेहाई परे।
आलोचना संबंधी	—	सुमेक धन सयताने खाय, बांचे सें आदालत जाय।
अर्थ पोषण	—	माछेक मायेक पूतेक सक, आधा सांप आध बक।
व्यंग्य	—	कन बिहाइं दुइ गड़े आरता।
जाति संबंधी	—	बांस बने डोम काना।
पुष्टि संबंधी	—	एक बहुइं ठाकुर, दुइ बहुइं कुकुर। तीन बहुइं देखे भाकार भुकुर॥
संस्कृति संबंधी	—	हांड़ी किनथिन ठंकीके आर केनियाइ करथिन देखिके।

पहेलियाँ

ग्रामीण जनता में पहेलियों का बड़ा व्यापक प्रचार है। कुरमाली समाज में पहेलियाँ मनोरंजन के लिए कहते हैं। रात्रि में भोजनोपरांत कहीं एक स्थान पर इकट्ठे होते हैं और एक-दूसरे को

पहेलियाँ पूछकर अपना मनोरंजन करते हैं। कुरमी समाज में विवाह के अवसर पर भी पहेलियों द्वारा वार्ता प्रारम्भ करने की प्रथा प्रचलित है। कुरमाली में पाई जाने वाली पहेलियों को भी कई वर्गों में रखा जा सकता है। जैसे—

भोजन संबंधी — लकलक डांड़ी, चकचक पात।
खाइत के मधुरस, उलगेइत के कपास॥ — ईख

प्राणी संबंधी — आबट गरुर, दांवब कइसे।
गिरल पइना बिछब कइसे॥ — सांप

फूल-फल संबंधी — गाछेक नाम हीरा,
ताहाँ फरे गुड़, बेइगन, जीए। — महुआ

प्रकृति संबंधी — राइते गरू गठाला, दिने गरू नाइ।
कन डहरे गरुरगेला, गठे गोबर नाइ॥ — तारे

अंग-प्रत्यंग संबंधी — बाघ-बाघिन हारजते, कुकुर बुने धान।
बनेक बांदर नुड़ाझाड़े, खेड़िया किसान॥
— दांत, जीभ, हाथ और पेट

इसके अतिरिक्त खेती संबंधी, घरेलू वस्तु संबंधी अनेक पहेलियाँ हैं।

इस प्रकार हम देखते हैं कि कुरमाली लोक साहित्य का अपना एक अच्छा-खासा इतिहास है और अपने गर्भ में साहित्यिक विविध निधियों को सँजोए हुए है।

शिष्ट साहित्य

कुरमाली के मध्य काल (सन् 1750-1850) से शिष्ट साहित्य का प्रादुर्भाव माना जा सकता है। ऐतिहासिक साक्ष्य के आधार पर कहा जा सकता है कि सन् 1485 ई. के आसपास चैतन्य महाप्रभु का पदार्पण झारखंड प्रदेश में हुआ। उन्हीं के द्वारा लोगों में वैष्णव भावना का प्रचार-प्रसार हुआ था। तत्कालीन कवियों ने रामायण और महाभारत से कथावस्तु लेकर गीतों की रचनाएँ कीं। राम-कृष्ण को अपना नायक मानकर उनकी लीलाओं को ललित पदों में रचकर गीतों का रूप दिया। इनके वर्ण्य-विषय की तुलना किसी भी भक्तिकालीन कवि से की जा सकती है। अधिकांश कवि वैष्णव मतावलम्बी थे।

मध्यकाल के लोक कवियों में बरज़ू राम, नरोत्तमा, गौरांगिया, दुर्योधना, पीताम्बर, दीना, रामकृष्ण, विनन्द सिंह आदि प्रमुख हैं। इन जनकवियों की विविध रचनाओं से प्रतीत होता है कि हिंदी के भक्तिकालीन कवियों के साथ कुरमाली के मध्यकालीन कवियों को एक भावनात्मक सूत्र में बाँध दिया गया है। इस काल के कवियों के मुख्य वर्ण्य-विषय रहे हैं—भक्ति, शृंगार, प्रकृति चित्रण आदि। यहाँ पर विनन्दिया विरचित तत्संबंधित गीतों की कुछ पंक्तियाँ उदाहरणस्वरूप प्रस्तुत की जा रही हैं—

सिरि गुरु गोविन्द पदे, करि उपदेश
बन्दी माता गौरी गनेस
दयाकर सारदा शेष।

में भक्ति का पुट मिलता है तो दूसरी ओर बरजू राम के

भूसा कुटइते नर, बिसरकांइ हरिहर
अन्तकाले पंथ भूली गेल
नर जनम विधि काहे देल।

में दार्शनिक भाव झलकता है। विनन्द सिंह के अन्य गीतों में

जमुना किनारे बन, ताहाँ गिरि गोबरधन
राम कान्हु मिली दुइजने
धेनु चराइ बिरिन्दावने।

में वात्सल्य का चित्रण है तो उनके एक अन्य गीत

मिलल दुहुजन, कहत से बिबस
बिहरत मिली साथगो
भेला बड़ी रसे केरिबात।

में संयोग–शृंगार का वर्णन है। सूरदास की भाँति विनन्द सिंह ने अपने गीतों में वियोग की ग्यारह दशाओं का वर्णन किया है। विप्रलम्भ शृंगार से ओत–प्रोत एक गीत यहाँ द्रष्टव्य है—

वसन्त समये दूती, गृहे नाइ मर ब्रजपति
नाना फूल, फूले मधुमासे,
सुनो सखीगो, अबला धइरज धरि किसे।

इस समय जब पंचपरगना क्षेत्र में झूमर गीतों की रचना हो रही थी, कुरमाली भाषा–भाषी क्षेत्र उड़ीसा के रायरंगपुर क्षेत्र के कवि भला इनसे पीछे क्यों रहते? बाउलदास, जिन्हें जगा के नाम से जाना जाता है, के शृंगार से संबंधित एक गीत का उल्लेख करना श्रेयस्कर प्रतीत होता है—

पिया–पिया जापिया, बरसा बिती गेल रे,
नाहीं आंवल पिया, बिसरिया देल रे।
भूख पियासा आसा, पिया संगे गेल रे
जिया काहे सखी, रहल अकेल रे
पहिल पिरितिया, जेसन पानी ऊपर तेल रे
सेंसे सखी मरुभूमि करि देल रे
कुंजे एकाकी हामें, कामे मारे सेल रे
जगा कहे एहेंतो लम्पटियाक खेल रे॥

इस काल के कवियों में संयोग–शृंगार की अपेक्षा वियोग–शृंगार की ओर झुकाव रहा है। वियोग की प्राय: सभी अन्तर्दशाओं का वर्णन गीतों में हुआ है।

इस युग के कवियों की रचनाओं में अलंकार, तुक और छन्द का भी सचेत प्रयोग हुआ है। अलंकारों में उपमा और रूपक का बाहुल्य है। मध्यकालीन कवियों ने तुकान्त गीतों की रचनाएँ की हैं। तुक गीतों का आवश्यक अंग बन गया था। गीतों को सरस बनाने के लिए मुख्य प्रवृत्ति तुकान्त की ओर थी। परंतु यह नहीं कहा जा सकता कि उनमें तुक के नियमों का पूर्णत: निर्वाह किया गया है। गीतों में प्राय: हाय–हाय, अहो रे, हाय रे हाय, मरि हाय रे आदि प्रत्येक पंक्ति के

अन्त में गाया जाता है। यह टेक पद का काम करता है। इसका गीतों के अर्थ से कोई संबंध नहीं रहता। सामान्यत: गीत चार कड़ी के भनिता सहित हैं। 'पयार' छन्द के 'चौंतीसा' गीत भी इस युग के कवियों की एक विशिष्ट देन है।

लिखित साहित्य

यों तो कुरमाली शिष्ट साहित्य का प्रारम्भ कुरमाली के मध्यकाल से माना जाना चाहिए। परन्तु इसका उत्कर्ष काल सन् 1900 ई. से ही है। सर्वप्रथम ग्रियर्सन ने सन् 1903 ई. में 'भारत का भाषा सर्वेक्षण' में कुरमाली भाषा की व्याकरणिक विशेषताओं का विस्तृत एवं वैज्ञानिक विवेचन प्रस्तुत किया। तत्पश्चात् सन् 1903 ई. में जी.एफ. हेमिल्टन ने बाइबिल के कुछ अंशों का कुरमाली में अनुवाद किया। स्व. निरंजन महतो ने सन् 1921 ई. में नेठा पाला नामक गीत संग्रह बालासोर (उड़ीसा) से प्रकाशित कराया। करम संगीत नामक पुस्तक बुधू महतो ने संवत् 1970 के आसपास बम्बई से प्रकाशित कराई।

सन् 1953 ई. में श्री राजेन्द्र महतो ने 'कपिला मंगल' नामक स्वरचित पुस्तकें प्रकाशित कीं। इसी वर्ष चक्रवर्ती देवकीनन्दन प्रसाद की दो पुस्तकें 'ना धरे आंखि जल आंखि पाते' तथा 'केतेअकुरा भाषा, केते उत्तला आसा' प्रकाशित हुईं। स्व. राजा उपेन्द्रनाथ सिंह ने विनन्द सिंह और गौरांगिया के गीतों को संग्रह कर 'आदि झूमर संगीत' तथा 'ताल मंजरी' नामक दो पुस्तकें 1956 ई. के आसपास प्रकाशित कराईं। सन् 1958 ई. में डॉ. विश्वनाथ प्रसाद एवं डॉ. सुधाकर झा शास्त्री ने 'लिंग्विस्टिक सर्वे ऑफ मानभूम एंड धलभूम' में कुरमाली भाषा के गीतों के साथ-साथ व्याकरणिक विशेषताओं पर प्रकाश डाला। यह पुस्तक बिहार राष्ट्र भाषा परिषद् पटना से प्रकाशित हुई। इसके पूर्व डॉ. नन्दकिशोर सिंह ने सन् 1957-58 में अपने लघु शोध प्रबन्ध के लिए संकलन प्रस्तुत किया। फिर 1962 ई. में इन्होंने 'कुरमाली बोली : एक भाषातात्विक अध्ययन' नामक शोध-प्रबन्ध लिखकर विश्व भारती विश्वविद्यालय, शान्ति निकेतन से पी-एच.डी. की उपाधि ली।

सन् 1975 ई. के बाद से अब तक अनेक गद्य-पद्य काव्यों का प्रकाशन हो चुका है। 1982 के बाद से कुरमाली साहित्य विषय-वस्तु की दृष्टि से नया मोड़ ले रहा है। नए गद्य, काव्य-कला, विषय-वैविध्य एवं भाषा-शैली की दृष्टि से महत्त्वपूर्ण हैं। भाषा में गति तथा अभिव्यंजना शैली में उत्तरोत्तर विकास हो रहा है। सामाजिक विषयों पर विभिन्न शैलियों में रचनाएँ हो रही हैं। प्रमुख गद्यकारों में डॉ. चन्द्रमोहन महतो, सुरेन्द्रनाथ महतो, लखीकान्त, वसन्त कुमार महतो, आनन्द खूंटदार, अनन्त केसरियार, सुनील महतो, चन्द्रमोहन महतो, श्यामसुन्दर महतो, खिरोधर महतो, मानसिंह करुणामयी, गीतासिंह, कैलाश बिहारी, डॉ. एच.एन. सिंह आदि हैं। ये लोग साहित्य की विविध विधाओं में लिखकर कुरमाली साहित्य के विकास मार्ग को प्रशस्त कर रहे हैं। आज कुरमाली का गद्य साहित्य एवं पद्य साहित्य समय की गति के अनुसार तेजी से अग्रसर हो रहा है। कुरमाली के लेखकों ने कहानी, नाटक, उपन्यास, निबन्ध आदि के अतिरिक्त सामाजिक, राजनीतिक, संस्मरण, जीवन-चरित आदि विधाओं में लेखनी चलाई है। यद्यपि कुरमाली साहित्य में गद्य का विकास मंथर गति से हुआ, परंतु आगे चलकर देश की सामाजिक, आर्थिक,

राजनीतिक और सांस्कृतिक परिस्थितियों के कारण उसके विकासक्रम में तीव्रता आई है। कुरमाली साहित्य के काल-विभाजन को ध्यान में रखते हुए कहा जा सकता है कि कुरमाली गद्य का विकास आधुनिक काल में सर्वाधिक हुआ है। कुरमाली के लेखक अपने नाटकों, उपन्यासों और कहानियों के नायक और कथानक सामान्य जनता से लेकर सामाजिक विषयों को नई दिशा दे रहे हैं। समसामयिक जनचेतना और परिवेश के अनुसार साहित्य में नई अभिव्यक्ति दे रहे हैं।

कुरमाली साहित्य के विकास में पत्र-पत्रिकाओं की अहम भूमिका रही है। करमतीर्थ, मानभूम एक्सप्रेस, आखड़ा, फुरूंग, टउआ, शालपत्र, बानार, आदिवासी, संगम पत्रिका, गैरिक पताका इत्यादि उल्लेखनीय पत्रिकाएँ हैं। सन् 1975 के बाद निमंत्रण-पत्र, पम्फलेट आदि कुरमाली भाषा में छपने लगे हैं। कुरमाली गद्य के विकास में इनके योगदान को नकारा नहीं जा सकता।

कुरमाली भाषा में अन्तःप्रांतीय होने के कारण मुख्यतः तीनों लिपियों—देवनागरी, बांग्ला और उड़िया का प्रयोग होता रहा है और प्रत्येक लिपि में कई पुस्तकें प्रकाशित हो चुकी हैं और हो रही हैं। कुरमाली भाषा की अपनी कोई लिपि नहीं है।

अस्तु, कुरमाली भाषा और साहित्य का भविष्य अत्यन्त उज्ज्वल है। अब तक कुरमाली में विविध विधाओं पर चौदह शोधार्थियों को पी-एच.डी. की उपाधि मिल चुकी है और अनेक छात्र-छात्राएँ शोधरत हैं। अध्ययन-अध्यापन की दृष्टि से कुरमाली साहित्य की स्थिति को संतोषजनक नहीं कहा जा सकता। वस्तुतः झारखंड की अन्य जनपदीय भाषाओं की भाँति कुरमाली के विकास में भी अनेक बाधाएँ रही हैं। जैसे लिपि की समस्या, भाषा के मानकीकरण की समस्या, मुद्रण की समस्या, विक्रय की समस्या एवं लेखकों में अपेक्षित साहित्य चेतना का अभाव आदि। फिर भी यह अमित संभावनाओं को लेकर दिनानुदिन पुष्पित-पल्लवित हो रही है।

संदर्भ

1. ना धरे आँखि जल आँखि पाते : देवकीनन्दन प्रसाद, पृ. 7
2. झारखंडी बांग्ला उपभाषा : डॉ. डी.एन. साहा, पृ. 29
3. छोटानागपुर : संतालपरगना कुर्मी महासभा, स्मारिका, रामगढ़, पृ. 3
4. कूर्मांचल पत्रिका, पृ. 49
5. शाल-पत्र, अंक-2, 1977, पृ. 28
6. लि. सर्वे ऑफ इंडिया : डॉ. जी.ए. ग्रियर्सन, पृ. 147
7. भोजपुरी भाषा और साहित्य : डॉ. उदयनारायण तिवारी, पृ. 218
8.. झारखंडी बांग्ला उपभाषा : डॉ. डी.एन. साहा, पृ. 3
9. लि. सर्वे ऑफ इडिंया : खंड-5, भाग 2, पृ. 180
10. लि. सर्वे ऑफ सदर सब-डिविजन ऑफ मानभूम एंड धालभूम : डॉ. विश्वनाथ प्रसाद एवं सुधाकर झा शास्त्री, पृ. 12
11. भोजपुरी भाषा और साहित्य : डॉ. उदयनारायण तिवारी, पृ. 218
12. कुर्मी क्षत्रिय : संक्षिप्त इतिहास : सं. गुप्तनाथ सिंह, पृ. 366
13. हिंदी का सांस्कृतिक परिवेश : लालजी सिंह, पृ. 106
14. पंथे चालाक् ललेहा नमस्कार : सं. डॉ. नन्दकिशोर सिंह, पृ. 10

15. कुरमाली लोकगीत : साहित्यिक एवं सांस्कृतिक अध्ययन : डॉ. संतोष कु. जैन, पृ. 9
16. झारखंडेर कुड़मि : राधागोविन्द महतो, पृ. 92
17. झारखंडी बांग्ला उपभाषा : डॉ. डी.एन. साहा, पृ. 5
18. छोटानागपुर-संतालपरगना कुर्मी महासभा, स्मारिका, रामगढ़, पृ. 2
19. वही, पृ. 4
20. लि. सर्वे ऑफ इंडिया : डॉ. ए. ग्रियर्सन, पृ. 145
21. वही, पृ. 140-172
22. भोजपुरी भाषा और साहित्य : डॉ. उदयनारायण तिवारी, पृ. 128
23. मगही भाषा और साहित्य : डॉ. सम्पत्ति आर्याणी, पृ. 75
24. ना धरे आँखि जल आँखि पाते : देवकीनन्दन प्रसाद, पृ. 30
25. भाषा, त्रैमासिक, जून 1967
26. जनपदीय भाषाओं का साहित्य : सं. रमण शाण्डिल्य, पृ. 102
27. कूर्मांचल पत्रिका, पटना, पृ. 50
28. कुरमाली लोकसाहित्यिक एवं सांस्कृतिक अध्ययन : डॉ. जैन, पृ. 8
29. गैरिक पताका पत्रिका, झारग्राम, पृ. झ
30. लि. सर्वे ऑफ मानभूम एवं धालभूम : डॉ. प्रसाद एवं झा, पृ. 2
31. मगही भाषा और साहित्य : डॉ. सम्पत्ति आर्याणी, पृ. 75
32. पथे चलाक् लेहा नमस्कार : डॉ. एन.के. सिंह, पृ. XVII
33. लि. सर्वे ऑफ इंडिया : डॉ. ग्रियर्सन, पृ. 140-141
34. पथे चलाक् लेहा नमस्कार : स. डॉ. एन. के. सिंह, पृ. XVIII
35. कुरमाली मौखिक इतिहास रूप-चिस : खुदीराम महतो, पृ. 5-6
36. आदिवासी कुरमी समाज, स्मार-पत्र, पृ. 7
37. कुरमाली अकादमी स्मार-पत्र, पृ. 38
38. कुरमाली भाषा का व्याकरण : डॉ. चन्द्रमोहन महतो, पृ. 18
39. कांची त्रैमासिक पत्रिका, तृतीय अंक, पृ. 1
40. कुरमाली लोककथाओं की कथानक रूढ़ियाँ : एक अनुशीलन : डॉ. एच.एन. सिंह, पृ. 44
41. वही, पृ. 45
42. कुरमाली भाषा तत्त्व : खुदीराम महतो, पृ. 24
43. कुरमाली बेइआकरन : श्याम सुन्दर महतो, 'सामदा', पृ. 3
44. कुरमाली लोककथाओं की कथानक रूढ़ियाँ : एक अनुशीलन : डॉ. एच.एन. सिंह, पृ. 24
45. कुरमाली बोली के मुहावरे और लोकोक्तियाँ : डॉ.एच.एन. सिंह, पृ. 10-11
46. वही, पृ. 12-24
47. वही, पृ. 25-26

पंचपरगनिया भाषा और साहित्य

प्रो. दीनबन्धु महतो

पंचपरगना राँची जिले के पूर्वी भाग को पंचपरगना क्षेत्र कहा जाता है और यहाँ की बोली जाने वाली बोली को पंचपरगनिया। 'पाँचपरगना' दो शब्द 'पाँच' और 'परगना' से बना है। साधारणतया पाँचपरगना क्षेत्र राँची जिले के सिल्ली, राहे, बारेन्दा, बुण्डु, तमाड़ (अडंकी) को कहा जाता है। किन्तु पाँचपरगना का अर्थ मात्र इन पाँचपरगनों से तात्पर्य नहीं रखता है। इसका अर्थ और भी विस्तारित है। पाँच का अर्थ सिर्फ 4 और 6 के बीच का अर्थ नहीं, बल्कि बहुत से गाँवों के समूह को भी पंचपरगना कहा जाता है। परगना एक प्रशासनिक इकाई है जो दिल्ली सल्तनत काल–1206–1526 ई. के बीच प्रचलित था और मुगल काल में भी। दिल्ली सल्तनत सूबा में, सूबा शिक में और परगना गाँवों में बँटे थे। इस प्रकार पंचपरगना का अर्थ होता है वे सभी परगने जहाँ तक की संस्कृति, सामाजिक रीति-रिवाज, पर्व-त्योहार, गीत लय नाच आदि एक प्रकार की रहती है एवं भाषा को बोलने वाले और समझने वाले लोग रहते हैं। इस आधार पर पंचपरगना का विस्तृत क्षेत्र होता है—तमाड़ कुण्डु, राहे, बारेन्दा, बंसतपुर-बन्ताहाजाम, सिल्ली, झालदा, बाइंगनकुदंर, बांघमुंडी, पातुकुम, खरसावां, धालभूम आदि परगने। प्रशासनिक इकाई के रूप में पंचपरगना क्षेत्र उपर्युक्त परगनों के अलावा इचागढ़, चाण्डिल, गमृरिया, कुचाई, सराइकेला, गोविन्दपुर या पोटका, मुसावती, सुन्दरगढ़, मयूरभंज, क्योंझर, बहरागोड़ा, चाकुलिया, डुमरिया, नोवाकुण्डी, टोंन्हों, जगन्नाथपुर, झींकपानी, मंझारी, तांत नागर, चाईबासा, मनोहरपुर, गोयलकेरा, सोमुवा, खुंटपानी, खुंटी, नामकुम आदि प्रखंडों में विस्तारित है।

पंचपरगनिया का नामकरण

उपर्युक्त परगनों में बोली जाने वाली भाषा को पंचपरगनिया कहा जाता है। पंचपरगनिया में 'इया' प्रत्यय लगने से पंचपरगनिया बना है। पंचपरगना का विशेषण भी पंचपरगनिया कहा जाता है। इस प्रकार पंचपरगनिया के दो शाब्दिक अर्थ हुए— पंचपरगनिया भाषा और पंचपरगनिया लोग।

पंचपरगनिया एक ऐसी मधुर भाषा है जिसे कई भाषाओं कार्य मिश्रण या खिचड़ी रूप कहा जाए तो अतियुक्ति नहीं होगी। तरह-तरह की सब्जियाँ, दाल, चावल और तरह-तरह के मसाले डालकर बनाई गई खिचड़ी इतनी सुस्वादु होती है कि जिसका वर्णन नहीं किया जा सकता है। इसी प्रकार 'पंचपरगनिया' विभिन्न जातियों की जातीय बोलियों का खिचड़ी रूप है। पाँचपरगने में विभिन्न प्रकार की जातियाँ निवास करती हैं। सभी जातियों की अलग-अलग घरेलू बोलियाँ हैं। इन्हीं बोलियों का सम्मिश्रण होकर एक सम्पूर्ण भाषा बन गई है जो पाँचपरगनिया भाषा कहलाती

है। इस पंचपरगनिया भाषा में बांग्ला के कम से कम 50 प्रतिशत शब्द मिल गए हैं जो सोने में सुहागा-सा डाल दिया है। उड़िया के भी कुछ तत्त्व इस पंचपरगनिया में निहित हैं। इस तरह कई तत्त्वों के मिश्रण से पंचपरगनिया भाषा मधुरतम हो गई है।

यों तो पंचपरगनिया के कई नाम हैं—अस्हीरी, गँवारी, सदानी, सहरी, तमाड़िया, राहेयार, दिकुकाजी और पंचपरगनिया। एक भाषा के कई नाम देखकर आश्चर्य तो अवश्य होता है। पर इन नामों पर विचार करने से यह भी सिद्ध हो जाता है कि ये सभी नाम निरर्थक नहीं, बल्कि इन विभिन्न नामों के साथ-साथ संक्षिप्त इतिहास भी जुड़ा हुआ है।

अहीरी : मध्य प्रदेश में बेतवा और पार्वती नदी के बीच अहीरबाड़ा नामक गाँव है। यह अहीरों का राज्य था। भारत पर सिकन्दर के आक्रमण के पश्चात ये अहीरबाड़ा से बिहार और बंगाल में आए। पाँचपरगना में इनका प्रवेश संभवत: अन्य जातियों से पहले हुआ होगा। प्राकृत और अपभ्रंश जो लोकप्रिय-बोलियाँ थीं, अहीरों से प्रभावित हुईं और 'अहीरी' हुईं। अभी भी पाँचपरगना में निवास करने वाले अहीर पंचपरगनिया भाषा को अहीरी बोली कहते हैं।

गँवारी : गाँव शब्द का विशेषण गँवारी है। गाँव शब्द के बाद 'री' प्रत्यय लगा है। 'री' का अर्थ है भाषा अर्थात् गाँव की भाषा। विशेषकर गाँव के लोग ही गँवारी बोली बोलते हैं।

सदानी : झारखंड के आदिवासी एवं गैर-आदिवासियों को सदान कहते हैं। पाँचपरगना में अधिकतर गैर-आदिवासी ही पंचपरगनिया बोलते हैं। अत: इस बोली को सदानी बोली भी कहा जाता है।

सदरी : मुस्लिम काल में गाँवों को 'सदर' कहा जाता था। 'सदर' में 'ई' प्रत्यय लगकर 'सदरी' हुआ है। अत: गाँवों की बोली को सदरी कहना अतियुक्ति नहीं।

तमड़िया : तमाड़ इलाके में पंचपरगनिया को तमड़िया भी कहते हैं। इसीलिए तो डॉ. ग्रिर्यसन को भ्रम हुआ और पंचपरगनिया को स्वतंत्र रूप से न तो तमड़िया कह सके और न पंचपरगनिया ही बल्कि पूर्वी मगही की विभाषा या उपलब्धि कहा। लेकिन वस्तुत: तमाड़ इलाके में बोली जाने वाली तमड़िया पंचपरगनिया है।

दिकुकाजी : यहाँ के आदिवासी, गैर-आदिवासियों द्वारा बोली जाने वाली भाषा को दिकुकाजी कहते हैं। अब दिकुकाजी शब्द का प्रयोग मिट सा गया है और सम्पूर्ण पंचपरगना क्षेत्र में उसके स्थान पर पंचपरगनिया नाम ही अधिक लोकप्रिय हो गया है।

राहेयार : राहे क्षेत्र में बोली जाने वाली बोली को राहेयार कहा जाता है।

पंचपरगनिया : सम्पूर्ण पंचपरगना क्षेत्र में बोली जाने वाली विभिन्न बोलियों का मिश्रित रूप पंचपरगनिया कहलाता है। पंचपरगनिया नाम ही अधिक प्रचलित है और इसी नाम से इसे मान्यता प्राप्त है। उपर्युक्त जितने भी नामकरण हैं सबका अर्थ संकुचित है पर पंचपरगनिया का अर्थ विस्तृत है। अत: पंचपरगनिया का ही पर्यायवाची शब्द बाकी नाम है।

पंचपरगनिया भाषा में बोलने वाले लोगों को मूलत: दो भागों में विभाजित कर सकते हैं—आदिवासी और गैर-आदिवासी। आदिवासी के अन्तर्गत वे सभी लोग आते हैं जो यहाँ के मूल निवासी हैं जैसे—मुंडा, उराँव, संथाल, खड़िया, हो, आदि प्राय: सभी आदिवासी गाँवों में एक किनारे एक अल्पसंख्यक गैर-आदिवासी जाति भी वास करती है। इस गैर-आदिवासी जाति के

अन्तर्गत घासी, लोहार, डोम, महली, बड़ाइक, अहीर, पांड, तेली–कुम्हार, माल्हार, सुंडी, बनिया, मंडल, नाम्रिग्त, धोबी, बामन, गोसाईं, राजपूत, कुड़मी, कोइरी आदि जातियों के लोग आते हैं। ये अधिकतर हिन्दू धर्म संस्कृति का अनुसरण करते हैं। ये अपने को आदिवासी जातियों से भिन्न समझते हैं, उनसे खानपान, शादी विवाह, आदि बातों में बिल्कुल अलग रहते हैं। ये सभी गैर–आदिवासी जातियाँ पंचपरगनिया ही बोलते हैं। गैर आदिवासियों की अपनी अलग–अलग बोलियाँ हैं परन्तु गैर–आदिवासियों को सम्पर्क में पंचपरगनिया ही प्रयोग करते हैं।

पंचपरगनिया क्षेत्र में लाखों की संख्या में लोग पंचपरगनिया बोलते हैं। 1981 की जनगणना के अनुसार—

1. सिल्ली – 85,085
2. अमगड़ा – 74,686
3. सोनाहातु – 78,504
4. बुण्डू – 53,963
5. तमाड़ – 84,924
6. अड़की – 55,271

कुल योग – 4,28,430

सन् 1991 की जनगणना के अनुसार पंचपरगनिया बोलने वालों की संख्या—

1. सोनाहातु – 82,776
2. बुण्डु – 61,603
3. तमाड़ – 98,653
4. अड़की – 51,542
5. अनगड़ा – 87,997
6. सिल्ली – 93,886
7. नामकोम – 9,608
8. खुंटी – 4,305

कुल – 4,90,370

9. इचागड़ – 7,238
10. चाण्डिल – 5,460
11. उचांई – 7,480
12. गम्हरिया – 139
13. खरसवां – 1,119
14. खुंटपानी – 779
15. सरायकेला – 4,008
16. सोनुवा – 4,432
17. गोइलकेरा – 1,518
18. मनोहरपुर – 10,295

19. चाईबासा – 8,788
20. तांतनगर – 647
21. मंझारी – 1,005
22. मझगाँव – 3,527
23. झींकपानी – 9,618
24. टोंटो – 1,520
25. जगन्नाथपुर – 4,714
26. नोवामुंडी – 7,105
27. राजनगर – 2,720
28. मुसावनी – 5,676
29. डुमरिया – 2,664
30. बरहागोड़ा – 12,569
31. चाकुलिया – 9,351
32. जमशेदपुर – 5,423
33. सुन्दरगढ़ – 1,12,009
34. क्योंझर – 20,005
35. मयूरभंज – 15,708
36. आसाम – 1,50,580
37. प. बंगाल – 25,803

कुल योग – 4,43,156

पंचपरगनिया वर्ष 1991 ई. की जनगणना के अनुसार बोलने वालों की कुल संख्या 9,33,526 है।

भाषिक विशेषताएँ

व्याकरणिक दृष्टि से पंचपरगनिया भाषा भी अलग विकसित है। इसकी ध्वनि का उच्चारण असमिया, बांग्ला और उड़िया की प्रकृति से मिलता जुलता है। इसमें वर्ण 'अ' का उच्चारण अंग्रेजी के शब्द 'HOT' (हॉट) में पाए जाने वाले वर्ण 'ओ' की तरह है। पंचपरगनिया में ड., ञ, ण, ष, क्ष, त्र, ज्ञ, ऋ, ॠ, लृ का उच्चारण नहीं होता है।

शब्दारम्भ में 'य' का उच्चारण नहीं होता है। इसके स्थान पर 'ज' का उच्चारण होता है।

मूल पंचपरगनिया शब्दों में संधि नहीं होती है तथा सात से अधिक व्यंजन वर्ण एक साथ नहीं आते हैं।

इस भाषा में हिन्दी, बांग्ला, उड़िया, मुंडारी, संथाली, हो के भी शब्द पाए जाते हैं।

पंचपरगनिया की यह एक उल्लेखनीय विशेषता है कि हिन्दी तथा अन्य भाषाओं में अविकारी या अव्यय माने जाने वाले बहुतेरे शब्द इसमें विकारी हैं।

श, ष के बदले 'स' का प्रयोग एवं 'ण' के बदले 'न' का प्रयोग 'ऋ' के बदले 'रि', क्ष के बदले 'छ' का तथा ज्ञ के बदले 'ग्य्' का प्रयोग होता है।

वाक्य में क्रिया का रूप लिंग का अनुसरण नहीं करता है, सिर्फ पुरुष और वचन का अनुसरण करता है। वाक्य में शब्दों का क्रम हिन्दी के समान ही कर्ता+कर्म+क्रिया+अन्यान्य होता है।

इस शब्दांत में 'अ' का उच्चारण विलम्बित न होकर मध्यम होता है। उदाहरणार्थ — भोजपुरी-मगही-चल, वइठ, देख, में क्रमशः ल, ठ और ख में 'अ' विलम्बित है। परन्तु पंचपरगनिया में 'अ' का उच्चारण मध्यम होता है।

पंचपरगनिया में एकवचन से बहुवचन बनाने के लिए शब्दों के अन्त में मिला, जुला, सउब और मन जोड़ा जाता है। जैसे घर गिला, गाइ गुला, हामरे सउथ 'उ' से उमन आदि।

पंचपरगनिया में संबंध कारक का परसर्ग 'क' कर, केर होते हैं। 'क' परसर्ग का प्रयोग संज्ञा के साथ संयुक्त होकर एक ही साथ उच्चारित होता है। जैसे 'धोबीक कुकुर ना धरेकना घाटेक।' बेपारिक परबनाइ, राड़ी जनिक गरब नाई।

भोजपुरी और मगही की तरह पंचपरगनिया में मूल संज्ञा का रूप दीर्घ तथा दीर्घतर नहीं होते हैं। जैसे—भोजपुरी-मगही-'चमार' से 'चमारवा' और 'चमरउ' सोनार से 'सोनारवा' और 'सोनरउ', 'घोड़' से घोड़वा और घोड़उव। किन्तु पंचपरगनिया में संज्ञा का सामान्य रूप नहीं बदलता है।

पंचपरगनिया में छोटे बच्चों के लिए एक अलग स्तर की भाषा का व्यवहार किया जाता है जिसमें प्रचलित विभिन्न शब्दों के लिए अलग ही शब्द होते हैं। जैसे—माता-माम, तेल-तेते, मुर्गी-तीती या कोको, पेशाब करेक-तुतु करेक, पखाना करना-छीः करेक, विलाई-गुनु, कुत्ता-गुतु, चना-टुटु, चिड़ा (मुड़ी)-चाइंआ, पिठा-पापा, गरू-हिय, धागेइर-मेमे, ठेंगी-नानी, पोका-बेबेइ आदि।

साहित्य : पंचपरगनिया भाषा की लम्बी साहित्यिक परंपरा है। इसका पद्य साहित्य बहुत ही समृद्ध है। इसमें अभी गद्य साहित्य की भी रचना होने लगी है। झारखंड के कई पत्र-पत्रिकाओं में इसकी पद्य तथा गद्य रचनाएँ यत्र-तत्र देखने को मिलती हैं। पंचपरगनिया साहित्य को दो भागों में बाँटा जा सकता है—लोक-साहित्य और शिष्ट-साहित्य।

लोक-साहित्य : पंचपरगनिया लोक-साहित्य अलिखित, परंपरागत धरोहर के रूप में मौखिक और जनश्रुति के रूप में सुरक्षित है। इसमें रचनाकारों के बारे में कुछ भी पता नहीं चलता है। जैसा कि हर साहित्य में पद्य साहित्य का विकास पहले होता है उसी प्रकार पंचपरगनिया पद्य का विकास पहले हुआ। यहाँ के लोग गीत कितने पुराने, इसका अनुमान लगाना कठिन है। इसके गद्य गल्प एवं कहानी समृद्ध हैं और बिलकुल ठेठ पंचपरगनिया में हैं। सामान्यतः पंचपरगनिया लोकगीत मौसम के अनुसार गाए जाते हैं।

मौसम के आधार पर पंचपरगनिया लोकगीतों का वर्गीकरण इस प्रकार किया जा सकता है—टुसुगीत, बिहागीत, छौ गीत, मादरिया गीत, मनसागीत, सोंहरोइ गीत, झुमइर गीत, कर्म गीत आदि।

टुसु गीत अगहन संक्रांति से पूस संक्रांति तक गाए जाते हैं। विवाह के गीत पूस सक्रांति के आषाढ़ तक गाए जाते हैं। छो गीत फाल्गुन महीने से आषाढ़ तक गाए जाते हैं।

भादरिया गीत आषाढ़ से आश्विन तक गाए जाते हैं। मनसागीत मनसापूजा के अवसर पर गाया जाता है। सोहरोइ गीत दशहरा के बाद से दीपावली तक गाए जाते हैं। झूमरगीत दशहरा के बाद से जेठ महीने तक गाए जाते हैं। कर्मगीत सावन से भादों महीने के बीच कर्मा पर्व तक गाए जाते हैं।

लोक कथा : पंचपरगनिया में लोक कथा का भी विपुल भंडार है। विषय वस्तु के आधार पर यहाँ की लोक कथाओं का वर्गीकरण इस प्रकार किया जा सकता है—

1. परिकथाएँ
2. देव-देवी से संबंधित कथाएँ
3. धार्मिक कथाएँ
4. पशु-पक्षी से संबंधित कथाएँ
5. राजा-रानी से संबंधित कथाएँ
6. भूत-प्रेत से संबंधित कथाएँ
7. हास्य कथाएँ
8. मनोरंजक कथाएँ
9. शिक्षाप्रद कथाएँ।

लोक-गाथा : पंचपरगनियों में लोक-गाथा का अभाव है।

प्रकीर्ण-साहित्य : पचंपरगनिया मुहावरों, कहावतों, पहेलियों तथा मंत्रों को प्रकीर्ण साहित्य के अन्तर्गत रखा जा सकता है। पंचपरगनिया में प्रकीर्ण साहित्य की भरमार है।

शिष्ट साहित्य : जिन रचनाओं के रचयिताओं के बारे में जानकारी प्राप्त होती है उन्हें शिष्ट साहित्य के अन्तर्गत माना जाता है, भले ही वे लिपिबद्ध हों अथवा मौखिक रूप से परंपरागत एवं स्मृति के आधार पर क्यों न चले आते रहे हों। इस प्रकार वैसे सारे पंचपरगनिया गीत जो प्रकाशित नहीं हैं परन्तु इनके रचयिताओं का गीत की अंतिम कड़ी में उल्लेख मिलता है। वैसी सभी गद्य-पद्य रचनाएँ जो पाण्डुलिपि के रूप में उपलब्ध हैं तथा जो गद्य-पद्य रचनाएँ प्रकाशित हो चुकी हैं। ये पंचपरगनियाँ शिष्ट साहित्य के अंतर्गत समाविष्ट होंगी।

उपलब्ध एवं प्रचलित पंचपरगनिया शिष्ट साहित्य में श्री भवप्रीता नन्द ओझा द्वारा प्रणीत बृहत् झूमर रसमंजरी चतुर्थ संस्करण सबसे महत्त्वपूर्ण एवं पुरानी रचना है। जिसका प्रकाशन सन् 1940 ई. में हुआ था। इसके बाद सिल्ली के राजा राय बहादुर उपेन्द्र नाथ सिंह देव द्वारा सम्पादित 'आदि झूमर संगीत' तथा 'छोटानागपुर बोल मंजरी' का नाम आता है। डॉ. रामदयाल मुंडा का शोध ग्रंथ 'पंचपरगनिया वैशाख गीतों का स्थापत्य' भी पंचपरगनिया शिष्ट साहित्य की एक महत्त्वपूर्ण कड़ी है। जो पंचपरगनिया साहित्य की प्रथम शोध रचना है। पंचपरगनिया पद्य साहित्य गीत रूप में प्राप्त होते हैं। इन गीत रचनाओं के ख्याति प्राप्त रचनाकारों में प्रमुख हैं—ब्रजुराम तांती, दीना तांती, विनन्द सिंह, नारायण सिंह, गौरांग सिंह, भवप्रीता ओझा, रामकृष्ण गांगुली, उदय कविराज, दुर्योधन दास, हरि मछुआ, अचरज सिंह, दुर्गा प्रसाद, रतन साय, वुधु बाबु, दीनबन्धु, हाड़ी राम, फतु बाबु, द्विज शंकर, राधा मोहन

सिंह, राजेन, रामसाय, रामा, कृतिवास, जगन्नाथ, डोमन, हरिपद, कार्तिक, अलखनाथ, आनन्द, रामपद, नरोत्तम सिंह, हीरादास उसराज, जीवनदास, रतनदास, हाड़िराम, राधुवा, कालिया, बिदुमनी, पागली खुदु, हाराधन, सहदेव, विपिन आदि।

जिन कवियों का उल्लेख ऊपर हुआ है, ये सभी भक्ति काल के कवि हैं। पंचपरगनिया भक्तिकालीन रचनाओं में निर्गुण या सगुण भक्ति का समावेश हुआ है। इसके अलावा शैव एवं शाक्त भावनाएँ भी पंचपरगनिया भक्तिकालीन रचनाओं में यंत्र-तंत्र देखने को मिलती हैं।

सन् 1981 ई. में राँची विश्वविद्यालय में जनजातीय एवं क्षेत्रीय भाषा का प्रारम्भ हुआ। झारखंड की नौ भाषाओं का पठन-पाठन शुरू हुआ। यहाँ छात्र-छात्राओं ने पंचपरगनिया भाषा में कई प्रकार के लघु शोध प्रस्तुत किए हैं। जिनमें पंचपरगनिया गीत/ कविता तथा पंचपरगनिया भाषा परमानन्द महतो द्वारा प्रस्तुत किया गया। 'गौरांग सिंह' जीवन वृत्त दीनबन्धु महतो के द्वारा प्रस्तुत किया गया। इस प्रकार सन् 1982 से अब तक 40-50 लघु शोध विभिन्न विधाओं में विभिन्न छात्र-छात्राओं द्वारा वि.वि. में प्रस्तुत किए गए हैं। सन् 1955-56 ई. के आसपास डोमन, हरि, शिवनाथ, एवं नरोत्तम द्वारा रचित विवाह गीत का प्रथम संकलन प्रकाशित हुआ है। टुसु गीत पर गीत रचनाएँ अब 1970 के दशक से ही यहाँ के रचनाकारों द्वारा प्रतिवर्ष सैकड़ों छोटी-छोटी पुस्तकों को प्रकाशित कराया गया है। झूमर, ठुमकी, मादरिया आदि गीतों को नए रूप से यहाँ के रचनाकारों ने प्रकाशित किया है। तत्पश्चात विश्वविद्यालय द्वारा नई पुस्तकों की रचना हेतु राशि उपलब्ध कराई गई, जिसके तहत पंचपरगनिया में भी सन् 1990 में सुकृत प्रेस द्वारा तीन पुस्तकों की छपाई की गई जो इस प्रकार हैं—

1. पंचपरगनिया भाषा - ले. परमानन्द महतो - 1990
2. रावन वधा - ले. डॉ. चन्द्रमोहन महतो - 1990
3. जीवन थथेक फूल - ले. परमानन्द महतो - 1990

इसके अतिरिक्त डॉ. चन्द्रमोहन महतो ने अपनी शक्ति से पंचपरगनिया भाषा में दो पुस्तकें 'दुइ डाइर वारो वरन फूल' तथा 'गइद पइद जहड़न' सन् 1992 में प्रकाशित कराया। इसके बाद पंचपरगनिया भाषा विकास समिति द्वारा सन् 1994 से वार्षिक पत्रिका प्रकाशित की गई है। अब तक विहान पत्रिका के छह संस्करण निकल चुके हैं जिसमें साहित्यिक, मुहावरा, कहावतें, गीत, कविता, आदि पढ़ने को मिलते हैं।

यहाँ के लोग महाकाव्य की रचना करने में लगे हुए हैं। खंड काव्य के रूप में प्रकाशित पुस्तक 'रावण वध' है। स्फुट काव्य की ओर लोगों की लेखनी चल पड़ी है। 'पलास के फूल' संतोष प्रीतम द्वारा लिखित उपन्यास प्रकाशित किया जा चुका है। आधुनिक कहानी के रचयिता के रूप में ओस्ताद राजकिशोर सिंह, परमानन्द महतो, प्रो. दीनबन्धु महतो, करम चन्द अहीर, सृष्टिधर महतो, समीर, ज्योतिलाल महादानी आदि का नाम उल्लेखनीय है। नाटक विधा में कलम चलाने वाले सर्वश्री सृष्टिधर महतो ने 'पथे चला लेहा नमस्कार', जो अभी अप्रकाश्य है, लिखा है। इन्होंने एक एकांकी-नाटक 'डोमा केर फुल' की भी रचना कर डाली है। राजकिशोर सिंह की नई कहानी, कविता, नुक्कड़ नाटक, उपन्यास, निबंध आदि रचनाओं की भरमार है। प्रो. दीनबन्धु महतो ने पंचपरगनिया निबंध पर अपनी लेखनी चला दी है। इनके पास लोक-

कहानी, भक्ति-कालीन कवियों द्वारा रचित गीतों का संकलन भारी मात्रा में उपलब्ध है। अन्यान्य विधाओं जैसे अनुवाद आदि कामों में भी यहाँ के पंचपरगनिया प्रेमियों ने यत्र-तत्र अपनी लेखनी गाड़ दी है वक्त आने पर साहित्य की सारी सामग्री प्रकाशित हो जाएगी। और तब मुझे लगता है कि पंचपरगनिया साहित्य अन्य भाषा साहित्य से सबसे आगे उभरकर सामने आएगा। इसमें कोई दो राय नहीं है। आकाशवाणी राँची में जब से खोला गया और यहाँ की भाषाओं का समावेश हुआ तब से अब तक पंचपरगनिया गीतों का अंबार फूटता रहा है। सिल्ली के ज्योतिलाल महादानी अपने समर्थकों के साथ गीत एवं वार्ता प्रस्तुत करते आ रहे हैं। 'आदिवासी' पत्रिका और 'बिहार समाचार' में पंचपरगनिया को स्थान सन् 1962-64 से ही मिला हुआ है। जिस पर सबसे अधिक कृति सिल्ली के ज्योति लाल महादानी को दी जाती है। इस समाचार में गीत के अतिरिक्त पंचपरगनिया भक्तिकालीन कवियों का जीवनवृत्त का भी उल्लेख देखने को मिलता है। अत: ज्योतिलाल महादानी को पंचपरगनिया भाषा साहित्य का मूर्धन्य कहा गया है। डॉ. रामदयाल मुंडा, डॉ. वी.पी. केशरी की मदद से इन्हें एक प्रशस्ति पत्र भी प्रदान किया गया है। इनके बाद आकाशवाणी में पंचपरगनिया कलाकारों का सिलसिला जारी रहा है—आशुतोष, कोइरी (सिल्ली), सृष्टिधर महतो (हाजाम), बलराम दास गोस्वामी (तेंतला), राजकिशोर सिंह (बुंडु) आदि आते हैं। पंचपरगनिया वार्ता के रूप में सृष्टिधर महतो, परमानन्द महतो, राजकिशोर सिंह, ज्योतिलाल महादानी, दीनबन्धु महतो, डॉ. बैजनाथ सेठ आदि उल्लेखनीय हैं।

पचंपरगनिया भाषा विकास समिति के संयोजक श्री रामचन्द्र अहीर के अथक प्रयास एवं सहयोगियों की मदद से पंचपरगनिया की लिपि का निर्धारण हुआ। सर्वसम्मति से इस लिपि का नामकरण 'झाड़ लिपि' रखा गया है। समिति के अथक प्रयास से पंचपरगनिया भाषा-विकास केन्द्रीय समिति, बुंडु राँची के संस्था के नाम निबंधन प्रमाण पत्र भी वर्ष 2003 में प्राप्त किया जा चुका है। सोसाइटी रजिस्ट्रेशन एक्ट 21-1960 के तहत 22 मार्च 2003 को निबंधन प्राप्त हुआ, जिसकी संख्या 167 है। समिति ने पंचपरगनिया भाषा शिक्षक प्रशिक्षण एवं शोध संस्थान भी खोल रखे हैं। जिसके प्रथम सत्र में छात्र-छात्राएँ परीक्षा दे चुके हैं। पंचपरगनिया भाषा में 'मन केर भूत' नामक एक फिल्म का भी निर्माण हो चुका है। समिति के प्रयास से पहली कक्षा से पाँचवीं कक्षा तक (पाठ्यक्रम) के अनुरूप पंचपरगनिया भाषा में अनुवाद भी किया गया है। इस तरह पंचपरगनिया भाषा विकास समिति विकास के रास्ते पर अग्रसरित हो रही है।

अंगिका भाषा और साहित्य

ताराचरण कवि

अंगिका भाषा और साहित्य को लेकर एक बार फिर मैं सकते में आ गया हूँ। कारण कि 'कांची' की ओर से मुझे अंगिका भाषा और साहित्य पर एक आलेख भेजने को कहा गया है। पहली बार 16–20 नवम्बर 1970 में जब अफ्रेशियाई लेखक संघ का दिल्ली में एक सम्मेलन हुआ था, मैं भारतीय प्रतिनिधि मंडल के हिंदी सदस्य के रूप में वहाँ पहुँचा था। विज्ञान भवन के गलियारे में हम लोगों के बीच यह चर्चा चल रही थी कि क्षेत्रीय भाषाओं के प्रतिनिधि भी रहने चाहिए थे। आयोजक सज्जाद जहीर और डॉ. मुल्कराज आनन्द नाम माँग रहे थे। तब हुआ यह कि हिंदी लेखक जो जिस क्षेत्र से थे, प्रतिनिधित्व की औपचारिकता पूरी कर लेंगे। मसलन हिंदी प्रतिनिधि का चयन जिस भी विधि से हुआ हो, उसमें क्षेत्रीय भाषा का आधार नहीं रखा गया, जबकि हिंदी प्रतिनिधियों के बीच क्षेत्रीय भाषा के प्रतिनिधि होना अनिवार्य माना गया, मगर बाद में मुझ पर 'अंग क्षेत्र के प्रतिनिधि' का बिल्ला ही लगा दिया गया था। मैं समझ नहीं पा रहा था कि अंग क्षेत्र, अंगिका भाषा और साहित्य पर क्या कहना उचित होगा, क्योंकि इनके बारे में मेरी कोई विशेषज्ञता नहीं थी। गनीमत कि उन पर मुझे कुछ कहने का अवसर नहीं मिला। फिर भी क्षेत्रीय प्रतिनिधि–परिचय–सत्र में इतना बोलने से मैं नहीं हिचका, नहीं चूका कि अंगिका लगभग ढाई करोड़ लोगों की मातृभाषा है। उसका अच्छा–खासा साहित्य है। कहते हैं इसकी अपनी प्राचीन लिपि भी थी, वह मुझे देखने को नहीं मिली है। वर्तमान में इसका लिखित साहित्य देवनागरी में उपलब्ध हो रहा है। दुख की बात है कि इस जनभाषा को भारतीय संविधान की आठवीं भाषा सूची में स्थान नहीं दिया जा सका है।

तब उक्त 'फांकी' से काम चल गया था, आज नहीं चल सकता। अंगिका भाषा में लिखने का साहस नहीं होता, क्योंकि वर्षों अंगिका में बोलचाल और क्षेत्रीय प्रवास और अब स्थायी निवास के बावजूद भी आज मैं न अंगिका और न अपनी मातृभाषा मैथिली में ही लिखने का अभ्यास बना पाया। जो लिखा–पढ़ा, हिंदी में या अंग्रेजी में। आम तौर पर लिखने–पढ़ने वालों की यही छवि है। यह मुझे कचोट रही है। मैं अंगिका भाषा–साहित्य पढ़ रहा हूँ। सकते में ही सही, अंगिका के बारे में लिखने का प्रयास कर रहा हूँ। आज भले हिंदी में, कल संभव है अंगिका में लिख पाऊँ। कांची ने इतनी रुचि जगा दी। बहरहाल, अंगिका के बारे में एक आम आदमी की समझ के बतौर कहूँ कि सदियों पुरानी इस लोकभाषा का आधुनिक काल में नया साहित्य–सृजन मातृभाषा के उत्साही साहित्यकार सपूतों ने अपनी सीमाओं से संघर्ष करते जारी कर रखा है। किन्तु खेद है कि इस भाषा के प्राचीन स्वरूप, लिपि और मध्यकालीन साहित्य पर अभी तक

वैज्ञानिक भाषायी शोध और साहित्य खोज निकालने का काम, और हिंदी-उर्दू की बेहतरीन किताबों, विश्व-साहित्य के अति उपयोगी और लोकप्रिय पुस्तकों का अनुवाद-कार्य संभव नहीं हो पाया है। अंगिका-अकादमी की स्थापना, भाषा साहित्य शिक्षा, रचना-प्रसारण-संकलन-संरक्षण, केन्द्रीय और राज्य स्तरीय विकास-योजना-संवर्धन, संविधान की भाषा-सूची में स्थान आदि अनेक स्तरों पर अनेक दायित्व क्षेत्रीय जन प्रतिनिधियों और अंगिका प्रेमियों के ध्यानाकर्षण के लिए अभी भी धरे पड़े हैं। अभी भी शोधकर्ता-विद्वानों के बीच निम्नांकित बिन्दुओं पर मंथन चल रहा है—

—अंगिका एक आदिम भाषा है।

—अंगिका अर्धमागधी की उपज है।

—यह मैथिली है।

—यह मैथिली नहीं है।

—यह खोरठा है।

—यह खोरठा नहीं है।

—अंगिका सिद्ध संतों और नाथ संतों की भाषा है।

—ऐसा नहीं है।

—अंगिका भाषा का उद्भव और विकास असुर संस्कृति से हुआ।

—अंगिका आर्य परिवार की भाषा है और वैदिक संस्कृति के बीच विकसित हुई।

—यह एक लोकभाषा है। इसका स्वाभाविक उद्भव और विकास विभिन्न चरणों में जनसंघर्षों, भाषा-सम्पर्कों से लोक कंठ और लोक व्यवहार में सहज रूप से हुआ है, किसी काव्य भाषा या शास्त्रीय साहित्य से नहीं।

महामना विद्वान परशुराम ठाकुर ब्रह्मवादी अंगिका को आदिम या आदि भाषा मानते हैं। उन्होंने मिथकीय कथाओं-स्थापनाओं, पुराण और इतिहास की अपनी विवेचना के आधार पर यह मान्यता बनाने का प्रयत्न किया है कि अंग क्षेत्र पृथ्वी का वह भाग है जहाँ आदिकालीन मानव समूह ने अपने अंगों के अनुसरण-अनुकरण से अपनी बोली और बोली को एक लिपि का चित्र-ज्ञान दिया।

उक्त लिपि वे 'कलकत्ता राष्ट्रीय म्यूजियम' में संगृहीत ताम्रपत्र पर लिखे अंगिका भाषा के अभिलेख में लिया बताते हैं।

बौद्ध ग्रंथ ललित विस्तर (ई.पू. छठी शती) में देश में प्रचलित 64 लिपियों के नाम आते हैं। इसमें ब्राह्मी, खरोष्ठी और पुष्करसारी के बाद चौथे स्थान पर अंग लिपि का नामोल्लेख है। भाषाविद् डोमन साहु समीर मिथिलाक्षर, वंशलिपि, असमिया और कैथी लिपियों में अंग लिपि के विकास को संभावित मानते हैं। शोध अपेक्षित है क्योंकि वह पुरानी अंग लिपि व्यवहार में नहीं ठहरी। अंगिका का वर्तमान साहित्य देवनागरी लिपि में ही लिखा जा रहा है।

देवनागरी लिपि में अंगिका को उतार लेने के बाद भी भाषा के रूप, गठन विशेषता और वर्तनी के संबंध में कई तर्क-वितर्क चलते रहे, उनका व्यापक समाधान 'प्रतिनिधि अंगिका कवि' की भूमिका लिखते हुए महाकवि सुमन सूरो ने प्रस्तुत किया है। (अंगिका विकास समिति प्रकाशन दुमका, दूसरा संस्करण, 1976) वह द्रष्टव्य है—

वर्तनी-विवाद भागलपुर विश्वविद्यालय में आयोजित भाषा विज्ञान संगोष्ठी में सुलझाया गया।

संगोष्ठी की अनुशंसा :

1. ह्रस्व ओकार के समरूप ध्वनि को व्यक्त करने के लिए वर्ण के ऊपर शिवचांद '˘' के चिह्न का ही प्रयोग किया जाए।

2. ह्रस्व एकार की ध्वनि को व्यक्त करने के लिए वर्ण के ऊपर दाईं ओर झुकी पाई ' ।' के चिह्न का ही प्रयोग किया जाए।

और यह भी इन दोनों चिह्नों के प्रयोग से देवनागरी लिपि में अंगिका सुस्पष्ट ढंग से लिखी जा सकती है एवं उसके साहित्य का विकास तेजी से हो सकता है।

पूर्वी अधित्यका में अंग (छोटानागपुर-भागलपुर-मुंगेर) का क्षेत्र अति प्राचीन है। अंग का उल्लेख अथर्ववेद, ऐतरेय ब्राह्मण, ऐतरेय आरण्यक, गोपथ ब्राह्मण आदि वैदिक ग्रंथ, पुराण, स्मृति रामायण, महाभारत, तंत्र ग्रंथ, बौद्ध और जैन साहित्य में मिलता है। डॉ. आर.सी. मजूमदार के अनुसार यह ऐतिहासिक तथ्य है कि छठी शताब्दी ई.पू. में पूरब में 'अण्व' राज, जिसका केन्द्र अंग था, पाँच राज्यों में विभाजित हो गया। उनके नाम राजा बालि के पुत्रों के नाम पर रखे गए— अंग, वंग, कलिंग, सुहम और पुन्द्र। अंग की राजधानी मालिनी थी, जिसका नाम बदल कर बाद में चम्पा या चम्पावती (भागलपुर), राजा चम्पा के नाम पर रखा गया। कालान्तर में बिम्बिसार ने अंग को मगध में मिला लिया, फिर खारवेल ने मगध को पराजित कर अंग को कलिंग के अधीन कर लिया। इसी अंग क्षेत्र की भाषा आंगी है। ईसा की पहली सदी से पूर्व रचित 'भरतनाट्यम्' में पूरब की भाषा 'प्राच्या' नाम से जानी गई है जिसकी पाँच प्रचलित भाषाओं में 'आंगी' एक है। अन्य चार हैं बांगी, पांचाली, वैदेही और मागधी। इसे बामन जयादित्य, भट्टोज दीक्षित और पतंजलि जैसे वैयाकरण और आचार्य मानते हैं। डॉ. सुनीति कुमार चटर्जी के अनुसार उत्तर बंगाल में आर्यभाषा का प्रचार मिथिला से और मध्य एवं पश्चिम बंगाल में आर्य भाषा का प्रचार अंग से हुआ है। 'आंगी' को 'अंगिका' नाम महापंडित राहुल सांकृत्यायन का दिया हुआ है और अब 'अंगिका' नाम ही प्रचलित हो गया है।

यह मैथिली भाषा है, ऐसा एक अंग्रेज विद्वान ग्रियर्सन ने माना है—छिंका छिंकी मैथिली।

अंगिका–मैथिली में कुछ साम्य जरूर है, जैसा मैथिली और बांग्ला में भी है, लेकिन न बांग्ला मैथिली है, न अंगिका मैथिली की अपनी अलग भाषाई प्रकृति, लिपि और साहित्य है। बांग्ला की अलग, अंगिका की अलग। मूलत: मैथिली भाषी होने के कारण और वर्षों अंग क्षेत्र (गोड्डा) में रहने और बस जाने के कारण मैंने भी अनुभव किया है कि दोनों भिन्न भाषाएँ हैं। मगही, मैथिली, भोजपुरी, अंगिका, बज्जिका—सभी बिहारी भाषाएँ हिंदी की पूरक भाषाएँ हैं। हिंदी की क्षेत्रीय लोकभाषाएँ। विद्वानों ने ग्रियर्सन की मान्यता को बहुमत से नकार दिया है।

अंगिका भाषी संतालपरगना को छोड़ कर झारखंड के छोटानागपुर एवं अन्य कई प्रभागों में बोली जाने वाली अंगिका भाषा खोरठा कहलाती है। कहते हैं खोरठा भाषी लोगों की बोली में अंगिका का एक खास अंदाज है, एक लहजा है, एक क्षेत्रीय उच्चारण है। मनीषी रचनाकार सुमन सूरो के अनुसार, 'यह (अंगिका) एक अति प्राचीन भाषा है। संस्कृत में इसका पुराना नाम 'आंगी' मिलता है। बोलचाल में कहीं इसको 'बोलबै' कहते हैं तो कहीं खोरठा।' राँची, जमशेदपुर, धनबाद, बोकारो एवं अन्य क्षेत्रों में लोग खोरठा (अंगिका) बोलते हैं। कटिहार, मझेपुरा, अररिया और पूर्णिया की अंगिका संतालपरगना में बोली जाने वाली अंगिका से भिन्न सुनाई पड़ती है। संतालपरगना की अंगिका से बेगूसराय–मुंगेर की अंगिका भिन्न लगती है। फिर भागलपुर या मुंगेर की अंगिका से सहरसा और सुयौल की बोली कितनी अलग लगती है ? यह मैथिली से ज्यादा प्रभावित है। जैसे देवघरिया अंगिका खोरठा से। साहेबगंज, पाकुड़ और दुमका में तो बांग्ला प्रभावित अंगिका की ध्वनि भी सुनने को मिलती है। कहते हैं आठ कोस (16 मील) पर एक भाषा क्षेत्र के अन्तर्गत भी बोली बदल जाती है। पूरबी (प्राच्या) उत्स से निकली अंगिका का विकास अर्द्धमागधी से हुआ है। अंगिका के ध्वनि तत्त्व और रूप तत्त्व पर विचार करने से लगता है कि नागरी लिपि में इसका समावेश सहज है और अपने व्याकरण की सीमाओं के साथ यह हिंदी के निकट ही है। केवल ऋ, ण, श, ष वर्ण को छोड़कर हिंदी के सभी वर्ण अंगिका के लिए उपयुक्त हैं। महाकवि सुमन सूरो ने अनुपयुक्त वर्णों को भी भाषा विकास के लिए अंगिका में प्रयोग करने का आग्रह किया है। अंगिका का शब्द–भंडार अपने प्रचुर ठेठ शब्दों के साथ मगही, मैथिली, भोजपुरी, वज्जिका जैसी बहना–बोलियों का समाहार करते हुए संस्कृत, प्राकृत, अपभ्रंश, अवधी, हिंदी, उर्दू, अरबी, फारसी, अंग्रेजी भाषाओं के शब्दों को भी प्रयोगाधीन कर चुका है। इसकी पाचन शक्ति हिंदी की तरह मुक्त और मजबूत है। यह अपनी समृद्धि के प्रति आश्वस्त करती है।

देश भाषा या लोक भाषा के रूप में अंगिका हिंदी क्षेत्र के विशेष भाग अंग जनपद (छोटानागपुर और भागलपुर के प्राचीन प्रमंडल) में अपने बोलने वालों के बीच अनिश्चित आदिकाल से अब तक चली आ रही है। लेकिन काव्य भाषा या साहित्यिक भाषा के रूप में इसकी प्राचीन पहचान स्पष्ट उभरकर सामने नहीं आती। दो–चार शब्दों को किसी सिद्ध कवि की रचना से खोज कर निकालना और इसे सिद्धों की भाषा करार देना क्षेत्रीयतावादी आग्रह जैसा प्रतीत होता है। सिद्धों की काव्य भाषा मूलत: अपभ्रंश है। उसमें कई देशभाषाएँ मिश्रित हैं। वह पुरानी हिंदी की काव्य भाषा है। इसमें तद्कालीन गुजरात, राजपूताने और ब्रजमंडल से लेकर बिहार की शिष्ट हिंदी भाषाओं के प्रयोग हैं। आचार्य रामचन्द्र शुक्ल मानते हैं कि

पुरानी हिंदी की व्यापक काव्य भाषा का ढाँचा शौरसेनी प्रसूत अपभ्रंश अर्थात् ब्रज और खड़ी बोली (पश्चिमी हिंदी) का था। पर मगध में रहने के कारण सिद्धों की भाषा में कुछ पूरबी प्रयोग भी मिले हुए हैं। खासकर 'काहपा' जैसे कुछ सिद्धों के गीतों में, और कबीर की रमैनी में कहीं-कहीं पूरबी बोली है।

जो, सो, मारिआ, पइठो, जाअ, किज्जइ, करंत, जाव (जब तक), ताव (तब तक), भइअ, कोइ आदि के प्रयोग और 'रा' की भरमार से सिद्धों की भाषा अंगिका नहीं ठहरती। सरहपा की भाषा में भी अंगिका का प्रयोग विरल ही है। चौरासी सिद्धों और नौ नाथों की भाषा देश भाषा मिश्रित अपभ्रंश है, जो उनके स्थान विशेष में (नालंदा, विक्रमशिला, जलंधर या बालनाथ का टीला) रहने के कारण उस क्षेत्र की बोली के कुछ शब्द यदा-कदा पिरो लेती है। सिद्धों की भाषा को संध्या भाषा अर्थात् अस्पष्ट भाषा कहा गया है। आठवीं सदी से बारहवीं सदी के बीच रचित सिद्धबानी में अंगिका के शब्दों को खोजा जा सकता है, खोजा भी गया है, फिर भी उक्त काल खंड की काव्य भाषा के रूप में अंगिका का लिखित साहित्य उपलब्ध नहीं रहा। कहते हैं इत्सिग ने विक्रमशिला का पुस्तकालय देखा था और उससे दो सौ पांडुलिपियाँ अपने साथ ले गया। उस पुस्तकालय को 1230 ई. में बख्तियार खिलजी ने नष्ट कर दिया। संभव है अंगिका का साहित्य, जो विक्रमशिला महाविहार में सुरक्षित था, स्थानांतरित होकर तिब्बत, चीन और जापान ले जाया गया या खिलजी की क्रोधाग्नि में भस्म हो गया, क्योंकि आचार्य दण्डी के काव्यादर्श के अनुसार छठी सदी ई. में जनभाषा का काव्य भाषा में प्रयोग होने लगा था। किन्तु अंगिका लोकभाषा के अनवरत प्रवहमान रहते भी उसकी काव्य भाषा का इतिहास लुप्तप्राय ही है। एक लम्बे अन्तराल के बाद बुकानिन की पूर्णिया रिपोर्ट में यह जानकारी दी गई कि 14वीं सदी में पुरानी गंज, मुंगेर के भृगुनाथ मिश्र ने अपनी लोकभाषा में 'रास बिहार' काव्य की रचना की। 'दान लीला' और 'सुदामा चरित' अंगिका में उनकी अन्य रचनाएँ हैं। उस समय अंगिका को काव्य भाषा के रूप में सोम कवि, अचल कवि, बनवारी मिश्र, गोपी महाराज, मधुसूदन, श्याम सुन्दर आदि अनेक कवियों ने प्रयोग में लाकर लोकप्रियता अर्जित की। महाकवि सुमन सूरो 'सती बिहुला' या 'बिहुला विषहरी' को जो राजा भीमसेन के समकालीन केशोसाव द्वारा रचा गया था, अंगिका का पहला या आदि गाथा काव्य मानते हैं।

अनार्य या असुर भारत की पूर्व वैदिक संस्कृति के संघटक थे। अंग क्षेत्र में ब्रात्य-किरात, यक्ष, गंधर्व आदि कई अनार्य जातियाँ रहती थीं। इस क्षेत्र को पूर्व वैदिक काल में उन्होंने आबाद किया। अपनी सभ्यता, भाषा और संस्कृति से समृद्ध किया। शिव उनके आराध्य देव थे। शिवलिंग पूजा, वृक्ष पूजा, पशु एवं मातृ पूजा की परंपरा उन्हीं की देन है। ब्रात्यों की भाषा आंगि या अंगिका क्षेत्रीय जनभाषा थी। लेकिन जब आर्यों ने इस क्षेत्र पर आक्रमण किया (चौथी सदी ई.पू.) और दो संस्कृतियों का संघर्षण और समंजन की प्रक्रिया चली तो अनार्य भाषा अंगिका ने वैदिक भाषा को प्रभावित किया और उसका प्रभाव ग्रहण किया। शोधकर्ता परशुराम ठाकुर ब्रह्मवादी ने अपनी शोध-पत्रिका अंग तरंगिनी के विशेषांक 3-4, 1995 अंगिका भाषा : उद्‌भव और विकास के पृ. 18-25 पर अंगिका और वैदिक भाषा की समानताओं का विस्तृत-तुलनात्मक अध्ययन प्रस्तुत किया है (इसे परखा जाना चाहिए)। मसलन, कालान्तर में अंगिका की परिणति अभिभाषा के

रूप में भी माननीय हो गई। डॉ. परमानन्द पाण्डेय का 'अंगिका व्याकरण' भी अंगिका भाषा की जानकारी के लिए एक स्रोत सामग्री है। ऐसे ब्रह्मवादी जी ने उक्त विशेषांक में अंगिका भाषा का बहुकोणीय अध्ययन प्रस्तुत किया है।

यह निर्विवाद है कि अंगिका एक प्राचीन और मौलिक लोकभाषा है। इसका स्वाभाविक उद्‌भव और विकास अंग क्षेत्र के लोककंठ और लोक व्यवहार में—विविध भाषा-सम्पर्कों से सहज रूप में हुआ है। वर्तमान अंग क्षेत्र में छोटानागपुर के क्षेत्र एवं भागलपुर, बांका, मुंगेर, जमुई, संतालपरगना के क्षेत्र, खगड़िया, बेगूसराय, कटिहार, पूर्णिया, सहरसा, सुपौल, किशनगंज, अररिया आदि क्षेत्र सम्मिलित हैं।

स्वतः विकसित भाषा, वैदिक पूर्व अंगिका के मूल शब्द प्राकृत अंगिका के रूप से संस्कृत के शब्द, फिर संस्कृत से अपभ्रंश के शब्द और अपभ्रंश से हिंदी के शब्द रूपान्तरित होते आए हैं। (उद्धृत अंग तरंगिनी, पृ. 28 पर दी गई तालिका) यहाँ यह तथ्य भी विचारणीय है कि लोकभाषा से शास्त्रीय भाषा निकलती है या शास्त्रीय भाषा से लोकभाषा। यह तालिका अंगिका को मूल भाषा के रूप में संस्कृत को अनुप्राणित करती दिखाती है। भारोपीय परिवार की भाषाओं में परस्पर का रूपांतरण भाषा वैज्ञानिकों का दिलचस्प विषय है। व्याकरण उसे बाँध नहीं सकता। व्याकरण में बंध कर भाषा में धरोहर साहित्य रचा जा सकता है। लेकिन नित लोक व्यवहार से भाषा निरन्तर रूपांतरित और विकसित होती है। अंगिका लोक व्यवहार से आज भी जीवन्त और विकासोन्मुख है। अंगिका के रचनाकारों ने उसकी श्रीवृद्धि की है, फिर भी उसके अलिखित लोकगीत, लोककथा, लोकोक्ति, बुझौवल, लोरी, फेंकड़ा आदि लिखित साहित्य के समानान्तर अंगिका की अस्मिता को जनसंरक्षण से पुष्ट और निरन्तर बहते नीर-सा आंतरिक गति-शक्ति प्रदान करते हैं।

डॉ. डोमन साहु समीर के अनुसार अंगिका साहित्य आठवीं से बारहवीं सदी के बीच अंग क्षेत्र में लिखा गया है। खासकर विक्रमशिला महाविहार (विश्वविद्यालय) के सिद्ध कवियों द्वारा चर्या पदों के रूप में। उनके शब्दों में, 'कालक्रमों में पुरानो वांगी केरो विकास ने बांग्ला भाषा के रूपों में होय गेलै, मतरकि आंगी भाषी सिनी शिक्षा-दीक्षा में हिंदी भाषा अपनाय लेलकै।...' 'सरहपा, कण्हपा, लुइपा, ढेण्ढपा आदि सिद्ध कवि सिनी ने कत्तेनी चर्या पदों के रचना करनै छै। वैसिनी चर्या पदों में अंगिका भाषा केरों स्वरूप सुरक्षित छै.... 'चीअ थिर करि धरहरेनाइः आन उपाये पार णा जाइ' (सरहपा), बलद बिआअल गबिया बांझेः पिटा दुहिअइ ए तिरण सांझे (ढेण्ढपा) ओ गैरह।'

डॉ. तेजनारायण कुशवाहा ने अंगिका साहित्य के इतिहास का काल विभाजन इस प्रकार किया है—प्रारम्भिक युग (500-1220 ई.), मध्य युग (1220-1850), आधुनिक युग (1850-1985 एवं 1985 से अद्यावधि)। आधुनिक युग को उन्होंने तीन भागों में बाँटा है—मंच पूर्व युग (1850-1950), मंच युग (1950-1985) और मंचोत्तर युग (1985 से आज तक)। मध्य युग को भी उन्होंने दो भागों में बाँटा है—पूर्व मध्य युग (1220-1650) और उत्तर मध्य युग (1650-1850)।

प्रारम्भिक युग में उन्होंने मज्झिम निकाय के पोतलिय सुतंत, लकुटिकोपम सुतंत और सेलि

सुतंत को आंगी अपभ्रंश का ग्रंथ बताया है। इनके अलावा उन्होंने लोकभाषा के प्रचलित गीति-गाथा-प्रबंध काव्य जैसे आल्हा-ऊदल, लोरिकैन, सोरठी ब्रजभार, कुंवर विजयमल, शोभानायक, बनजारा, राजा भरथरी, राजा मानिक चंद, राजा गोपीचंद आदि के अंगिका में संस्करणित होने का उल्लेख किया है। जिनदत्त चरिउ, सुदर्शन चरिउ, काकंड चरिउ आदि को वे आंगी अपभ्रंश की काव्य कृतियाँ मानते हैं। सिद्ध साहित्य और नाथ साहित्य तो प्रारम्भिक युग की अंगिका के स्रोत हैं ही।

साथ ही उन्होंने अंगिका की लोकोक्ति कविता, फेंकड़ा और लोरी को सांस्कृतिक धरोहर का दर्जा दिया है। डॉ. कुशवाहा ने अंगिका साहित्य के मध्यकाल को 'साधु-संत-काल' माना है। इस काल में निर्गुण और सगुण ब्रह्म के प्रति ज्ञान और भक्तिधाराओं की भजनावली के साथ श्रृंगारिक गाथा गीतों की परंपरा भी चल निकली। उत्तर मध्य काल में भी रचना की वे ही प्रवृत्तियाँ पुष्ट हुईं। डॉ. कुशवाहा के अनुसार विद्यापति पर 'देसिलबअना' तद्कालीन आंगी की छाप है तो कबीर की सधुक्कड़ी भाषा में पूरब की देश-भाषाओं, खासकर आंगी का क्रियापद देखने को मिलता है। कबीर के अंगिका-पद का एक उदाहरण— 'हंसा ई-पिंजरा नै तोरों' भी उन्होंने प्रस्तुत किया है। फिर 14वीं सदी के अंगक्षेत्रीय अंगिका कवियों (भृगुराम मिश्र, सोमकवि, अचल कवि, बनवारी मिश्र आदि) के योगदान का जिक्र करते हुए उन्होंने अपेक्षित शोध पर जोर दिया है।

मौलिक और श्रृंगारपरक गीति गाथा प्रबंध जो अंगिका में लिखे या लिखाए गए, अनूदित हुए या फिर जनकंठों में जा बसे, अंगिका की धरोहर हैं। देशमा, राजा ढोलन, नेटुआ दयाल, घुघली-टाटमा, सलेस भगत, सती बिहुला, बीसू राउत, जोति तपस्या उत्तर मध्यकाल के प्रमुख गीति गाथा प्रबंध हैं। साथ ही उस युग में बिरह, झूमर, कजरी, जंतसार, बारहमासा, चैतावर, फगुआ आदि पर्व-त्योहार गीत, संस्कार गीत, लीला गीत, प्रभाती, गोदना गीत, यात्रा गीत, स्वांग गीत और विभिन्न नाच जैसे लाढ़ियारी, जट-जाटिन, गोढ़िन, मालिन, नारदी, नन्ही-बिन्नी, हिरनी-बिरनी, रमखेलिया, देवलो आदि में निहित काव्य तत्त्व उत्तर मध्ययुगीन अंगिका के लोकरंजक स्वभाव को उजागर करते हैं।

आधुनिक युग के मंच पूर्व कवियों में अंगिका भाषा के पाँच कविरत्न प्रमुख हैं। पं. कालीप्रसाद पाण्डेय, पं. दर्शन दुबे, पं. बाजित लाल मिश्र, सदुपाध्याय, भवप्रीतानन्द ओझा और पं. भुवनेश्वर चौधरी भुवनेश। और स्मरणीय हैं कवीश्वर ज्योतिरीश्वर ठाकुर, जिन्होंने 'वर्ण रत्नाकर' लिखकर अंगिका के गद्य साहित्य को एक आधार दिया।

मंच युग में 1950 से 1985 के बीच अंगिका भाषा-आन्दोलन अंग क्षेत्र में नवजागरण काल-सा प्रतीत होता है। सदानन्द मिश्र साहित्यिक सांढ़ (खोंड़पतार), सुमन सूरो (पनसोखा और सती परीक्षा), उचित लाल सिंह (पंचरंगचोल, रौंदा कें दूब, कानैछै लोर), परमानन्द पाण्डेय (पछिया बयार), तेजनारायण कुशवाहा (अंग-दर्शन, सवर्णा), नरेश पाण्डेय चकोर (मोंरको ललो, किसानं : देशोंकें शान, अंगलता), अनिलचन्द्र ठाकुर (कच), लक्ष्मण सिंह चौहान (लोकगीता), कमलाप्रसाद उपाध्याय विनोद (गीतांगिका), परमानन्द प्रेमी (गीत लहरी), अमरेन्द्र (करिया झूमर, खेलैछी), अच्युतानन्द चौधरी लल (शिवजी हीरो बनों हे),

सुरेन्द्र मिश्र परिमल (गुमसै लोंधरती), श्री स्नेही सच्चिदानन्द (गीत नाद, और गीत गम्मों कें), खुशीलाल मंजर (पछिया पुकारै छै), गुरेश मोहन घोष सरल (गुमार), रघुनन्दन झा राही (चिन्ता), भुवनेश्वर सिंह भुवन (घैरकों), सीता रामदास (भोर भेले आबैछै), नवीनचन्द्र शुक्ल (पुष्पहार) आदि रचनाकारों की विविध काव्य पुस्तकें प्रकाशित हुईं। अंगिका कथा-साहित्य में मंच युग की महत्त्वपूर्ण उपलब्धि है। मंचयुगीन अंगिका कथाकारों में मधुकर गंगाधर, डॉ. कुमार विमल, पं. अयोध्या प्र. झा, डॉ. वचनदेव कुमार, सुमन सूरो, नरेश पाण्डेय चकोर, राधाकृष्ण चौधरी, महेन्द्र जायसवाल, गुलाबीजी, प्रकाशवती नारायण, कुसुम आदि उल्लेखनीय हैं। इस युग की औपन्यासिक कृतियों में अनूपलाल मंडल का उपन्यास 'नया सूरज : नया चाँद' एवं अनिरुद्ध प्रभास का उपन्यास 'छाहुर' चर्चित रहे। अति लोकप्रिय हास्य-व्यंग्य-कथा 'मोतिया विनोद' (पं. बुद्धिनाथ झा कैरन) और 'चौबेजी के गप' (श्री उमेश जी)अप्रकाशित स्थिति में भी जनवाणी से प्रसारित होती रहीं। इस कालखंड में अंगिका में श्रव्य और मंचीय नाट्य साहित्य भी प्रचुर रूप में लिखा गया। रेडियो रूपक और नाटक जो प्रसारित हुए—उनमें अमरेन्द्र का 'अंगिका अंग लगैबै,' श्री उमेश का 'बरतुहारी', आमोद कुमार मिश्र का 'फुसरी', 'भोज खाय कें चस्का', 'राम-रहीम', 'जागी उठलै गाँव' और नवलकिशोर सिंह का धारावाहिक और रामप्रवेश का 'नयका बिहान', फिर सत्यनारायण प्रकाश के कई रेडियो नाटक 'अंगिया', 'पुसमता', 'नया सूरज', 'आबैंकहियों नैं भुलैबै', 'सोचै कें फेर', रीता झा का 'घूरन पंडित', शिवशंकर साह का 'दुलरिया', अजीतदास का 'नया समाज' आदि उल्लेखनीय हैं। रंगमंचीय गद्य नाटकों में नरेश पाण्डेय चकोर के नाटक 'किसान कें जगानों', 'सर्वोदय समाज', 'कोरनैं तें डोरकी' और 'देशकें खातिर मजदूर कें त्याग' (दोनों एकांकी), जनार्दन राय के नाटक 'जात आरोभात' और 'उद्यो-माद्यो कें बात', राधाकृष्ण चौधरी के एकालाप शैली के नाटक 'उद्‌गार', 'पछतावा', 'पैरवी', श्री उमेश का प्रहसन 'तीरथ जातरा', जगदीश पाठक कृत 'राष्ट्र के सपूत' एवं भुवनेश्वर भारती की नाट्यकृति 'दहेज कें दहाड़' सराहनीय नाट्य लेखन हैं। अंगिका में लिखित आलोचना साहित्य का आरम्भ परिचयात्मक आलोचना से होता है। इसमें डॉ. परमानन्द पाण्डेय, सुमन सूरो, डॉ. तेजनारायण कुशवाहा, डॉ. अमरेन्द्र, भुवनेश्वर सिंह भुवन, डॉ. माहेश्वरी सिंह महेश, शुद्धदेव झा उत्पल, डॉ. डोमन साहु समीर का आरम्भिक योगदान रहा है। महाकवि सुमन सूरो ने 'अंगिका भाषा आरो साहित्य' लिखकर गवेषणात्मक आलोचना का एक प्रशंसनीय उदाहरण प्रस्तुत किया। डॉ. अमरेन्द्र ने इस बीच सर्वेक्षण-आलोचना, प्रभाववादी समीक्षा, मिथकीय, मनोवैज्ञानिक और प्रगतिवादी आलोचनाएँ लिखीं। साथ ही इस युग में निबंध, जीवनी (प्रीतम कुमार दीप लिखित 'नक्षत्र मालाकार'), रामजीवन रसूलपुरी कृत 'राष्ट्रकवि डॉ. दिनकर : संक्षिप्त जीवनवृत्त', श्री उमेश कृत 'भुवनेशजी', शुद्धदेव झा उत्पल लिखित 'लोकभाषा के महाकवि भवप्रीतानन्द ओझा', महेन्द्र प्रताप जायसवाल कृत 'सब्भे रों आदमी गंगाधर', रमेश शर्मा आत्मविश्वास लिखित 'अनन्तदास' आदि लघु आकार की रचनाएँ हैं। पुस्तकाकार जीवनी डॉ. तेजनारायण कुशवाहा कृत 'महर्षि मेंहीं सें मिलौ' और नरेश पाण्डेय चकोर कृत 'महात्मा भोली बाबा' हैं। संस्मरण, शब्दचित्र, रिपोर्ताज (रिपोर्ताज-लेखन में द्रोपदी दिव्यांशु,

सुधाकर, शिवशंकर पारिजात, पी.एन. जायसवाल, श्रीचन्द, धीरेन्द्र छतहार वाला, रवीन्द्र आदि उल्लेख्य नाम हैं) आदि भी अच्छी संख्या में आए।

अंगिका साहित्य का मंचोत्तर युग (1985 से अद्यावधि) मंच युग की प्रवृत्तियों से प्रेरित एक प्रगतिशील युग है। अंगिका साहित्य की हर विधा को इस युग में समृद्धि मिली है। उल्लेखनीय काव्य-कृतियों में ऊर्ध्वरेता (महाकाव्य, सुमन सूरो), कागा की संदेश उचारै (प्रगीत प्रबंध, अनिरुद्ध प्रसाद विमल), गेना (अमरेन्द्र), ययाति (नरेश पाण्डेय चकोर), जैजात संस्कृति कें (अकेला अनिरुद्ध), ज्ञान गंगा, गांधी चरित, आनन्दमंगल (गोपाल कृष्णप्रज्ञ), चटनी (जगदीश पाठक मधुकर), रूप रूप प्रतिरूप (सुमन सूरो), अंचरा (नरेश जनप्रिय), चन्द्रहार (नवीन चन्द्र शुक्ल पुष्प), सूरजमुखी (सूर्य नारायण), आपनों बोली आपनों भाव (कृत्यानन्द), फूलों कें गुलदस्ता (चकोर), अंग-तरंग (परशुराम ठाकुर ब्रह्मवादी), गुड़गुड़ी (सुरेन्द्र दास), स्वाति कें मेंघ (बैकुण्ठ बिहारी), जइवै अंगदेश (प्रीतम कुमार दीप), कहमौंतें लाग्र हौं धकहें (लक्ष्मण प्र. यादव बेलहरिया), मंदार बोलै छै (रामानन्द विकल), ई जिनगी (भूतनाथ तिवारी), चढ़ावा (अंजनी कुमार शर्मा), पतझड़ (उमेश जी), पछिया पुकारै छै (खुशीलाल मंजर), अंग सागरी (देवेन्द्र दिलबर) एवं कृष्ण लीला (दर्शन दुबे) आदि के नाम आते हैं। सुमन सूरो के एक सौ चालीस दोहे अंगिका भाषा में 'माटी कहे कुम्हार' से संकलन में प्रकाशित हैं। संकलन-संपादक हैं बाल गोविन्द मिश्र और शंभुनाथ मिस्त्री। इसके पूर्व 'अंगिका के प्रतिनिधि कवि' (संपादक गंगाप्रसाद राव), 'सात समन्दर साथ-आठ समन्दर आंख' (संपादक अमरेन्द्र), अंग-मंजरी (संपादक अनल/राजकुमार), आधुनिक अंगिका कवि (संपादक चन्द्रप्रकाश जगप्रिय) आदि कई संकलन प्रकाश में आए।

इस युग में ही कवि कालीदास कृत 'बारहमासा' (गोपाल कृष्ण प्रज्ञ), 'अंगिका कें प्रतिनिधि प्रकृति कविता' (संपादक गंगाप्रसाद राव) और 'प्रतिनिधि अंगिका कवि' (संपादक रघुनन्दन झा राही, सुभाषचन्द्र भ्रमर) प्रकाशित मूल्यवान सामग्री है।

इस युग की कथा कृतियों में 'शनिचरा' कथा संकलन (महेन्द्र जायसवाल) युग प्रतिनिधि के रूप में आता है। त्रिकथा संकलन 'भोर' (आमोद कुमार मिश्र) अपनी परिपक्व शिल्प के लिए लोकप्रिय हुआ।

इसी समय डॉ. रामानन्द विकल का एक मनोरंजक कथा-संग्रह 'माटी केरों गद्य' नाम से प्रकाशित हुआ। 1991 में नरेश पाण्डेय चकोर का कहानी-संग्रह 'तिलका सुन्दरी डार-डार', 1992 में सुधाकर जी द्वारा संपादित 'अंगिका कथा', 1994 में देवेन्द्र जी द्वारा संपादित अंगप्रिया का कथा विशेषांक, 1996 में डॉ. अमरेन्द्र द्वारा संपादित 'अंगिका कहानी' में उपलब्ध कहानियाँ आधुनिक अंगिका कथा शिल्प के सुगढ़ नमूने हैं। जगदीश पाठक मधुकर का व्यंग्य कथा संकलन 'पंच फोरन' और रामावतार राही की व्यंग्य कहानी 'करुआ माय' उल्लेख्य हैं। व्यंग्य कथा लेखकों में सदानन्द मिश्र, महेन्द्र जायसवाल, राधाकृष्ण चौधरी, श्री उमेश, मधुकर, दीन दीप और राही चर्चित नाम हैं। आत्मकथा शैली में मीरा झा, जीवन लता साह, डॉ.नीलम महतो, गंगाप्रसाद राव, सोहन प्रसाद चौबे, प्रतीक शैली में मधुकर गंगाधर (बरद-विद्रोह), पत्र शैली में आभा पूर्वे (ऋणी) और डायरी शैली में (केन्हों द्रौपदी : केन्हों

महाभारत)। आभा पूर्वे इस कालखंड के सफल प्रयोक्ता कथाकार हैं। अंगिका में लघुकथा और अणुकथा-लेखन भी कमतर नहीं है। सुमन सूरो, मनाजिर आसिक हरगानवी, अनिरुद्ध प्र. विमल, आभा पूर्वे, आर.के. नीरद, राजकुमार, पारसकुंज, अज्ञानी, अनिरुद्ध प्रभास, विजेता मुद्गल पुरी, योगेश कौशल—इस विधा में प्रतिष्ठित नाम हैं। इस काल में अंगिका के उपन्यास-साहित्य की विकास यात्रा प्रचुर उपलब्धि सम्पन्न है। 1988 में सुमन सूरो का उपन्यास 'सुभद्रांगी', आभा पूर्वे का 'परबतिया' (1991) और 'अन्तहीन वैतरणी' (1993), परशुराम ठाकुर ब्रह्मवादी का 'भाग्य रेखा' (1994), श्री केशव का उपन्यास 'तुलसी मंजरी' (1995), अमरेन्द्र का 'जटायु' (1996), विजेता मुद्गल पुरी का 'हम सुरमुख दास नै छिकिये' (1997) आदि अनेक उपन्यास प्रकाश में आए। इस बीच सत्यनारायण प्रकाश के रेडियो नाटक 'अंगिया,' 'बड़का जिलेबी', 'पुसमता', 'नया सूरज', 'आबे कहियो नै भुलबै' और 'सोचै कें फेर' का प्रसारण आकाशवाणी भागलपुर से होता रहा। साथ ही 'घूरन पंडित' (रीता झा), 'दुलरिया' (शिवशंकर साह), 'नया समाज' (अजीत दास), 'नभका बिहान' (रामेश्वर प्र. सिंह) जैसे रेडियो नाटक का प्रसारण भी संभव हुआ।

रंगमंचीय नाटकों में 'चम्पा कें राजकन्या' (अनिरुद्ध प्रभास), 'सांप' (अनिरुद्ध प्र. विमल), 'पंचगण्य' (अमरेन्द्र) एवं अच्छी संख्या में प्रकाशित एकांकी और नाट्य रूपांतर मंचोत्तर युग की श्रीवृद्धि करते हैं। आत्मकथा के रूप में 'हमरो जीवन के हिलकोर' (डॉ. अभयकान्त चौधरी), 'नैहरा केरो ओलती आरो ऐंगन' (जीवन लता), जीवनी के रूप में चकोर जी कृत 'श्री उमेश जी', 'श्री भुवनेश जी', 'एक साहित्यिक परिवार', 'करील जी', 'विनोद जी' और 'श्री गदाधर प्र. अंबष्ठ', सुभाषचन्द्र भ्रमर कृत 'प्रो. परिमल : एक संघर्षशील व्यक्तित्व', उचित लाल सिंह लिखित 'कवि परिचय', डोमन साहु समीर कृत समीक्षात्मक निबंध का जीवनी खंड (जिसमें आचार्य दीपंकर श्री ज्ञान अतिश, दर्शनदुबे, भवप्रीतानन्द ओझा, डॉ. लक्ष्मीनारायण सुधांशु, पं. बुद्धिनाथ झा कैरन और डॉ. माहेश्वरी सिंह महेश की जीवनी) और संस्मरणात्मक साहित्य के रूप में डॉ. रामानन्द विकल कृत 'बाबा : एक संस्मरण', ओमाप्रियंवदा कृत 'श्री नरेश पाण्डेय चकोर : संक्षिप्त परिचय', आशुतोष प्र. कृत 'मनों के बोझ', आमोद कुमार मिश्र द्वारा संपादित 'याद आबैछै' प्रशंसनीय कार्य हैं। निबंध और आलोचना के क्षेत्र में अंगिका के इस कालखंड में उल्लेखनीय प्रकाशन हैं—'समीक्षात्मक निबंध' (डॉ. डोमन साहु समीर), 'नर से नारायण होय के जुदा-जुदा पथ' (विनोदानन्द झा), 'लघु कथा और ललित निबंध' (डॉ. राधाकृष्ण चौधरी), 'छानबीन में छाहुर' (डॉ. अमरेन्द्र), 'अंगिका काव्य में सौंदर्यबोध' (डॉ. अमरेन्द्र), 'रस-मीमांसा' (गंगाप्रसाद राव), 'एक संस्कार गीत : एक व्याख्या' (डॉ. निर्मल सिंह), 'अंगिका कहानी : विकास कथा' (विकास पाण्डेय) और 'भारतीय काव्य शास्त्र' (प्रो. नवीन निकुंज), 'छंद छौनी, छंद मौनी' और 'गजल रौं पिंगल' (डॉ. अमरेन्द्र), 'अंगिका काव्यांग' (सुमन सूरो), 'तुलसी कें काव्य में राम कें रूप आरो स्वरूप' (जीवन लता)। लोक कथा-संग्रह के रूप में 'सात पट्ठा हट्ठा-कट्ठा' (विद्यानन्द किशोर द्वारा संपादित), 'चलो खिस्सा के गाँव' (मीना तिवारी द्वारा संपादित), द्रष्टव्य हैं। इनके अलावा 'अंगिका लोकोक्ति आरो मुहावरा' (चौधरी और चकोर) और 'अंगिका-हिंदी शब्दकोश' (डॉ. समीर) जैसे जरूरी

प्रकाशन भी हुए। विविध संकलनों में स्थान प्राप्त विविध विधाओं के शताधिक रचनाकारों के नाम एवं रचनाओं का उल्लेख इस निबंध में नहीं किया जा सका है। जाहिर है, रचनाकारों की एक बड़ी जमात अंगिका की प्रतिष्ठा में संलग्न है और इससे हम आश्वस्त हैं कि अंगिका-साहित्य समृद्ध से समृद्धतर होता जाएगा। लाखों की इस जनभाषा को झारखंड सरकार जरूरी सहयोग और दर्जा दे और दो-ढाई करोड़ की यह लोकभाषा राष्ट्रीय सरकार द्वारा उचित स्थान और सहयोग-सम्मान प्राप्त करे—यही कामना है।

संदर्भ

1. आर.सी. मजूमदार, प्राचीन भारत (अंग्रेजी-मूलग्रंथ)।
2. आचार्य हजारीप्रसाद द्विवेदी, डॉ. रामकुमार वर्मा और आचार्य रामचन्द्र शुक्ल द्वारा लिखित हिंदी साहित्य के इतिहास-ग्रंथ।
3. डॉ. डोमन साहु समीर, डॉ. तेजनारायण कुशवाहा, डॉ. अमरेन्द्र, अंगिका साहित्य केरो इतिहास।
4. रघुनन्दन झा राही, सुभाषचन्द्र भ्रमर द्वारा संपादित 'प्रतिनिधि अंगिका का कवि' में महाकवि सुमन सूरो का भूमिका लेख, 'अंगिका भाषा आरो साहित्य', अंग तरंगिनी विशेषांक 3-4, 1995 (परशुराम ठाकुर ब्रह्मवादी द्वारा संपादित), अंगिका काव्यांग (सुमन सूरो), 'महाकवि सुमन सूरो की अक्षर साधना' (सपांदक यू एस. आनन्द) और कतिपय रचनाकारों की मौलिक कृतियाँ, संपादित पत्रिकाएँ, संकलन आदि।

खोरठा भाषा और साहित्य

डॉ. प्रभुनारायण विद्यार्थी

झारखंड के उत्तरी छोटानागपुर और संतालपरगना प्रमण्डलों एवं पलामू तथा राँची जिले के उत्तरांश में जो लोकभाषा के रूप में बोली प्रचलित है, वह खोरठा के नाम से अभिहित होती है। हड़प्पा और मोहनजोदड़ो के विश्वविख्यात सभ्यता और संस्कृति के विकास के काल में आज से पाँच-छह हजार वर्ष पूर्व वहाँ के निवासियों ने एक लिपि का निर्माण किया था, जिसे आजकल खरोष्ठी लिपि के नाम से याद करते हैं। वह लिपि कालान्तर में अशोक के द्वारा बुद्धवाद के प्रचार काल में आन्तरदेशिक रूप ग्रहण कर चुकी थी और एक भाषा भी बन चुकी थी।

खोरठा भाषा की उत्पत्ति

झारखंड जैसे क्षेत्र में खोरठा भाषा को विद्यमान पाते हैं। उसके पड़ोस के क्षेत्र में छत्तीसगढ़ में एक भाषा प्रचलित है, जिसे खलोटी कहा जाता है। वस्तुगत अध्ययनों से पता चलता है कि खरोष्ठी का ही रूपान्तर होकर छत्तीसगढ़ में खलोटी नाम हुआ और उसके पार्श्ववर्ती क्षेत्र में उसका नाम खोरठा हुआ। खरोष्ठी से खरोठी एवं खलोटी तथा खरोष्ठी से खरोठी, खोरोठी, खोराठा होते हुए खोरठा नाम पड़ा। यह रूपांतरण शायद कोई ऐतिहासिक धारा में घटित होते हुए हुआ है। जिस प्रकार वंद्योपाध्याय से बनर्जी, मुखोपाध्याय से मुखर्जी, चट्टोपाध्याय से चटर्जी और उपाध्याय से झा आदि का रूपांतरण हुआ।

इस बात की पुष्टि के क्रम में हम लोग कतिपय औपादानिक सदृश्य की चर्चा इस प्रसंग में कर सकते है। जैसे हड़प्पा और मोहनजोदड़ो की खुदाई के क्रम में पाए जाते हैं। उन्होंने चक्र का खगोलीय गणित का एवं नौ विद्या का विचार कर लिया था और दुनिया के शायद सर्वप्रथम सुगठित नगर उन्हीं लोगों ने बसाए थे।

आज झारखंड क्षेत्र में भी अभी भी सगड़गाड़ी का प्रचलन देखा जा सकता है। सगड़गाड़ी यानी बैलगाड़ी का वह प्रारंभिक रूप जिसमें पूरा चक्का एक ही गोल लकड़ी का बना होता था। और इतना ही नहीं, सगड़गाड़ी के नाम पर सड़क को आज भी यहाँ सगरठ कहा जाता है। सगरठ यानी सगड़गाड़ी चलने का रास्ता। इस प्रकार अनेक साक्ष्य यह प्रमाणित करते हैं कि झारखंड क्षेत्र और विशेषत: खोरठा भाषा क्षेत्र के मूल निवासियों के पूर्व उनके सहवासी प्राचीन महामानवों ने उस विश्वविख्यात सभ्यता और संस्कृति का निर्माण किया था। इस क्रम में हम यह भी पाएँगे कि हड़प्पा और मोहनजोदड़ो शब्द भी अपने मौलिक अर्थों में अभी भी व्यवहृत हैं।

खोरठा और भगिनी भाषाओं के क्षेत्र

प्रस्तावित झारखंड राज्य का प्राय: 60 प्रतिशत भाग, यानी 18 जिलों में से प्राय: साढ़े ग्यारह जिले खोरठा भाषी जिले हैं। खोरठा साहित्य-संस्कृति परिषद् संकल्पित रूप से खोरठा भाषा ही झारखंडी संस्कृति के उत्थान में सजगता के साथ काम कर रही है। सम्प्रति गिरिडीह, धनबाद, कोडरमा, हजारीबाग, बोकारो, चतरा, देवघर, दुमका, पाकुड़, साहेबगंज, गोड्डा, पलामू और राँची के जिले के उत्तरांश में 25 से 30 प्रतिशत खोरठा भाषा बोली जाती है। इन सारे जिलों में खोरठा भाषी और इस पूरे क्षेत्र के सम्पर्क भाषा खोरठा के साथ-साथ यहाँ के अधिकांश निवासियों की मातृभाषा भी 'खोरठा' है। एक विशेष उल्लेखनीय बात यह भी है कि इस क्षेत्र में बसे लाखों जनजातियों ने भी खोरठा को अपनी मातृभाषा की तरह ग्रहण कर लिया है।

झारखंड क्षेत्र में नौ भाषाएँ प्रचलित हैं—खोरठा, पंचपरगनिया, नागपुरी, कुरमाली, मुण्डारी, संथाली, हो, खड़िया, कुडुख। सम्पर्क भाषा के परिवार की चार भाषाएँ हैं—खोरठा, कुरमाली, पंचपरगनिया और नागपुरी जिनमें खोरठा क्षेत्र की चर्चा ऊपर वर्णित है। कुरमाली का क्षेत्र आज भी पुरुलिया, धनबाद जिले का कुछ क्षेत्र और मेदिनीपुर के कुछ हिस्से में यह बोली जाती है।

पंचपरगनिया क्षेत्र के नाम से ज्ञात होता है कि यह राँची जिले के पुराने पाँच परगनों में प्रचलित भाषा रही है। वह पाँच परगने हैं—तमाड़, बुण्डु, राहे, सोनाहातु और सिल्ली। झारखंड के बाकी क्षेत्र एवं मध्यप्रदेश का रायपुर, अम्बिकापुर, आदि क्षेत्रों में नागपुरी भाषा बोली जाती है। जनजातीय भाषाओं के रूप में मुण्डारी, संथाली, हो, खड़िया, और कुडुख हैं।

सदानी भाषा—झारखंड क्षेत्र की भाषा प्रसंग में सदानी की चर्चा आवश्यक है। झारखंड क्षेत्र के प्राचीन निवासियों में से वे लोग जो इस क्षेत्र के विकास और अभिवृद्धि में हर तरह से योगदान करते रहे हैं और सह-परिवारी आत्मीय की तरह आदिवासियों के साथ उनसे तादात्मीय रहते आए हैं। उस समुदाय को सदान के नाम से अभिहित किया गया है।

झारखंड से सम्पर्क भाषा के रूप में सदानी आदिवासीगण अपने भाषा-भाषी समुदायों से आते हैं। वे समुदाय का भाषा परिवार हैं। मुण्डा भाषा परिवार और कुडुख भाषा परिवार। इन दोनों भाषाओं में मौलिक भिन्नता भी विद्यमान है। अतएव इनकी भिन्न-भिन्न भाषा-भाषियों के सम्पर्क प्रेषण की सुविधा को बढ़ाने के उद्देश्य से अपने इन दोनों भाषाओं से कुछ-कुछ शब्द एवं अन्य तत्त्व को लेकर एक बिचौलिए भाषा का गठन किया, जो कालक्रम में सदरी नाम से अभिहित हुआ।

सदरी भाषा

सदरी की भी इस प्रसंग में चर्चा करना आवश्यक है, ताकि भाषा का सम्पूर्ण परिदृश्य उपस्थित हो सके। सदरी नागपुरी भाषा का वह छोटा और मिश्रित (आदिवासी भाषाओं का) रूप है जो प्राय: राँची क्षेत्र के आसपास तथा उसके पश्चिम एवं दक्षिणवर्ती परिवेश में उपलब्ध है, उसे सदरी कहते हैं। अर्थात् सदर क्षेत्र की भाषा। प्रसंगत: ज्ञातव्य है कि नागपुरी नागवंशी शासनकाल की राजभाषा होने के कारण सदानी को नागपुरिया > नागपुरी कहा गया। हीरानागपुर > चुटिया नागपुर > छोटानागपुर की संपर्क भाषा होने के कारण भी इसका नागपुरिया या नागपुरी नाम पड़ा।

खोरठा भाषा के विकास की पहल

खोरठा भाषा के विकास एवं संरक्षण के लिए 1950 ई. के दौर से ही प्रयास प्रारंभ हुआ। सदियों तक खोरठा भाषा अलिखित रहने पर भी स्पृहणीय रूप से समृद्ध है और उल्लेखनीय व्यंजना क्षमता भी रहती है।

खोरठा के साहित्यकार

साहित्य मुख्यतः दो प्रकार का होता है। प्राचीन या लोक साहित्य और दूसरा अर्वाचीन या शिष्ट साहित्य। लोक साहित्य किसी विशेष क्षेत्र की संस्कृति का मुख होता है और लोक साहित्य के दो अंग होते हैं। उसके लोक साहित्य के संरक्षण की दिशा में पानुरी जी ने प्रथमतः प्रयास किया। 1950 के आसपास राहुल जी के साथ पानुरी जी के पत्राचार का पता लगता है कि पानुरी जी की 'दिव्य ज्योति' आदि खोरठा रचनाओं से वे बहुत प्रभावित थे। उन्होंने उनके धैर्य की प्रशंसा की। पानुरी जी की साहित्य साधना से खोरठा साहित्य बहुमुखी धाराओं में विकसित होने लगा। पानुरी जी के अतिरिक्त इस दिशा में काम करने वाले उल्लेखनीय नाम रहे— तितकी राय, हाड़ी राम, गांगु राम, चौपाली, भ-भ भीरता (यानी भवप्रीता नन्द), राम सुन्दर महथा, चामू कमार, लक्ष्मण पाठक, लोनिन महतो, दलेल सिंह, व्याकुल जी, पानुरी जी, जीतू लाल महथा इत्यादि।

वर्तमान में खोरठा भाषा के विकास से जुड़े निम्नलिखित नामों की चर्चा आती है— विश्वनाथ प्रसाद नागर, विश्वनाथ दसौंधी, राज, नरेश, 'नील कमल', के.वी.एस. चौधरी, ए.के. झा., भोला राम ओहदार, बी.एन. ओहदार, शंकर ओहदार, मोतराम ओहदार, नागेश्वर महतो, चित्तरंजन महतो, भुवनेश्वर साहु, वासुदेव महतो, विनय चेटरवार, चतुर्भुज साहु, महेश गोलवार, नारायण महतो, गजाधर महतो, सरजू राम प्रजापति, चमन महतो, अमर कुमार, मोहम्मद सद्दीक, मोहम्मद इस्माइल, मोहम्मद सिराजुद्दीन, मोहम्मद हनीफ, मोहम्मद प्यारे हुसैन अन्सारी, फोतेश्वर करमाली इत्यादि। इसके अतिरिक्त गौरी शंकर लाला, कलावती, जयवीर साहु, असद अली खां, चरकू करमाली, अर्जुन पानुरी, बिन्देश साहु, लाला पूर्णेन्दु, नारायण सिन्हा, कमलेश सिंह, काली सिंह, बिरसा मुण्डा, लक्ष्मण महतो, हरि महतो, गणेश करमाली, शिवनन्दन पाण्डेय, भोगनाथ ओहदार, विनोद कुमार इत्यादि।

खोरठा भाषा के रचनाकार और उनकी कृतियाँ

खोरठा भाषा में प्रकाशित पुस्तकों की चर्चा की जाए तो और भी स्पष्ट होगा कि इस क्षेत्र के मूल निवासी खोरठा भाषी साहित्यकारों ने काम किया है।

1. **श्रीनिवास पानुरी :** वे धनबाद जिला अन्तर्गत बरबा अड्डी गाँव के निवासी हैं। उनकी कृति मेघदूत (अनूदित काइब), उद्बासल कर्ण (नाटक), रामकथामृत (काइब), चाभी-काठी (नाटक), रक्तें रागल पांखा (काइब), मातरी भाषा (पतारिका)।

2. **ए.के. झा :** ये बोकारो जिला अन्तर्गत पेटरवार प्रखंड के निकट चंडीपुर गाँव के निवासी हैं। उनकी कृतियाँ है—खोरठाक काठे गाइदेक खैंडी (गइद संग्रह), गोरठाक काठे पइदेक खंडी (पइद संग्रह), खोरठा साहित्य सदानिक बेयाकरन, समाजेक सरजुइत निसइन

(प्रबंध काइब), मेकामेकी ना मेटमाट (नाटक), कविता पुरान (बाल कविता) संग्रह ।

3. **डॉ. चतुर्भुज / ए.के. झा :** डॉ. चतुर्भुज साहु हजारीबाग जिले के पतरातू के निवासी हैं। इनकी कृति है—खोरठा सहित सदानी भाषा-संस्कृति के विभिन्न पहलुओं पर विचार, रस, छंद, अंलकार।

4. **संतोष कुमार महतो :** ये जैना मोड़ के निकट गांगजौरी के निवासी हैं। इनकी कृति यों है—एक मउनी फूल (कविता संग्रह) एक पथिया डोंगल महुआ (कविता संग्रह)।

5. **संगिया संपादन :** इनकी कृति हैं—खोरठा लोक कथा संग्रह, खोरठा गइद-पइद संग्रह, एक टोकी फूल (तितकी/लोक गीत संग्रह), तितकी (खोरठा पतरिका)।

6. **शिवनाथ प्रमाणिक :** बोकारो के निकट बैंजमारा गाँव के निवासी हैं। इनकी कृति हैं—रूसल पुटुस (कविता संग्रह/संपादित), दामुदरेक कोराया (खंड काइब), तातल और हेमाल (कविता संग्रह)।

7. **चित्तरंजन महतो 'चित्रा' :** हजारी बाग के रामगढ़ के निकट लारी गाँव के निवासी हैं। इनकी कृति है—जिनगिक टोह (उपन्यास)।

8. **बंशी लाल 'बंशी' :** बोकारो के निकट चोफन के निवासी हैं। इनकी कृति हैं—डींड़ाक डोंआनी (प्रबंध काइब), खोरठा दर्पण (विविध ग्रंथ)।

9. **सुकुमार :** गोमिया के निकट मंडा के निवासी हैं। इनकी कृति हैं—डाह (नाटक), पइनसोखा (लोकगीत संग्रह), सेवॉती (लोकगीत संग्रह)।

10. **प्रो. बी.एन. ओहदार :** रामगढ़ के निकट चेटर के निवासी हैं। इनकी कृति है—खोरठा निबंध।

11. **प्रो. विनोद कुमार :** हजारीबाग जिला के दारू गाँव के निवासी हैं। इनकी कृति है—सोंध माटी (कइहनी-कविता संग्रह)।

12. **डॉ. गजाधर महतो 'प्रभाकर' :** हजारीबाग के चितरापुर के निकट उसरा गाँव के निवासी हैं। इनकी कृति है—पुटुस फूल (काइब)।

13. **श्याम सुन्दर महतो 'श्याम' :** गोमा के निकट खसमी गाँव के निवासी हैं। इनकी कृति हैं—मुक्तिक डहर (प्रबंध काइब), तोय आर हाम (कविता संग्रह), चेड़राक मुँड़े बेल (काइब)।

14. **रमणिका गुप्ता :** बोनेक बोल (संपादित कविता संग्रह)।

15. **कृष्णचन्द्र दास 'आला' :** जेना मोड़ के कढ़रिया गाँव के निवासी हैं। इनकी कृति हैं—संइतल साड़ा (कविता संग्रह), खोरठा भाषा गर्हन (भासा बिगियान)।

16. **शांति भारत :** बोकारो के निकट भतअ के निवासी हैं। इनकी कृति है— बेलंदरी (संपादित लोकगीत संग्रह)।

17. **मोमेरा बेगम 'मोमेरा' :** चास के निकट कुंडरू के निवासी हैं। इनकी कृति है—दीनेक दीया (कविता संग्रह)।

18. **शिवनन्दन पाण्डेय 'गरीब' :** गिरिडीह के घोरंजी के निवासी हैं। इनकी कृति है—खोरठा लोकगीत।

19. **बासु बिहारी :** बोकारो के नावाडीह के निवासी हैं। इनकी कृति है— कोरइया फूल

(लोकगीत संग्रह)।

20. फुलचाँद महतो : गोमो के निकट बाराडीह के निवासी हैं। इनकी कृति है—भीस्मेक सत (काइब)।

21. घनपत महतो 'गणपति' : चितरपुर के निकट पोटमदगा के निवासी हैं। इनकी कृति है—कादो फूल।

22. मनमोहन पाठक : ये धनबाद के भिश्ती पाड़ी के निवासी हैं। इनकी कृति है—गीतांजलि (अनूदित काइब)।

23. मनपूरन गोस्वामी : ये बोकारो के निवासी हैं। इनकी कृति है —महुआ (गीत संग्रह)।

24. जनार्दन गोस्वामी 'व्यथित' : बालाडीह बोकारो के निवासी हैं। इनकी कृति है—माराफरी (प्रबंध काइब)।

25. गिरिधारी गोस्वामी 'आकाश खूँटी' : ये बोकारो के बालाडीह के निवासी हैं। इनकी कृति है—लुआठी (पतरिका)।

खोरठा की नींव के पत्थर

विष्णुगढ़ के भुवनेश्वर दत्त शर्मा 'व्याकुल' जी ने भी खोरठा भाषा में आधुनिक साहित्य का सृजन किया है।

खोरठा साहित्य को विकसित करने में श्रीनिवास पानुरी और ए.के. झा ने काफी कार्य एवं संघर्ष किया है। ए.के. झा सम्प्रति पतरातू थर्मल पावर स्टेशन में कार्यरत हैं। उन्होंने खोरठा साहित्य सदानिक बेयाकरण, काव्य, समाजेक, सरजुइत निसइन, कविता संग्रह—खोरठा का काठे खंड़ी, बाल-कविता-संग्रह-कविता-पुरान (खोरठा-हिन्दी दोनों में), गद्य-खोरठाक काठे 'गइदेक खंड़ी' नाटक-मेकागेकी ना मेट माट, निबन्ध संग्रह—खोरठा-सदानी भाषा संस्कृति के विभिन्न पहलुओं पर विचार, छंद-रस-अंलकार आदि। इनके सिवाय कई संपादित रचनाएँ हैं—ये सभी प्रकाशित हैं।

ए.के. झा की अप्रकाशित रचनाएँ भी कई हैं, जिनमें उपन्यास, कविता-संग्रह, शब्दकोश, भाषा विज्ञान आदि शामिल हैं। उनकी रचनाओं के कतिपय उदाहरण निम्नलिखित हैं।

इनकी कृतियों से चन्द पंक्तियाँ—

डहर ऐज डोंवाइ-डोंवाइ देख-हइ डहर,
कि खातिर, कइलन, ककर— ? —डहर से
अइला राजा दातित्क ते
घड़ी के बांधल्थिन, छड़ी से गादल्थिन
मल्किन बुइध ब ाइल नांइ, गाली गुचाइ बाढ़ ले जाई।

—'सवागत' से।

'लुगें' लेपटाइल मेड़ा तोंय
तोर मानुस रूप ता कोई—'मानुस ना मेड़' से

अर्थात्—'राह रोज रो-रो, राह देखती है
किनकी, कैसे, किसलिए—डहर' से।
'राजे आए कितने-कितने
घड़ी को बाँधा, छड़ी को साधा
पर दिमाग नहीं बँधा, रुकावट तोड़ और बढ़ा।' —'सवागत' से।

खोरठा और ए.के. झा

खोरठा भाषा के विकास के लिए ए.के. झा सक्रियता से 1985 ई. से ही खोरठा सम्मेलन आयोजित करते रहे हैं। 1994 ई. में खोरठा साहित्य संस्कृति परिषद् की स्थापना हुई, जिसके वे संस्थापक अध्यक्ष और निदेशक हैं।

खोरठा सम्मेलन का पहला आयोजन रामगढ़ के निकट चितरपुर के पास चेटर गाँव में 1985 ई. में हुआ। उस एक दिवसीय सम्मेलन में डॉ. रामदयाल मुण्डा तत्कालीन प्रतिकुलपति ने सक्रिय रूप से भाग लिया। अन्य लोगों में रमणिका गुप्ता, ए.के.झा, महेश गोलबार, बंशी लाल 'बंशी', शान्ति भारत, सुकुमार, सुरेश नारायण सिंह राठौर, बी.एन. ओहदार इत्यादि प्रमुख थे। इस सम्मेलन में डॉ. मुण्डा ने इस बात से प्रसन्नता जाहिर की कि सामान्य लोगों में खोरठा के प्रति चेतना जग रही है। यह उसके सुनहरे भविष्य का प्रतीक है।

इसके बाद दूसरा सम्मेलन 1986 ई. में कोठार गाँव, 1987 ई. में रामगढ़ कॉलेज के प्रांगण, 1988 ई. में बोकारो, 1989 ई. में जेना मोड़, 1990 ई. में चास एवं 1991 ई. में जैना मोड़ के पास आयोजन हुआ। सारे आयोजनों में ए. के. झा का निदेशन और पहल रहा।

खोरठा का पठन-पाठन

इस प्रकार श्री ए.के. झा की सक्रियता से खोरठा भाषा के सम्मेलन नियमित रूप से आयोजित किए जा रहे हैं। यह भी एक प्रसन्नता की बात है कि खोरठा भाषा की पढ़ाई राँची विश्वविद्यालय में स्नातकोत्तर स्तर पर होती है। विनोबा भावे विश्वविद्यालय में गिरिडीह के बेरमो, तेनुघाट, चास, कॉलेज इत्यादि में खोरठा भाषा की पढ़ाई होती है। इसके अतिरिक्त संत कोलम्बस कॉलेज, हजारी बाग, पतरातू और रामगढ़ कॉलेज में भी खोरठा भाषा की परीक्षा का प्रावधान है। हालाँकि इन कॉलेजों में अभी भी इसकी पढ़ाई प्रारंभ नहीं हो सकी है।

खोरठा साहित्य-संस्कृति परिषद्

खोरठा साहित्य-संस्कृति परिषद् की चर्चा करना भी समीचीन होगा। उनके पदाधिकारियों के नाम निम्नलिखित हैं। इनकी स्थापना 6 अप्रैल 1994 को ए.के. झा की अध्यक्षता में हुई। उसकी एक तदर्थ समिति बनी जिसमें निम्नलिखित व्यक्ति अग्रणी रहे—

निदेशक : ए.के. झा
सचिव : बी.एन. ओहदार
प्रबंध सचिव : शिवनाथ प्रमाणिक
कोषाध्यक्ष : शांति भारत

कार्यकारिणी के सदस्य

(1)	जयवीर साहु	(2)	पारसनाथ महतो
(3)	बंशी लाल 'बंशी'	(4)	भुनेश्वर साहु
(5)	डॉ. चतुर्भुज साहु	(6)	परितोष कुमार प्रजापति
(7)	सुगा देवी	(8)	श्याम सुन्दर महतो
(9)	प्रकाश चन्द्र रजबार	(10)	प्रेमचंद माँझी
(11)	सत्यनारायण राय		

खोरठा साहित्य-संस्कृति परिषद् का बिहार सरकार से पंजीयन दिनांक 30.5.95 को हुआ जिसकी पंजीयन संख्या 187/95-96 है। परिषद् की आम सभा में सत्र 1995-98 के लिए दिनांक 10.6.95 को तदर्थ समिति को स्थायी समिति में परिणत कर दिया गया। सत्र 1998-2001 की कार्य समिति के पदाधिकारी एवं सदस्यगण निम्नलिखित हैं—

कार्यकारी निदेशक : डॉ. चतुर्भुज साहु
सचिव : प्रो. बी.एन. ओहदार
संयुक्त सचिव : दिनेश दिनमणि
प्रबंध सचिव : सुकुमार
कोषाध्यक्ष : शांति भारत

कार्यकारिणी

प्रो. पारसनाथ महतो, प्रो. भुनेश्वर साहु, प्रो. नागेश्वर महतो, प्रेमचंद माँझी, शिवनन्दन पाण्डेय, 'गरीब', राजेश कुमार, शिवनाथ प्रमाणिक, बंशीलाल 'बंशी', श्याम सुन्दर महतो, जगदीश महतो, परितोष कुमार प्रजापति, श्रद्धा कुमारी, प्यारे हुसैन, प्रहलाद चन्द्र दास एवं धनंजय प्रसाद।

खोरठा भाषा का मानकीकरण

खोरठा भाषा के स्वरूप के मानकीकरण की दिशा में कार्य हो रहे हैं। 12-14 दिसम्बर 1986 को जेवियर समाज संस्थान, राँची में झारखंड की भाषाओं के मानकीकरण पर एक सेमिनार आयोजित किया गया। खोरठा भाषा के मानकीकरण पर हुए निर्णय को यहाँ प्रस्तुत किया जा रहा है। जिससे शब्द सम्पदा के स्वरूप की झाँकी मिल सके—

1. खोरठा भाषा में श, ष, स में एक ही 'स' का प्रयोग किया जाता है।
2. खोरठा में 'संयुक्ताक्षर' का प्रयोग नहीं होता है। किन्तु इसमें विद्वानों का एकमत नहीं है।
3. कोई शब्द शुरू में 'व' या 'य' आए तो 'व' या 'ब' में और 'य' या 'ज' में बदल जाता है।
4. खोरठा में 'ज्ञ' खातिर 'ग्य', 'क्ष' खातिर 'क्छ', 'कख' बा 'च्छ' का प्रयोग होता है।
5. 'व्य' के 'बे', 'य' के 'ए', 'ऋ', के 'रि' का प्रयोग होता है। जैसे व्यवहार-बेबहार,

यकीन-एकीन, ऋषि-रिसि आदि।

6. 'ऐ' को 'अइ' और 'औ' को 'अउ' लिखा जाता है। जैसे—ऐनक-अइनक, औजार-अउजार आदि।

7. विशेषण बनाने वाले शब्द 'ल', 'इया', 'अइल', 'गर' से बनाया जाता है। जैसे—गछ से गछल, गछवइया आदि। संज्ञा बनाने वाले 'ई', 'वइया', 'अइनी' आदि से गुरगुरी, सरसरी आदि बनाया जाता है। क्रिया विशेषण 'आइल' से मनमनाइल, गड़गड़ाइल आदि प्रत्यय जोड़कर बनाया जाता है।

8. बहुवचन 'अइन' शब्द जोड़कर लोकवइन, छोटकइन आदि शब्द बनाया जाता है।

9. दूसरी भाषा के शब्दों का भी प्रयोग किया जाता है—जिनका प्रयोग किया जाता है वह हैं जैसे राष्ट्रपति, अंग्रेजी आदि।

10. अपनापन दिखाने के लिए क्रिया के सें-सें., 'क', 'थ' आदि जोड़कर बनाया जाता है। जैसे कहल-कहलक, कहल-कहल्थिन आदि।

11. गिनती का रूप देखने के लिए टा, टी, ठो, गो, गोटा, गोड़, हर, मुण्ड आदि शब्द जोड़कर बनाया जाता है। जैसे—एगो, दूगोटा, सात मुण्ड आदि।

12. पूर्वकालिक क्रिया बनाने में हेर-फेर किया जाता है। जैसे—माइर के टाइर के आदि।

13. खोरठा में सहयोगी शब्द का अथाह भंडार है। जैसे—अकर-बकर, अड़-सड़ आदि।

14. उल्टा अर्थ शब्द का व्यवहार खोरठा में बहुत होता है। जैसे—आइल-गेल, हेंठ-ऊपर आदि।

15. ठेठ खोरठा शब्द को अंग्रेजी शब्द बनाने में अपभ्रंश रूप में प्रयोग किया जाता है। जैसे—स्कूल-इस्कूल, स्टेशन-टीसन, इंस्पेक्टर-निसपीटर आदि।

16. खोरठा में अनेक पलटनियाँ शब्द हैं, जिसको उलट देने से अर्थ बदल जाता है। जैसे—कटकट-टकटक, पटपट-टपटप आदि।

झारखंड राज्य के गठन से खोरठा और अन्य भगिनी भाषाओं का भविष्य उज्ज्वल है। हजारीबाग खोरठा भाषा के विकास का केन्द्रस्थल है और भविष्य में झारखंड की क्षेत्रीय भाषा के रूप में यह निरन्तर विकासमान होती रहेगी।

झारखंड में ओड़िया भाषा और संस्कृति

डॉ. देवीदत्त पिनाकपाणि प्रसन्न शतपथी

सन् 1936 तक ओड़िसा एवं बिहार का शासन बिहार के ही हाथ में था। दोनों प्रदेश एक साथ बँधे हुए थे जबकि सांस्कृतिक-सामाजिक एवं अर्थनैतिक क्षेत्रों में वे एक-दूसरे से अलग थे। दोनों सन्निहित राज्य होने के कारण इनके मध्य जनसंख्या का आव्रजन एवं प्रव्रजन दोनों ही हुआ। लेकिन आव्रजन ओड़िसा से बिहार की ओर ही हुआ। कारण ओड़िसा में बाढ़ एवं सूखों की विभीषिका के कारण भूख एवं गरीबी ने उन्हें सन्निहित राज्य में आने के लिए प्रोत्साहित किया। इसके अलावा राजा एवं जमींदारों की इच्छा रहती थी कि वे ब्राह्मणों के गाँव बसाएँ जिसके तहत कुछ ब्राह्मण शासनों को बसाया गया। धार्मिक कारणों से भी बहुत सारे ओड़िसावासी अपनी भौगोलिक सीमा से बाहर आकर बसने लगे। उस तरह की बातें बिहार (आधुनिक झारखंड) राज्य के जहाँ भी जगन्नाथ मन्दिर हों वहाँ दृष्टिगोचर होती है।

ओड़िसा से ओड़िया भाषियों का आव्रजन मुख्यत: सिंहभूम जिले में (वर्तमान पूर्वी सिंहभूम एवं पश्चिमी सिंहभूम) में विभाजित हुआ। धालभूम, सरायकेला, खरसवां, चक्रधरपुर, चाईबासा इत्यादि स्थानों में बहुत सारे ओड़ियाभाषी सदियों से रह रहे हैं। इनके अलावा गुमला, सिमडेगा इत्यादि स्थानों में भी पश्चिमी ओड़िसा से आकर बहुत सारे ओड़िसावासी रहने लगे। लेकिन कालक्रम में इनकी मूलभाषा विकृत हो गई है। पूर्वी सिंहभूम में बांग्ला भाषा के कुछ शब्द एवं उसी प्रकार के उच्चारण आ गए हैं। जबकि पश्चिमी सिंहभूम की भाषा में हिंदी का प्रभाव परिलक्षित होता है। सिमडेगा एवं गुमला वाले एक विकृत प्रकार की ओड़िया भाषा बोलते हैं जिसमें हिंदी शब्द का बहुल प्रयोग होता है।

मूलभाषा एवं बोलने की शैली तो वे कुछ हद तक भूल गए लेकिन अपने संस्कार नहीं छोड़े। अभी भी सामाजिक रीतिरिवाज जैसे विवाह, ब्रह्मोपनयन इत्यादि में, पर्व-त्योहार में अभी भी वे झारखंड के ओड़ियाभाषी ओड़िया संस्कृति से जुड़े हुए हैं। दरभंगा के पास जो ओड़िया गाँव है, उनके निवासी जबकि धड़ल्ले से मैथिली बोल लेते हैं। लेकिन ओड़िया संस्कृति को नहीं छोड़ते हैं।

सिंहभूम उड़ीसा का विच्छिन्न अंचल है। जनगणना जो भी दर्ज की गई हो लेकिन इसमें कोई सन्देह नहीं है कि यहाँ के करीब आधे लोग उड़िया भाषाभाषी हैं। पश्चिम सिहंभूम में आदिवासियों की मातृभाषा के बाद उड़िया ही दूसरी सम्पर्क भाषा है। बहुत दिन पहले यहाँ उड़ीसा से आव्रजन के कारण एवं उड़ीसा की केन्द्र भूमि से दूर रहने के कारण इनकी भाषा विकृत हो गई। विकृति इस प्रकार की है कि उड़ीसा की केन्द्रभूमि के लोगों को इनकी भाषा समझने में

कठिनाइयाँ होती हैं। पूर्वी सिंहभूम की उड़िया भाषा बंगाल से प्रभावित है एवं पश्चिमी सिंहभूम की उड़िया भाषा हिंदी से प्रभावित है। 1942 ई. में जे.ए. डंग एक भूगर्भ शास्त्री ने पूर्वी सिंहभूम के आखिरी प्रांत की भाषा के बारे में टिप्पणी इस प्रकार की है, ''बहरागोड़ा क्षेत्र की स्थानीय भाषा उड़िया और बांग्ला की एक मिश्रित भाषा है।'' उस भाषा में कुछ उड़िया शब्द एवं कुछ बांग्ला शब्दों का सम्मिश्रण है।

भाषा में विकृति होने के बावजूद सिंहभूम के उड़िया भाषाभाषी लोग अपनी मूल संस्कृति को नहीं भूले। विवाह, उपनयन, श्राद्ध कर्म, व्रत त्योहार, पूजा इत्यादि में ये अभी भी उड़ीसा की संस्कृति से जुड़े हुए हैं। सिंहभूम से बहुत दूर दरभंगा जिले में उड़िया संस्कृति की झलक देखने को मिलती है।

इन उड़िया भाषाभाषियों में साहित्य के क्षेत्र में भी बहुत कृति सन्तान जन्मे हैं जिन्होंने अपनी रचनाओं के द्वारा अपनी अमिट छाप छोड़ी है। इनमें से बहुत सारे कवि, नाट्यकार, गाल्पिक इत्यादि भी हुए हैं। इनमें से ज्यादातर लोग नाटक लिखने में ही अधिक रुचि दिखलाते हैं क्योंकि नाटक जनसमाज में अभिनय के द्वारा अधिक लोकप्रिय होता है एवं दर्शकों के मानसपटल में बहुत सारी बातों को अंकित कर देता है। एक अंग्रेज लेखक के अनुसार, 'ड्राप इज द लिजेंड ऑफ लाइफ, कॉपी ऑफ कल्चर एंड ऐज़े ऑफ द सोसाइटी'। समाज के अन्तर्गत नर-नारियों का चरित्र ही नाटक का प्राण है। यद्यपि नाटक में पौराणिक कथाएँ, ऐतिहासिक गाथाएँ तथा सामाजिक समस्याएँ केन्द्रबिन्दु में होते हैं, फिर भी हर नाटक में समसामयिक सभ्यता एवं संस्कृति का प्रभाव स्पष्ट रूप से दिखाई पड़ता है। नाटक का जीवन कोई आत्मकेन्द्रित व्यक्तिगत जीवन नहीं होता बल्कि बृहत्तर सामाजिक जीवन का प्रतिरूप होता है।

सिंहभूम में नाट्यकारों ने जो नाटक लिखे उनमें अधिकतर पौराणिक आख्यानों पर आधारित हैं क्योंकि प्राचीन समाज में दर्शकों के बीच पौराणिक आख्यान ही अधिक रोचक होते थे एवं उनमें से कुछ बातों को वे खुद भी जानते थे। जैसे रामायण एवं महाभारत की कथाओं पर आधारित नाटकों की विषयवस्तु आम आदमी को भी कुछ हद तक मालूम रहती थी।

सिंहभूम के नाट्य अभिनय का इतिहास अध्ययन करने से पता चलता है कि इस क्षेत्र में 1868 ई. में भी खुद ग्रामों में अभिनय का दल था लेकिन उस समय कोई लिखित नाटक नहीं था। कलाकार लोग स्वरचित कविताओं को भावभंगिमा के साथ मंच पर अभिव्यक्त करके जनसाधारण का मनोरंजन करते थे। वादी-प्रतिवादी के रूप में दो दल एक-दूसरे को गीत के माध्यम से प्रश्न करते थे एवं उसके उत्तर गीत में ही प्राप्त होते थे। वस्तुत: बंगाल का 'कोविर गान' अथवा 'तर्जा लड़ाई' का ही ओड़िया रूप है। इन कलाकारों के गीत में नाटकीय लक्षण अथवा विषयवस्तु की धारावाहिकता नहीं रहती थी। आजकल कुछ गाँवों में मेले के समय 'दोली गीत' भी इसी प्रकार का ही एक प्रदर्शन है।

सिंहभूम में जो नाटक लिखे गए उनमें अधिकांश गीतिनाट्य होते थे। कुछ ओपेरा नाटक भी लिखे गए। गीतिनाट्य को एक तरह से संस्कृत का चंपू काव्य कहा जा सकता है। गीतिनाट्य

लिखने में जिनका नाम बहुत ही प्रसिद्ध है वे हैं राघव चौधारी, जदुनाथ शत्पथी, अभिमन्यु दास, काली प्रसन्न शत्पथी इत्यादि। ये मूल रचनाएँ उड़ीसा से किसी नाटक को लाकर उस पर कुछ जोड़ा नहीं है, मूलत: ये उन्हीं के दिमाग की उपज है।

1860 ई. में राघव चौधरी (महन्तो) ने पूरे रामायण को नाटक के आकार में लिखने का प्रयास किया था लेकिन उनकी आशा पूरी नहीं हुई। कुछ नाटक लिखने के बाद उनका देहान्त हो गया। लंकाकांड के बीच में ही उनकी रचना समाप्त हो गई लेकिन उनके बाद उनकी रचना को उनके पुत्र काली चौधरी ने आगे बढ़ाया एवं लंकाकांड का अवशेष तथा उत्तरकांड लिखा। किन्तु इनकी रचना उनके पिता की रचना से निकृष्ट रही। राघव चौधरी के नाटक में गीतों की संख्या अधिक है, संलाप कम है। उनमें श्रव्य काव्य जैसे वर्णन की प्रचुरता है। उनके नाटक का स्रोत कुछ उड़िया रामायण जैसे केशव रामायण एवं तुलसीदास कृत रामचरित मानस थे। इनकी रचना का वैशिष्ट्य यह है कि हरेक अंक में रावण जब प्रवेश करता है तो पहला संलाप हिंदी में बोलता है।

अभिमन्यु दास ने बांग्ला में रचित 'शीतला मंगल' को नाट्य रूप प्रदान किया। यह भी स्वांग या गीतिनाट्य था। इस नाटक में संलाप अति साधारण भाषा में लिखा गया। गीत अथवा कविता भी उच्च कोटि के नहीं हैं।

इसके बाद शासनग्राम में जगन्नाथ राज्यश्री का आविर्भाव हुआ। उनकी रचनाएँ अधिकतर गीतिनाट्य ही थे जैसे रुक्मिणी हरण, सीता बनवास, सुभद्रा-हरण इत्यादि। जो स्थानीय नाटक मंडली में अभिनीत होते थे एवं आज भी अभिनीत होते हैं। उनके द्वारा रचित अद्ध ऑपेरा, इन्द्रजीत वध, रावण वध एवं ऑपेरा जतरा नाटक जैसे हरि भक्ति, हरिनाम महात्म्य, तारकासुर वध इत्यादि ने स्थानीय नाट्य संस्थाओं के द्वारा अभिनीत होकर बहुत नाम कमाया था।

1942 ई. से पंडित काली प्रसन्न शत्पथी ने गीतिनाट्य की रचना नए आकार में करके जन सामान्य में सुख्याति अर्जित की। उनके गीतिनाट्यों में से कर्णार्जुन, बकासुर वध, पंचवटी, दक्षयज्ञ, महाप्रलय, मंशामंगल, शीतला मंगल, लक्ष बलि, अथवा महापूजा इत्यादि बहुत ही लोकप्रिय हैं। इन सब नाटकों का अभिनय स्थानीय नाट्य मंडली द्वारा मयूरगंज जिले के उत्तरांश कुछ नाट्य संस्थाओं द्वारा एवं मेदिनीपुर जिला के पश्चिमांश के कुछ जात्रा दलों द्वारा अभिनीत होते हैं।

गीतिनाट्य के अलावा पंडित काली प्रसन्न शत्पथी ने ऑपेरा या जात्रा के बहुत नाटक लिखे हैं। ये मुख्यत: बंग देश के ऑपेरा नाटक के प्रणेताओं के द्वारा अनुप्राणित हैं। इनके ऑपेरा नाटकों में अमर गौरव, देवासुर, माइसमति, शंखग्रीव, मधुरेश्वर, अथवा मुक्त मानव, नर-नारायण, विदर्भ नंदिनी, चित्रेश्वर या महाकाल, काल नागिनी इत्यादि नाटकों का नाम उल्लेख योग्य है। इनमें शेष दोनों को छोड़ कर बाकी पौराणिक आख्यानों पर आधारित हैं जबकि शेष दोनों ऐतिहासिक तथ्य पर आधारित हैं। उनकी नाट्य रचना एक महत्त्वपूर्ण कृति है। उड़ीसा के ग्रामांचल में त्रिनाथ मेला जो एक छोटी-सी पूजा की पुस्तक है, उसकी कहानी पर आधारित नाटक जयत्रिनाथ या त्रिदेव जो एक ऑपेरा नाटक है।

सिर्फ पूर्वी सिंहभूम में नहीं, पश्चिमी सिंहभूम में खासकर चक्रधरपुर में ओड़िया नाटकों का

मंचन बहुत पहले से हो रहा है। अनुमानतः चक्रधरपुर में 1825-26 ई. में शिव विवाह नाटक मंचस्थ हुआ था। इसके बाद 1852-53 में सीता हरण नाटक का अभिनय हुआ। 1914-15 में जना-नाटक का अभिनय हुआ जो बांग्ला-भाषा के उस नाम के नाटक का अनुवाद था। इसके बाद 1917 ई. में मेवाड़-पतन, 1925 में कर्णार्जुन, 1930-31 में चन्द्रगुप्त, 1933 ई. में कीर्तिवीर्य एवं मातृपूजा, 1937 में शोभावती हरण, मीर कासिम, सीता इत्यादि का अभिनय हुआ। 1950 में सामाजिक नाटक 'यूलिया' का अभिनय हुआ। 1943 से 50 के बीच सीता, तूफान, चक्री, रामराज्य, महापथर यात्री, मोरमणि, जौतुक, भाई-भौजो, बेनामी, साधव, माँ, मुकुन्द देव, लक्षहीरा इत्यादि नाटकों का अभिनय हुआ।

लेकिन चक्रधरपुर अथवा सरायकेला, करईकेला, खरसवां इत्यादि स्थानों में जिन नाटकों का मंचन हुआ इन सभी के लेखक या तो उड़ीसा के थे अथवा बांग्ला भाषा से उनका अनुवाद किया गया था।

सरायकेला नाटक की अपेक्षा छऊ नृत्य का प्रदर्शन अधिक होता है। वैदेशिक उत्साह, प्रोत्साहन एवं संरक्षण के कारण छऊ नृत्य की कला यहाँ बहुत विकसित हुई। वस्तुतः छऊ नृत्य प्राचीन युग में प्रचलित 'हरिखंडा नाच' से ही प्रारम्भ हुआ। सरायकेला के नाट्यकार स्व. काली प्रसन्न कवि ने भी कुछ नाटक लिखे जैसे अभिराज सिंह, जय-पराजय, गोटीय रात्रि, गुरु परीक्षा, मध्यम, त्रिरंग पताका इत्यादि। इनके नाटकों में पौराणिक, ऐतिहासिक एवं सामाजिक सभी प्रकार के आख्यान हैं। खरसवां में अभी वीणापाणि जात्रा संघ के सौजन्य से कुछ ऑपेरा नाटकों का मंचन हो रहा है।

1915-16 से सिंहभूम में 'पाला' का प्रचलन था। यह पाला वस्तुतः 'वादी पाला' थे। मुख्यतः भंज साहित्य तथा प्राचीन ओड़िया साहित्य को केन्द्र में रख कर इन वादी 'पालाओं' में दो दलों के बीच तर्क-वितर्क होता था। अभी भी मेर-मेरा एवं सोनुआ ग्राम में हर वर्ष 'पालाओं' का अनुष्ठान होता है एवं इन्हें सुनने के लिए बहुत सारे दर्शक आते हैं।

काव्य रचना करना एक दुरूह कार्य है। रवीन्द्रनाथ ने सैकड़ों कविताएँ लिखीं लेकिन एक भी काव्य रचना नहीं कर पाए। लेकिन इस क्षेत्र में जन्मे पंडित काली प्रसन्न शत्पथी ने तीन महाकाव्यों की रचना की। इसमें 'प्रभावती महाकाव्य' जो धालभूम के इतिहास पर आधारित है एवं प्रकाशित भी है। तथा 'द्वारावती महाकाव्य' जो कृष्ण की द्वारिकापुरी से सम्बद्ध है एवं 'वनलता महाकाव्य' जो राजपूताना की एक ऐतिहासिक घटना पर आधारित है एवं दोनों ही अप्रकाशित हैं। इनके अलावा सिंहभूम में काव्य रचना का काम उनके पितृदेव पंडित जदुनाथ शत्पथी ने किया था जिनका 'भंजवीर महाकाव्य' जो मयूरभंज के भंज राजाओं से संबंधित है उस पर आधारित है। इनके अलावा संभवतः किसी ने सिंहभूम में ओड़िया भाषा में काव्य या महाकाव्य की रचना नहीं की।

उपन्यास एवं गल्प के क्षेत्र में यहाँ के ओड़िया लेखक अधिक आग्रही नहीं थे। काली प्रसन्न कवि का 'रानी रेणूदा' जो एक बांग्ला उपन्यास है एवं पंडित काली प्रसन्न शत्पथी की ओड़िया में लिखी 'चाकरी मोह' कहानी के क्षेत्र में उल्लेख योग्य है।

ऐसी कविताएँ बहुत सारे लोगों द्वारा लिखी गई हैं। पंडित काली प्रसन्न शत्पथी ने विभिन्न

विषयों पर आधारित 500 से अधिक कविताएँ लिखी हैं। मन्दाक्रान्ता छन्द को बरकरार रखते हुए, सुललित भाषा में उन्होंने मेघदूत के दोनों भागों का ओड़िया में अनुवाद किया। इसके अलावा बहरागोड़ा क्षेत्र में प्रचलित ओड़िया-बांग्ला भाषा के मिश्रण से उत्पन्न स्थानीय भाषा में उन्होंने बहुत सारी कविताएँ लिखीं जो व्यंग्यात्मक हैं एवं स्थानीय लोगों को काफी आनन्द प्रदान करती हैं।

शासनग्राम के ही वैद्यनाथ मिश्र ने 'भीम भोई' की रचनाओं की समीक्षा की है जो प्रकाशित भी हैं।

झारखंड में बांग्ला भाषा एवं साहित्य

अरुणांशु बनर्जी

बांग्ला भाषा के विकास के बारे में विभिन्न पंडितों और भाषाविदों के बीच सूक्ष्म मतभेद के बावजूद मूलत: 'मागधी प्राकृत' को ही इसकी आदि भाषा के रूप में स्वीकार कर लिया गया है। समय के साथ-साथ अपने विकास के पथ पर मागधी प्राकृत भाषा अनार्य भाषा के साथ घुल-मिलकर विभिन्न रूपों में विकसित हुई। प्रसिद्ध भाषाविद् डॉ. सुनीति कुमार चट्टोपाध्याय ने अपनी 'भाषा तत्वेर इतिहास' की भूमिका में बांग्ला भाषा का विभाजन आंचलिक परिसीमा के आधार पर किया है। उनके द्वारा दर्शाए गए बांग्ला भाषा के विभिन्न रूप इस प्रकार हैं—

(1) साधु भाषा और बोलचाल की भाषा (कोलकाता और भागीरथी नदी का किनारा) (2) मानभूम की मौखिक भाषा (पश्चिम बंगाल) (3) राजबंशी (उत्तर बंगाल) (4) ढाका, मानिक गंज (पूर्वी बंगाल) (5) श्री हट्ट (पूर्वी बंगाल) (6) चटगाँव (पूर्वी बंगाल) (7) बरिशाल (पूर्वी बंगाल)।

भाषाविद् ग्रियर्सन और मोहम्मद शहीदुल्लाह ने भी बांग्ला भाषा के विभिन्न रूपों को भौगोलिक परिसीमा के आधार पर दर्शाया है। इन सभी पंडितों के विचारों को ध्यान में रखते हुए विशिष्ट भाषाविद् डॉ. सुकुमार सेन ने बांग्ला भाषा की विभिन्न उपभाषाओं को पाँच विभिन्न रूपों में दर्शाया है —

1. राढ़ी (मध्य-पश्चिम बंगाल की उपभाषा)
2. झारखंडी बांग्ला (दक्षिण-पश्चिम बंगाल की उपभाषा)
3. बरेन्द्री (उत्तर बंगाल की उपभाषा)
4. कामरूपी (उत्तर पूर्व बंगाल की उपभाषा)
5. बंगाली (पूर्व और दक्षिण पूर्व बंगाल की उपभाषा।)

बांग्ला भाषा पूर्वी भारत के विभिन्न अंचलों में विभिन्न रूपों में विकसित हुई है। झारखंड की धरती पर यह जिस रूप में विकसित हुई, यहाँ सबसे पहले उसकी चर्चा करना आवश्यक है। डॉ. सुनीति कुमार चट्टोपाध्याय ने यहाँ की बांग्ला भाषा को कहा है—सुह्म देशीय बांग्ला या सुह्मक बांग्ला। डॉ. सुकुमार सेन ने इसे झारखंडी बांग्ला कहा है। झारखंडी बांग्ला के पण्डित डॉ. धीरेन्द्र नाथ साहा ने झारखंडी बांग्ला को फिर तीन भागों में बाँटा है—धलभुइयाँ, मानभुइयाँ तथा बहरागोड़िया। चूँकि आज के झारखंड के ये सारे अंचल एक समय बंगाल प्रान्त के अन्तर्गत आते थे जिनका प्रशासकीय परिचय था जंगल महल, इसलिए झारखंडी बांग्ला भाषा के इतिहास को इस सम्पूर्ण क्षेत्र की भाषा-संस्कृति के इतिहास के परिप्रेक्ष्य में ही विचार करना उचित होगा।

झारखंडी बांग्ला भाषियों की लोक संस्कृति का इतिहास भी काफी गौरवशाली रहा है। किसी भी लोक संस्कृति के विकसित होने की पूर्व शर्त है, कोई निश्चित भाषा गोष्ठी के लोगों का एक निश्चित भौगोलिक सीमा के अन्दर बहुत लम्बे अरसे तक बसे रहना। प्राकृतिक रूप से जंगलों से घिरे होने के कारण इस क्षेत्र के लोगों का आदि पेशा था शिकार एवं पशुपालन। आगे चलकर जंगल साफ किया गया। खेती लायक जमीनों का निर्माण हुआ। कृषि कार्य प्रारम्भ हुए। विभिन्न मानव गोष्ठियों ने स्थिरता हासिल की, जिनके बीच कालक्रम में, एक नई संस्कृति का जन्म हुआ। उन दिनों खेती सम्पूर्ण रूप से प्राकृतिक जलवायु पर निर्भर करती थी। कृषि कार्य में एकदम प्राचीन तकनीक का ही उपयोग होता था। हल, बैल, गाय आदि खेती के मुख्य साधन थे। यही कारण है कि इन क्षेत्रों के लोगों की संस्कृति भी कृषि आधारित थी। विभिन्न पर्व-त्योहार भी कृषि आधारित हैं। सभी पर्वों की एक धार्मिक पृष्ठभूमि भी है।

इन पर्वों से संबंधित अनगिनत लोकगीतों का सृजन हुआ है जिनमें मुख्य उपादान के रूप में जनजीवन की बातें ही पाई जाती हैं। इन लोकगीतों की विशेषता यह है कि ये कोई व्यक्ति विशेष की रचना नहीं हैं बल्कि ये सामूहिक अनुभवों की अभिव्यक्ति हैं।

झारखंडी बांग्ला भाषियों के अनेक पर्वों में कुछ खास पर्व हैं मकर, बाँधना, टुसु, भादु, जिहुड़ करम जाओआ, जिता आदि। हरेक पर्व के लोकगीतों का अपना एक विशिष्ट रूप है। झारखंडी बांग्ला भाषियों का मुख्य पर्व है टुसु पर्व। इसलिए टुसु से संबंधित गानों की संख्या भी सबसे अधिक है। बांग्ला पंजिका के अनुसार अगहन के मकर संक्रांति के दिन से पौष के मकर संक्रांति के दिन तक टुसु पर्व का उत्सव चलता रहता है। टुसु की कल्पना कभी देवी के रूप में तो कभी कुँआरी कन्या के रूप में की जाती है। टुसु पूज्य भी है और बालाओं की खेल संगिनी भी। टुसु के नाम पर गानों की विभिन्नता तथा विचित्रता भी व्यापक है। इनमें रोजमर्रा की जिन्दगी से लेकर प्रेम, धारा, विक्षोभ हर तरह के भाव झलकते हैं। देखिए इस गाने में लोगों की दुर्दशा कैसे व्यक्त होती है—

नामह पाड़ा गेछिले टुसु, कार कतो धन आछे।
की बइलबो धनेर कथा, भाचा कुटि दिन जाछे॥

अर्थात् 'नामह' मुहल्ले में जाकर टुसु तुमने देखा, किसके पास कितना धन है, धन की बात क्या बताऊँ मेरा तो दूसरों के घर में धान कूटकर दिन कट रहा है।

टुसु को प्रणयलीला की नायिका के रूप में कल्पना कर अपने मन की अभिलाषा भी व्यक्त की जाती है। जैसे कि इस गाने में—

कुइल गाछे कुइलीर बासा, डालिम गाछे केरकेटा।
आमार टुसु फांद आइड़ेछे, पइड़ेछे राजार बेटा॥

इस प्रकार हजारों टुसु गानों के माध्यम से हजारों भाव प्रकट होते हैं।

टुसु पर्व के साथ ही मनाया जाता है 'मकर पर्व' या 'पीठा पार्वन'। यह पर्व खेतों से फसल उगाही के बाद खुशियाँ मनाने का उत्सव है। लोग नए-नए कपड़े पहनते हैं। घर-घर में तरह-तरह के पकवान बनते हैं, खीर बनती है। एक खास पकवान—पीठा, जो चावल, नारियल और दूध से बनाया जाता है, घर-घर में बनाया जाता है।

इन सबके अलावा एक और तरह के गीतों का प्रचलन है झूमर गीत। इन झूमर गीतों में

विशेषकर नारी एवं पुरुष के प्रणयलीला के आदिरूप की झलक मिलती है। झारखंडी लोक संस्कृति के विद्वान डॉ. चित्ररंजन लाहा के अनुसार, ये हजारों टुसु-झुमर गीत झारखंडी बांग्ला संस्कृति के धारक व वाहक हैं।

इन पर्व उत्सवों में लोगों की जीवन चर्या की छाप सुस्पष्ट रूप से झलकती है। लोगों का जीवन निर्वाह मुख्यत: खेती पर टिका हुआ है; इसलिए इनके जीवन में गाय-बैल की भूमिका बहुत अहम है। इसी कारण से बाँधना पर्व में गाय-बैलों की पूजा होती है। उस दिन गाय-बैलों को नहलाया जाता है। गोशाला की सफाई की जाती है। इसे धूप-धूना जलाकर सुगंधित किया जाता है। गाय-बैलों के लिए अच्छा-से-अच्छा खाने का प्रबंध किया जाता है। इस पर्व की पृष्ठभूमि में एक लोक कथा भी प्रचलित है। महादेव गाय-बैलों की शिकायत के आधार पर उनकी सुधि लेने के लिए उस दिन गृहस्थ के घर आते हैं। इन लोक कथाओं तथा पर्वों में कृषि आधारित जीवनशैली में खेती के औजार तथा पशुधन के महत्त्व के प्रति लोगों को सचेत करने की कोशिश निहित है। इसी तरह के और भी बहुत से पार्वन झारखंडी बांग्ला भाषियों के बीच प्रचलित हैं। जैसे—हालपूनहा, अक्षय तृतीया, रोहिणी, अम्बुबाची, आछड़ा, फेला, गोहाल पूजा, मुटआना इत्यादि। हर पार्वन के पीछे कोई-न-कोई लोककथा छिपी हुई है।

झारखंडी बांग्ला संस्कृति की चर्चा में लोक कथा तथा लोक गीत के साथ-साथ लोक नृत्य की बातें भी स्वत: चली आती हैं। इस अंचल के जन जातीय गोष्ठियों के साथ झारखंडी बांग्ला भाषियों का सह-अवस्थान युगों का है। यहाँ एक प्रचलित मुहावरा है—'सेनगे सुसुन, काजीगे दुरांग'। यानी यहाँ के लोगों का 'चलना ही नाच और बोलना ही गाना' है। यहाँ की दलबद्ध नाचों की शैलियों में 'छौ नृत्य' एक विशेष शैली है। 'छौ' के भी कई प्रकार हैं जैसे पुरुलिया शैली, सरायकेला शैली, मयूरभंज शैली आदि। यद्यपि पुरुलिया और मयूरभंज आधिकारिक तौर पर गठित झारखंड राज्य के अन्तर्गत नहीं आते लेकिन इन कलाओं की सीमा राज्य की सरकारी सीमाओं को नहीं मानती। झारखंड के गाँवों में विशेषकर बहरा गोड़ा से लेकर राँची तक ये लोककलाएँ काफी लोकप्रिय हैं। पुरुलिया तथा सरायकेला शैली में लोग देवी-देवताओं के तथा पौराणिक पात्रों के चेहरों का नकाब पहनते हैं। मयूरभंज शैली में नकाब के बजाय लोग शरीर तथा चेहरे पर रंगों का इस्तेमाल करते हैं। नृत्यदल के साथ गाने वालों की भी मण्डली होती है जो मुख्यत: धार्मिक उपाख्यानों को ढोल, हारमोनियम, झाल आदि के सुर-ताल के साथ गाकर सुनाती हैं और नृत्यकार उन उपाख्यानों के भावों को नाच के द्वारा व्यक्त करते हैं। इस नृत्य शैली की एक विशेषता यह भी है कि इसमें कोई स्त्री भाग नहीं लेती। पुरुष ही नारी के वेष में सजकर नारी-चरित्र का अभिनय करते हैं।

इस क्षेत्र के बांग्ला भाषियों की संस्कृति जो मूल रूप से झारखंड की धरती पर ही पनपी है, बांग्ला भाषा को ही आधार बनाकर विकसित हुई है।

अंग्रेजों की शिक्षा व्यवस्था लागू होने से पहले तक साहित्य तथा संस्कृति की मुख्यधारा यहाँ की लोक संस्कृति द्वारा ही निरूपित होती थी। अंग्रेजों की शिक्षा व्यवस्था लागू होने के बाद ही इन क्षेत्रों में शहरी बांग्ला का प्रभाव पड़ा। झारखंड के क्षेत्रों में बांग्ला भाषा में शिक्षा देने के इतिहास का उल्लेख भी यहाँ प्रासंगिक होगा। अंग्रेज यहाँ के बाशिंदों के साथ उनकी घनिष्ठता बढ़ाने के

उद्देश्य से ही इन क्षेत्रों में शिक्षा देने का माध्यम बांग्ला भाषा को बनाया। इसके साथ उनका और एक उद्देश्य था सरकारी कामकाजों में स्थानीय लोगों का सहयोग प्राप्त करना। उन दिनों कलकत्ता भारत की राजधानी होने के कारण सभी कामकाजों के तार कलकत्ता से जुड़े होते थे। भूमिज विद्रोह (1832-33) के बाद सभी सरकारी कामकाजों में अंग्रेजी के साथ-साथ कोर्ट-कचहरी के कामकाजों में फारसी के स्थान पर बांग्ला भाषा का प्रयोग प्रारंभ हुआ। तत्कालीन ज्वाइंट कमिश्नर कप्तान विल्किन्सन तथा ज्वाइंट कमिश्नर मि. डेंट ने बांग्ला भाषा को 'जंगल महल' की लोकभाषा के रूप में घोषणा की थी। 1950 तक यह घोषणा लागू रही।

बांग्ला भाषियों की राजनीतिक पृष्ठभूमि का अध्ययन औपनिवेशिक भारत में अंग्रेजों के प्रभाव विस्तार को ध्यान में रखकर ही किया जा सकता है। चूँकि कलकत्ता अंग्रेज के अधीन भारत की राजधानी हुआ करती थी (1905 तक), इसलिए अंग्रेजों के ज्यादातर राजकर्मचारी अंग्रेजी शिक्षा से शिक्षित बंगाली लोग नियुक्त होते थे। स्थायी बन्दोबस्ती कानून के तहत बांग्ला भाषियों का एक खास वर्ग जमींदार के रूप में उभरा। 1833 के बाद, अंग्रेजी सरकार ने जंगल-महल को कई जिलों में बाँटा। अतः उन दिनों सरकारी कामकाजों को चलाने के लिए, जमींदारों की जमींदारी व्यवस्था की देखभाल करने के लिए तथा सरकारी दफ्तरों और जमींदारों के बीच सम्पर्क कायम रखने के लिए बड़ी संख्या में शिक्षित बांग्ला भाषी शहर से जंगल-महल में आने लगे। प्रशासनिक व्यवस्था कायम रखने के उद्देश्य से ही अंग्रेजी सरकार बंगाली बुद्धिजीवियों को जंगल-महल में बसने में मदद करती थी। उन्हीं दिनों बड़ी संख्या में बंगाली वकील, डॉक्टर, सरकारी अफसर आदि इन क्षेत्रों में आकर बसने लगे। इन्हीं दिनों यहाँ शहरी बांग्ला भाषियों के लिए एक के बाद एक स्कूल, क्लब आदि की स्थापना होने लगी। उन्हीं दिनों राँची में अंग्रेजों की मदद से शहरी बांग्ला भाषियों के बच्चों के शिक्षादान के लिए एल.ई.बी.बी. हाई स्कूल की स्थापना हुई जिसे आज भी राँची में बांग्ला स्कूल के नाम से जाना जाता है।

कई बंगाली परिवारों ने झारखंड के विभिन्न जगहों में रहने के लिए मकान खरीदे या बनवाए। दक्षिण बिहार के कुछ शहर यहाँ की स्वास्थ्यप्रद जलवायु के लिए उनकी पसंदीदा जगह बने। यहाँ आकर वे स्थायी या अस्थायी रूप से रहने लगे। इन जगहों में मधुपुर, जशीडीह, गिरिडीह, देवघर, शिमुलतला, हजारीबाग, चाईबासा, राँची आदि प्रमुख हैं। इनके बड़े-बड़े बंगले जिन्हें वे अपनी भाषा में 'बागानबाड़ी' कहते हैं, आज भी इन जगहों में भारी संख्या में मौजूद हैं। रांची शहर में शहरी संभ्रांत बंगालियों के आगमन का इतिहास भी डेढ़ सौ वर्ष से भी अधिक पुराना है। सन् 1864 में शहरी बंगालियों ने राँची में एक पुस्तकालय का गठन किया था जिसमें बांग्ला के अलावा अंग्रेजी की पुस्तकें रखी जाती थीं। आगे चलकर यह पुस्तकालय सन् 1896 में छोटानागपुर क्लब के साथ सम्मिलित होकर यूनियन क्लब एंड लाइब्रेरी के नाम से जाना जाने लगा।

राँची में संभ्रांत बंगालियों के आगमन के इतिहास में एक नाम उल्लेखनीय है ज्योतिरीन्द्रनाथ ठाकुर। वे कवि रवीन्द्रनाथ ठाकुर के सहोदर थे। साथ ही वे बांग्ला साहित्य-संस्कृति के जगत में एक हस्ती के रूप में गिने जाते थे। राँची के मोरहबादी इलाके में स्थित पहाड़ी को उन्होंने सन् 1908 में खरीद लिया और वहाँ पर एक भवन का निर्माण करवाया। उन्होंने उस भवन का नाम

शांतिधाम रखा। सन् 1910 से अपने जीवन के अंतिम दिनों तक उन्होंने यहाँ रहकर साहित्य तथा संस्कृति की चर्चा की। उन्होंने बांग्ला साहित्य की कई उल्लेखनीय रचनाओं का जिनमें समाज सुधार से संबंधित नाटक प्रमुख थे, सृजन किया। एक और विलक्षण गुण उनमें था चित्रकारी का। विशेष रूप से लोगों की प्रतिकृति बनाने का। मोरहबादी पहाड़ी के 'शांतिधाम' में रहकर उन्होंने सैकड़ों आम लोगों के चेहरे की चित्रकारी की। कुछ खास लोगों की प्रतिकृति भी उन्होंने राँची में रहकर बनाई थी, जो उनसे यहाँ मिलने आए थे। वे हैं—सी.एफ. एन्ड्रूज, सुभाषचन्द्र बोस के पिता जानकीनाथ बोस इत्यादि। पहाड़ी की चोटी पर उन्होंने एक प्रार्थना स्थल भी बनवाया जहाँ बैठकर वे ब्राह्म समाज की रीति के अनुसार उपासना किया करते थे। राँची की बांग्ला सांस्कृतिक गतिविधियों से वे उन दिनों हमेशा जुड़े रहे। यद्यपि कवि रवीन्द्रनाथ ठाकुर राँची कभी नहीं आए लेकिन ठाकुर परिवार से इस पहाड़ी का इतिहास जुड़े होने के कारण इसका नाम अंग्रेजी अदब में टैगोर हिल पड़ा है।

एक नाम और विशेष रूप से उल्लेखनीय है। वह है ईश्वरचन्द्र विद्यासागर। वे करमा टांड में आकर बस गए थे। वे यहाँ स्वास्थ्य सुधार के उद्देश्य से नहीं बल्कि अपने जीवन के अन्तिम दिन सीधे-सादे ढंग से आदिवासियों के बीच बिताने केलिए आए थे। उनके प्रति श्रद्धा जताते हुए अविभक्त बिहार की सरकार ने करमा टांड रेलवे स्टेशन का नाम विद्यासागर स्टेशन रखा है।

बीसवीं सदी के प्रथमार्ध के बांग्ला साहित्य में खासकर शरत्चन्द्र और रवीन्द्रनाथ ठाकुर की रचनाओं में दक्षिण बिहार के शहरों का उल्लेख स्वास्थ्य से संबंधित संदर्भों में आते हैं। संजीव चन्द्र चट्टोपाध्याय द्वारा रचित 'पलामु' रोचक घटनाओं का एक संग्रह है जिससे तत्कालीन पलामू जिले के लोगों तथा प्रकृति के साथ उनके संबंधों को समझने में काफी मदद मिलती है। बांग्ला साहित्यकारों में कई ऐसे साहित्यकार हैं, जिन्होंने झारखंड की भूमि को अपनी रचनाओं का आधार बनाया और कई अमूल्य रचनाओं का सृजन किया। इन साहित्यकारों में विशेष रूप से जिनका नाम अग्रणी है वे हैं—महाश्वेता देवी। महाश्वेता देवी ने झारखंड के जंगलवासियों की जिन्दगी व उनके दुख-दर्द को अपने साहित्य में बखूबी दर्शाया है तथा उन्हें जागरूक करने की कोशिश भी की है। बिरसा मुंडा की जीवनी एवं उनके जीवन पर आधारित उपन्यास 'अरण्येर अधिकार' साहित्य जगत में एक विशेष कीर्तिमान है। झारखंड की प्रकृति ने साहित्यकार विभूतिभूषण बंद्योपाध्याय को इस कदर प्रभावित किया कि वे बंगाल छोड़कर घाटशिला में रहने लगे थे। उनकी ज्यादातर रचनाओं में यहाँ के जंगल के रूप का वर्णन अवश्य मिलता है। आधुनिक बांग्ला साहित्यकारों में जिनके साहित्य में झारखंड के शहर, गाँव तथा जंगल की छाप उभर कर आती है, वे हैं—बुद्धदेव गुहा, अनिल घड़ाई, कमल कुमार मजूमदार, नारायण गंगोपाध्याय इत्यादि। झारखंड की संस्कृति और साहित्य चर्चा में एक जाना-पहचाना नाम है डॉ. सुधीर करण। इन्होंने बांग्ला भाषा में यहाँ की संस्कृति तथा जनजीवन पर आधारित कई शोधकार्य भी किए तथा कहानी उपन्यासों की भी रचना की।

झारखंड में बांग्ला साहित्य तथा संस्कृति की चर्चा में कई संगठन क्रियाशील हैं। इनमें दो संगठन प्रमुख हैं—एक निखिल भारत बंग साहित्य सम्मेलन जो एक अखिल भारतीय संगठन है जिसकी शाखाएँ झारखंड के सभी शहरों में मौजूद हैं। दूसरा संगठन है झारखंड बंगाली समिति।

इनके अलावा एक और संगठन उभरकर आया है, वह है झारखंड बंगभाषी समिति। राँची में यूनियन क्लब तथा लाइब्रेरी इन दिनों बांग्ला सांस्कृतिक गतिविधियों के केन्द्रबिन्दु हैं जहाँ आए दिन बांग्ला साहित्य तथा संस्कृति के आधार पर कोई न कोई कार्यक्रम होते रहते हैं। बांग्ला भाषा में लघु पत्रिका का इतिहास भी झारखंड में काफी पुराना है। राँची से 'स्फुलिंग', 'पदक्षेप', 'बर्णाली', 'माहुत', 'महालय', 'कविता इंदानींग', 'साहित्यभारती' नाम की कई साहित्य पत्रिकाएँ प्रकाशित हुई हैं या आज भी हो रही हैं। जमशेदपुर से प्रकाशित होने वाली दो बांग्ला पत्रिकाएँ हैं—'कालिमाटी' और 'कौरव'। हाल ही में राँची से बंग्ला भाषा में एक दैनिक अखबार भी प्रकाशित होने लगा है—'संवाद प्रतिदिन'। यह कोलकाता से प्रकाशित होने वाले एक बांग्ला दैनिक अखबार का राँची संस्करण है।

इस तरह झारखंड में बांग्ला भाषा एवं संस्कृति की दो भिन्न धाराएँ मौजूद हैं। एक 'झारखंडी बांग्ला' भाषियों की भाषा-संस्कृति और दूसरी बंगाल के शहर से आए हुए बांग्ला भाषियों की भाषा-संस्कृति। इस तरह यह स्पष्ट है कि झारखंड में बंग्ला साहित्य के भी दो रूप हैं। एक झारखंडी-बांग्ला का लोक साहित्य और दूसरा झारखंड के बाहर से आए बांग्ला भाषियों की साहित्य चर्चा। दोनों रूपों की अपनी विशेषताएँ हैं, अपनी पहचान है और दोनों ही विराजमान हैं।

झारखंड का मौजूदा उर्दू साहित्यिक मंज़रनामा

डॉ. सरवर साजिद

नवनिर्मित राज्य झारखंड के बाईस जिलों में उर्दू के जो शायर और लेखक रचना, आलोचना और साहित्य को समझने और समझाने के काम में व्यस्त हैं, उनकी तादाद अच्छी-खासी है। लिहाजा तमाम लोगों का जिक्र, उनके कारनामों का जायज़ा किसी एक आलेख में संभव नहीं। इसके लिए एक मोटी किताब की आवश्यकता है। झारखंड में उर्दू साहित्यिक इतिहास का आगाज़ बीसवीं सदी की पहली दहाई से होता है। राँची के पहले साहिब-ए-दीवान (जिस शायर का काव्य संग्रह मौजूद हो) शायर ग़नी राँचवी का देहांत 1908 ई. में हुआ। संभव है यहाँ का साहित्यिक इतिहास उन्नीसवीं शताब्दी से भी जुड़ा मिल जाए। राँची के अलावा झारखंड के दूसरे जिलों में भी यही सूरत देखी जा सकती है। झारखंड के साहित्यिक इतिहास के आरंभ से दिलचस्पी रखने वालों को जो समस्या सबसे ज्यादा परेशान करती है वह यह है कि किसी भी शहर का अदबी इतिहास छपी हुई शक्ल में नहीं मिलता। जब मैंने कई शहरों के बुजुर्ग लेखकों से वहाँ के साहित्यिक इतिहास के बारे में जानना चाहा तो जो जवाब उनकी तरफ से मिला मैं उससे संतुष्ट नहीं हूँ। साहित्यिक इतिहास के आरंभ का पता लगाना शोध का विषय है और यह काम इतना आसान होता भी नहीं है लेकिन इस प्रश्न से जूझना और इसके बारे में सजग रहना आवश्यक है।

जहाँ तक झारखंड के मौजूदा साहित्यिक मंज़रनामे का प्रश्न है तो इस समय झारखंड में चार-पाँच पीढ़ियों से ताल्लुक रखने वाले शायर और लेखक मौजूद हैं जो झारखंड और झारखंड से बाहर लगातार झारखंड का प्रतिनिधित्व कर रहे हैं। चूँकि इस आलेख में मुझे जीवित शायरों और लेखकों पर बात करनी है लेकिन ग़यास अहमद गद्दी (देहांत 27 जुलाई 1997) का जिक्र जरूरी है क्योंकि झारखंड से ताल्लुक रखने वाले वे ऐसे इकलौते फनकार हैं जिन्हें उर्दू साहित्य के लिए साहित्य अकादमी पुरस्कार मिला। स्वर्गीय ग़यास अहमद गद्दी ने आधुनिक उर्दू कहानियों में अपना जो भिन्न स्थान बनाया वह साहित्यिक इतिहास का अमिट अध्याय है।

कहानी के मैदान में स्वर्गीय मनज़र काज़मी को भी भुलाया नहीं जा सकता। मौजूदा लोगों में शीन अख़्तर, अख़्तर यूसुफ, अली इमाम, शीरीं नियाजीं, कहकशां प्रवीन इत्यादि के नाम सामने हैं। शीन अख़्तर की कहानियों में झारखंड की मिट्टी की खुशबू इतनी अधिक समाई हुई है कि उन्हें झारखंड का प्रतिनिधित्व करने वाला इकलौता कहानीकार क़रार दिया जा सकता है। अख़्तर यूसुफ आधुनिक कहानीकार और नज़्म के उमदा शायर हैं। उनकी कहानियाँ भारत और भारत से बाहर की पत्रिकाओं में छपकर बहस का विषय बन चुकी हैं। नए कहानीकारों में इन दिनों नासिर राही का नाम चर्चा का विषय है।

उर्दू आलोचना, भाषा, विज्ञान, पिंगल के हवाले से झारखंड के जिन लेखकों का काम भुलाया नहीं जा सकता उनमें नादिम बलख़ी, समिउल हक़, प्रो. अबुज़र उसमानी, प्रो. शीन अख़्तर, प्रो. अहमद सज्जाद, क़ैसर ज़ोहा आलम, अनवार अन्सारी, हसन अब्बास, जहीर ग़ाज़ीपुरी, हसन इमाम, अक़िल अशरफ, अब्दुल क़य्युम अब्दाली, जमशेद क़मर, जैन रामिश, असलम अरशद, खुरशीद जहां, जलील अशरफ इत्यादि महत्त्वपूर्ण हैं।

नादिम बलख़ी झारखंड के बुजुर्ग लेखक हैं। इन्हें झारखंड का बेमिसाल उरूज़ी (पिंगल) होने का फ़ख्र हासिल है। समिउल हक़ कई महत्त्वपूर्ण पुस्तकों के लेखक हैं। ख़ासतौर पर इक़बाल के हवाले से उन्होंने कई यादगार किताबें लिखीं। 'तफकीर-ए-दीनी' के नाम से हाल ही में उन्होंने इक़बाल की किताब Reconstruction of Religious Thought in Islam का अनुवाद किया है जो उर्दू दुनिया में काफी पसंद किया गया। संस्कृत ड्रामों पर भी उन्होंने बहुत अच्छा काम किया है।

प्रो. अबुज़र उसमानी का रिश्ता आलोचना और भाषा विज्ञान से गहरा है। उन्होंने उर्दू आंदोलन में तेजी के लिए अपने आप को समर्पित कर दिया है जिसके कारण उनकी ज़्यादा किताबें नहीं छपीं लेकिन उनके आलेखों का संग्रह 'फ़नकार से फन तक' काफी पहले छपा था। इस पुस्तक में शामिल उनका आलेख 'अमली तनक़ीद' (Practical Criticism) आज भी उर्दू का एक बेजोड़ आलेख है।

प्रो. शीन अख़्तर की सोच का दायरा काफी फैला हुआ है। उन्होंने 'सुफुकलर' और उर्दू अफसानों में लिबसन अज़्म से लेकर तीक़िक के तरिक़-ए-कार तक मुतेअद यादगार किताबें तसनिफ़ की हैं। वह बुनियादी तौर पर तरक़्क़ी पसंद नक़ाद हैं। इसलिए उनकी तहरीरों में समाजियत और अदब का रिश्ता बहुत मजबूत नजर आता है। प्रो. अहमद सज्जाद बुनियादी तौर पर इस्लामी अदब के दिल दादा हैं और इस्लामी अदब पर इनका अच्छा-ख़ासा कारनामा है। 'तनक़ीद व तहरीक' उनके मुज़ामिन का मजमुआ है। इस किताब में जमील मज़हरी पर जो मज़मून शामिल है उसे लोगों ने काफी पसंद किया था। अहमद सज्जाद साहब उर्दू तहरीक, इस्लामी तहरीक और कम्प्यूटर तीनों से बैक वक्त मुस्तैदी के साथ निबाह कर रहे हैं। क़ैसर जोहा आलिम बुनियादी तौर पर अंग्रेजी के आदमी हैं लेकिन उन्होंने उर्दू में काफी कुछ लिखा है। इनकी ख़ास दिलचस्पी लेसानियात से है। इनके मुज़ामिन का एक मजमुआ 'शरार-ए-जुस्तजु' के नाम से शाया होकर मक़बूल हो चुका है। अनवार अंसारी मुसलसल व मतवातिर इनशाइया और मुज़ामीन लिखते रहे हैं जो मुल्क के अहम रसायल में शाया होकर दाद वसूल कर रहे हैं। हसन अब्बास डाल्टनगंज में हैं। वे बुनियादी तौर पर फ़ारसी के आदमी हैं और सही मायने में स्कॉलर आदमी हैं। इनकी गहरी नजर और तहक़ीकीहस इनके मुज़ामीन में बहुत नुमायाँ है। ज़हीर ग़ाज़ीपुरी बुनियादी तौर पर शायर हैं लेकिन तनक़ीद से इनकी दिलचस्पी बहुत गहरी है। उन्होंने कई बेहद उम्दा मुज़ामीन लिखे हैं। खुसूसन जदीदियत के हवाले से हसन इमाम की एक किताब 'ज़बान के रूप' काफी पहले शाया हुई थी। यह किताब काफी पसंद की गई थी। अक़ील अशरफ के कुछ मुज़ामीन रेसालों में शाया हो चुके हैं। अब्दुल क़य्यूम अब्दाली बुनियादी तौर पर तरक्कीपसंद नक़ाद हैं। 'बने भाई' और 'उर्दू अफसाना नियाज से ग़यास तक' मौसुफ की दो

किताबें हैं। इनके अलावा चालीस शायाशुदा मुज़ामिन हैं। अब्दुल क़य्यूम अब्दाली को फिक्शन के नक़ाद की हैसियत से पहचान मिली लेकिन वहाब दानिश की नज़मों पर इनका मज़मून काफी पसंद किया गया था। जमशेद कमर झारखंड के रवांसाल मुहक्कि, नक़ाद हैं। इनकी दो किताबें ग़यास अहमद गद्दी की 'अफसाना निगारी' और मौलाना आजाद का 'क़याम राँची अहवाल व आसार' शाया हो चुकी हैं। आख़िरूल जिक्र किताब पर मुल्क को बैरूब मुल्क खूब खूब गुफ्तगू हुई और इसे मुसतनद तहक़ीकी कारनामा करार दिया गया। डॉ. ज़ैन रामिश शायर व नक़ाद की हैसियत से मारूफ़ हैं। गऊ दान पर उनका उमदा है उन्होंने इंटरमीडिएट के लिए जो किताबें तैयार की हैं इनका मायर बुलंद है। ज़ैन रामिश का तहक़ीकी कारनामा इनकी किताब 'हरीम शौक़' है जो नाज़िश सहसरामी का दूसरा मजमूआ ग़ज़लयात है। राशिद असलम उर्दू के रवां साल मुहक्कि हैं। इनके मुज़ामीन मउक़र रसाइल में शाया होते रहे हैं। सैयद सुलेमान नदवी पर इनकी तहक़ीक को सनद का दर्जा हासिल है। मग़रिबी तनक़ीद के हवाले से खुर्शीद जहाँ ने जो किताब लिखी है वह इसलिए अच्छी और अहम है कि ये किताब प्रोफेसर वहाब अशरफी की रहनुमाई में लिखी गई है। जलील अशरफ की किताब 'सलीम अख़्तर की तनक़ीद निगारी' एक अच्छी कोशिश है। अफ़सर काज़मी के कई मुज़ामीन शाया हो चुके हैं। मुजतबा हुसैन पर इनकी किताब बस अमरोज़-ओ-फिराद में शाया होने ही वाली है। राक़िमुल हरुफ की किताब '1940 के बाद की ग़ज़ल का इसलूबियाती मुताला' 1994 में शाया हो चुकी है। मुरत्तिब और नक़ाद की हैसियत से डॉ. हुमायूँ अशरफ ने दो किताबों की तरतीब बड़े खूबसूरत अंदाज में की है। 'मंज़रनामा' (मंज़र क़ाज़मी के फन व शख़्सियत पर मुकालात) और 'ग़यास अहमद गद्दी फर्द और फनकार' (मुशतरका)। कैसर जमाँ नज़्में भी कहते हैं और इनके मुतादद मुज़ामीन मुल्क व बैरून मुल्क के मुओक़िर रेसालों में शाया होकर दाद वसूल कर चुके हैं। बिल्कुल नए लोगों में राशिद अनवर राशिद की शख़्सियत बहुत मातदल है। वह बुनियादी तौर पर शायर हैं। ग़ज़लें कहते हैं और नज़्में भी लेकिन ग़ज़ल इनकी पहचान है। राशिद की तीन नसरी किताबें अब तक शाया हुई हैं—'अदब के ताल्लुक से' (मोज़ामिन), 'मज़रूह सुल्तानपुरी एक मुताला' (मज़रूह की शायरी का तनक़िदी मुताला) और 'फ़नुन लतिफा' (फ़नूल लतिफा पर मुज़ामिन)। या ये उल्टे कायम किए जा सकते हैं। झारखंड की नई नस्ल लिखने-पढ़ने की तरफ राग़त है और एक कंटिन्यूटी बरकरार है। जहाँ तक झारखंड के शेरी मंज़रनामे का सवाल है तो यह गोशा बेहद उमीदअफज़ा और काबिलेफख़र है। नादिम बलख़ी, ज़हीर ग़ाज़ीपुरी, मनज़र शहाब, शायक़, मुज़फ्फरपुरी, प्रकाश फिकरी या वहाब दानिश से सिद्दीक मुजीबी, सैयद अहमद शमीम, अख़्तर यूसुफ, असलम बदर, शान भारती, रौनक़ शहरी, नजुम उसमानी, परवेज़ रहमानी, असफर ज़मील, बदर आलम ख़लश, अनवर इरज, राशिद अनवर राशिद, तसलीम आरिफ, सुहैल सईद, आलमगीर शाहिल वगैरह हम तखलिक़ात न सिर्फ यह कि अहम रेसालों में झारखंड की अहम नुमाइंदगी कर रही है, बल्कि उनमें से बेशतर शोरा अलग-अलग लब व लहजे का एहसास कराते हैं। इनके कुछ आशार मुलाहेज़ा करें—

> लिखा हुआ कुछ इसमें ज्यादा तो नहीं है
> करतास मगर हाथ में सादा तो नहीं है

(नादिम बल्खी)

सबा को नुर चिराग़ो को फुल कहता था
वो इजतेहाद को फजुल कहता था

(ज़हीर ग़ाजीपुरी)

लबों पर उसने तबस्सुम का परदा डाल दिया
बढ़ाया हाथ तो आदाब कह के टाल दिया

(मनज़र शहाब)

वो शाख़ जिसपे बहारों में फूल खिलते थे
उसी की लाश कड़ी बर्फ में दबी देखी

(प्रकाश फिकरी)

हवा के चारों तरफ थरथराती शै क्या है
सदा शिक़स्ता है तो फिर वफुर लै क्या है

(वहाब दानिश)

हमारी शक़्ल में किसको तलाश करते हो
तुम्हारे शहर में क्या आइने नहीं होते

(शायक़ मुज़फ्फरपुरी)

अपना सर काट के नेज़े पे उठाए रखा
सिर्फ यह ज़िद के मेरा सर है तो ऊँचा होगा

(सिद्दीक मुजीबी)

झपकी ज़रा सी आँख तो मनज़र बदल गया
रेग-ए-रवां में सारा समन्दर बदल गया

(सैयद अहमद शमीम)

ऐ काश कोई बीच की दीवार गिरा दे
हमसाया का घर भी तो मेरे घर की तरह है

(असलम बदर)

मेरे अश्कों को भी हुक्म रवानी न मिला
बहरे तक़सिम ग़म सोख़ता जानी न मिला

(शान भारती)

या जमीं बदले या पत्थर बदले
आरजू अपना मुकद्दर बदले

(परवेज रहमानी)

निकले थे घर से ाया-ए-अबर-ए-बहार में
पानी तलाश करने लगे रेगज़ार में

(अज़फर जमील)

वो हरफ-ए-मोतबर है मिसाल-ए-येरूशलम

हरफ़-ए-ग़लत तो मैं हूँ फिलिस्तिन की तरह

(बदर आलम ख़लिश)

बहुत मलाल हुआ ग़र तो आह कर लूँगा
यह मत समझना के तुझ से निबाह कर लूँगा

(अनवर इरज)

वही ग़ज़ल मेरी पहचान बन गई जिसको
फ़िजूल जान के दीवान में नहीं रखा

(राशिद अनवर राशिद)

होंठों पे तेरा नाम मचलने लगा है यूँ
सेहरा में जैसे कोई समन्दर उछाल दे

(सुहैल सईद)

नमूने के तौर पर ज़्यादा अशार की गुंजाइश नहीं लेकिन झारखंड के शेरी मंज़रनामे में बैक वक़्त चार-पाँच नस्लें तबा आज़माई कर रही हैं और अबद के बदलते हुए रवैये का साथ दे रही हैं। इन लोगों में जौहर बलयावी, सलिउल्लाह सफक, जी.डी. कुफता, चाननसिंह शाद, हैरत फ़र्रुख़ाबादी, रेहाना मुहम्मद अली, सज्जाद अहमद शाहिन, रिज़वान अहमद, रिज़वान वासती, शमस जावेद, रफीहउज्ज़्मा, सिद्दीक़ क़मरूज़्ज़मा क़मर, हसन अंजुम, ज़ैन रामिश, अता कुरैशी, साबिर बिहारी, वक़िल रिज़वी, ज़ाहिद ऐश, इबरारउलहक, अहसन इमाम हसन, आरिफ शजर, अहमद फरमान, मुस्तफा मोमीन, महताब अनवर, अक़िल गयावी, क़ासिर मुजिबी, क़मर हामिद, हसन नेज़ामी, शहाब अख़्तर, गुफरान राग़िब, क़ैसर जेयाल क़ैसर, सुहैल फसिही, जी.डी. अहमद, एजाज़ अनवर, नेज़ाम क़ैसर वगैरह सामने के नाम हैं।

झारखंड में हिन्दी साहित्य

डॉ. अशोक प्रियदर्शी

झारखंड राज्य छोटानागपुर और संतालपरगना को मिलाकर बना है। कल तक बिहार राज्य का हिस्सा था उसका यह दक्षिणी-पूर्वी पठारी भू-भाग। झारखंड राज्य की माँग, किसी न किसी रूप में, लंबे समय से की जा रही थी। यद्यपि पिछले लंबे अंतराल में झारखंड की सामाजिक संरचना वैसी ही नहीं रह गई है जैसी पहले थी, लेकिन इसका जनजातीय स्वरूप और इसकी आदिवासी सांस्कृतिक चेतना बनी हुई है।

कभी पूरे झारखंड में ले-देकर राँची, जमशेदपुर, धनबाद जैसे शहर थे। चाहिए तो डालटनगंज, हजारीबाग, दुमका, देवघर, चक्रधरपुर, चाईबासा आदि को भी शहर कह लीजिए, लेकिन तब इनका स्वरूप कस्बाई ही था। हटिया, बोकारो, मैथन, चंद्रपुरा आदि विभिन्न क्षेत्रों में बहुत बड़े-बड़े और मंझोले उद्योगों की स्थापना ने पूरे झारखंड का स्वरूप बदल दिया।

झारखंड के आदिवासियों की अपनी बोलियाँ हैं। अब उन्हें भाषा के स्तर पर उन्नत करने की जद्दोजहद चल रही है। लंबे समय से झारखंड में बस चुके गैर-आदिवासियों की भाषा मूलतः हिन्दी है किन्तु अधिकांशतः मागध और भोजपुरी क्षेत्रों से रोजी-रोटी की तलाश में आकर बस गए इन लोगों के बीच एक संपर्क भाषा विकसित हो गई जिसे सदरी, सादरी, सदानी (बहुत शुरू में गँवारी—गाँवों की) नगपुरिया कहते रहे और धीरे-धीरे इस संपर्क भाषा ने भाषाई स्वरूप पा लिया, किसी कदर मानकीकृत हो गया, तो अब इसे नागपुरी कहते हैं। यही नागपुरी झारखंड के आदिवासियों और लंबे समय से बसे गैर-आदिवासियों (जिन्हें सदान कहते रहे हैं, जो नए राजनीतिक माहौल में स्वयं को मूलवासी कह रहे हैं।) के आपसी संपर्क की भाषा नागपुरी ही है। हालाँकि शायद ही किसी भी जनजातीय समुदाय का एक भी व्यक्ति ऐसा हो जो हिन्दी (टूटी-फूटी ही सही) बोलता और समझता न हो, सदान तो मूलतः हिन्दी-भाषी हैं ही।

नई राजनीतिक चेतना के प्रवाह दबाव में अपनी बोली को भाषा के स्तर पर उन्नत करने की आकांक्षा और आग्रह के कारण ही संभवतः गिने-चुने आदिवासियों ने ही हिन्दी में कलम चलाई और औसत से बेहतर साहित्यकार सिद्ध हुए। महादेव टोप्पो, वाल्टर मेंगरा 'तरुण', रामदयाल मुण्डा, कुमारी बासंती, रोज केरकेट्टा जैसे कई नाम (ये नाम वरीयता या महत्त्व-क्रम में नहीं लिए गए हैं) जबान पर आ जाते हैं। यहाँ के सदानों में से कई ने नागपुरी और हिन्दी को लेखन-क्रम में प्रायः समान महत्त्व दिया, विसेश्वर प्रसाद केसरी को इस क्रम में याद किया जा सकता है।

स्वतंत्रता-प्राप्ति या उसके बाद, इस-उस बहाने, झारखंड में आकर यहीं के हो गए लोगों

ने हिन्दी की प्रभूत सेवा की। बड़ी बात यह कि हर दौर में झारखंड में हिन्दी के साहित्यकारों में से कुछ ऐसे जरूर रहे जिनकी पहचान सार्वदेशिक रही।

झारखंड के बाहर भी ऐसे नाम बिरले होंगे जो गाँवों में तपस्वी का जीवन जीते हुए साहित्य-साधना कर रहे हों। झारखंड के विषय में भी यही सच है। सो झारखंड में हिन्दी साहित्य की पड़ताल के क्रम में हमें, राँची, डाल्टनगंज (पलामू), हजारीबाग, चक्रधरपुर, चाईबासा, जमशेदपुर, रामगढ़, गिरिडीह, देवघर, दुमका आदि स्थानों में हिन्दी-सेवियों के उपक्रम का स्मरण करना होगा।

पलामू (डाल्टनगंज, गढ़वा, लातेहार) : पलामू झारखंड का सर्वाधिक उपेक्षित क्षेत्र रहा है। महुआटांड़ (जो कभी 'काला पानी' की तरह बदनाम था) पलामू में ही है। हालाँकि नेतरहाट विद्यालय भी पलामू में ही है। बहरहाल, इस उपेक्षित क्षेत्र में साहित्य-सेवा के लिए अनुकूल-उपयुक्त माहौल शायद ही कभी रहा हो। फिर भी हिन्दी साहित्य के प्रचार-प्रसार विकास में यहाँ के धुन के पक्के लोगों ने पहल की है। डाल्टनगंज के हवलदारी राम याद आते हैं, जिन्होंने 'हलधर' का लंबे समय तक प्रकाशन कर न सिर्फ स्वयं लिखा बल्कि हिन्दी-सेवियों की एक जमात बनाई। प्रो. रामदीन पाण्डेय (जो लंगर सिंह कॉलेज, मुजफ्फरपुर में हिन्दी-संस्कृत शिक्षक रहे, किन्तु पलामू से उनका संबंध लगातार बना रहा और सेवा-निवृत्ति के बाद वे अपने गाँव-घर लौट आए, इनकी एक पुस्तक है 'हिन्दी में स्लैंग प्रयोग एवं अन्य निबंध') आज किंवदंती बन गए हैं। पाण्डेय जी की छिट-पुट रचनाओं को संकलित-प्रकाशित कराया जाना चाहिए।

रामेश्वर प्रसाद 'रमेश' ने डाल्टनगंज में रहकर हिन्दी की अनेकश: सेवा की है। विद्यार्थी-जीवन से ही वे लिखने लगे थे। बच्चों के लिए भी उन्होंने महत्त्वपूर्ण लेखन किया जो उस समय की प्रसिद्ध बाल-पत्रिका 'बालक' में प्रकाशित हुआ। बाद में श्री रमेश ने 'रामेश्वरम्' के नाम से हिन्दी पत्रकारिता का रुख किया। महाश्वेता देवी पलामू-प्रवास के क्रम में वे उनके सहयोगी रहे। महाश्वेता देवी ने स्वयं रामेश्वरम् के योगदान को स्वीकारा है।

स्मरणीय है कि हाल-फिलहाल तक पूरे पलामू में केवल एक कॉलेज डाल्टनगंज मुख्यालय में था—जी.एल.ए. कॉलेज। यहाँ हिन्दी विभाग में कार्यरत शिक्षक अपने ढंग से रचनाशील भी रहे। डॉ. जगदीश्वर प्रसाद ने सेवा-निवृत्ति के बाद लगातार अपनी आलोचनात्मक पुस्तकें प्रकाशित कराईं (उन्हें राधाकृष्ण पुरस्कार से सम्मानित किया गया)। इसके पूर्व पलामू के जनार्दन द्विवेदी 'दीन' अपनी हिन्दी-सेवा के लिए राधाकृष्ण पुरस्कार से सम्मानित हो चुके थे। 'दीन' जी अब नहीं हैं। यहीं विभाग में रहते हुए डॉ. विसेश्वर प्रसाद केसरी हिन्दी लेखन में प्रवृत्त रहे। बाद में वे राँची आ गए। उनकी चर्चा आगे करेंगे। डॉ. ब्रजकिशोर पाठक का भारतेन्दु पर किया गया शोध अत्यन्त महत्त्वपूर्ण है। वे हिन्दी के लेखक और प्रमुख कवि हैं। हालांकि नियमित लेखन-प्रकाशन में उन्होंने रुचि नहीं ली।

ज्योति बाबू ने (जोतिन प्रसाद) कई हिन्दी उपन्यास लिखे। इन उपन्यासों को पहचान मिलना और उनका मूल्यांकन शेष रह गया। अब वे वहीं रहे। श्याम बिहारी श्यामल के उपन्यासों 'धपेल' एवं 'अग्निपुरुष' की चर्चा जरूरी है।

सत्यनारायण 'नारे' ने हिन्दी में व्यंग्य-कहानियाँ और लघुकथाएँ लिखीं। डॉ. राम जी काफी अच्छा लिख रहे हैं, कहानियाँ तथा और भी बहुत कुछ। विनीता सहर पलामू भी नवोदित प्रतिभाशालिनी कथा लेखिका हैं।

इधर यहाँ कई लोग नवोत्साह के साथ हिन्दी के श्रीवर्द्धन में लगे हैं। इनमें दंपति डॉ. नगेन्द्र नाथ शरण और श्रीमती श्यामा शरण का उल्लेख होना चाहिए। डॉ. शरण यों भी विशिष्ट हैं कि उन्होंने अंग्रेजी के प्रोफेसर पद से सेवानिवृत्त होने के बाद हिन्दी में भी शोधोपाधि ली। पंत पर उनका यह कार्य प्रकाशित है। अंग्रेजी के तो वे पी-एच.डी. थे ही। इस दंपति ने कई अलग-अलग और कई समेकित रूप में कहानियों, लघुकथाओं और कविताओं की कई पुस्तकें प्रकाशित कराई हैं। डाल्टनगंज से अब एक हिन्दी दैनिक 'राष्ट्रीय नवीन योजना' प्रकाशित हो रहा है। स्पष्ट है कि इससे हिन्दी की गतिविधि बढ़ी है। पलामू के राकेश कुमार सिंह यद्यपि जैन कॉलेज, आरा में रसायन विज्ञान के शिक्षक हैं पर बहुत अच्छी कहानियाँ लिख रहे हैं। पलामू की स्थिति पर केन्द्रित उनके दो उपन्यास आ चुके हैं—'जहाँ खिले हैं श्वेतपलाश' और 'पठार पर कोहरा'।

इस क्षेत्र का गढ़वा (नवनिर्मित जिला) और भी पिछड़ा रहा है, किन्तु कई नए-पुराने लोग हिन्दी के शृंगार में लगे हैं। गोपाल मिश्र की कुछ कहानियाँ देखने में आईं। शम्भूनाथ प्रवासी, रमेश चंचल इस क्षेत्र के चर्चित साहित्य सेवी, महेन्द्र उपाध्याय कवि हैं।

नवनिर्मित जिला लातेहार में वैसा उल्लेख तो कुछ नहीं दीखता, पर शिक्षक, कुमुद तिवारी आदि ने हिन्दी का अलख जगाए रखा है।

और अब राँची की बात करें।

राँची

आज तो राँची झारखंड की राजधानी है, लेकिन इसके पहले भी इसे बिहार की ग्रीष्मकालीन राजधानी होने का गौरव प्राप्त था, गो बहुत बाद में यह गौरव दिन गया था। बहरहाल, झारखंड के इस, प्रसिद्ध शहर में बाहर से आकर लंबे समय से लोग बसते गए हैं। जाहिर है, साहित्यिक गतिविधियाँ भी यहाँ सर्वाधिक रही हैं।

झारखंड (तब के छोटानागपुर) और इनके शहर राँची को देशव्यापी पहचान दिलाई है राधाकृष्ण ने जिन्हें यहाँ के लोग प्यार से लाल बाबू कहा करते थे। राधाकृष्ण के भीतर जैसे एक आग सुलग रही थी, अभिव्यक्ति की एक बेचैनी और छटपटाहट थी। आश्चर्य नहीं कि उन्होंने कई नामों से कई विधाओं में लिखा। 'सोमिदेव' के नाम से उन्होंने कविताएँ लिखीं। तत्कालीन दैनिक 'नवराष्ट्र' में वे 'मौजीराम' के नाम से डायरी लिखा करते थे। आरंभिक दौर में अपनी हास्य-व्यंग्य प्रधान रचनाएँ उन्होंने 'घोष-बोस बैनर्जी-चटर्जी' के नाम से लिखीं। राधाकृष्ण ने जीवन में बहुत संघर्ष किया। उन्होंने बस-कंडक्टरी की। कई अन्य छोटे-मोटे धंधों के बाद फिल्म-नगरी मुंबई का चक्कर लगाया, 'आकाशवाणी' में प्रोड्यूसर नियुक्त हुए और अंतत: राँची से प्रकाशित होने वाले सरकारी पत्र 'आदिवासी' का संपादन किया। 'आदिवासी' के संपादन-क्रम में उन्होंने किसी हद तक आचार्य महावीर प्रसाद द्विवेदी की भूमिका निभाई याने इस जनजातीय क्षेत्र में कई हिन्दी और अन्य जनजातीय भाषाओं के क्षेत्रीय काल के लेखकों को

प्रकाश में ले आए। प्रेमचंद के जमाने से लिखते हुए वे समांतर कहानी के दौर तक रचनाशील रहे। नए लेखकों को उन्होंने सदैव प्रेरित प्रोत्साहित किया। आदिवासी चरित्रों को लेकर पहली बार उन्होंने कहानियाँ लिखीं। उन्होंने बहुत लिखा। उपन्यास सनसनाते सपने, रूपान्तर, फुटपाथ, सपने बिकाऊ हैं; कहानी संकलन रामलीला, गल्पिका, सजला (दो भाग) गेंद और गोल, प्रतिनिधि कहानियाँ; नाटक भारत छोड़ो, बिगड़ी हुई बात, अभिज्ञान शाकुन्तल; अनुवाद बराबस (नोबल पुरस्कार-प्राप्त पार लैगर क्विस्थ के उपन्यास का हिन्दी रूपान्तर); किशोरोपयोगी बर्बरीक, इस देश को कौन जीत सकेगा ? नई नगरिया, वह देखो साँप, कुरान की कहानियाँ, तीन दोस्त : तीन किस्मत, उजागर की रेलगाड़ी, बालोपयोगी भकोलवा, दाँव-पेंच, करमसांड की कहानी, सिन्ड्रेला, मिस्टर बागड़बिल्ला, एक था तीरन्दाज, नवसाक्षरोपयोगी राह आदि के अलावा भी विभिन्न पत्र-पत्रिकाओं में उनकी ढेर सारी रचनाएँ बिखरी पड़ी रह गई हैं। उनके दो अधूरे उपन्यास हैं 'अल्ला कसम' और 'फिर फाहियान आया'। रेडियो के लिए राधाकृष्ण ने बहुत लिखा और रेडियो-नाटक के तो वे सिद्ध लेखक ही थे। राँची का सर्वाधिक पुराना हिन्दी दैनिक 'राँची एक्सप्रेस' प्रतिवर्ष किसी एक हिन्दी-सेवी को राधाकृष्ण पुरस्कार से सम्मानित करता है और इस बहाने राधाकृष्ण की स्मृति को जगाये हुए हैं। तत्कालीन प्रसिद्ध हिन्दी समाचार-साप्ताहिक 'दिनमान' ने 18-24 फरवरी, 1979 का अंक राधाकृष्ण पर केन्द्रित कर निकाला था। 18 सितम्बर 1910 में जन्मे राधाकृष्ण ने 3 फरवरी 1979 में यह दुनिया छोड़ दी और छोड़ गए अपनी यश कीर्ति।

'लाल बाबू' और उनके साथ साहित्यकारों के लिए एक, कच्ची ही सही, जमीन इनके पूर्व के हिन्दी-सेवियों ने तैयार कर रखी थी। इनमें वैद्यनाथ पोद्दार (बैजू बाबू), चिरंजीलाल शर्मा, अनन्त सहाय अखौरी (1913 में इनका लिखा नाटक 'ग्रह का फेर ' प्रकाशित हुआ था), बालकृष्ण सहाय, कामेश्वर प्रसाद मिश्र, भुवनेश्वरी प्रसाद ,जंगबहादुर सिंह 'विजयी', पांडेय रामचन्द्र सहाय, बच्चू पाण्डेय, जगन्नाथ सहाय 'मृणाल', जगदीश नारायण सिंह, कुलदीप सहाय, देवकी नंदन शर्मा आदि साहित्यकार प्रमुख हैं। वैद्यनाथ पोद्दार पुरानी शैली की कविताएँ और कहानियाँ लिखते थे, चिरंजीलाल शर्मा ने हास्य-व्यंग्य प्रधान कविताएँ लिखीं।

सन् 1932-33 में एक प्रातिभ नाम सामने आया, श्री (बाद में डॉ.) सत्यनारायण शर्मा। सन् 1932 में रांची में 'बालकवि कुमुदिनी सभा' की स्थापना हुई, बाद में यह 'साहित्यिक मंडल' कहलाया। इससे 'वाटिका' नामक हस्तलिखित पत्रिका निकाली जिसके प्रारंभ से लेकर बाद के कई अंकों तक का संपादन डॉ. शर्मा ने किया। 'वाटिका' के सह-संपादक थे हरि कृष्ण सराय। इनकी रचनाएँ भी इस पत्रिका में आती थीं। बहुभाषी डॉ. शर्मा सन् 1933 से मुख्यत: हिन्दी (और संस्कृत) में लिख रहे थे। फ्रेंच, अंग्रेजी, जर्मन के जानकार डॉ. शर्मा ने दुनिया के कई हिस्सों में सैर कराई और (विधिवत् सिर्फ मैट्रिकुलेशन पास) संत ज़ेवियर कॉलेज में वर्षों तक हिन्दी का अध्यापन किया, दक्षिण भारत के एक शिक्षा-संस्थान में प्राचार्य हुए और अंतत: पिसंतर विश्वविद्यालय जर्मनी में भारत विद्या विभाग के शिक्षक बन गए, गो अपनी राँची से उनका नियमित संपर्क बना रहा।

तब की प्रतिष्ठित पत्र-पत्रिकाओं (विजय, विश्वमित्र, विशाल भारत-कलकत्ता, संगम,

सरस्वती-इलाहाबाद, माधुरी-लखनऊ, पारिजात, नवरत्न, नव शक्ति, योगी-पटना, चिनगारी, अप्सरा-बनारस) में डॉ. शर्मा की रचनाएँ नियमित अंतराल पर प्रकाशित होती रहीं। इनकी प्रकाशित पुस्तकें हैं—'इन्कलाब जिन्दाबाद,' निबंध संग्रह, 1939, पत्र-शैली में गद्य-काव्यात्मक उपन्यास 'आत्महंता', 1942, टूटती हुई जंजीरें, दार्शनिक ग्रंथ-जीवन यात्रा, 'आँसुओं का देश', 'दुनिया मेरी दृष्टि में' कविता-संकलन, 'तूफान', मरुपथ, निर्वासद्वीप, निबंध-संग्रह—'चिन्तना के पश्चिमी पंख', आदि स्मरणीय हैं कि 'जीवन-यात्रा' बांग्ला में अनूदित हुई, 'दुनिया मेरी दृष्टि में' की भूमिका फ्रेंच में ओलिविए लाकोम्बे ने लिखी थी। संत फ्रांसीसी की जीवनी पर आधारित फेलिक्स तिमिरमास के फ्रेंच उपन्यास को डॉ. शर्मा ने हिन्दी में 'कांटों की राह का प्रेमी' नाम से अनूदित किया। संस्कृत में भी आपके कई ग्रंथ हैं और कई हिन्दी (अंग्रेजी की) पत्रिकाओं का संपादन आपने किया। बहुत बाद में डॉ. शर्मा को राधाकृष्ण पुरस्कार से सम्मानित किया गया। अब वे नहीं रहे। झारखंड के हिन्दी साहित्य की बात हो और डॉ. कामिल बुल्के न याद आएँ। बेल्जियम के रास्ते कैपेले में आए डॉ. बुल्के ईसाई पादरी के रूप में सन् 1935 में भारत आए और अपने जीवन का महत्तम और सर्वोत्तम भाग राँची को दिया, गो उनकी मिट्टी दिल्ली की मिट्टी के साथ तदाकार हुई।

भारत आने के पहले ही फादर कामिल बुल्के इंजीनियरिंग की डिग्री ले चुके थे, दर्शनशास्त्र, उच्च गणित, और आइंस्टाइन के सापेक्षतावाद में पारंगतता प्राप्त कर चुके। भारत में इन्हें तत्कालीन छोटानागपुर में मानव-सेवा का अवसर मिला। इन्होंने क-ख से शुरू करके हिन्दी और संस्कृत सीखी, कलकत्ता से बी.ए. (संस्कृत) किया, विशारद हुए और प्रयाग विश्वविद्यालय से हिन्दी में एम.ए. किया तथा सन् 1949 में वहीं से 'रामकथा का विकास' पर डी.फिल. की उपाधि ली। सन् 1950 में यह शोध-प्रबंध 'रामकथा : उत्पत्ति और विकास' के रूप में प्रयाग वि.वि. से छपा। तब से इसके कई संस्करण हो चुके हैं। कई संस्करणों को डॉ. बुल्के ने परिवर्द्धित भी किया। निधनोपरांत उन्हें 'राधाकृष्ण पुरस्कार' दिया गया जिससे स्वयं पुरस्कार का गौरव बढ़ा।

डॉ. बुल्के संत जेवियर कॉलेज के हिन्दी-संस्कृत विभागाध्यक्ष नियुक्त हुए और वहीं मनरेसा हाउस में रहते हुए मनसा-वाचा-कर्मणा हिन्दी की सेवा में जुट गए। तुलसी उन्हें अत्यंत प्रिय थे। उनके शोध-ग्रंथ के अतिरिक्त उनका दूसरा स्थायी मूल्य का कार्य अंग्रेजी-हिन्दी कोश है जो हर हिन्दी प्रेमी के घर और हर कार्यालय के लिए अपरिहार्य हो गया है। कुल मिलाकर उन्होंने उनतीस पुस्तकें और साठ शोध-निबंध लिखे। 'मुक्तिदाता' के नाम से इन्होंने अपनी ही अंग्रेजी में लिखी सन् 1942 में प्रकाशित ईसा मसीह की जीवनी से संबद्ध सामग्री पर रचित पुस्तक का अनुवाद प्रकाशित कराया। इनकी रामकथा विभिन्न देसी-विदेशी भाषाओं में अनूदित हुई है। मेटरलिंक के प्रसिद्ध फ्रेंच नाटक 'द ब्लू बर्ड' का इन्होंने 'नील पंछी' नाम से हिन्दी अनुवाद किया। 'न्यू टेस्टामेंट' का मानक हिन्दी में अनुवाद 'नया नियम' नाम से प्रकाशित कराया। ओल्ड टेस्टामेंट का अनुवाद ये पूरा नहीं कर पाए। इसे बाद में डॉ. दिनेश्वर प्रसाद ने पूरा किया।

डॉ. द्वारका प्रसाद (जन्म : 8 अप्रैल, 1918) मूलतः लोहरदगा के एक संपन्न परिवार से आते हैं और जीवन के चौथे चरण में वे फिर लोहरदगा लौट गए हैं। लेकिन उनकी पहचान राँची

वासी के रूप में ही है। हालाँकि वे लंबे वर्षों तक मसूरी, दिल्ली, मुंबई में भी रहे। कुल अट्ठाइस दिनों में लिखे गए, सन् 1948 में प्रकाशित इनके उपन्यास 'घेरे के बाहर' ने इन्हें रातों-रात प्रसिद्धि दिलाई, गो वर्जित प्रसंगों की कथा होने के कारण यह कुछ दिनों तक प्रतिबंधित भी रहा। लेकिन लोकप्रियता और ख्याति का इतिहास बनाया 'घेरे के बाहर' ने । जब कुछ लोग इस उपन्यास को लेकर नाक-भौं सिकोड़ रहे थे, सुप्रसिद्ध कवि समालोचक-अध्येता नलिन विलोचन शर्मा ने इसे हिन्दी के श्रेष्ठ उपन्यासों में गिना। साहित्यकारों के 'गैलप-पौल' में इसे तीसरा स्थान मिला। डॉ. प्रसाद मनोविज्ञान के एम.ए. ही नहीं, मनोचिकित्सक भी हैं और लंबे समय तक मनश्चिकित्सक रहे हैं। इनके बहुत सारे उपन्यास इनके मरीजों की केस-हिस्ट्री हैं। 'पहिए' इनका अत्यंत सशक्त उपन्यास है। इनकी प्रकाशित पुस्तकें हैं—उपन्यास घेरे के बाहर, पहिए, रंजना, मम्मी बिगड़ेंगी, मौत और जिन्दगी, सुनील—एक असफल आदमी, गुनाह बेलज्जत, इति, हथौड़े और चोट, संगीता के मामा, बेड़ियाँ, सर्द छाया, स्वयंसेवक, भटका साथी, जरूरत, तेरे लिए तथा संबंध। मनोविश्लेषण एवं कार्यविज्ञान संबंधी पुस्तकें : मानव मनोविज्ञान, मानव मन, बालक-बालिकाओं का मनोविज्ञान, अपने बच्चे से कैसे कहूँ, बच्चे कहाँ से आते हैं, यौन-प्रेम, पति-पत्नी में भी प्रेम संभव है। अधिक बच्चे क्यों, काम-मनोविज्ञान आदि। 'नर-नारी', हमारा मन, 'हम दोनों ' आदि पत्रिकाओं का इन्होंने संपादन किया। इन्होंने रेडियो, टी.वी. ही नहीं, मंच के लिए भी पूर्णकालिक नाटक लिखे, यथा 'ये खास लोग' आदि। इधर आकर इन्होंने कोश-निर्माण में अपने को लगाया। इस संदर्भ में इनके 'एस. चंद हिन्दी-हिन्दी डिक्शनरी' को याद किया जा सकता है ।

कुछ ऐसे नाम हैं जिन्होंने अपने ढंग से हिन्दी को समृद्ध किया किन्तु शीघ्र ही भुला दिए गए। 'झारखंड' अब बना है किंतु काफी पहले ईश्वरी प्रसाद बड़ाइक के संपादन में 'झारखंड' नामक हिन्दी मासिक निकल रहा था। श्री बड़ाइक ने 'चित्रकार' शीर्षक से उपन्यास भी लिखा। हेरम्ब मिश्र साप्ताहिक 'स्वर्णरेखा' का संपादन करते थे। नंदलाल प्रसाद ने 'अमर बापू' और 'झांसी की रानी' की रचना की। गुलाब नारायण तिवारी ने 'देश की पुकार' की रचना की थी। अंग्रेजी शासन ने इस पुस्तक को उकसाऊ जानकर जब्त कर लिया था। सुबोध मिश्र 'सुरेश' एक पत्रिका 'उल्टी गंगा' का संपादन करते थे और खुशदिल बिहारी के नाम से इन्होंने हास्य-व्यंग्य की कविताएँ लिखीं (जो इलाहाबाद से निकलने वाले साप्ताहिक 'पदारी' में छपती रहीं)। प्रफुल्लचंद्र पटनायक मूलतः उड़िया-भाषी थे, किन्तु हिन्दी में कविताएँ करते थे। वे राँची में राँची कॉलेज के प्राध्यापक होकर आए थे।

राँची को यह गौरव हासिल है कि 'नकेन' के 'के' केसरी कुमार ने लंबे समय तक यहाँ रहकर हिन्दी का श्रीवर्द्धन किया। सन् 1945-46 के आसपास के राँची कॉलेज के प्राध्यापक होकर आए और सन् 1958-59 में पटना लौटे। स्मरणीय है कि 'अज्ञेय' की प्रयोगवादी स्थापना को प्रपद्यवादी केसरी बाबू ने सतर्क रूप से काटा था और 'प्रपद्य-दशसूत्री' के रूप में प्रपद्यवाद के घोषणापत्र का प्रारूप प्रस्तुत किया था। 'नकेन' में शामिल कविताओं के अलावा भी वे कविताएँ सिरजते रहे और अनेक महत्त्वपूर्ण आलोचना-ग्रंथों का प्रणयन किया—'साहित्य और समीक्षा', 'भारतेन्दु और उनके नाटक', 'हरिऔध और उनका महाकाव्य', 'हिन्दी के कहानीकार',

'पंत और उनका गुंजन', 'निवेदिता', 'आधुनिक कवि', 'गुप्त जी और यशोधरा', 'संस्मरण और संस्मरण', 'प्रसाद और उनके नाटक', 'मूल्य और मूल्यांकन', 'सुदामा चरित' आदि। केसरी बाबू झारखंड में रच-बस गए थे। वे अत्यंत मिलनसार, प्रखर चिन्तक और प्रेरक साहित्यकर्मी थे। जीवन के अंतिम दिनों में फालिज गिर जाने के बाद उन्होंने बाएँ हाथ से लिखना जारी रखा और उनकी साहित्य-सेवा अंत तक चलती रही। पटना में उन्होंने अंतिम साँस ली।

उन्हीं दिनों राँची में हिन्दी प्रेमी शिक्षक महताब अली, मधुसूदन पाण्डेय (मेघदूत के नए प्रसाधक सच्चिदानंद सिंह 'मधुप', 'पलकों के मोती', 'वनस्थली' के रचनाकार) भी हिन्दी सेवा में लगे थे।

हिन्दी के दो शीर्षस्थानीय विद्वान-समालोचक प्रो. नवल किशोर गौड़ एवं प्रो. शिवनंदन प्रसाद सिंह (अलबर्ट कृष्ण अली के नाम से अनूठी व्यंग्य कहानियों के सर्जक, आदि-अनादि-इत्यादि तथा 'कलिक-पुराण' के रचयिता) ने कुछ वर्ष राँची में बिताए। यहीं भुवनेश्वरी प्रसाद भुवन (मुख्यतः कहानीकार, देश-विदेश छपे हुए) का स्मरण भी किया जाना चाहिए।

योगेन्द्र नाथ सिन्हा वन-विभाग में मुख्य वन-संरक्षक रहे और राँची में ही रच-बस गए। यहीं उनकी काया भी शेष हुई। उन्होंने देश-विदेश की खूब सैर की और अपने अनुभवों को 'एराउंड द वर्ल्ड' में लिपिबद्ध किया। झारखंड के वन-जीवन की कथा योगेन्द्र बाबू ने डूबकर लिखी। 'वनलक्ष्मी' और 'वन के मन में' उनके उपन्यास हैं। 'दुम्बी हो', 'चलो, बादलों में छिप जाएँ', 'आसमान-तारा', 'मूँछ की लड़ाई' उनकी कहानियों के संकलन हैं। 'पथेर पांचाली' के विभूति बाबू उनका संस्मरण-ग्रंथ है। साहित्य-लेखन में उन्हें विभूतिभूषण बंद्योपाध्याय ने ही प्रवृत्त किया था।

गोपालदास मुंजाल को विशेष रूप से याद किया जाना चाहिए। ये राधाकृष्ण के ही समकालीन थे। वृत्ति से व्यवसायी, स्वभाव में ज़िन्दादिल और रुचि से हिन्दी की विभिन्न विधाओं के लेखक। इनका उपन्यास है 'पूनम : एक याद', कहानी-संग्रह 'मौलश्री' एवं कविता-संग्रह 'घने अंधकार की ओर'। उन्होंने मोपासां की कई कहानियों को हिन्दी में अनूदित करके 'चिनगारी' (बनारस), 'कहानियाँ' (पटना), एवं 'अभिनय' (कलकत्ता) में छपाया। बाद में 'गर्म देश का प्यार' में ये कहानियाँ संकलित हुईं।

यह स्मरणीय है कि सन् 1942 में मधुमेह एवं क्षय रोग से ग्रसित होकर पं. रामदहिन मिश्र (ग्रंथशिला कार्यालय, पटना के स्वामी एवं अनेक व्याकरण-काव्याशास्त्रादि ग्रंथों के प्रणेता) राँची आकर रहने लगे थे। सो उनकी साहित्य-साधना का कुछ संस्पर्श इस क्षेत्र से भी हुआ। उन दिनों के यशस्वी कवि एवं नाटककार माधव शुक्ल का संबंध भी राँची से था। सन् 1943 में यहीं उन्होंने अपनी जीवन-लीला समाप्त की। पं. शिवशंकर शर्मा काव्यतीर्थ ने अपने राँची-प्रवास में कई पुस्तकों की रचना की थी। (वे राँची से प्रकाशित साप्ताहिक 'आर्यावर्त' के साथ कुछ वर्षों के लिए जुड़े थे।)

सन् 50 के दशक में इधर के किसी कवि-सम्मेलन की कल्पना मधुकर जी (सच्चिदानंद सहाय 'मधुकर' अब स्वर्गीय) के बिना नहीं की जा सकती थी। वे पेशे से वकील किन्तु मूलतः कवि थे। इनकी कविताओं के विषय विविध हुआ करते थे—इतिहास, दर्शन, देश-प्रेम, हास्य-

व्यंग्य आदि। कविता और विज्ञान के समन्वय के पक्ष में ये थे और 'पैथोलॉजी' को आधार बनाकर इन्होंने कुछ काव्य प्रयोग किए। इनकी प्रकाशित पुस्तकें हैं—'जनानिस्तान' (व्यंग्यात्मक प्रबंध काव्य), 'उपेक्षिता' (कविता-संकलन), 'कनखी' (व्यंग्य कविताएँ), 'नीला पानी, लाल कहानी' (काव्य वर्णक), 'ताजमहल' (महाकाव्य), 'नहीं है, वही है, यही है' (प्रयोग काव्य), 'प्रगति' (कविताएँ)। 'काव्यश्री' के नाम से इन्होंने एक कविता-संकलन का संपादन किया। याद कर लें कि संस्कृत में शिव स्तोत्र की रचना भी इन्होंने की थी।

रामकृष्ण प्रसाद 'उन्मन' इधर कुछ मौन से हैं, किन्तु वर्षों तक कवि-सम्मेलनों के मंच को जीवन देते रहे। 'उन्मन' जी की पहली कविता सन् 1948 में कलकत्ते के एक मासिक पत्र में प्रकाशित हुई थी। तत्कालीन पत्र-पत्रिकाओं, यथा, 'साप्ताहिक हिन्दुस्तान', 'रानी', 'ज्योत्स्ना', 'सन्मार्ग', 'प्राची', 'रजनी', 'विश्वमित्र', 'चिनगारी' आदि पत्रिकाओं में प्रकाशित होती रहीं और रेडियो पर भी ये प्रेम से सुने जाते रहे। कविता से इतर की विभिन्न विधाओं में इन्होंने लिखा—प्रहसन, संगीतरूपक, संगीतिका, पद्यनाटक की रचनाएँ इन्होंने 'आकाशवाणी' के लिए कीं। 'चंपक' इनका चर्चित 'ध्वनि-रूपक' है। भगवान् बिरसा पर इन्होंने एक वृत्तकाव्य की रचना की जो प्रकाशित है। कई संकलनों में सभी कविताएँ ली गई हैं। इनकी प्राय: पाँच-छह सौ रचनाएँ (गीत एवं कविताएँ) पत्र-पत्रिकाओं में बिखरी हैं।

'स्वावलंबन' के लेखक डॉ. माहेश्वरी सिंह 'महेश' (जो टी.एन.बी. कॉलेज, भागलपुर के अध्यक्ष-पद से सेवानिवृत्त हुए) सन् 1955-56 के आसपास कुछ वर्षो तक राँची कॉलेज, राँची में थे। 'महेश' जी के संपादन में रामवृक्ष बेनीपुरी के प्रोत्साहन से, केसरी कुमार की भूमिका के साथ तब के पाँच विद्यार्थियों और पूर्व विद्यार्थियों ने दिसम्बर सन् 1957 में 'सागर के तिनके' कहानी-संकलन छपाया। इस संकलन में वीरेन्द्र प्रसाद सिन्हा (जो बाद में भी जब-तब लिखते रहे, बिहार सरकार में अतिरिक्त जिलाधिकारी के पद से सेवानिवृत्त हुए), मदनमोहन वर्मा 'मुकुन्द', काली किंकर (जो बड़े प्रतिभावान कवि और सुधी-दृष्टिसंपन्न समीक्षक हैं। लिखते तो रहे विद्यार्थी-जीवन से ही, किन्तु इधर आकर उनका एक कविता-संकलन और एक आलोचना शोध प्रकाशित हुआ), विसेश्वर प्रसाद केसरी (जिनका उल्लेख पहले भी हुआ है, जिन्होंने 'मैं झारखंड में हूँ' जैसी कई पुस्तकें लिखीं किन्तु नागपुरी के प्रति अपनी प्रतिबद्धता और झारखंड-आंदोलन में सक्रियता के कारण हिन्दी से दूर होते चले गए।) एवं सुरेश्वर दयाल (दयाल जी ने एक-दो कविता-संकलन इधर छपाए हैं जिनमें जीवन की सांध्यवेला का भक्ति-भाव और औदास्य ज्यादा है), स्मृति सिन्हा (जो बाद में जापान चली गईं) तथा रामावतार, बुधिया की एक-एक कहानी ली गई थी।

पं. भवभूति मिश्र, संस्कृत-ज्योतिष के निष्णात पंडित, सुकवि भी थे, कथाकार भी। उनकी कहानियों का संकलन है—'बची-खुची संपत्ति'। बाद में इनकी आध्यात्मिक साधना बढ़ती चली गई और डेनिचांच (हजारीबाग जिले का एक कस्बाई गाँव) के परमहंस बाबा की वाणी को संकलित कर कई पुस्तकें छपाईं। संत-साहित्य को मिश्र जी की इस अनुपम देन को सँजोने-सहेजने का काम किसी ने नहीं किया।

इस अंचल के प्रसिद्ध व्यवसायी श्री सोहनलाल भी सन् 1950 के आसपास लिखा करते थे।

कुमार मोहन के नाम से इन्होंने 'फाबियोला' नामक उपन्यास लिखा जो सन् 1950 में ही कैथलिक प्रेस, राँची से प्रकाशित हुआ था।

श्रवण कुमार गोस्वामी (बाद में डॉ.) का पहला कहानी-संकलन 'जिस दीए में तेल नहीं' सन् 1957 में छपा, यद्यपि उसके कुछ वर्ष पहले से ही पत्र-पत्रिकाओं में उनकी कहानियाँ दीखने लगी थीं। कॉलेज-शिक्षक बन जाने के बाद उनकी दृष्टि नागपुरी की ओर गई। यद्यपि रेडियो के लिए वे एक नागपुरी धारावाहिक नाटक लिख चुके थे। नागपुरी का शिष्ट साहित्य विषय पर उन्होंने पी-एच.डी. की उपाधि ली। यह प्रबंध बिहार राष्ट्रभाषा परिषद् से दो खंडों में छपा भी। नागपुरी के 'वृहत् त्रय' जैसी कुछ किताबें और 'एक झोंपा नागपुरी फूल' जैसे अनेक नागपुरी के संकलन भी उन्होंने तैयार किए, किन्तु नागपुरी से मोह-भंग, स्थानीय भाषाई राजनीति से खिन्नता पा फिर हिन्दी के प्रति मूल अनुराग से प्रेरित होकर वे लगातार हिन्दी में लिखने लगे और शीर्ष स्थानीय उपन्यासकार के रूप में अपनी पहचान बनाई। व्यवस्था के प्रति खीज, सार्वजनिक उपक्रमों में भ्रष्टाचार को उजागर करने का दायित्व उन्होंने उठाया और प्रारंभ किया व्यंग्यात्मक उपन्यास से। उनकी मुख्य रचनाओं विशेषत: उपन्यासों की तालिकाएँ भी बन सकती हैं : 1. 'जंगलतंत्रम्' (राजकमल, 1979), 2. 'सेतु' (सन्मार्ग, 1981, हिन्द पॉकेट बुक्स, 1983), 3. 'भारत बना इंडिया' (सत्साहित्य प्रकाशन, 1983), 4. 'दर्पण झूठ न बोले' (सन्मार्ग, 1983), 5. 'राहु-केतु' (राजपाल, 1984), 6. 'मेरे मरने के बाद' (राजपाल, 1985), 7. 'चक्रव्यूह' (राजपाल, 1988), 8. 'आदमखोर' (प्रभात, 1989), 9. 'एक टुकड़ा सच' (सन्मार्ग, 1989), 10. 'केन्द्र और परिधि' (विनोद पुस्तक मंदिरा, आगरा, 1996), 11. 'हस्तक्षेप' (2001) एवं कजरी। गोस्वामी के पहले ही उपन्यास जंगलतंत्रम के लिए उन्हें प्रथम राधाकृष्ण पुरस्कार से सम्मानित किया गया।

उपन्यासों के अलावा भी गोस्वामी जी ने बहुत कुछ लिखा है। उनकी संस्मरण पुस्तक है—'लौह कपाट के पीछे'। अपने ढंग की एक किताब है— 'अटल बिहारी वाजपेयी के नाम खुला पत्र' (जिसमें पत्र के बहाने देश की बहुविध विसंगतियों के नहीं हटाए जाने के प्रति आक्रोश है) गोस्वामी जी पूरी खबर के साथ अभी भी सृजनरत है और महत्त्वपूर्ण यह कि उनका व्यक्तित्व जैसा सहज है, लेखन भी अकारण-अनावश्यक कलाबाजियों से रहित। कहते हैं, राधाकृष्ण की अगली कड़ी हैं श्रवण कुमार गोस्वामी।

राँची में प्रकाशन-संस्थानों के अभाव की कष्टकथा का अनुभव राधाकृष्ण तक कर चुके थे, उन्होंने यत्र-तत्र दूसरा संकेत भी किया है। राँची के 'पुस्तक भवन' के संस्थापक अध्यक्ष स्वर्गीय भुवनेश्वर प्रसाद सिंह ने सन् 1955 में 'अभिज्ञान प्रकाशन' की स्थापना की थी। यह प्रकाशन शीर्ष साहित्यकारों का अड्डा था और वहाँ से विभिन्न विधाओं में विभिन्न लेखकों की किताबें प्रकाशित हुईं— शिवचन्द्र शर्मा (लिंग्वादलमोतवाद के प्रवर्तक, प्रखर कवि एवं चिन्तक-समीक्षक), शारदा रंजन पांडेय, रमण (एक समय में बड़ी चर्चा में थे, वे कवि लेखक थे, खुले विचारों वाले थे), मालचंद्र ओझा, राजकमल चौधरी, शंभुनाथ मिश्र, द्वारका प्रसाद, योगेन्द्र नाथ सिन्हा, प्रफुल्लचंद्र ओझा 'मुक्त', करतार सिंह दुग्गल (ये उन दिनों 'आकाशवाणी' के राँची केन्द्र के उप-निदेशक होकर यहाँ आए थे), अलबर्ट कृष्ण अली (ऊपर चर्चा हो चुकी है) प्रो.

शिवनंदन प्रसाद, राधाकृष्ण, चतुर्भुज, सिंहनाथ कुमार, पीटर शांति नवरंगी (नागपुरी और हिन्दी के लिए इन्होंने बहुत कार्य किया), काशीनाथ पाण्डेय (कुशल कवि थे। यहाँ से प्रकाशन के लिए साहित्यिक कृतियों के चुनाव का जिम्मा इनका ही था। एक तरह से ये राजकमल चौधरी के प्रतिरूप थे। यहीं से इनके संपादन में 'लय' नामक अधुनातन 'निर्दिशायामी' हिन्दी कविताओं का संकलन छपा, जिसकी बहुशः प्रशंसा और चर्चा हुई और कुछ दिनों तक के लिए काव्यान्दोलनों के नाम में यह एक नाम और जुड़ गया), विद्याभूषण (इनकी चर्चा आगे करेंगे), रामगोपाल शर्मा 'रुद्र', शंभुनाथ मिश्र, नागार्जुन, ब्रजकिशोर नारायण, नारायण जहानाबादी ('आकाशवाणी' में लंबे समय तक कार्यरत रहे, अब सेवानिवृत्त। कुछ दिनों तक पत्रकारिता की। जनजातीय जीवन और साहित्य पर बहुत लिखा और कमोबेश यह क्रम जारी है) आदि की किताबें अभिज्ञान प्रकाशन से छपीं। भुवनेश्वर बाबू के निधन के बाद, अभी अपूरित इच्छा को पूरा करने के उद्देश्य से 'अभिज्ञान' मासिकी की योजना बनी और कुछ अंक निकले। वह दौर कब का बीत चुका है।

सन् 1958 में गया से राँची आने के बाद विद्याभूषण झारखंड के ही हो गए। उनका स्थायी निवास यहीं है। उनके बड़े भाई बड़ी प्रखर मेधा के व्यक्ति थे और बेहद अध्ययनशील थे। वे चुप-चुप लिखते भी रहे और उनकी रचनाएँ गुमनाम पड़ी रहीं। अब जाकर विद्याभूषण जी ने स्वयं राजकमल राय (मूल नाम—राय रघुराय किशोर सिन्हा) की विभिन्न विधाओं की पूरी-अधूरी रचनाएँ तलाशीं (जितनी मिल सकीं) और 'महासर्ग' के नाम से उन्हें संकलित किया।

स्वयं विद्याभूषण मूलतः कवि हैं और दृष्टिसंपन्न कवि हैं। सन् 1985 में 'सोलह सफे' (कविताओं का लघु संकलन) के बाद से उनकी पुस्तकें लगातार आती गईं। उनके कविता-संकलन हैं—'अतिपूर्वा', 'सीढ़ियों पर धूप', 'मन एक जंगल है', 'इंधन चुनते हुए', 'आग के आसपास' और उनका सद्यः प्रकाशित कविता-संकलन है, 'इंधन और आग के बीच'। इनका एक कहानी-संकलन, 'कोरस' के नाम से छपा। इसमें आठ और कहानियाँ जोड़कर और पुरानी कहानियों को फिर से तराशकर 'कोरस' का नया संस्करण छपा है। इनकी आलोचना-पुस्तक है : वनस्थली के कथापुरुष (योगेन्द्र सिन्हा पर केन्द्रित) एवं अंतर्विषयी समाजशास्त्रीय पुस्तक है : 'झारखंड : समाज, संस्कृति और विकास'। इनकी साहित्यिक सेवाओं के लिए इन्हें 'राधाकृष्ण पुरस्कार' से सम्मानित किया जा चुका है और हाँ, काली किंकर, सच्चिदानंद और विनोद कुमार के साथ मिलकर उन्होंने क्रमशः नायक स्तरीय साहित्यिक पत्रिका निकाली और उसका संपादन किया।

शैल वर्मा में साहित्यिक संस्कार थे तो शुरू से किन्तु विद्याभूषण की जीवन-संगिनी बनने के बाद उनके साहित्यिक संस्कार खास तौर पर अँखुआए। वे शैल प्रिया के नाम से कविताएँ लिखती रहीं, प्रकाशन के प्रति बेहद संकोची रहीं। (अब वे नहीं हैं)। उनके कविता-संकलन हैं : 'अपने लिए', 'चाँदनी आग है', 'घर की तलाश में यात्रा' और उनके निधन के बाद प्रकाशित उनकी रचनाओं का संकलन है 'शेष है अवशेष'। 'प्रतिवेशी' के नाम से उन्होंने 8-10 कवियों की कविताओं के संकलन को संपादित किया। विविधा के खाते में उनकी एक पुस्तक 'जो आ रहा' को डाल सकते हैं। इनके निधन की पहली बरसी पर 'प्रसंग' ने अपना '९वां अंक' शैलप्रिया

स्मृति अंक के रूप में निकाला। बड़ी बात यह कि इस दंपति ने अपने बच्चों में भी साहित्यिक संस्कार भर दिए। बड़ा बेटा, प्रियदर्शन कहानियाँ-कविताएँ-भारतीय रिपोर्ताज लिखता रहा। संबंधित आयोग से चयनित होने के बावजूद कॉलेज-शिक्षक की नौकरी में वह नहीं आया और दिल्ली में पत्रकारिता में रह गया। 'जनसत्ता' में कुछ साल बिताने के बाद फिल वक्त वह 'एन.डी.टी.वी' में 'एडीटर आउटपुट' हैं। छोटा बेटा अनुराग अन्वेषी की कविताएँ लिखता रहा और अभी दैनिक 'प्रभात खबर' के धनबाद-संस्करण के समाचार-संपादक हैं। बिटिया अनामिका प्रिया ने कई कहानियाँ लिखीं जो 'जनसत्ता', 'वर्तमान संदर्भ,' 'प्रभात खबर', 'राँची एक्सप्रेस' में आती रहीं। पत्रकारिता और शिक्षण दोनों में उनकी समान रुचि है।

सन् 1960 में राँची विश्वविद्यालय की स्थापना हुई (झारखंड राज्य में अब तीन विश्वविद्यालय हैं। राँची के अतिरिक्त, विनोबा भावे विश्वविद्यालय हजारीबाग में और सिद्धू-कान्हू विश्वविद्यालय दुमका में। इनके अलावा राँची में बिरसा कृषि विश्वविद्यालय है और बी.आई.टी. मेसरा डीम्ड यूनीवर्सिटी है।)। डॉ. रामखेलावन पाण्डेय राँची कॉलेज के अध्यक्ष होकर तो सन् 58 में ही आ गए थे। अब वे विश्वविद्यालय के पहले हिन्दी विभागाध्यक्ष और आचार्य हुए। 'गीतिकाव्य' पर उनकी पुस्तक भारतीय ज्ञानपीठ से प्रकाशित होकर पहले ही चर्चित हो चुकी थी। संत-साहित्य के तो वे विशेषज्ञ थे ही, अद्‌भुत अध्येता, मौलिक विचारक और नई तिर्यक शैली के लेखक थे। वे बिहार में हिन्दी के पहले डी. लिट्. (पटना विश्वविद्यालय) थे। उनका शोध प्रबंध 'मध्यकालीन संत साहित्य' के नाम से छपा और विद्वानों द्वारा सराहा गया। उनकी अन्य पुस्तकें हैं 'साहित्य का सांस्कृतिक संदर्भ' तथा काव्य और कल्पना। इनके अलावा भी इनकी कई छोटी बड़ी पुस्तकें प्रकाशित हुईं किन्तु उन्हें सर्वाधिक संतोष अपनी पुस्तक हिन्दी साहित्य का नया इतिहास से हुआ। डॉ. पाण्डेय ने विभिन्न साहित्य सेवियों के संस्मरण लिखे। दुर्योग से वे संस्मरण अप्रकाशित रह गए। उनके निधन के बाद उनकी रचनाएँ बिखर गईं। यदि वे संस्मरण संकलित होकर प्रकाशित होते तो हिन्दी की अमूल्य निधि होते क्योंकि उस दौर के लेखकों से उनका निकट संपर्क था। देश के पुरुष विद्वान थे डॉ. रामखेलावन पाण्डेय।

यद्यपि डॉ. जयनारायण मंडल काफी पहले से राँची कॉलेज में अध्यापक थे किन्तु पाण्डेय जी के निधन के बाद वे कार्यकारी अध्यक्ष हुए। बाद में वे बिहार विधान सभा में राज्यसभा के सदस्य बनाए गए। तभी क्रूर काल ने उन्हें हमसे छीन लिया। उनका एक नाटक 'कलाकार' है। उनके अन्य प्रकाशित ग्रन्थ हैं—'घुँघरुओं में कैद', 'हिन्दी साहित्य की परंपरा,' 'हिन्दी उपन्यासों की यथार्थवादी परंपरा' आदि।

यहीं दो अन्य हिन्दी-सेवी विद्वानों की उपलब्धियों का स्मरण कर लें। हिन्दी आलोचना और समीक्षा-क्षेत्र के दो अत्यंत प्रतिभाशाली एवं समर्थ नाम हैं डॉ. नागेश्वर लाल एवं डॉ. दिनेश्वर प्रसाद। डॉ. लाल ने अपनी अर्थवान समीक्षाओं के द्वारा हिन्दी के साठोत्तर दशक के समीक्षकों में अपना विशिष्ट स्थान बनाया। 'नवलेखन का बुनियादी दर्शन' के द्वारा उन्होंने सन् साठ के बाद के नवलेखन का दृष्टि संपन्न मूल्यांकन किया था। उन दिनों की प्रसिद्ध पत्रिकाओं—'धर्मयुग', 'माध्यम', 'कल्पना', 'लहर' आदि में उनके वैचारिक-समीक्षात्मक आलेख लगातार आते रहे। डॉ. नामवर सिंह ने अपना एक लेख शुरू ही किया है डॉ. लाल के कथन के हवाले से।

डॉ. लाल की भाषा का खास रंग है, विशिष्ट। इनके उल्लेखनीय ग्रंथ है—'आधुनिक हिन्दी कविता में बिम्ब-विधान' (डी.लिट् उपाधि के लिए प्रस्तुत शोध-प्रबंध) 'मुण्डारी और उसकी कविता' (समीक्षा), 'कहानियाँ' नामक हिन्दी कहानियों के एक संकलन का संपादन भी इन्होंने किया। वे राँची विश्वविद्यालय के हिन्दी विभाग के यशस्वी प्रोफेसर रहे।

डॉ. दिनेश्वर प्रसाद राँची वि.वि. के हिन्दी विभाग के अध्यक्ष पद से सेवानिवृत्त हुए, किन्तु महत्त्वपूर्ण यह है कि वे अत्यंत दृष्टिसंपन्न आलोचक हैं। उन्होंने प्रारंभ में कुछ अत्यंत मर्मस्पर्शी कविताएँ लिखीं जो युग बोध और नवलेखन की प्रवृत्ति-परंपरा के योग्य भी हैं। 'सूरज के पार' नामक काव्य-संकलन (भागलपुर से प्रकाशित) का इन्होंने संपादन किया। इनकी प्रसिद्ध पुस्तकें हैं—'लोक साहित्य और संस्कृति', 'प्रसाद की विचारधारा', 'डी. लिट्. शोध-प्रबंध', 'मानस-कौमुदी', (डॉ. कामिल बुल्के के साथ मिलकर रामचरित मानस का संपादन)'हॉफमैन ऑन मुण्डारी पोयट्री' और साहित्य-अकादमी से प्रकाशित 'डॉ. (फादर) कामिल बुल्के' के व्यक्तित्व-कृतित्व का मूल्यांकन। 'प्रसाद की साहित्य-दृष्टि' इनका एक और ग्रंथ है तथा फादर बुल्के के साथ मिलकर इन्होंने 'बाइबिल के तीन उपन्यास' की भी रचना की। डॉ. दिनेश्वर प्रसाद उस अधीत-पंडित-परंपरा के विद्वान हैं जो पीढ़ी अब लुप्त होती जा रही है।

डॉ. रामखेलावन पांडेय के सेवानिवृत्त होने के बाद डॉ. बचनदेव कुमार बिहार लोक सेवा अयोग से विधिवत् अनुशंसित होकर राँची वि.वि. के हिन्दी विभाग के प्रोफेसर एवं अध्यक्ष-पद पर आसीन हुए। डॉ. कुमार सिंह कवि और सुधी समीक्षक, तुलसी-साहित्य के विशेष विद्वान थे। तुलसी-संबंधी इनके ग्रंथ हैं—'तुलसी के भक्त्यात्मक गीत', 'रामचरित मानस में अलंकार योजना,' 'मानस-अलंकार-कोश', 'मानस-सूक्ति-कोश', तथा 'तुलसी-साहित्य : विवेचन और मूल्यांकन' (आचार्य देवेन्द्र नाथ शर्मा के साथ मिलकर संपादित)। इनकी कविता पुस्तकें हैं—'ईहामृग', 'ओ अजन्मा, सुनो', 'कविताएँ बे-मौसम की', 'पृथ्वी-पुत्री', 'वृत्त एक : बिन्दु अनेक', 'कविताएँ धूप-छाँव की'। उनके निबंध-संकलन हैं—'चिन्तन के धागे', 'तुलसी विविध संदर्भों में', 'चिन्तन की मुद्राएँ', 'साकेत : एक पुनर्मूल्यांकन', 'पूर्वमेघ : एक पुनर्मूल्याकंन' (डॉ. छविनाथ मिश्र के साथ मिलकर)। उनकी संस्मरण की पुस्तक है 'स्मृति गंधा'। उनके द्वारा संपादित पुस्तकें हैं—साकेत : विचार और विश्लेषण (सह-संपादक—डॉ. रमेश प्रसाद), उर्वशी : विचार और विश्लेषण, लेखक और परिवेश, सूर नए परिप्रेक्ष्य में, कामायनी एक सहचिंतन : निराला : आलोचकों की दृष्टि में, हिंदी कविता : 1960 के बाद : कथायात्रा (कहानी संकलन), एक झोंपा नागपुरी फूल कहानी संग्रह, सूर विविध संदर्भों में (मूलतः रामवृक्ष सिंह एवं डॉ. वालेंदु शेखर तिवारी द्वारा संपादित) के परिदर्शक। उन्होंने संस्कृत साहित्य का इतिहास लिखा और निबंध तथा व्याकरण की पुस्तकें लिखीं। इनकी ये किताबें उत्तर प्रदेश सरकार द्वारा पुरस्कृत भी हुईं।

राँची के साहित्य सेवियों की चर्चा डॉ. सिद्धनाथ कुमार की चर्चा के बिना पूरी नहीं होगी। डॉ. कुमार सिद्धहस्त नाटककार, आधुनिक भावबोध से सम्पन्न रससिद्ध कवि और प्रौढ़ समीक्षक हैं। नाटक से सम्बन्धित अनेक वैचारिक लेख डॉ. कुमार की विशिष्ट पहचान बनाते हैं। रेडियो रूपक के वे एक तरह से पुरोधा हैं। उनकी प्रकाशित पुस्तकों की सूची लम्बी है। कुछ महत्त्वपूर्ण

पुस्तकों को याद करें तो एकांकी, नाटक, कवि, वे अभी भी कुँआरी हैं, सृष्टि की समझ और अन्य काव्य नाटक मुर्दे जिएँगे, रास्ता बन्द है, आदमी है नहीं है तथा पूर्णकालिक नाटक अशोक। इनका काव्य संग्रह है टूटा हुआ आदमी। प्रसिद्ध शोध ग्रन्थ हैं रेडियो नाट्य शिल्प, हिन्दी एकांकी की शिल्प विधि का विकास, प्रसाद के नाटक : एक पुनर्मूल्यांकन तथा हिन्दी पद्य नाटक : सिद्धान्त और इतिहास आदि।

पुराने साहित्य सेवियों में कुछ नाम जो छूट रहे हैं वे इसलिए कि महत्त्वपूर्ण लेखक होने के बावजूद इन्होंने निरन्तरता नहीं बनाए रखी। इधर आकर इनमें से कई की कई महत्त्वपूर्ण पुस्तकें प्रकाशित हुई हैं।

'आदिवासी' के सम्पादक रहे सुशील कुमार ने एक दौर में अच्छी कहानियाँ और नाटक लिखे। डॉ. रामचन्द्र वर्मा सेंट जेवियर कॉलेज में प्राध्यापक थे। सेवा निवृत्ति के बाद वे इलाहाबाद लौट गए। वर्मा जी इलाहाबाद के परिमल से भी जुड़े रहे थे। इनकी कविताएँ महत्त्वपूर्ण पत्रिकाओं में छपती रही थीं। कवि सम्मेलनों के वे शृंगार थे। उन्होंने काफी अच्छी कहानियाँ भी लिखीं। 'ऊसर की दूब' उनका प्रसिद्ध कहानी संकलन है।

60 के दशक में सुरेश ने कहानियाँ लिखनी शुरू कीं और अपनी निपट सीधी-सादी कहानियों से उन्होंने खास अपनी पहचान बनाई। उनकी कहानियों में आस-पास का जीवन झाँकता है। इधर आकर उनकी कहानियों के दो संकलन छपे हैं, ट्रांजिट कैम्प, सौदा और अन्य कहानियाँ।

कृष्ण चन्द्र चौधरी मूलत: तेलुगू भाषी थे यद्यपि उन्हें ऐसा कहलाना अच्छा नहीं लगता था। वे कहते थे हिन्दी मेरी माँ है और आप मुझे मेरी माँ से ही अलग कर रहे हैं। चौधरी जी ने प्रारम्भ कहानी लेखन से किया और विभिन्न स्तरीय पत्रिकाओं में इनकी कहानियाँ छपती रहीं। इन्होंने वनपाखी नामक मासिक पत्रिका का सम्पादन किया। दो उपन्यासों का हिन्दी अनुवाद किया। तेलुगू से अनूदित उपन्यास है, अंधकार में, तथा बांग्ला के गौर किशोर घोष के उपन्यास का हिन्दी अनुवाद 'डूब जाने के पहले' जो तब 'सारिका' में धारावाहिक छपा था।

किन्तु चौधरी जी को खास पहचान मिली 'रविवार' में उनके व्यंग्य स्तम्भ के लिए जो वे 'किट्टू' के नाम से लिखते रहे। किट्टू के व्यंग्यों की चुभन शरद जोशी से उन्नीस नहीं पड़ती। वे देश के शीर्ष स्थानीय व्यंग्य लेखक के रूप में प्रसिद्ध हुए। आखिरी दिनों में वे मुम्बई चले गए थे। वहीं उनका निधन हो गया। उनके निधन के बाद उनके दो व्यंग्य संकलन प्रकाश में आए, तीसरी आँख और धूमकेतुओं की जन्म-पत्री।

यहीं डॉ. शिवशंकर मिश्र का उल्लेख कर लें। अंग्रेजी साहित्य के शिक्षक होने के बावजूद नितान्त मौन भाव से हिन्दी की वे अनथक सेवा करते रहे हैं। मूलत: वे जनवादी तेवर की कविताएँ लिखते रहे हैं। उनकी कविताओं के संकलन हैं, बीच का पहाड़, सीढ़ियों का भँवर, और एक नया दिनमान। इधर उनका काव्य-संकलन असीमित छपा है। नाटक और रंगमंच में भी ये अत्यन्त सक्रिय रहे हैं। 'लड़कियाँ' तथा 'नहीं' उनके दो नाटक हैं। 'जनवादी कविता का संदर्भ' नाम से इन्होंने एक महत्त्वपूर्ण आलोचना पुस्तक लिखी है। बहुविध प्रतिभा के धनी डॉ. मिश्र अंग्रेजी, भोजपुरी एवं मैथिली में भी लिखते रहे हैं। अंग्रेजी में उनकी पुस्तक है 'राइज ऑफ

विलियम ब्लेक'। भोजपुरी की उनकी कविताओं का संकलन है, बात-बहुबात। अवलोकन तथा निर्णय जैसी लघु पत्रिकाओं के सम्पादन में सहयोग देने के अतिरिक्त वे अनियतकालीन पत्रिका सार्थक का सम्पादन करते रहे हैं। इनके अतिरिक्त भी इनकी अन्य महत्त्वपूर्ण पुस्तकें प्रकाशित हैं।

यद्यपि डॉ. खगेन्द्र ठाकुर गोड्डा में जन्मे, सुल्तानगंज में कॉलेज शिक्षक रहे। किन्तु अब वे राँची के हो गए हैं। हिन्दी को उनका योगदान अत्यन्त महत्त्वपूर्ण हैं। उनकी कई-कई प्रकाशित पुस्तकें हैं जिनमें महत्त्वपूर्ण हैं—आलोचना : छायावादी काव्य की भाषा, आलोचना के बहाने और कविता का वर्तमान; व्यंग्य संग्रह : देह धरे को दंड; काव्य संकलन : धार एक व्याकुल, रक्त कमल परती पर; उनके वैचारिक लेखों का संग्रह : समय, समाज और मनुष्य। इनके द्वारा सम्पादित पुस्तकें हैं—प्रेमचन्द प्रतिनिधि संकलन, प्रेमचन्द : कथा रूपक तथा हिन्दी की प्रगतिशील आलोचना। इनकी छोटी पुस्तिकाओं का उल्लेख करें तो, राम का मर्म एवं सम्प्रदायवाद, हमारा वैचारिक संघर्ष, बिहार केआर्थिक-सामाजिक अन्तर्विरोध, आजादी का परचम (कविताएँ) का स्मरण आवश्यक है।

डॉ. उषा सक्सेना का नाम छूट रहा है। राँची विश्वविद्यालय के हिन्दी विभाग के अध्यक्ष पद से सेवा निवृत्ति के बाद अब वे इलाहाबाद चली गई हैं। किन्तु अपनी सारी ऊर्जा और अपनी सारी जिन्दगी उन्होंने राँची को ही दे दी। वे समर्थ कथा लेखिका हैं किन्तु अपने प्रतिबद्ध सामाजिक सरोकारों के कारण वे अपनी रचनात्मक प्रतिभा का वैसा उपयोग नहीं कर पाईं जैसा करना चाहिए था। उनका प्रकाशित उपन्यास है, जिन्दगी और गुलाब के काँटे और कहानी संग्रह है, बहते बादल।'हिन्दी उपन्यास की शिल्प विधि का विकास' उनका प्रकाशित शोध प्रबन्ध है। उनका एक और उपन्यास प्रेस में है।

यहीं एक और नाम याद आता है श्रीमती मंजु श्री शर्मा का जो शिवचन्द्र शर्मा की बेटी हैं, आकाशवाणी राँची में कार्यरत हैं और जिन्हें काव्य प्रतिभा अपने पिता से विरासत में मिली है। इनकी कविताएँ विभिन्न पत्र-पत्रिकाओं में छपती रही हैं। यद्यपि कोई संकलन उपलब्ध नहीं है।

राँची विश्वविद्यालय के हिन्दी विभाग से ही जुड़े कुछ अन्य नाम हैं—डॉ. रणजीत सिंह—जिनका शोध प्रबन्ध है, गजानन माधव मुक्तिबोध—व्यक्ति एवं कविता, डॉ. दशरथ पांडेय का प्रकाशित शोध प्रबन्ध है, रामचरित मानस के मुख्य प्रेरणा स्रोत, एवं डॉ. उमेश प्रसाद सिंह शास्त्री (अब स्वर्गीय) का प्रकाशित शोध प्रबन्ध है, हिन्दी और संस्कृत दूत काव्यों का तुलनात्मक अध्ययन। हिन्दी विभाग के अध्यक्ष पद से सेवानिवृत्त डॉ. माधुरी नाथ की एक पुस्तक प्रेस में है। यों डॉ. स्नहेलता इन्दवार, कथा लेखिका पुष्पा सक्सेना (जो अब दिल्ली चली गई हैं), डॉ. भूपेन्द्र कलसी (अब पटना में) आदि के योगदान का भी उल्लेख किया जाना चाहिए।

एक लेखिका जो स्वयं में एक संस्था बन गई, डॉ. ऋता शुक्ल की चर्चा के बिना यह प्रसंग अधूरा रह जाएगा। डॉ. शुक्ल ने प्रारम्भ तो कविता लेखन से किया। किन्तु सन् 75 से वे कहानियाँ लिखने लगीं, 1977 से इनकी कहानियाँ देश श्रेण्य पत्र-पत्रिकाओं में छपने लगीं और सन् 1985 में इनके कहानी संकलन 'क्रौंचवध' को भारतीय ज्ञानपीठ ने युवा कथाकार के सर्वश्रेष्ठ कहानी संकलन के रूप में प्रकाशित किया। आज की तारीख में डॉ. ऋता शुक्ल देश की स्थापित कथा-

लेखिका हैं। इनकी प्रसिद्ध पुस्तकें हैं, बाँधो न नाव इस ढाँव (उपन्यासिका), दंश (कहानियाँ), श्रेष्ठ आंचलिक कहानियाँ, मानुष-तन, कासों कहूँ मैं दरदिया, अग्निपर्व, कितने जन्म वैदेही, कनिष्ठा अंगुली का पाप, समाधान, शेष गाथा, कायान्तरण, अरुंधती, निष्कृति आदि।

रमा सिंह चर्चित कथा लेखिका हैं और हिन्दी की प्राय: सभी विशिष्ट पत्र-पत्रिकाओं में उनकी कहानियाँ, उपन्यास अंश या फिर धारावाहिक उपन्यास छपते रहे हैं। कथा-वार्षिकी समीचीन की श्रेष्ठ कहानियों में उनकी 'फकसियार' नामक कहानी तथा हिन्दी कहानी (1991-95) में उनकी 'बुकमार्क' नामक कहानी सम्मिलित है। उनकी प्रसिद्ध प्रकाशित कृतियाँ हैं, गुलाबछड़ी, तुम लिखोगी सत्यभामा, लौट आओ हैरी, कुतो पन्थ:, चेहरे अपने-अपने, बालू घाट की मछली, दिल्ली के लिए एक टिकट, जोहार! बेबी मेम साहब। इनका एक उपन्यास आधा आँगन प्रकाशनाधीन है।

डॉ. माया प्रसाद धारदार कवयित्री हैं। उनका एक कविता संकलन है, सुनो! युधिष्ठिर। डॉ. मंजु ज्योत्स्ना का नागपुरी कविता संकलन 'अंचरा' काफी प्रसिद्ध हुआ था, हिन्दी में उनका कविता संकलन आया है, क्षण मत्स्य। डॉ. मंजु सिन्हा सम्प्रति राँची महिला महाविद्यालय की प्रधानाचार्या हैं किन्तु महत्त्वपूर्ण यह है कि वे नए भावबोध की अत्यन्त बेधक कविताएँ लिखती रही हैं। इनके संकलन हैं आर्किड एवं अंगूठी दुष्यन्त की। डॉ. नीरा परमार अरसे से कविताएँ लिखती रही हैं। इधर आकर उनका कविता संकलन प्रकाशित हो सका है।

मिथिलेश्वर भी कुछ दिनों तक राँची में थे किन्तु यह कालावधि छोटी थी इसीलिए इस स्मरण के साथ ही संतोष कर लेना पड़ता है कि राँची को मिथिलेश्वर का स्नेह-सान्निध्य मिला था।

अशोक पागल अद्‌भुत मेधा के धनी हैं। वे जैसे सिद्ध नाट्यकर्मी हैं, वैसे ही कवि और पत्रकार हैं। उनका प्रयोगशील नाटक 'अमीबा' ध्यान खींचता है। उनके कविता संकलन हैं मुखर तथा सिर्फ सोलह सफे। इधर आकर छोटानागपुर की सांस्कृतिक धरोहर की पड़ताल में उनका जी रम रहा है। नागपुरी भाषा और साहित्य पर डॉ. नागेश्वर सिंह की दो किताबें प्रकाशित हुई हैं। डॉ. वासुदेव अरसे से कहानियाँ लिख रहे हैं। उनका कहानी संकलन है 'इस जंगल के लोग' तथा उनका उपन्यास है 'सुबह के इन्तजार में'। डॉ. शैल सहाय की कहानियों ने भी ध्यान खींचा है।

वैद्यनाथ मिश्र मूलत: पत्रकार हैं। किन्तु एक समय उनकी टिप्पणियों का संकलन धर्म और संस्कृति नामक पुस्तिका में प्रकाशित होकर चर्चित हुआ था। कुछ नाम जो मंचों पर अपनी उपस्थिति एवं अखबारों में अपने धारदार लेखन के कारण बार-बार याद आते हैं। दुर्योग यह है कि इनकी कोई किताब उपलब्ध नहीं। ऐसे रचनाकारों में अशोक कुमार अंचल (यद्यपि इनका एक नाटक प्रकाशित है), कुमार वृजेन्द्र, प्रभाशंकर विद्यार्थी, सुरेन्द्र कौर नीलम, महुआ माजी, प्रो.अरुण कुमार, डॉ. रवि भूषण याद आते हैं। डॉ. रवि भूषण के वैचारिक आलेखों की गहराई बाँधती है और श्रीमती अनिता वर्मा का एक कविता संकलन अभी-अभी प्रकाश में आया है। श्रीमती अनिंदिता पत्रकार भी हैं और कवयित्री भी यद्यपि उनके दो कहानी संकलन प्रकाशित हुए हैं। ललन चतुर्वेदी इधर अपने व्यंग्य लेखों को लेकर चर्चा में हैं।

पत्रकारिता जगत के कुछ नाम जो अपने बेधक लेखन और स्पष्ट दृष्टि के कारण

अविस्मरणीय हैं—वे हैं फैसल अनुराग, वासवी, दयामनी बारला, जेवियर कुजूर, सुनील मिंज, रेमिस केंडुलना (कवि), अजय तिर्की, जेरोम जेराल्ड कुजूर, पुष्पा टेटे। यद्यपि डॉ. रोज केरकेट्टा के उल्लेख के बिना यह सूची पूरी नहीं होगी।

राँची के साहित्य सेवियों के उल्लेख क्रम में हम कुछ महत्त्वपूर्ण नाम छोड़ आए हैं। गिरिधारी राम गौंझू 'गिरिराज' इधर काफी लिख रहे हैं और इधर उनका एक नाटक प्रकाशित हुआ है मोराङ गोमके जयपाल सिंह। प्रशासन से जुड़े रह कर भी हिन्दी साहित्य में गहरी पैठ रखने वाले प्रभुनारायण विद्यार्थी का उल्लेख आवश्यक है। उन्होंने बहुत लिखा है और महत्त्वपूर्ण लिखा है। राहुल सांकृत्यायन पर उनके कार्य विशेष रूप से ध्यान खींचते हैं।

श्री जगदीश त्रिगुणायत मूलतः देवरिया के थे किन्तु इन्होंने अपना सारा जीवन राँची को दिया और जनजातीय समाज को केन्द्र में रख कर बहुत कुछ लिखा और संकलित किया। इनकी किताबें हैं बांसुरी बज रही, मुण्डा लोक कथा, सिसिबोंगा।

डॉ. रामदयाल मुण्डा सिर्फ एक साहित्यकार नहीं एक संस्था हैं और कहें तो झारखंड की सांस्कृतिक पहचान हैं। लम्बे समय तक विदेश में कार्यरत रहने के बाद वे जनजातीय एवं क्षेत्रीय भाषा के विभाग के अध्यक्ष के रूप में राँची लौटे। राँची विश्वविद्यालय के कुलपति भी रहे। झारखंड के सांस्कृतिक पहचान की लड़ाई भी लड़ते रहे। उन्होंने मुण्डारी में, नागपुरी में, हिन्दी में जितना कुछ लिखा है उसका एकत्र उल्लेख कठिन है। उनकी कविताओं का संकलन है, कविताएँ और कुछ नगीत।

डॉ. बालेन्दु शेखर तिवारी ने व्यंग्य साहित्य को केन्द्र में रख कर काफी काम किया।

डॉ. हरेराम त्रिपाठी 'चेतन' हिन्दी संस्कृत के विश्रुत विद्वान हैं। उन्होंने कई-कई पत्रिकाओं-पुस्तकों का संपादन किया है तथा कविता आलोचना, कहानी के उनके दशाधिक ग्रन्थ हैं। भगवान बिरसा पर अभी-अभी उन्होंने अपना प्रबंध-काव्य तैयार किया है। भोजपुरी के भी वे सिद्धहस्त कवि हैं।

राजन डोम सामाजिक सरोकारों वाले व्यक्ति हैं। झारखंड से संबंधित उनकी एकाधिक पुस्तकें छपी हैं। वैसे वे कम लिखते हैं किन्तु जनवादी तेवर की धारदार कविताएँ लिखते हैं। उनकी कविताएँ प्रसिद्ध पत्रिकाओं में छपती रही हैं। यों यह नाम उनका मूल नाम नहीं है। मूल नाम का कुतूहल बना रहना ही बेहतर होगा। डॉ. अयोध्या प्रसाद सिंह (सेवानिवृत्त संस्कृति विभागाध्यक्ष, राँची वि.वि.) का एक आंचलिक उपन्यास बीस एक वर्ष पूर्व छपा था। डॉ. रामवृक्षसिंह (अब स्व.) एवं डॉ. रामस्वार्थ सिंह (नई कविता और पौराणिक गाथा के लेखक) कुशल समीक्षक रहे हैं। आकाशवाणी के केन्द्र अधिशासी डॉ. निवास चंद्र ठाकुर ने आकाशवाणी राँची के हिन्दी साहित्य के विकास में योगदान पर शोध ग्रंथ तैयार कर पी-एच.डी. उपाधि ली। ये कुशल कवि हैं। डॉ. मुशेश्वर ठाकुर नाटककार (नौकरी की तलाश नामक नाटक) एवं समीक्षक हैं। स्व. पीटर शांति नवरंगी ने सत्यमेव जयते नानृतम नामक नाटक लिखा था। डॉ. छविनाथ मिश्र (अब स्व.) का भी स्मरण किया जाना चाहिए, और कुछ नहीं तो 'पुटुस' पत्रिका के संपादन-प्रकाशन के लिए। प्रो. आनंद बिहारी शरण मूलतः कवि-पत्रकार हैं किन्तु झारखंड के वन्य परिवेश पर उनकी एक किताब 'जंगल-जंगल' छपी

है। प्रो. विनोद कुमार नाट्यकर्मी, कवि, कथाकार, समीक्षक हैं। 'सलीब' पत्रिका का इन्होंने संपादन किया। डॉ. सच्चिदानंद चौधरी की एक आकर्षक आत्मकथात्मक पुस्तक प्रकाशित हुई है। कथाकार-समीक्षक मिथिलेश्वर भी काफी काम कर रहे हैं और हाँ, डॉ. त्रिपुरारि शरण श्रीवास्तव के लंबे साहित्यिक अवदान को भुलाना असभंव है। उन्होंने व्यंग्य और आलोचना के क्षेत्र में काफी काम किया है।

इन पंक्तियों के लेखक ने भी 60 के दशक में भोजपुरी अंचल से जुड़ी कहानियाँ लिख कर तथा धर्मयुग, साप्ताहिक हिन्दुस्तान जैसी पत्रिकाओं में प्रकाशित होकर अपनी पहचान बनाई थी। बाद में व्यंग्य कविताएँ, गीत, व्यंग्य-आलेख में रुचि ली। किताबें कम छपीं। एक कहानी संकलन, 'करम का लेख' एक आलोचना पुस्तक 'कामायनी पढ़ते हुए' और एक व्यंग्य-संकलन 'कल्लू सुराजी और जश्ने आजादी' का उल्लेख किया जा सकता है। राँची के साहित्यसेवियों के उल्लेख क्रम में कई नाम छूट गए होंगे। हम आशा करते हैं कि वे हिन्दी की श्रीवृद्धि में लगे रहेंगे और हमें हमारी त्रुटि के मार्जन का अवसर देंगे।

सिंहभूम

सिंहभूम जिला, जिसका मुख्यालय चाईबासा में था, अब तीन भागों में बँट गया है—पूर्वी सिंहभूम (जिसका जिला मुख्यालय लौह नगरी जमशेदपुर में है) और पश्चिमी सिंहभूम (जिला मुख्यालय चाईबासा)। इसी पश्चिमी सिंहभूम का एक हिस्सा खरसावां भी है।

पश्चिमी सिंहभूम में साहित्यिक दृष्टि से सर्वाधिक सक्रिय रहा है चक्रधरपुर। इसका कारण है चक्रधरपुर रेलवे का महत्त्वपूर्ण मुख्यालय। वहाँ अर्से से रेलवे स्कूल है। चाईबासा बेचारा जमशेदपुर के प्रभामंडल से दबा-दबा रहा है।

बहरहाल, लगभग 1910 ई.में चक्रधरपुर के रेलवे मिडल स्कूल में हिन्दी पंडित बनकर आए पं. रामचीज सिंह 'वल्लभ'। इस प्राय: अहिन्दी क्षेत्र में उस जमाने में वल्लभ जी ने हिन्दी जेबी कोश, हिन्दी मुहावरे जेबी कोश और हिन्दी लोकोक्ति जेबी की रचना की और 'वल्लभ साहित्य कुटीर' प्रकाशन-संस्था स्थापित की। स्मरणीय है कि विभिन्न जनजातीय भाषाओं, मूलत: हो, के अलावा सिंहभूम उड़िया एवं बांग्ला से प्रभावित है। उन दिनों वहाँ छापाखाना नहीं था और हिन्दी किताबों को छापने के लिए वल्लभ जी को कलकत्ता-बम्बई के फेरे लगाने पड़ते थे। तब की पत्र-पत्रिकाओं 'भारत-मित्र', 'शुभचिंतक', 'अभ्युदय', 'बंगवासी' में इन कोशों की प्रशंसा छपी। देशरत्न डॉ. राजेन्द्र प्रसाद ने वि.सं. 1983 में लिखा—'शब्द-सागर जैसा बृहद् ग्रंथ सुगमता से हर एक को उपलब्ध नहीं हो सकता और बाबू रामचीज सिंह 'वल्लभ' ने ऐसे कोश की रचना करके हिन्दी साहित्य की बड़ी सेवा की है।' आचार्य शिवपूजन सहाय ने कहा था कि ये हिन्दी के प्रथम जेबी कोश हैं। 'वल्लभ' जी ने हिन्दुस्तानी रंगवाली भाषा में तीन उपन्यास भी लिखे—'राजपूती शान', 'ललिता' और 'उमाशंकर'। उनकी एक कविता-पुस्तक है 'भाग्य-चक्र'। वल्लभ जी का एक प्रहसन 'बीसवीं सदी की शादी उर्फ हड़प फड़प'। सुबोध वर्णमाला के नाम से इन्होंने बाल गीत भी लिखे।

वल्लभ जी के शिष्य थे दीपनारायण गुप्त और अंशुमाली जी। गुप्त जी राष्ट्रीय आन्दोलन

में कूद गए इसीलिए कम लिखा। अशुंमाली जी ने कविताएँ लिखीं। पंडित रघुनाथ मिश्र कहानीकार थे और आज में छपते थे। त्रिभुवन नाथ 'नाथ' ने राजनीतिक कहानियाँ और कविताएँ लिखीं। ये सब चक्रधरपुर के रेलवे उच्च विद्यालय में शिक्षक थे। इनके तीन शिष्यों ने प्रसिद्धि पाई— डॉ. मोहन लाल चजेरा, शशिकर एवं रामवचन सिंह 'आनन्द'। चजेरा जी सागर विश्वविद्यालय के अंग्रेजी विभागाध्यक्ष हुए। उनके आलोचनात्मक निबंध साहित्य-संदेश (आगरा) में छपते थे। इन्होंने हक्सले के प्रसिद्ध उपन्यास 'एप्स एंड एपल' का अनुवाद 'पशु और मानव' नाम से किया।

शशिकर की पुस्तक 'रो पड़े तुम' 1953 में छप गई थी जो नई कविता की बानगी देती थी। शशिकर अपने आप में एक संस्था थे। विमल मित्र को ये अपना कथा गुरु मानते थे। इन्होंने कई पत्रिकाओं का सम्पादन किया और 1963 में शबरी का लघुकथा अंक निकाला।

रामवचन सिंह 'आनन्द' के छात्र रहे थे शंभुनाथ पुष्कर जिन्होंने अनेक बांग्ला उपन्यासों का अनुवाद किया। चक्रधरपुर के निकटतम गाँव समराईडीह के डॉ. नन्दकिशोर सिंह शान्ति निकेतन में हिन्दी के प्राध्यापक रहे और बाद में सिसई कॉलेज के प्रधानाचार्य हो गए। इन्होंने कुरमाली भाषा पर शोध प्रबन्ध तैयार कर पी-एच.डी. की उपाधि ली।

चाईबासा में बहुत अधिक गतिविधियाँ नहीं रहीं। फिर भी कुछ नाम स्मरणीय हैं। देवेन्द्र नाथ सामंत ने 1928 ई. में ठीक गांधी जयन्ती के दिन 'चाँदनी' नामक हिन्दी पत्रिका का प्रकाशन-सम्पादन प्रारम्भ किया। इस तरह से देवेन्द्र बाबू पहले आदिवासी पत्रकार ठहरते हैं। बाद में इस पत्रिका का सम्पादन का दायित्व इन्होंने सुशीला देवी सामंत को दे दिया। 'प्रलाप' और 'सपने का संसार' नामक कविता संकलन इन्होंने प्रकाशित किया। 'प्रलाप' की भूमिका सरस्वती-सम्पादक पंडित देवी दत्त शुक्ल ने लिखी थी। 'सपने का संसार' की सरलता की प्रशंसा नलिन विलोचन शर्मा ने की थी। इनकी कई कृतियाँ अप्रकाशित रह गईं।

इन्हीं के समकालीन थे धनीराम बक्खी 'प्रेम'। ये हिन्दी एवं नागपुरी के कवि एवं गद्यकार थे। इन्होंने हितैषी प्रेस खोल कर कई लोकप्रिय पुस्तकें छापीं। शंकर लाल 'खीरवाल' ने अग्निशिखा नामक मासिक पत्रिका का प्रकाशन प्रारम्भ किया। बाद में वे जमशेदपुर चले गए। उन्होंने 'नया रास्ता' हिन्दी साप्ताहिक निकालना शुरू किया। बाद में इसे दैनिक कर दिया और 'यूरोनियम कांड' के उद्घाटन के सजा के तौर पर 5 अगस्त 1974 को हत्या कर दी गई। शंकर नामक कवि ने कंकड़-पत्थर नाम से व्यंग्य कविताएँ लिखीं। एक समय चाईबासा-चक्रधरपुर के इलाके में एक्टिविस्ट के रूप में सक्रिय रहे। वीर भारत तलवार इन दिनों जे.एन.यू. में है और दृष्टि सम्पन्न साहित्य समीक्षक हैं और अब जमशेदपुर यहाँ की साहित्य-यात्रा कवि बीरवल महतो की कविताओं से प्रारम्भ होती हैं। जिनकी प्रशंसा नरेश मेहता ने की थी। सन् 1924 में जन्मे गुरुवचन सिंह एक सशक्त हस्ताक्षर हैं। ये हिन्दी-उर्दू के स्थापित कथाकार हैं। पाकिस्तान की पत्रिकाओं में भी इनकी कहानियाँ छपती रहीं। इनकी प्रसिद्ध कृतियाँ हैं, एक और निवेदन, सबै घट राम बोले, वनपाखी। इन्हें राधाकृष्ण पुरस्कार से सम्मानित किया गया।

'दशमेश' गुरु गोविन्द सिंह के जीवन पर आधारित महत्त्वपूर्ण पुस्तक है। गुरुनानक देव पर इनकी एक कृति प्रतीक्षित है।

अलवर, राजस्थान में 1920 में जन्मे कमल जोशी जमशेदपुर आए तो यहीं के हो कर रह गए। इन्होंने कलकत्ते में 'रानी' का सम्पादन किया था। जमशेदपुर में ये 'टिस्को-समाचार' का सम्पादन करते रहे और इसे एक ऊँचाई दी। 'सिराजी' के बाद की इनकी कृतियाँ जमशेदपुर की देन हैं। चार के चार, बहता तिनका, फूलों की माला, पत्थर की आँख, ब्रह्म और भाषा तथा बादलों के बीच धूप इनकी चर्चित कथा-कृतियाँ हैं। पहले कमल कुमार शर्मा 'कमल' के नाम से लिखने वाले जोशी जी ने बांग्ला और अंग्रेजी से छह महत्त्वपूर्ण पुस्तकों का अनुवाद प्रकाशित करवाया। इनके पिता पंडित नन्द कुमार देव शर्मा अच्छे इतिहासज्ञ थे। 1984 में जोशी जी को राधाकृष्ण पुरस्कार दिया गया।

गंगाप्रसाद 'कौशल' और इनकी भार्या सरला का स्मरण आवश्यक है। पहले 'मजदूर-आवाज' बाद में 'आजाद-मजूदर' का सम्पादन इन्होंने किया। कौशल जी एक साथ कवि एवं कथाकार थे। इनका एक उपन्यास, दो अनुवाद ग्रन्थ, एक कहानी संग्रह, तीन खंड काव्य, छह काव्य-संकलन प्रकाशित हुए। इनके काव्य-संकलन 'वीर बालक' को भारत सरकार ने पुरस्कार दिया। इनके उपन्यास 'सुकेशिनी' का मराठी में अनुवाद किया। इसी दौर में नरसिंह राम की कहानियाँ विशिष्ट पत्र-पत्रिकाओं में छप रही थीं।

डॉ. बच्चन पाठक 'सलिल' ने विभिन्न विधाओं में लिखा है और लेखकों, कवियों की फौज तैयार की है। छन्द शास्त्र पर लिखी गई इनकी किताब इस अर्थ में महत्त्वपूर्ण है कि इसमें सारे उद्धरण सिंहभूम के कवियों की कविताओं से हैं। बड़ी बात यह है कि पाठक जी अब भी लेखनरत हैं। डॉ. शिवकुमार नारायण की 'छन्दशास्त्र की भूमिका' एक चर्चित किताब है।

निर्मला ठाकुर और कान्ह जी तोमर जमशेदपुर के प्रसिद्ध कथाकार रहे हैं। तोमर जी का एक उपन्यास 'तमाम जंगल' टिस्को के द्वारा पुरस्कृत हुआ।

परमेश्वर प्रसाद की कविता-पुस्तक है 'आदमी और नाग'। इन्होंने इक्कीस महापुरुषों की जीवनियाँ लिख कर प्रकाशित करवाईं। बलराम श्रीवास्तव एवं स्व. उदय किशोर जैसे जमशेदपुर के कथाकारों-पत्रकारों का स्मरण किया जाना चाहिए। दिनेश प्रसाद सिंह 'दिनेश' ने 'लौह-मजदूर' का सम्पादन किया। ये सुकवि हैं और नागार्जुन कहा करते थे कि इनकी एक कविता 'माधोसिंह' ही इन्हें जीवित रखने के लिए काफी है।

आरिफ गद्दी देश की संपर्क भाषा हिन्दी के प्रति एक समर्पित नाम है। आप उर्दू के जितने बड़े शायर हैं, हिन्दी के उससे भी बड़े कवि हैं। इन्होंने 'लौहकुंज' नाम की एक साप्ताहिक पत्रिका निकाली। स्व. राजनाथ राय की स्मृति में प्रतिवर्ष जिले के एक वरिष्ठ साहित्यकार को इनके परिवार जन सम्मानित करते आ रहे हैं। जमशेदपुर में हरिवंश सिंह 'दोस्त' रहते थे। इन्होंने कई अच्छी कहानियाँ लिखीं।

कथाकार नरेन्द्र कोहली जमशेदपुर में ही पले बढ़े। आज वो दिल्ली के हैं और पूरे देश में जाने जाते हैं। विशेषकर रामकथा पर आधारित अपनी औपन्यासिक कृतियों के लिए।

तेलुगू परिवेश और परिवार में जन्मे डॉ. सी.भास्कर राव ने हिन्दी की प्रभूत सेवा की। इनके

कई उपन्यास, व्यंग्य-संकलन और कहानी-संकलन प्रकाशित हुए हैं यथा : शोध और आतंक, संसद में सोने का सुख आदि।

जयशंकर प्रसाद और द्विजेन्द्रलाल राय के नाटकों का तुलनात्मक अध्ययन करने वाले, हल्दी पोखर के रामसेवक शर्मा सुकवि भी हैं।

जमशेदपुर का एक प्रसिद्ध नाम है जयनंदन। ये टाटा स्टील की पत्रिकाओं 'खास बात' और 'टिस्को-समाचार' का सम्पादन तो कर ही रहे हैं इन्होंने दो उपन्यास, तीन कहानी संग्रह, एक नाटक प्रकशित कराए हैं, और देश के जाने-माने कथाकार हैं। 'श्रमेव जयते' को भारतीय ज्ञानपीठ ने उस वर्ष की युवा लेखन की सर्वश्रेष्ठ पांडुलिपि के रूप में पहचान देकर छापा था। इनके कहानी संकलन हैं, विश्व बाजार का ऊँट, कस्तूरी पहचानो वत्स। महत्त्वपूर्ण है कि इनके उपन्यास 'ऐसी नगरिया में केही विधि रहना' में दलित डोम समाज का वर्णन है।

कुछ महत्त्वपूर्ण नाम छूट रहे हैं जिनका उल्लेख आवश्यक है। प्रसिद्ध कथाकार शंकर के कथा-संकलन 'पहिए' तथा 'मरा हुआ पेड़'। इनका एक कविता संकलन भी प्रकाशित हुआ है और ये एक पत्रिका 'अब' का अभय एवं नर्मदेश्वर के साथ सम्पादन करते हैं। राघव आलोक के भीतर से जैसे साहित्य का आलोक फूटता रहता है। ये बहुअधीत लेखक समीक्षक हैं। यह अनियतकालीन पत्रिका 'दस्तक' का सम्पादन करते हैं। सुकवि निर्मल मिलिन्द को याद किए बिना यह सूची अधूरी रहेगी। हिन्दी कविता के महत्त्वपूर्ण हस्ताक्षर मिलिन्द जी ने वज्जिका में भी कविताएँ लिखी हैं।

बी.जेड. माइल जमशेदपुर के सुकवि हैं। 1984 के सिक्ख नरसंहार पर आधारित उपन्यास 'आखर चौरासी' के कथाकार कमल अत्यन्त संभावनाशील लेखक हैं। अरविन्द 'विद्रोही' मूलतः व्यंग्य कवि हैं और 'विदूषक' नामक लघु पत्रिका निकालते रहे हैं। आलोचक सुभाष गुप्ता, कथाकार लक्ष्मण चन्द 'चन्द', शायर मंजर शाहाब, कहानीकार मंजर काजमी और कवि डॉ. विजय कुमार 'पीयूष' के बिना यह सूची पूरी नहीं होगी। हाल-फिलहाल डॉ. आशा श्रीवास्तव का एक कहानी-संकलन 'कही-अनकही' आया है। आश्चर्य है, इतनी प्रतिभाशालिनी लेखिका इतने लंबे समय तक चुप क्यों रही।

हजारीबाग

हजारीबाग वैसा बड़ा शहर तो नहीं है किन्तु यहाँ अत्यन्त महत्त्वपूर्ण साहित्यकारों की जमात है। डॉ. दिनेश चन्द्र झा 'प्रवासी' कविताएँ एवं कहानियाँ लिखते रहे हैं। कथाकार रतन वर्मा आज देशव्यापी नाम है। रमणिका गुप्ता 'युद्धरत आम आदमी' का सम्पादन तो करती ही रही हैं उन्होंने दिल्ली में रमणिका फाउंडेशन की स्थापना कर रखी है और दलितों-आदिवासियों की हक की लड़ाई लड़ रही हैं। श्रीमती गुप्ता के बीसियों कथा एवं कविता संकलन प्रकाशित हैं।

चन्द्रेश्वर कर्ण ने हिन्दी में बहुत काम किया है वे एक साथ समीक्षक और कथाकार दोनों हैं। कर्ण जी मूलतः कहानी विधा तथा इसकी समीक्षा से जुड़े हैं। इनकी कुछ प्रसिद्ध पुस्तकें हैं, हिन्दी कहानी की भूमिका, हिन्दी नई कहानी का स्वरूप और जीवन बोध, और इधर प्रेमचन्द के

गोदान पर एक आलोचनात्मक पुस्तक तैयार की है।

हजारीबाग के चर्चित कवियों में शेषानन्द मधुकर, भूपाल उपाध्याय, शिवदयाल सिंह आदि का स्मरण आवश्यक है। शेषानन्द मधुकर ने एकलव्य पर एक खंडकाव्य तैयार किया है। सुनील सिंह मूलतः औरंगाबाद बिहार से आते हैं किन्तु अब वे हजारीबाग से हैं उनका प्रसिद्ध कहानी संग्रह है 'जलतरंग'। सुरेश चन्द्र श्रीवास्तव, पंकज मित्र, अजय वर्मा के स्मरण के बिना यह सूची पूरी नहीं होगी। ये सब अभी भी हिन्दी सेवा में रत हैं। पंकज मित्र की इधर की कई कहानियों से उनकी अकूत क्षमता का परिचय मिलता है। अजय वर्मा की समीक्षाएँ बड़ी संभावनाओं का द्वार खोलती हैं। डॉ. नागेश्वर लाल की चर्चा राँची के क्रम में हुई है। सम्प्रति वे अधिकांशतः हजारीबाग में ही रहते हैं।

किन्तु हजारीबाग की पहचान हैं शंभु बादल। बादल जी की लम्बी कविता की एक पुस्तक छपी है 'पैदल चलने वाले पूछते हैं'। 'अभिकल्प' और प्रसंग जैसी दिशा-निर्देशन करने वाली पत्रिकाओं का ये सम्पादन करते रहे हैं। शंभु बादल साहित्य की जैसी मौन सेवा करते रहे हैं वह इतने से शब्दों में अंट नहीं पा रहा है। यूँ और भी अन्य कई नाम हैं जो कमोबेश सृजनरत हैं। मसलन गजेन्द्र सिंह कविताएँ लिखते हैं। कहानीकार चन्द्रिका ठाकुर 'देशदीप', कालेश्वर लालदीप के अतिरिक्त कविता एवं आलोचना के लिए संध्या प्रेम का भी उल्लेख किया जाना चाहिए।

धनबाद-बोकारो

कोयलांचल की धरती कोयले की आग से तप रही है और इस ताप को महसूस एवं उजागर करते कई महत्त्वपूर्ण साहित्यसेवी हैं जिनकी विशिष्ट पहचान है। नारायण सिंह की तीन दर्जन से भी अधिक कहानियाँ पत्र-पत्रिकाओं में बिखरी हैं। उनके प्रकाशित कहानी संकलन हैं 'तीसरा आदमी', 'वह मरा नहीं है', एवं उनका उपन्यास है 'अल्पसंख्यक'। महत्त्वपूर्ण यह है कि नारायण सिंह जन्मना झारखंडी हैं।

भारत यायावर धनबाद के चास कॉलेज में सेवारत हैं। इसके बावजूद फणीश्वर नाथ रेणु पर बहुत काम किया है और 'रेणु ग्रन्थावली' का सम्पादन किया है। कोयलांचल के कुछ ऐसे कथाकार हैं जिन्होंने अपनी पहली ही पुस्तक से देशव्यापी पहचान बना ली। मनमोहन पाठक का उपन्यास 'गगन घटा घहरानी' ने देश भर के साहित्य प्रेमियों का ध्यान खींचा था। विनोद कुमार अब राँची आ गए हैं किन्तु उन दिनों बोकारो में थे और उनका 'समरशेष है' उपन्यास उन्हीं दिनों की रचना है। 'कतार' के सम्पादक के रूप में बृजबिहारी शर्मा ने भी हिन्दी की बहुत सेवा की है। बोकारो के महेश अंजुम की ग़जलें और कविताएँ विभिन्न पत्रिकाओं में दिखती रहती हैं। नए संभावनाशील कथाकारों में अभिषेक कश्यप एवं अमित कुमार राजा उल्लेख्य हैं। उमेश्वर दयाल का चर्चित कविता-संग्रह है 'पृथ्वी का एक टुकड़ा'। वृत्ति से प्रशासक और प्रवृत्ति से प्रखर साहित्यकार प्रह्लाद चन्द दास ने अपनी कहानियों से एक विशिष्ट पहचान बनाई है। बोकारो के ही ललन तिवारी ने कई कहानी की पुस्तकें छपाई हैं।

संतालपरगना

कदाचित अविभाजित बिहार के पठारी भू-भाग का सर्वाधिक उपेक्षित क्षेत्र रहा है संतालपरगना। वहाँ के लोगों में चेतना की कमी नहीं रही है, सुविधाओं का अभाव रहा है। एक समय सिद्धू-कान्हू ने जो क्रान्ति की आग जलाई थी, वह शायद झारखंडी चेतना का पहला उबाल था। साहित्य के क्षेत्र में भी छिटपुट यह जागरुकता संतालपरगना में दिखती रही है। किन्तु इधर आकर हिन्दी लेखकों की एक बड़ी जमात है जो अत्यन्त प्रौढ़ रचनाओं के साथ साहित्य मंच पर उपस्थित हुई है और कई नई प्रतिभाएँ दस्तक दे रही हैं।

गोड्डा के सबसे पुराने कवियों में एक प्रतिष्ठित नाम है जनार्दन मिश्र 'परमेश'। पुरानों में एक और नाम है और वह है बुद्धिनाथ झा 'कैरव'। कैरव जी 'नवीन' और माखनलाल चतुर्वेदी की परम्परा के कवि हैं, वह इस अर्थ में कि वे प्रखर स्वतंत्रता संग्रामी रहे हैं। कई-कई बार विधायक रहे हैं। देवघर विद्यापीठ के कुलसचिव रहे हैं और फिर भी ऊँचे पाये की कविताएँ लिखी हैं। उनकी कुछ कविता पुस्तकों का नाम है, 'अछूत' (खंड काव्य) एवं 'उत्सर्ग'।

गंगाधर मनीषी का कविता संग्रह 'कर्मऋचा', एक प्रबन्ध काव्य 'वर्चस्वी भगतसिंह' और एक काव्य 'कफन किरीटी' है। ये उन्हें साहित्य जगत में उच्चासन पर प्रतिष्ठित करने के लिए पर्याप्त हैं।

गोड्डा का एक नाम जो बहुविध प्रतिभा का धनी है और जो सारे देश में अपने साहित्यिक अवदान के लिए जाना जाता है, वह है डॉ. श्यामसुन्दर घोष। उन्होंने कविताएँ लिखी हैं, कहानियाँ लिखीं हैं, उपन्यास लिखे हैं। आलोचना की पुस्तकें लिखी हैं। व्यंग्य लिखे हैं और व्यंग्य का शास्त्रीय विवेचन किया है। इनकी दो किताबों के नाम याद आ रहे हैं 'बकरा सिंह' और 'नए शिशु का जन्म'। यद्यपि इनकी प्रकाशित कृतियों की सूची लम्बी है। इन्हें राधाकृष्ण पुरस्कार से सम्मानित किया गया है।

और अब ज्ञानेन्द्रपति की चर्चा करें जिनसे शायद ही कोई हिन्दी प्रेमी अपरिचित हो। गोड्डा के पथरगामा गाँव से निकलकर सरकारी सेवा को लात मारकर इन्होंने साहित्य सेवा का मार्ग चुना और काशी को अपना कर्मक्षेत्र बनाया। नई जनवादी कविताओं का शीर्ष नाम है ज्ञानेन्द्रपति, किन्तु महत्त्वपूर्ण यह है कि उनकी पक्षधरता कविता के साथ है, किसी राजनीतिक खेमे के साथ नहीं। ऐसे विषयों और ऐसी वस्तुओं जिनकी ओर हमारा ध्यान भी नहीं जाता, ज्ञानेन्द्रपति का ध्यान खींचते हैं और हमें उपलब्ध हो जाती हैं कालजयी कविताएँ। यह व्यक्ति 'गंगातट' पर लिखता है तो काशी ही नहीं, एक पूरा समाज हमारी आँखों में तैर जाता है, एक पूरी संस्कृति हमारी आँखों में उतर जाती है। प्लास्टिक, जो आज हमारे परिवेश और पर्यावरण के लिए समस्या बना हुआ है, ज्ञानेन्द्रपति की कविता का महत्त्वपूर्ण विषय बन जाता है। झारखंड की अस्मिता, झारखंड श्री-सौन्दर्य, झारखंड का दर्द ज्ञानेन्द्रपति की कविताओं में कई-कई कोणों से उभर कर आता है। उनकी प्रकाशित कृतियाँ हैं—'आँख हाथ बनते हुए', 'लिखने के लिए ही यह कागज बना है', 'गंगातट', 'एक चक्रानगरी' (काव्य नाटक)।

गोड्डा के एक और चर्चित रचनाकार हैं ताराचरण कवि। इनके कई कविता संकलन

प्रकाशित हो चुके हैं। नन्दलाल परशुराम भी कविता और व्यंग्य लेख लिखते रहे हैं। वेदप्रकाश वाजपेयी साहित्यकार भी हैं और पत्रकार भी। पलामू के एकमात्र दैनिक 'राष्ट्रीय नवीन मेल' का सम्पादन इन्होंने किया।

दुमका

एक समय दुमका कोई वैसा महत्त्वपूर्ण शहर नहीं था। आज उसका गौरव बढ़ा है तथा उसे झारखंड की दूसरी राजधानी का सम्मान मिला है। स्पष्ट है कि वहाँ की गतिविधियाँ भी बढ़ी हैं। नई सुगबुगाहट और नई चेतना भी आई है। श्री वासुदेव बेसरा अधिवक्ता कम साहित्य एवं संस्कृति के प्रवक्ता ज्यादा हैं। संताली भाषा-साहित्य पर उन्होंने महत्त्वपूर्ण कार्य तो किया ही है और वे कुशल कहानीकार भी हैं।

दुमका कॉलेज में हिन्दी के व्याख्याता ज्योतीन्द्र प्रसाद झा 'पंकज' एवं सिद्धू-कान्हू विश्वविद्यालय हिन्दी विभाग की शिक्षिका संध्या गुप्ता इन दिनों काफी अच्छी कविताएँ लिख रही हैं। सुरेन्द्र झा 'सुमन' भी कुशल कवि हैं। प्रफुल्ल चन्द पटनायक स्वतंत्रता संग्रामी हैं। पहाड़िया जनजाति पर इनका महत्त्वपूर्ण कार्य है और इनका एक प्रसिद्ध कविता-संकलन है 'मिट्टी और फूल'।

विनय सौरभ की कविताओं के संकलन अब छपने शुरू हुए हैं किन्तु अपनी कविताओं से इन्होंने पहले ही खास पहचान बना ली है और कई पुरस्कारों से सम्मानित हुए हैं।

इधर दुमका के अत्यन्त उपेक्षित क्षेत्र जिसमें एक आदिवासी नाम ने पूरे देश के काव्य-जगत में हलचल पैदा की है, वह है निर्मला पुतुल। देश की सभी स्तरीय साहित्यिक-पत्रिकाओं ने निर्मला पुतुल की कविताओं को ससम्मान प्रकाशित किया है। साहित्य अकादमी और भारतीय ज्ञानपीठ से इनके कविता संकलन शीघ्र प्रकाश्य हैं। एक अर्थ में निर्मला पुतुल आदिवासी समाज की महिला एक्टिविस्ट हैं जो आदिवासियों, दलितों और महिलाओं की हक की लड़ाई लड़ रही हैं। यहीं प्रखर कवि अशोक सिंह का भी नाम याद आता है जिनकी नई कविताएँ बरबस ही ध्यान खींचती हैं। दुमका के एक अन्य अत्यन्त संभावनाशील कवि हैं राहुल राजेश।

कविताओं और नाटकों के लेखक नरेन्द्र नीर ने संतालपरगना के साहेबगंज को खास पहचान दिलाई है।

देवघर

देवघर केवल महादेव के प्रसिद्ध मन्दिर के कारण ही स्मरणीय नहीं है। देवघर ने अनेकानेक कवि, लेखक, समीक्षक, शोधकर्ता और भाषा-वैज्ञानिक दिए हैं। यहाँ का सर्वाधिक प्रतिष्ठित नाम है डोमन साहु 'समीर'। संताली भाषा और साहित्य पर इन्होंने जितना काम किया है, वही इन्हें अमर करने के लिए पर्याप्त है। संताली लोकजीवन एवं संस्कृति की जैसी पकड़ इन्हें है, वैसी कम लोगों को होगी। साहित्य अकादमी ने इन्हें ऐसे कार्यों के लिए पुरस्कृत किया है। किन्तु समीर जी कुशल कवि एवं लेखक भी हैं। और महत्त्वपूर्ण यह है कि वे दूसरे लेखकों को प्रोत्साहित भी करते रहते हैं।

देवघर के प्रसिद्ध कवि-गीतकारों में वहाँ के कॉलेज के हिन्दी विभाग में कार्यरत भुवनेश्वर प्रसाद 'कमल', ताराचरण खवाड़े, दुर्गाचरण खवाड़े एवं सत्यधन मिश्र। शंभुनाथ बलियासे 'मुकुल' ने भी हिन्दी साहित्य की बड़ी सेवा की है। उनका प्रसिद्ध प्रकाशित नाटक है 'अपना गाँव और जमीन'।

देवघर हिन्दी विद्यापीठ से सम्बद्ध होकर कई-कई प्रतिष्ठित हिन्दीसेवी देवघर में लम्बे प्रवास पर रहे। ऐसे में एक नाम लक्ष्मीनारायण सिंह 'सुधांशु' का याद आता है। देवघर में विद्यापति की भाँति ही हुए जिनके गीत पूरे झारखंड में उसी श्रद्धा से गाए जाते हैं जैसे मिथिलांचल में विद्यापति के गीत।

संस्कृत साहित्य के आदिवासी और भारतीय संस्कृति को उनकी देन

डॉ. रामदयाल मुंडा

इस निबन्ध में आदिवासी से हमारा तात्पर्य उन आर्येतर जातियों से है जिन्हें संस्कृत साहित्य में असुर, निषाद, दस्यु, वानर एवं राक्षस प्रभृत नामों से सम्बोधित किया गया है। आधुनिक भारत में मोटे तौर पर द्रविड़ और मुण्डा भाषाभाषी जनजातियों को हम उसके अन्तर्गत रख सकते हैं। आर्य जातियाँ जब भारत भूमि में आईं तो उन्हें तथाकथित अनार्य जातियाँ यहाँ पहले से ही बसी मिलीं और क्योंकि उनके पहले के भारतीय निवासियों का पता अभी नहीं है, उन्हें ही आदिवासी, प्रथम निवासी कहना उपयुक्त होगा। आदिवासी शब्द का प्रयोग हम यहाँ इसी विस्तृत अर्थ में कर रहे हैं न कि उस सीमित अर्थ में जिसका प्रयोग भारत सरकार कतिपय वन्य जातियों के लिए करती है।

किसी विजयी जाति ने जब भी इतिहास लिखने की कोशिश की है, उसने विजित जाति के प्रति अपना रोब जमाने की कोशिश भी की है। भारतीय आदिवासी जातियों के इतिहास के सम्बन्ध में भी यह बात बहुत अंशों में लागू की जा सकती है। किन्तु विजेता और विजित के सम्बन्ध भारतीय परम्परा में इतने कटु नहीं हैं जितना कि हम अन्यत्र देखते हैं। इसे हम भारतीय परम्परा की गरिमा ही कह सकते हैं। जीत में हार और हार में जीत का विचित्र सम्मिश्रण हम यहीं देखते हैं।

वेद भारतीय और विश्व साहित्य के प्रथम ग्रन्थ हैं और असुर शब्द यहीं प्रथम बार आया है। इसके दो अर्थ साधारणतया किए जाते हैं—(1) सुरविहीन और (2) सुराविहीन। सुर-विहीन इसलिए कि वे आर्य देवताओं के विरोधी थे। मुख्यतया इन्द्र को बार-बार इनके विरुद्ध लड़ना पड़ा। वृत्र, शंबर और मधु इनके नेता थे। ये हजारों गायों और धन-सम्पत्ति के स्वामी थे जिससे इन्द्र को ईर्ष्या होना स्वाभाविक ही थी। यह द्रष्टव्य है कि ये तीनों नाम बोरती, सम्बरए और मोगो (मगु, मंगु) के रूप में मुण्डा भाषाभाषी आदिवासियों में चले आ रहे हैं। सुराविहीन के अर्थ में असुर शब्द का प्रयोग देव और दानवों के द्वारा समुद्र मंथन और उसके निष्कर्ष के रूप में प्राप्त अमृत (सुरा) के भोग में असुरों का वंचित हो जाने के सन्दर्भ में किया जाता है। सुराविहीनाः असुराः। किन्तु कठिनाई यह है कि आर्यों के देवता इन्द्र, अग्नि और वरुण को भी अनेक जगह असुर कहा गया है। तब मात्र उपर्युक्त व्याख्याओं से काम नहीं चलता। इन देवताओं को सुराविहीनाः की श्रेणी से बचाने के लिए एक नई व्याख्या की आवश्यकता है जो निषेधात्मक न होकर शक्तिबोधक हो। हमारी दृष्टि से एक तीसरी व्याख्या (केनापि) सुरेन अशासिता-असुराः सर्वाधिक

सम्यक् प्रमाणित होगी। छोटानागपुर को असुर जनजाति के सन्दर्भ में और अन्य भारतीय आदिवासी कथाओं में भी यह शब्द अप्रतिम शक्ति का परिचायक है। ऐसी बात नहीं है कि आदिवासियों के देवता ही नहीं होते। देवता हैं किन्तु दूसरों की भाषा में वे भूत-प्रेत ही रह जाते हैं। आदिवासियों के देवताओं को भूत-प्रेत कहकर उन्हें दुष्ट देवताओं की श्रेणी में रख दिया गया है। आधुनिक सुधारवादी धर्मसमाजों ने यही बात दुहराने की कोशिश की है और हिन्दुओं के साथ ईसाई मिशनरियों को भी इसमें सम्मिलित किया जा सकता है। इसमें अधिक सोचने की आवश्यकता नहीं है कि आदिवासियों के देवता क्यों दूसरों को बुरे भूत-प्रेत लगते हैं। किसी आदिवासी का जवान पुत्र मर जाए, कारण चाहे विज्ञान सम्मत भी क्यों न हो, तो कह दिया जाता है कि किसी भूत ने उसे खा डाला। वही लड़का यदि किसी धार्मिक हिन्दू या ईसाई परिवार में मरता है तो कहा जाता है कि भगवान् ने उसे अपने पास बुला लिया। देवताओं के भले-बुरे होने के सम्बन्ध में और भी उदाहरण दिए जा सकते हैं। इन्द्र का स्मरण एक बड़े देवता के रूप में ही किया जाता है, किन्तु क्या हम कह सकते हैं कि वे अपने बड़प्पन को उठाए रखने में सदा सफल रहे हैं ? किसी की महानता का आदर्श यह है कि उसे अपने समानान्तर बढ़ती हुई किसी की महानता से द्वेष नहीं होता वरन् प्रसन्नता ही होती है। इन्द्र के चरित्र में हमने इसका परिचय कभी नहीं पाया। जब भी कोई अपने विकास के लिए तप करता दिखाई देता है तो इन्द्र को लगता है कि वह स्वर्ग का राज्य ही ले लेने के लिए उतारू है। चारित्रिक दृष्टि से तो उनकी गणना बिलकुल गए-गुजरों में ही होगी —सबसे महत्त्वपूर्ण उदाहरण सम्भवत: उनका ऋषिपत्नी अहल्या के साथ छल से सहवास करना दिया जा सकता है। तब भी इनके देवत्व में कोई अन्तर नहीं पड़ता।

भारतीय मस्तिष्क की ऊँची-से-ऊँची उड़ान का साक्षी हमारा उपनिषद् साहित्य माना गया है। वस्तुत: भारतीय दर्शन उपनिषदों में आकर ही प्रौढ़ता प्राप्त करता है। वैसे ऋग्वेद में ही 'एक सद्विप्रा बहुधा वदन्ति' कहकर निराकार ब्रह्म के सम्बन्ध में जिज्ञासा प्रारम्भ कर दी गई है किन्तु अधिकांश ऋचाएँ मानव की मूलभूत (भौतिक) समस्याओं के समाधान का ही मार्ग ढूँढ़ती हैं। उपनिषदों की संख्या 108 मानी गई है परन्तु प्रारम्भिक 11 ही सर्वाधिक महत्त्वपूर्ण हैं। इन 11 उपनिषदों में कम-से-कम दो—मुण्डक और ऐतरेय—का सम्बन्ध, जैसा कि इनके नाम से ही पता चलता है, आदिवासियों से है। प्राचीन भारतीय साहित्य मनीषियों ने अपने व्यक्तिगत जीवन के बारे में कुछ भी नहीं कहकर हमें अँधेरे में ही छोड़ दिया है। ऐसी स्थिति में केवल नाम 'मुण्ड' के आधार पर उनके बारे में अन्दाजा लगाने के सिवा और कोई साधन नहीं है। यह कुछ अंशों में सही माना जा सकता है कि उपनिषत्काल में ज्ञान विज्ञान के क्षेत्र में क्षत्रिय (राजन्य) वर्ग की प्रधानता रही। मुण्ड का अर्थ भी प्रारम्भ में किसी वन्य क्षेत्र या जनसमूह का प्रमुख ही रहा होगा। ऐसे ही किसी मुण्ड पुत्र ने इस उपनिषद् की रचना कर विद्या-अविद्या, जीवात्मा-परमात्मा, ब्रह्मविद्या एवं भगवद्भक्ति की बात वन्य जीवन के उदाहरणों द्वारा समझाई है।

ऐतरेय उपनिषद् के नाम से ही पता चलता है कि उसके रचनाकार किसी आर्य इतर जाति से आते हैं। कई आचार्यों ने उपनिषद्कार को शूद्र माना है किन्तु शूद्रों को आर्येतर कहना शास्त्रविरोधी बात होगी। उपनिषद्कार के आदिवासी कुल से आने के प्रमाण में एक बात तो यह है कि ऐतरेय उपनिषद् में जो सृष्टिकथा कही गई है वह मुण्डा भाषाभाषी आदिवासियों के बीच

भी कुछ अलग रूप में विद्यमान है। प्रारम्भ में केवल पानी-ही-पानी था। उसे सुखाकर ही अन्नोत्पादन के लायक जमीन बनी। 'सृष्टिकार ने जलों को तपाया। उन तपते हुए जलों से पृथ्वी उत्पन्न हुई। वही अन्न (आधार) हुई।'

छान्दोग्य उपनिषद् में एक आदिवासी की चर्चा आती है। सत्यकाम एक दासीपुत्र है किन्तु इस तथ्य को उसकी माता के सिवा और कोई नहीं जानता। सत्यकाम जब ज्ञान सम्बन्धी जिज्ञासा करने की उम्र को प्राप्त हुआ तो उसने अपनी माता से अपना गोत्र पूछा—आज की ही तरह उस समय भी विद्यार्जन के लिए आचार्य के आश्रम में नाम लिखाना पड़ता था, व्यक्ति के नाम के साथ गोत्र का नाम आवश्यक था। माता सत्य को बहुत दिनों तक छिपा नहीं सकती थी। उसने पुत्र को साफ-साफ बता दिया—'पुत्र मैं नहीं जानती तू किस गोत्र का है। मैंने युवावस्था में अनेक व्यक्तियों की सेवा करते हुए तुम्हें पाया—मेरा नाम जाबाला है और तुम सत्यकाम हो (इसलिए) कह देना कि तुम जाबाल सत्यकाम हो।' इसके अनन्तर सत्यकाम एक ऋषि के पास जाता है और अपनी ब्रह्म जिज्ञासा सम्बन्धी बात प्रकट करता है। ऋषि के पूछने पर वह अपनी माँ की बताई हुई बात दुहरा देता है। सत्यकाम के सत्य और निर्भीक कथन से मुनि अत्यन्त प्रभावित होते हैं और उसे उपनयन की दीक्षा दे देते हैं। आज का शिष्य गुरुसेवा के नाम पर बहुत हुआ तो बाजार जाकर गुरु जी के लिए सब्जी-वब्जी खरीद लाने का काम करता है या यदि वह कोई देहाती हुआ तो गुरुआनी की आवश्यकता जानकर पड़ोस के बगीचे से आम चुरा लाता है। सत्यकाम के जमाने में बात जरा और कठिन थी। ऋषि साधारणतया बड़े ही व्यावहारिक बुद्धि वाले होते थे। गाएँ पालने की विशेष रुचि होती थी और गुरुसेवा के नाम पर चेला जी को लाठी लेकर गायों के पीछे-पीछे घूमना पड़ता था। सत्यकाम को भी यही करना पड़ा। लगता है सत्यकाम के आने के पहले ऋषि गौतम की गायों की व्यवस्था में बढ़ी ढिलाई हो गई थी क्योंकि उनके आश्रम की बहुत-सी गाएँ असमय ही दाना-पानी के अभाव में बुढ़िया हो गई थीं। उन्हीं दुर्बल गायों में से 400 को निकालकर गुरु ने आदेश दिया कि तुम इन्हें चराओ, मोटी-तगड़ी बनाओ और तब तक वापस नहीं आना जब तक कि उनकी संख्या बढ़कर 1000 न हो जाए। गायों को घासवाले वनांचल में चराकर और आवश्यकतानुसार घास काटकर उनके स्वास्थ्य में सुधार लाने का काम तो दो ही चार महीने में हो सकता था किन्तु उनकी संख्या बढ़ाकर 1000 कर देना उसके वश की बात नहीं थी। इसके लिए समय की आवश्यकता थी। सो, सत्यकाम इस कोर्स को पूरा करने में वर्षों इन्तजार करता रहा। उस बीच गुरु से ज्ञान पाने की आशा तो वह सँजोए ही रहा। स्वतन्त्र रूप से ही ब्रह्मज्ञान सम्बन्धी शोध में प्रभृत हुआ। इस तरह जब गायों की संख्या 1000 पूरी हो गई तो सत्यकाम गुरु के चरणों में वापस आया और उसने अपनी जिज्ञासा दुहराई। 1000 गायों के लिए घास काटते-काटते सत्यकाम की हालत पतली हो गई थी और परिणामत: उसके शरीर में काफी परिवर्तन आ गया था। असमय ही वह बुजुर्ग जान पड़ता था। आचार्य ने उसकी इस गम्भीरता का फायदा उठाकर उससे कहा—तुम तो ब्रह्मज्ञानी की भाँति देदीप्यमान् प्रतीत होते हो, सत्यकाम, तुम्हें किसने अनुशासित किया? सत्यकाम भला क्या उत्तर देता? गायों के स्वास्थ्य और उनकी नस्ल सुधार करने की चिन्ता दिन-रात लगी रहती थी। ज्ञान मैं किससे सीखता? तब गुरु ने उसे यह कहकर टरका दिया कि वही ब्रह्मज्ञान है और इसे जानने

के बाद कुछ भी जानना शेष नहीं रह जाता। गुरु गौतम को मनचाही स्वस्थ गाएँ मिल गईं और सत्यकाम अपनी लाठी वहीं छोड़ वहाँ से चल दिया।

उपनिषद्काल तक आते-आते आर्य विचारधारा में काफी परिवर्तन आ गया था। याज्ञिक कर्मकाण्ड की जगह ध्यान और तप पर अधिक बल दिया गया। वेद जहाँ सांसारिकता पर जोर देते हैं वहाँ उपनिषद् संन्यास की बात करते हैं। वेद जहाँ अनेक देवताओं की बात करते हैं, उपनिषद्, ब्रह्मविद्या पर ही आ टिकते हैं। विचारों के इस क्रान्तिकारी परिवर्तन में आर्येतर जातियों का भी हाथ रहा और वे आर्येतर जातियाँ और कोई नहीं उस समय की आदिवासी जातियाँ ही थीं।

जिस प्रकार महाकवि वाल्मीकि और व्यास ने क्रमश: रामायण और महाभारत की कथा को व्यवस्थित रूप दिया उसी प्रकार भारतीय षड्दर्शन प्रणाली में शबर स्वामी ने मीमांसा दर्शन की व्याख्या प्रस्तुत की! शबर स्वामी उत्कल प्रदेश की शबरा (मुण्डा भाषाभाषी) आदिवासी जाति के ही पूर्वज रहे होंगे। पतंजलि का योगदर्शन सूत्र रूप में संस्कृत में ही है लेकिन इसका आगा आदिवासी समाज से ही हुआ है। जिस इंद्रिय संयम और ब्रह्मदर्शन की चर्चा हम योग दर्शन में पाते हैं वह आदिवासी समाज में भी देखा जा सकता है। अन्तर मात्र इतना है कि किसी पतंजलि के द्वारा संस्कृत भाषा में प्रस्तुत न किए जाने के कारण वह प्रेतदर्शन कहलाता है। यह तो ऐसा ही हुआ जैसा कि कोई बात अंग्रेजी में लिखी जाकर अधिक महत्त्वपूर्ण हो गई और हिन्दी में लिखी जाकर बिन पहचानी रह गई।

अधिकांश पौराणिक कथा-कहानियों का आधार जनजातीय ही कहा जा सकता है। पौराणिक काल तक आते-आते इन्द्र और अग्नि जैसे देवता जिनकी चर्चा हम वेदों में अनेक बार पाते हैं, प्राय: नगण्य हो जाते हैं। ब्रह्मा और विष्णु की चर्चा वहाँ कम ही होती है किन्तु पुराणकाल में वे प्रमुखता को प्राप्त होते हैं। पुराणकाल में ही एक नए देवता शिव का आगमन होता है और ब्रह्मा-विष्णु-महेश की त्रिमूर्ति स्थापित होती है। मरुतस् के रूप में विद्वानों ने शिवजी को वेदों में देखने की कोशिश की है किन्तु ऐसा करने में उन्हें अनावश्यक खींचतान करनी पड़ती है। वस्तुत: शिव एक आदिवासी देवता है। आदिवासी सभ्यता के ही अवशेष के रूप में सिन्धु घाटी की खुदाई में उपलब्ध शिव जैसी मूर्ति पशुओं से घिरी मिलती है। शिवजी का पशुपति नाम इसी कारण से है। उनकी वेशभूषा आदिवासियों की ही तरह है। वे राक्षसों, वानरों, असुरों, और दानवों के पूर्वज माने जाते हैं। आर्य समाज में प्रारम्भ में वे एक बाह्य और नीची श्रेणी के देवता के रूप में ही माने जाते थे। उदाहरणत: सागर मंथन के समय उन्हें भकुआ समझकर ही विष पीने को दे दिया जाता है। लेकिन उन्होंने विष को भी हजम कर डाला। अभी भी कट्टर हिन्दू पुरी (शैव आधारित वैष्णव तीर्थ) जैसे तीर्थ स्थानों से वापस आने के बाद फिर से मुण्डन संस्कार द्वारा अपनी शुद्धि करते हैं। देवघर जैसे शैव मन्दिरों के पण्डों को नीचे दर्जे का ब्राह्मण कहा जाता है। अधिकांश शिव मन्दिर गाँव के बाहर बनाए जाते हैं। वस्तुत: शिवजी के बाह्यत्व ने ही इन्हें प्रलय और संहार के रूप में प्रतिष्ठित किया है। यह उनकी बाह्यता ही है विवाह के अवसर पर दूल्हे (शिव के प्रतीक) के प्रति गाए जाने वाले गीतों में उन्हें असभ्य और अन्य उस वाचक उपसर्गों में विभूषित किया जाता है। यही बात मातृसत्ता की प्रतिनिधि देवी काली के सम्बन्ध में भी कही जा सकती है जिसे हम शिवजी की अर्धांगिनी के रूप में प्रतिष्ठित देखते हैं।

जिन कृष्ण की चारों ओर भारतीय (एवं भारत इतर) भागवत सम्प्रदाय और भक्ति साहित्य फैला हुआ है वे मूलत: आदिवासी ही कहे जा सकते हैं। उपनिषदों ने 'नेति-नेति' कहकर जिस ब्रह्म की चर्चा की है उसे समझने के लिए ऊँचे ज्ञान की अपेक्षा होती है, जनसाधारण के लिए वह दुर्बोधगम्य ही है। इसी ब्रह्म को जनमानस के लिए सुलभ बनाने के लिए अवतारवाद की कल्पना की गई—उस अज्ञेय को प्रतीक के रूप में समझाने का प्रयत्न किया गया। उस निर्गुण निराकार को गुण और आकार दिया गया। गुण और रूप के आदर्शों की स्थापना के लिए ऐसे ऐतिहासिक चरित्रों को आधार बनाया गया जो जनमानस में पहले से ही विद्यमान थे। श्रीकृष्ण ऐसे ही आदर्श चरित्र के विकसित रूप कहे जा सकते हैं। यदि खींचतान न की जाए तो वैदिक साहित्य में उनका कहीं पता नहीं है और उपनिषद् साहित्य में तो उनका उल्लेख मात्र एक विद्यार्थी के रूप में होता है। कहते भी हैं कि भक्ति द्रविड़ देश उपजी। यह भी द्रष्टव्य है कि विष्णु के अवतार, जिनमें एक कृष्ण भी हैं, काले ही कहे गए हैं जबकि आर्यों को गौर कहा गया है। भागवत पुराण में कृष्ण से सम्बन्धित जो प्रेम स्वातंत्र्य दिखाई देता है वह आदिवासी समाज के लिए जाना-पहचाना-सा लगता है।

वामन पुराण के राजा बलि को भी हम एक आदिवासी राजा कह सकते हैं। पड़ोसी जाति का किसी भी अर्थ में उन्नति करना आर्यों को बुरा लगता रहा है। किसी को बढ़ने से रोकने के प्रयास में उन्होंने कई बार अपने को नीचे गिराया है। वामन पुराण उल्लिखित भगवान विष्णु का अवतार भी इसका एक उदाहरण है। मुश्किल तो यह है कि भगवान को लगता है कि वे बलि को ठग रहे हैं जबकि बलि को इस बात का पूरा पता है कि ब्राह्मण वेशधारी वह याचक कौन है। फिर भी अतिथि-सत्कार के लिए किसी को कहना तो पड़ता है कि कहा जाए मैं आपकी क्या सेवा कर सकता हूँ? इस औचित्य का शाब्दिक अर्थ लगाकर अपनी आवश्यकताओं की पूरी सूची दे देना वामनजी के लिए एक लज्जा की बात होनी चाहिए थी। जब भगवान स्वयं भिखारी बनकर माँगने लगें तो बलि जैसे राजा की तो बात ही क्या, कोई अकिंचन भी अपना सर्वस्व देने के लिए उद्यत हो जाता! इससे देने वाले की दीनता नहीं, लेने वाले की हीनता ही प्रकट होती है।

अब हम भारतीय जनजीवन को सबसे अधिक अनुप्राणित करने वाले ग्रन्थों, रामायण एवं महाभारत में आए हुए आदिवासियों की चर्चा करेंगे। इन दोनों ग्रन्थों में कौन पहले रचा गया था इस बात को लेकर विवाद चलते रहे हैं किन्तु रामायण की अपेक्षाकृत अधिक प्राचीनता के पक्ष में ही अधिकांश मत हैं। जो भी हो, इस तथ्य का प्रस्तुत लेख से सीधा सम्बन्ध नहीं है।

रामकथा को दलगत रुचियों से ऊपर उठाने के लिए उसे एक धार्मिक पृष्ठभूमि में देखने के लिए आग्रह किया जाता रहा है फिर भी इसकी ऐतिहासिकता को बिलकुल ही निषेधात्मक दृष्टि से नहीं देखा जाना चाहिए। बालकाण्ड में प्रसंग है कि राजा दशरथ का समय जा रहा है और वे पुत्र कामना से चिन्तित हो उठे हैं। उन्हें पुत्रेष्टि यज्ञ करने की सलाह दी जाती है और वे यज्ञ का आयोजन करते हैं। यज्ञ के सम्पादन के लिए एक युवा तपस्वी शृंगी ऋषि को आमन्त्रित किया जाता है। यज्ञ के प्रसाद के रूप में तीनों रानियों को ऋषि खीर खिलाते हैं और इसके परिणामत: तीनों रानियाँ गर्भवती होती हैं। समयानुकूल कौशल्या से राम, कैकेयी से भरत और सुमित्रा से लक्ष्मण और शत्रुघ्न का जन्म होता है। पुत्र-प्राप्ति की इस किंचित अस्वाभाविक कथा ने विद्वानों

को बार-बार सोचने के लिए विवश किया है। हिन्दी के मूर्धन्य कथाकार यशपाल जी ने एक कहानी लिखी है 'भगवान के पिता के दर्शन' जिसे पढ़कर धार्मिक प्रवृत्ति के पाठक के मन को क्लेश होता है किन्तु उसमें उठाए गए प्रश्न यशपालजी के व्यक्तित्व के अनुरूप ही क्रान्तिकारी अवश्य हैं। कहानीकार ने राजा दशरथ और राजा जनक दोनों को ही नपुंसक के रूप में चित्रित किया है और इस कथन के प्रमाणस्वरूप उन्होंने कहा है कि यदि वे नपुंसक नहीं होते तो वे परशुराम—जिन्होंने अपने पिता की एक क्षत्रिय द्वारा हत्या का बदला लेने के लिए सारी दुनिया को क्षत्रियविहीन कर देने का प्रण किया था, की कुठार के शिकार अवश्य हो गए होते। नपुंसकों की हत्या करना युद्ध नीति के विरुद्ध होने के कारण परशुरामजी ने उन्हें छोड़ दिया था। राजा दशरथ को वंश चलाने की चिन्ता थी किन्तु उनके लिए नियोग द्वारा सन्तान उत्पत्ति कराने के सिवा और कोई उपाय नहीं था। संतति प्राप्ति की यह विधि शास्त्रानुमोदित है और इसके लिए उन्होंने अपने सलाहकारों की राय से अखंड ब्रह्मचारी श्रृंगी ऋषि को चुना। लेकिन युवा ऋषि अपने पिता के कठोर अनुशासन में बँधे थे। प्रश्न था कि उन्हें अपने पिता की आँखों से बचाकर कैसे राजधानी में लाया जाए। अन्ततः अवसर मिल ही जाता है। वृद्ध पिता किसी यज्ञ के सम्पादन के लिए बाहर चले जाते हैं और उसी समय युवा श्रृंगी एक प्रकार से चुरा लिए जाते हैं। कार्य सम्पादन के पश्चात् ऋषि वापस कर दिए जाते हैं और कालान्तर में रानियों को पुत्ररत्न प्राप्त होते हैं। पुत्रोत्सव की सूचना वृद्ध ऋषि को भी दी जाती है और जब यह सूचना किसी तरह युवा ऋषि के राजधानी हो आने की बात का पता चलता है और वे अपना क्रोध पीकर भगवान् के दर्शन की इच्छा त्याग देते हैं। क्योंकि स्वयं भगवान के पिता घर पर सुलभ हैं। एक भारतीय आचार्य के अनुसार जो बात यशपाल जी की लेखनी से निकलते-निकलते रह गई वह यह कि श्रृंगी ऋषि एक आदिवासी थे जो अपने लम्बे जटाजूट बालों को सींग से बनी कंघी द्वारा बाँधे रहते थे और जिसका उपयोग अब भी कई आदिवासी जातियों में होता है।

उल्लेख है कि राजा जनक को सीता हल चलाते समय मिलीं। किन्तु सीता शब्द की उत्पत्ति संस्कृत में अस्पष्ट ही कही गई है। दूसरी ओर प्रायः सभी मुण्डा आदिवासी भाषाओं में सीता का अर्थ हल चलाना और तब वर्तमान क्रियास्पदबोधक प्रत्यय के रूप में प्रयुक्त होता है। मुण्डारी भाषा में एक जदुर गीत भी गाया जाता है जिसकी प्रथम दो पंक्तियों का अर्थ है—

'हमने हल चलाते समय उसे पाया था।
हम इसे सीता नाम ही देंगे।'

कहने की आवश्यकता नहीं कि सीता के प्रति संस्कृत भाषा-भाषी आर्यों का जितना दावा है उससे कम आदिवासियों का नहीं है। प्रस्तुत गीत की पंक्तियाँ न केवल सीता को वरन् जनक को भी आदिवासी बना देती हैं। वस्तुतः वाल्मीकि चित्रित सीता के लिए जो भी कहा जाए थोड़ा है। स्त्रीजन्य कमजोरियों के बावजूद उनका चरित्र भारतीय नारी की प्रतिमूर्ति-सा उभर आया है। उनकी कहानी करुणापूर्ण बन गई है जो भारतीय इतिहास में आगे चलकर द्रौपदी और शकुन्तला के रूप में दुहराई जाकर और भी प्रभावपूर्ण हो गई है। मैथिलीशरण गुप्त ने 'आँचल में है दूध, और आँखों में पानी' कहकर नारी का जो चित्रण किया है उसमें

सीता की भी कहानी सम्मिलित है। एक स्त्री जीवन में जब सबसे अधिक सहारे की आवश्यकता होती है उस समय बिना कारण बताए सीता जी दूसरी बार वन भेज दी जाती हैं। श्रीराम के लिए सीता को पाक-दामन प्रमाणित करने के लिए अग्निपरीक्षा काफी नहीं थी। क्या ऐसा करके उन्होंने अपनी बीमारग्रस्त मानसिक स्थिति प्रकट नहीं की है? बांग्ला के प्रसिद्ध उपन्यासकार श्री बुद्धदेव बोस ने ठीक ही कहा है कि यह सीता की परीक्षा नहीं थी वरन् स्वयं श्रीराम की परीक्षा थी।

वाल्मीकि रामायण में आदिवासियों के विभिन्न दलों का निर्धारण करना एक कठिन काम है फिर भी मोटे तौर पर दो प्रकार के आदिवासियों को तो दिखाया ही जा सकता है। एक प्रकार के आदिवासी राक्षस या असुर कहे गए हैं जिनमें रावण आदि की गणना की जा सकती है। ये राम-रावण युद्ध में रावण का पक्ष लेते हैं। द्रविड़ भाषा-भाषियों का अधिकांश भाग इस श्रेणी में आता है। यह उल्लेखनीय है कि छोटानागपुर के कुडुख भाषा-भाषी आदिवासी उराँव अपने को रावण का वंशज कहते हैं। भाषाविज्ञान की दृष्टि से भी उराँव और रावण शब्दों का नजदीकी सम्बन्ध स्पष्ट है। दूसरे प्रकार के आदिवासी वानर कहे गए हैं जो श्रीराम की मदद करते हैं। वानर कहे जाने वाले आदिवासियों का निकट सम्बन्ध भालू, गिद्ध और रीछ कहे जाने वाले आदिवासियों से है। यह भी द्रष्टव्य है कि वानर, असुर और राक्षस एक-दूसरे से बहुत भिन्न नहीं हैं। उनका आपसी सम्बन्ध बहुत पुराना जान पड़ता है। उदाहरणत: कई नाम ऐसे आते हैं जो असुर-राक्षस और वानर-रीछ परिवार में समान रूप से व्यवहृत होते हैं। वानर और राक्षस आदिवासियों के साथ कम-से-कम और दो बातें समान रूप से पाई जाती हैं। एक तो उनमें से अधिकांश की उत्पत्ति सामान्य प्रसव क्रिया से न होकर किसी देवता के छींकने, खाँसने आदि शारीरिक विकारों के आधार पर हुई है। उदाहरणत: हनुमान (जिसकी ठुड्डी में गड्ढा हो), कुम्भकर्ण (जिसके कान घड़े की तरह हों), मन्दोदरी (जिसका पेट खराब हो)। रामायण की रचना करते समय आदिवासियों को वानरों और राक्षसों के रूप में चित्रित करने के पीछे आदिकवि (और उनके अनुगामी समस्त मध्ययुगीन कवि—कंबन, तुलसीदास कृत्तिवास आदि) के मन में क्या भावना थी यह कह पाना कठिन है किन्तु नर को वानर या किन्नर के रूप में देखकर मन को क्लेश ही होता है। उन वानरों में से कुछ के चरित्र ऊपर उठाकर भी वानर समाज का जो चरित्र-चित्रण हमें रामायण में मिलता है, वह खेदजनक है।

रामायण के आदिवासियों में हनुमान का नाम सर्वोपरि रखा जा सकता है। इनका परिचय हमें श्रीराम और सुग्रीव के बीच वार्तालाप में एक दुभाषिए के रूप में मिलता है। इस प्रथम सम्पर्क के बाद श्रीराम से उनका सम्बन्ध उत्तरोत्तर बढ़ता ही जाता है और ये रामपरिवार के एक अंग ही हो जाते हैं। श्रीराम के साथ ही हनुमान का नाम भी अमर हो गया है। एक आदर्श सेवक के रूप में तो उनसे बढ़कर और कोई उदाहरण नहीं मिलता। हनुमान का चरित्र लंकादहन, पर्वत वहन और युद्ध के प्रकरणों में विशेष रूप से उभरता है। युद्ध प्रकरण में तो हनुमान का चरित्र इतनी दूर तक उठाया गया है कि स्वयं श्रीराम का चरित्र भी कुछ समय के लिए उसके नीचे दब जाता है। रावण जब अपनी अन्तिम शक्ति लगा देता है तो श्रीराम की सेना भयभीत हो उठती है। हनुमान के सिवा अन्य सारे लोग अपना साहस खो बैठे हैं। इन भयभीत लोगों में स्वयं श्रीराम भी हैं तभी

तो हनुमान उन्हें कन्धे पर उठाकर युद्ध में प्रवृत्त करते हैं। हनुमान को इस रूप में प्रस्तुत कर आदिकवि ने सचमुच ही उन्हें राम-लक्ष्मण से भी ऊपर उठा दिया है। समुद्र लांघकर लंका पर अकेले चढ़ाई कर वे वानरों में तो सहज ही सर्वश्रेष्ठ प्रमाणित होते हैं। व्यक्तिगत रूप में भी वे लक्ष्मण से अधिक शक्तिशाली दिखाई देते हैं। शारीरिक शक्ति में ही नहीं अपनी व्यवहारकुशलता एवं आवरण की शुद्धता में भी वे रामायण के पात्रों में सबसे अधिक जाज्वल्यमान हैं। लक्ष्मण के चरित्र पर सीताजी सन्देह करती हैं परन्तु हनुमान के प्रति तो ऐसी भावना कभी उठी ही नहीं। विनम्रता इतनी कि अपनी शक्ति का अन्दाजा उन्हें कभी नहीं रहा।

एक सहयोगी मित्र के रूप में सुग्रीव रामचरित्र के एक अभिन्न अंग हो गए। श्रीराम के प्रति मित्रता निभाने के पीछे इनकी जो सम्भवत: सबसे बड़ी मनोवृत्ति थी वह यह कि अपने बड़े भाई बालि द्वारा राज्य-निष्कासित किए जाने पर इन्होंने पत्नीविहीन श्रीराम में अपनी प्रतिच्छाया देखी। श्रीराम की मदद करने में इन्होंने कोई कसर न उठा रखी। अपनी सारी सेना, अपना सारा खजाना उनके लिए निस्संकोच समर्पित कर दिया। फिर भी उनका चरित्र आदिकवि के हाथों, हनुमान की तुलना में, ठीक से उभर नहीं पाया। रामायण के सारे पात्रों में हम सुग्रीव के चरित्र में सर्वाधिक संघर्षशील एवं उद्विग्न मानसिक प्रवृत्ति होने की सम्भावना देखते हैं। श्रीराम की मित्रता एक प्रकार से खरीदी हुई मित्रता थी। यह मित्रता एक सन्धि थी जिससे सुग्रीव और श्रीराम दोनों के स्वार्थ सधते थे। बालि मरा लेकिन वह छल से मारा गया—श्रीराम ने उसे वृक्ष की आड़ में छिपकर उस पर बाण चलाया। मान लिया जाए कि सुग्रीव ने अपनी खुशी के लिए ही श्रीराम से बालि के प्राणान्त करने को कहा पर इसके पक्ष में मर्यादा पुरुषोत्तम राम का निर्णय देना क्या उचित था? बालि का क्रोध सर्वथा अनुचित नहीं कहा जा सकता। अगर गुफा के द्वार पर से चट्टान हटाने में बालि सफल नहीं होता तो उसके लिए मरने के सिवा और रास्ता ही क्या था। हम मानते हैं कि सुग्रीव ने बालि को मारने की नीयत से नहीं वरन् राक्षस के डर के मारे गुफा का दरवाजा भारी चट्टान से बन्द कर दिया था। पर इसका परिणाम तो बालि को भुगतना ही पड़ता। सुग्रीव ने अपने भाई की शक्ति आँकने में भूल की थी। उसे बालि से क्षमा माँग लेनी चाहिए थी। उसने यह नहीं किया। मृत्यु के मुँह से बच निकले को क्रोध के सिवा और क्या आ सकता था? क्रोध भी क्या, उसने सुग्रीव को फिर भी अपना भाई ही समझा—उसकी जान के पीछे तो नहीं पड़ा। शारीरिक कष्ट दिया, लात-घूँसे दिए किन्तु जान से मार डालने की नीयत उसमें कभी नहीं थी। सुग्रीव ने इसका बदला उसे जान से मरवाकर ही लिया। उसने अपना एकमात्र पराक्रमी भाई खो दिया। बचपन का एक अन्तरंग मित्र खो दिया। सुग्रीव के लिए इससे अधिक कष्ट की बात और क्या होगी कि उसने छल से अपने भाई की हत्या कराई? छद्म जो अन्ततः छद्म नहीं रह पाया—बालि ने वृक्ष की आड़ में छिपे, धनुष-बाण ताने, कायर राम को देख लिया।

बालि की मृत्यु पर ठण्डे दिल से सोचने पर श्रीराम पर क्या गुजरी होगी? अगर मान भी लिया जाए कि बालि ने सुग्रीव को घर से निकालकर अति कर दी। तो क्या इसके लिए उसे जान से मार डालकर ही सजा दी जा सकती थी? समझौता का कोई दूसरा रास्ता अपनाया नहीं जा सकता था? सुग्रीव की शिकायत तो उन्होंने सुन ली, पर क्या बालि को एक भी बात कहने का

मौका दिया ? मात्र सुग्रीव की ही बात पर निर्णय कर लेना श्रीराम के चरित्र को अत्यन्त ही कमजोर बना देता है। क्या ऐसा नहीं कहा जा सकता है कि उन्होंने पत्नी के विरह में उद्विग्न मानसिक स्थिति में यह दुर्भाग्यपूर्ण निर्णय कर डाला ? बालि की प्राणरक्षा कर श्रीराम के लिए लंका विजय और भी आसान हो जाती। अत्यधिक कष्ट तो श्रीराम को तभी हुआ होगा जब वे अपना छल छिपाने के लिए कुतर्क का सहारा लेते हैं। श्रीराम कहते हैं—मैंने तुमसे सीधे युद्ध किया अथवा नहीं किया, मैं एक क्षत्रिय हूँ और तुम एक वानर हो, शाखामृग हो, तुम्हें किसी भी उपाय से मार डालने में मेरा कोई दोष नहीं होगा ? सम्भवतः इसी बाल बुद्धिपूर्ण तर्कजनित श्रीराम की कमजोरी को छिपाने और उन्हें अपमानित होने से बचाने के लिए राजगोपालाचारी जी ने वाल्मीकि रामायण के अपने अंग्रेजी अनुवाद में इस संदर्भ को बिलकुल ही गायब कर दिया है और पाठकों से एक उदारदृष्टि की अपेक्षा की है।

वानरादि दल में कुशल अभियन्ता के रूप में नल-नील (जिनकी निगरानी में पुल बना), योग्य सेनानायक के रूप में जामवन्त और प्रसिद्ध वैद्य के रूप में सुषेण (जिन्होंने युद्ध में मर्माहत लक्ष्मण को जिलाया) का उल्लेख किया गया है। युद्धपूर्व श्रीराम के वनवास काल में निषादराज गुह और शबरी की भी चर्चा वाल्मीकि जी ने बड़े ही उदार शब्दों में की है।

सारे रामायण में रावण का चरित्र-चित्रण एक क्रूर निर्दयी राक्षस के रूप में किया गया है। किन्तु यदि हम एक उदार दृष्टि से देखने की कोशिश करें तो प्रश्न उठता है कि क्या वह सचमुच उतना नालायक था ? व्यक्तिगत जीवन में वह शिवजी का अनन्य भक्त है। एक कर्मयोगी है। एक राजा की हैसियत से उसका भौतिकता के प्रति झुकाव होना स्वाभाविक ही कहा जा सकता है। जब उसे किसी के विरुद्ध युद्ध ठानना पड़ता है तो यह उसकी मूर्खता या दम्भ के ही कारण से है ऐसा कह देना स्थिति का अवमूल्यांकन मात्र होगा। यदि हम राम-रावण युद्ध के विशेष कारण पर एक मानवीय दृष्टि डालें तो रावण की श्रीराम से बदला लेने की प्रवृत्ति को हम घृणित नहीं कह सकते। ऐसा कौन भाई होगा जो अपनी बहन की नाक कट जाने पर चुप रहेगा ? शूर्पणखा ने अगर राम-लक्ष्मण से विवाह प्रस्ताव भी किया तो यह कौन-सी बुरी बात हुई ? उनके नहीं चाहने पर वह वहाँ रह कैसे सकती थी ? दो-तीन दिन कोशिश करने के बाद वह खुद भाग जाती। सीधा ना न कहकर उल्टे वे उसे चिढ़ाने लगे। राम उसे लक्ष्मण के पास भेजते और लक्ष्मण उसे फिर राम की ओर वापस भेज देते। अपने यौवन का उपहास किसी को अच्छा नहीं लगता। उस युवती ने जब थोड़ी नोच-खरोंच दिखाई तो कोमल राजकुमारों द्वारा उसका ऐसा करना सहा नहीं गया और उन्होंने उसकी नाक काटकर अपनी बहादुरी का रौब जमाया। औरतों के साथ मार-पीट करने का यह पहला अवसर नहीं था। विवाहपूर्व भी राम ने ताड़का नाम की एक औरत की जान ली थी। रावण को जब इसका पता चलता है तो उसे राम के प्रति क्रोध आना स्वाभाविक ही है। यदि वह चाहता तो राम-लक्ष्मण से सीधे जाकर लड़ सकता था किन्तु वह जानता था कि सीता के वियोग में राम को जो कष्ट होगा वह युद्धजनित कष्ट से कहीं गहरा होगा। उसने राम को बौखला डालने वाली मानसिक स्थिति में डाला। सीता के वियोग में राम कैसे कमजोर हो गए हैं इसकी चर्चा हम पहले ही कर चुके हैं।

रावण के चरित्र-चत्रिण में जो सबसे अधिक उपहासास्पद बात लगती है वह है वाल्मीकिजी का उसे मानव सुलभ संवेदनविहीन जीव के रूप में देखने का आग्रह। चुराए जाने के बाद सीता जी को डर होता है कि रावण के विवाह प्रस्ताव के ठुकराए जाने पर वह कहीं उसे खा न जाए। ऐसा लगता है रावण को आदमी खाने के सिवा और कुछ आता ही नहीं था। मध्ययुगीन रामकथाकारों ने रावण को एक रामभक्त के रूप में चित्रित कर उसे ऊँचा तो अवश्य उठाया किन्तु इस प्रक्रिया में रावण की मानवीयता जाती रही (दानवीयता की तो बात ही क्या?) साथ ही रामायण की नाटकीय गहराई भी। रावण वहाँ ऐसा दिखाई देता है जैसा कि वह राम के द्वारा मारे जाने के लिए ही लालायित हो। क्यों नहीं, उसे स्वर्ग जाने का मोह जो था!

आदिकवि वाल्मीकि ही की तरह महाभारतकार व्यास जी भी अंशत: आदिवासी थे।

संताली लोककथाएँ और उसका स्वरूप

निर्मला पुतुल

हमारा देश भारत कथाओं का देश माना गया है। इस देश में बच्चे-बूढ़े नर-नारी सभी बड़े चाव से कथा-कहानियाँ सुनते हैं। यह देश ही नहीं बल्कि विश्व के सारे देश कथा-कहानियों से भरे पूरे हैं। फिर भी यह निश्चित है कि पश्चिमी देशों में प्रचलित कथा-कहानियाँ पूर्वी देशों खासकर भारत से यात्रा करती हुई पहुँची हैं। भारत का कोई जाति, धर्म, समुदाय ऐसा नहीं जिसकी परंपरा में लोककथाओं का प्रचलन न रहा हो। अधिकांश कथा-कहानियों के बीज वेद, उपनिषद्, पुराण, रामायण, महाभारत आदि संस्कृत ग्रंथों से मिलते हैं। गुणाढ्य कृत पैशाची भाषा में लिखित 'बड्डकहा' (वृहतकथा), सोमदेव भट्ट का लिखा 'कथा सरित्सागर' पालि में बौद्ध जातक कथाएँ, लोककथाओं की श्रेणी में आती हैं। पंचतंत्र और हितोपदेश की कथाएँ अधिक लोकप्रिय हैं। इनमें अनेक जातक कथाएँ भी विद्यमान हैं। इस सम्पूर्ण कथा साहित्य के भावात्मक समन्वय के संबंध में यह निश्चयपूर्वक कहा जा सकता है कि अधिकांश कथाएँ थोड़े बहुत परिवर्तित रूप में संस्कृत, पालि, प्राकृत, अपभ्रंश एवं आधुनिक भारतीय भाषाओं में समान रूप से मिलती हैं। संताली लोककथाएँ भी कमोबेश इसी श्रेणी में आती हैं।

संताली भाषा में कथा-कहानी को 'गाम' या 'किस्सा' कहते हैं जो सदियों से लोकवार्ता के रूप में आज भी संताल समुदाय में प्रचलित है। पीढ़ी-दर-पीढ़ी मौखिक परंपरा के रूप में स्वत: हस्तांतरित होती चली आ रही ये लोक वार्ताएँ संताल समाज के मूल्यों, आदर्शों, शिक्षा, रीति-रिवाजों, प्रथाओं, परंपराओं और प्रकृति से उनके संबंध तथा मनोरंजन के तौर तरीकों पर प्रकाश डालती हैं। अधिकांश संताली लोककथाएँ हास-परिहास से परिपूर्ण दिखती हैं, जिनमें चालाकी और सरलता का भरपूर समावेश भी होता है। कुछ लोककथाएँ भावहीन होती हैं जिनके उद्देश्य का पता ही नहीं चलता। संताली लोककथाओं की एक खास विशेषता यह है कि इसमें भाई-बहन के बीच के स्नेहपूर्ण संबंधों का बड़ा मार्मिक चित्रण मिलता है। इन लोककथाओं में प्रकृति ही नहीं, आदमी और जानवर तथा पक्षियों के बीच के परस्पर संबंध भी मिलते हैं। कुछ लोककथाएँ, लोक मुहावरों एवं पहेलियों के क्षेत्र में भी संताल समाज की पकड़ को भी उजागर करती हैं, तो कुछ उनकी बेवकूफी और नादानियों का भी परिचय देती हैं। कुछ में उनकी वीरता, साहसिकता झलकती है तो कुछ में उनके लोभ, मोह, ईर्ष्या, द्वेष की भावना भी दृष्टिगोचर होती है।

अब अगर आधुनिक संदर्भ में सूक्ष्मता से इन संताली लोककथाओं पर विचार किया जाए तो इसके कई पहलू दिखते हैं। मोटे तौर पर संताल आदिवासी समाज में कई प्रकार की कथाएँ सुनने

को मिलती हैं। पौराणिक कथाएँ, वीरता और साहस की ऐतिहासिक कथाएँ, हास-परिहास की कथाएँ, बेवकूफी और चालाकी की कथाएँ, अंधविश्वास की कथाएँ, पशु-पक्षियों की कथाएँ, नीतियुक्त उपदेशात्मक कथाएँ तथा पारिवारिक एवं सामाजिक रिश्ते-नातों की कथाएँ आदि।

पौराणिक कथाओं में मनुष्य से लेकर देवी-देवता, भूत-प्रेत, राक्षस, पशु-पक्षी, कीट पंतग आदि की उत्पत्ति का वर्णन मिलता है। साथ ही भूत-प्रेत, मनुष्य और देव-दानव के बीच द्वंद्व तथा उसके परिणाम में नाना पूजा-विधि की उत्पत्ति का भी वर्णन मिलता है। इसके साथ पर्व-त्योहार पूजा-पाठ आदि धार्मिक गतिविधियों का उल्लेख भी इनमें देखने को मिलता है। इस प्रकार की कथाओं की उत्पत्ति का स्रोत प्राय: संताल पुरोहितों के धार्मिक गीतों से माना जाता है। 'काराम बिनती' के गीतों से निकली संताल सृष्टि के आदि दम्पति पिलचू हाड़ाम और पिलचू बूढ़ी की उत्पत्ति से जुड़ी कथाएँ, ऐसी ही कथाओं की श्रेणी में आती हैं। साथ ही संतालों के देवी-देवता मारांग बुरु, जाहेर ऐरा, गोसाईं ऐरा आदि की कथाएँ भी।

वीरता और साहस की कथाएँ प्राय: ऐतिहासिक कथाओं की कोटि में आती हैं। इसके तहत संताल समुदाय के अनेकों वीर योद्धाओं तथा महापुरुषों की गाथाएँ होती हैं। साथ ही समय-समय पर बाहरी ताकतों के विरुद्ध विद्रोह की घटनाओं का चित्रण भी होता है। इसके अलावा शेर बाघ चीता जैसे खतरनाक जंगली जानवरों से आदि मानवों के युद्ध में उनकी वीरता और साहस का बखान भी होता है। जुल्म और अत्याचार के विरुद्ध प्रतिरोध भी दिखता है। संताल विद्रोह के समय सिद्धू-कान्हू, चाँद-भैरव, फूलो-झानो, तिलका माँझी आदि वीर योद्धाओं से जुड़ी कथाओं को भी इस परिप्रेक्ष्य में रखकर देखा-समझा जा सकता है।

हास-परिहास की कथाओं में वे कथाएँ आती हैं जो विभिन्न मानवीय रिश्तों के बीच परस्पर हँसी-मजाक तथा व्यंग्य-विनोद पर आधारित होती हैं। ऐसी कथाएँ बड़े चुटीले ढंग की होती हैं, जिनके प्रभाव से सुनने और सुनाने वाले दोनों हँसते हैं। इनमें हास्य-व्यंग्य का पुट भी होता है और एक तरह की सीख भी। खासकर मनोरंजन के लिए इस तरह की कथाओं का विशेष महत्त्व है, जिसका संताली लोककथाओं में पर्याप्त भंडार है।

अल्प लोककथाओं की तरह संताली लोककथाओं में भी बेवकूफी और चालाकी के किस्से मिलते हैं। संतालों में प्रचलित चालाक बीतना और लालची दामाद जैसी लोककथाओं में यह सब देखा-सुना जा सकता है।

संताली समाज में अंधविश्वास भी भरा पड़ा है। इस समुदाय के लोगों का विश्वास है कि सारी परेशानियों और बीमारियों की जड़ 'बोंगा' अर्थात् शैतान प्रेतात्माएँ हैं जिनको शांत और प्रसन्न रखने का उपाय ओझा-गुरुओं के नियंत्रण में है। यही ओझा-गुनी अंधविश्वास से जुड़ी कथाओं के स्रोत माने जाते हैं। भूत-प्रेत, जादू-टोना, डायन जोगिन से जुड़ी घटनाओं का जिक्र इस तरह की कथाओं में देखा जा सकता है। मृत्यु के पश्चात् पातालपुरी में अच्छे-बुरे कामों के लिए स्वर्ग-नरक के बखान के किस्से भी इन्हीं अंधविश्वास की कथाओं के रूप हैं जिसकी झलक जादोपटिया की अन्तर्निहित कथाओं में देखी जा सकती है। इस तरह की कथाओं के स्रोत प्राय: जामगुरुओं तथा धार्मिक कर्मकाण्ड सम्पन्न कराने वाले लोग माने जाते हैं।

अब जहाँ तक प्रकृति की बात है तो प्राय: सभी लोककथाओं में प्रकृति की उपस्थिति देखी

जाती है। संताली लोककथाओं में प्रकृति के विभिन्न आयाम तथा मनुष्य से उसके अन्त:संबंधों के अलावा पशु-पक्षियों से उसके परस्पर वार्तालाप की दिलचस्प बातें देखने को मिलती हैं। यहाँ पशु-पक्षियों के आपसी वार्तालाप भी मनुष्य की भाषा में होते हैं, जिसमें सामाजिक गतिविधियाँ प्रतिबिंबित होती हैं। आदिवासी लोग सदियों से जंगल पहाड़ों में रहते आए हैं इसलिए प्रकृति के सान्निध्य में रहने के कारण उनकी लोककथाओं में प्रकृति की चर्चा तथा उसके अनुकूल पात्र-भाषा और व्यवहार देखने-सुनने को मिलते हैं। इस तरह की कथाओं में शेर, बाघ, चीता, भालू, सियार, हाथी, बंदर आदि मानवेतर प्राणियों की उपस्थिति मानव की तरह देखी जाती है। सियार भाई, मुर्गा बहन, भालू और गिरगिट, मगरमच्छ और सियार, घोड़ा सियार मछली और तेलघानी आदि लोककथाएँ इन्हीं कथाओं की श्रेणी में आती हैं।

वैसे तो सीधे तौर पर संताली लोककथाओं में नीतिपरक उपदेशात्मक कथाएँ बहुत कम देखने-सुनने को मिलती हैं, पर जो कथाएँ हैं उनमें लोक नीति और सामाजिक व्यवहार के कई ऐसे पक्ष दृष्टिगोचर होते हैं जिससे समाज में अच्छे-बुरे कर्मों के लिए दण्ड और वरदान जैसे विधि-विधान के माध्यम से बुराई से बचने और अच्छाई की ओर अग्रसर होने के उपदेश मिलते हैं। जस भरिया तस भार, जस भैंसा तस बैलगाड़ी, चोर बन गया बैल, माटी में सोना है बेटा आदि कथाओं में नीतिपरक उपदेशात्मक संदेश मिलते हैं।

संताली लोककथाओं में पारिवारिक रिश्ते और सामाजिक व्यवहार के किस्से भी कम नहीं हैं। खासकर भाई-बहन के रिश्ते और उनके स्नेहपूर्ण संबंधों पर ढेर सारी कथाएँ सुनने को मिलती हैं जिनसे पता चलता है कि संताल समाज में भाई-बहन के रिश्ते बड़े महत्त्वपूर्ण होते हैं। बहनों के प्रति अपार स्नेह होता है। इसकी पुष्टि सिर्फ लोककथाओं से ही नहीं विभिन्न पर्व-त्योहारों के अवसर पर गाए जाने वाले गीतों से भी होती है। इस तरह की अधिकांश कथाओं में प्राय: पाँच भाई एक बहन, छ: भाई एक बहन, सात भाई एक बहन जैसे प्रसंग मिलते हैं जिसमें सभी भाइयों का बहन के प्रति अगाध प्रेम दिखता है। कुछ कथाओं में अपनी बहन के लिए भाइयों द्वारा अपनी-अपनी पत्नियों की हत्या तक के वर्णन मिलते हैं। अन्य समुदाय में प्रचलित लोककथाओं की तरह संताली लोककथाओं में भी भाइयों की पत्नियों द्वारा उसकी अनुपस्थिति में उसकी बहन को सताने का मार्मिक चित्रण भी मिलता है। पाँच भाई एक बहन, ढोल से निकली छोटी बहन, सबई फास की सृष्टि, कपास का जन्म आदि कथाओं में इस तरह के चित्र देखे जा सकते हैं।

भाई-बहन के अतिरिक्त माता-पिता, सास-ससुर, पति-पत्नी, बेटा-बेटी, बहू-दामाद आदि पर भी अनेकानेक किस्से इस समाज में प्रचलित हैं, जिनमें उनके सुख-दुख, आशा-निराशा, ईर्ष्या-द्वेष, लोभ-मोह एवं हँसी-मजाक आदि के विविध रूप मिलते हैं। लालची दामाद, सभी बहरे हैं, हँसी का रहस्य आदि कथाएँ इसी तरह की कथाएँ हैं।

कुछ एक संताली लोककथाओं का संबंध संताली समाज में प्रचलित रीति-रिवाजों और परंपरागत प्रथाओं से है। इस तरह की कथाओं के सूक्ष्म विवेचन से पता चलता है कि संताली समाज में प्रचलित कुछ प्रथाओं की उत्पत्ति संभवत: इन कथाओं में घटित घटनाओं की देन है। जैसे साला दामड़ा की प्रथा जिसमें बहन की शादी पर उसके भाई को एक तगड़ा बैल देने की

प्रथा है। परदे की ओट में सिंदूर दान, धोखेबाज खरगोश, भैंस द्वारा मुर्गा से आदि कथाओं और इनमें वर्णित घटनाओं के पीछे कई तरह की लोक मान्यताएँ समाज में प्रचलित हैं जिसके आधार पर कुछ प्रथाओं का जन्म माना है।

संताली लोककथाओं का एक महत्त्वपूर्ण पक्ष यह भी है कि इसमें पितृसत्तात्मक समाज व्यवस्था के अनगिनत दृश्य भी दिखते हैं जिसमें पुरुष वर्चस्ववाद से आतंकित महिलाओं की व्यथा सुनाई पड़ती है। लेकिन ठीक इसके विपरीत एक उल्लेखनीय पक्ष यह है कि संताल महिलाएँ संताल पुरुषों की अपेक्षा ज्यादा चतुर, बुद्धिमान, साहसी और मेहनती होती हैं जिसकी पुष्टि परंपरागत लोककथाओं में वर्णित उनके कई साहसिक, रोमांचक एवं चतुराई भरे कारनामों से होती है।

संताली लोककथाओं में कहीं-कहीं लोकोक्ति, मुहावरे और पहेलियों का पुट भी मिलता है। 'माँ दो आदमियों को एक बनाने गई है' ऐसी ही एक कथा है जिसमें वर पक्ष के कुछ पीछे लोग जब लड़की देखने उसके घर जाते हैं तो माता-पिता की अनुपस्थिति में लड़की यह वाक्य उन लोगों से कहती है जिसे सुनकर लड़की को मूर्ख और उसकी माँ को बदचलन समझ लोग वापस लौट आते हैं। वापस लौटने पर जब घर की महिलाएँ पूछती हैं तो वे लोग सारा हाल कह सुनाते हैं और वहाँ शादी न करने की बात करते हैं। यह सुनकर जब महिलाओं ने उस लड़की की बात का अर्थ समझाते हुए उसे बुद्धिमान साबित किया और पुरुषों की नासमझी का मजाक उड़ाया तो पुरुषों के चेहरे का रंग उड़ गया।

संताली लोककथाओं को शैली की दृष्टि से 'गेय' तथा 'अगेय' दो रूपों में ले सकते हैं। 'गेय' कहानियाँ गाकर तथा 'अगेय' कहानियाँ वार्ता के रूप में विस्तार से कही जाती हैं। कुछ कथाएँ लघु होती हैं तो कुछ दीर्घ। कुछ कथाएँ हास-परिहास से परिपूर्ण होती हैं जो मनोरंजनार्थ गढ़ी जाती हैं तो कुछ जीवन की गुत्थियाँ सुलझाने में सचेष्ट जान पड़ती हैं। कहानियाँ सुनते समय लोग काफी रात्रि बीतने पर भी ऊँघते नहीं हैं बल्कि उत्सुकतावश आगे सुनने को व्यग्र दिखाई देते हैं। मानव जीवन के विभिन्न भाव क्षेत्रों एवं कार्य व्यापारों के आधार पर कथाओं के विविध भेद किए जा सकते हैं। एक ओर प्रेम, साहस, वीरता, सदाचार एवं परोपकारिता आदि सद्गुणों की प्रदर्शक कथाएँ कही जाती हैं तो दूसरी ओर छल-कपट, ईर्ष्या-द्वेष, चालाकी, दंभ और व्यभिचार आदि दुर्गुणों से पूर्ण किस्से भी होते हैं जिनकी चर्चा हम ऊपर कर चुके हैं।

प्राय: घर के बड़े बुजुर्ग कथा-कहानियों की खान माने जाते हैं। खेत-खलिहानों में दिन भर के परिश्रम के बाद जब शाम को लोग आँगन में चूल्हे के इर्द-गिर्द बैठते हैं तो बच्चों के उकसाने पर वे कहानियाँ कहना शुरू कर देते हैं। कभी-कभी भोजन के बाद खाट पर लेटे-लेटे सोने से पहले किस्से-कहानियों का दौर चलता है। लोग कथा-कहानी सुनने में इतने लीन हो जाते हैं कि उस समय दुश्चिंताओं को भूल कर आनन्दमग्न हो उठते हैं। दुखपूर्ण कहानियाँ सुनकर जहाँ वे दुख एवं करुणा से भर जाते हैं, वहीं हास्यपूर्ण कहानियाँ सुनकर वे हँसते-हँसते लोट-पोट हो जाते हैं।

मनुष्य का उर्वर मस्तिष्क नई-नई मनगढ़ंत कल्पनाएँ गढ़ता रहता है और इस प्रकार नई-नई कहानियाँ बनती रहती हैं। लोककथाओं की उत्पत्ति कब कहाँ और किसके द्वारा हुई यह कोई नहीं कह सकता। लोककथा की व्यापकता मानव के जन्म से लेकर मृत्यु तक है तथा यह स्त्री-

पुरुष-बच्चे-बूढ़े-जवान सभी की सम्मिलित सम्पत्ति है। इसका निर्माण अपने आप विशाल जनसमूह द्वारा होता है, किसी व्यक्ति विशेष के द्वारा नहीं। इसका सृजन सामूहिक चेतना द्वारा स्वाभाविक रीति से होता है जो किसी निश्चित साहित्यिक प्रक्रिया का परिणाम नहीं है। जीवन की सहज क्रियाओं और कार्य-व्यापार में लीन जन समुदाय के विविध रंग-रूप इन कथाओं में प्रतिबिम्बित होते हैं।

कथा प्रारंभ करने के तरीके पर भी हम गौर करें तो पाएँगे कि अन्य लोक-कथाओं की तरह संताली लोककथाओं का प्रारंभ भी कुछ इस तरह होता है जैसे—एक समय की बात है या बहुत पहले एक गाँव में... आदि-आदि। इस तरह अधिकांश लोककथाएँ चाहे वह कोई भी जाति, धर्म, समुदाय या भाषा की हों, कई स्तर पर उसमें समानताएँ देखने को मिलती हैं। संभवत: अपनी इन्हीं समानताओं और विशेषताओं के कारण प्राय: हर जाति, धर्म, समुदाय में लोककथाओं की अपनी एक समृद्ध परंपरा रही है, जिसकी लोकप्रियता आज भी बरकरार है।

इस तरह हम देखते हैं कि संताल आदिवासी संस्कृति में गीत-नृत्य के साथ-साथ लोककथाओं का भी अपना महत्त्वपूर्ण स्थान रहा है। आज भी संताल आदिवासी गाँव में घर की देहरी, आँगन या चौपाल पर बैठ वृद्ध लोग कभी आपबीती तो कभी जगबीती सुनाते रहते हैं और सुनने वाले व्यक्ति प्रत्युत्तर में हुंकारी भरते रहते हैं। अधिकांश लोककथाएँ गद्यात्मक कही जाती हैं। कहीं-कहीं किसी कथा में दो-चार पंक्तियों के गीत भी गाकर सुनाए जाते हैं। कहानी के अन्त तक जिज्ञासा वृत्ति बनी रहती है जिससे श्रोता दत्तचित्त होकर कहानी समाप्त होने पर ही संतोष लाभ प्राप्त करता है। कथा कहने वाला भी कथा कहने में उतनी ही रुचि लेता है और पूरा किए बिना उसे चैन नहीं मिलता।

कुल मिलाकर संताली लोककथाएँ संताल आदिवासी समाज का दर्पण हैं, जिसमें झाँककर उनके जीवन का वास्तविक चेहरा देखा जा सकता है।

संताल आदिवासी समाज में प्रचलित कुछ दन्तकथाएँ

ढोल से निकली छोटी बहन

एक बार अकाल पड़ा। लोग रोजी-रोटी की तलाश में निकल पड़े। इधर-उधर जंगल-पहाड़ों में भटकने लगे। परिवार बिखरने लगा। एक परिवार में छः आदमी थे जिसमें दो बहनें भी थीं। एक दिन दोनों को बहुत जोर की भूख लगी। दोनों केन्द फल खाने जंगल में निकल पड़ीं। केन्द खाते-खाते रात हो गई। मजबूरी में दोनों ने एक पहाड़ी गुफा में रात बिताई। सुबह फिर भूख लगी। फिर दोनों केन्द खाने लगीं। पेट भर गया तो प्यास लग गई। मगर आस-पास कहीं पानी नहीं था। थककर दोनों एक पेड़ के नीचे बैठ गईं। तभी एक कबूतर बगल से उड़ते हुए निकला। बड़की ने छोटकी से कहा, तुम यहीं बैठना। मैं कबूतर के पीछे जाती हूँ। पानी मिलने पर लेती आऊँगी। इतना कहकर बड़की कबूतर के पीछे दौड़ने लगी। दौड़ते-दौड़ते एक झरना मिला। उसने जी भर कर पानी पीया। छोटकी के लिए पानी दोना में भरकर चल पड़ी। इधर छोटकी राह देखते-देखते थक गई और जब शाम हो गई तो रात बिताने उसी गुफा में चली गई। रात में वहाँ कुछ बन्दर आए। वह अकेली थी। एक बूढ़ा बंदर उसे मारकर खा गया। इधर सुबह जब बड़ी बहन उस पेड़

के नीचे पहुँची, तो छोटकी वहाँ नहीं थी। उसे लगा कि वह घर पहुँच गई होगी लेकिन जब घर पहुँची तो पता चला कि वह लौटकर नहीं आई। फिर क्या था, सब समझ गए कि कोई जंगली जानवर उसे मारकर खा गया। फिर सबने मिलकर तय किया हम लोग जंगली जानवरों का शिकार करेंगे। एक दिन सब जुटे। जंगल में शिकार शुरू हुआ। बहुत सारे पशु-पक्षी मारे गए। एक बूढ़े आदमी ने उस बूढ़े बंदर को भी मार गिराया। उसका मांस खाकर चमड़े से ढोल बनाया। जब ढोल बजाने लगा तो उससे एक लड़की के गीत गाने की आवाज आने लगी। यह गीत ढोल के अंदर से छोटकी बहन गा रही थी। गीत की आवाज सुनकर आदमी बहुत खुश हुआ। दूसरे दिन से वह गाँव-गाँव घूमकर ढोल बजाने लगा। इससे उसको आमदनी होने लगी। साथ ही दूर-दूर तक इस अनोखे ढोल की चर्चा होने लगी।

एक दिन वह उसी घर में पहुँचा जहाँ उसके भाई-बहन और माता-पिता रहते थे। जब ढोल बजा तब छोटकी गाने लगी। बड़की ने उसकी आवाज पहचान ली। जब उसने सबको बताया तो सब बार-बार ढोल बजवाकर सुनने लगे। जब सबको विश्वास हो गया तो सबने चुपचाप एक योजना बनाई। ढोल वाले से रात में ठहरने का अनुरोध किया। वह रात को ठहर गया। ढोल खूँटी में टाँगकर सो गया। रात को बड़की बहन ने चुपके से उसके बिछावन पर गुड़ रख दिया। करवट बदला तो गुड़ उसकी धोती में लगा। उसने समझा पेट खराब होने से उसकी धोती में गंदा लग गया। शरम के मारे हड़बड़ी में ढोल छोड़कर वह भाग गया।

फिर क्या था। सब खुश हो गए। ढोल को सँभाल कर अच्छी तरह से कोने में रख दिया। जब सब इधर-उधर काम करने चले गए, मौका पाकर छोटकी बहन ढोल से निकली। घर-द्वार की सफाई की और खा-पीकर फिर ढोल में घुस गई। रोज-रोज ऐसा देखकर सब चकित थे कि आखिर ऐसा कौन करता है ? एक बार चुपके से किसी ने देखा तो सब पता चल गया। सब भाइयों ने मिलकर एक दिन उसको पकड़ लिया और ढोल को पटककर फोड़ दिया। छोटकी बहन ढोल से आजाद हो गई। फिर सब राजी-खुशी से मिलकर रहने लगे।

साला दामड़ा (साला को बैल देने की कथा)

पुराने जमाने की बात है। एक सीधा-सादा किसान था। एक दिन वह हल-बैल लेकर खेत जोतने चला। घर से निकलते समय हल का फाल अपने कमर में खोंस लिया। जब खेत पहुँचा तब फाल खोजने लगा। इधर-उधर ढूँढ़ा पर कहीं नहीं मिला। परेशान होकर वह पुकारने लगा। अरे कोई है ? मेरा फाल कहीं खो गया है। किसी ने देखा है ? जब कोई आवाज नहीं आई तो फिर उसने कहा। देखो जो बता देगा उसको अपनी बेटी दूँगा। तभी झुरमुट से एक बड़ा-सा बाघ निकला और बोला, फाल तुम्हारी कमर में है। किसान ने अपनी कमर टटोली तो फाल मिल गया। अब उसे अपना वादा पूरा करना था। बाघ बोला—कहो अपनी बेटी कब दे रहे हो ? किसान ने कहा—आज शाम तुम झरने के पास रहना। यहीं तुमको मेरी बेटी मिलेगी।

खेत जोतकर किसान अपने घर पहुँचा। उसने शाम को अपनी छोटी बेटी से कहा—आज तुम झरने से पानी ले आओ। तुम्हारी माँ दूसरा काम कर रही है। एक घड़ा लेकर उसकी बेटी झरने से पानी लेने चल पड़ी। राह में उसका छोटा भाई मिला। वह तीर-धनुष से खेल रहा था।

उसको देखकर वह भी साथ जाने की जिद्द करने लगा। बहुत मना करने पर भी वह आगे-आगे दौड़कर जाने लगा। उधर बाघ झरने के पास सूखे पत्तों के ढेर में छुपकर बैठा था। तभी एक बगुला आकर वहाँ बैठ गया। जब दूर से भाई ने बगुले को देखा तो कहा—ठहरो दीदी, पहले मुझे बगुले का शिकार करने दो। लड़की ठहर गई। जैसे ही उसके भाई ने तीर चलाया। बगुला उड़ गया और तीर सीधे जाकर बाघ की आँख में लगा। बाघ छटपटाकर वहीं मर गया। जब लड़की ने बाघ को देखा तो खुशी से अपने भाई को गले से लगा लिया और बोली—अगर आज तुम नहीं रहते तो बाघ मुझे मारकर खा जाता। मैं तुम्हारा यह उपकार कभी नहीं भूलूँगी। और जब मेरी शादी होगी तो अपने दूलहे से तुम्हारे लिए एक तगड़ा बैल दिलवाऊँगी।

कुछ साल बाद लड़की की शादी तय हुई। लड़की ने लड़के के घर खबर भेजी कि एक बार मेरे छोटे भाई ने एक बड़े बाघ से मुझे बचाया था। इसलिए इसको एक तगड़ा बैल मिलना चाहिए। नहीं तो मैं आपसे शादी नहीं करूँगी। लड़के वालों ने राजी-खुशी से लड़की के छोटे भाई को बैल देना स्वीकार किया। तभी से संताल आदिवासी समाज में यह परंपरा चल पड़ी जिसे 'साला-दामड़ा' कहते हैं। इसका मतलब साला को बैल देना है।

बुढ़िया ने बूढ़े को ओझा बनाया

किसी गाँव में एक बूढ़ा-बूढ़ी रहते थे। एक दिन की बात है बुढ़िया मिठाई बना रही थी। बूढ़ा चुपचाप बैठा था। उसके बगल में लकड़ियों का ढेर था। जब भी बुढ़िया कड़ाही में मिठाई का घोल डालती बूढ़ा छाल का एक टुकड़ा बगल में रख देता। इस प्रकार बुढ़िया जितनी बार कड़ाही में घोल डालती, बूढ़ा उतने ही छाल का टुकड़ा अलग कर रख देता। अंत में वह छाल का टुकड़ा गिनकर जान गया कि कितनी मिठाई बनी है। अब बूढ़ी मिठाई लेकर बूढ़े के पास आई और आधा-आधा बाँट दिया। बूढ़े ने जब छाल के टुकड़े से अपना हिस्सा मिलाया तो उसे मिठाई कुछ कम लगी। दूसरे दिन बूढ़े ने बुढ़िया से कहा—क्या मिठाई खत्म हो गई? अभी तो और मिठाई बची होनी चाहिए। सुनकर बुढ़िया आश्चर्य में पड़ गई। सोचने लगी—बूढ़ा तो यहाँ नहीं था, फिर कैसे जान गया? जरूर बूढ़ा ओझा-गुनी है। तभी तो जान गया। फिर क्या था, बातों ही बातों में उसने सारे गाँव को बता दिया कि उसका बूढ़ा ओझा है। दूसरे साल उस राज्य में अकाल पड़ा। राजा ने अपने मंत्रियों को हुक्म दिया कि इस राज्य में जितने भी ओझा-गुनी हैं सबको दरबार में हाजिर करो। सिपाहियों ने सबके साथ-साथ बूढ़े को भी पकड़ लिया और मंत्री के पास ले गए। मंत्री ने उसका खूब आदर-सत्कार किया और रात में भवन में ठहराकर आराम करने को कहा। रात में बूढ़ा चिन्ता में पड़ गया क्योंकि वह ओझा-विद्या नहीं जानता था। इसलिए रात को चुपके से निकलकर महल से भागने लगा। बाहर घना अँधेरा था। भागते-भागते वह एक कुएँ में गिर गया। कुएँ में कुछ मेढक आपस में बात कर रहे थे, कि कल तीसरे पहर खूब वर्षा होगी। यह सुनकर बूढ़ा बहुत खुश हुआ और कुआँ से निकलने के लिए आदमी को पुकारने लगा। तभी पीछा करते हुए कुछ सिपाही वहाँ आए और उसे बाहर निकाला। दूसरे दिन वह समय पर दरबार में हाजिर हुआ।

जब राजा ने सबसे पूछा, तो कोई भी ओझा ठीक-ठीक नहीं बता सका कि वर्षा कब होगी?

कैसे होगी ? आखिर में उस बूढ़े ने राजा को बताया—महाराज, आप चिन्ता न करें। आज तीसरे पहर भारी वर्षा होगी। यह जानकर दरबार में सब बहुत खुश हुए। ठीक तीसरे पहर भारी वर्षा हुई। राजा ने खुश होकर बूढ़े को ढेर सारा इनाम दिया और आदर से विदा किया। फिर क्या था, वह एक बड़ा मशहूर और अमीर ओझा बन गया।

बहरों की कथा

किसी गाँव में एक छोटा परिवार रहता था। माँ-बाप और बेटी। कुल मिलाकर तीन लोग थे। मगर सबके सब बहरे थे। कुछ दिन बाद बेटी का विवाह हुआ। संयोग से घरजमाई भी बहरा ही मिला। एक दिन दामाद खेत में हल चला रहा था तभी बगल के रास्ते से एक मुसाफिर जा रहा था। उसे रास्ता मालूम नहीं था। उसने रुककर हलवाहे से पूछा—यह रास्ता कहाँ जाता है भाई ? जमाई ने उत्तर दिया—दोनों बैल हमारे घर का है। राहगीर ने फिर पूछा—बैल नहीं भाई, यह रास्ता किधर जाता है ? जमाई गुस्से में आकर बोला—यह हमारा बैल है। हम नहीं देंगे। राहगीर बड़बड़ाते हुए आगे बढ़ गया। कुछ देर बाद उसकी पत्नी खाना लेकर आई। जमाई हल खड़ा करके खाना खाने लगा। खाते-खाते गुस्से में उसने बताया, एक आदमी इधर से जा रहा था। उसने बैल के बारे में पूछा। इतना ही नहीं वह बैल भी माँग रहा था। पत्नी बोली—क्या खाने में नमक कम है ? कोई बात नहीं, घर जाकर माँ को गाली दूँगी। तुम्हारे खाने में नमक कम क्यों डाला ?

घर पहुँचकर वह माँ को डाँटने लगी। बहरी माँ ने समझा—बेटी कह रही है कि उसका घरजमाई बेटी से अलग रहना चाहता है। वह धमकी दे रहा है। माँ ने कहा—चिन्ता मत करो। मैं अभी तुम्हारे बाप को जाकर बताती हूँ।

बाप चने के खेत की अगोरी कर रहा था। जब लड़की की माँ वहाँ जाकर जोर-जोर से घरजमाई की बात बताने लगी, तो बहरे बाप ने समझा बुढ़िया डाँटकर कह रही है कि खेत कैसे चर गया ? बाप को गुस्सा आया। वह बुढ़िया के बाल पकड़कर मारने लगा। बताओ, कहाँ खेत चरा है ? कहाँ फसल बर्बाद हुई ? इस प्रकार बेचारी बुढ़िया मुफ्त में पिट गई।

चालाक बीतना

पुराने जमाने की बात है बस्ती में एक 'बीतना' रहता था। वह मात्र बित्ते भर का था। इसलिए लोग उसे 'बीतना' कहते थे। पर उसकी दाढ़ी बारह हाथ लम्बी थी। वह बहुत तेज और चालाक था। एक दिन उसके भाइयों ने उसे घर से निकाल दिया। जमीन-जायदाद में भी हिस्सा नहीं दिया। सिर्फ एक बकरी थमा दी। वह दिन भर अपनी दाढ़ी में बकरी की पूछ बाँधकर दूसरे का खेत चराता रहता था।

एक दिन किसानों को गुस्सा आया। सब मिलकर उसकी बकरी काटकर खा गए और चमड़ा उसे थमा दिया। बेचारा 'बीतना' बहुत दु:खी हुआ। चमड़ा लेकर वह जंगल की ओर चल पड़ा। रास्ते में रात हो गई। वह एक पेड़ पर चढ़कर बैठ गया। रात में उस पेड़ के नीचे चोर आए और चोरी का सामान आपस में बाँटने लगे। तभी 'बीतना' ने ऊपर से चमड़ा गिरा दिया। डरकर चोर सारा सामान छोड़कर भाग गए। तब 'बीतना' आराम से उतरा और सारा सामान लेकर गाँव

लौट आया। गाँव वाले उसका सारा सामान देखकर आश्चर्य से पूछने लगे, भाई बीतना! तुम्हें इतना धन कैसे मिला? बीतना ने बताया कि उसने चमड़ा बाजार में बेचा जिससे इतना धन मिला। सुनकर सब ईर्ष्या से जल-भुन गए। फिर रात को सबने मिलकर बीतना का घर जला दिया। सुबह बीतना राख को बोरे में भरकर जंगल की ओर चल पड़ा। वह फिर उसी पेड़ पर जाकर बैठ गया। रात फिर चोर आए और संयोग से उसी पेड़ के नीचे बैठकर बँटवारा करने लगे। बीतना ने फिर ऊपर से राख की बोरी गिरा दी। फिर डरकर चोर सारा सामान छोड़कर भाग गए। बीतना फिर उतरा और सामान लेकर गाँव लौट आया। गाँव वालों को फिर आश्चर्य हुआ। पूछने पर बीतना ने बताया कि बाजार में राख बेचकर उसने इतना धन कमाया है।

फिर क्या था। लालच में आकर सबने अपना घर जलाकर राख कर दिया और जल्दी-जल्दी बोरे में भरकर बाजार चल पड़े। वहाँ न राख बिकी, न रुपया मिला बल्कि सबने मिलकर उन लोगों की भरपूर पिटाई की।

लालची दामाद

एक बार की बात है एक आदमी अपने ससुराल गया। वहाँ उसका खूब मान-आदर हुआ। हालचाल पूछने के बाद सास ने उसे खाना परोसकर दिया। दामाद ने खाना खाया। उसे सब्जी का स्वाद बहुत अच्छा लगा। उसने सास से पूछा, किसकी सब्जी बनी है? सास ने हँसते हुए कहा, पीछे देखो। उसी चीज की सब्जी बनी है। दामाद ने पीछे मुड़कर देखा तो बांस का एक फाटक था। वह समझ नहीं सका। फिर पूछा। सास ने वही बात दोहराई। सच कह रही हूँ उसी की है। दामाद को आश्चर्य हुआ। इतना अच्छा स्वाद तो पहले उसने कभी नहीं चखा था। फिर क्या था। जब रात को सारे लोग सो गए, तब दामाद बांस के उस फाटक को चुराकर अपने घर ले गया।

घर पहुँचकर उसने अपनी पत्नी से कहा—इसकी सब्जी बनाकर खाओगी तो जिन्दगी भर याद करोगी। उसकी पत्नी बहुत सीधी-सादी थी। उसने बांस को काट-काटकर टुकड़े-टुकड़े किया। हल्दी मसाला पीसा और अच्छी तरह से मन लगाकर सब्जी बनाई। जब उसका पति नहा-धोकर आया तो उसने खाना परोस दिया। वह खाने लगा। पर सब्जी में वो स्वाद नहीं था जैसा ससुराल में खाया था। वह खाने में एकदम कड़ा लग रहा था। इतने में उसकी माँ आ गई। जब उसने सारा हाल कह सुनाया तो माँ ने समझाते हुए कहा—बेटा, वह सब्जी कच्चे बांस के कोंपलों की थी। तुम समझ नहीं सके और लालच में पड़कर बेकार मूर्ख बने। माँ की बात सुनकर वह बहुत शर्मिंदा हुआ।

पाँच भाइयों की दुलारी बहन

वर्षों पहले की बात है। किसी गाँव में एक बड़ा परिवार था। उसमें पाँच भाई और एक बहन थे। पाँचों भाई अपनी इकलौती बहन को बहुत लाड़-प्यार करते थे। धीरे-धीरे पाँचों भाइयों की शादी हो गई। परिवार और बड़ा हो गया। खाने-पीने की दिक्कत होने लगी। सबने मिलकर सोचा। अब कमाने के लिए बाहर जाना पड़ेगा। एक दिन पाँचों भाई कमाने निकल पड़े। जाने

से पहले उसने अपनी बहन को पत्नियों के जिम्मे लगा दिया और जाते-जाते कह गए कि उसे कोई कष्ट नहीं हो।

उसकी बहन पाँचों भाभियों के साथ रहने लगी। पाँचों भाभियों को उससे बहुत ईर्ष्या थी क्योंकि वह अपने भाइयों की दुलारी थी। सबने मिलकर उसे सताने का निश्चय किया। एक दिन एक फूटा घड़ा देकर भाभियों ने उसे पानी लाने को कहा। बेचारी ननद झरने पर जाकर रोने लगी। एक मेढक को उसके रोने पर दया आ गई। वह घड़े में छेद की जगह बैठ गया। ननद आसानी से पानी लेकर आ गई। दूसरे दिन बिना रस्सी के जंगल से लकड़ी लाने को कहा। जंगल पहुँचकर बेचारी ननद जोर-जोर से रोने लगी। उसके रोने की आवाज सुनकर एक साँप आया और दुःख-दर्द समझकर उसकी लकड़ी में लिपट गया। ननद लकड़ी का बोझा लेकर घर आ गई।

एक दिन उसकी भाभियों ने पेड़ पर चढ़कर फूल तोड़ने को कहा। बेचारी ननद पेड़ पर चढ़कर फूल तोड़ने लगी। भाभियों ने फूल चुना। फिर जल्दी-जल्दी पेड़ के चारों तरफ काँटा बाँध दिया और हँसते हुए सब घर चली आईं। बेचारी ननद पेड़ से उतर नहीं पाई। और वहीं भूखी-प्यासी रहने लगी।

एक दिन पाँचों भाई उधर से लौट रहे थे। दूर से देखा तो लगा पेड़ में कोई सामान लटका है। सब पेड़ के निकट आ गए। जब छोटा भाई पेड़ पर चढ़ा तो देखा उसकी बहन रो रही है। फिर सबने मिलकर उसे उतारा और दुलार कर चुप किया। पूछने पर सारा हाल मालूम हुआ। पाँचों भाइयों को अपनी-अपनी पत्नियों पर गुस्सा आने लगा। सोचा घर जाकर सबको मजा चखाएँगे। फिर सब भाइयों ने बहन के हाथों में काँटा दिया और एक बोरे में बंद कर दिया। जब सब घर पहुँचे तो उनकी पत्नियाँ बोरे से भरा सामान देखकर बहुत खुश हुईं। सब बारी-बारी से हाथ डालकर देखने लगीं। ननद ने सबको काँटा चुभाना शुरू कर दिया। फिर भाइयों ने गुस्से से पूछा—बोलो हमारी बहन कहाँ है ? सुनकर सब चुप हो गईं। डरकर इधर-उधर की बातें करने लगीं। पाँचों भाइयों को गुस्सा चढ़ गया। फिर सबने मिलकर अपनी पत्नियों की खूब पिटाई की और एक कुएँ में ढकेल कर ऊपर से मिट्टी-पत्थर भर दिया। फिर सब भाई-बहन खुशी-खुशी रहने लगे।

माँ दो आदमियों को एक बनाने गई है

पुराने जमाने की बात है। एक आदमी का एक लड़का था। जब वह शादी के लायक हो गया तो एक दिन वह लड़के के लिए बहू देखने एक गाँव गया। साथ में कुछ लोग और थे। जब सब गाँव पहुँचे तो वहाँ एक लड़की मिली। उन लोगों ने उससे कुछ पूछताछ की। जब माँ-बाप के बारे में पूछा तो उसने बताया कि पिता वर्षा से मिलने घर से बाहर गए हैं और माँ दो आदमियों को एक बनाने गई है। लड़की का ऊटपटाँग जवाब सुनकर सबको बड़ा अटपटा-सा लगा। कुछ लोग क्रोधित भी हो गए और लड़की को मूर्ख समझकर अपने गाँव लौट गए।

घर लौटने पर जब महिलाओं ने पूछा तो सारा किस्सा कह सुनाया और कहा कि लड़की मूर्ख है। उन लोगों की बात सुनकर महिलाओं को आश्चर्य हुआ और कहने लगीं—मूर्ख लड़की नहीं, आप लोग हैं। लड़की ने जो कुछ कहा सब ठीक कहा। आप लोग समझ नहीं पाए।

दरअसल लड़की के कहने का मतलब था— उसके पिता घास काटने गए हैं और उसकी माँ बूट पीसकर सत्तू बनाने गई है। अब बताओ दो को एक बनाने की बात ठीक है या नहीं ? महिलाओं की बात सुनकर लोग अपनी मूर्खता पर शर्म से गड़ गए।

नवजात बच्चे और केन्द फल

एक बार की बात है एक महिला केन्द फल चुनने जंगल गई। उसको बच्चा होने वाला था। केन्द फल चुनते-चुनते ही उसने एक बच्चे को जन्म दिया। अब वह बड़ी दुविधा में पड़ गई। एक तरफ केन्द फल से भरी टोकरी थी। दूसरी तरफ नवजात शिशु। ऐसी स्थिति में दोनों को एक साथ ले जाना बड़ा मुश्किल था। थोड़ी बहुत कोशिश के बाद भी जब बात नहीं बनी, तब कुछ सोच-विचार करने लगी। अंत में उसे बच्चे से ज्यादा उपयोगी केन्द फल लगा। फिर क्या था, उसने बच्चे को वहीं जंगल में छोड़ दिया और फलों से लदी टोकरी लेकर घर आ गई।

डायन-विद्या का रहस्य

पुराने जमाने की बात है। एक बार सृष्टि के रचयिता ठाकुर जी ने संताल पुरुषों को एक विद्या सिखाने के लिए दरबार में बुलाया। संताल महिलाओं को इसकी भनक मिल गई। उन्होंने सोचा आखिर क्या बात है कि ठाकुर जी ने सिर्फ पुरुषों को ही विद्या सिखाने के लिए बुलाया। हम महिलाओं को नहीं। अगर हम लोग विद्या नहीं सीखेंगे तो पिछड़ जाएँगे। फिर सबने मिलकर गुपचुप ढंग से कुछ सोच-विचार किया। तय हुआ, कि हम लोग यह विद्या जरूर सीखेंगे। फिर क्या था। महिलाओं ने पुरुषों का वेश धारण किया और ठाकुर जी के दरबार में पुरुषों से पहले पहुँचकर वह विद्या सीख ली। उधर संताल पुरुषों को आपसी विचार-विमर्श करने में काफी देर लग गई। सभी पोचई पीकर मस्त हो गए। जब देर से वे ठाकुर जी के दरबार में पहुँचे तो ठाकुर जी ने पूछा, तुम लोग फिर आ गए ? अभी-अभी तो तुम लोगों को मैंने आदमी खाने और उसको तंग करने की विद्या सिखाई। फिर क्यों वापस आए हो ? ठाकुर जी की बात सुनकर सब आश्चर्य में पड़ गए। फिर उन लोगों ने कहा— ठाकुर जी हम लोग पहले तो नहीं आए। अभी-अभी आ ही रहे हैं। तब ठाकुर जी और संताल पुरुषों को बात समझ में आ गई कि जरूर महिलाओं ने पुरुष का वेश बदलकर डायन-विद्या सीख ली है।

यह जानकर सब चिन्ता में पड़ गए। तभी ठाकुर जी ने कहा, कोई बात नहीं। जब महिलाओं ने हमसे छलकर डायन-विद्या सीख ली है, तो अब हम तुम लोगों को ओझा विद्या सिखाएँगे। 'मगर ठाकुर जी, ये ओझा विद्या क्या होती है ?', संताल पुरुषों ने पूछा। ठाकुर जी बोले—ओझा विद्या का मतलब तुम लोग डायन महिला द्वारा पीड़ित आदमी का झाड़-फूँककर इलाज करोगे। इस प्रकार ठाकुर जी ने संताल महिला को डायन और पुरुषों को ओझा के रूप में प्रशिक्षित किया। तभी से महिल एँ डायन और पुरुषा ओझा बनकर अपना-अपना करतब दिखाने लगे।

खड़िया लोकगीतों में बिम्बित खड़िया संस्कृति

डॉ. इग्नासिया टोप्पो

मनुष्य एक अनोखा प्राणी है और वह अनोखा इसलिए हो पाया है क्योंकि वह संस्कृति का निर्माता है। यह संस्कृति ही है जो कि मनुष्य को अन्य सभी पशुओं से अलग कर देती है। संस्कृति पर्यावरण का मानव निर्मित भाग है। नृत्तत्ववेत्ताओं के अनुसार 'संस्कृति' वह जटिल समग्रता है जिसमें ज्ञान, कला, आचार, कानून, प्रथा और ऐसी ही अन्य क्षमताओं और आदतों का समावेश रहता है जिन्हें मनुष्य समाज के सदस्य होने के नाते प्राप्त करता है। वह उसका विकास कर सकता है। इसका हस्तांतरण पीढ़ी दर पीढ़ी होता है। यह सामाजिक है, आदर्श है, अर्जित है, और इससे मानव की कई जरूरतों की पूर्ति होती है। सभी मानव जातियों की अपनी-अपनी संस्कृति है जिनका स्वरूप भिन्न-भिन्न है। संस्कृति की सामान्य परिकल्पना के बाद अब खड़िया लोकगीत और उनमें बिम्बित खड़िया संस्कृति के आपसी संबंधों की व्याख्या आसान हो जाती है।

खड़िया लोकगीत खड़िया लोक साहित्य की सर्वाधिक महत्त्वपूर्ण विधा है और खड़िया संस्कृति के प्रमुख पहलुओं का प्रतिबिम्ब है। खड़िया लोकगीत और संस्कृति का संबंध प्राचीन है और घनिष्ठ भी। खड़िया भाषा में लिखे गए गीत, खड़िया समुदाय द्वारा रचित, खड़िया समुदाय के लिए निर्मित और खड़िया समुदाय में प्रचलित एवं प्रिय हैं। इन गीतों का संबंध संपूर्ण खड़िया जीवन से है। और समग्र खड़िया जीवन ही खड़िया संस्कृति है।

खड़िया लोकगीतों में खड़िया सभ्यता और संस्कृति के विभिन्न चित्र अंकित हैं। इनके स्वरूप में खड़िया समुदाय की प्रकृति और संस्कृति अपने रूप का बखान करती है। इनमें विज्ञान की तराश नहीं, वरन् आदि खड़िया संस्कृति का सारल्य एवं भावों का व्यापक उभार है। खड़िया लोकगीतों में प्रकृति-प्रदत्त पर्यावरण का चित्रण भी बहुत अधिक मात्रा में मिलता है। इनकी विशेषता है कि ये शहरी वातावरण से दूर हैं। इनमें ग्राम्यांचल, वनांचल की प्रकृति, वातावरण, खड़िया जीवन आदि का चित्रण है। इसी विशेषता के आधार पर यह धारणा रही है कि खड़िया लोकगीत ग्रामगीत हैं जो ग्रामों में ही लोकप्रिय हैं। अब समय बदल गया है, ये गीत मात्र ग्रामगीत नहीं रह गए हैं। शिक्षा के प्रसार एवं औद्योगीकरण का खड़िया जाति की सभ्यता एवं संस्कृति पर अत्यधिक प्रभाव पड़ा है। गाँवों को छोड़ कर शहर में जा बसने वाले खड़िया जन अपने साथ अपना सरल अकृत्रिम स्वभाव भी लेते गए हैं। अनमोल निधि के रूप में उनके लोकगीत भी उनके साथ शहर पहुँच गए हैं। अपनी संस्कृति के प्रति सजग होती जनता के द्वारा बड़े-बड़े शहरों में, नगरों में, महानगरों में भी लोकगीत सुनने को मिलते हैं। फिर भी यह निर्विवादतः सत्य है कि खड़िया लोकगीत गाँवों की ही उपज हैं। आधुनिक खड़िया संतानें अपने पूर्वजों और अपने संबंध

में लोकगीत के माध्यम से ही सही जानकारी प्राप्त करती हैं।

खड़िया लोकगीत प्रकृति की गोद में पलने वाली सरल हृदय खड़िया जाति के उद्‌गार हैं। गीतकार किसी प्रयोजन से प्रभावित नहीं हुए हैं, शिष्ट साहित्य के समान परिष्कार एवं अभिजात्य का कोई आग्रह भी इसमें नहीं है, कला या सौन्दर्यवादी दृष्टिकोण भी नहीं पाया जाता है, अतः उसमें सहज स्वाभाविक रूप में ही जनजीवन का चित्र प्रतिबिम्बित है। जीवन के सभी पक्षों का उद्‌घाटन है अर्थात् उनमें आदि खड़िया समुदाय का वास्तविक जातीय परिचय है।

कुछ खड़िया लोकगीत ऐसे भी हैं जो एक काल्पनिक संसार से संबद्ध हैं और पूरे समुदाय की आकांक्षाओं को व्यक्त करते हैं। साथ ही सामूहिक आलोचना, आक्रोश, प्रतिशोध आदि की अभिव्यक्ति के माध्यम हैं। खड़िया लोकगीत लोक के विश्वासों, अभिरुचियों और मूल्यों के अभियंता हैं। गीतों से प्राप्त आदर्श प्रतिमानों का प्रभाव समाजीकरण और शिक्षण का महत्त्वपूर्ण साधन है। खड़िया गीतकारों ने अपने प्राकृतिक और सामाजिक पर्यावरण से ही गीतों को चुना है और उन्हें अपने समाज के अनुकूल ढालने का प्रयत्न किया है। स्वयं उसी वातावरण का अंग होने के कारण लोक संस्कृति के स्वाभाविक और सटीक चित्रण में उसे किसी कृत्रिमता का सहारा लेना नहीं पड़ा है। खड़िया लोक साहित्य लोकमुख में ही जीवित रहा, ऐसी स्थिति में आसानी से कंठाग्र कर लिए जाने वाले गीत संस्कृति का सच्चा एवं विश्वसनीय चित्र प्रस्तुत करने में सक्षम हुए हैं। अतः इसमें कोई संदेह नहीं कि खड़िया लोकगीत एवं संस्कृति का संबंध जितना प्राचीन है, उतना ही घनिष्ठ भी।

डब्ल्यू.जी. आर्चर (आई.सी.एस.) ने जतरू खड़िया एवं दाऊद डुंगडुंग की सहायता से जिन खड़िया लोकगीतों का संग्रह किया है वे प्राचीन खड़िया समुदाय की ग्रामीण संस्कृति का उद्‌घाटन करते हैं। संस्कृति के ऐसे अंश जिन पर आधुनिक विकास का कोई प्रभाव नहीं पड़ा है, अपरिवर्तित हैं। श्रद्धेय स्वर्गीय फादर हेनरी केरकेट्टा ने कुछ आधुनिक लोकगीतों का संग्रह किया है, जो सांस्कृतिक परिवर्तन के उदाहरण प्रस्तुत करते हैं।

खड़िया लोकगीतों में प्रतिफलित पारिवारिक और सामाजिक जीवन

पारिवारिक जीवन, जिसका यहाँ विवेचन किया जा रहा है, के अंतर्गत परिवार के संगठन, उसकी समस्याओं एवं सदस्यों के पारिवारिक संबंधों का लोकगीतों में विस्तृत वर्णन मिलता है। पारिवारिक जीवन की सच्ची झाँकी मिलती है। एक ओर जहाँ पारिवारिक जीवन में ऐश्वर्य, सुख और शांति का वर्णन मिलता है, तो दूसरी ओर निर्धनता, कष्ट और क्लेश का भी निःसंकोच वर्णन मिलता है।

माँ अपाः ओः ते रनकेता रूतू,
माँ अपाः ओः तेरनकेता रूतू।
नो सोधोमता, नो सोधोमता।
भीःतर तेकोबाः–रुमकुब,
बाहेर तेको ओरेज–मेरोम,
खिरकी ते लीला घोड़ा तोंगोन सीः,
अतु अमाः डेरा,

अतु अमाः केलो?
माँ अपाः ओ ते रनकेता रूतू,
रनकेता रूतू, नो सोधोमता,

(अनुवाद)

माता-पिता के घर में बाँसुरी बजती है,
माता-पिता के घर में बाँसुरी बजती है।
बजती है, बजती है।
भीतर तो धान-चावल
बाहर तो बैल-बकरी,
खिड़की पर चंचल घोड़ा खड़ा है,
कहाँ तुम्हारा डेरा,
कहाँ तुम्हारा बासा?
माता-पिता के घर में बाँसुरी बजती है,
बजती है बाँसुरी बजती है

प्रस्तुत गीत में एक समृद्ध परिवार का चित्रण है। 'माता-पिता का घर' कहने से यह बोध होता है कि पिता के परिवार का मुखिया होने पर भी माता-पिता दोनों का अधिकार बराबर है। संपन्न परिवार में संतानें चैन की बाँसुरी बजाती हैं।

मुसा को बुढ़ा पेः जो उम्बोडीज,
बेतोड़ बुंग को इघाय रोः लाःता।
कुदा कोलोंग लाडे से बुढ़िया,
योंगेनांग रो गिताः जोमनानंग।

(अनुवाद)

आज तो बुढ़ा भात भी नहीं है,
भूख से जाने कैसा तो लगता है।
मडुवे की रोटी पकाओ तो बुढ़िया,
हम दोनों खाएँगे और सोए रहेंगे।

प्रस्तुत गीत में एक गरीब परिवार का यथार्थ चित्रण है। भूख से व्याकुल बुढ़िया, बूढ़े से कहती है कि आज तो भात भी नहीं है। चावल के अभाव में प्रिय भोजन भात दुर्लभ है। अतः बुढ़िया को तसल्ली देते हुए बूढ़ा कहता है कि और तो क्या उपाय करें? भूख मिटाने के लिए मडुए की रोटी बना लो तो उसे ही खाकर आज की रात पड़े रहेंगे।

गीतों में पारिवारिक सदस्यों के आपसी मधुर संबंधों का आदर्श रूप तो मिलता ही है, साथ ही कटु संबंधों का निंदनीय रूप भी मिलता है।

आना से आजी बासी डाः तेरेम,
लाय-लाय के डेलकींग,
सीलोः के डेलकींग,

बेतोड़ डाः बुंग इघाय रोः लाःता ?
आना से आजी बासी डाः तेरेम।

(अनुवाद)

चलो तो भाभी बासी पानी देना,
खेत कोड़-कोड़ कर मैं आया,
हल जोत कर मैं आया,
प्यास के मारे कैसा तो लगता ?
चलो तो भाभी बासी पानी देना।

प्रस्तुत गीत में एक कृषक परिवार में देवर-भाभी का जो स्नेह संबंध चित्रित किया गया है, बड़ा ही मोहक है। खेत में कुदाली और हल चलाकर थका-हारा देवर लौटा है। वह बहुत प्यासा है और प्यास मिटाने के लिए अपनी भाभी से बासी पानी अर्थात् बासी भात में डाला गया पानी माँगता है। भाभी माँ के समान है, वह घर में रसोई बना रही है अतः स्वाभाविक है कि देवर अपनी भाभी से ही पानी-खाना माँगता है।

पांगोड़ ते कुन्डुः,
बोकोब ते हड़का,
धांय अमाः धांय अमाः नहियार,
धायं अमाः, धांय अमाः नहियार,
एंगना, एंगना रे ईयाँ कन्डाय,
अमाः एनेम ईयाः औः युंडेत,
अमाः एनेम ईयाः औः युंडेत,
इघय एंगनाईंग रे ईयां: केन्डोर ?
मानोम को गाम गोठोः
घासिन याः बिइजडोम,
आपनोम को गाम गोठोः
चमारिनाः बिइजडोम, चमारिनाः बिइजडोम।

(अनुवाद)

गोद में बच्चा,
सिर में हड़का,
जाओ अपने, जाओ अपने नैहर
जाओ अपने, जाओ अपने नैहर।
लौटो रे, लौटो मेरी पत्नी,
तुम्हारे बिना मेरे घर की शोभा नहीं,
तुम्हारे बिना मेरे घर की शोभा नहीं,
कैसे लौटूँगी रे मेरे पति ?
तुम्हारी माँ ने तो कह दिया,

घासिन की बेटी,
तुम्हारे पिता ने तो कह दिया,
चमारिन की बेटी, चमारिन की बेटी।

प्रस्तुत गीत में पारिवारिक संबंधों में कटुता सटीक चित्रण है। सास-ससुर और वधू में तनावपूर्ण संबंध है। वधू को सास-ससुर ने बच्चा और सामान सहित घर से निकाल दिया है और मायके जाने का आदेश दे दिया है। पति अपनी पत्नी से लौट आने का आग्रह करता है लेकिन पत्नी कहती है कि पति के माता-पिता ने उसके अपने माता-पिता को घासी-चमार यानि नीची जाति का कहकर गालियाँ दी हैं अत: ऐसे घर में उसका रहना कैसे हो सकता है?

विवाह योग्य पुत्र के लिए माता-पिता स्वयं रिश्ता तय करते अथवा पुत्र की पसंद को भी सहर्ष स्वीकार कर लेते हैं। विवाह योग्य पुत्री के लिए माता-पिता कुटुम्बियों के माध्यम से रिश्ते की प्रतीक्षा करते और बात तय हो जाने पर बेटी को विदा करते हैं।

अपा जोई, किनभर ते,
कुटुम्ब, डोकोसिः मोय।
बेटाः थोम बिहातेम,
बेटीयाः थेम बिहातेम,
अपा जोई, किनभर ते,
कुटुम्ब डोकोसिः मोय,
कुटुम्ब डोकोसिः मोय,

(अनुवाद)

पिता जी, आँगन में,
कुटुम्बी बैठे हुए हैं।
बेटा को ब्याहते हो,
बेटी को ब्याहते हो,
पिता जी आँगन में,
कुटुम्बी बैठे हुए हैं।
कुटुम्बी बैठे हुए हैं॥

प्रस्तुत गीत में बतलाया गया है कि परिवार का प्रधान होने के नाते एक पिता अपने बेटे या बेटी का रिश्ता तय करने के लिए कुटुम्बियों को बुलाकर बैठाता है और अपनी संतानों के प्रति अपना कर्त्तव्य पूर्ण करता है।

खड़िया परिवार में भाई-बहन का निश्छल स्नेह एक मिसाल के रूप में देखा जा सकता है। भाई-भाई के बीच आपसी स्नेह और सौहार्द दर्शनीय है, उनकी एकता अखंड है। बहनों में भी आपसी स्नेह की कमी नहीं होती है।

आडेल डाः गरगरायता,
भाई नोमते आतु उलाय डोठोब?
चैत लेरांग गरगरायता,

भाई नोमते आतु उलाय डोठो ?

(अनुवाद)

ओला-पानी गड़गड़ा रहा है,
अपने भाई को कहाँ सुरक्षित रक्खा ?
चैत महीने में गड़गड़ा रहा है,
अपने भाई को कहाँ सुरक्षित रक्खा ?

प्रस्तुत गीत में भाइयों में आपसी स्नेह और छोटे भाई के प्रति बड़े भाई के कर्तव्य का परिचय मिलता है। पिता के बाद बड़ा भाई स्वतः परिवार का उत्तरदायित्व संभालने वाला होता है।

अब रही पारिवारिक दिनचर्या की बात। खड़िया जाति कृषि पर निर्भर जाति है, अतः बड़े तड़के ही वयस्क सदस्य जाग उठते हैं। पुरुष हल-बैल की चिंता करते हैं, बैलों को सानी-पानी देकर खेतों की ओर जाने की तैयारी करते हैं। महिलाएँ मुर्गे की प्रथम बांग के साथ उठती हैं और धान कूटने का काम सबसे पहले करती हैं। धान कूटकर चावल तैयार कर लेने पर चूल्हा-चौका करती हैं। माँ, बहुएँ, बेटियाँ, जो भी घर में हैं, मिल-जुलकर घर की सफाई, बर्तन धुलाई, पानी लाने, गोशाले की सफाई करने आदि का काम जल्दी-जल्दी निबटाती हैं। रोपनी और कटनी-मिसनी के दिनों में घर का काम निबटा कर स्त्रियाँ भी खेत-खलिहानों में पुरुष का हाथ बँटाने के लिए निकल पड़ती हैं। कृषक परिवार में सुबह के नाश्ते का आयोजन नहीं होता है। खेत-खलिहान से लौटने पर ही बैलों को चारा देकर तब मुँह धोते और भोजन करते हैं। भोजन के पहले थकान मिटाने के लिए हंडिया पीते हैं। कृषि-कार्य का मौसम बीत जाने पर सब मिलकर जलावन के लिए लकड़ी ढोते, घर की मरम्मत करते, और जंगल से अन्य उपयोगी पदार्थों का संग्रह करते हैं।

परिवार के छोटे सदस्य चरवाही करते हैं। दिनभर के काम यंत्रवत् पूरे कर लिए जाते हैं। जो जिस काम को करने की क्षमता रखता या रखती है, उसे वही पूरा करता या करती है। खड़िया परिवार में समुचित श्रम-व्यवस्था का अद्‌भुत उदाहरण मिलता है।

बेरोडना से बेटाईंग,
रूसुंग ओरेज खोः तांगना,
चौरा ओरेज खोः तांगना,
आले से रे माँ जोई,
सिंगकोय सूलना तेरे,
सिंगकोय सूलना तेरे॥

(अनुवाद)

उठो तो मेरे बेटे!
लाल बैल को खोलने,
लाल बैल को खोलने।
ठहरो तो रे माँ मेरी!
मुर्गे को बांग देने दो,

मुर्गे को बांग देने दो॥

प्रस्तुत गीत में बड़े तड़के कृषक परिवार के द्वारा कार्यारंभ करने का चित्रण है। एक माँ अपने परिवार के एक-एक सदस्य का ख्याल रखती है और कार्य-विभाजन की व्यवस्था को सँभालती है। यहाँ एक माँ अपने बेटे को हल जोतने जाने के लिए बैलों को तैयार करने के लिए बड़े सवेरे जगा रही है। बेटा बेचारा नींद से बोझिल आँखें लिए ठुनक रहा है, कि मुर्गे की बांग तक उसे सो लेने दिया जाए।

कोनोन-मोनोन सिंकोय सुलो:
आना कोनसेल डुरूंगना चोनानांग,
रे आना कोनसेल, रे आना कोनसेल
होबो: ते जोनो:
होबो: तेगा सा: मु
आना कोनसेल डुरूंगना चोनानांग।

(अनुवाद)

छोटे-मोटे मुर्गे ने बांग दी,
चलो पत्नी हम दोनों धान कूटने,
रे चलो पत्नी, रे चलो पत्नी,
वहाँ पर झाड़ू,
वहीं पर सूप,
चलो पत्नी हम दोनों धान कूटने।

प्रस्तुत गीत में प्रात:कालीन दैनिक कार्य का चित्रण है। प्राय: स्त्रियाँ मुर्गे की प्रथम बांग के साथ उठ जाती हैं और ढेंकी में धान कूटकर उस दिन भात पकाने के लिए चावल तैयार करती हैं। बहुधा पति भी इस काम में पत्नी का हाथ बँटाते हैं।

जो: डागे कोनसेल जोई,
जो: डागे ओ: दुबार,
जो: डागे किनभर-दुबार,
सुरली गाय या: ई: थांग रे,
झीरी-हीरी ओम्पाया: डा: रे।

(अनुवाद)

लीपो पत्नी,
लीपो घर-द्वार,
लीपो आँगन-द्वार,
सुरली गाय का गोबर रे,
झिलमिलाती नदी का पानी रे॥

इस गीत में एक स्त्री को घर आँगन की सफाई करते चित्रित किया गया है, जो उनका सामान्य घरेलू कार्य है।

बा: चीपा उठोब नो आपा?
गुडलु चीपा उठोब नो आपा?
मोएंग सुडुब उठोब बाबा,
घोल-उबार ठोना रे,
उबार सुडुब उठोब बाबा,
घोल-उ:फे ठोना रे।

(अनुवाद)

धान का हंड़िया पिया आपने?
या गोंदली हंड़िया रे?
एक दोना पिया रे बाबा?
बारह उलाहने सुने रे,
दो दोना पिया रे बाबा,
तेरह उलाहने सुने रे॥

खड़िया परिवार में चावल या गोंदली से तैयार किया गया 'हंड़िया' का सेवन किया जाता है। गीत में बतलाया गया है कि बाबा ने अपना काम पूरा करने के बाद थकान मिटाने के लिए 'हंड़िया' पी ली है। हंड़िया पीकर नशे में आ जाने पर घरवाली के उलाहने सुनने पड़ते हैं। यह दृश्य अत्यंत स्वाभाविक और जीवंत है।

खड़िया परिवार के संस्कार प्राय: खड़िया समुदाय से प्राप्त संस्कार ही हैं। माता-पिता के प्रति बच्चों में आदर की भावना और बच्चों के प्रति माता-पिता में स्नेह ममता की भावना होती है। घर की वधू अपने सास-ससुर और जेठ के प्रति अत्यधिक सम्मान-भाव रखती है। ससुर और जेठ का व्यवहार भी वधू के प्रति अत्यधिक शिष्ट हुआ करता है। भाभी-देवर, जीजा-साली के बीच मधुर और परिहासपूर्ण व्यवहार होता है। पीढ़ी-दर-पीढ़ी प्राप्त संस्कृति का ही प्रभाव है कि परिवार के सदस्य यह जानते हैं कि उनके बीच किस प्रकार का व्यवहार एवं आचार-विचार आदर्श रूप में होना चाहिए।

पारिवारिक शिष्टाचार के अंतर्गत उनमें आपसी अभिवादन के निश्चित शब्द और प्रकार होते हैं। स्वागत सत्कार के भी अलग-अलग रूप हैं। देवर-भाभी, जीजा-साली, समधी-समधिन, ननद-भाभी, गोतनी-साढ़ू आदि विस्तृत पारिवारिक रिश्ते के अंतर्गत आते हैं, जिनके बीच भिन्न-भिन्न प्रकार के व्यवहार एवं आचार-विचार की परंपराएँ हैं।

कोनोन गा कीमीन,
कोनोनडु: ओड़ेंग बार,
लोरेंग योता।
गोरेज मेया:,
कीमीन की ओड़ेंग बार,
को बोई लोरेंग बो: योता।

(अनुवाद)

छोटी ही वधू
छोटा सा कर्णफूल तुम्हारा,
सुंदर लगता।
सुबह, सवेरे,
हे वधू! तुम्हारा कर्णफूल,
हे बेटी सुंदर सा लगता।

प्रस्तुत गीत द्वारा परिवार में एक वधू की महत्ता का परिचय मिलता है। वधू का, उसका और उसके कर्णफूल के सौंदर्य का वर्णन यह दिखाता है कि वधू परिवार में कितनी प्रियपात्रा होती है। सास-ससुर उसे कितना अपना समझते एवं बेटी के समान प्यार करते हैं।

ईना: थोम ईयामताबार,
बोरिया डोमोनकुय?
कुसार लुतुइया: थोम ईयामताबार,
बोरिया डोमोनकुय।
कुसार लुतुइ अतु कुइना?
ईना: थोम ईयामताबार?

(अनुवाद)

क्यों रोती हो,
दोनों गोतनियाँ?
रेशमी कपड़े के लिए रोती हो,
दोनों गोतनियाँ।
रेशमी कपड़ा कहाँ मिलेगा?
क्यों रोती हो?

इस गीत में दो गोतनियाँ रेशमी कपड़े के लिए रो रही हैं। दोनों रेशमी कपड़े के लिए हठ कर रही हैं। त्रिया हठ और गोतनियों में स्पर्धा यों भी प्रसिद्ध है। नए और उत्तम वस्त्र के लिए दो गोतनियों का हठ बड़ा ही अनूठा एवं स्वाभाविक है।

कुन्डु: ते पांगोड़े, गामतींग ला:,
ईग को कुइजना चोलताईंग।
अमा: लेरे: कोनसेल कुन्डु: ते,
मेलाय के लेरे:ना चोलताम।

(अनुवाद)

बच्चे को गोद में लो, कहता हूँ तो,
कहती है मैं तो नाचने चली।
तुम्हारी रसिकता रे पत्नी,
बच्चे को छोड़कर मौज करने जाती हो॥

प्रस्तुत गीत में खड़िया दम्पति की आपसी नोक-झोंक का स्वाभाविक चित्रण है। पत्नी का

नृत्य-गान में बड़ा मन लगता है अतः वह पति की बात नहीं मानती। पति उससे बच्चे को गोद में लेने को कहता है और पत्नी कहती है कि वह तो नाचने चली, अर्थात् बच्चे को पति स्वयं सँभाल ले।

आजी नोम को यारतेज,
धॉय ला बोयो आयेंग ओलेम।
दादा नाम को उम्बोडीज,
धॉय ला बोयो आयेंग ओलेम।

(अनुवाद)

तुम्हारी भाभी तो भाग रही है,
जाओ रे युवक, लौटा लाना।
दादा तुम्हारा तो नहीं है,
जाओ रे युवक, लौटा लाना।

इस गीत में एक भाभी के रूठ कर मायके भागने का सजीव चित्रण है। बड़े भाई की अनुपस्थिति में छोटे भाई 'देवर' से कहा जा रहा है कि वह अपनी रूठी भाभी को मना कर लौटा ले आवे।

खड़िया जनजाति गाँवों में रहने वाली जाति है। यह पितृप्रधान समाज है। यहाँ स्त्री का स्थान पुरुष के बराबर है। खड़िया समुदाय में बाल-विवाह, बहु-विवाह, सती, पर्दा, दहेज आदि प्रथाएँ नहीं हैं। नारी-स्वतंत्रता, नारी-अधिकार, विधवा-पुनर्विवाह आदि इस समुदाय की बड़ी उपलब्धियाँ हैं।

डिन्डा नो ओनमों: कोनसेल,
खोड़ी ते मेचेर-मेचेरगा चोलता
डिन्डा नो ओनमों: कोनसेल,
आबु गिलेम बोयो,
लेरे:ना तेरे।

(अनुवाद)

कुँवारी या विवाहिता स्त्री,
गाँव में मटक-मटक कर चलती है।
कुँवारी या विवाहिता स्त्री,
मत मारना युवक,
आनंद मनाने दो।

इस गीत में खड़िया नारी को स्वछंद जीवन जीते दिखाया गया है। एक नारी, कुँवारी है या विवाहिता, उसे अपने जीवन का आनंद भरपूर उठा लेने की आजादी है।

खड़िया समुदाय अपने-अपने गाँव में स्वायत्त शासन-प्रणाली की व्यवस्था पर आस्था रखता है। गाँव के लड़ाई-झगड़े, सम्पत्ति के बँटवारे, असामाजिक तत्त्वों को देने, विवाह संबंधी उलझनों को सुलझाने आदि का काम गाँव के ही पंच करते हैं क्योंकि ये मात्र सामाजिक विषय हैं।

खड़िया समुदाय में कुटुम्ब–सभा का भी महत्त्वपूर्ण स्थान है।

देवान, देवान बोरिया देवान।
पालकी जोंगोड की हीरा राजा॥
मोएंग ठीपा सुंदरोम बुंग होयकीम।
साभा–पन्ती होयकी
कुटुम्ब की विदा की मोय।

(अनुवाद)

समधिन, समधिन दोनों समधिन।
पालकी सूनी हो गई हीरा राजा॥
एक चुटकी सिंदूर से हुई।
सभा–पंगत हुई,
कुटुम्ब विदा हुए।

ये गीत बतलाता है कि कुटुम्ब–सभा के सामने केवल सिंदूरदान द्वारा भी विवाह की रस्म पूरी की जाने की प्रथा थी।

कोएनाराः सुपाई महतो
बोहिलाः कोनसेलड़ुः ते,
सगाई ओलोः॥
बोहिलाः कोनसेलड़ुः लेदेम लेदा,
बोहिलाः कोनसेलड़ुः ते,
सगाई ओलोः॥

(अनुवाद)

कोएनारा का सुपाई महतो
बोहिला की स्त्री को,
सगाई कर लाया॥
बोहिला की स्त्री मांसल है,
बोहिला की स्त्री को
सगाई कर लाया॥

इस गीत में एक विधवा के पुनर्विवाह की चर्चा है। विधवा या विधुर द्वारा पुनर्विवाह को 'सगाई' कहते हैं।

खड़िया समुदाय में मनोरंजन के साधनों में नृत्य का स्थान महत्त्वपूर्ण है। लड़के गुचु कबड्डी आदि खेलते हैं। शिकार खेलना भी एक प्रकार का मनोरंजन है।

गुचु एबोः नापे कोलघेर,
जराः डांडते।
मोःझी डांड ते जूहा एबोः ताकी,
गुचु एबोः नापे कोलघेर,

जरा: डांडते।

(अनुवाद)

गुचु खेलो युवक,
पीपल मैदान में,
बीच मैदान में जुआ खेलते हैं।
गुचु खेलो युवक,
पीपल मैदान में।

इस गीत में किशोरों के बीच लोकप्रिय 'गुचु' नामक खेल का परिचय मिलता है जो एक प्रकार का जुआ है।

अन्य जनजातियों की तरह ही खड़िया भी नौ गोत्रों में विभाजित हैं। ये हर तरह से संपन्न थे फिर उनका राज्य लुट गया। गोत्र से संबंधित शादी का खास नियम यह है कि शादी-संबंध भिन्न गोत्र-परिवार के साथ ही स्थापित किया जा सकता है।

इ एबो: एबो: कीम रे नवगढ़िया,
राइज नोम लुसु डोम गोडकी
जुवा एबो: एबो: कीम रे नवगढ़िया,
सहज नोम लुसु डोग गोडकी।

(अनुवाद)

कौन सा खेल खेला रे नवगढ़िया
राज्य तुम्हारा लुट गया।
जुए का खेल खेला रे नवगढ़िया।
राज्य तुम्हारा लुट गया।

खड़िया समुदाय एवं संस्कृति में 'हंड़िया' नामक मादक पेय का प्रयोग कदम-कदम पर होता है। थकान दूर करने के लिए, मजदूरी के रूप में दिए जाने के लिए, अतिथि-सत्कार के लिए, बोआई में, रोपनी में, कटनी-मिसनी में, विभिन्न उत्सवों एवं संस्कारों में, हर पूजन पद्धति में, विवाह के अवसर पर हर 'नेग' के लिए हंड़िया अनिवार्य है। छोटी-से-छोटी खुशी के मौके की बात तो और है, दुख के मौके भी इसके बिना गुजारे नहीं जाते हैं। मृत्यु संबंधी संस्कारों को संपन्न करने के लिए भी इसकी जरूरत है। यह कहना अत्युक्ति न होगी कि खड़िया समुदाय का कोई भी ऐसा काम नहीं है जो हंड़िया के बिना संपन्न होता हो।

एनमा: को गुडलु समय,
गुंजरे-गुंजरे उडेम माधो।
सावन-भादो उपजाय,
गुंजरे-गुंजरे उडेम माधो।

(अनुवाद)

इस वर्ष तो गोंदली का समय,
झूम-झूम कर पीना माधो।

सावन–भादों में उपजाकर,
झूम–झूम कर पीना माधो।

इस गीत में खड़िया समुदाय में हंड़िया की लोकप्रियता दर्शाई गई है। सबसे पहले तैयार होने वाली फसल गोंदली से हंड़िया तैयार कर, माधो उसे पीकर झूम रहा है। इससे कृषक की अच्छी स्थिति का भी पता चलता है।

चिपाय कन्डाय चिपायबार,
गोलांक चिपायबार।
उडे केन्डोर उड़े,
गोलांग उडेबार।
गोलांग उडेबार।

(अनुवाद)

चीपो औरत चीपो,
हंड़िया चीपो।
पीयो मर्द पीयो,
हंड़िया पीयो।
हंड़िया पीयो।

'हंड़िया' विशेष जड़ी–बूटियों से तैयार 'दवा' डालकर चावल द्वारा बनाई जाती है। तैयार हो जाने पर उसे दोनों हाथों के बीच विशेष तरीके से 'चीपकर' अर्थात् निचोड़कर रस निकाला जाता है और दिया जाता है। इस गीत में औरत 'चीप' रही है और मर्द पी रहा है।

डेलकीमोय गोतिया,
बेलकाए झेन्तु।
आराम कुन्डुः डामकी,
काटा नो गुजुंगे,
आमतेरे बेटिंग,
बोरोल योंनाः डोडे।

(अनुवाद)

मेहमान आ गए,
चटाई बिछा दो।
दामाद बाबू पहुँच गए,
पैर तो धो दो,
तुमको रे मेरी बेटी,
जीने–खाने ले जाएगा।

इस गीत में यह बतलाया गया है कि किस प्रकार एक दामाद का स्वागत–सत्कार किया जाता है। सम्मान से बिठाने के लिए चटाई बिछाई जाती है। लोटे में पानी लाया जाता है, एक बड़े थाल में पैर रखकर पहले तेल मला जाता है, तब पैर पखार कर उनका सम्मान किया जाता है,

क्योंकि वही उनकी बेटी का जीवन सजाने-सँवारने वाला है। यह किसी भी विशिष्ट अतिथि के लिए स्वागत का पारंपरिक तरीका है।

सामान्य पारिवारिक रिश्तों के अतिरिक्त कुछ सामाजिक स्तर के रिश्ते होते हैं। दो परिवारों के बीच 'साहिया' जोराना और दो व्यक्तियों के बीच 'फूल' जोराना होता है। दो गाँवों के बीच 'पड़हा' संबंध होता है।

हारे हारे लुवा पाड़ाः भाई की,
रूसुंग-ओसेल झंडाते,
बेर सुरूम डोठोः ?
कोनघेर होयकोन कोनसेल होयकीम,
रूसुंग-ओसेल झंडा नोमते,
सुरूम डोठोः,
लामेपे, काले सूंगगूडे,
बेहार नो डोठोः ?

(अनुवाद)

अरे, अरे डुंबर टोली के पड़हा भाई,
लाल-श्वेत झंडे को,
कौन चुरा ले गया?
पुरुष होकर औरत हो गया तू
लाल-श्वेत झंडा तुम्हारा,
चोर ले गया,
खोजो, पुजारी से पूजा करवाओ
कौन तो ले गया?

इस गीत में 'पड़हा-संबंध' का परिचय मिलता है, जो एक गाँव को दूसरे गाँव से जोड़ता है। चोर की खोज के लिए पूजा कराने की बात की गई है जिससे पता चलता है कि समाज में अंधविश्वास का अस्तित्व रहा है।

खड़िया समुदाय में पर्व-त्योहार और धार्मिक अनुष्ठान प्रकृति पर आधारित हैं। कृषक जाति होने के कारण ये कृषि से संबंधित त्योहार अधिक मनाते हैं। कृषि कार्य में मवेशी सबसे बड़े सहायक होते हैं। अतः इनके लिए 'बन्दोई' मनाया जाता है। करम, जितिया, इन्द, फगुवा आदि पर्व भी धूमधाम से मनाए जाते हैं।

अता पूरते राजा?
जितिया, करम सुमोब।
पाःखो गुंजरे
मान्दड़ी सोधोमता,
मधुपुर ते राजा,
जितिया, करम, सुमोब,

पा:खो गुंजरे,
मान्दड़ी सोधोमता,
मान्दड़ी सोधोमता।

(अनुवाद)

किस नगर में राजा?
जितिया, करम गाड़ा।
चारों दिशाओं में,
माँदर की गूँज है,
मधुपुर में राजा,
जितिया करम गाड़ा,
चारों दिशाओं में,
मान्दर की गूँज है
मान्दर की गूँज है।

'करम' में करम डाली और 'जितिया' में जितिया डाली गाड़ा जाता है। उसकी पूजा के बाद नाच-गान होता है। दूसरे दिन विसर्जित कर दिया जाता है। करम और जितिया किसी सम्पन्न व्यक्ति के आँगन में ही गाड़ा जाता है। दोनों ही त्योहारों की समानता के कारण इनकी चर्चा एक साथ की गई है। मधुपुर के राजा ने करम और जितिया गाड़ा है, और इतनी धूमधाम है कि माँदर की गूँज दूर-दूर तक है।

बेरला बोयो होरी एबो: ता?
फागुन ते धूड़ी बेरोडगा चोलता,
महा कोनघेर होरी एबो:ता,
तोबलुंगते धुड़ी लेंग गा चोलता।

(अनुवाद)

कौन है युवक जो होली खेलता?
फागुन में धूलि उड़ती जा रही,
नायक 'बड़ा आदमी' होली खेलता,
ऊपर धूलि उड़ती चली जा रही।

फागुन का महीना रंगों का त्योहार है। यहाँ नायक के लिए 'महा' शब्द का प्रयोग है। नायक के होली खेलने का चित्रण है।

निष्कर्षत: यह कहा जा सकता है कि खड़िया लोकगीतों में खड़िया जीवन का स्पष्ट और स्वाभाविक चित्रण है। एकएक गीत मानों खड़िया जीवन की एक-एक परत खोल कर दिखाते हैं और हर पल हमें लुभाते भी हैं।

नागपुरी काव्यधारा की रूपरेखा

विसेश्वर प्रसाद केशरी

आज से पचास साल पहले नागपुरी की जो छवि विस्मृति के अंधकार में आवृत्त थी, वह भी दिन-प्रतिदिन आलोकित होती जा रही है। अब हम उस दिव्य मूर्ति को स्पष्ट रूप से देखने लगे हैं जिसे 1906 ई. में फादर बुकाउट ने अपनी पुस्तक 'ग्रामर ऑफ दि सदानी लेंगुएज' में यह कहते हुए प्रस्थापित किया था कि ''नागपुरी बिहार की तीन प्रमुख बोलियों (भोजपुरी, मैथिली, मगही) के अन्तर्गत उपबोली के रूप में नहीं रखी जा सकती है। वह बिहार की चौथी प्रमुख उपबोली है।'' उनके शब्द हैं—

"The present grammar will perhaps show that Nagpuria cannot be under any three headings as a subdialect, and therefore, must be considered as a fourth form of Bihari." *Introduction, M.S., P. 2*

इसी आधार पर दूसरी खास बात फादर बुकाउट ने यह बतलाई थी कि ''यदि नागपुरी के प्राचीन स्वरूप पर विचार किया जाए तो इससे पता चलेगा कि छोटानागपुर में आर्यों (सदानों) का प्रवेश और निवास बहुत प्राचीन काल में हो गया था।''

"If the archaic character of Nagpuri is conceded, it throws the advent into Chotanagpur of Aryan colonists (Sadans) for book in history." *वही, पृ. 2*

इस प्रसंग में स्मरणीय है कि जॉर्ज ग्रियर्सन द्वारा नागपुरी को भोजपुरी की उप बोली घोषित कर देने के बाद प्रायः सभी विद्वान यही दुहरा रहे थे कि नागपुरी भोजपुरी की ही एक उपशाखा है। लेकिन भाषा-विज्ञान और व्याकरण, इतिहास और पुरातत्त्व, सामाजिक-सांस्कृतिक उपादान, नागपुरी गीतों के राग, लय, ताल छंद, भाव-बोध, सौन्दर्य-दृष्टि और मूल्य-चेतना के समवेत निष्कर्ष अब फादर बुकाउट की मान्यताओं को अक्षरशः सिद्ध कर रहे हैं। फादर पीटर शांति नवरंगी, प्रो. केसरी कुमार, पं. योगेन्द्रनाथ तिवारी, डॉ. श्रवण कुमार गोस्वामी, श्री प्रफुल्ल कुमार राय आदि नाना प्रकार से भिन्न-भिन्न प्रस्थान-बिन्दुओं से इन्हीं दो निष्कर्षों पर आ चुके हैं जिन्हें फादर बुकाउट ने 1906 में प्रस्थापित किया था।

उपर्युक्त सभी विद्वानों की स्थापनाओं पर, उपलब्ध तथ्यों के आधार पर गहराई से मनन-चिंतन करते हुए मैं इस निष्कर्ष पर पहुँचा हूँ कि झारखंड क्षेत्र में आदिवासियों के साथ नाग जाति से जुड़े जो आर्य (सदान) समुदाय निवास करते थे, उनके बीच प्रचलित मागधी प्राकृत के किसी

विशेष भाषा रूप से नागपुरी भाषा का उद्‌भव हुआ है। 5वीं-6वीं शताब्दी के आसपास मागधी अपभ्रंश के उस रूप विशेष से नागपुरी का जन्म हुआ होगा, ठीक उसी तरह जिस तरह अन्य देशी भाषाओं का जन्म हुआ है। इसी आधार पर यह भी कहा जा सकता है कि 10वीं शताब्दी के आसपास इसका वर्तमान भाषा-स्वरूप प्रस्फुटित हुआ होगा। घाघरा-गुमला के हापामुनि ग्राम में 908 ई. में स्थापित महामाया मंदिर के शिलालेख इसके प्रमाण माने जा सकते हैं। 'नागपुरी भाषा का जनम' (आदिवासी, रांची गणतंत्र दिवस विशेषांक, 1972) और नागपुरी भाषा उद्‌भव और विकास (परिषद् पत्रिका, पटना, जुलाई 1973) में मैंने इस पर विस्तार से विवेचन किया है।

कोई भाषा अपने विकास के प्रथम चरण में लोकगीत और लोककथा का आश्रय लेती है। इस नियम से नागपुरी भी पहले लोकगीत और लोककथा के माध्यम से प्रख्यात हुई होगी। इसमें संदेह नहीं। किंतु नागपुरी में अब तक इतना अनुसंधान नहीं हुआ है कि लोकगीतों और लोककथाओं के आधार पर इसका कालक्रम निर्धारित किया जा सके। वैसे यह काम असंभव नहीं है, क्योंकि इनमें काल तत्त्व की छाप रहती ही है। बहुत से ऐसे लोकगीत हैं जिन्हें देखते ही स्पष्ट पता चल जाता है कि वे किस कालखंड के हैं जैसे—

1. उड़त उड़न जहाज, दुनिया अकाल रे,
   गाँधी बाबा करत बिचार।
   पहिले चलान रहे, ताँबा आउर चाँदी रे
   आबे भेलउ कागज चलान।
2. पढ़ले तूं आइए बीए, नौकरी नई मिलउ बाबू
   हांथे नखउ घड़ी रे नसीबे नखउ जोड़ी।

इनमें पहला गीत दूसरे विश्वयुद्ध के समय का और दूसरा सांप्रतिक बेरोजगारी और बदलते हुए सामाजिक संबंधों का बोध देता है। इसी तरह प्राचीन लोकगीतों और लोककथाओं का भी काल-निर्णय संभव है।

नागपुरी लोकगीतों में आदिवासी और आर्य संस्कृति का सुंदर सामंजस्य है। इसमें आदिवासियों का स्वछंद जीवन-रस और आर्यों की मर्यादित जीवन-पद्धति का मणि-कांचन योग है। जैसे—

एंड़ी पईरी में, तीन अनक पइंजन बोले,
धीरे चलु मैंनों घन घन पइंजन बाजे।

इस डमकच गीत में आदिम स्वछंद भाव और आर्य-मर्यादा का प्रभाव एक साथ सम्पृक्त है। वय:संधि के द्वार पर खड़ी उन्मुक्त युवती से धीरे चलने के आग्रह में यहाँ मर्यादा का मनोमय अनुबंध निहित है।

नागपुरी गीतों की अभिव्यंजना-शैली में भी आदिवासी गीतों की छाप प्रत्यक्ष दिखाई देती है। कहीं-कहीं बड़ा सरल उपमान या अन्य प्रकृत उपादानों से भी अत्यंत सुकुमार भावों की अभिव्यक्ति हुई है। जैसे—

अंबा मंजरे मधु मातलइ रे,
तइसने पिया मातल जाय;
नाग-नागिन कांचुर छोड़लयं रे,

तइसने पिया छोड़ल जाय!

इस झुमटा गीत में उपमानों की सहज सुन्दरता भाव-व्यंजना को प्रभावी बनाती है। लेकिन कहीं-कहीं इससे भी बारीक अभिव्यंजना-कौशल हमें अनायास अभिभूत कर लेता है। एक उदाहरण अलम होगा—

फल-फूल-पत्र लागिन, झिरिहिरिं नाइर बहे,
सइयां सेजा मोरा लागिन गे सँवरो,
सीत बरन फूल धमके।

इस गीत में प्रकृति के सहयोग की स्थिति बिना किसी अलंकार के अनायास ही आकृष्ट कर लेती है। हिन्दी नवगीतों में प्रकृति का जो अलंकृत सहयोग बौद्धिक स्तर पर उपलब्ध होने लगा है, उसकी तुलना में यह अलंकार रहित भावात्मक सहयोग मुझे अधिक स्वाभाविक और मूल्यवान प्रतीत होता है। संभवत: आदिवासियों के सहजीवन की ही यह लब्धि है।

नागपुरी गीतों के लय-ताल में भी आदिवासी गीतों के लय-ताल का अनुपम सामंजस्य हुआ है। दोनों के रागों का नियंत्रण मूलत: माँदर या ढोल से ही होता है।

इन वैशिष्ट्यों के साथ लोकगीतों के अन्य आसंग भी नागपुरी लोकगीतों में यथावत् विद्यमान हैं। सामान्य लोकगीतों में उपलब्ध जीवन के नाना सुख-दुखों के साथ प्रकृति की सहज रमणीय विभूति और उदात्त भक्ति तन्मयता इनमें मौजूद है। इनके अतिरिक्त ईसाई भजनों और इस्लामी मर्सिया गीतों की भी एक अच्छी परंपरा यहाँ दिखाई देती है।

नागपुरी काव्य-धारा का यह पहला अध्याय नागपुरी संस्कृति की सहज सौन्दर्य-दृष्टि और रागात्मक विकास का सुन्दर परिचय देता है। वैष्णव काव्य-आंदोलन (15वीं शती) तक इन लोकगीतों ने नागपुरी भाषा-साहित्य को इतना संभार दे दिया होगा कि इस क्षेत्र में भक्ति-आंदोलन के आते-आते शिष्ट-काव्य की रचना में गृहीत होने में इसे कसर नहीं हुई होगी।

15वीं शताब्दी के प्रारंभ से नागपुरी में शिष्ट-काव्य की जमीन बनने लगती है। 1401 ई. में हापामुनि (घाघरा, गुमला) में विष्णुमूर्ति की स्थापना हुई थी। वहाँ 908 ई. में निर्मित महामाया मन्दिर पहले से विद्यमान था। 1473 ई. में कोराम्बे (सिसई, गुमला) में वासुदेव राय की मूर्ति का पुन:स्थापन हुआ था, और 1485 ई. में महाप्रभु चैतन्य इस क्षेत्र से होकर पुरी-यात्रा पर निकले थे। ये सभी ऐतिहासिक प्रमाण यह सिद्ध करते हैं कि 15वीं शताब्दी में छोटानागपुर में वैष्णव-आंदोलन की कुछ छाप अवश्य पड़ी थी। नागपुरी लोकगीतों में वैष्णव भावना का प्रचुर प्रभाव है। कालक्रम से कृष्ण और राम इस क्षेत्र के प्रमुख आराध्य बन गए। इससे पूर्व शैव-शाक्त भावनाओं और कबीरपंथियों की गहरी छाप यहाँ दिखाई पड़ती है। आगे चलकर सोबरन साय, रूंगटू मलार, महंत घासी आदि श्रेष्ठ कबीरपंथी कवियों की धाक यहाँ जमी थी।

नागपुरी शिष्ट काव्य का आरंभ कब, किसने किया, कहना कठिन है, क्योंकि अभी बहुत-से नागपुरी कवियों का काल निर्णय नहीं हो सका है। तब जो जानकारी मिल चुकी है, उसके आधार पर रघुनाथ नृपति इसके पहले कवि प्रतीत होते हैं। रघुनाथ नृपति नागवंशी महाराजा थे। नागवंशावली के अनुसार सन् 1626 से 1668 ई. तक इनका राज्य काल माना जाता है। चुटिया (राँची) का राम-मन्दिर इन्हीं का बनवाया हुआ है। इनके कुछ गीत मिलते हैं। एक गीत की

कुछ पंक्तियाँ देखिए—

पोड़िलो बरखा रीत, बिरहे बेदन चीत,
ताइ जागे दुगुन मदन, दुख दारून हे,
झूले सदाइ कमल नयन।
गरजे गगन घटा, बिजली चमके छटा,
गृह भेल सरस कानन, दुख दारून हे,
झूले सदाइ कमल नयन।

रामगढ़ नरेश दलेल सिंह, उनके आश्रित कवि पदुमनदास और रुद्र सिंह आदि इस समय के दूसरे ज्ञात नाम हैं। दलेल सिंह की कुछ पंक्तियाँ देखिए जो पावस राग में हैं—

सुमिरहु श्री जगरनाथ, भजिलेहु बइजनाथ,
का जम सो डरे,
लेत नाम लेगिहें हरिहरे सखि,
नाहक नर चिंता का करे। आदि।

कालक्रम से इन शिष्टगीतों में हिन्दी और बांग्ला का रंग गाढ़ा होने लगा। हनुमान सिंह, बरजु राम, जयगोविन्द मिश्र, बिनंदिया, गौरांगिया आदि के गीत इसके प्रमाण हैं, जैसे—

बरजु जसुमति अपनो कुमार,
मोंहि नीको न लागत ऐसी दुलार।

—जयगोविन्द मिश्र

नव बसंत भेल प्रबल,
मल्लिका मालती नव दल
विकसित नाना कुसुम सेथाय गो,
हेरि-हेरि नव वृंदावन,
बिरहि नीर जीवा जाय गो

—गौरागिंया

लेकिन इस समय भी बहुत-से ऐसे कवि थे जो मुख्य रूप से ठेठ नागपुरी में गीत लिख रहे थे, जैसे जीवन शाही, कीनू शाही, गोविन्द, भीसू, आदि। कीनू शाही का एक शब्द-प्रयोग देखिए—

पहुँची पावस आय, गरजे गगन गोइ,
भवन करत सोर गीत में सोहावन,
मम घरे न मोहन।

इस समय के नागपुरी गीतों में भक्ति-भाव बड़ा प्रखर है। गूढ़ गंभीर विषयों पर हनुमान सिंह, बरजु राम, जय गोविन्द मिश्र आदि लिख रहे थे। हनुमान सिंह के परलय, निरलय, जरलय गीत भारतीय सृष्टि-विज्ञान के गूढ़ तत्त्व उपस्थित करते हैं। रामायण, महाभारत और पुराणों के विविध प्रसंगों को लेकर एक से एक सुन्दर आख्यान (पालाबंदी) की रचना इस समय के कवियों ने की है।

एक खास बात यह देखने में आती है कि नागपुरी में सूफी काव्य की परंपरा एकदम नहीं है। अन्य सभी प्रवृत्तियों का यहाँ विशेष विस्तार हुआ है। कृष्ण-काव्य का तो कहना ही नहीं। राम-काव्य का भी भरपूर प्रचार था। निर्गुण काव्य भी खूब लिखे गए। दूसरी ओर विक्रम पाठक, ठाकुर प्रसाद आदि कुछ कवियों की रचना में रीतिपरक प्रवृत्ति भी बहुत स्पष्ट मिलती है। उदाहरणार्थ, विक्रम पाठक की एक रचना देखिए—

दूनों अकबक सक लाजे मरी,
पुनि पुनि धुनि सुनि चित्त धीरन धरी। (ध्रुपद)
मधुरी मधुरी सोरे, काम उमंग जोरे,
रस बस कसमस रंग झरी।
थकित अनंग गति, कहत विक्रम प्रति,
हरिपद भेंट कदम डहरी।

इन कवियों का समय 1800 से 1850 ई. तक निश्चित है। इसके बाद आता है नागपुरी भक्ति-युग का चरम उत्कर्ष-काल। घासी, कंचन, दृश्पाल, दीना, भवप्रीता आदि इस युग के ऐसे महाकवि हैं जिन्हें किसी भाषा के श्रेष्ठ कवियों के समकक्ष रखा जा सकता है। भाव-विन्यास और भाषा दोनों में इनका सहज प्रवाह आत्यंतिक रूप से मन को मोह लेता है। कंचन के शब्द-शिल्प का एक नमूना प्रस्तुत है—

उमड़ि गगन घन घमंड
चमकत चपला प्रचंड,
दुंदुभि चहुँओर,
अग गग गग घहरत झरी,
झझकत जल धरे गोई,
आजु अवसर अस गोविन्द नहीं घरे। (ध्रुपद)

इसी तरह घासी राम की भाव-विह्वलता का मर्मस्पर्श देखिए—

कासे कहब धनी बिरह के बतिया,
नाहा रे छूटि गेलयं,
छूटि गेलयं साम संधतिया।
भावे न भोजन मोहिं नींद नहीं अँखियाँ
नाहा रे अकबक,
अकबक लागे दिन-रतिया। आदि।

देवपाल राम, भूपाल राम, पदमुनदास, द्विजभोला, प्रयाग दास, लाल मुकुंदनाथ, शाहदेव, वैद्यनाथ मिश्र, लुन्दरू दास, मदन आदि इस समय के अन्य लोकप्रिय गीतकार हैं। लगभग 1925 ई. तक नागपुरी काव्य में इस प्रकार की भक्ति-भावना प्रधान रही है।

इसी बीच नागपुरी काव्यधारा में एक नया अध्याय जुड़ा ईसाई भक्ति गीतों से। दाउद दयाल सिंह, फादर पीटर शांति नवरंगी आदि ने इस क्षेत्र में महत्त्वपूर्ण कार्य किए हैं। इस प्रकार के कई भजन-संग्रह प्रकाशित हो चुके हैं और ईसाई मतावलम्बियों के बीच उनका अच्छा प्रचार-प्रसार

है।

देश में आजादी की लड़ाई शुरू हुई तो कुछ नागपुरी कवियों ने आजादी के गीत भी गाए। जैसे—

ओहे गोइ, बुझू गोरक धंधा
मति देहु साहेब के फंदा गोइ,
बुझू गोरक धंधा।

कछहरी इस्कूल छोडू बुझू गोरक धंधा,
मति देहु साहेब के चंदा गोई,
बुझू गोरक धंधा। आदि। —*मृत्युंजय लाल*

इसी तरह असहयोग आंदोलन के चित्र भी नागपुरी कवियों ने भलीभाँति अंकित किए—

असहयोग बहे समीर,
लंदनबासी भेल अधीर,
भारत बिनु मरे,
भारत जन व्याकुल मन
तन धन से लड़े सखि,
हाकिम से तनिको ना डरे। —*फागु*

लेकिन गीतों की मुख्यधारा में इस समय भी भक्ति-भावना की प्रधानता थी। जगनिवास नारायण तिवारी, लाल मनमोहन नाथ शाहदेव आदि इस प्रवृत्ति के मुख्य कवि हैं। जगनिवास नारायण अपने काव्य-शिल्प के लिए विख्यात रहे हैं, तो मनमोहन नाथ अपनी भाव-विह्वलता के लिए। जगनिवास के पद-बन्ध तो देखने ही लायक हैं। शेख अलीजान, रोजन आदि इस काल के ऐसे कवि हैं जो मुख्य रूप से नई दुनिया के रंग-ढंग चित्रित कर लोकप्रिय हुए।

देश आजाद हुआ और निर्माण-कार्य होने लगे। तब यहाँ के कवियों को भी संतोष हुआ और वे खुशी के गीत गाए—

गूँजे बीडीओ के नाम, काम खुले धूमधाम,
गाँवे-गाँव रासता बनावएँ गोइ साजइन,
मिली-जुली रुपिया गनावएँ गोइ साजइन।

—*नईम उद्दीन मिरदाहा*

अब नवजागरण के नए भाव लेकर यहाँ के कवि रचने लगे। चाईबासा के धनीराम इसी संक्रमण काल के कवि थे। पुराना छूट रहा था, नया उदित हो रहा था। धनीराम स्वयं एक सफल कवि और गायक थे। नागपुरी के लिए उनकी सेवा अविस्मरणीय है। उनके हितैषी कार्यालय से नागपुरी के अनेक नए-पुराने कवियों की रचनाएँ संकलित-संपादित होकर प्रकाशित होने लगीं।

1947 में राँची से 'आदिवासी' पत्रिका का प्रकाशन हो चुका था। 1957 में राँची में आकाशवाणी केंद्र की स्थापना हुई और 1960 से राँची विश्वविद्यालय कार्य करने लगा। नवजागरण के इस दौर में 'नागपुरी भाषा परिषद्' की स्थापना हुई, 'नागपुरी' पत्रिका का प्रकाशन शुरू हुआ

और नई प्रतिभाएँ सामने आने लगीं। प्रफुल्ल कुमार ने समर्पित भाव से नागपुरी भाषा, साहित्य, संस्कृति के उत्थान में योग दिया। नागपुरी भाषा-भाषियों को संगठित कर उन्होंने आह्वान किया—

आब नागपुर चुप नइ रही आब नागपुरी बोली,
ढेइर दिन सुतल रहे, आब तो नजइर खोली।

कहना चाहिए कि इसी आह्वान के साथ नागपुरी में नवयुग का सूत्रपात हुआ। अब गद्य-पद्य की सभी विधाओं में नव्यतम रचनाएँ सामने आने लगीं। नया भाव, नई दृष्टि, नया छंद आज की नागपुरी कविता के मुख्य स्वर हैं। झारखंड आंदोलन के साथ इसके तेवर बदलने लगे हैं। नानाविध शोषण, उत्पीड़न और विस्थापन के बीच झारखंडी जातीयता अपनी पहचान, पुनर्गठन और मुक्ति के लिए संघर्षरत है। अनेक कवि-लेखक इस दिशा में अग्रणी भूमिका निभा रहे हैं। प्रफुल्ल कुमार राय के अतिरिक्त लाल रणविजय नाथ शाहदेव, नईमुद्दीन मिरदाहा, दुर्गानाथ राय, पौराणिक गौरीनंदन शर्मा, शिव अवतार चौधरी, दिवाकर मणि पाठक, द्वारिका नाथ सिन्हा, महेश्वर दास गुप्ता, सहनी उपेन्द्र पाल 'नहन', शारदा प्रसाद शर्मा, मृत्युंजय नाथ शर्मा, क्षितिज कुमार राय, मुकुन्द नायक, महावीर नायक, मेघनाथ ओहदार, विन्देश्वरी मिश्र, मधु मंसुरी, बलदेव साहु, बटेश्वर साहु, जस्टिन एक्का, संत कुमार पाण्डेय, प्रमोद कुमार राय आदि अपनी मूल्यवान रचनाओं से नागपुरी काव्य को समृद्ध कर रहे हैं।

1980 ई. में राँची विश्वविद्यालय में जनजातीय एवं क्षेत्रीय भाषा विभाग (स्नातकोत्तर) की स्थापना हुई। यह विभाग इस क्षेत्र में भाषिक जागरण का आलोक स्तंभ बन गया है। एक ओर नित्य नए शोध हो रहे हैं, तो दूसरी ओर गद्य- पद्य की सभी विधाओं में नव्यतम रचनाएँ प्रकाशित हो रही हैं। जनजातीय एवं क्षेत्रीय भाषा अकादमी की स्थापना से भी इसे बल मिल रहा है। छोटानागपुर सांस्कृतिक संघ (धुर्वा, राँची) और नागपुरी कला संगम, राँची की सक्रियता से भी साहित्यिक-सांस्कृतिक उत्थान को बल मिला है।

अनेक व्यवधानों के बावजूद आशा है कि इन संस्थाओं और झारखंड की नई सरकार की छत्रछाया में इस क्षेत्र की सभी भाषाओं के साथ नागपुरी भी अपने स्वर्णिम भविष्य की ओर तेजी से अग्रसर होगी।

मुण्डारी और संस्कृत के पारस्परिक संबंध

डॉ. दिनेश्वर प्रसाद

झारखंड के आग्नेय भाषा परिवार की एक प्रमुख भाषा मुण्डारी है, जो मुख्य रूप से अविभाजित राँची जिले में प्रचलित है। यह भाषा मुंडा जनजाति के अखिल भारतीय आव्रजन के अतीत के बहुत सारे संकेतों को अपने आप में समाहित किए हुए है। शताब्दियों से विभिन्न क्षेत्रों, प्रजातियों और भाषाओं के सम्पर्क-संजाल से जुड़ी हुई यह भाषा इस बात का साक्ष्य है कि हमारे देश के संदर्भ में सांस्कृतिक सन्निकटन, सांस्कृतिक अलगाव की तुलना में अधिक महत्त्वपूर्ण रहा है। इसलिए जो मानव-वैज्ञानिक और संस्कृति-विद किसी मूल भारतीय सांस्कृतिक धारा का उल्लेख करते हुए यहाँ की जनजातियों के उससे विलगाव की चर्चा करते हैं, वे भारतीय सांस्कृतिक संरचना के स्वरूप से परिचित नहीं हैं। यदि भाषा को इस दृष्टि से सांस्कृतिक संबद्धता-असंबद्धता की एक निर्णायक कसौटी के रूप में प्रयुक्त किया जाए, तो यह बात और भी स्पष्ट हो जाएगी।

इसका एक बड़ा साक्ष्य मुण्डारी भाषा है, जिसमें अपनी मूल शब्दावली के अतिरिक्त संस्कृत, प्राकृत, अपभ्रंश आदि भाषाओं से लेकर नागपुर, अरबी-फारसी और आधुनिक यूरोपीय भाषाओं तक के शब्द उपलब्ध हैं। स्वयं मुंडा भाषा परिवार का यहाँ के भाषा परिवारों पर गहरा प्रभाव पड़ा है।

आदान-प्रदान और पारस्परिक संबद्धता की दृष्टि से मुण्डारी और संस्कृत के प्रसंग को एक उदाहरण के रूप में देखा जा सकता है।

संस्कृत पर मुण्डा भाषाओं के प्रभाव का उल्लेख अनेक विद्वानों द्वारा हुआ है। इस प्रसंग में काल्डवेल, गुंडर्ट, प्रिजिलुस्की, कायपर, बरो आदि के नामों का उल्लेख विशेष रूप में किया जा सकता है। इन्होंने भारोपीय आर्य परिवार की अन्य भाषाओं से संस्कृत की तुलना द्वारा यह स्पष्ट किया है कि इस भाषा की मूर्धन्य ध्वनियाँ मुण्डा और द्राविड़ भाषाओं से आगत हैं। भारत से बाहर की आर्य भाषाओं में मूर्धन्य ध्वनियों का अभाव है। ये ध्वनियाँ न तो ग्रीक, लेटिन, अवेस्ता आदि प्राचीन आर्य भाषाओं में मिलती हैं और न मध्यकालीन या आधुनिक यूरोपीय आर्य भाषाओं में। जबकि मुण्डा और द्राविड़ भाषाओं में इनका अस्तित्व बहुत प्राचीन है। संस्कृत की शब्दावली की परीक्षा करने के बाद प्रो. प्रिजिलुस्की ने यह निष्कर्ष निकाला है कि इसमें 'म्ब' और 'बु' ध्वनियों वाले शब्दों में से अधिकांश मुण्डा से गृहीत हैं जैसे अलाबु (लाबु), कम्बल, कदम्ब, तुम्ब, तुम्बरु, निम्ब, निम्बु, निम्बुक, रम्भा, उदुम्बर, जम्बु, जम्बीर, शिम्ब और स्तम्ब। अस्वाभाविक नहीं कि संस्कृत का प्रयोग करने वाली आर्य जाति को बहुत-से भारतीय वृक्षों और फलों के नाम

मुण्डारी के माध्यम से प्राप्त हुए, जिनमें उपर्युक्त अभिधाओं के अतिरिक्त नारिकेल, गुबाक, कदल, ताम्बूल, हरिद्रा, शृंगबेर, वातिंगन आदि अनेक शब्द सम्मिलित हैं। डॉ. प्रबोधचन्द्र बागची द्वारा सम्पादित 'प्री–आर्यन एंड प्री–ड्रेविडियन' नामक ग्रंथ में सम्मिलित एक निबन्ध में प्रो. सिलवाँ लेवी ने यह लिखा है कि संस्कृत में उपलब्ध बहुत–से स्थान–नाम इसी भाषा से आगत हैं। जैसे कोसल–तोसल, अंग–बंग, कलिंग–त्रिलिंग आदि। वस्तुतः न केवल संस्कृत में वरन् मध्यकालीन और आधुनिक भारतीय आर्य भाषाओं में जो प्रतिध्वनि युग्म मिलते हैं वे आग्नेय भाषाओं के स्थायी अवदानों में हैं। आग्नेय भाषाओं में प्रतिध्वनि–युग्म की रचना की प्रवृत्ति मिलती है, जिसका भारत से पश्चिम की सभी भाषाओं में अभाव–जैसा है, और जो भारतीय आर्य भाषाओं के विकास–क्रम में क्रमशः बढ़ती गई हैं।

आज से कई वर्ष पहले सन् 1948 ई. में कायपर की पुस्तक 'प्रोटो–मुण्डा वर्ड्स इन संस्कृत' का प्रकाशन हुआ है, जो संस्कृत तथा आधुनिक भारतीय आर्य भाषाओं में परिवर्तित रूप में उपलब्ध बहुत–से शब्दों की व्युत्पत्ति की जानकारी की दृष्टि से महत्त्वपूर्ण है। कायपर ने इसमें प्राचीन मुंडा (प्रोटोमुण्डा) की संकल्पना प्रस्तुत की है। इस संकल्पना का आधार यह है कि बहुत पहले यहाँ तक कि वैदिक काल में ही, मुण्डा भाषाएँ आग्नेय–एशियाई प्रकार की भाषा से बहुत भिन्न हो गई थीं और अनेकानेक उपभाषाजनित ध्वन्यात्मक परिवर्तनों तथा शब्द–रचना में प्रत्ययों के समावेश के परिणामस्वरूप एक स्वतंत्र प्रकृति का विकास कर चुकी थीं। इन दोनों बातों से मुण्डा भाषाओं के द्राविड़ीकरण की वह प्रक्रिया आरम्भ होती है जिसने अन्ततोगत्वा उनको अश्लिष्ट योगात्मक भाषाओं का रूप प्रदान किया है, और इस प्रकार भारतीय भाषा–वर्ग (श्प्राखबुंड) के विकास में योग दिया है। संस्कृत के उद्धृत शब्दों में प्रतिफलित इस विकास के आरम्भिक सोपानों को यहाँ 'प्राचीन मुण्डा' की संज्ञा दी गई है। (पृ. 5) तुलनीय शब्दों के आधार पर कायपर ने कुछ ध्वनि–संबंधी नियम निर्धारित किए हैं और ऐसे सत्तर शब्दों पर विचार किया है जो उनके निकष पर मुण्डा से संस्कृत, प्राकृत तथा आधुनिक भारतीय आर्य भाषाओं में आए हैं। वे शब्द हैं—अराल, अगड़, आकुल, आटोप, आपीड़, उदुम्बर, उन्दुरु, कज्जल, कण्ठ, कनक, कबरी, कमठ, कवल, कस्मल, कस्मस, कस्म, कासु, कुण्ठ, कुब्ज, कलिंग, खड्ग, खल्टी (खल्वाट), खिंखिर, खोड, गण, घट, चाट, चिपिट, जम्बाल, जाल, डाल, डिम्ब, डुण्डुभ, ताम्बूल, तिमित, तुमुल, तुपर, दण्ड, दाडिम, दुन्दुभी, पंगु, पटह, पतंग, पुंख, पुण्डरीक, पेलव, फल्गु, बकुर, बुदबुद, भृमल, मुकुर, मेंट, लगुड, लंग, लम्पट, ललित, लोरायति, लोल, वातुलि, शकुन्ति, शकेरा, शृंखला, शृंगार, हम्बा, हला। पुस्तक के परिशिष्ट में उन्होंने कुछ और शब्दों पर भी विचार किया है।

इस विषय पर भारतविदों ने जो कार्य किया है, उसके बाद इस पर विवाद करने की कोई आवश्यकता नहीं रह जाती कि द्राविड़ भाषाओं के साथ आग्नेय (मुण्डा) भाषाओं का प्रभाव भारतीय आर्य भाषाओं पर पड़ा है। डॉ. सुनीति कुमार चटर्जी ने 'भारतीय आर्य भाषा और हिन्दी' में यह कहा है कि "भारतीय आर्य भाषाओं के रूपांतरण की प्रक्रिया में इनका बड़ा महत्त्व है, क्योंकि उनकी ध्वनियाँ, शब्द, मुहावरे और वाक्य–रचना इनसे बड़े स्पष्ट रूप में प्रभावित हैं।" किन्तु प्रस्तुत व्याख्यान का एक उद्देश्य ऑस्ट्रिक कुल की मुण्डारी भाषा के वर्तमान स्वरूप के

साथ संस्कृत के साम्य का निरूपण है और यह निर्देश करना कि शब्दों के स्तर पर दोनों के बीच कितनी समानता मिलती है।

मुण्डारी और संस्कृत

इस प्रसंग में सबसे पहले उन संस्कृत शब्दों का उल्लेख किया जा सकता है, जो संस्कृत और मुण्डारी में एक ही रूप में उपलब्ध हैं। ये शब्द हैं—अंक, अगम, अन्न, आहार, आत्मा, इतिहास, उदास, उचित, उत्तर, एकता, करंज, कंगाल, कंदरा, कमल, करताल, काल, कुण्डल, गुरु, गुरुमुख, गंधरस, घंटा, चतुर, चिंता, चंडी (बोंगा), चुम्बक, जंजाल, जटा, जन, जाल, ताल, तुलसी, तुला, तोल, दन्तुल, दान, दारू, दिन, धनी, धार, नगर, नरक, निन्दा, निम्बु, पंच, पंजर, पंडित, पद, पाठ, पाप, पापी, प्रचार, प्रधान, भजन, भूमिज, भेद, भोग, मधु, मधुरस, मन, मुनि, मण्डप, मण्डल, महा, माला, मुकुट, मुरली, मूल, राज, राजकुमार, लाभ, संगम, संगति, सभा, समतल, समय, समान, हित। इनमें यदि गुरु और गुरुमुख शब्द वैष्णव प्रभाव के बाद प्रचलित हुए हैं, तो इतिहास, जन, प्रचार, भजन आदि का प्रयोग ईसाई मिशनरियों ने आरम्भ किया है। उपर्युक्त शब्दों में से अनेक शब्द, जैसे अगम, अन्न, तुला, मधु, मधुरस, और मुनि अपेक्षाकृत प्राचीन काल से प्रचलित हैं। इन शब्दों का अर्थ संस्कृत में प्रचलित अर्थ से बहुत भिन्न हो गया है। जैसा कि अर्थ-परिवर्तन के प्रसंग में स्पष्ट किया जाएगा, मुण्डारी 'अगम' की रचना 'अगम' और 'आगम' के सम्मिश्रण (उभय सम्मिश्रण) से हुई है, अतः इसमें दोनों के अर्थ आ गए हैं। 'तुला' का प्रयोग मुण्डारी क्षेत्र की किसी भी आर्य भाषा में नहीं होता। उनमें 'तोल' का प्रयोग 'तोल' के रूप में नहीं, वरन् तौल के रूप में किया जाता है, किन्तु जहाँ सादरी (या नागपुरी), मगही आदि में 'तौल' का अर्थ वजन है वहाँ मुण्डारी में इसका अर्थ बोझा बाँधना अथवा किसी वस्तु या जानवर को बाँधना है।

मुण्डारी में अनेक ऐसे शब्द मिलते हैं, जिनके रूप को, परिवर्तन के बावजूद संस्कृत में पहचाना जा सकता है। मुण्डारी में ऐसे कई शब्दों का अस्तित्व निश्चय ही प्राचीन है। ऐसे ही कुछ शब्द हैं अंद मनोआ (अंध मानव), अंगोर (अंगार), कंता (कंथा), चन्दि (छन्द), तुलम् (तूलम), दिसुम् (देशम्), दूतौम् (दूतम्), दुखम्-सुखम् (दुःखम्-सुखम्), पारकोम् (पर्यंकम्), सकम (शाकम्), सिसिर (शिशिर)। इन्साइक्लोपीडिया मुण्डारिका के लेखक-संपादक फादर हॉफमैन ने एतंग (अर्थ : क्षीण, क्षीणता) का संबंध संस्कृत तनु से माना है। (खंड 5, पृ. 1322) वस्तुतः ऐसे कई मुण्डारी शब्दों के मूल रूपों की पहचान संस्कृत में ही की जा सकती है, जिन्हें हॉफमैन या अन्य विद्वानों ने किन्हीं अन्य स्रोतों में ढूँढ़ा है। इसका एक उदाहरण बदुरंग (बिडुडंग) है, जिसे हॉफमैन ने 'बि' और 'दुहराना' (सादरी : दुहराएक) के मेल से बना हुआ माना है। (इन्साइक्लोपीडिया मुण्डारिका, खंड 2, पृ. 303) इसका प्रयोग रस्सी की बाँट को खोलने के अर्थ में होता है। इस अर्थ के साथ उपर्युक्त व्युत्पत्ति की संगति नहीं बैठती। इसे संस्कृत विदारण से व्युत्पन्न या संबंधित मानना अर्थ और रूप, दोनों दृष्टियों से कहीं अधिक संगत लगता है। यहाँ एक और बात ध्यान देने योग्य है। इस प्रकार के जो शब्द संस्कृत में पहचाने जा सकते हैं, उनमें से कुछ का प्रवेश मुण्डारी में मध्य भारतीय आर्य भाषा-काल में हुआ है। यह संकेत उनकी वर्तनी

से मिलता है। उदाहरणार्थ, 'अनदो' जो मुण्डारी में 'इसके विपरीत' तथा 'बल्कि' के अर्थ में प्रयुक्त होता है, संस्कृत 'अन्यत:' का परिवर्तित रूप है और प्राकृत के माध्यम से ही इसमें गृहीत हो सकता है। यही स्थिति 'वकल' (छाल) की है जो संस्कृत में 'वल्कल' है, किन्तु प्राकृतों में 'बक्कल' हो जाता है। मुण्डारी में संस्कृत स्त्री-पुरुष का रूप 'तिरि-पुरुसु' है, जिसका अर्थ पति-पत्नी है। इसका तई या तए शब्द संस्कृत के रए धातु से संबंधित है। तई या तए के अर्थ हैं रोकना या ठहराना, स्थगित करना, प्रतीक्षा करना आदि। इसमें घोष ध्वनियों के अघोषीकरण और उद्धृत शब्दों में अन्तस्थ तथा अन्त्य 'य' के 'एअ' में परिवर्तन को देखते हुए यह कहा जा सकता है कि इसका 'तएओम' (दूसरा, इसके बाद) संस्कृत द्वयम से विकसित हुआ है। इस शब्द के प्रयोग के उदाहरण हैं—तएओम-कुडि (दूसरी पत्नी), तएओम-सार (शिकार में दूसरे तीर से घाव करना), तएओम-जिनिद (दूसरा अर्थात् मरणोत्तर जीवन) आदि। यह आवश्यक नहीं कि संस्कृत से सीधे या प्राकृत के माध्यम से गृहीत शब्दों का मुण्डारी में भी वही अर्थ हो, जो संस्कृत में। 'तोल' पर विचार करते समय इस ओर संकेत किया जा चुका है। इसकी पुष्टि संस्कृत (तात) मुण्डारी तता के आधार पर भी की जा सकती है। मुण्डारी 'तता' का प्रयोग पिता के अर्थ में नहीं, वरन् पितामह के अर्थ में होता है, और इसके अतिरिक्त पीढ़ी के अर्थ में भी। इसमें तात या तता पर आधारित 'ततम्' का अर्थ तुम्हारा पितामह और 'तत‍ते' का अर्थ उसका या उनका पितामह है।

अभिप्राय यह कि मुण्डारी में संस्कृत के शब्द कई रूपों में मिलते हैं—कुछ शब्द अविकल रूप में और कुछ मुण्डारी की ध्वनि-प्रणाली के अनुरूप अत्यधिक परिवर्तित रूप में। ये शब्द किसी एक युग में गृहीत नहीं हुए हैं, वरन् इनमें से कुछ का प्रवेश प्राचीन आर्यभाषा काल में हुआ है, कुछ का मध्य भारतीय आर्यभाषा काल में और कुछ का आधुनिक, यहाँ तक कि पिछले सौ-डेढ़ सौ वर्षों के भीतर। पिछली शताब्दी में मुण्डारी के माध्यम से ईसाई धर्म का प्रचार करने वाले मिशनरियों को अपनी धारणाओं और आचार-व्यवहार का प्रकाशन करने वाले जो शब्द इस भाषा में प्राप्त नहीं हुए उन्होंने वे शब्द संस्कृत से लिए, जो उनके द्वारा प्रयुक्त होकर इस भाषा का अंग बन गए। इस प्रकार के संस्कृत शब्द मुण्डारी में अविकल और परिवर्तित, दोनों रूपों में उपलब्ध हैं तथा इनमें इनका प्रयोग बड़े रचनात्मक ढंग से हुआ है। हॉफमैन ने इन शब्दों का उल्लेख अपने विश्वकोश में किया है, जैसे परोम-दिसुम् (परलोक), मंडुलि (मिशन), बेदि (वेदी), बचनदात (मंगनी), जी-दुकु (पश्चात्ताप), जी-दुकु-विनती (पश्चात्ताप या पाप-स्वीकार की प्रार्थना), परचार (प्रचार भी) आदि। कभी-कभी तो ऐसे शब्दों के आधार पर एक पूरी शब्द श्रृंखला की रचना हुई है; जैसे परचार के आधार पर परचार-बुड़ि (धर्म-प्रचारिका), परचार-हुदा (प्रचार-स्थान), परचार इसकुल, परचार-कामि, परचार-पदड़ि आदि तथा बिनती (संस्कृत विनति) के आधार पर बिनति-हिसिर (भजनमाला), बिनति-पंति (प्रार्थना), बिनति-किताब (प्रार्थना-पुस्तक) आदि। शिक्षा के माध्यम के रूप में हिन्दी के व्यापक प्रसार के कारण छोटानागपुर के अन्य जनजातीय समुदायों की तरह मुण्डारी-भाषी समुदाय के बीच भी संस्कृत शब्दों की संख्या बढ़ती गई है। यह बात मुण्डारी में प्रकाशित हाल के काव्य-संग्रहों की शब्दावली के आधार पर भी स्पष्ट की जा सकती है। किन्तु जैसा कि कहा जा चुका है, इस प्रक्रिया को

केवल दस–बीस दशकों तक या किसी एक स्रोत तक परिमित कर देखना ठीक नहीं है। छोटानागपुर में मुख्यत: राँची जिले में निवास के समय से ही मुण्डा जाति एक ओर बांग्ला बोलने वालों के सम्पर्क में रही है और दूसरी ओर सादरी या नागपुरी बोलने वालों के सम्पर्क में। बांग्ला और नागपुरी दोनों के अपने–अपने विशिष्ट उच्चारणों वाले ऐसे सैकड़ों संस्कृत शब्द हैं जो इस जाति की भाषा में आ गए हैं। उदाहरण के लिए आज मुण्डारी में ऐसे अनेक संस्कृत शब्द हैं जो अपने उच्चारण में बांग्ला से पूर्ण सादृश्य रखते हैं जैसे जोनोम, जोतोन, दोरसोन, दोरोब, बोंचो, बोंसो आदि।

मुण्डा दुरङ (मुण्डारी गीत)

डॉ. दिनेश्वर प्रसाद

मुण्डा दुरङ या मुण्डारी लोकगीत मुण्डा जनजाति की सांस्कृतिक और सामाजिक अभिव्यक्ति का महत्त्वपूर्ण माध्यम है। किसी भी जनजाति की तरह मुण्डा जनजाति की सांस्कृतिक परंपराएँ उसके लोक साहित्य में संचित हैं। जहाँ तक मुण्डारी लोकगीत का संबंध है यह गैर-जनजातीय समाजों की तरह कविता का एक भेद (गीत) न होकर कविता मात्र है। गैर-जनजातीय समाजों में कविता के अनेकानेक भेदों में गीत भी एक है जबकि मुण्डा समाज में गीत ही समस्त काव्यात्मक अभिव्यक्ति का एकमात्र माध्यम है अर्थात् गीत और कविता परस्पर पर्यायवाची हैं।

मुण्डारी गीतों के महत्त्व की ओर पहली बार मानव वैज्ञानिकों का ध्यान गया था। शरतचन्द्र राय ने द मुण्डा एंड देयर कण्ट्री में मुण्डारी लोकगीतों का पहली बार वर्गीकरण किया था और उनके सांस्कृतिक महत्त्व का संकेत भी। लेकिन फादर जॉन हॉफमैन (1857-1928) ने 1907 में बैपटिस्ट एशियाटिक सोसाइटी ऑफ बंगाल, कलकत्ता के मुखपत्र में पहली बार विस्तार के साथ मुण्डारी लोकगीत पर विचार किया था। उन्होंने इसका शीर्षक 'मुण्डारी पोएट्री : म्यूजिक एंड डान्स' रखा था किन्तु उन्होंने उसमें केवल मुण्डारी कविता या गीत पर ही विचार किया था तथा संक्षेप में लोकसंगीत और नृत्य के साथ उसके अंत:संबंधों का उल्लेख किया था।

इस विस्तृत निबन्ध में उन्होंने पहली बार मुण्डारी लोकगीत को कलाकृति के रूप में देखने पर बल दिया था और यह कहा था कि हर समाज की काव्यात्मक अभिव्यक्ति अपने ढंग की होती है। उसके अपने कलात्मक प्रतिमान होते हैं और इसीलिए किसी अन्य जाति या समाज के गीत या कविता के प्रतिमानों के आधार पर उसका मूल्यांकन नहीं किया जाना चाहिए। यह एक ऐसी स्थापना है जिसका महत्त्व आज स्वीकार किया जाने लगा है। हॉफमैन का युग मानव-विज्ञान की विकासवादी विचारधारा से प्रभावित था जिसके अनुसार मानव समाज की एक आदिम अवस्था होती है जो बाद की अवस्थाओं की तुलना में अल्पविकसित होती है। इसके विपरीत हॉफमैन ने यह निरूपित किया कि प्रत्येक मानव-समाज अलग होता है और उसका कृतित्व अपने आपमें स्वतंत्र हुआ करता है। यानी मनुष्य, मनुष्य होने के नाते ही समानता का अधिकारी है और उसे आदिम और गैर-आदिम जैसे वर्गों में बाँटकर अविकसित और विकसित नहीं माना जाना चाहिए। यह धारणा उनके मुण्डारी विश्वकोश में बार-बार ध्वनित होती है अन्यथा वे मुण्डा जनजाति

को इतना महत्त्व क्यों देते ? और पाँच हजार पृष्ठों में उसके जीवनचक्र विश्वास आदि को अपने क्षेत्रीय कार्य एवं विश्लेषण का विषय क्यों बनाते ? उनकी यह धारणा उन्हें क्लाद सेवी संत्रास के संरचनावाद के समीप ले आती है।

आज मुण्डारी लोकगीतों के संबंध में जो कुछ लिखा जा रहा है वह मूलतः हॉफमैन पर आधारित है। उन्होंने अपने विश्वकोश के चौथे खंड में (पृष्ठ संख्या 1117-1153) दुरङ और उसके तेरहवें खंड (पृष्ठ संख्या 4127-4141) में सुसुन (नृत्य) नामक लेख लिखे हैं जिन्हें सम्मिलित रूप में पढ़ा जाए तो मुण्डारी लोकगीत की विषयवस्तु, वर्गीकरण और संरचनात्मक विशेषताओं का एक समग्र मानचित्र निर्मित होता है। उन्होंने यह लिखा है कि मुण्डारी लोकगीत का संबंध नृत्य से है और दोनों एक समग्र इकाई का निर्माण करते हैं। मुण्डारी नृत्य की धुनें (रङ) और नगाड़े की लय (खोद) दोनों में बड़ी गहरी संगति या तालमेल है। नृत्य के कदम, रङ और खोद तीनों की संगति से गीत का विधान पूरा होता है। जहाँ अन्य जातियों या समाजों में नृत्य के साथ गीत या कविता का संबंध अनिवार्य है वहाँ मुण्डा जनजाति में यह संबंध अनिवार्य है अर्थात् मुण्डारी गीत का एक प्रकार्यात्मक पक्ष है जिस पर ध्यान दिए जाने की आवश्यकता है। इसके आधार पर ही यह समझा जा सकता है कि मुण्डारी गीतों का आकार क्यों छोटा होता है। चार-छह पंक्तियों से लेकर सोलह पंक्तियों तक के गीत ही मुण्डारी में मिलते हैं। इसका कारण उनका नृत्य से बँधा होना और शुद्ध रूप में सामुदायिक होना है। हॉफमैन ने मुण्डा जाति के बीच प्रचलित गीतों का यह वर्गीकरण प्रस्तुत किया है—

मागे, जदूर, करम, लेकरम, राचा, जापी, भजन और डमकच।

मागे के तीन भेद हैं यथा—जरगा, गेना, और ओरमागे।

जदूर के भेद हैं—नीरजदूर, ओरजदूर, ओरगेना।

करम के छह भेद हो जाते हैं—गड़ुआ, हम्बल-चिटिद, चलकुआ या खलचिटिद्, थरूआ, भिनसरिया और खेमटा।

लेकरम के चार भेद हैं—जेठुआ, अषढ़िया (भरनो), सरदी और अगहनिया।

इनके सिवा जो अन्य भेद हैं उनमें भजन शब्द ही बताता है कि वे पड़ोसी-गैर जनजातियों से उनके बीच आए हैं। हॉफमैन ने इन गीतों के विषय में यह कहा है कि ये अलग मौसमों या महीनों में गाए जाते हैं लेकिन इनका अर्थ यह नहीं कि जो गीत जदूर गीत कहलाता है, वह दूसरे गीत के राग में नहीं गाया जा सकता अर्थात् उपर्युक्त जितने भी गीत-भेद हैं वे अलग-अलग रागों के भी नाम हैं।

यद्यपि मुण्डारी लोकगीत आकार में छोटे होते हैं लेकिन इस बात का अपवाद है 'सोसो बोंगा' या असुर कहानी। असुर कहानी एक लम्बा कथागीत है जिसमें असुर और मुण्डा जाति की प्रतियोगिता ध्वनित होती है। असुर लोहा गलाते हैं और मुण्डा खेती, शिकार, वनोपज के उपभोग का जीवन जीते थे। असुर कहानी या 'सोसो बोंगा' में यह उल्लेख मिलता है कि किस प्रकार असुरों के दिन-रात भाँथी चलाने और लोहा गलाने के ताप और धुँए से पृथ्वी प्रदूषित हो रही थी, पेड़ सूख रहे थे और तालाब का पानी समाप्त हो रहा था। 'सोसो बोंगा' या

परमात्मा बार-बार असुरों को समझाने के लिए अपने दूत भेजते हैं, जो उन्हें यह संदेश देते हैं कि दिन में काम करें और रात में आराम। चौबीस घंटे लोहा मत गलाओ जब असुर संदेशवाहकों की एक न सुनते हैं तब परमात्मा स्वयं मुंडा जाति के पूर्वजों के घर में एक छोटे धांगड़ बालक के रूप में काम करने आते हैं। वे असुरों के सामने कई चमत्कार करते हैं जिनमें एक चमत्कार लोहा गलाने की भट्ठी में प्रवेश कर सोने का ढेर लेकर लौटने का है। वे असुरों को जो धनलिप्सु हैं इसी तरह भट्ठी में प्रवेश कर सोने के साथ लौटने की प्रेरणा देते हैं। असुर भट्ठी में प्रवेश करते हैं और उनकी पत्नियाँ भाँथी चलाती रहती हैं और उनमें से कोई भी लौट कर नहीं आता। इस पर असुर स्त्रियाँ 'सिंगबोंगा' पर क्रुद्ध हो जाती हैं और वह उनकी पकड़ से बचने के लिए आकाश की ओर ऊपर उड़ने लगते हैं। वे उन असुर स्त्रियों को जो उनको पकड़ कर ऊपर उठ जाती हैं, नीचे गिरा देते हैं और वे स्त्रियाँ विभिन्न बोंगाओं में बदल जाती हैं।

हॉफमैन की विशेषता यह है कि उन्होंने अपने विश्वकोश में असुर कहानी का एक पूरा पाठ सम्मिलित किया है। बाद में 'सिंगबोंगा' के नाम से प्रकाशित जगदीश त्रिगुनायत की पुस्तक में जो इसका पाठ आया है वह अपेक्षाकृत बड़ा है।

मुण्डारी लोकगीतों का एक पक्ष सामाजिक-सांस्कृतिक है तो दूसरा पक्ष सौन्दर्य-शास्त्रीय या कलात्मक। मुण्डा जनजाति के जीवनचक्र को समझने की दृष्टि से ही नहीं बल्कि उसके सामूहिक सौन्दर्यबोध के समझ के विचार से भी इसके गीतों का बहुत महत्त्व है।

मुण्डारी गीत पाठ्य कविता न होकर गाए और नाचे जाने के प्रयोजन से प्रस्तुत रचनाएँ हैं इसीलिए ये संगीत और लय की भूमि से बड़ी घनिष्ठता से जुड़े हुए हैं। हर मुण्डारी लोकगीत की रचना समान लयखंडों से होती है। इन लयखंडों का विश्लेषण मात्राओं में किया जाए या नहीं यह प्रश्न कई बार उठाया गया है और जिन लोगों ने हिन्दी या संस्कृत में प्रचलित मात्रा-विधान या वर्ण-विधान के आधार पर इसके छन्द को समझने की कोशिश की है, उसे निराशा ही हाथ लगी है। विश्लेषण करने पर किसी गीत की कुछ पंक्तियाँ मात्राओं की गणना के विचार से समान दिखाई देती हैं तो कुछ पंक्तियाँ असमान। वर्ण-विधान की दृष्टि से भी उसके विश्लेषण के संबंध में यही कठिनाई सामने आती है। वास्तव में जैसा कि मैंने कहा, उसकी पंक्तियों को समान लय-खंडों की आवृत्ति के रूप में ही देखना सही होगा। इसका कारण यह है कि उसका बुनियादी ढाँचा गेयता का है जिसमें एक ही पंक्ति को लय-विधान की दृष्टि से छोटा या बड़ा किया जा सकता है। यह बात वैदिक कविता के विषय में भी सही उतरती है जिसका विकास मूलत: सांगीतिक अनुबंध में हुआ है।

मुण्डारी गीत की यह सांगीतिकता अनेकानेक शैलीय युक्तियों पर आधारित है। वे युक्तियाँ हैं वीपशा, अनुप्रास, और आवृत्ति। एक ही शब्द की एक से अधिक बार आवृत्ति वीपशा है। जैसे जिलिब जिलिब, पिर-पिर, चोम-चोम। वीपशा की यह अनुरागात्मकता अनुप्रास योजना के द्वारा भी सम्पन्न होती है। जैसे कहीं चेरे का प्रयोग किया जाए और कहीं वेरे का। इस गीत की एक विशेषता यह है कि इसमें पहली पंक्ति के आशय की आवृत्ति दूसरी पंक्ति में शब्द बदल कर होती है। जैसे—

'बुरू बुरू रे मानीरो बेरा बेरारे राय।'

भावार्थ हर पहाड़ पर सरसों के खेत, हर घाटी में राई के खेत।

फादर हाफॅमैन ने इस शैलीय युक्ति की तुलना 'पुराना विधान' (ओल्ड टेस्टामेंट) के स्रोतों से की है और यह कहा है कि आर्य जातियों की कविता से हिब्रू कविता की प्रकृति भिन्न है। हिब्रू कविता में ही एक व्यापक अभिलक्षण के रूप में दो अलग-अलग और परस्पर अनुवर्ती पंक्तियों में समान आशय की अभिव्यक्ति की प्रवृत्ति मिलती है।

मुण्डारी गीत लय विधान की दृष्टि से ही समृद्ध नहीं हैं वरन उनमें चित्रात्मकता भी बहुत मिलती है। उनके विषय और उनकी अभिव्यक्ति प्रत्यक्ष होती है लेकिन लाक्षणिक अभिव्यक्ति का एक ढाँचा भी उनमें कभी-कभी मिलता है। मुण्डा जाति के लोग ऐसी रचना को 'वनिता-काजी' कहते हैं। 'वनिता-काजी' में साक्षात् संकेतित अर्थ प्रधान न होकर लाक्षणिक अर्थ प्रधान होते हैं।

मुण्डारी गीतों की एक बुनियादी विशेषता अनेक वैसे शब्दों का प्रयोग है जो गद्य भाषा या व्यवहार भाषा में नहीं मिलते किन्तु उनमें बारम्बार प्रयुक्त होते हैं। ऐसे शब्दों को हॉफमैन ने काव्य शब्द (पोयटिक वर्ड) कहा है। इस प्रकार के शब्द कभी आम जनता में प्रचलित थे लेकिन अब अप्रचलित हो गए हैं। केवल गीत या कविता में ही उनका प्रयोग पाया जाता है। ऐसे शब्दों का अध्ययन मुण्डारी भाषा की पूर्ववर्ती स्थितियों की जानकारी की दृष्टि से महत्त्वपूर्ण हो सकता है। हॉफमैन ने अपने विश्वकोश में बड़े विस्तार से इनका सूचीकरण किया है और इनकी संरचना में होने वाले हर प्रकार के परिवर्तन का उल्लेख कर दिया है।

श्री जगदीश त्रिगुणायत

जगदीश त्रिगुणायत का जन्म देवरिया जिले में हुआ था। तिरील आश्रम की स्थापना के समय उत्तर प्रदेश से शंभुनाथ सिंह (प्रसिद्ध हिन्दी कवि), मोती, बी.ए., आदि गाँधीवादी युवकों के साथ वह भी वहाँ भेजे गए थे। उनके सहयोगियों में केवल उपाध्याय ही तिरील आश्रम में रह गए और शेष आजीविका की खोज में अलग-अलग जगह चले गए। जगदीश त्रिगुणायत खूँटी उच्च विद्यालय में हिन्दी अध्यापक हो गए और अपने सेवाकाल के अन्तिम वर्षों में भारी अभियंत्रण निगम में मुख्य प्रचार अधिकारी के रूप में कार्यरत रहे। उनकी मृत्यु देवरिया में हुई।

गाँधीवादी आन्दोलन से जुड़े व्यक्ति के रूप में उनका सम्पर्क भैया राम मुण्डा आदि कई गाँधीवादी मित्रों से हुआ। खूँटी प्रवास काल में उन्होंने मुण्डारी भाषा सीखी और वह मुंडा संस्कृति से बहुत प्रभावित हुए। कवि होने के कारण मुण्डारी गीतों की भाव सम्पदा से वह बहुत प्रभावित हुए और उन्होंने खूँटी के पार्श्ववर्ती गाँव के मुण्डा लोकगीतों का संकलन किया। मुण्डा लोकगीतों का उनका संकलन 'बाँसरी बज रही' के नाम से 1956 में प्रकाशित हुआ और अपनी विस्तृत भूमिका मूल मुण्डारी गीतों के लिप्यंतरण और सरल कवित्वपूर्ण अनुवाद के कारण यह संग्रह पूरे हिन्दी जगत में प्रसिद्ध हो गया। इसका दूसरा संस्करण इसके पहले संस्करण की तरह ही बिहार राष्ट्रभाषा परिषद् पटना से 1971 में प्रकाशित हुआ है।

'बाँसरी बज रही' अब तक के मुण्डा लोकगीत संग्रहों में सबसे बड़ा है। त्रिगुणायत से पूर्व फादर हॉफमैन ने दो सौ मुण्डा गीतों का संग्रह किया था और डब्ल्यू.जी. आर्चर ने 'मुण्डा दुरङ' के नाम से 1943 में 1641 गीतों का। आर्चर के गीतों की संख्या भले ही बड़ी लगती हो लेकिन इस पर जगदीश त्रिगुणायत की टिप्पणी भी ध्यान देने योग्य है—'अधिकांश गीत टूटे-फूटे हैं। बहुधा तीन पदों के ही गीतों की रचना करने वाले मुण्डाओं के गीतों के एक या डेढ़ पद हड़प्पा की खुदाई में मिले हुए ठीकरों के संग्रह के समान जान पड़ते हैं।' (बांसरी बज रही : पृ. 26) अभिप्राय यह कि इन अस्त-व्यस्त गीतों की सार्थकता उतनी नहीं है जितनी मान ली गई है। इनकी तुलना में क्षेत्रीय कार्यों के द्वारा त्रिगुणायत द्वारा संकलित 352 गीत पाठ की दृष्टि से शुद्ध और सुसंबद्ध हैं, इसीलिए यह संग्रह ही अब तक के संग्रहों में सबसे बड़ा और प्रामाणिक है।

जगदीश त्रिगुणायत की दूसरी पुस्तक 'सोसोबोंगा' है जो मुण्डारी भाषा का लोक प्रबन्ध है। इसका प्रकाशन सहकारी समिति द्वारा हुआ था और वह त्रिगुणायत की दूसरी महत्त्वपूर्ण पुस्तक मुण्डा लोककथाएँ में सम्मिलित रूप में उपलब्ध हैं। 'मुण्डा लोककथाएँ' बिहार सरकार के कल्याण विभाग द्वारा 1968 में छपा था। यह संग्रह भैयाराम मुण्डा, दुलायचन्द्र मुण्डा, खुड़िया पाहन, काण्डे मुण्डा, मुचिराय मुण्डा, सागु मुण्डा आदि अड़तालीस व्यक्तियों या संसूचकों के माध्यम से प्राप्त मुण्डारी लोक कहानियों का संग्रह है। इसमें 168 लोककथाएँ मूल पाठ एवं अनुवाद के साथ प्रकाशित हैं। पुस्तक की कुल पृष्ठ संख्या 556 है। इसकी भूमिका जो 94 पृष्ठों की है, संकलित सामग्री के अध्ययन की दृष्टि से बहुत महत्त्व रखती है। त्रिगुणायत ने सृष्टि रचना, विभिन्न पदार्थ, जाति-गोत्र, पर्व-त्योहार आदि शीर्षकों में, कथाओं का वर्गीकरण किया है। इसमें 'सोसोबोंगा' नामक गेय कथा भी सम्मिलित है। मूलपाठ और अनुवाद सहित इसकी कुल पृष्ठ संख्या 100 है।

त्रिगुणायत ने हिन्दी में काव्य रचना के सिवा अंग्रेजी और बांग्ला की कविताओं का पद्यानुवाद भी किया है। 'अरुणोदय' और 'छायागान' में इनकी मौलिक कविताओं के अतिरिक्त अनूदित कविताएँ भी मिलती हैं। विभिन्न पत्र-पत्रिकाओं में आदिवासी संस्कृति के अनेक पक्षों पर उन्होंने निबन्ध लिखे हैं जो अब तक असंकलित हैं।

बुदू बाबू

बुदू बाबू मुण्डारी भाषा के प्रसिद्ध गीतकार हैं। इनके गीतों के दो संग्रह मिलते हैं। 'प्रीत पाला' और 'रामायण पाला'। जगदीश त्रिगुणायत के अनुसार इनका जन्म सन् 1830 के लगभग और मृत्यु सन् 1900 और 1910 के बीच हुई थी। ये लगभग 80 वर्ष जीवित रहे। (बाँसरी बज रही : पृ. 55) बुदू बाबू तमाङ (राँची) से ढाई मील दूर अवस्थित बबई कुण्डी या बवचे कुण्डी ग्राम के निवासी थे। इनके पिता श्री गौड़ शिखर थे। यद्यपि इनकी मूल उपाधि 'साय' थी लेकिन शिखर भूमि में निवास होने के कारण इनकी पारिवारिक उपाधि शिखर हो गई। बुदू बाबू का पूर्ण नाम बुद्धनाथ शिखर था। शिखर परिवार के लोग तमाड़ राजपरिवार के दरबारी गायक थे। अतः बुद्धनाथ शिखर भी एक निपुण गायक और

शास्त्रीय संगीत के ज्ञाता थे।

तमाड़ क्षेत्र में जो राँची जिले के पंचपरगना इलाके में आता है, चैतन्य महाप्रभु के प्रभाव के कारण कृष्ण भक्ति का क्षेत्र रहा है। कृष्ण भक्ति का यहाँ आदिवासी और गैर–आदिवासी दोनों समुदायों पर प्रभाव पड़ा है। बुदू बाबू भक्त कवि थे उन्होंने 'रामायण पाला' में उन्नीस और 'प्रीत पाला' में सैंतीस मुण्डारी गीत लिखे हैं। 'रामायण–पाला' में वानर–वीरों द्वारा सीता माँ की खोज से लेकर उनकी लंका–यात्रा तक की कथा मिलती है। 'प्रीत पाला' में कृष्ण की बाल्यावस्था, यशोदा के वात्सल्य, कृष्ण–गोपी और राधा के प्रेम और उनकी लीलाओं के प्रसंग मिलते हैं। 'श्री बुदू बाबू एवं उनकी रचनाएँ' नामक पुस्तक में डॉ. रामदयाल मुण्डा ने ठीक ही लिखा है कि यदि 'प्रीत पाला' प्रेम काव्य है तो 'रामायण पाला' वीर काव्य। इन दोनों काव्यों के गीत समस्त मुण्डा क्षेत्र में लोकगीतों के रूप में प्रचलित हैं। न केवल संगीत वरन् कवित्व के विचार से भी उनका भारी महत्त्व है।

लोकगीत पर हम क्यों लिखते हैं ?

कालेश्वर

लोकगीत संगीत की नष्ट हो रही परंपरा पर चिंता जतलाना वाजिब है। लोकगीत किसी भी समुदाय, राज्य और राष्ट्र की अमूल्य निधि है। हम लोकगीत के बिना, लोक-संस्कृति के बिना आधुनिक दुनिया के सांस्कृतिक विकास को समझ नहीं सकते। अगर हम अपने संस्कृति के मर्म को नहीं समझते हैं तो अन्य देशों की संस्कृतियों के अच्छे-बुरे तत्त्वों की पहचान नहीं कर सकते हैं।

अर्थात् डॉ. वी.पी. केशरी की अवधारणा में 'लोकभाषा, लोकसंस्कृति की यही प्रकृति है कि जिस तरह एक छोटी नदी आसपास की जलधाराओं का संचय करती हुई बड़ी नदी का रूप धारण करती है और अंततः सागर में मिलती है, उसी तरह व्यक्ति, गोत्र, बिरादरी और कबीलों की सजातीय विशिष्टता को आत्मसात् करते हुए समाज अपने विकास के क्रम में जातीयता, राष्ट्रीयता और अन्तर्राष्ट्रीयता के उत्तरोत्तर उत्कर्षों को प्राप्त करता है।'

आज के दौर में पश्चिमी राक, रैप और पॉप संगीत की चकाचौंध में हम अपने ही गीतों, लोकगीतों के प्रति आस्था कम करने के खतरे उठा रहे हैं। सदियों घात-प्रतिघातों ने इन लोकगीतों में आश्रय पाया है, मन की विभिन्न परिस्थितियों में अपने ताने-बाने बुने हैं और आमजन अतीत के विद्रोहों, संघर्षों के स्मृति को युगों तक इन लोकगीतों में अक्षुण्ण बनाए रखा है। इस विरासत को खोकर हम आगे नहीं बढ़ सकते हैं। किसी दूसरे समुदाय और राष्ट्र के आगे सिर ऊँचा नहीं कर सकते। अतः बार-बार लोकगीतों और उसमें अभिव्यक्त लोक संस्कृति को याद करने की आवश्यकता है।

नागपुरी के एक अंगनई गीत में जंगल के पक्षियों के नाम और आवाज का किस कदर अनुपम चित्रण है, इस पारंपरिक लोकगीत में जानिए—

> हो ऽऽऽ हो ऽऽऽ हो रे बनें मेंजुर चरेला
> कोइली चरैंया शोर करेला-बने...
> तितरी गुडरी बोले, सालो मैना शोर करे
> पियो मैना फद-फद करेला-बने...
> पड़की ढेचुवा बोले, पेचा चरंई चुप रहे
> सुग्गा चरंई देखे में सुंदरे-बने...

आदि कवि घासीराम का एक अंगनई बिरह से सराबोर शृंगार रस का यह गीत है—

> सुन भैलय गोखुला गोविन्द

कहाँ गैलयं गे दुती....
नींद नहीं लागत अकेले-अकेले
चारी पहर राती बैइठ के बिताती
सुख के कुबुज हइर लेल
सावन मासे बरीसे अटमडेल गे दूती...
दादुली झिंगुली करैंय झेल
भले नोच अधम गला में लटकाली फाँसी
बिन तो जहरे जीवा गेल गे दूती...

वहीं बीसवीं सदी के इस गीत में कवि रत्न नईम उद्दीन मिरदाहा ने एक नारी का शृंगारिक चित्रण किया है अलंकारिक शब्दों में (राग अधरतिया में)—

एगो जुवती नारी, जात रहे पनिहारी
हिने हुने जने तने नजरी चलाए
बड़ा कच-कच देखी जिया धृजा न धराय
भरे नीर डोल धरी, खनकत कंचन चूरी
अटकत-मटकत देहिया चमकाए
बड़ा कचकच...
साज शृंगार करी, रूप अनोखा भारी
सोचत गुनत मने मुसकाए
बड़ा कचकच...
पिंध रहे लीला सारी, सुंदर करिया पारी
धीरे-धीरे असे-असे कलसी उठाय
बड़ा कचकच.....
चिरी झारी पाटी फारी, झबु रहे लहरदारी
बाजु बंदा रूनु-झुनु, पयरी झमकाए
बड़ा कचकच...
लोरत बेसरी, झलमल करे सिकरी
घरी-घरी अंगाझारी, अंचरा डोलाए
बड़ा कचकच...
जाय रहे डाडी घाटे, देखी के जिया फाटे
कोनो तरी मोरा-मोरी गेली, गेली मिरियाय
बड़ा कचकच...
नइम निहारी, सोचे कब आउर घूरी
हंसब-बोलब सहिया लगाय
बड़ा कचकच...

पारंपरिक डमकच के इस गीत में एक युग के उस रिवाज को दर्शाया गया है, जब लोग

अपने बेटे-बेटियों की शादी छोटी उम्र में करते थे। एक लड़की की शादी बचपन में हो रही है। उसे कुछ भी पता नहीं है क्या होता है शादी में महिलाएँ गीत के माध्यम से उस अबोध बच्ची को समझा रही हैं। सीता जैसी गरिमामयी नारी का नाम अपने संस्कारों में जोड़ कर लड़कियों को आदर्श बनाने का भाव है। यह गीत खोरठा भाषा में है—

के तोरा गे सीता लैय दे लोत सुपली
के तोरा गे सीता सुपली खेलाव ।
भैया तोरा गे सीता लय देलत सुपली
पिया तोरा गे सीता सुपली खेलाव॥

जदुरा का यह गीत एक समय के रीति-रिवाज को दर्शाता है। ऐसा भी समय था जब अनमेल ब्याह हो जाना भाग्य की बात पर छोड़ देते थे। सेमल प्यार यौवन और बसंत का प्रतीक है। इसलिए सेमल की डाली शादी के मंडप में अवश्य रखी जाती है। इसके सामने सात फेरे लगाए और एक संग होने की कसम खाई है, इसलिए जीवन में सेमल डाल को कभी न जलाना, जदुरा के इस गीत में यही भाव है—

सीमर काठी मइत जारंय सांवरो
सीमर तरे सुपली खेलाव।
बरवा घोट भेलत सांवरो।
मडवा घरी काहे दोवले॥

आज इस वैश्वीकरण के दौर में लघु अस्मिताएँ संकट में हैं। विविधता और बहुसंस्कृति संकट में है। पॉप, रैप और रॉक जिस संस्कृति को गढ़ रहे हैं उसमें लोकसंस्कृति संकट में है। अब हमें यह नहीं बताया जा रहा है कि 'मतवारी और डोहा' जैसा अमूल्य लोकगीत झारखंड में क्यों लुप्त हो रहा है। अपनी मातृभाषा में अपनी रचना में अपने गीतों का महत्त्व क्यों कमतर हो रहा है। यदि हम अपनी लोकसंस्कृति व लोकगीत नहीं बचा पाए तो आदमी के अन्दर उपजते संवेदना, भाईचारा और दुनिया की संस्कृतियों को समझने की भावना खत्म हो जाएगी।

लोकगीत खासकर ग्रामीण जनजीवन के अतीत, वर्तमान और भविष्य का दर्पण है। समाज के आम आदमी का दर्द, उत्पीड़न और जीवन की तमाम उलझनों के बीच खुशियों के अट्टहास को सँजोता है। दर्द को महसूसता है। जिंदगी जीने की कला परोसता है और सबसे बड़ी बात है कि हर दबाव में प्रतिरोध की संस्कृति पैदा करता है।

लोकगीतों की क्लासिकल स्वर-लहरियाँ

रात में जब माघ-फागुन के महीने में महिलाएँ एक आँगन में जुट कर ठढ़िया और डमकच गाते हुए नाचती हैं तो गीतों से फूटती स्वर-लहरियाँ कई रंगों में रंगी होती हैं और सुनकर लगता है कि पूरा गाँव संगीत की दुनिया में डूब गया है। इस आनंद और विभोरमय भाव में गाँव सुंदरता के आवरण में रात भर के लिए सज जाता है। सदियों से चले आ रहे लोकगीतों में जो निखार, यौवन और उन्मुक्तता है, इसमें गाँव के परिदृश्य, पेड़-पौधे, जीव-जन्तु सबमें एक नई ऊर्जा की धारा संचारित करता है। हर लोकगीत के स्वर अपने आप में क्लासिकल हैं जिनमें मधुरता और सौंदर्य

का संगम है। कभी भी इन गीतों के स्वर निचाट नहीं होते। इसलिए कहा जाता है कि कल-कल झरनों और लोकगीतों की स्वर लहरियाँ अमृत के समान आनंदमय और जीवनदायी होती हैं।

ठढ़िया गीत रात के बीच पहर में गाए जाते हैं। थकावट और नींद के आलस का समय होता है। नींद और आलस को टालने के लिए टहलने जैसा नाच के साथ स्थिर और थोड़ा हल्के टोन में ठढ़िया गाते हैं जिसमें बाजे भी स्थिर गति में चलते हैं। डमकच और ठढ़िया दोनों में ढाक-नगाड़ा और शहनाई के बाजे होते हैं। मनमौजी शौकीनता में जब कभी भी महिलाएँ आँगन में ठढ़िया-डमकच बिना बाजे के भी खेल लेती हैं। ठढ़िया को ही अब एक नया नाम फूलचंदिया से लोग कहीं-कहीं संबोधित करते हैं।

चतरा जिले में मैंने दुलारी देवी (पीरी), भगिया देवी (रांची), हेमंती देवी (बेलगडा) आदि महिलाओं से ठढ़िया गीत लिखवाया। ठढ़िया के गीतों में मनबहलाव के मनोरंजन भरे गीत होते हैं जिनमें कोई बड़ी गंभीरता या दर्द जैसे कोई भाव नहीं होते। जब लोग नाचते हुए, गाते हुए थक जाते हैं रात की पहली पहर में तो दूसरी एवं पहली पहर के बीच थकान मिटाने का गीत ही ठढ़िया है। देखिए इस गीत में एक मनचली औरत का कितना अनोखा वर्णन है—

एहे...रे जनी बड़ी रे फुहरी
दलिया ने डाइल देलय कांचे मछरी
दलिया ने....
ये जनी बड़ी गे फुहरी
बटिए चलते गावेय उधवा झुमरी
ये जनी.....
एहे.... रे कारी बदना के भारी
चाइल चले बहिंया उलारी
ए रे...बदना के भारी
बांवा खोंसा खोंसव ललकारी
रे जनी.....

इस गीत में कन्हैया के वियोग में सखियाँ गीतकार से ही पूछती हैं—

एहे.... रे कवि कहि दे कन्हैया
का बदे बिछरल नंदे कन्हैया
बनवा ने फूल फूल ल लाली धौवेया
तवो नहीं आवलय कन्हैया
रे कवि....

पति-पत्नी में मनमुटाव हो गया है। कोई बातचीत नहीं है। उधर सावन की घटा उमड़ रही है। उन्मुक्तता पसर रही है—

एहे....रे उलरल छटा छावल बदरी
कइसे पूछब खबरी...
उलटी न देखव एक नजरी भाय

कइसे पूछब खबरी

मारल झटास भींजल देहिया भाय

उलटी न देखव एक नजरी

कइसे पूछब....

फिर वही भाव है इस गीत में भी जबकि यह गीत उदासी में है—

एरे... वर तरे बांसी बाजे....

डीडां छोंडी ठाढ़ हाय रे दया..

ठसर ठुसुरू गिरेय लोर...

अपना पुरुख मुखे नाहीं बोले हाय रे दया

परके पुरुखा पोछय लोर....

ठढ़िया के इस गीत में अपने परगना के महत्त्वपूर्ण स्थान का वर्णन किस प्रकार है, देखिए—

कल्हुवा पहार देवीक थाना में भाय—

चतरा परगना में...

जोरले बकरा परल थाना में

चतरा परगना में....

केहू चढ़ावे बेल पारत अच्छत

केहू चढ़ावे जलयानी बोले मधुरे से

माँगैत पूरलक देवी थाना में

चतरा परगना में

डमकच के इस गीत में कितना टीस भरा हुआ है लड़कियों की जिंदगी में। लड़कियाँ जब नैहर से बिछुड़ जाती हैं तो ससुराल में कितना दुर्दिन झेलती हैं। वहीं लड़के अपने घर में चैन की जिंदगी जीते हैं। जबकि एक ही कोख से जन्म लेते हैं दोनों—

एके कोखी जनम ले ली, भाई तो बहिनी रे...

पिपरा पतइया तरी भेली छीतीछान

केकरो के लिखल चंदन चौपाइर रे...

केकरो के लिखले वोहे दूरी देश

भइया के लिखले चंदन चौपाइर रे...

बहिनी के लिखल वही दूरी-देश

सपतल भइयवा हो, बिपतल बहिनी

बिपतल रे बहिनी डेरा मांगे...

एक तो बिरिछ तर ठाढ़ हंय बहिनीगे:

घरे जइबइ रे घटनी बुझी लेन

एक तो कोठरिया में घोड़ा घोड़साइर रे

एके कोठरिया में बाबूजी तोंहार...

लिहीं गे बहिन मोरा काना के सोनवां

किनी लिहें रे डहर-खरची कीन्हीं लिहें...
जीता जिनगी भइर चिट्ठिया लिखबय भैया
मरी जबैय रे सपना रूपे अइबव...।

डमकच के इस दूसरे गीत में भी वही भाव है जो दूसरे गीत में है—

का राज देले बाबा काठी न झुरी हो
बगइचे-बगइचे बाबा पतुरा बढ़ावे।
उतरे न देले बाबा दखिनो न देले हो,
दइ देले बाबा करंज कूचा राज।
करंज कुटते बाबा सड़िया धुमेला भेल,
घनिया पेरते बाबा घुमैर निशा लागे।
बेरी बेर बरजली बाबा उघरे न देबे हो
रीना बाझल घर दीनों नाहीं जाए...।
मुट्ठी से भात खइली छीपी से पानी पीली,
बाबा तो बेलुरा रे गरीब घरे देल।
रहली अमीरक बेटी परली गरीब घर,
परली गरीब घर जोड़ी ने ठकइली...।

इस डमकच में राम और सीता का वर्णन है जब चलते-चलते सीता जमुना नदी में नहाने का आग्रह करती है—

चलू राम चलू सीता
जमुना नहाय जाइब...
पैरिया के खोइल राखैय डुमरी के छाहीं
कंगना के खोइल राखैय डुमरी के छाहीं
रे डुबकी मारे...
सीता करय स्नाने डुबकी मारी
नहाए-धोए सीता भेलए समतुले
डुमरी छाहीं...
सीता बैठइ मनवारे डुमरी छाहीं...

जदुरा के गीत जिंदगी के रोजमर्रे से जुड़े गीत हैं। अत्यंत सरल और सादगी से भरा जदुरा का भोलापन अनचाहे सबके दिल को छू जाता है। सिर्फ छोटे-छोटे नगाड़ों की ताल पर युवतियाँ नाचती हैं। जदुरा के गीत में प्रकृति और जिंदगी का अनोखा मिश्रण है। जदुरा के गीतों में दो-तीन लाइन का गीत होता है—

महुवा के डांटी-खुटी उइड़ गेल
डोरही के सिरजल भेल...
अइसने लगन तोर मैंया गे
दूरा लागल बर घूरी गेल..

तोंय मैंया हइए जदूर खेलनी
सुतले पुरुख छोड़ले...
चिरी झारी पाटा फारी मैंया गे
नयने कजरा करिहें...
आइज एकव लेटो बियरिया
खइबे कि खेले चलबे...
सरहुल के दिन अइलव मैंया गे
जदूरा नेवना कइर ले...
जइए दिना रे दया महुवा जनम लेल
सइए दिना पिया मतवार
मारबव रे महू जरी कुबारबव
मारो पिया कइले मतवार
ठोपे-ठोपे गारलए
दोने-दोने पीयलए
अबो पिया भेलव मतवार...
आइग लागल पिया के कमैया हो
झुला बिना जिया तरसे...

नोट : *झुला— महिलाओं के पहनने वाला कमीज।*
डोरहीं— महुवा का फल।

टोंगरी में एके फेड महुवा
बिछबे कि दिना काटबे
महुवा टाल-टील गिरे गोय
चैंगवइन के मैया आवा-जाही करे
महुवा भुंजते खापैर फुइट गेल
चेंगवइन के मैया रूइस गेल
काहे तोहें रूसों हंय मैंया गे
फुटेवाला खापैर फुइट गेल...

नोट : *चेंगवइन—बाल-बच्चा*
खापैर—भुंजवना भुंजने वाला खपरी
टाल-टील—लपकब-अब तब

रिंगा गीत जदुरा का ही एक अंग है। रिंगा में कई कड़ियाँ होती हैं और किसी एक बात का पूरा वर्णन होता है। हँसी-मजाक से लेकर सुख-दु:ख तक के गीत होते हैं जैसे इस गीत में हँसी-मजाक एक बूढ़े के साथ है—

एगो छगरिया हो
दुइए गो पटुखा

बुढवा दहेज ले ले जाय
फाटले धोतिया हो
फाटले चदरिया
टोंगरी के तरे-तरे बाजले डुगडुगिया
बुढवा दहेज ले ले जाय...

सबके पियवा रिंगा मठठा खेलव हो
मोरो पिया हर जोते गेल...
हरवो न टूटय फरवो न फुटय
बरधा के बाधा नाहीं धारैय...

उतरहूँ देखली दंखिनाहूं देखली
देखली पलामू-कुंदा गढ़...
ओझवा चबैयतय असना अंगोरवा रे
डैनी भेलवा रस तेल—
बांस काटे गेली हो सिरकी सरैया बोन
बंसवो न मिललय...
काने कलैया खोंसी लेल...

आही तो गांवा केरा देवा
नामा जानती देवा, ठांवा दियतली हो...
देवा जानी धुपवा दियती
पोखरी के भिंडिए ढेंकिया गड़ाइल
नान्ही-नान्ही धाना केरा चिरवा कुटावले
गैया सोराही केरा दूध...
अपने ही खायली, अपने ही पियली
जरले गांव केरा लोग।

मतवारी भुइंया जाति की एक खास संस्कृति से जुड़े लोकगीत हैं। भुइंया जाति उत्तरी छोटानागपुर अर्थात् हजारीबाग-चतरा और धनबाद के क्षेत्रों में सघन रूप में है। पलामू-गढ़वा में भी इस जाति की सघनता है। इनकी जिंदगी के हर खास अवसर शादी-विवाह से पर्व-त्योहारों तक में मतवारी गीत जुड़े हैं जो आज के दौर में अब लुप्त सा होता जा रहा है। हालाँकि अखरा में दूसरे समुदाय के लोग जदुरा के साथ-साथ मतवारी गीत के साथ खेल लेते हैं, लेकिन भुइंया जाति के लोग अब अलग से मांदर के ताल पर मतवारी नहीं खेलते।

मतवारी गीतों में एक विशेषता है यहाँ जिंदगी के सुख-दुख के साथ धार्मिक गीतों की एक लम्बी शृंखला है। अपनी बातों को अपने ही भोलेपन में सरलता में और रूखे-सूखे शब्दों में ढाले

गए गीत हैं। इसलिए मतवारी झारखंड की समृद्ध संस्कृति का एक अंग है। मतवारी का विलुप्त होना, जिंदगी के एक भोलेपन-सलोनेपन सफरनामे का ही अंत है।

मतवारी गीत के सरल और अनोखे अंदाज देखिए इस गीत में—

उरदा के घटिया पिसलय सरहेजिया
घरवे भीतरे बाजो हय रे सिलुठिया....
कोना मोरा हेके रे छोंडा-पूता अगुवा
मइले मुंडवा परो हय सिंदुर....

कंहवे उतरल अजनी सुन बजनीं
एहो कहंवा से एलय बरियात
पूरबे अइलो अजनी सुन बजनी
पछिए से अइलोव बरियात—
कइसे भेजबय अजनी सुन बजनी
ये राम... कइसे भेजबय बरियात
नगर निकल ल नगरी के लोगवा
परिफ लिहा सासु सीता सुंदैर कनियाय

कहाँ बिकलय हरि चंदर राजा हो,
कहाँ बिकलय रानी जे साम...
डोम घर बिकलय राजा हरिचंदर हो
तेली घर बिकलय रानी गे साम.....
किया काम करव राजा हरि चंदर
किया काम करव रानी गे साम
घटवा जे ओगरए
राजा हरि चंदर हो
तेलवा जे पेरय रानी गे साम—

'उदासी' लोकगीत का एक अभिन्न अंग है। इस गीत के तान इतने लम्बे और सुमधुर होते हैं कि गीत उदासी के राग पथिक को रोक लेता है एक क्षण के लिए। वैशाख-जेठ-आषाढ़ में जब सब कुछ उजड़ जाता है घास-फूस, पेड़-पौधे झुलस जाते हैं और चारों तरफ उदासी ही उदासी नजर आती है, तब उदासी के तान जब दूर तक गूँजते हैं तो नीरसता की जगह समरसता कुछ क्षणों के लिए राहत देती है। उदासी के गीत सुनने में जितना आनंद देते हैं, बगैर बाजे के। शायद ही लोकगीत का कोई दूसरे गीत का राग इतना आकर्षित करता हो। प्राय: उदासी खोइर-उहर चौपाल में बगैर बाजे के ही लोग गाते हुए देखे जाते हैं।

उदासी के एक दुर्लभ गीत...
एरेऽऽऽ वर तरे बांसी बाजे...

डींडा छोंडी ठाढ़ हाय रे दया...
ठसर ठुसुरू गिरेय लोर....
अपना पुरुखा मुखे नाहीं बोले हाए रे दया
परके पुरुखा पोछेय लोर...।

पारंपरिक लोकगीतों का सौंदर्यबोध

पारंपरिक लोकगीतों की जो अपनी समरसता है, सौंदर्य का बोध है और मधुरता का रस है, वो आज भी मानव जीवन में अमृत बिखेरता सा लगता है। हर युग में अपने बदलाव के आयाम में यह एक रौशनी के जैसा लगता है। जीवन के हर पड़ाव पर मार्ग-दर्शक बन कर आते हैं लोकगीत। जीने की राह दिखाते हैं और एक जिजीविषा भर जाते हैं।

पहाड़ी-झरनों के जैसा है लोकगीत जो मानव-जीवन को सद्भावना, संवेदना और सरलता से सींचता है। जैसे भीषण गर्मी में झरना या स्रोत और भी भभक उठता है, उसी तरह दुःख से पीड़ित, संकट से चिंतित और निराश आदमी में आशा का संचार भर देता है लोकगीत। जीने की अदम्य ऊर्जा लेकर आता है लोकगीत।

सौंदर्यबोध से हमारा तात्पर्य श्रृंगार, सुदंरता और सिर्फ आंनद से तृप्त होने का नहीं बल्कि जीवन जीने का जो यथार्थ है, कठोरता है और उठते-गिरते उलझनों का सिलसिला है, इसे झेलने में नई ऊर्जा प्राप्त होती है लोक संस्कृति से, कला और साहित्य से इन सबके बावजूद जो हमें आनंद मिलता है। यही है सौंदर्यबोध।

पारंपरिक लोकगीतों की जो धुन-स्वर-ताल है जीवंत और सौंदर्य का अनोखा रंग-रूप में वो आज के रचित लोकगीतों में नहीं है इसकी जोड़। पारंपरिक लोकगीतों की स्वर लहरियाँ जंगल-घाटियों और पगडंडियों में गूँजती है तो राह चलते लोग ठिठक जाते हैं। यह दृश्य सौभाग्यवश अब सूदूर गाँवों में कभी-कभी देखने को मिलता है। नई पीढ़ी पारंपरिक लोकगीतों को सहेजकर और जीवंत रख नहीं पाएगी। ऐसा आज के वातावरण से लग रहा है जो आज की पीढ़ी अपनी इस सांस्कृतिक विरासत से विमुख होती जा रही है। अपनी ही माटी की संस्कृति से विमुख होना उस समाज के लिए आवरण रहित जीवन के समान है। आज की पीढ़ी अपने अमृत को फेंक कर जहर पीने के समान विकृत संस्कृति पॉप, रेप और डिस्को जैसी संस्कृति की ओर आकर्षित होती दिखाई दे रही है। यह स्थिति महानगरों से फैलते हुए गाँवों तक पसरती जा रही है। शहर के नजदीक गाँवों में लोकगीत-नाच आदि तेजी से खत्म हो रहा है। इन गीतों के आधुनिक रूप अधिकांश बाजारू और अश्लील हो रहे हैं।

झारखंड में लोकगीतों में सबसे प्रिय खासकर महिलाओं के लिए डमकच और ठढ़िया है। शादी-ब्याह, विशेष उत्सव और वसंत के आगमन माघ-फागुन से जब शुरू होता है, तो महिलाएँ अपने आँगन में नाचते हुए गाती हैं और इसका आनंद उठाती हैं। रांची के सोनपुर परगना अर्थात् तोरपा, रनिया, कमउरा के इलाकों में ग्वाला जातियों में देखा है कि घासी (नायक) बाजा वाले खासकर ढाक, नगाड़ा और शहनाई बजाते हैं, इन्हें अपने आँगन में घुसा कर आँगन के दरवाजे बंद कर देते हैं और महिलाएँ बाजा के ताल में डांड जोर कर डमकच नाचती हैं गीत के साथ

और अलमस्त होकर नाचती हैं। कोई पुरुष अंदर नहीं जा सकता है। यह अवसर महिलाओं को खासकर शादी में मिलता है। अब तो बाहरी आडम्बर और संकीर्णता इतनी तेजी में फैल रहा है कि ऐसे रिवाज भी बंद कराए जा रहे हैं।

पूरे झारखंड की सबसे लोकप्रिय डमकच की कड़ियाँ लिख रहा हूँ जो खोरठा और नागपुरी दोनों भाषाओं में इस डमकच की अपनी एक गरिमा है और पारंपरिक लोकगीतों की धुन की एक मिसाल है जिसे मील का पत्थर ही कहा जाता है।

अम्बा मंजरे मधु मातल रे
तइसने पिया मातल जाय रे...
तइसने पिया मातल जाय।
गंगा-जमुना नदी बोहल रे
तइसने पिया बोहल जाय रे...
तइसने पिया...
नाग-नागिनी केंचुर छोडल रे
तइसने पिया छोडल जाय रे.....
तइसने पिया...
हरदी मशाला सिलैठ पिसल रे
तइसने पिया पिसल जाय रे...
तइसने पिया...
हवा-बरंडो पतई उड़ल रे...
तइसने पिया उड़ल जाय रे...
तइसने पिया...

इसी गीत की तर्ज पर या कहिए इसी के सालन में यह गीत है—

बरडांडी मुंगिया बुनली रे
मुंगिया हमर के ओलैर देत रे...
मुंगिया हमर.....
पियवा जे गेलय दूर दशवा रे
फिकिरी हमर के हरी देत रे...
फिकिर हमर....
हमरो से पियवा बेइमान भेलय रे
जिनगी हमर के सोची देत रे...
जिनगी हमर...
नहीं आवे चिट्ठिया खबरो रे
नयना बोहे सम्मुंदर लोर रे...
नयना बोहे...
हमरो से ननदी बेइमान भेलय रे...

लड़िका हमर के खेलाय देत रे......
लड़िका हमर....
हमरो से देवरा बेइमान भेलय रे
लेबदा हमर के चलाय देत रे...
लेबदा हमर...
हमरो से ससुरा बेइमान भेलय रे
मुंगिया हमर के ओलैर देत रे...
मुंगिया हमर....

शादी-ब्याह में मंडप शादी का तैयार होता है तो मंडप का उद्घाटन महराई गीत गाकर और इसी गीत के साथ मर्द लोग नाचते हैं। गीत की शुरुआत गाँव का धोबी करता है और इसी महराई गीत बारात चलते समय लड़के के मामा या फूफा गाकर प्रस्थान करता है। ढाक, नगाड़ा और शहनाई का ही प्रयोग होता है। इस गीत में और खास कर ग्वालों में ही इसका खास एक प्रचलन है महराई का। यह गीत मैंने हजारीबाग की हेसालौंग की भगिया देवी से लिखवाया। अब नई पीढ़ी के लोग ऐसे गीत भूलते जा रहे हैं। यह महराई गीत लोग कान में अंगुली डाल कर जोर-जोर से गाते हैं और उतना ही जोर से बाजा भी बजता है और हाथ में लाठी लेकर उछल-उछल कर नाचते हैं।

ठोइक-ठोइक बजैहें भैया
जारे लाल बजैनिया हो...
ये राम तोहर बजवा जइतय इंदर लोक...
कोने मछरिया भैया उलटी-पलटी हो,
ये राम कोने मछरिया साजैय बरियात
पोठी मछरिया भैया उलटी-पलटी हो
ये राम गुदनी मछरिया साजैय बरियात
एकरो आरथ भैया दिहें ने बैठाई हो
ये राम ताबे जानब पदल-पंडित...

महराई गीत में कठिन से कठिन बुझैयवल गीत कबीरदास की बाणी के होते हैं और इस गीत में शास्त्रार्थ चलता है अनुभवी गीतकारों का। लोकगीतों में एक गीत चांचैर है। यह प्राय: सोहराय पर्व (दिवाली) के समय गाया जाता है और सारे गीत पशुओं के प्यार-दुलार का होता है और कभी कहीं इसके चरवाहों पर आधारित होता है। ग्वालों के समुदाय का खास गीत तो है ही, लेकिन गाँव में प्राय: सभी गाते हैं।

इस चांचैर गीत में इतने अलंकृत शब्द हैं कि अच्छे-अच्छे भाषाविद् भी चकमा खा जाते हैं। एक युगल-जोड़ी सजधज कर एक गाँव से दूसरे गाँव की पगडंडियों से गुजर रही है। इन्हें देख कर लोग क्या अनुमान लगाते हैं।

हरदी के घोपा-घोपा सिंदुरा-टिकुलि या हो...
ये राम केकरा बिहाहु चलल जाए।

आँखी तोरा फुटव रे, राही बटोहिया हो,
ये राम आपन बिहाहु ले ले जाए।

जब सोहराय पर्व के रात हर आँगन में जाकर गाते-नाचते हैं चांचैर गवैया और विदाई में कुछ रुपया-पैसा भी मिलता है। तब का ये गीत—

हमहुँ नाहीं आवे मानो हलियो रे गाए अना...
तोर भंउरी गैया लानलौ बुलाई रे
देबे तो दिहीं मिरवा तेलवा-फुलेलवा रे
राम आरो देहीं बीस रुपैयता हो....

या

गयैया खबल धुरी उड़लय हो
ये राम बिजू बोने गयैया रे चराय...
गैया भागलय तीसी खाइल रे
ये राम दूनो भइया बांधल-छांदल जाय।
कनवा के सोनवा जे धारबै बंधिकता रे
ये राम दुइयों भैया लानबैय छोड़ाई...

लोकगीतों में जदुरा का अपना एक खास रस रंग है। साथ ही इसकी सरलता, सादगी और सौम्यता में जो अभिव्यक्ति है वो एक गाँव के दैनिक जीवन से जुड़े कार्यों से लेकर विभिन्न चरित्र में जीते-जन-जीवन का अनोखा चित्रण मिलता है और इनकी जीने की आशा-आकांक्षा के साथ जो ईमानदारी और भोलापन झलकता है वो जदुरा का एक अनुपम अपना ही रूप-रंग है। यह गीत भी कहीं सिर्फ नगाड़े में और कहीं ढाक, नगाड़े और शहनाई में गाया जाता है। युवक-युवतियाँ रात-रात भर जदुरा के रस से सराबोर होकर अखरा में नाचते हैं। जदुरा खासकर चतरा, सिमरिया, बालूमाथ चंदवा-टोरी और पलामू-लोहरदगा के विभिन्न हिस्सों में बेहद लोकप्रिय और प्रसिद्ध है। यह गीत भी नागपुरी और खोरठा भाषा दोनों में चलता है। गोंझू जाति की यह एक खास संस्कृति का प्रतीक भी है।

डुगुर-डुगुर जाबै रे मैना...
जाबै मैना पलामू के देश...
का मैना खाइबे का पियबे, कहाँ मैना करबे जे बास।
दियाँ धूरा खाइबे, झारा पानी पियबे
डाडी घाटे करबे जे बास...।

जदुरा के इस गीत से यह आभास मिलता है कि एक युग था मानव-जीवन का। जब कार्य जीने के लिए उतना ही महत्त्वपूर्ण था, जितना कि अखरा में जाकर नाचना-गाना।

आइज हेकोव लेटो बियरिया
खइबे कि खेले चलबे...।

इस गीत में रसिक दूसरे गाँव के रसिकाइनों से कहता है कि—

हम हेकी आन गाँवेक साँवरो

एको जदुरा खेलेक दे...
खेलेके-खेलबव गे साँवरो
आरो खेलब खोपवा भीरे
राइत भइर खेलले गे साँवरो
पिया जगिन मइत बोलिहों...।

लोकगीतों के आईने में झारखंडी समाज

आदमी जो गाँवों में जंगल घाटियों में जिंदगी जिया है, उसी की अभिव्यक्ति है, लोकगीत। युगों से आदमी घनघोर संकटों-मुसीबतों के थपेड़ों को पार करते हुए कभी खुशी के कहकहे लगाए तो कभी आँसुओं के घूँट पीए। कभी जिंदगी जीने के संघर्षों में चल कर एड़ियाँ फट कर बियाबान हो गईं। सामंतों-महाजनों की आफत इनके दिल को तार-तार कर दी। घर परिवार की निर्वाह में दुःख में भी खुशी का इजहार किए। जीवन की इन्हीं गाथाओं की शृंखला है लोकगीत। अपनी ही भाषा अपने ढंग में लोकगीत की मधुर स्वर-लहरिया आम आदमी की जिंदगी को आईने की तरह दर्शाती हैं।

लेकिन अब पारंपरिक गीतों के साथ गीतों में मानवीय समस्याओं के साथ जूझने की हिम्मत, प्रतिरोध के नए आयाम के साथ परम्परा की लीक पर गीतों का विकास और दिशा की तलाश संभव है। कोयलकारो बाँध और फायरिंग रेंज के विरोध में हुए आन्दोलन को आदर्श के रूप में चिन्हित करना और गीतों में ढालना यही तो अब के गीतों की नई दिशा होगी। जैसे पहले के गीतों में विद्रोहों के स्वर हैं।

आजादी के बाद चेरी, बहरा गोडा, गुवा बांझी, घुटुवा की लड़ाई अब हमारी विरासत के अंग बन गए हैं। ये लड़ाइयाँ नक्सलबाड़ी की लड़ाई से कतई कम नहीं थीं। पीढ़ी दर पीढ़ी के पथ प्रदर्शक और जीवन-संघर्ष की प्रेरणा देती रहेंगी। समझौता रहित ये लड़ाइयाँ विद्रोह काल की याद दिलाती रहेंगी। इन संघर्षों के गीत अब गूँजने चाहिए।

झारखंड के लोकगीतों में सौंदर्यबोध, माधुर्यता और शृंगारिकता के साथ संघर्ष की ओजपूर्ण धारा भी है। अब गीत सपनों को लेकर सजने-सँवरने और नव निर्माण का हो। नव गठित झारखंड के नए विहान का हो और इस नए बिहार में पलायन-विस्थापन के खिलाफ मोर्चा लेने का गीत हो।

पारंपरिक लोकगीतों की इस चौथी कड़ी में मैं 'झूमर' के सार तत्वों का व्याख्यान कर रहा हूँ। झूमर सम्पूर्ण झारखंड की विशालता को समेटता है। लोकगीतों में इसकी प्रमुखता है विभिन्न झारखंडी भाषाओं में। नागपुरी, खोरठा, पंचपरगनियाँ, मुंडारी, कुड़ुख, हो या संथाली सब में झूमर की प्रमुखता है। झूमर आषाढ़-सावन-भादों-आश्विन चारों मास में छाए रहता है। और किसान धान का रोपा समाप्त कर झारखंड के महापर्व करमा के दिन झूमर अपनी महानता को छूता है। युवक-युवतियों के स्वर-लहरियाँ अखरा-गाँव को मदहोश बना देती हैं। खोरठा और पंचपरगनियाँ में झूमर की विशेष प्रमुखता है। रामगढ़ बोकारो का क्षेत्र खोरठा झूमर का गढ़ माना जाता है और सिल्ली-तमाड़ पंचपरगनियाँ झूमर का गढ़ है।

लेकिन भवप्रीता के कुरमाली झूमर तमाम और भाषा के झूमर से अपूर्व लय और सुंदरता की खान हैं। जो झारखंड से बाहर पुरुलिया–बांकुड़ा–धालभूम तक फैला हुआ है। गोलबारी झूमर रामगढ़–गोला क्षेत्र का प्रसिद्ध है।

मैंने रामगढ़ क्षेत्र के जमिरा गांव के बुधेश्वर गोप से खोरठा झूमर की कई कड़िया लिखवाईं। रामगढ़ क्षेत्र के इस झूमर गीत में कहता है कि प्रीत दो–चार दिनों के लिए ही सही कर लो, क्योंकि जिंदगी का क्षण बहुत कम है।

शादी का रंग उड़े दो–चार दिन भी नहीं गुजरे और युगल जोड़ी बिछुड़ गई। नायिका कहती है कि मुझसे क्या चूक हो गई कि मैं सिंदूर का जूठन बन गई। खोरठा झूमर के इस गीत में—

सुनहूँ बिनती मोर
मानहूँ बचन प्यारी
हमसे पिरिती दिला राखू
जिनगी भाई दिना चारी
हमसे पिरिति दिला...
हाय रे जनम ब्रेथा भेल...
मुँहवा उघायर प्रभु देखे
जोड़ा से बिछुड़ा भेली
हाय रे जनम ब्रेथा भेल
कवने करतबे हम चुकली
सिंदुरा से जुठा भेली।

इस वर्ष वर्षा नहीं हुई। गाँव–गाँव में रोपा रुक गया। जिनोर गोंदली मडुवा सब मर चर गया। इस खोरठा झूमर में देखिए—

ऐसों के साल में
बरखा आकाल भेलय सजनी गे
गाँवे–गाँवे रोपा रही गेल...
नाहीं भेलय मडुवा
नाहीं भेलय गोंदली सजनी गे
नाहीं भेलय बारी के जिनोर
मडुवा मरिए गेल गोंदली चरिए गेल
भला सजनी गे
जिनरा के दैबा हरी लेल।

घर में सब कुछ है, लेकिन नारी घर में असगरे (अकेले) है। पिया घर में नहीं। विरह के इस गीत में आँखें सावन–भादों बनी हुई हैं—

हाय रे, कइसे दिला बाँधव दया
आँखी लोरा भिंजल छतिया
कइसे दिला.....

एतना जानती मन, पंछी बनती हम
उड़ी जयबै जहाँ, होतए पिया
कइसे दिला बाँधव दया....

पहले राजा-महाराजा के जमाने में रैयतों अर्थात् आम आदमी के लिए राजा बाग-बगीचा, तालाब और मंदिर बनवाते थे। रामगढ़ के राजा रामसिंह ने भी तालाब बड़े-बड़े बनवाए जिसका भिंड देखने में अनमोल है। रामसिंह को अपभ्रंश में राजा बानसिंग से सम्बोधित किया गया है—

पोखरी खोंडयलय राजा बानसिंग सजनी गे
भिंडिया दियलय अनमोल
चाइरो कोना कदम लगावे गे सजनी
डरिया फेकलय छतनार गे सजनी
फूलवा फूललय भेकुमार गे सजनी
बोना के भंवरा जोही जाए गे सजनी
रस लेई उड़ले आकाश....।

झूमर के गीतों में सबसे बड़ी खूबी है कि विरह-प्रेम दुःख-खुशी के साथ-साथ परिवारिक संबंध और सामाजिक संबंध पारंपरिक गीतों में है। इस गीत में भाई और पति के प्रति आभार दिख रहा है, उनके कामों से।

के मोरा काटी देलय
झटनी धोवेए उजे
के मोरा घोरना घोराय नंदन बोने
भैया मोरा काटी ढेलय
झटनी धोवैया नंदन बोने
सैंया मोरा घोरना घोराय....।

करमा पर्व के दिन सब अखरा में नाच रहे हैं करम के आगे, लेकिन एक कामिनी अपने वियोग में सुध-बुध खो बैठी है क्योंकि ऐसी खुशी के दिन उसके पिया घर में नहीं हैं।

पिया छनो भइर बेशो नहीं लागे
हाय रे करमा केर आगे
सोचती मने-मने कवन गुनहा करली हम
एतना जानती पिया, तेजी देती आपन जिया
हाय छनो भइर बेशो नाहीं लागे
करमा केर आगे...।

एक नाबालिग लड़की अपने प्रेम के प्रति मनोवेदना का इजहार करती है इस खोरठा झूमर में—

ऊपरे टोंगरिया, नीचे डहरिया डरो लागे
के जन बाली उमरिया डरो लागे
न संगे ससुरा न संगे भैंसुरा कि डरो लागे

के जन शि-शि डमरिया डरो लागे
जाई दे इंजौरिया, आवे दे अंधरिया
जोड़बै तोर संगे परितिया कि डरो लागे।

एक पंचपरगनिया झूमर में दर्शाया गया है कि जीवन कितना क्षणभंगुर है—

जलेरो, शरीरो काया, लेखिए री जीवन
मानुशओ जन्म रे ढिंगा फुलेर कली
रे भाई दिन गेलो चली
गंगा कावेरी नदी बही छे पताले
एवार मते पार कर प्रभु वनमाली
झिंगा फुलेर कली
भाई बोलो बंधु बोलो कि ओ तो कारे नाई
मोरी बेला होइलो गोविंद सारथी
झिंगा फुलेर कली।

झारखंड के विद्यापति कहे जाने वाले भवप्रीता के कुरमाली गीत पूरे झारखंड में प्रसिद्ध हैं। उन्हीं का एक कुरमाली झूमर... कामिनी कुंतल जाल वह महा जाल है जिसमें रसिक नागर फँस गया। उसने मधुर हास्य से प्रीति का फंदा फेंका और नागर को अपने केश पाश में बाँध लिया, जैसे चोर बाँधा जाता है।

कामिनी कुंतल जाल
से हो जाल महाजाल
बाझि गेला, बाझि गेला गे धनी
रसिक नागर के बाझी गेला
कटाक्ष भ्रुभंग रखे
अनगेर बान संगे, मारि देली
मारि दली गे धनी
हरिना समान बाणे मारि दली।
देखाए मधुर हांस
लगाली पिरित फांस
बाँधि लेली
बाँधि लेली गे धनी चोर समान
पाशे बाँधि लेली
अलि रे कमल मधु
चकोर के जेसन .त्रेधु
भवप्रीता लागि धनि
तू हू त तइसन

झारखंड के आदिकवि घासीराम के नागपुरी में एक झूमर—

दरपत दिले दुःख
मनके न मेटलय भूख
सभे सुख गेलय रे गुइया
घटे नखे गोखुला कन्हैया
आवल अंकुर कर लेहए गेलए मधुपुर
दूर देश गेलय रे गुइया
श्याम भेलय मथुरा बसैया
बीती गेलए छत मास
पिया नहीं आलेय पास
आवन आस गेलय रे गुइया
अब भेलक बरसा समया
सालुर समा भजन
पन परे पथिक ठन
घासी मन गेलय रे गुइया
कने गेलय बिपती हरइया...।

जहाँ हँसना ही गीत है और चलना ही नृत्य है। लोकगीतों की स्वर-लहरियाँ वन, पर्वत, घाटियों, कंदराओं, नदियों, झरनों में गूँजती हैं। ऐसे प्रदेश की लोक संगीत की अपनी एक खास महत्ता रही है सदियों से। समय की गति में रूप-रंग भले ही बदलते हैं, लेकिन गुण अपनी परंपरा के आवरण ओढ़े हुए है जो मानवीय मूल्यों की थाती है। ये मूल्य युगों-युगों अपनी जीवंतता बनाए रखते हैं। यही लोक गीतों की परंपरा है। प्रतिक्रियावादी, साम्प्रदायिक फासीवादी और उपभोक्तावादी पतनशील संस्कृतियों के लिए मजबूत चुनौती के रूप में खड़ी रही है यहाँ की लोक संस्कृति, लोक कला। यही जन लोक संस्कृति की परंपरा रही है। जो हर बदलती परिस्थितियों में प्रतिरोध के नए और विकसित हथियार थमाती है, यहाँ के जनजीवन को।

लोकगीतों की कड़ी में एक कड़ी है लुझरी, जिसका हर मोड़ हर लय हर ताल सुहावना और मोहक होता है। लुझरी एक ऐसा राग और नाच है जो हर राग के गीतों को विराम देता है, सुस्ताने का अवसर देता है और अपने मन-मोहक सुर-ताल में एक नई ऊर्जा भर देता है। इसलिए इसे सदा बहार लय कहा जाए तो कोई हर्ज नहीं है। लुझरी सभी लय और सुरों की चहेती है। सभी इसे प्यार करते हैं गायक, नर्तक और दर्शक भी।

झुककर नाचना, एक कड़ी गाते समय आगे बढ़ना, दूसरी कड़ी गाते समय पीछे लौटना दोनों के बीच परिवर्तन के लिए सीधा हो दो कदम डेगते हुए आगे बढ़ना। यही है लुझरी का रूप।

मैंने यहाँ मौसमी राग गीतजोन लकड़ा, की किताब से कुछ गीतों की कड़ियाँ लुझरी की ली हैं, जो गाँवों में पारंपरिक रूप से गाए जाते हैं—

पी पियो पियो, डारी में बैसल पियो
पियो रे डारी के मति भांगबे, भला।
सोने लागल डाइर पियो

रूपे लागल पात रे
पियो रे डारी के मइत माँगबे।
कति खने बोले टोंगरी के पियो चिरइ ?
साँवइर गे कति खने आँवय रिझवार।
आधा राती बोले टोंगरी के पियो चिरइ
साँवइर गे भला भिनुसरे आँवय रिझवार॥

ऊँच नीच टोंगरी नीचे जाम झरिया
मैना रे सोभे मैना डुबकी नहाय।
थोरे तो नहाल मैना पूरे छिटकाल रे
मैना रे जने-तने नजरी चलाय।

छेगरी चराय गेलों, टोंगरी चढालौं गिरी गेला
गिरी गेला रे साँवरों मुंडा के रैलो खोंसा गिरी गेला।
खटिया में बैसल, मचिया में बसल गिरी गेला
रे साँवरो मुंडा के रैलो खोंसा गिरी गेला।

एक उपकड़ी है, खेंगरा, जो खासकर विशुनपुर महुवा डांड के क्षेत्र में और कुड़ुख के गीतों में इसका सबसे अधिक प्रयोग होता है। नाच में गति लाने के लिए बीच-बीच में खेंगरा राग लाया जाता है। बाजा में भी और गीत-नाच में भी एक गीत बढ़ जाता है।

तेजी में दो कदम आगे बढ़ना फिर एक कदम पीछे, फिर बाजा के साथ पैर का ताल मिलाते हुए परिवर्तन में झुककर नाचते हुए चार कदम आगे बढ़ जाना। लुझरी के ठीक विपरीत नाच है खेंगरा। उपक्षेत्र में अपना-अपना प्रयोग है लुझरी और खेंगरा का। लेकिन दोनों रागों का प्रयोग बीच-बीच में मध्यांतर के रूप में होता है।

खेंगरा का नाच और बाजे की ताल दूर तक सुनकर लोग आकर्षित होते हैं। लगता है कि नाच अपने चरम पर है। खेंगरा का एक गीत—

कवने ग्वालिन मट्ठा के मोहनवां ना
कवने ग्वालिन गोडे पैरी ना।
बड़की ग्वालिन मट्ठा के मोहनवां ना
हायरे, छोटकी ग्वालिन गोडे पैरी ना॥

हो संस्कृति के बदलते स्वरूप

श्यामचरण तुबिद

भारत जैसे विशाल एवं महान देश में जहाँ एक ओर हिन्दू, मुस्लिम, सिक्ख, ईसाई जैसे धर्मों की बृहत् अवधारणा है, वहाँ दूसरी ओर यहाँ की अनेक जनजातियों में से झारखंड राज्य के दक्षिण-पश्चिम कोन पर अवस्थित सिंहभूम जिले के 'हो' जनजाति की धार्मिक भावना, चिंतन-मनन और विचारधारा एवं धर्म के प्रति दृष्टिकोण, विशेषताओं से भरा, अत्यन्त ही रोचक एवं मनोरंजक अध्ययन भी है।

ये छोटानागपुर के मुंडा जनजाति की ही एक उपजाति है। शब्दकोश, भाषा, व्याकरण इत्यादि तत्त्वों की दृष्टि से हो और मुंडा एक-दूसरे से इतनी समानता रखते हैं कि उनको एक वृक्ष की दो डाल कह सकते हैं। धर्म के विचार से भी कई मायने में समानता है। पर्व और त्योहार आदि की भी समानता है पर हो धर्म अपने आप में परम्पराओं से अधिक घनिष्ठ भरा—विशुद्ध अक्षुण्ण पिण्ड कहा जा सकता है। इसके दो मुख्य कारण हैं। पहला कि यहाँ ब्रिटिशकाल से, दूसरे जातियों का रहना, बसना वर्जित था, दूसरा कि इसे प्रशासन में एक विशिष्ट पदाधिकारी ही इस क्षेत्र का अधीक्षण-निरीक्षण करता रहा जो उनके सामाजिक एवं प्रशासनिक विषयों में जातियों के प्रतिनिधियों के साथ वादों को भी निष्पादित करता था।

'हो' जाति का विश्वास है कि इनके वंशज सृष्टि के ज्येष्ठ पुरुष संतान हैं और इन्होंने ही देश के इस भू-भाग में वनों-जंगलों को साफ कर अपने लायक बनाया— शिक्षा के अभाव में यह स्पष्टत: नहीं कह सकते कि वे कब और कहाँ से आए। हाँ वे इतना कहते हैं कि उत्तर-पश्चिम की दिशा से वे आए और छोटानागपुर की पठार से उतरकर वे यहाँ बस गए और जंगल के देवी-देवताओं की पूजा-अर्चना करने लगे और खेतों को कृषि लायक बना कर यहाँ सदा के लिए रच-बस गए यही कारण है कि हो लोग मृत्युपरांत अपने गाँव या क्षेत्र में ही रहना पसंद करते हैं। उनकी यह मातृ-भूमि की ममता इसे बरबस खींच लाती है और ये अपने गाँवों में दफनाना पसंद करते हैं जिसे वह 'ससन-दिरि' कहते हैं। 'ससन' का अर्थ कब्र और दिरि का अर्थ पत्थर। जिसे कब्र के ऊपर रख दिया जाता है।

प्रसिद्ध भाषाशास्त्री ने, इन लोगों को लड़ाकू-कोल की संज्ञा दी थी— इससे उनका अभिप्राय यह रहा होगा कि उनका जीवन बड़ा ही संघर्षमय था और वे अपने अस्तित्व और क्षेत्र तथा धर्म की रक्षा के लिए औरों से लड़ते-भिड़ते ही रहे। उनकी इस लड़ाकू प्रवृत्ति से यहाँ के राजा, जमींदार आदि इन्हें अपनी स्वार्थ सिद्धि के लिए प्रयोग किया करते थे।

सरना धर्म एवं धार्मिक संरक्षरणा—प्रत्येक गाँव का एक 'देशाउली' होता है यहाँ शाल

वृक्षों का एक झुण्ड होता है जहाँ 'देशाउली' वोंगा के साथ-साथ 'मारजुरू' 'नागेएरा' और 'विन्दिएरा' का भी आश्रय-स्थल कहा जाता है। यह एक वर्जित एवं पवित्र स्थल माना जाता है जहाँ आसानी से लोगों का आना-जाना महिलाओं सहित वर्जित रहता है—इन देवताओं का संवेदक 'देउरी' होता है जो हर पर्व त्योहार में वहाँ ग्रामीणों की ओर से सुख-दुख एवं जन-कल्याण के लिए मुर्गी या बकरे की बलि चढ़ाता है। वह अनिवार्यत: खेती-गृहस्थी एवं मवेशियों की कल्याणार्थ पूजा करता है और अच्छी वर्षा के आगमन हेतु देवताओं से गुहार करता है।

हो बहुल क्षेत्र रहने के कारण यहाँ दूसरे धर्म अवलम्बी या प्रचारक सुगमता से प्रवेश नहीं कर सकते थे। यद्यपि यहाँ अंग्रेजों के काल में गिरजाघर या कुछ शिक्षण संस्थाएँ भी खुले पर धार्मिक दृष्टिकोण से मसीहों धर्म का प्रचार, अन्य क्षेत्रों की तरह व्यापक नहीं बना। उनके इस परिस्थिति एवं मन:स्थिति से ग्रस्त कुछेक धर्म संगठन, प्रचारकों ने इसका ही लाभ उठाकर कुछ वर्ग को अपनी ओर आकर्षित कर रखा है। यों तो इस तरह के प्रयास से यह मानना होगा कि उन्होंने उनके बीच अज्ञानता एवं अंधविश्वास को तो दूर किया। ये संस्थाएँ गाँव में भी वनों के बीहड़ क्षेत्रों तक में कुछ शिक्षण संस्थाएँ खोलकर उन लोगों के द्वारा ही चलाए जाने का अक्सर प्रयास करती रहती हैं। ऐसी सेवा संस्थानों में यह काम उनके द्वारा धर्मग्रहण करने पर ही किया जाता है और जिस पर आजकल राजनीतिक दलों की ओर से प्रश्न चिन्ह देकर कहीं-कहीं यह विवाद का विषय बना हुआ है। उनके विचार से यह एक शोषण ही है क्योंकि इस तरह के कार्यों में कुछ आर्थिक लाभ के शिकार तो वे हो ही जाते हैं क्योंकि आज जो सरकारी योजनाएँ उनके कल्याणार्थ की जा रही हैं उसमें पूर्णरूपेण स्थानीय लोगों की सहभागिता नहीं होती है और या होती भी है तो कुछ लोलुप तत्त्वों के द्वारा उन कार्यों का क्रियान्वयन किया जाता है कहीं-कहीं तो ऐसे कल्याणकारी काम अल्प वेतनभोगी लोगों द्वारा किया जाता है जो उनकी धार्मिक भावनाओं से खिलवाड़ या उसे नजरअंदाज करते हैं।

संस्कृति वन पर्वतों से आच्छादित इस भू-भाग में सदियों से संस्कृति की अविरल धारा प्रवाहित होती रही है, यहाँ का यह 'हो' क्षेत्र भी इसका अपवाद नहीं। यहाँ के लोक जीवन को, हर क्षण नृत्य-संगीत की सुखद अनुभूति होती रहती है यही कारण है कि वे अपने संघर्षमय जीवन में भी दुखों के पहाड़ को नृत्य और संगीत की लहरों में डुबो देते हैं यही हो लोगों का जोवन दर्शन है और सांस्कृतिक विरासत भी। इस संस्कृति की जड़ इतनी गहराई तक गई है कि उसे उखाड़ पाना कठिन है यही वह कारण भी है कि राँची या अन्य भागों की तरह यहाँ सुदूर तक विदेशी धर्म का प्रचार अवरुद्ध-सा रहा।

इस सांस्कृतिक धरोहर को सभ्य एवं शिक्षित करते हुए उसके सर्वांगीण विकास एवं प्रगति पथ पर अग्रसर करने हेतु समय एवं प्रशासन की पुकार वांछनीय है।

इनका लगाव सूर्य, वन-पर्व और नदी-नालों, झरनों-शिलाओं से विशेषकर है और वे इन सबको किसी देवता या देवी का प्रतीक मानते हैं।

ये अनेक देवी-देवताओं की पूजा करते हैं जिसे वे 'बोंगा' कहते हैं इसके अलावे वे अपने पूर्वजों की पूजा हर शाम घर के विशेष कक्ष में करते हैं जहाँ घर का मुखिया या

गृहिणी इनके नाम भोजन या नया खाद्य फल को प्रसाद के रूप में चढ़ाते हैं। उनकी यह भी धारणा है कि यदि इनमें कोई त्रुटि होती है तो परिवार में अनिष्ट घटना घटती है बच्चों के साथ पूर्वजों की आत्माओं की छेड़छाड़ या उन्हें तंग या पंगु करने का विश्वास इतना तक है कि माँ या घर के मुखिया के आश्वस्त करने पर कि उन्हें पिण्ड चढ़ा दिया जाएगा कभी-कभी अप्रत्याशित असर देखा जाता है। रोता बच्चा भी चुप हो जाता है यदि बच्चा बीमार हो तो वह शनैः शनैः चंगा होने लगता है। अज्ञानता एवं शिक्षा के अभाव में कोई बीमारी एवं बीमार व्यक्ति को कोई दुष्ट बोंगा (देवता) का प्रकोप मानते हैं। जिसे पूजा करने या बलि चढ़ा कर संतुष्ट करना आवश्यक है। उनका विश्वास यह भी है जहाँ खाना बनता है और पूर्वजों की पूजा होती है वहाँ अचानक किसी अपरिचित व्यक्ति के प्रवेश से घर में अशुभ घटना घट सकती है।

बाहरी व्यक्ति के प्रवेश से भोजन बनाने का विशेष कक्ष, जिसे 'अदिङ्ग' कहा जाता है अपवित्र हो जाता है और ऐसी मान्यता है कि नए-आगंतुक या अपरिचित के इस प्रवेश से परिवार के पूर्वजों की आत्माएँ उस पर कोई कुप्रभाव भी डाल सकती हैं और मान्यता यह भी है कि वह व्यक्ति बीमार या अस्वस्थता का भी शिकार हो सकता है। इनमें अंधविश्वास एवं रूढ़िगत परंपरा का उनके व्यक्तित्व पर काफी प्रभाव देखा जाता है।

'हो'—अपने धर्म और संस्कृति की रक्षा ग्रामीण परिवेश में परिवार के लोगों के साथ प्रारंभ करता है, महिलाएँ साधारणतः दूसरी जाति के लोगों के साथ जब तक अनिवार्य न हो संसर्ग या सम्पर्क नहीं करतीं उसे यह भी डर रहता है कि ऐसा करने से उसे लोग देख लेंगे या कोई अनैतिक संबंधों का आक्षेप उन पर हो सकेगा। इस दिशा में शिक्षा के प्रचार ने अभूतपूर्व सफलता प्राप्त की है। फलतः लोग पहले से कम रूढ़िवादी बने हैं।

आइए, जरा अब 'हो' जात के पर्व-त्योहारों की धार्मिक मान्यताओं के आलोक में चर्चा करें।

प्रत्येक गाँव का एक पुजारी होता है जिसे वे 'देउरी' कहते हैं वह एक ग्राम-समुदाय द्वारा चुना हुआ व्यक्ति होता है—जो पर्व-त्योहारों पर गाँव के सुखी जीवन एवं कल्याणार्थ ग्राम देवता के नाम मुर्गी या बकरे की बलि देता है। पूजा स्थल को 'देशउली' या 'सरना' भी कहा जाता है जहाँ हर पर्व पर ग्रामीणों की ओर से 'देउरी' पूजा कार्य कर देवताओं का आह्वान या अरदास पेश करता है—इस कार्य को बहुत ही पवित्र रूप से किया जाता है जिसमें उनके द्वारा नामित, कर्मनिष्ठ व्यक्ति ही हिस्सा लेते हैं। इस अनुष्ठान में वे 'देउरी' की मदद करते हैं। कुछ पर्वों में तो देशउली में ही भोज का चलन रहता है और बड़े हर्ष और निष्ठा भाव से पूजा का कार्य सम्पन्न होता है—भोज के मौके पर सारा खाद्य पदार्थ पत्तों की थाली या प्लेट बना कर खाने की परम्परा है—चावल से बना 'हांडिया' विशेष पेय देउरी द्वारा चढ़ाने के बाद उनके सहयोगी सदस्यों द्वारा लिया जाता है।

हो के सारे पर्व प्रकृति से प्रेरणा लेते हुए किए जाते हैं। उनके मुख्य पर्व हैं 'माधे', 'बा', 'हेरमूट', 'हेरो' और 'जोमनामा' माने गए हैं। हर पर्व को मनाने के पूर्व ग्रामीणों की एक ग्रामसभा बुलाई जाती है जहाँ सारे कार्यक्रम तय किए जाते हैं इसे देर से करने पर कभी-कभी

गाँव में कोई बीमारी या महामारी होने की शंका रहती है और ऐसे में कभी-कभी देउरी द्वारा अशुभ स्वप्न देशाउली बोंगा के कोपभाजन होने की संभावना है जिसे वह ग्रामीणों को सुनाता और इसका उपचार बतलाता है।

माधे पर्व-परिचय-प्रक्रिया : अगहन-पूस की धारन कटनी के बाद 'हो' कुछ दिनों के लिए कृषि कार्य से मुक्त-सा हो जाता है। घर में नया अन्न आ जाता है मन में निश्चिंतता होती है और मन में उमड़ पड़ती है रस की धारा। यह पर्व उनके सुखमय दिनों का परिचायक होता है। इस निश्चिंतता के दिनों में हृदय की कली खिल उठती है और प्रेम का पराग वातावरण में छा जाता है। हास और विलास के भौंरे गूँजने लगते हैं और उल्लास के आलोक में सारा जीवन ही रंगीन हो उठता है—इस समय के गीतों में शृंगार-रस की प्रधानता रहती है।

यह पर्व तीन-चार दिनों का होता है और यह बड़े ही हर्ष और उल्लास के साथ मनाया जाता है। नवजवान अपने ढोल सँवारता है। घरों की सफाई महिलाएँ बड़ी उत्सुकता एवं तन्मयता से करती हैं। घर-आँगनों की लिपाई-पोताई की जाती है और अपने-अपने घरों के अलावा देउरी के यहाँ पूजा कक्ष एवं भवन विशेष की मरम्मत कर चुकते हैं जहाँ इस मौके पर परिवार से एक 'हंडिया-हण्डी' का योगदान अनिवार्य दिया जाता है जिसे सारी ग्रामीण जनता द्वारा मुख्य पर्व के दिन उपयोग में लाया जाता है। यह सारा काम देउरी के आँगन में किया जाता है। ढोल-नगाड़ों को बजाने की परम्परा रात भर चलती रहती है जिससे सारा वातावरण आनन्दमय हो जाता है और लोग जी भर नाचते-गाते रहते हैं। आँगन भरा रहता है। हर परिवार के सगे-संबंधियों को इस पर्व पर आमंत्रित किया जाता है और घर-घर गाजे-बाजे से हर आँगन गूँज उठता है।

मुख्य पर्व के दिन देउरी गाँव के बाहर खुले आकाश तले, एक निश्चित स्थल पर अपनी पूजा संपादित करता है एवं देशाउली और उनके सहयोगी देवताओं के नाम 'दंञ' (प्रसाद) चढ़ाता है। गाँव के सारे लोग घर-घर से नए परिधानों से सजधज कर इस समय उपस्थित होने का प्रयास करते हैं। ऐसी मान्यता है कि यदि उस अवसर पर कोई भी परिवार उसमें सम्मिलित नहीं होता है तो उस परिवार में कोई अनिष्ट या अशुभ घटना हो सकती है या उस वर्ष उन्हें विपत्ति का भी सामना करना पड़ सकता है। यह एक ऐसा अवसर होता है कि कोई भी व्यक्ति किसी को अश्लील शब्दों से संबोधित कर सकता है। यह मुक्तकंठ से किसी के प्रति अश्लील गाना सुना सकता है। ऐसे मौके पर घर की महिलाएँ अपने घरों के अन्दर शरण ले लेती हैं फिर भी कुछ उम्रदार और वयस्क महिलाएँ घर से निकल कर किसी भी आगंतुक को पर्व के नाम पर 'हाँडियाँ पेय' प्रदान करती हैं। ऐसा सिलसिला ग्राम के हर घरों में देखने को मिलता है।

इस पर्व के अन्तिम दिन घर-घर से 'बड़ाम' (एक दृष्ट देवता) के नाम एक क्रुद्ध व्यक्ति द्वारा पूजा चौरोहे या मुख्य पथ पर की जाती है जहाँ हर परिवार से कुछ चावल और उरीद मूँग और कोई नया दलहन या तिल दाल के मिश्रण के साथ आग में भूंज कर उसे चढ़ाया जाता है। इस कर्म के नहीं करने पर गाँव में किसी मवेशी के बीमार या महामारी की आशंका की जाती है।

इस दिन घर-घर घूमकर देउरी अपने कार्यकारी सदस्यों के साथ आँगन में हंडिया-पेय पीकर अपना देशाउली प्रेरित आशीर्वाद देता है। साथ ही उनके सहयोगी बैलों के सिंह से बने शंखों को मुख्य घर के आँगन में बजाते या शंखनाद करते हैं। नृत्य और गायन का सिलसिला ऐसा चलता है कि कभी-कभी गाँव भर के लोग उस मौके पर नींद तक ठीक से नहीं ले सकते। खान-पान में तो ऐसा छूट रहता है कि लोग किसी भी घर का आमंत्रित सदस्य किसी घर में हंड़िया माँग सकता है और उसका आनन्द ले सकता है।

बा-पर्व : हो का जीवन और कार्य ही पर्व है जब प्रकृति देवी अपनी पुत्री, पलाश, कचनार और साल से जूड़ों को सजा देती है और उनकी मोहक मुस्कान और मधुर साँस से वातावरण ओतप्रोत हो जाता है उसी समय से हो की जीवन-कार्य-संगीत सरिता कल-कल कर फूट पड़ती है और प्रकृति के इस उन्मादक वातावरण से घुल-मिलकर एक हो जाती है। हो युवक इस समय प्रकृति से ही प्रेरणा लेता है। इस पर्व के भागों में अश्लीलता कहीं नहीं पाई जाती है। यह सचमुच में कर्म-संगीत है और यह किसी-न-किसी कार्य से संबंधित रहता है इसके कई भेद हैं जो रूप के अनुसार चलते हैं मुख्यतः दो भेद हैं 'सार' तथा 'बोले'। बोले गीतों में 'जादुर' गीत सर्वमान्य है। जादुर गीत बड़ा संवेदनशील माना गया है जो बहुत विस्तृत रूप से सुना जाता है।

इस पर्व को अन्य भागों में सरहुल भी कहा जाता है यह पर्व वसन्त उत्सव के आरम्भ में मनाया जाता है। जब जंगलों और वनों में साल वृक्ष पर फूल खिल उठता है। सारा वन-वनान्तर इस फूल की महक से भर जाता है। देउरी के घर आँगन में इस मौके पर साल के वृक्ष और फूलों की टहनियों से घर को सजाने की परंपरा है आँगन के बीच में साल वृक्ष से एक कुंज या छोटी झोंपड़ी बनाई जाती है जिसके मध्य में एक छोटा-घड़ा में जिसे 'माटिया' कहा जाता है। पवित्र हंडिया पेय देउरी टांग कर रख देता है उसे देखने तथा उस स्थल के साल फूल की एकाध टहनी को अपने-अपने घरों में ले जाते हैं। सारी ग्रामीण जनता उस वृक्ष पर टँगे मटका के अवलोकनार्थ जुट पड़ते और आँगन पर परिक्रमा करते गीत-नृत्य करते हैं।

विश्लेषण : बा-गीतों के द्वारा कोई कर्म या योजना बनाने के गीत सुनाए जाते हैं ये धार्मिक उपदेश कार्य-प्रेरणा आधारित होते हैं। इसमें लड़कियाँ विशेषकर सम्मिलित रहती हैं और बुजुर्ग महिलाएँ घर-आँगन में बैठकर इसका रसास्वादन करती हैं। लड़के या पुरुष वर्ग द्वारा यह गीत—नृत्यदल को सुनाते रहते हैं—सुनाने वाले दो या तीन रहते हैं। ढोल-मांदर बजाने वाले तीन या चार महिलाएँ नृत्यदल में अधिक संख्या में रहती हैं।

गीत के विषय-वस्तु में कृषि-कार्य या जंगल से फल-फूल लाने या जमा करने के कार्यों का वर्णन रहता है। वाद्य-यंत्रों में ढोल और मांदर वर्जित हो जाता है और इसमें मधुर स्वर वाले यंत्रों को ही कर्णप्रिय माना जाता है। विशेषकर 'बनम' या 'रूतु' जिसे बांसुरी या गिटार आधुनिक शब्दों में कहा जा सकता है—इसके गीत किसी सभा या आयोजन के कामों में भी प्रयोग किए जाते हैं। सार्वजनिक उत्सवों पर भी यह किया जाता है।

हेरो पर्व : इस पर्व में गाने वाले गीतों की संख्या कम होती है। यह पर्व आषाढ़ के बाद

मनाया जाता है जब खेतों में धान के पौधे उग गए होते हैं। गाय-बैल मवेशी कामों से कुछ मुक्त हो जाते हैं तब उन्हे आँगन में सजा-सँवार कर खिलाया जाता है और उनके सींगों में फूल-माला या तेल से मालिश कर दिया जाता है। गाँव के युवक और युवतियाँ कृषि कार्यों से निवृत्त हो जाते हैं। धूप से विदग्ध इनके हृदय को सींचने वाला हेरो नृत्य-गीत उनके उमंग भरे दिल से उमड़ उठता है और उफनाने लगता है। इस नृत्य-गीत की तरंग पर उनके हृदय की सारी सरस भावनाएँ इस नृत्य में शारीरिक श्रम कम परंतु मन मस्तिष्क पर हर्ष और उल्लास परिलक्षित रहता है।

'हेरमूट' धान-बुआई : यह पर्व धान को खेतों में डालने की शुरुआत का है। यह काम घर के ही किसी मुखिया द्वारा खेत के आसपास या मेंड़ पर सम्पादित किया जाता है और ईश्वर के नाम पर एक मुर्गे की बलि चढ़ाई जाती है। आशा की जाती है कि इस कार्य से ईश्वर या अन्य देवतागण खुश रहेंगे और खेत की रखवाली या सफी खेती की अपेक्षा की जा सकती है। यह पूजा घर के आँगन में भी करने की परम्परा है। इसके पश्चात् काम करने वाले मजदूरों को खिलाया जाता है। इस अवसर पर हंडिया पीने का दौर शाम को चलता है जिसमें कोई भी ग्रामीण भाग ले सकता है।

परिभाषा : देशाउली : यह ग्राम सीमा के भीतर एक मान्य देवी-देवताओं का निवास स्थान माना जाता है साथ ही उस प्रांगण में अन्य देवी-देवताओं का क्रीड़ास्थल माना जाता है यह कोई जलाशय या झरने के समीप होता है जहाँ सालों भर पानी का स्रोत या स्वच्छ जल जमीन के अंदर से निकलता रहता है। इस स्थान पर मल-मूत्र या अश्लील शब्दों द्वारा वार्तालाप वर्जित है। ऐसी धारणा है कि इन सब मापदंड के विरुद्ध कोई कार्य करने पर वे असंतुष्ट हो जाते हैं जिसका फल बीमारी या कोई अनिष्ट फल मिलता है। इस स्थान पर सामान्यत: देवी-देवता गाँवों की परिक्रमा करने के बाद शाम को लौट आते हैं अतएव शाम को यह स्थान बड़ा सुनसान या भयावह लगता है। यहाँ की पवित्रता एवं सफाई को बनाए रखना उनका कर्त्तव्य है। यहाँ के गाछों को काटना एवं तोड़ना भी दंडनीय माना जाता है। नंगा स्नान करना यहाँ सख्त मनाही है। इस क्षेत्र में किसी तरह का विस्फोट या आग्नेय अस्त्र-शस्त्रों को चलाना निषेध है।

विश्लेषण उपसंहार : वन पुष्प की तरह प्राकृतिक जीवन व्यतीत करता हुआ 'हो' युवक प्रकृति से ही प्रेरणा लेता है। वह उसी के साथ घुला-मिला है। 'हो' जाति शब्द आडम्बर द्वारा प्रकृति का वर्णन नहीं करते परंतु जीवन के साथ घुली-मिली प्रकृति ही उपमा, आलम्बन, उद्दीपन और प्रतीक बनकर उनके साहित्य में आती है उनकी कल्पना भी जीवन के साथ घुली-मिली होती है। उसे न लम्बी उड़ान की आवश्यकता है न अभ्यास की।

अत: यदि हम उनके साहित्य में रस लेना चाहते हैं तो उनके प्राकृतिक जीवन की विश्लेषणात्मक पृष्ठभूमि को ध्यान में रखना होगा और गहराई से समझना होगा।

उनके धार्मिक इतिहास, परम्परा लोकगीत इत्यादि का सांस्कृतिक अध्ययन हम समेकित रूप से नजदीक से देखे बिना नहीं कर सकते।

पर्वों में ताल स्वर एवं लय के बोल—

माधे पर्व

'डेन्ञ-डेन्ञ-डेन्ञ'
डुबुल डुबुल डुबुल-डेन्ञ तिंडिम, डेन्ञ तिडिम
(ढोल और मांदर पर चांग-चांग एक साथ)

बा पर्व

डिंड्गा-डुबुल डिंड्गा-डुबुल
डिंग-डुबुल, डिंग डुबुल-डुबुल
(ढोल और मांदर पर साथ ढोल और मांदर पर)

शादी (आंदी)

डेन्ञ-ज, डेन्ञ-ज, डेन्ञ डुबुल डुबुल
डेन्ञज, डेन्ञज, डेन्ञ, डुबुल डुबुल

इसके अलावे और भी ताल राग एवं लय आधारित बजाया जाता है।

हेरो पर्व में वाद्य यंत्रों का बहिष्कार केवल गान नृत्य दल सुनकर करते हैं।

इस मौके का एक बा गीत देखा जा सकता है जिसमें वनों में मोरों के गूँजने और गिलहरी की पहाड़ों की तटी और वादियों में चौकड़ी एवं छलांग लगाने की चर्चा है। इसे सुनकर लोग आनन्दविभोर हो उठते हैं और ढोल-मांदर के साथ बांसुरी की धुन बड़े चाव से सुनते और आनन्द लेते हैं।

गीत के बोल हैं—

(1) 'एला रे सरनजोम बड़ा, एला रे नाड़ागुण में
एला रे सूड़ा सगेन, एला रे नोसोरेन में'
अर्थ : 'हे शाल फूल आओ हमें दे जाओ फूल
हे नए कोपल जल्द ही निकल पड़ो सुकोमल'

(2) 'बुरू जोला होला ते कुलै दो, कुलै दो, कुलै चुडु चुडु
खान सकम मई दो मिसाए-नीरे मिसाए चाकुड़े'
अर्थ : युवतियाँ पंक्तिबद्ध होकर धीरे-धीरे नाचती हुई गाती हैं और युवक हो जाते हैं।

तन्मय, अपनी-अपनी सारंगी और बाँसुरी के साथ और युवतियों के सरस कंठ और पदध्वनि से धुली-मिटी मिली युवकों की मुरली की आवाज एक अपूर्व और उल्लासमय वातावरण की सृष्टि कर देती है।

अर्थ : पहाड़ की तटी पर खरहा कभी दौड़े छलांग भरे, कभी ठहरे बैठे, बड़े उमंग भरे कौतूहल रूप में जंगल की चुनी लकड़ी और पत्ता लेकर सिर पर कुँवारी बाला कभी जोर से चले कभी दौड़े (बाँहों को खुलकर हिलाते)।

बोले गीत का एक उदाहरण—

(1) 'हातुवान बोलेन दिशुमान बोले,
हातु-हातु चिम, आयेर बड़ाञ
हातुवान बोलेम दिशुमान बोले

दिशुम-दिशुम चिम सुतुञः बड़ाञ'

(2) 'हतुजन रेदोमन दिशुमान रेदोम
कुवाकन जाटि चिञं बिलाम बोले
हतुजन रेदोम चि दिशुमजन रेदोम
कातिकन परकोम चिञं बिलाम बोले'

भावार्थ : यदि तुम्हारा गाँव होता या देश होता तो हम तुम्हारे साथ इस तरह क्यों घूमता, पीछा करता। यदि तुम्हारा गाँव या देश होता तो हम तुम्हें गोलबंद चटाई बिछा देता या खड़ा चारपाई ही बिछा देता।

इस प्रसंग का गीत प्रस्तुत है—

'गाड़ा नाड़ि तान लेका बाला को
लोर लिगिं तान लेका बाला को
उडेयावु लेंगेडेयाबु बाला को
काबु नेपेरां तना बाला को'

अर्थात् (क) नदियों के वेग-प्रवाह सदृश समधी,
हम पीवें धीरे-धीरे
हम पीवें, पीवें, समधी।

(ख) पिता पुत्री से विदा ले रहा है दाम्पत्य जीवन के संबंध में उपदेश देते हुए—

'जोनोम हसा, जोनोम जुड़ि
रांसा के नाम एन उड़ि
हपानुम रांसा जुड़ी, नाअः दो बागींम इनिअः
नीगे बोंगा नीगे हागा नीये नमअः जीवन डोंगा
बोंगा लेका सेबई में सारा न
सारी ते नीगे अमः जीबोन बाड़ा
जोआअः दुवर नामे याना
जोनोम दिशुम तोड़ायना
उकु उनं उलोम नीरा,
दिशुम निमिर टाञः यना,'

अर्थ : जन्मभूमि में तेरे साथ खूब आनन्द मनाया खूब जब युवती कुमारी थी—तब जीवन आनन्द का था। अब तो छोड़ो भूकोक दिन, जो निर्द्वन्द्व सा था, उसी समय से तुम अब लुका-छिपा माँगकर नहीं आना क्योंकि दुनिया अशांत सा है।

मन्तव्य : यह गीत हो जाति के भ्रमणशील एवं परस्पर सहभागिता की सटीक रचना है क्योंकि जो लोग अक्सर जगह-जमीन की खोज के आदी हैं और इस क्रम में दूर-दूर तक पैदल चल पहाड़-पर्वतों को पार कर वर्तमान क्षेत्र में बस गए यही उनका ऐतिहासिक यात्रा का भ्रमण कहा जाता है।

आज भी ये लोग अकाल या अनावृष्टि के मौके पर इस क्षेत्र से मजदूरी की खोज में सुदूर

उड़ीसा, गुजरात या पश्चिम बंगाल केऔद्योगिक क्षेत्रों में अपना जीवन यापन हेतु प्रस्थान कर जाते हैं और साथ ही अपने पूर्वजों की संस्कृति को निष्ठापूर्वक निभाने का प्रयास करते हैं यह इस परस्पर सामाजिक भावना का प्रेम एवं धार्मिक संलिप्तता का ज्वलन्त उदाहरण है क्योंकि वे जहाँ भी जाते हैं अपनी पहचान एवं धार्मिक संस्कारों को जहाँ तक बन पड़े आसानी से छोड़ नहीं सकते। पूर्वजों की पूजा तो वे छोड़ नहीं सकते क्योंकि उन्हें हमेशा उनके कोपभाजन का डर बना रहता है।

परिवेश विवाह : चाहे वह कोई जाति हो विवाह बिना गीतों के संपादित नहीं होता। विवाह की विधियाँ गीतों से ही प्रारंभ की जाती हैं और उनकी समाप्ति भी होती है गीतों के द्वारा ही। हो लोग भी इसके अपवाद नहीं बल्कि उनकी छोटी-सी कड़ी भी बिना गीत और डिंय (चावल से बना शराब) के जुटती ही नहीं। प्रत्येक विधि का आरंभ संपादन तथा गांत इन्हीं दो चीजों से होता है। नृत्य वातावरण में विधि अनुकूल रस की सृष्टि करता है विधि की गाड़ी इन्हीं तीन चक्कों के सहारे चलती है—नृत्य, गीत और 'डिंय'। ऐसे अवसरों पर रसों और भावों का सुन्दर सम्मिश्रण मिलता है।

कहा जाता है कि जब तक 'डिंय' के प्रति 'हो' की आसक्ति का आपको ज्ञान न हो तब तक उनकी मस्ती का आपको पता न हो, आप उनके इस मौके पर गीत को नहीं समझ सकेंगे।

वैवाहिक प्रस्ताव वर पक्ष की ओर से रखने की परम्परा है जिसमें पसंद लायक लड़की के लिए एक जोड़ा बैल एवं एक गाय-बछड़ा तय किया जाता है। वधू का दाम 101 रु. के अलावे साज-शृंगार की व्यवस्था वर वक्ष पर रहती है।

उपसंहार : आज सिंहभूम जिले के विस्तृत हो बहुल क्षेत्र में एशिया प्रसिद्ध संरडा बन प्रमंडल में वनरोपण अभियान, अनेकों औद्योगिक घराने, टाना यूरेनियम, सेल भारतीय इस्पात, ए.सी.सी. एवं छिटत्रिट खनन-खनिजों के अनेक इकाइयों द्वारा धरती के नीचे दबे भंडारों का अनियंत्रित दोहन आदि से हो समाज की संस्कृति अछूती नहीं रही। मजदूर एवं इसमें कार्यरत कर्मियों द्वारा उत्पन्न सामाजिक एवं यांत्रिक हलचल से संस्कृति को एक ऐसे स्तर पर लाकर खड़ा कर दिया है जिससे विरासत की मिली संस्कृति पर कुठाराघात के चिन्ह दृष्टिगोचर होने लगे हैं।

इस बदलते सामाजिक-संस्कृति-परिवेश में हो जनजाति के भविष्य का स्वरूप एक चिंता का विषय बना हुआ है। यह भावी पीढ़ी के लिए गंभीर समस्या का विषय बना रहेगा। इसमें तनिक भी आश्चर्य नहीं दिखता। किसी ने ठीक ही कहा 'जमाना हम सब से है, हम जमाने से नहीं।'

मन्तव्य : हो जनजाति के विस्तृत भूभाग पर जिसे कोलस्थान से 'कोलहान गोवर्नमेंट स्टेट' का नाम देकर अंग्रेजों ने इसे एक सुरक्षित क्षेत्र बनाकर सर्वांगीण विकास की ओर ले जाने का प्रयास किया। उसके फलस्वरूप प्रत्येक गाँव में प्रधान या मुंडा-मानकी प्रशासनिक ढाँचा बनाया था वह आज भी संवैधानिक स्तर का मान्य इकाई अनुसूचित क्षेत्र है। धार्मिक धरातल पर भी कुछ छिटपुट संस्थाओं का प्रारंभ किया गया था पर जैसा कहा जा चुका है ऐसी संस्थाएँ विशाल बहुमत के थपेड़ों से लुप्तप्राय: हो गई हैं परंतु आज इस इक्कीसवीं सदी में हो संस्कृति और धर्म की जड़ें हिलने लगी हैं शिक्षा और संचार के दूरगामी प्रभावों में आज

विशुद्ध हो धर्म पर लोगों का विश्वास अक्षुण्ण नहीं रहा यह दूर-दूर तक शिक्षा प्रभाव कहा जा सकता है इसका बदलता रूप पर्व एवं त्योहारों में केवल मौजमस्ती का अखाड़ा बन कर रह गया है। ऐसा कुछ लोगों का तो विचार है।

भूतप्रेत एवं डाइन प्रथा : (रूढ़िगत विचारधारा) हो जनजाति का भूत-प्रेतों के प्रति अगाढ़ विश्वास है। यद्यपि आज सरकार की स्वास्थ्य संबंधी योजनाओं का असर उन पर प्रभावी बनता जा रहा है फिर भी एलोपैथिक चिकित्सक एवं वैद्यों की सेवा लेने के साथ-साथ कई लोग ग्रामीण 'सोका' या देवताओं की शरण लेते रहते हैं यह नितान्त अज्ञानता और निरक्षरता का ही फल है। इससे उनको आर्थिक क्षति के साथ निरी असफलता ही भोगनी पड़ती है। इस दिशा में सामाजिक कार्यकर्ताओं की निष्ठापूर्ण सेवा एवं लगन अपेक्षित है। हो जाति का इस दिशा में नगण्य योगदान है। यह शिक्षा के विस्तृत प्रचार एवं प्रसार से ही उन्मूलन किया जा सकेगा।

जन्म एवं मृत्यु : हर हो परिवार में किसी बच्चे का जन्म शुभ ही माना जाता है। यह बच्चा लड़का हो या लड़की। बच्चे के जन्म लेने पर बच्चे के सिर की ओर एक कोने में तीर-धनुष रख दिया जाता है जो उस बच्चे का संरक्षण हेतु प्रतीक माना जाता है। बच्चे के इस अवसर पर परिवार के स्वामी का रहना अनिवार्य माना जाता है। जो पत्नी को हर संभव सहायता प्रदान करता है और पूर्वजों के नाम पूजा-अर्चना करता है। सामान्यत: एक हफ्ते के बाद 'तिकिएड़ा' (छट्टी) का रिवाज है। कोई-कोई इस कर्म को 21 दिनों के बाद 'इक्कीसिया' भी कहते हैं। इस अवसर पर सारे परिजनों को आमंत्रित किया जाता है एवं बच्चे का नामकरण भी होता है।

परम्परा तो यह भी है कि बच्चे के होने पर उसे दादा के ऐसा और लड़की होने पर दादी या नानी के नाम 'साकी' नामकरण किया जाता है। ऐसे अवसर पर विशेष भोज आदि की प्रथा है जिसमें संबंधित परिवार के अलावा गाँव के कुछ लोगों को भी खिलाया-पिलाया जाता है। लड़की के जन्म पर नाना या नानी का रहना आनन्द भरा अवसर होता है। जब बच्ची और बच्चे को माँ सहित उपहार एवं विशेष वस्त्र पहनाया जाता है।

मृत्यु : किसी की मृत्यु की घटना परिवार के अलावे गाँव भर के लोगों में दुखमय वातावरण ला देती है। नौजवान दाह कर्म या दफनाने के लिए जमीन या गड्ढा बनाने में लग जाते हैं। हर परिवार या किलि (गोत्र) का 'ससन' (कब्रिस्तान) होता है। जहाँ एक 'किलि' या परिवारों को दफनाया जाता है। ऐसे अवसर पर ग्राम प्रधान 'मुंडा' के द्वारा किसी बड़े वृक्ष को काटने की अनुमति देने की परम्परा है जिससे एक बक्सानुमा 'चलपा' बनाया जाता है जिस पर मृतक को रखकर जलाया या दफनाया जाता है।

ऐसे अवसरों पर स्वभावत: बड़ी संख्या में लोग उपस्थित होते हैं। दफनाने पर एक मुर्गी के चेंगने को जीते जी गड्ढे में डालकर पूर्वजों एवं मृतक की आत्मा की शान्ति के लिए कुछ पूजा किया जाता है। तत्पश्चात् मिट्टी दिया या भर दिया जाता है। मृतक के सिरहाने पर दक्षिण की ओर कुछ आहार बर्त्तन या पेय-पदार्थ एक कोने में रख दिया जाता है।

मृतक के 'ससन' पर सुविधानुसार 'सब-सिंइअ' करने की परम्परा है। यह एक प्रायश्चित्त

या श्राद्ध दिवस कहा जाता है। इस अवसर पर सारे संबंधियों को आमंत्रित किया जाता है और मुर्गी के अलावा बकरे की बलि 'ससन-दिरि' पत्थर पर दी जाती है। संबंधीगण रोते एवं बिलखते हुए विशेष खिचड़ी एवं हंडिया पेय डालते हैं। पिंड के रूप में ऐसी मान्यता है कि इस आयोजन के बाद ही मृतक के परिवार शुद्ध या पवित्र माने जाते हैं एवं उस परिवार से वैवाहिक संबंध रखने की बात की जा सकती है। इस मौके पर खान-पान एवं बृहत् भोज दिया जाता है जिसमें सगे-संबंधियों सहित अन्य लोग भी सम्मिलित हो सकते हैं।

मृतक के दफनाने या जलाने के तीन दिन बाद उसकी आत्मा को भोजनालय के विशेष कक्ष में भोज का थोड़ा-सा हिस्सा पिंड के नाम से चढ़ाया जाता है और उसे वहाँ नाम 'केया अदेर' बुला लिया जाता है ऐसी धारणा है कि मृतक की आत्मा किसी न किसी जानवर या वाहन द्वारा विशेष कक्ष में प्रवेश करती है जिसका प्रमाण पद-चिन्हों या किसी जानवर के पदचिन्ह से प्रतीत हो जाता है। यह एक अटूट धार्मिक विश्वास है।

बिरहोड़ जनजाति और संस्कृति

रेमिस कुंडलना

प्राकृतिक संसाधन के वक्षस्थल पर उसका घर। पर विकास की मुख्यधारा से कोसों दूर रहने वाली 'बिरहोड़' आदिम जनजातियों का आर्थिक जीवन बेहाल है। बिर होड़ या बिर होर शब्द मुंडा भाषा से आया है। जिसका अर्थ साहसी आदमी या जंगल का मालिक है। सबसे बलिष्ठ, पर विकास की राष्ट्रीय धारा से मतलब नहीं। बीर याने जंगल के कंद-मूलों को जीवन का आहार बनाकर जीवन बसर करने वाली जाति कह सकते हैं। बिरहोड़ आदिम जनजाति के बारे में अक्सर कहा जाता है कि पूर्व में इस जाति का वंश मुंडा जनजाति का अभिन्न अंग था। पारंपरिक व्यवस्था अनुसार एक किलि गोत्र में विवाह करने वालों को सामाजिक बहिष्कार किया जाता है। गाँव से बाहर याने हर गिड़ी कर देते हैं। बिर अर्थात् जंगलों में भगा देना। गाँव से समाज से बीहड़ जंगलों में। दंडस्वरूप भगा देने वालों को ही बीर याने बिरहोड़ कहने लगे। कालक्रमानुसार ये बिर में बीर या बिरहोड़ भारत के आदिम जनजातियों की गिनती में आने लगे।

आज बिर बिरहोड़ राजनीतिक, आर्थिक तथा सांस्कृतिक दृष्टिकोण से वंचित रहा है। इनके बीच न शिक्षा का दीप और न ही केन्द्र या राज्य सरकार द्वारा सामाजिक उत्थान का प्रयास किया गया है। आजादी के छप्पन वर्षों बाद भी ज्यों की त्यों रहा है। झारखंड अलग राज्य के बावजूद भी इनकी भाषा संस्कृति को समझने का प्रयास नहीं किया गया है। इनकी जीवन पद्धति से जुड़े लोकगीत तथा कथाओं का जिक्र कहीं नहीं है। ई. सन् 1911 की जनगणनानुसार इनकी जनसंख्या 2340 थी। पुरुष तथा महिलाओं की संख्या 761 थी।

संतालपरगना और छोटानागपुर की बिरहोड़ जनजातियों के सामाजिक, सांस्कृतिक तथा आर्थिक अर्जन को हम समतुल्य कह सकते हैं। विकास की दौड़ में दो कदम आगे बढ़े हुए मुंडा, हो, संताल, उराँव, खड़िया, लोहार, चीकबड़ाईक आदि जातियों का पलायन महानगरों की ओर जारी है।

यदि गौर किया जाए तो बिरहोड़ आदिम जातियों के बीच पलायन का मुद्दा नहीं के बराबर है। मरंग गोमके जयपाल सिंह के नेतृत्व में बिरहोड़ जनजातियों के बीच राजनीतिक चेतना लाने की कोशिश की गई थी, पर ये भी पूर्णतः सफल नहीं हो पाए थे। बिरहोड़ बुजुर्गों के बीच में मरंग गोमके जयपाल सिंह की राजनीतिक प्रभुत्व की परिचर्चा कभी-कभार सुनने को मिल जाया करती थी।

पेड़-पौधों, जंगली जानवरों से भावनात्मक लगाव रखने वाले बिरहोड़ लोगों का जुड़ाव प्रकृति से है। प्रकृति पर आधारित इनके लोकगीत तथा किलि गोत्र हैं। समय-समय पर करम,

सरहुल, बहा, माँग तथा शादी विवाह के गीत गाए जाते हैं। इनके सांस्कृतिक गीत आदिकाल से चले आ रहे हैं। अनपढ़ता के बावजूद इन्होंने अपने लोकगीतों को सँवारने का प्रयास किया है। ये अपने लोकगीतों में डोंग सेरेंग या सिरिञ या गीत-गामु दुरंग कहते हैं। प्रस्तुत लोकगीत इन्हीं से संबंधित है—

कीता लतर रे जीकी
बुनुम लतर रे हरबु
तुयू अलंग मेंद लअः जीकी दो
तेरोम अलंग मेंद् लअःहरबु दो

अर्थ : खिजुर पेड़ के नीचे साही जानवर। भुंडू के बिल में हरबु जानवर। साही जानवर सियार के जानवर के जीवन जैसा है। हरबु जानवर का जीभ तेरोम मधुमक्खी के छत्ते के जैसा है।

काम के बाद मनोरंजन की बारी आती है। तब अपने घर आँगन के पास मांदर बनाने और बजाने वाले को निम्न गीत से संकेत देता है।

चेतन खुली रे, मुचि तुंगदा
लतर रे मंदारिया
लोलो सितंग को अलोम बताऊ।

अर्थ : मांदर बजाने वाले मुचि की मधुर आवाज, तुंग दा आ रहा है। ऊपर के खोली से नीचे की खोली से मधुर आवाज आ रही है, तुंग दा उठो बहन उठो। कड़ाके की धूप को मत बताना।

सखुवा, सरजोम पेड़ के नीचे रख बिरहोड़ औरत अपने बच्चों को किस रूप में देखना चाहती है—खेल के रूप में या अन्य रूपों में। इसी का चित्रण इस गीत में है—

सराजोम फेंड़े रे चान्दो
होपोन एनेज तना को
सोना रा तुम्बा, रूपा रा तुम्बा
तम्बा डंडोम ते तिकिन रू तना।

अर्थ : खेल रहे हैं चान्दो, बच्चे तुम्हारे
शैल-सराजोम वृक्ष के छांव पर
सोना का तुम्बा, रूपा का तुम्बा
तम्बे का डंडा से बजाते हुए दिन-रात मधुर आवाज गूँज रही है।

बिरहोड़ आदिम जनजातियों के बीच, हुक्का-पानी, तम्बाखू खाने का रिवाज आम बात है। हुक्का-चिलम के साथ-साथ जीवनसाथी चुनने की बारी आती है, तब बीर होड़ युवक-युवतियाँ निम्न प्रकार से गीत गाते हैं—

गड़ा-बेड़ा रेदो तम्बाकु रोवा कदा
दोहो कदा दो पन्डुअकना
पन्डु बुढ़ी होतते कुड़ि
सिन्दुर बटि किया।

अर्थ : नदी के डीह के किनारे रोपा था तम्बाखू। रखा हुआ तम्बाखू सफेद हो गया। सफेद बाल हुई बुढ़िया की बेटी को सिन्दूर लगा कर मैंने, उसे नीचे लेटा दिया।

प्राकृतिक आपदाओं से ग्रस्त है विकास का अन्तिम आदमी बिरहोड़। अपने समाज, परिवार में दुःख-तकलीफ को किस प्रकार बिरहोड़ अपने परिवार पति-पत्नी तथा दूसरों को ढाढस बँधाते हुए जीता है और दुःख में भी दूसरों को गाली देता है, इसका उदाहरण इस गीत में—

आम दो नाम सुसुन तन,
हड़म में दोय हसुतन।
हड़म में गोज जन रे,
बिन्दुर बिनाश बचारोअम
आमदोमअम रसिकात
बुढ़ि में दोय दुकुतन
बुढ़ि में गोज जन रे
बिन्दुर बिनास, ओड़अः दुवार सुनसनोअम।

अर्थ : तुम तो नाच रही हो। तुम्हारा आदमी बीमार हो रहा है। तुम्हारा आदमी मर जाने से, असहाय हो जाओगी तुम। तुम तो भाई खुशी मना रहे हो, बुढ़िया तुम्हारी दुःख तकलीफ में है। तुम्हारी पत्नी मर जाने से घर-द्वार तुम्हारा अनाथ हो जाएगा।

जंगल के बीच बिरहोड़ आदिम जनजातियों का कुम्बा याने कुटिया या झोंपड़ी रहता है। रात को सोने के समय कभी-कभी इनके झोंपड़ी के द्वार के पास शेर चीता, बाघ चले आते हैं। इनसे अपनी सुरक्षा के लिए अपने बंडा कुत्ता के सहारे शेरों को भगाता है। इसी सुरक्षात्मक आधारित यह गीत—

लुपूयु लुपूयुःनोड़हा रेइंग तहिकेन रे
सोना-चीता लकड़ा दोय लोड़ो लेदय
बांडो सेता तहिकेन रेदो, जीदो तहिजन।

अर्थ : त्रिभुजाकार-त्रिभुजाकार कुम्बा याने झोंपड़ी में जब मैं था, सोना-चीता-कबरा लकड़बग्घा मुझे झाँकता है। वैसे मैं मेरा बंडा कुत्ता मेरा जीवन रखवाला करता है। त्रिभुजाकार-त्रिभुजाकार झोंपड़ी में जब मैं था, डरावना सा शेर जब देखकर झाँका तब बंडा कुत्ता मेरा जीवन बचा लिया।

जंगल में कई-कई तरह के पेड़ होते हैं। कुछ खुरचदार होते हैं। कुछ तो सफेद होते हैं। इनकी पहचान बिरहोड़ आसानी से कर लेते हैं। इसी प्रकार केउझी का पेड़ सफेद और चमकदार तथा फिसलदार होता है। इसकी तुलना बिरहोड़ सफेद साड़ी से करते हैं। इसके पेड़ का लसा या रस को खाने के रूप में भी उपयोग करते हैं। बिरहोड़ों के अनुसार इस पेड़ का लसा या रस डायरिया तथा पेचिस की बीमारी के काम आता है।

तेलेज दरूपोन्डे पोन्डे
बकल साड़ी पन्डु-पन्डु

मंयोम जनय लेसे लेसे लसा
रअःतनय हपा–हपा

अर्थ : सफेद सफेद सफेद केउझी का पेड़। सफेद सफेद है उसकी बाल रूपी साड़ी। इस पेड़ की रस से रक्तरंजित हो गया। और रो रही है, चुपचाप इस सफेद पेड़ की छाल ओढ़ा कर।

बिरहोड़ आदिम जनजातियाँ सभी प्रकार के जीव जन्तुओं का मांस खाती हैं। सच कहा जाए तो ये सर्वभक्षी हैं। शादी विवाह के अवसर पर बंदर हनुमान तथा खरगोश का मांस ज्यादा उपयुक्त समझते हैं। शादी विवाह में बिन बंदर या हनुमान मांस के इनके समाज में शादी को अपशकुन मानते हैं। हनुमान और बंदर के शिकार करने वाले को सबसे अच्छा शिकारी मानते हैं। इसी पर आधारित यह गीत—

बन्देरा को फासेजन, रसिकाते को फासेजन
हनुमान कोदो लसाजन, रसिकाते को लसाजन।
कुलादो फासेजन, ककालाते फासेजन

अर्थ : बंदर तो फांस गए, खुशी से फांस गए। हनुमान तो फांस गए, खुशी के मारे फांस गया शेर तो फांस गया, गरजते हुए फांस गया।

सर्वविदित है कि बिरहोड़ों को अपनी त्रिभुजाकार झोंपड़ियाँ सबसे प्यारी लगती हैं। अपनी पत्ते की कुटिया को सोना रूपी पत्ती से श्रृंगार करते हैं। घरों की सजावट पर यह गीत—

ओडा दो बइया कना, बुरू रे बइया कना
ओडा दो तिंगुअकना, सोना सकम ते सिंगाराकना।

अर्थ : घर घर तो बना हुआ है, जंगल के बीच बना हुआ है। घर तो खड़ा हुआ है, पत्ता रूपी सोने से श्रृंगार किया हुआ है।

बिरहोड़ जनजातियाँ कभी हल–बैल के कृषि काम नहीं करते हैं। याने ये आदिम जनजातियाँ जंगलों में घुमक्कड़ रही हैं। अपनी जीविका के लिए पेड़–पौधों से रस्सी ओखल, समाठ तथा जंगलों से तरह–तरह की जड़ी–बूटियाँ खोज तथा बेचकर अपना जीवननिर्वाह करते हैं। इनकी पूर्ति जंगलों से होती है। अर्थात् लूट लाओ और कूट खाओ की बात है—

ओखड़ी तुकूकु होबा जन,
रूडुंग बाबा रोहोड़ जन
तुकु ओखड़ी टोंकना जन
हटअःचऊलरी चवली नुरू जन।

अर्थ : ओखल समाठ बन गया, कुटने वाला धान सूख गया, समाठ ओखल छेद हो गया तथा सूप के छेद से चावल भी गिर गया।

आदिम जनजाति बिरहोड़ों के बीच जड़ी–बूटियों को पहचानने की अद्‌भुत क्षमता है। अंधविश्वासों की भरमार भी इनके बीच है। बीमारियों को मोती ओझा करके भगाने की कोशिश करते हैं—

रानुदो बुरू रे मेनअः दुकू दो होडमो रे मेनअः।
रानुते दुकु हर केदय।

रानुदो बोंगा ता रे मेनअः दुकु दो जी रे मेनअः।

बोंगा दो दुकु हर केदय।

अर्थ : जड़ी-बूटी तो जंगल में है। दुख तो शरीर में है। जड़ी-बूटी से दुःख समाप्त हो गया। जड़ी-बूटी तो देवता के पास है। दुख तो जीव में है। देवता दुख को हर ले गया।

बिरहोड़ जनजातियों या पहाड़िया जनजातियों के बारे में या अन्य जातियों के बारे में भी सरकार इनके विकास के बारे में ध्यान नहीं देती। देती भी है तो मात्र कागजी रिपोर्ट तक। इनकी भाषा संस्कृति के बारे में सरकार को सोचने की फुर्सत कहाँ। इनके लोकगीतों को समेटने का काम या इन्हें जंगलों को देखभाल के लिए जिम्मा देना नहीं चाहते। जंगल बचेंगे तो बिरहोड़ आदिम जनजातियाँ भी बची रहेंगी।

झारखंड की लोकचित्रकला

शेखर

झारखंड में आदिवासी और लोक शिल्पों की समृद्ध परंपरा रही है, शिल्प किसी भी आदिवासी और लोकसमूहों की संस्कृति और कला के अनिवार्य एवं अभिन्न अंग रहे हैं। आदिम समय से लेकर आज तक मनुष्य अपने द्वारा बनाए गए शिल्पों में अपनी भावना, विचार और कला के विभिन्न आयामों को गढ़ता आया है। शिल्पकला अपने समय, अपने समाज और संस्कृति की कड़ियों का दस्तावेज भी होती है। इसलिए उसका महत्त्व जीवन के हर पहलू में रहा है। मनुष्य अपने जीवन की आवश्यक वस्तुओं पर अपनी व्यक्तिगत तथा सामूहिक अभिव्यक्ति को आकार तथा सौंदर्य से बाँधने की कोशिश हर हाल में सतत ढंग से करता है, परिणामस्वरूप आज हमें आदिवासी तथा लोककलाओं की दीर्घ परंपरा दिखाई देती है।

पूरी दुनिया में अफ्रीका के बाद सबसे अधिक आदिवासी भारत में ही रहते हैं। झारखंड में तीस आदिवासी समुदाय रहते हैं, जिनकी संख्या 66 लाख से ऊपर है। प्रत्येक जनजाति समुदाय का अलग-अलग जीवन क्रम, समाज संगठन और धार्मिक सांस्कृतिक मान्यताएँ हैं। इसके बावजूद भी इनकी जो बुनियादी मान्यताएँ हैं—समानता एवं सामुदायिकता की, वह इन्हें विशिष्टता प्रदान करती हैं। आदिवासी समुदाय प्रकृति की पूजा करता है। प्रकृति ही इनका सब कुछ है। इनका आहार भी, औषधि भी, शृंगार भी, नृत्य संगीत भी। प्रकृति सभी अर्थों में इनकी सहचरी है। यहाँ के आदिवासी शिल्पों में विविधता और समृद्धि मिलती है। इनके शिल्पों में जितने आदिम अभिप्राय प्रतीक चिन्ह, मिथक, आस्था, अलंकरण तथा स्मृतियों के रूपाकार में जो मानवीय बोध दीखता है, वह किसी कला क्षेत्र में दिखाई नहीं देता। इनकी कला जटिल धाराओं के लघुकारक रूप में भिन्नात्मक अभिव्यक्ति है। झारखंड के इलाके में चित्रकला की झलक हमें इनके घर की दीवारों पर, चौखट एवं किवाड़ों पर, खिलौनों पर, बलि स्थलों पर, पर्व-त्योहारों के अवसर पर तथा आभूषण, गोदना एवं खटिया, मचिया, चटाई, टोकरी, आसनी, वाद्ययंत्र, युद्ध-यंत्र आदि पर मिलती है।

आदिवासी परंपरा में स्थापत्य संस्कृति में चित्रकला का अपना स्थान है। आदिवासी घर सुंदर और चित्रों से सज्जित भी होते हैं, जो किसी श्रेष्ठ कलाकृति की तरह चाक्षुष सौंदर्य आँखों में भरते हैं। आदिवासी महिलाएँ इस कार्य में पारंपरिक रूप से विशेष दक्ष होती हैं। संताल आदिवासी में भित्ति चित्रण परंपरा अन्य आदिवासी समुदाय के बनिस्पत ज्यादा है। झारखंड क्षेत्र में तीन महत्त्वपूर्ण पर्व होते हैं—सरहुल, करमा तथा सोहराय। इन अवसरों पर घर की विशेष सफाई की जाती है। मिट्टी से लिपाई के बाद उपलब्ध रंगी मिट्टी से चित्र बना कर घर को सजाया जाता है।

घरों की भीतरी तथा बाहरी दीवारों पर सूर्य, चाँद, तारे, फूल, पौधे, मोर, मछली, तोता, तीतर, मैना आदि तथा ज्यामितिक आकृतियाँ, विविध तरीके से संपूर्ण सृजनात्मक और रचनात्मक रूप से चित्रित की जाती हैं। इनकी चित्रकारी में फूल पत्ती और लता का आलेखन सबसे ज्यादा है। फूल ज्यादातर जंगली हैं। तीन पत्तियाँ या चार पत्तियाँ फूल की अधिकता है। इनकी चित्रकारी में प्राय: पूर्ण विकसित फूलों का ही चित्रण मिलता है। पत्ती या अर्ध-विकसित फूलों का चित्रण नहीं के बराबर है। दरवाजे पर सुरुचिपूर्ण ढंग से लत्तेदार पौधे से सज्जाकारी की जाती है। नीचे गमले से दरवाजे के दाईं और बाईं दोनों ओर से पौधे निकाल कर दरवाजे के शीर्ष पर एक दूसरे से आच्छादित होती हुई चित्रकारी की जाती है। हजारीबाग जिले के आसपास वाले इलाकों में ज्यादातर घरों में गीले दूधिया मिट्टी के घोल के हाथ की उँगलियों द्वारा विभिन्न प्रकार के ज्यामितिक संरचना से अलंकरण करने की परंपरा है।

आदिवासी घरों के चौखट तथा किवाड़ ज्यादातर अलंकृत नहीं होते हैं, लेकिन कुछ जगहों पर चौखट के शीर्ष पर शेर, घोड़ा तथा हाथी के त्रिआयामी मुँह बनाये जाते हैं। कहीं-कहीं किवाड़ पर औजार के सहारे चक्र, अर्धचक्र, तारे, जोड़, घटाव, गुणा तथा भाग के चित्र उकेरे जाते हैं।

घर में उपयोग होने वाले अन्य सामान—खटिया, मचिया, आभूषण, चटाई, टोकरी, आसनी, वाद्ययंत्र को खूबसूरत आकार में निर्माण कर उसे सुंदर डिजाइन से सजाया जाता है। वर्ग, आयत, वृत्त, मोर, तोता आदि के अलावा तरंगित लहेरिया के चित्र इन वस्तुओं पर बनाए जाते हैं। आदिवासी समाज में बलि का विशेष महत्त्व है। यहाँ बकरा, बकरी, चूजा, मुर्गी, मुर्गा, बत्तख तथा कबूतर की बलि दी जाती है। बलि द्वारा पूर्वजों को याद किया जाता है। बलि स्थान पर लिपाई के बाद अपने-अपने समुदाय के रीति-रिवाज के अनुसार प्रतीक चिन्ह बना कर बलि दी जाती है। उराँव समाज में बलिस्थान को आयताकार स्वरूप देकर लिपाई की जाती है तथा फूलों के सहारे एक त्रिभुज का निर्माण किया जाता है। उसी स्थान पर बलि दी जाती है। बलि के पहले जानवर के माथे पर सिंदूर से कई लंबी-लंबी रेखाएँ खींच दी जाती हैं। बलि देने वाले व्यक्ति के माथे पर भी एक लंबा अथवा गोल टीका दिया जाता है। इस प्रकार के चित्रों का निर्माण पुजारी करता है

पर्व-त्योहार के अवसर पर पूजन स्थल को कलात्मक और चित्रात्मक ढंग से सुंदर बनाया जाता है। इस क्षेत्र के तीनों मुख्य पर्व—सरहुल, करमा तथा सोहराय में पूजन स्थल पर पूजा खोंड यानी पूजा चिन्ह बनाया जाता है। करमा पर्व में अखड़ा को अच्छी तरह साफ करके वर्गाकार या आयताकार स्वरूप में मिट्टी से लिपाई कर इसके चारों ओर बालू से वर्ग का निर्माण किया जाता है। चारों वर्गों को जोड़ते हुए तीन-तीन रेखाएँ बालू के सहारे खींची जाती हैं। अखड़ा मध्य में बालू के सहारे एक वर्ग बनाया जाता है। जहाँ करम के डाल को रख कर पूजा की जाती है। करम वृक्ष कर्तव्य का प्रतीक है। इस दिन भाई-बहन मिल कर अपने-अपने कर्तव्य निभाने के लिए प्रतिज्ञा करते हैं।

करमा की तरह ही सरहुल तथा सोहराय में भी परंपरा के अनुसार पूजा चिन्ह बनाया जाता है। प्राय: सभी आदिवासी समुदायों में गोदना का प्रचलन देखा जा सकता है। गोदना हाथ, ललाट, बाँह आदि पर धारण किया जाता है। गोदना का प्रचलन ज्यादातर महिलाओं के बीच

पाया जाता है। गोदना के रूप में सूर्य, चाँद, तारे, नाग, बिच्छू आदि के चित्र अंकित किए जाते हैं। नवजात शिशु के जन्म से लेकर मृत्यु तक के संस्कार उपक्रम में चित्र बनाने का चलन यहाँ के तमाम आदिवासी समुदायों में है। आदिवासी अपने जीवन केआवश्यक उपकरणों का स्वयं निर्माता, अलंकरणकर्ता और उपभोक्ता होता है इसके परिणामस्वरूप इन आदिवासियों के द्वारा निर्मित सभी मौलिक सामग्रियों व धार्मिक-सांस्कृतिक अनुष्ठानों में उनकी संस्कृति और कला के प्रतीक, मिथक और अलंकरण अवश्य दिखाई देते हैं।

संथाली दीवाल चित्रण

सौन्दर्य की प्रवृत्ति मनुष्य की एक जन्मजात प्रवृत्ति है यही कारण है कि मनुष्य के सांस्कृतिक विकास की प्रत्येक कड़ी उसके सौन्दर्य बोध का भी निश्चित रूप से परिचय देती है। सभी जगह मानव समुदाय में चित्रांकन की परम्परा किसी न किसी रूप में रही है। कालक्रम में चित्रकला ने कई रूप ले लिए या फिर इसे कई वर्गों में विभक्त कर दिया—शास्त्रीय कला, लोक कला, आदिवासी कला। शास्त्रीय कला जिसे नागर कला भी कह सकते हैं, ये काफी समृद्ध व संभ्रान्त समाज की अभिव्यक्ति बन गई। शेष कला यानी लोक कला और आदिवासी कला को अविकसित लोगों के दिमाग की कला कह कर उपेक्षा की जाने लगी।

आदिवासी कला की ताकत तथा जीवनी शक्ति को पहली बार पिकासो तथा यूरोप के कई चित्रकारों ने उजागर किया तथा विलियम रूबीन ने इससे बहुत ज्यादा ही लगाव महसूस किया। आदिवासी कला साधारण नहीं है बल्कि वे जटिल धारणाओं की लघुकारक रूप में चित्रात्मक अभिव्यक्ति है।

आदिवासी कला को तकनीकी आधार पर आधुनिक सामाजिक संरचना के समुदाय दो खानों में रखते हैं—एक तो आदिम कला के खाने में तथा दूसरा इसे उन्नत कला के खाने में। लेकिन कला की आदिम तथा उन्नत अवस्था की धारणा कला के तकनीकी विकास के आधार पर तय करना काफी खतरनाक विचार है। यानी हम ऐसी अवधारणाओं को स्वीकार करते हैं तो एक पक्ष इस कला को आदिम या पुरातन कला कह कर इसे खारिज कर देगा फिर दूसरा पक्ष आदिवासी कला की समसामयिक अभिव्यक्ति को तकनीकी आधार पर खारिज कर देगा। आदिवासी कला की रचनात्मक क्षमता को स्वीकार करने में शायद जो दिक्कत है वह यह है कि पश्चिम में 19वीं शताब्दी में जो प्रकृतिवादी अवधारणा जिस रूप में विकसित हुई, उसी धारणा से हम लोग अभी भी चिपके हुए हैं।

पूरी दुनिया में अफ्रीका के बाद सबसे अधिक आदिवासी भारत में ही रहते हैं और देश के आदिवासी बहुल प्रदेशों में एक है बिहार। यहाँ सबसे ज्यादा संथाल आबादी रहती है। तमाम विस्थापन और पलायन के बावजूद 18 लाख से ऊपर इसकी जनसंख्या है। संथाल आदिवासी की सुदीर्घ सांस्कृतिक परम्परा है। इनके सांस्कृतिक उपक्रमों, आस्थाओं, मिथकों, अलंकरण और सज्जाकारी में गजब का मानवीय बोध दिखता है।

संथाल, संथालपरगना तथा छोटानागपुर के पठारों में काफी वर्षों से रहते चले आ रहे हैं। इनकी भाषा तथा इनका रहन-सहन, इनकी परम्परा काफी समृद्ध है। इनका आर्थिक, सामाजिक

तथा सांस्कृतिक आधार अन्य जातियों से अलग पहचान बनाती है।

संथाल आदिवासियों में भित्ति चित्र की परम्परा काफी समृद्ध एवं प्राचीन रही है। इतिहास को तलाशें या फिर मानवीय सौन्दर्य की अनुभूति की बात करें तो चित्रांकन की प्रवृत्ति आदिम प्रवृत्ति से जुड़ जाती है। भित्ति चित्रण का पहला उदाहरण गुफा चित्र के रूप में पाते हैं। भारत के इतिहास में उत्तर प्रदेश के मिर्जापुर के निकट कैमूर की पहाड़ियों में अंकित चित्र को पहली उपलब्धि के रूप में देख सकते हैं। इसके अतिरिक्त उत्तर प्रदेश के बांदा तथा मध्य प्रदेश के रायगढ़, होशंगाबाद, भोपाल आदि जगहों पर गुफा चित्र मिले हैं। बिहार के संदर्भ में शाहबाद, चक्रधरपुर, राजगृह तथा इस्को के गुफा चित्रों को ले सकते हैं। गुफाचित्र के बाद यदि हम गृह-संस्कृति में भित्ति चित्र के परम्परा की प्राचीनता पर नजर दौड़ाएँ तो रामायण (500 बी.सी.) में वाल्मीकि ने चित्रशालाओं, महलों, रथों, पालकियों आदि पर चित्रकारी का अनेक स्थानों पर उल्लेख किया है। राम और कैकेयी के भवन अनेक चित्रों से सुशोभित थे।

लगभग 5वीं शती ईसा पूर्व सम्राट बिम्बसार के संबंध में बौद्ध ग्रंथक 'दिव्यायन' में एक कथा का जिक्र मिलता है, जिसमें भगवान बुद्ध ने राजकीय कलाकार को भित्ति चित्र बनाने की युक्ति सुझाई थी और इस सिद्धांत और इसी युक्ति से अपना व्यक्ति चित्र बनवाया था। कुल मिलाकर प्राचीन काल से ही भित्ति चित्रांकन लोगों के लिए एक दिलचस्प कार्य रहा है।

संथाल आदिवासी अपने भित्ति चित्रण के इतिहास को अपने प्राचीन स्थली चाय चामपा गढ़ का जिक्र करते हैं। चाय चामपा को वे आधुनिक संदर्भ में सिन्धुघाटी की सभ्यता से जोड़ते हैं। इनका मानना है कि सिन्धु घाटी की सभ्यता इन्हीं की सभ्यता है। चाय चामपा के किले में चित्रकला के उत्कृष्ट नमूने चित्रित थे। अपने जाति के मौलिक इतिहास 'कराब विनती' का हवाला देते हुए पद का जिक्र करते हैं—

चाय चामपा लिली बिची
बादौली कोएण्डा लिखा गड़हन॥

यानी चाय चामपा का किला अत्यंत सुंदर है, जिसमें सारी सुन्दरता का चित्रण किया गया है। भित्ति चित्रण परम्परा का मूल स्रोत यहीं से मानते हैं। इनका कहना है कि हम अपनी समृद्ध परम्परा को पीढ़ी दर पीढ़ी आगे ले जा रहे हैं।

संथाल आदिवासी के चित्रों को दो क्षेत्रों में विभक्त कर देख सकते हैं—एक संथालपरगना का क्षेत्र तथा दूसरा छोटानागपुर। भौगोलिक स्थिति अलग होने से इन दोनों क्षेत्रों के चित्रों में कुछ भिन्नता है। चित्रों में ही नहीं इनके रहन-सहन, घरों के बनावट, त्योहारों आदि में भी स्पष्ट भिन्नता परिलक्षित होती है।

संथालपरगना के भित्ति चित्र में प्राचीनता का भाव है तो छोटानागपुर में आधुनिकता का भाव। एक में 'आकार' की प्रधानता है तो दूसरे में 'रंग' की प्रधानता। यहाँ का चित्र 'उभार' लिए हुए है तो वहाँ का चित्र 'समतल' है।

संथाल समाज का महत्त्वपूर्ण पर्व है—सोहराय। ज्यादातर दीवाल चित्रण इसी पर्व के अवसर पर किया जाता है। सोहराय पर्व जनवरी मास में मनाया जाता है। कृषिकर्म समाप्त कर फसल को जब ये अपने घर ले आते हैं तब थोड़ा फुर्सत का समय होता है। महिलाएँ तन्मयता से

अपने-अपने घरों की मरम्मत करने में जुट जाती हैं। पिछली बारिश में टूटे-फूटे दीवालों को अपने कुशल हाथों से सँवारती हैं। सबसे पहले दीवाल के ऊपर पुराने लेप को लोहे की खुरपी जैसी धारदार चीजों से खुरचा जाता है। फिर मिट्टी की लिपाई की जाती है। लिपाई के लिए खास मिट्टी मिलती है। इस मिट्टी को संथाली में 'फोताहोसा' कहते हैं। लिपाई समतल हो इसका खास ध्यान रखा जाता है। इसके लिए महिलाएँ लकड़ी से बने 'रूसा' का उपयोग करती हैं। लिपाई जब थोड़ा सूख जाती है तो उसे झाड़ के झाड़ू से झाड़ा जाता है। कहीं-कहीं इसके बाद पुआल को जलाकर काला रंग बनाया जाता है तथा इसे मिट्टी में घोल कर दीवाल पर प्रथम लेप के बाद चढ़ाया जाता है।

संथाल आदिवासी जब अपना नया घर बनाते हैं, उसी समय तय किया जाता है कि दीवाल तथा दरवाजों को किस-किस आकृतियों तथा डिजाइनों से सजाया जाए। उभार वाले चित्र के लिए डिजाइन के अनुरूप कच्चे दीवाल पर खुरपी, करनी तथा अन्य सहायक उपकरणों की मदद से मिट्टी को काट कर आकृति को उभारा जाता है। यह विधि संथालपरगना में काफी प्रचलित है। छोटानागपुर में प्रायः चित्र समतल बनाए जाते हैं। दीवाल की सतह पर सफेद खड़िया की सहायता से डिजाइन बनाया जाता है, फिर रंग भरा जाता है।

दीवाल चित्रण में प्रायः मिट्टी रंग का ही प्रयोग किया जाता है। हर गाँव के आस-पास या थोड़ी दूर पर कुछ-कुछ खास जगह पर खास-खास रंग की मिट्टी मिल जाती है। आकृति एवं डिजाइन के अनुरूप रंग विभाजन किया जाता है। फिर शुरू होता है रंग भरने का काम। संथालपरगना में प्रायः सफेद, नीला, लाल और काले रंग का प्रयोग मिलता है जबकि छोटानागपुर के क्षेत्र में काला, नीला, हरा, सफेद, पीला तथा इन रंगों के मिश्रण से बने कई शेड का प्रयोग किया जाता है। चित्रों में तथा दीवाल के बार्डर पर रंगों की कई परत चढ़ाई जाती है ताकि रंग गहरे और आकर्षक बन सकें।

संथाली दीवाल चित्रों में फूल, पत्ती, लता, पौधा, मोर, मछली, बार्डर तथा ज्यामितिक आकृति विविध तरीके से सम्पूर्ण सृजनात्मकता और रचनात्मकता से चित्रित की जाती है। इनकी चित्रकारी में फूल, पत्ती और लता का आलेखन काफी पाया जाता है। ज्यादातर फूल वृत्ताकार फार्म लिये हुए हैं। फूल ज्यादातर जंगली हैं। तीन पतिया और चार पतिया फूलों की अधिकता है। संथाल संस्कृति में फूल का खास स्थान है। अभी भी संथाल लड़कियाँ व महिलाएँ अपने जूड़े में फूल लगाती हैं। 'कराम विनती' में फूल द्वारा श्रृंगार करने की व्याख्या की गई है। स्त्रियाँ किस-किस मौसम में किन-किन अंगों को किन फूलों से श्रृंगार करेंगी इसका काफी विस्तार से वर्णन किया गया है। संथाल समाज में फूल के प्रति सम्मान प्रकट करने के लिए एक त्योहार मनाया जाता है—'बाहा'।

पेड़-पौधों के चित्रांकन में काफी विविधता है। प्रायः पौधे के नीचे एक गमला अवश्य होता है। इसी गमले से पौधों का सृजन होता है तथा ऊपर की ओर फैलाव लेती उठती है। डंठल के दाईं तथा बाईं ओर पत्तियाँ चित्रित की जाती है। पत्तियों के चित्रांकन में विविधता नहीं है। पत्तियों का अग्रभाग प्रायः नुकीला है। डंठल में गत्यात्मकता है। डंठल के मध्य तथा शीर्ष पर फूल अंकित किया जाता है। इनकी चित्रकारी में प्रायः पूर्ण विकसित फूल का ही चित्रण मिलता

है, कली या अर्ध विकसित फूलों का चित्रण नहीं के बराबर है। फूलों के चित्रण में विविधता है। दरवाजे पर सुरुचिपूर्ण ढंग से लत्तेदार पौधे से सज्जाकारी की जाती है। नीचे गमले से दरवाजे के दाईं और बाईं दोनों ओर से पौधे निकाल कर दरवाजे के शीर्ष पर एक दूसरे से बहुत ही खूबसूरती के साथ आच्छादित होती हुई चित्रित की जाती है।

संथाल समाज के रहन-सहन घर-द्वार में गमला कहीं भी नहीं मिलता है लेकिन उनके चित्र में गमला का बहुरूप में चित्रण मिलता है।

प्रागैतिहासिक शिला चित्रों में पशुओं की तुलना में पक्षियों का चित्रण कम हुआ है। लेकिन संथाली चित्रों में पशुओं का चित्रण अत्यंत कम तथा मोर का काफी चित्रण मिलता है। मोर प्रायः जोड़े में पौधे के ऊपर चित्रित किया जाता है।

मोर के अलावा मछली के चित्रण की प्रधानता है। मछली भी मोर के समान प्रायः जोड़े में ही चित्रित की जाती है। दो मछलियों के बीच संबंध स्थापित करने के लिए मछली मारने वाले बंशी का काटा तथा जलकुंभी का चित्रण मिलता है। मोर तथा मछली की आकृतियों में प्रायः क्षैतिज लम्बाई की प्रवृत्ति है।

इन सबके अलावे संथाली दीवाल चित्रण में ज्यामितिक आकृतियों की काफी प्रधानता है। अर्धवृत्ताकार, आयताकार, वृत्ताकार, आड़ी-तिरछी रेखाएँ, लहेरिया आदि ज्यामितिक आकार कहीं-कहीं ज्यादा प्रतीकात्मक है तो कहीं सिर्फ अलंकारिक। डब्लू. जी.आर्चर, जो कि संथालपरगना के डिप्टी कमिश्नर थे, ने 'द वरटिकल मैन'(लंदन 1947) पत्रिका में संथाली चित्रकारी पर अपना कुछ विश्लेषण रखा है। उनके अनुसार 'संथाली रेखांकन तथा चित्रकला में ऊर्ध्वाकार तथा क्षैतिज रेखाओं में रत्यात्मकता है, जो निश्चित रूप से सम्मान देने लायक है। इसकी शैली को हम जैव ज्यामिति (वाइटल ज्योमेटरी) कह सकते हैं।' हालाँकि सब लोग इनकी राय से सहमत नहीं हो सकते लेकिन इस बात से कोई इंकार नहीं कर सकता कि संथाल आदिवासी में अलंकरण के प्रति एक दृष्टि है।

जादोपेटिया पेंटिंग : अनूठी चित्रण शैली

जादोपेटिया पेंटिंग अपने विषय वस्तु और चित्रण शैली के कारण अभी भी जीवित है लेकिन अपने पूरे वजूद के साथ नहीं। इस शैली पर बहुत ही कम काम हुआ है। किसी मशहूर चित्रकार का नाम इस शैली के साथ नहीं जुड़ा। किसी जमाने में संथाली जन-जीवन पर काम करने वाले महान चित्रकार यामिनी राय, नंदलाल बोस तथा मूर्ति शिल्पी रामकिंकर बैज जैसे अनेक महान शिल्पी हुए। लेकिन एक पूरा समुदाय जब संथाली जीवन के साथ रच बस गया और इनकी संस्कृति, मिथक, उत्सव आस्था को अपना विषय बनाकर बरसों-बरस काम करते रहे तब भी इस समुदाय में से एकाध भी महान चित्रकार क्यों नहीं पैदा हुआ। यह सवाल बार-बार कौंधता है। बहुत खोजबीन के बाद एक नाम उभर कर आता है जदु चित्रकार का। कहते हैं अपने जमाने में वे काफी लोकप्रिय तथा समाज में काफी प्रतिष्ठित थी, लेकिन अब समय बदल गया है। सेल्युलाइट के जमाने से आगे टीवी स्क्रीन का जमाना है। अब तो सेल फोन के स्क्रीन पर भी सब कुछ मौजूद है। जादोपेटिया पेंटिंग दृश्य श्रव्य विधा की प्रारब्ध कला विद्या के रूप में विकसित

हुई। चित्र और कथा साथ-साथ एक संपूर्ण कार्यक्रम। शुरुआत भी और अंत भी। कथा के अनुरूप बदलते चित्र मानवीय गति के साथ। लेकिन जिस जादोपेटिया पेंटिंग की चर्चा आर्चर ने अपनी पुस्तक इंडियन पापुलर पेंटिंग में की, भारत में क्या झारखंड में भी इसका कोई स्थान नहीं रह गया है। आज यह शैली मात्र संग्रहालय की चीज भर बन कर रह गई है।

जादोपेटिया पेंटिंग यानि जादो समुदाय पट पर बनाई जाने वाली पेंटिंग। जादो समुदाय मुख्य रूप से दुमका के शिकारी पाड़ा, रानेश्वर तथा मसलिया प्रखंड तथा जामताड़ा के नाला कुंडहित प्रखंड के कुछ गाँवों में हैं। कुछ परिवार साहेबंगज के बरहेट तथा बोरियो प्रखंड में भी हैं। ऐसे तो जादो परिवार संथाल बस्ती के साथ ही बाहरी छोर पर बसते हैं, लेकिन इनका एक महत्त्वपूर्ण गाँव जामताड़ा के गुहिया जोरी पंचायत में है। नाम है मुड़ाव। जहाँ 30 परिवार रह गए हैं। एक दूसरा गाँव है मधुबन, जहाँ 12 से 13 परिवार रह रहे हैं। इनकी भाषा संथाली मिश्रित बांग्ला है। ये समुदाय आदिवासी नहीं हैं। मि. आर.वी. रसेल और हीरालाल ने अपनी पुस्तक ट्राइबल एंड कास्ट्स ऑफ सेंट्रल प्रोविंसेस में लिखा है कि यह समुदाय महाराष्ट्र के क्षेत्र से पलायन करते बिहार (आज झारखंड), बंगाल और उड़ीसा के बार्डर तक आया यह समुदाय महाराष्ट्र में चित्रकाठी कहलाता है। झारखंड में इनका उपनाम चित्रकार है। मि. इथोवेन लिखते हैं कि इनका मुख्य काम चित्र बनाना और दिखाना है। अपने समय के नायक, महत्त्वपूर्ण घटना, ईश्वर एवं आस्था को अपने चित्र का विषय बनाते हैं। जादो समुदाय झारखंड में बहुत पहले से रहते चले आए हैं। इसका प्रमाण इनके लोकगीतों में भी मिलता है। एक गीत है—

नाम दो जुगी हो जुगी
दिसोम जुगीमदोरान
निगन नोपून रफ्जोशी
नेगुवान भी।

(ऐ जोगी, तुम बहुत दूर से यात्रा करते हुए आते हो तुम मेरे लिए मेरे माता-पिता की तस्वीर लेते आना)। यह एक लोकप्रिय लोकगीत है जिसमें एक नव- विवाहिता स्त्री कहती है कि यहाँ माता-पिता के पास संदेश भेजने का कोई रास्ता नहीं है। पति के घर में सभी चेहरे अपरिचित हैं। तुम मेरे माता-पिता का चित्र बनाकर लेते आना। इस गीत से पता चलता है कि संथाल समाज और जादो समुदाय के बीच का रिश्ता कितना प्रगाढ़ और कितना मानवीय है। जादोपेटिया पेंटिंग के विषय वस्तु पर चर्चा करें तो संथाली मिथक एवं आस्था, जीवन-मृत्यु, यमराज द्वारा जीवन में किए गए गलत कामों के अनुसार दंड, उत्सव, जीवन दृष्टि, नैतिक मूल्य, सौंदर्य, पृथ्वी व सृष्टि की उत्पत्ति, संथालों के पलायन की कथा केंद्रीय विषय रहे हैं। इसके अतिरिक्त संथाली लोक कथा का चित्रण सबसे आकर्षक विषय है। सिद्धू-कान्हू के विद्रोह की कथा का चित्रण भी मिलता है लेकिन बहुत कम महाभारत, रामायण, कृष्णलीला का चित्रण अधिक मिलता है। जादोपेटिया पेंटिंग में विषय के इतने विविधता के बावजूद भी इस पेंटिंग को सिर्फ मृत्यु के बाद जीवन में किए गए पापों के हिसाब से यमराज द्वारा दिया गया दंड के चित्रण के रूप में ही जाना जाता है। जादोपेटिया पेंटिंग को यमगाथा के पर्याय के रूप में देखा जाता है जो इसके साथ सरासर बेमानी है।

चित्र मुख्य रूप से कपड़े पर बेल के गोंद से चिपके कागज पर बनाया जाता है। अधिकांशतः पट की लंबाई 6 फीट से 10 फीट तक होती है तथा चौड़ाई 8 इंच से 12 इंच तक होती है। एक कथा में कुल 6 चित्र से 10 चित्र तक होते हैं। एक कथा के प्रदर्शन में लगभग आधा घंटा समय लगता है।

चित्र में बार्डर अवश्य होता है तथा इसे बड़े मनोयोग से बनाया जाता है। चित्र में कथानुरूप मानवाकृति पेड़ पशु पक्षी व अन्य सहायक सामग्री का चित्रण तथा संयोजन किया जाता है। मानवाकृति की मुखाकृति प्रायः एक चश्मी है तथा स्त्री व पुरुष के केश विन्यास अलग-अलग हैं। स्त्री के बालों में जूड़ा का चित्रण मिलता है। खुले बालों का चित्रण नहीं के बराबर है। पुरुष के चित्रण में मूँछ व दाढ़ी का चित्रण नहीं है। आँखें अपेक्षाकृत बड़ी हैं। वस्त्र सज्जा में देवता, गुरु तथा यमराज को अलंकृत किया जाता है। जबकि सामान्य स्त्री-पुरुष साधारण लिबास में हैं यथा लुंगी, साड़ी, धोती, गमछी।

रंग ज्यादातर प्राकृतिक हैं। मूल रंग काला, हरा, पीला है। लाल रंग का भी प्रयोग कहीं-कहीं मिलता है लेकिन वह बहुत ही कम। रंग मुख्य रूप से रंगीन पत्थर को घिसकर, पत्रों तथा छाल को उबालकर, चावल को पीसकर और जलाकर ही बनाये जाते हैं। ब्रश के लिए बकरी तथा गाय के पूंछ के बाल को माध्यम बनाते हैं। महिलाएँ रंग निर्माण, पट निर्माण तथा चित्र बनाने में बराबर की भूमिका निभाती हैं। लेकिन चित्र दिखाकर अन्न, मुर्गा, अंडा, पैसा तथा अन्य सामग्री पुरुष इकट्ठा करते हैं।

लेकिन अब चित्र दिखलाकर कथागायन कर जीवन का यापन करना बेहद दुरूह हो गया है। आज के जीवन से तालमेल कर पाना उनके लिए संभव नहीं है। दक्षिण-पूर्व एशिया, अफ्रीका तथा लैटिन अमेरिका में आदिवासी चित्रकला को संग्रह करने वाले कला मर्मज्ञ डॉ. नाजकोरा लिखते हैं कि ये हमारे शिक्षक हैं। आज हमारे जीवन से जादो को निकाल दिया जाए तो संथाल आदिवासी के सांस्कृतिक और आध्यात्मिक जीवन में संकट पैदा हो जाएगा।

लेकिन आज जादो समुदाय संकट के दौर से गुजर रहे हैं। मजबूरी में जीवनयापन के दूसरे तरीके अपनाने के कारण जादोपेटिया पेंटिंग अब नहीं के बराबर बन रहे हैं। इस संकट के समय दुमका के चित्रकार श्री एल.एम. राय ने नई पीढ़ी को इस चित्रशैली में प्रशिक्षित करने का बीड़ा उठाया है तो युवा चित्रकार सुश्री मीनू आनंद आदिवासी चित्रकला अकादमी बनाकर इस चित्रशैली को जिंदा रखने का प्रयास कर रही है।

दुमका के ट्राइबल म्यूजियम में इस चित्रशैली को संग्रहित किया गया है। लेकिन वह काफी कम है जादोपेटिया पेंटिंग के उत्कृष्ट नमूने को अधिक से अधिक संग्रहित कर संरक्षित करने का उपाय करना होगा। राष्ट्रीय कला संस्थान ललित कला अकादमी को भी इस शैली के ऊपर शोध और संग्रह कर इसे कला जगत में उचित स्थान दिलवाने की कोशिश करनी चाहिए। इसके अलावा झारखंड के चित्रकार, कला मर्मज्ञ तथा कला समीक्षक को भी इस पर काम करने की जरूरत है। झारखंड में आदिवासी तथा लोककला के शोध व अध्ययन के लिए कला संस्थान खुले इसके लिए प्रयत्न करना होगा।

कोहबर व सोहराय कला

पिछले एक दशक में हजारीबाग के कोहबर एवं सोहराय कला में बहुआयामी विकास हुआ है तथा पुतली, रुक्मणी देवी, फिलोमिन तिर्की व छमनी देवी जैसे लोक चित्रकारों के चित्रों ने इसे देश-विदेश में स्थापित करने के साथ-साथ आर्ट-गैलरियों तथा कला प्रेमियों के बीच अपनी पहचान बनाई है। आज इस कला का व्यापक फलक बना है और इसका श्रेय इंटक, हजारीबाग के बुलु इमाम तथा उनके साथियों को जाता है। आज यह कला अपनी परंपरागत धरातल-भूमि, भित्ति, चट्टान व कंदराओं से अलग हटकर कोलाज, बोर्ड म्यूरल, खिलौना, इम्ब्रॉएडरी, काष्ठ शिल्प, जैसे कई स्वरूपों व सतहों पर उकेरे जा रहे हैं। लेकिन इनके केंद्रीय भाव, मोटिव, रंग और संयोजन परंपरागत ही हैं।

कोहबर व सोहराय कला का केंद्र झारखंड का हजारीबाग जिला छोटी-छोटी पहाड़ियों और जंगलों से भरा पड़ा है। इस क्षेत्र में मुंडा, उराँव, संथाल, बिरहोर आदिवासी के साथ-साथ गंजू, प्रजापति, तेली, कुर्मी, महतो जैसी कई सदान जातियाँ रहती हैं। इस जिले में अकूत खनिज संपदा के साथ-साथ जनजातीय एवं लोककला का अक्षुण्ण खजाना भी बिखरा पड़ा है जिसकी जड़ें इस्को के गुफा-चित्रों (जो लगभग 8000 वर्ष ईसा पूर्व की है) तक जाती हैं।

कोहबर व सोहराय कला का मूल संबंध प्रजनन तथा अन्न उत्पादन से है। कोहबर का संबंध विवाह से है। विवाह और कृषि किसी भी समाज का महत्त्वपूर्ण अंग है, जिसके बिना मानव विकास, समाज व संस्कृति संभव नहीं है। कोहबर यानी खोबर, जिसका शाब्दिक अर्थ है गुफा के विवाहित जोड़े। खोबर ही आगे चलकर कोहबर हो गया। कोहबर में चित्र अवश्य बनाए जाते हैं। इस अवसर पर प्राय: संपूर्ण मिट्टी की दीवार पर पारंपरिक निरूपक और विविध प्रकार के अभिकल्प बनाए जाते हैं। जिसका निर्माण संपूर्ण रूप से महिलाएँ करती हैं। वैसे तो कोहबर घरों के भीतरी व बाहरी दोनों दीवारों पर की जाती है, लेकिन घरों की आंतरिक दीवारों को काफी सजगता से चित्रित किया जाता है। चित्रों में मांगलिक चिन्हों को चित्रित किया जाता है। ये सारे क्रियाकलाप मुख्य रूप से फरवरी से जून के बीच होते हैं। चित्रों में कुछ आकृतियाँ समुदाय विशेष की होती हैं। जैसे मुंडा घरों में इंद्रधनुष, हवा में लहराते सर्प, उराँव घरों में लता, पुष्प तथा पूर्वज के गणचिन्ह को चित्रित किया जाता है। कोहबर के चित्रों में रंगों का प्राय: अभाव दिखता है। कहीं-कहीं ही कुछ रंगों का प्रयोग दिखता है। कोहबर चित्रों में अभिकल्पों का निरूपण कंघी के माध्यम से किया जाता है। सबसे पहले दीवार पर काले रंग का लेप चढ़ाया जाता। सूखने के बाद सफेद रंग, लाइट क्रीम या पीले रंग का लेप चढ़ाया जाता है। लेप के गीला रहते ही कंघी के दाँतों के माध्यम से विविध ज्यामितिक डिजाइन, फूल आदि छोड़ दिया जाता है। कंघी से काटने के बाद काला रंग बखूबी से उभरता है। रंग भरने के लिए दातुन की कूची या फिर पुराने कपड़े को लकड़ी में लपेटकर बनाए गए ब्रश का प्रयोग किया जाता है। रंग में मुख्य रूप से अर्थ कलर का ही प्रयोग किया जाता है।

कोहबर के विपरीत सोहराय चित्र काफी रंगीन होता है। सोहराय चित्र मुख्य रूप से खेती के बाद अक्टूबर-नवंबर में सोहराय पर्व के समय किया जाता है। घरों की सफाई की जाती है। घरों के दीवारों की मरम्मत कर लिपाई की जाती है। फिर शुरू होता है, इसे विभिन्न आकारों में

चित्रित करने का काम। चित्रण के बाद इन्हें आकर्षक रंगों से सजाया जाता है। गंझू समुदाय के चित्रों में रंगों का सुंदर व दक्षतापूर्ण प्रयोग देखने को मिलता है। चित्रों में मुख्य रूप से चार रंग—काला, सफेद, पीला और लाल रंग की प्रमुखता होती है। ये सारे रंग अर्थ-कलर (मिट्टी रंग) ही होते हैं।

सोहराय चित्रण में विविध मानवाकृतियाँ, विशालकाय घोड़े, हवा में लहराते सर्प, हिरण, बैल, मोर, पौधे, फूल, लहेरिया, ज्यामितिक आकृति काफी सुंदर तरीके से चित्रित की जाती हैं। इन आकृतियों को इस्को में चित्रित गुफाचित्रों के आकृतियों के हजारों सालों की आवृत्ति के रूप में देख सकते हैं। चित्रों में शिव की प्रमुखता है। शिव पशुपति के रूप में ज्यादा हैं। बैल पर सवार शिव, बैल गोल-गोल चकतों से सजाया जाता है। शिव को उत्पत्ति और विध्वंस करने वाले रूपों में भी चित्रित करने की परंपरा है। जीवन को फूलों और पत्तियों में ढूँढ़ा जा सकता है। ये सारे चिन्ह इस्को के गुफा चित्रों में चित्रित चिन्हों के काफी करीब हैं, जो उच्च स्तरीय मानवतावादी कला है। इसके अलावा इस क्षेत्र में प्रजापति, राना, तेली समुदाय मांगलिक, अलंकरण के साथ पुष्प-विषयक एवं अलंकृत मोटिव, मछली, रसोई के उपकरण आदि को बहुत खूबसूरती के साथ चित्रित करते हैं। गंझू और तुरी समुदाय के चित्रों में पशु और पुष्प की प्रधानता होती है। आकृतियाँ मिट्टी रंग से दातुन या कपड़ा लिपटे ब्रश से सशक्त एवं मोटी रेखा द्वारा उकेरी जाती हैं। ये सारे चित्र इन समुदायों के प्राचीनतम अभिव्यक्ति के प्रकटीकरण की आवृत्ति है।

कला मनुष्य को मनुष्य बनाती है, उसे परिमार्जित कर संवेदनशील बनाती है। जीवन में आनंद व उत्साह भरती है। कला कभी किसी अज्ञान, अचेतन के सान्निध्य में ले जाती है या कभी ज्ञान, चेतन को सुंदर बनाती है। यही कारण है कि सभ्यता के शुरुआती दिनों में भी मनुष्य असुरक्षा और सीमित साधनों के बावजूद अपनी कलात्मक अभिव्यक्ति करता रहा, जो आज तक जारी है। हजारीबाग का यह कोहबर एवं सोहराय कला इसी अभिव्यक्ति का एक सुंदर नमूना है। इस चित्र के प्रतीकों एवं चिन्हों को इस्को के गुफा चित्रों के साथ जोड़कर समझने एवं विश्लेषण करने का प्रयास किया जाए, तो मानव इतिहास के बारे में एक नया आयाम मिल सकेगा।

दामोदर घाटी की इस कला का अस्तित्व आज संकट में है। इस क्षेत्र में छिपी अकूत खनिज संपदा खासकर कोयला खदान के कारण इस क्षेत्र के लोग कर्णपुरा में लगातार विस्थापित हो रहे हैं। नार्थ कर्णपुरा में स्थापित ओपेनकास्ट माइनिंग 1985 से ही इस इलाके का अंधाधुंध दोहन कर रही है। सैकड़ों गाँव उजड़ गए, हजारों वर्ग किलोमीटर खेती व जंगल उजड़ गए। उजड़ने का सिलसिला आज भी जारी है। कोहबर कला एवं सोहराय कला के साथ-साथ इस क्षेत्र के गुफा चित्र भी नष्ट होने के कगार पर हैं। आवश्यकता है कि इस क्षेत्र को राष्ट्रीय धरोहर घोषित कर गुफा चित्रों के संरक्षण के साथ-साथ सोहराय एवं कोहबर कला का संवर्धन किया जाए।

झारखंड के प्रमुख जनजाति शिल्प

डॉ. हरेन्द्र प्रसाद सिन्हा

वैभव, सादगी, जंगल, खूबसूरत पहाड़ों की शृंखलाओं और नदियों, तालाबों की भूमि है झारखंड। ऊबड़-खाबड़ जमीन और घने जंगलों ने झारखंड के लोगों को साहसी और मजबूत बना दिया है। उनकी साहस और कठोरता से निकली हैं झारखंड की रंगीन लोककलाएँ और शिल्प। जिंदगी को भरपूर ढंग से जीने की ललक पूरे झारखंड में देखी जा सकती है।

झारखंड जनजातियों से भरा प्रदेश है। जंगल, पहाड़ों के कारण उर्वर जमीन की कमी ने प्रारंभ से ही लोगों के टिककर रहने में कठिनाई उत्पन्न की। अत: यहाँ की जनजातियों में घुमंतू स्वभाव का जन्म हुआ और वह संस्कृति पनपी जिसमें देवी, देवताओं और स्थानीय देवों की बहुतायत थी। लोकगीतों, कहावतों, लोकगाथाओं तथा कला एवं शिल्प की शैलियों में इसका प्रभाव देखा जा सकता है।

कला एवं शिल्प की दृष्टि से जनजातियों को हेय दृष्टि से देखना भ्रमपूर्ण होगा। यद्यपि ये विज्ञान तथा प्रौद्योगिकी की अवस्थाओं से नहीं गुजरे हैं, परंतु इसका तात्पर्य यह कदापि नहीं कि उनकी कला एवं शिल्प में विशिष्टता न रही हो। बल्कि उनके कई शिल्प तो वैज्ञानिकों के आविष्कारों का आधार साबित हुए हैं। जनजातियों को अपने पर्यावरण तथा भौगोलिक वातावरण से अत्यधिक प्रेरणा प्राप्त हुई है, जिससे उनकी कला एवं शिल्प भी प्रभावित हुए हैं। आकृतियों के निर्माण, रंगों की सजावट तथा अनेक जनजातियों में मानव शरीर को रंगों से सजाने-सँवारने के उदाहरण आज भी झारखंड सहित पूरी दुनिया में देखे जा सकते हैं। स्थानीयता एवं जलवायु ने भी इनकी कला एवं शिल्प को काफी हद तक प्रभावित किया है।

झारखंड की लोककलाएँ एवं शिल्प भी अपनी सरलता एवं सहजता के कारण सहज ही मन मोह लेते हैं। झारखंड में लोककला एवं शिल्प की एक लम्बी परंपरा एवं इतिहास है। जहाँ तक मानव इतिहास के संदर्भ में कला शिल्प के जन्म का प्रश्न है, प्रस्तर युग में तो कला का जन्म अवश्य ही हो चुका था, जिसके प्रमाण इस्को, हजारीबाग की गुफाओं के शैलचित्रों में तथा इस क्षेत्र के सर्वेक्षण उत्खनन में प्राप्त कला सामग्रियों से मिलते हैं। यही परंपराएँ इतिहास की पेचीदा गलियों से होती हुई आज तक विभिन्न कला शैलियों एवं शिल्पों के रूप में जनजाति समाज में विद्यमान हैं।

वस्तुतः जनजातियों की संस्कृति शुद्ध और मौलिक है, जो प्राचीन तो है, किंतु असंस्कृत नहीं है और न ही बौद्धिक अलंकरण मात्र है। आदिम शब्द के कारण इसे असंस्कृत मान लेना

एक बहुत बड़ी भूल है क्योंकि यही संस्कृति आज की समस्त संस्कृतियों की मूल धारा है। संभवतः इसी कारण आज की आधुनिकता में भी इसकी आत्मा अक्षुण्ण बनी हुई है। अनेक प्रकार से साधनसम्पन्न आज के युग में भी इनमें पूर्ववत् नवीनता विद्यमान है। इसका कारण यह है कि आडंबर रहित और निष्कपट स्वभाव के कारण उनके जीवन की समस्त क्रियाएँ एवं कार्य सरल और सहज होते हैं।

इस सहजता में रहस्य मिश्रित अनुभूतियाँ और जीवन की जटिलता के गहन भावों से उत्पन्न कौतूहल भी सम्मिलित हैं जिसे ये मानव विशाल स्मारकों या ग्रंथों में बाँधते नहीं रहे किंतु अपने जीवन की आवश्यक क्रियाओं के साथ ही लेकर चलते रहे हैं। जो क्रियाएँ प्रायोगिक रूप से वंशानुगत चलती रहें उन्हें ग्रंथों, स्मारकों या शिलालेखों में बाँधने की आवश्यकता ही क्या है? संभवतः इसी कारण आदिवासियों में सुख-दुख, आनन्द, रहस्य, धर्म और यथार्थ सभी जीवन के आवश्यक अंग बनकर कला शिल्प में सहज ही व्यक्त होते हैं। उनके जीवनोपयोगी उपकरण, धर्म से संबंधित क्रियाएँ और सांसारिक कार्य, सभी कुछ रचनात्मकता के सहायक अंग हैं परंतु जिसे हम कला कहते हैं, स्वयं जनजाति गण उससे अनभिज्ञ हैं क्योंकि परिग्रह या यश की कोई कामना इनमें नहीं होती। केवल आनंद, उल्लास और स्वतंत्रता से जीवनयापन करना इनकी एकमात्र चाह है। समय-समय पर ये लोग जो कुछ करते रहे हैं, उसे देखने और जानने के लिए बड़े-बड़े विद्वानों का ध्यान आकर्षित हुआ है जिसके कारण आज के युग में जनजाति संस्कृति का महत्त्व बढ़ा है।

झारखंड की तीस जनजातियों के शिल्प के विषय में विस्तृत जानकारी दे पाना एक लघु आलेख का विषय नहीं हो सकता, इसके लिए एक पूरे ग्रंथ की आवश्यकता होगी। किंतु जनसामान्य की जानकारी के लिए यथासंभव झारखंड राज्य के अधिकतम जनजाति शिल्पों की संक्षिप्त चर्चा यहाँ की जा रही है—

धातु शिल्प

धातु शिल्प का कार्य अत्यंत प्राचीन काल से झारखंड क्षेत्र के विभिन्न हिस्सों में असुर, बिरहोर आदि जनजातियों द्वारा होता आ रहा है। इस संदर्भ में अलुवारा (प्रखंड चंदन कियारी, जिला बोकारो) से पुरातात्विक सर्वेक्षण के दौरान पाए गए जैन तीर्थंकर की अष्टधातुमूर्ति की चर्चा की जा सकती है, जो वर्तमान में पटना संग्रहालय में संग्रहित है। स्थानीय तौर पर बाणाग्रों तथा घरेलू इस्तेमाल के बर्तनों का निर्माण तो काफी पहले से होता आ रहा है किंतु विशेष चर्चा का विषय धोकड़ा शैली में बने पात्र हैं जो पारंपरिक तौर पर तो मापतौल की एक जनजाति इकाई 'पाइला' के रूप में बनाए जाते थे, पर अब अनेक उपयोगी एवं सजावट की वस्तुओं यथा दीपदान अथवा चिड़िया की आकृति आदि का निर्माण भी किया जा रहा है।

ऐतिहासिक तौर पर तो असुर जनजाति के विषय में यह सर्वविदित है कि लौह अयस्कों को विगलित कर यह जाति लोहे के बाणाग्र, घरेलू बर्तनादि बनाती रही है, किंतु बिरहोर जनजाति के लोग भी धातु शिल्प में सिद्धहस्त रहे हैं। अतः अभी धातु शिल्प के क्षेत्र में झारखंड में जो महत्त्वपूर्ण कार्य हो रहा है वह है ढोकरा पात्रों का निर्माण जो इस क्षेत्र में अत्यंत प्राचीन काल से

निर्मित हो रहा है।

'लॉस्ट-वैक्स' पद्धति से इस प्रकार की कलाकृतियाँ झारखंड के अलावा आंध्र प्रदेश, छत्तीसगढ़, पश्चिम बंगाल एवं उड़ीसा में भी बनाई जाती हैं। यह विधि 'साइरे-परड्यू' विधि का ही एक परिवर्तित रूप है।

'लॉस्ट वैक्स' विधि में सर्वप्रथम तैयार की जाने वाली वस्तु की मोम की प्रतिकृति तैयार कर ली जाती है तथा इस पर मिट्टी की एक मोटी परत चढ़ा दी जाती है। इसकी ऊपरी सतह पर एक छिद्र, मोम से निकले धुएँ के निकलने के लिए एवं निचली सतह पर एक अन्य छिद्र, गर्म मोम के बह निकलने के लिए छोड़ दिया जाता है। इस साँचे को जब आँवे में गर्म किया जाता है तो मोम पिघल कर निकल जाता है एवं रिक्त स्थान पर बनाई जाने वाली वस्तु का खाली आकार बाकी बचा रह जाता है। अब इसमें पिघली हुई धातु को डाल देते हैं जो मोम द्वारा रिक्त किए गए स्थान पर जाकर जम जाता है। जब यह साँचा ठंडा हो जाता है, तब इसे तोड़ देते हैं जिससे बनाई गई धातु की कृति निकल आती है। अंत में इसमें शिल्पी 'फिनिशिंग' का काम कर आवश्यक छोटे-मोटे सुधार करते हैं।

धोकड़ा पात्रों में 'पाइला' सबसे लोकप्रिय पात्र है जिससे चावल आदि मापने का काम किया जाता है। 'पाइला' एक स्मृतिचिन्ह के रूप में देश-विदेश में अत्यन्त लोकप्रिय है। 'पाइला' के अतिरिक्त धोकड़ा के अन्तर्गत मुखौटे, रसोई के सामान्य बर्तन, सजावट के लिए पशु-पक्षी की मूर्तियाँ एवं मोमबत्ती स्टैण्ड आदि भी अब बहुतायत से बनाए जाने लगे हैं। धोकड़ा पात्रों का उत्पादन राँची जिला के लोहाडीह तथा हजारीबाग जिला के इचाक आदि स्थानों पर प्रमुखता से हो रहा है।

बांस शिल्प

बांस शिल्प झारखंड ही नहीं बल्कि विश्व के प्राचीनतम एवं अत्यंत लोकप्रिय शिल्पों में से एक है। इस सुलभ, सरल एवं लोकप्रिय शिल्प की कृतियाँ, गाँव हो या शहर, प्रत्येक घर में अनिवार्यतः किसी न किसी रूप में विद्यमान रहती हैं।

मानव जीवन में आदिम काल से ही बांस का महत्त्वपूर्ण स्थान रहा है। आदि काल में मनुष्य ने बांस की सहायता से घर बनाकर बांस की छाया में शरण ली। बाद में बांस से बने पालने से लेकर बांस की बनी अर्थी तक के सफर में मनुष्य के जीवन में बांस का महत्त्व स्पष्ट है।

भारतवर्ष में बांस की लगभग 90 किस्में पाई जाती हैं जिनमें से लगभग 60 किस्में झारखंड-बिहार क्षेत्र में पाई जाती हैं। झारखंड में पाए जाने वाले बांसों की एक खास विशेषता यह है कि ये बहुत लचीले एवं मजबूत होते हैं जिससे बनी कलाकृतियाँ एक ओर तो नरम, मुलायम तथा हल्की होती हैं, दूसरी ओर मजबूत भी काफी होती हैं।

बांस शिल्प का काम प्रमुखतः संथाल, हो, गोंड, पहाड़िया आदि जनजातियों द्वारा किया जाता है, किन्तु कमोबेश हर जनजाति बांस के उपयोग एवं महत्त्व को जानती है। ये अद्‌भुत शिल्पी बांस से अनेक उपयोगी एवं मनमोहक वस्तुएँ तैयार करते हैं। बांस से बनाई जाने वाली वस्तुओं में सूप, टोकरी, कंधे पर ढोई जाने वाली बहंगी, मछली फँसाने का जाल इत्यादि प्रमुख

हैं। अब कुछ सामान्य उपयोग की वस्तुएँ यथा फूलदान, ट्रे, हैंडबैग आदि का निर्माण बांस से किया जाने लगा है।

बांस से बनी वस्तुओं के निर्माण में उपकरण के तौर पर मात्र एक दाब तथा एक छोटी छुरी का उपयोग होता है जिसकी मदद से ये शिल्पी बांस की अनुपम कलाकृतियाँ तैयार कर पाते हैं। बांसुरी इसका एक सुरीला उदाहरण है।

बांस शिल्प का काम प्रमुखतः संथालपरगना, राँची एवं सिंहभूम आदि जिलों में होता है। बांस की कोपलें हाथी का रुचिकर भोजन होती हैं। बांस के जंगलों के पास के गाँवों में हाथियों का उत्पात अधिक होता है। अतः ग्रामीण अब बांस के जंगलों को नष्ट कर रहे हैं तथा बांस के पौधे लगाने से गुरेज कर रहे हैं जिससे हाथियों के उत्पात से बचा जा सके। इस कारण बांस शिल्प अत्यधिक प्रभावित हो रहा है। यदि सरकार द्वारा इस ओर विशेष ध्यान दिया जा सके तो इस शिल्प के विकास की असीम संभावनाएँ हैं।

काष्ठ शिल्प

लकड़ी मनुष्य को सहजता से उपलब्ध प्राचीनतम कच्चा माल है। सभ्य मानव समाज के प्रादुर्भाव से पूर्व हमारे पूर्वज पत्थर और लकड़ी के सहारे ही अपना जीवनयापन करते थे। सर्वप्रथम लकड़ी का इस्तेमाल अस्त्र के रूप में हुआ होगा, फिर आग का आविष्कार होने पर इसके जलावन के रूप में इस्तेमाल की भी शुरुआत हुई और मानव जीवन के इतना नजदीक रहने के कारण धीरे-धीरे लकड़ी के और गुण भी मनुष्य को पता चलते गए और आज लकड़ी का मानव जीवन में क्या महत्त्व है, किसी से छुपा नहीं।

झारखंड क्षेत्र जंगलों से पूर्णतया आच्छादित है। अतः तकरीबन हर जनजाति में लकड़ी की उपयोगी सामग्रियाँ बनाई जाती हैं किन्तु राँची एवं हजारीबाग आदि जिलों के लकड़ी के खिलौने देशभर में प्रसिद्ध हैं। लकड़ी से बनाई जाने वाली अन्य उपयोगी सामग्रियों की सूची भी बहुत लम्बी है। इनमें से पाइला विभिन्न वाद्य यंत्र, ट्रे, मुखौटे, बैठने के कलात्मक स्टूल, फूलदान, सजावट के लिए विभिन्न प्रकार के जीव-जन्तुओं की मूर्तियाँ, रसोईघर के लिए विभिन्न प्रकार के उपकरण एवं कंघी आदि प्रमुख हैं।

एक साधारण रूखानी, हथौड़ी, रंदा जैसे यंत्रों की सहायता से लकड़ी को कलात्मक रूप देने में हमारे जनजाति कलाकार सिद्धहस्त हैं। यदि इन्हें कुछ सुविधाएँ तथा प्रशिक्षण आदि की व्यवस्था उपलब्ध करा दी जाए, तो झारखंड के काष्ठ शिल्प को देश-विदेश में एक श्रेष्ठ स्थान प्रदान करना कठिन न होगा।

प्रस्तर शिल्प

प्रस्तर शिल्प का इतिहास पाषाण काल से ही प्रारंभ होता है। झारखंड प्रमुखतः जंगल एवं पहाड़ों की भूमि है। यहाँ का पाषाणकालीन मानव प्रारंभ से ही पत्थर के महत्त्व को समझ चुका था। पत्थर के गुणों को परख कर आदिमानव ने विभिन्न प्रकार के पत्थरों का उनके गुणों के आधार पर, विभिन्न प्रकार का इस्तेमाल शुरू किया। प्रारंभ में पत्थर भी अस्त्र के रूप में ही इस्तेमाल

किया गया। भारी पत्थर के गोलों के रूप में जिनसे बड़े जानवरों का आखेट किया जाता था। आगे चलकर झारखंड क्षेत्र के आदिमानव ने भी पत्थरों की कुल्हाड़ी, आरी, हथौड़ी जैसे श्रेष्ठ अस्त्रों का निर्माण अपनी आवश्यकता के अनुरूप करना शुरू किया। ऐसे प्रागैतिहासिक प्रस्तर अस्त्र पूरे झारखंड राज्य के प्रागैतिहासिक स्थलों से पुरातात्विक सर्वेक्षणों के दौरान प्राप्त हुए हैं।

हजारीबाग जिला के कुसुमडीह, लोलाबंध नाला, महौदी पहाड़, राँची जिले के कुरूमगढ़, कुंटीटोला एवं झारखंड राज्य के विभिन्न जिलों में अनेक प्रागैतिहासिक स्थल ऐसे पाए गए हैं जहाँ से प्रागैतिहासिक प्रस्तर औजार प्राप्त हुए हैं।

झारखंड राज्य में प्रस्तर शिल्प का कार्य वर्तमान समय में घाटशिला के अतिरिक्त कराइकेला, चांडिल, पलामू एवं दुमका आदि स्थानों पर चल रहा है। पत्थर की देवी-देवताओं की मूर्तियों के अतिरिक्त अन्य उपयोगी वस्तुओं में सिल-बट्टा, जीव-जन्तुओं की मूर्तियाँ, खरल-मूसल, बेलना-चकला आदि का निर्माण प्रमुखता से हो रहा है। प्राचीन कालों की बनी हुई पत्थर की मूर्तियों से सारा राज्य पटा हुआ है। टांगीनाथ, चांडिल तथा सिंहभूम जिलों के अनेक स्थलों से प्राचीन मूर्तियाँ प्राप्त हुई हैं तथा प्राप्त होती रहती हैं।

प्रस्तर शिल्प के क्षेत्र में भी झारखंड राज्य में विकास की असीम संभावनाएँ हैं किन्तु कुछ तो इस क्षेत्र के पत्थरों की प्रकृति तथा कुछ प्रशिक्षण का अभाव प्रस्तर शिल्प के विकास में आड़े आ रहा है। अतः इस क्षेत्र की संभावनाओं को देखते हुए यदि सरकार द्वारा कुछ ठोस कदम उठाए जाएँ, तो प्रस्तर शिल्प के क्षेत्र में भी झारखंड के कलाकार अपनी अहमियत सिद्ध कर सकेंगे।

अंग लेखन (गोदना)

गोदना जनजातियों के अंग का एक आभूषण है जो इन जातियों की पहचान और प्राचीनता की दीर्घकालीन परंपरा है। गोदना की प्रथा धार्मिक आस्था, सौंदर्य लालसा और मानवीय आकांक्षाओं पर आधारित है। भारत की अनेक जनजातियों की भाँति झारखंड में गोदना का प्रचलन आज भी है। गोदना का अर्थ है खोदना क्योंकि इसमें सूई की नोक से त्वचा को छेदित कर या गोद कर उसमें सेम अथवा धतूरे जैसे वनस्पति का रस, तेल और कालिख में मिश्रित कर उतारे जाते हैं। गोदना के लोकप्रिय डिजाइनों में ज्यामितीय आकृतियाँ, चन्द्र, सूर्य तथा हाथ-पैर के छापे आदि हैं। गोदना अधिकतर महिलाओं में ही लोकप्रिय है पर पुरुष भी इसमें पीछे नहीं हैं। पुरुष मुख्यतः हाथ के मध्य भाग में ही गोदना गोदवाते हैं पर महिलाएँ बाँह, कंधे, पैर अथवा चेहरे पर गोदना गोदवाती हैं। कई बार तो जेवर के डिजाइन की आकृतियाँ महिलाएँ अपनी बाँहों अथवा पैरों में गोदवा लेती हैं, जिससे बिना गहना पहने गहनों का अहसास हो।

जनजातियों की मान्यता है कि मरणोपरांत पृथ्वी से एकमात्र साक्षी का रूप ये अंग-आलेखन है जो मनुष्य के साथ जाते हैं। इन गोदनों में गोत्र अथवा जाति का गणचिन्ह भी बनाया जाता है किंतु अब गोदना प्रथा मानवीय भावनाओं, आकांक्षाओं एवं सौन्दर्य का प्रतीक बन गई है।

मुखौटा शिल्प

झारखंड में सरायकेला-खरसांवा क्षेत्र की छउ नृत्य शैली विश्व प्रसिद्ध है। छउ नृत्य में चेहरे पर

मुखौटा लगाकर नृत्य करते हैं। ये मुखौटे अभिनीत किए जा रहे पात्र के चरित्र के आधार पर मिट्टी, कागज और कपड़े से तैयार किए जाते हैं। इसे तैयार करने की प्रक्रिया दुरूह होती है। सर्वप्रथम अशुद्धियों से मुक्त अर्थात् छानी हुई मिट्टी से जिसे स्थानीय बोली में चिटामाटी कहते हैं, चेहरे का अंगवार स्वरूप तैयार किया जाता है। फिर इस गीली मिट्टी के अंडाकार आकार में निश्चित स्थानों पर आँख, नाक, होंठ एवं टुड्डी बनाए जाते हैं। अब इस पर राख-पाउडर छिड़का जाता है। तदोपरांत, लेई की सहायता से इस आकृति पर कागज, विशेषतया अखबार, की तीन-चार परतें चढ़ाई जाती हैं। इसके ऊपर पतले सूती कपड़े की एक परत चढ़ाई जाती है, और इसके ऊपर पुनः कागज की एक परत चढ़ा कर इसे सूखने के लिए रख दिया जाता है। कुछ सूख जाने पर इस पर चिटामाटी का घोल डालते हैं। इसके पश्चात् जब इसमें कुछ कड़ापन आने लगता है, तब नोंगड़ी (औजार) एवं छोटी करनी से आँख, नाक आदि के आकारों की 'फिनिशिंग' की जाती है। नोंगड़ी अमरूद अथवा इमली आदि की लकड़ी से बनाया जाता है। अंत में इसे विभिन्न रंगों से आवश्यकतानुसार रंगा जाता है। महाकाव्यों के पात्रों के चेहरे विभिन्न रंगों में रंगे जाते हैं। शिव का चेहरा उजला, कृष्ण का आसमानी, पार्वती का गुलाबी, चन्द्रमा-उजला, मयूर-गुलाबी अथवा नीला रंगा जाता है। रंग भी वनस्पतियों अथवा विभिन्न रंगों की मिट्टियों से तैयार किए जाते हैं। जिनमें इमली के बीज का पाउडर मिलाया जाता है। मुखौटे पर चमक लाने के लिए एक प्रकार की जड़, जिसे स्थानीय तौर पर अल्ती कहते हैं, को रात भर पानी में फुला देते हैं। इस पानी में अबरख का चूर अच्छी तरह से मिलाकर कपड़े से छान लेते हैं। इस घोल को 'टच-वुड' की तरह मुखौटे पर लगाने से इसमें चमक आती है। सुनहरा काम करने के लिए वांछित स्थान पर गोंद लगाकर उस पर सुनहरा पाउडर छिड़क कर सुखा लेते हैं। एक मुखौटा तैयार करने में सामान्यतया 5-6 दिन लग जाते हैं।

मुखौटे बनाने का काम झारखंड में मात्र सरायकेला खरसावां तथा सिंहभूम जिलों में ही होता है। ये मुखौटे रंग-बिरंगे, चित्ताकर्षक एवं जीवंत प्रतीत होते हैं।

भित्ति चित्र

आदिकाल से ही चित्रों की धरातल भूमि, चट्टान और गुफाओं की दीवारें रही हैं। इसी चित्रण पर परंपरा का निर्वाह आज तक विभिन्न रूपों में जीवित है। विश्व एवं देश का कोई कोना जहाँ जनजातियों का निवास है, भित्ति चित्रण और भूमि अंकन प्रथा से वंचित नहीं है, जिसका उद्देश्य धर्म, जादू-टोना, कोई सामाजिक प्रसंग, मानवीय आकांक्षाएँ, विभिन्न प्रकार के पर्व, दैनिक जीवन तथा फूल-पत्तियाँ, जीव-जन्तु आदि हैं। इन्हीं उद्देश्यों से प्रेरित जनजाति अपने घरों की दीवारों को चित्रित करते रहे हैं जिसमें कुछ अंकन केवल सजावट और सुन्दरता के लिए भी होता रहा है।

हजारीबाग जिले की इस्को स्थित गुफाओं में पाषाणकालीन चित्रांकन पाए गए हैं और यह महज संयोग की बात नहीं है कि पूरे झारखंड क्षेत्र में आज भी हजारीबाग के क्षेत्र में ही घरों की दीवारों पर चित्रांकन की कला सबसे आकर्षक एवं सबसे अधिक लोकप्रिय है। यदि शोध किया जाए तो सोहराई कला में विकास क्रम का निर्धारण संभव हो सकता है।

कोहबर चित्रकला जनजाति महिलाओं की कृति है जो मुख्यत: जनवरी से जून माह के बीच विवाह-उत्सवों के दौरान घर की दीवारों पर चित्रित की जाती है। इसके लिए सर्वप्रथम दीवार पर काली मिट्टी का चिकना लेप चढ़ाया जाता है। इसके पूरा सूखने से पूर्व इस पर चरक अथवा दूधी मिट्टी का लेप किया जाता है। कभी-कभी इसके स्थान पर पीली मिट्टी का भी इस्तेमाल किया जाता है। इस लेप के पूरा सूखने से पूर्व ही पुरानी कंघी से अर्द्धवृत्ताकार डिजाइन इस पर खरोंच दिए जाते हैं। ये कलाकार अपनी दीवारों पर रंगों से चित्रांकन न करके कंघी से खरोंच कर ही इसे सजाते हैं जो देखने में आकर्षक लगता है। इस प्रकार का चित्रांकन मुख्यत: कुरमी एवं घटवाल करते हैं किंतु गंजू जाति के कलाकार कंघी कला के अलावा प्राकृतिक रंगों से फूल-पत्री, जीव-जन्तु आदि के चित्र भी दीवारों पर उकेरते हैं। इन चित्रकलाओं को कोहबर एवं सोहराय चित्रकला के नाम से जाना जाता है।

झारखंड राज्य में इन भित्ति चित्रों के अतिरिक्त चित्रकला की एक अन्य शैली भी प्रचलित है जिसे जादोपटिया के नाम से जानते हैं। वैसे तो यह राज्य के सभी हिस्सों में कमोबेश पाया जाता है किन्तु संथालपरगना क्षेत्र में यह अधिक प्रचलित है।

जादोपटिया लम्बवत् पट-चित्र (स्क्रौल पेंटिंग) है, जो संथालपरगना के जादो जाति के सदस्यों द्वारा बनाई जाती रही है। जादो संभवत: कुम्हार, धोबी, लोहार आदि जातियों के समकक्ष एक जाति प्रतीत होती है। इन चित्रों की मुख्य विषयवस्तु गरुड़-पुराण पर आधारित है। इन चित्रों को स्थानीय भाषा में गीत गायन करते हुए घर-घर प्रदर्शित कर दक्षिणा प्राप्त की जाती है जिससे इन कलाकारों का जीवनयापन होता है। यदि इन कलाकारों के आवासीय क्षेत्र में किसी घर में मृत्यु की सूचना प्राप्त होती है तो ये वहाँ पहुँचते हैं तथा परिवार वालों को बतलाते हैं कि उक्त मृतक उनके स्वप्न में आया था तथा उसे यमलोक में भी अपने दैनिक उपयोग की वस्तुओं की आवश्यकता है, अन्यथा उन्हें कष्ट होगा। अंधविश्वासी ग्रामीण इन्हें दान में दैनिक उपयोग की वस्तुएँ इस उम्मीद से देते हैं कि उनके मृतक संबंधी को यमलोक में कष्ट न हो। साधारण कागजों पर प्राकृतिक रंगों से तैयार किए गए इन चित्रों की विषय वस्तु गरुड़-पुराण के अतिरिक्त राधा-कृष्ण प्रसंग, जीव-जंतुओं, मेलों के दृश्य आदि से भी संबंधित होते हैं। इन पटचित्रों को लकड़ी के सीधे टुकड़े पर कैलेंडर की भाँति लपेट कर रखा जाता है। चूंकि इन चित्रों में कथाक्रम होता है, अत: इनके उपयुक्त गाने भी तैयार कर लिए जाते हैं और गायन के साथ ये चित्र दिखलाए जाते हैं।

लेदरा शिल्प

प्रागैतिहासिक काल से लेकर आधुनिक काल तक मुख्यतया स्त्रियाँ ही विभिन्न शिल्पों की जन्मदातृ मानी जाती हैं। विशेषकर लोककलाओं एवं शिल्पों की संवाहक तो आज भी हमारे समाज की महिलाएँ ही हैं। झारखंड के हजारीबाग क्षेत्र के लेदरा शिल्प की संवाहक भी इस क्षेत्र की ग्रामीण महिलाएँ ही हैं। लेदरा अर्थात् फटे- पुराने कपड़े। इन्हीं फटे-पुराने कपड़ों से एक सुन्दर कृति का निर्माण किया जाता है जो बच्चों-बूढ़ों के ओढ़ने-बिछाने के काम आता है। बिहार के उत्तरी क्षेत्र का सुजनी शिल्प अथवा कथरी भी इसी श्रेणी का शिल्प है। आधुनिक काल

का काथा शिल्प जो साड़ी चादर आदि पर बनाया जाता है, वस्तुतः कथरी का ही आधुनिक एवं लोकप्रिय रूप है।

लेदरा शिल्प में फटे-पुराने कपड़ों की पाँच-छः तहें रजाई की तरह सिल दी जाती हैं। सिलाई स्थानीय तौर पर बने सूतों से की जाती है तथा सिलाई का डिजाइन भी कल्पनाशीलता के आधार पर तय किया जाता है। लेकिन इन डिजाइनों का अध्ययन करने पर पाया गया है कि इनमें सोहराई एवं कोहबर चित्रकला के डिजाइन भी बनाए गए हैं जिनका उद्‌गम इस्को की गुफाओं में चित्रित चित्रों में पाया गया है। इस प्रकार प्रागैतिहासिक काल के डिजाइनों की परंपरा आज भी कोहबर, सोहराय तथा लेदरा शिल्पों में देखी जा सकती है।

लेदरा का निर्माण सामान्यतः जाड़े के समय खेतों में कटनी के पश्चात् खाली समय में किया जाता है। यही वह समय भी होता है जब गत लगन में विवाहित जोड़ों के आँगन में नए मेहमानों के आगमन की संभावना होती है। घर की बुजुर्ग महिलाएँ नवजात शिशुओं के लिए लेदरा निर्माण में लग जाती हैं। लेदरा सामान्यतः 5'×3½' आकार का होता है किंतु बुजुर्गों के लिए बड़े आकार के लेदरा भी तैयार किए जाते हैं।

लेदरा तैयार करने में मुख्यतः पुरानी साड़ी अथवा धोती का इस्तेमाल होता है। चार-पाँच साड़ियों को साथ-साथ जमीन पर बिछा कर किनारों पर सिल दिया जाता है। यह संख्या साड़ियों की उपलब्धता-अनुपलब्धता के आधार पर घट बढ़ भी सकती है। बिछाई गई साड़ियों पर हल्दी सिंदूर के अथवा कालिख के घोल से वांछित डिजाइन बना दिए जाते हैं। तब इस पर आवश्यकतानुसार विभिन्न रंगों के धागों से सिलाई कर दी जाती है और धागों के कारण कपड़े पर डिजाइन दिखने लगते हैं। इन डिजाइनों को धागों की और भी महीन डिजाइनों से सजाया-सँवारा जाता है जिससे धीरे-धीरे यह लेदरा एक पतली रजाई का रूप प्राप्त कर लेता है तथा ओढ़ने पर शरीर को उष्णता प्रदान करता है। डिजाइनों में स्थानीय फूल-पत्तियाँ, जीव-जन्तु आदि का चयन प्रमुखता से किया जाता है। बाघ, मोर, मछली आदि पसंदीदा डिजाइन हैं। अंत में इसे पानी से धोकर सूखने के लिए टाँग दिया जाता है। इसका प्रभाव अंततः राजस्थान की प्रसिद्ध हल्की रजाई की भाँति होता है। लेदरा शिल्प का प्रदर्शन आस्ट्रेलिया में भी वहाँ के प्रसिद्ध जनजाति शिल्पों के साथ कई बार किया जा चुका है।

मृण-शिल्प

प्रायः सभी ललित कलाएँ स्थानीय तत्त्वों के साथ ही विकसित होती हैं और इसी कारण उनकी पृथक् पहचान भी बनी रहती है। इसमें स्थानीय उपलब्ध साधनों और प्रकृति का विशेष महत्त्व होता है जिसके कारण कला एक विशिष्ट रूप ग्रहण कर अपनी निजी पहचान बनाती है। झारखंड की जनजातियों में पक्व और अपक्व मिट्टी के बने पात्रों का भी अपना स्थान है। ये मृणपात्र केवल पात्रों तक ही सीमित न रहकर मृण शिल्पों के सुन्दर उदाहरण भी हैं।

नवपाषाण युग में आविष्कृत चाक पर आज भी ये मिट्टी के बर्तन, खिलौने तथा दैनिक उपयोग की वस्तुएँ हाथ से तैयार की जाती हैं। झारखंड की भौगोलिक स्थिति के कारण इसके विभिन्न क्षेत्रों में स्थानीय उपलब्धता के आधार बर्तनादि बनाने के लिए मिट्टी तैयार की जाती है।

यहाँ काली एवं लाल मिट्टी की प्रमुखता है। सर्वप्रथम मिट्टी को कंकर आदि से मुक्त कर पानी में मिलाकर आटे जैसा गूँध लिया जाता है तथा इसे कुछ दिनों के लिए ऐसी ही स्थिति में रखा जाता है जिससे इसमें मृदुलता आती है तथा इसे वांछित आकार देने में सुविधा होती है। तैयार की गई मिट्टी को चलते चाक पर रखकर विभिन्न आकार एवं स्वरूप के बर्तन उँगलियों से निर्मित करते हैं। गुलदस्तों आदि पर सजावट करने के लिए इन पर विभिन्न आकृतियाँ एवं फूल पत्तियाँ आदि हाथ से बनाकर चिपकाई जाती हैं। जिसे 'ल्यूटिंग' कहते हैं। अब इन्हें छाया में सुखाते हैं। जब ये 'लेदर हार्ड' हो जाते हैं तो आवश्यकतानुसार इन पर स्लिप चढ़ाया जाता है अथवा रंगा जाता है। जब ये पूर्णतया सूख जाते हैं तब इन्हें विशेष रूप से तैयार की गई भट्ठी में पकाते हैं।

मिट्टी की मूर्तियाँ, खिलौने आदि पूरी तरह से हाथ से ही बनाए जाते हैं। इनमें चाक की सहायता न लेकर विभिन्न आकारों की छुरियों एवं सूओं की सहायता से इन्हें आकार-प्रकार दिया जाता है। इनके अतिरिक्त चूल्हे सिगड़ियाँ आदि भी मिट्टी से तैयार किए जाते हैं।

झारखंड में मृण-शिल्प का काम वैसे तो सर्वव्याप्त है किंतु लोहरदगा, राँची, देवघर एवं दुमका आदि स्थानों पर इस शिल्प की विशेष पहचान स्थापित हुई है।

वाद्य-यंत्र शिल्प

झारखंड के जनजीवन में संगीत नृत्य का अत्यंत महत्त्व है। इस क्षेत्र के सामाजिक जीवन के विषय में एक लोकोक्ति बहुत प्रसिद्ध है कि यहाँ चलना ही नृत्य है और बोलना ही संगीत है। प्राचीन काल से ही विभिन्न प्रकार के वाद्ययंत्रों का प्रचलन झारखंड क्षेत्र में होता आ रहा है। यहाँ के निवासी पर्व-त्योहार, विवाह, पूजा आदि विभिन्न अवसरों पर होने वाले नृत्य-गीतों में वाद्यों का भरपूर उपयोग करते हैं जो स्थानीय तौर पर बनाए भी जाते हैं। वस्तुतः नृत्य-गीत, संगीत एवं वाद्य-वादन झारखंड वासियों का प्राण है, जो स्वाभाविक रूप से इन लोगों के अन्तःकरण से स्पन्दित होकर प्रस्फुटित होता है।

झारखंड के वाद्ययंत्र शिल्प के अध्ययन के क्रम में पहले यह जान लेना आवश्यक है कि 13वीं शताब्दी के शरंगदेव ने अपने ग्रंथ 'संगीत रत्नाकर' में वाद्य यंत्रों को प्रमुख रूप से चार वर्गों में विभाजित किया है—

(क) तत्वाद्य : जिन वाद्यों में तार अथवा तांत से ध्वनि उत्पन्न होती है। यथा, केन्दरा/केन्दरी, टोहिला या टुइला, भुअंग, एकतारा तथा सारंगी आदि।

(ख) सुषिर वाद्य : जिन वाद्ययंत्रों को फूंक कर बजाया जाता है। यथा, बांसुरी, मदन भेरी, सानाई (शहनाई), तुमड़ी (बीन), सिंघा आदि।

(ग) अवनद्ध वाद्य : जो वाद्य विभिन्न प्रकार के चमड़ों से निर्मित होते हैं। यथा, नगाड़ा, मांदर, धमसा, ढाक, ढोल, रुंज, चांगु आदि।

(घ) घन वाद्य : जो वाद्ययंत्र धातुओं से निर्मित गूँजदार आवाज के होते हैं। यथा, करताल, मंदिरा, झांझ एवं थाला आदि।

ये सभी वाद्ययंत्र झारखंड के लगभग हर क्षेत्र में बनाए जाते हैं क्योंकि यहाँ की प्रत्येक जनजाति के जीवन में संगीत की महत्त्वपूर्ण भूमिका है।

उपरोक्त में से प्रमुख वाद्यों के संबंध में यहाँ चर्चा करना समीचीन होगा। टुईला एक स्वर प्रधान वाद्य है। झूमर, टुसू, करम, बांधना आदि गीतों के साथ इसे बजाया जाता है। नाखूनों के सहारे टुईला में स्वर स्थानों को निकालना पड़ता है, जो कठिन है। अत: टुईला वादन अब कम होता जा रहा है। संथाल जनजाति में भुआंग एक लोकप्रिय वाद्य है। दशहरा के समय दासांई नृत्य में वे भुआंग बजाते हुए नृत्य करते हैं। इसमें दो भाग होते हैं—धनुष और तुम्बा। धनुष की लकड़ी वाले हिस्से के ठीक बीच में सूखे कद्दू के खोखे से बना लगभग दो फीट लम्बा तुम्बा नीचे लटकता रहता है जिसका मुँह नीचे की तरफ खुला रहता है। रस्सी के सहारे इसे कंधे से लटका कर बाएँ हाथ से पकड़ा जाता है। दाहिने हाथ से तार को ऊपर की तरफ खींच कर छोड़ देने से धनुष टंकार की भाँति ध्वनि निकलती है। सानाई (शहनाई) भी झारखंडवासियों का प्रिय मंगल-वाद्य है। पूजा, विवाह आदि शुभ अवसरों पर सानाई की मंगल ध्वनि से वातावरण प्रफुल्लित हो जाता है। इनके अतिरिक्त, छउ, पाईका, नटुआ आदि नृत्यों के साथ भी सानाई बजाई जाती है। सानाई लकड़ी से बना लगभग दस इंच लम्बा वाद्य है जिसके तीन हिस्से होते हैं। माउथपीस, लकड़ी की नली तथा कांसा से बना गोलाकार मुँह। माउथपीस में ताड़ के पत्ते की पेंपती रहती है। नली में छह छिद्र होते हैं। पेंपती भरे माउथपीस में फूँक मार कर नली पर बने छिद्रों पर उँगली संचालन कर स्वर निकाला जाता है। कांसा धातु निर्मित मुँह के चलते इससे निकली तीव्र आवाज दूर-दूर तक सुनी जा सकती है। एक अन्य वाद्य 'सिंघा' भैंस के सींग से बनाया जाता है। छउ, पाईका आदि नृत्यों में इसका प्रयोग होता है। सिंघा नुकीली तरफ से फूँक कर बजाया जाता है। चौड़ा वाला हिस्सा आगे की तरफ मुड़ा होता है। देर तक स्वर टिकाए रखने के लिए इसमें दमदार फूँक भरी जाती है। झारखंडी वाद्यों में अनवद्ध या चमड़ों से बने वाद्यों की संख्या सर्वाधिक है। इनमें मांदर या मादल अत्यंत लोकप्रिय हैं। यह एक प्राचीन वाद्य है तथा लगभग सभी जनजाति समुदाय इसे बजाते हैं। यह विभिन्न आकारों में बनाया जाता है। सामान्यतया यह 13-14 इंच लम्बा होता है पर इससे बड़े अथवा छोटे आकार के मांदर भी बनते हैं। इसकी आवाज गंभीर होती है। लाल मिट्टी से बने मांदर का गोलाकार ढाँचा अन्दर से खोखला होता है जिसके दोनों तरफ के खुले मुँह बकरे की खाल से ढँके रहते हैं। मिट्टी से बने ढाँचे को टिकाऊ बनाने के लिए इसके ऊपर गोलाकार ढंग से बद्धी (चमड़े की पतली रस्सी) कसी रहती है। मुँह की खालों को चमड़े की वेणी से बाँधा जाता है। दोनों तरफ की वेनियों को कसने के लिए चौड़ी बद्धी से खींच दिया जाता है। इसका दायाँ मुँह छोटा तथा बायाँ मुँह चौड़ा होता है। छोटे मुँह वाली खाल पर उबले चावल, गेंगटी पत्थर का पाउडर (चूना), गोंद व स्याही से बने मिश्रण का लेप परत-दर-परत लगाया जाता है। इसे चारों ओर किनारे से लगभग एक इंच छोड़कर लगाया जाता है। लेप लगे काले अंश को 'किरण' कहा जाता है जिसके चलते मांदर की आवाज गूँजदार हो जाती है। रस्सी के सहारे कंधे से लटकाकर, नृत्य के समय घूमते हुए वादक इसे पंजे की थाप व उँगली के सहारे बजाते हैं। करम, सरहुल, सोहराई, टुसू, झूमर, जादुर एवं नचनी नृत्य-गीतों के साथ इसे बजाया जाता है। इसी प्रकार धमसा एक विशालकाय ऊर्ध्वमुखी वाद्य है। यह कड़ाही की आकृति का होता है जिसका ढाँचा लोहे की चादर से तैयार किया जाता है। इसे दो लकड़ियों के सहारे बजाते हैं। करताल, झांझ आदि धातु से बनाई गई झाल की तरह के सहायक वाद्ययंत्र हैं।

उपरोक्त सभी झारखंड क्षेत्र के पारंपरिक वाद्ययंत्र हैं जो आवश्यकतानुसार प्रत्येक जनजाति द्वारा स्थानीय तौर पर निर्मित किए जाते हैं।

अंत में यह कहना पर्याप्त है कि जनजाति लोगों में प्रचलित कलाओं एवं शिल्प को संरक्षण एवं सुरक्षा नहीं बल्कि प्रवाह देने की आवश्यकता है जिससे सृजन भी होता रहे, मानव मूल-स्रोत से जुड़ा रहे और ये लोग नवीन रचनाओं द्वारा आंतरिक ज्ञान में अधिक समृद्ध बन सकें। इसका प्रयास कुछ हद तक समकालीन कलाकार एवं अन्य विद्वज्जन कर रहे हैं तथा जन साधारण की रुचि इस ओर बढ़ रही है। इस कार्य को और अधिक गति देने की आवश्यकता है। इस प्रकार, जनजातियों की कला आज के समाज में प्रवाहमान और निरंतर बनी रह सके, ऐसे सक्रिय एवं शुद्ध प्रयासों की आवश्यकता है।

झारखंड के लोकसंगीत

प्रमोद कुमार राय

प्राकृतिक सुषमा से परिपूरित झारखंड राज्य न केवल जंगलों-पहाड़ों, घाटियों, प्रपातों, खान-खदानों या खनिजों के कारण अपितु समन्वयकारी सांस्कृतिक धरोहर के कारण भी विशिष्ट है। देश के गिने-चुने राज्यों में ही भारतीय संस्कृति की ऐसी स्पष्ट छाप परिलक्षित होती है, जहाँ आर्य और अनार्य कुल की सांस्कृतिक धाराएँ साथ-साथ प्रवाहित होती हैं। झारखंड क्षेत्र के वास्तविक इतिहास के अभाव में इसके सांस्कृतिक सूत्र का कुल-मूल ढूँढ़ पाना कठिन होते हुए भी, लोककंठों में सुरक्षित लोकसंगीत, लोकगाथाएँ और लोककथाएँ बहुत कुछ कह जाती हैं।

ज्ञात इतिहास के अनुसार प्राचीन काल में वनाच्छादित झारखंड क्षेत्र के आदिवासियों को आदिम जनजाति के नाम से जाना जाता है। कालांतर में आग्नेय और द्रविड़ कुल की जनजातियों और सदानों (गैर-जनजातियों) का झारखंड में आगमन हुआ जिनमें मुंडा, संथाल, हो, खड़िया और उराँव जनजातियाँ प्रमुख हैं। आग्नेय और द्रविड़ कुल की इन जनजातियों की पृथक सांस्कृतिक पहचान झारखंड की सांस्कृतिक विशिष्टता बन चुकी है। इस विशिष्टता की परिधि में समाती गई सदानी समूह की नागपुरी, कुरमाली, खोरठा और पंचपरगना की लोकभाषाएँ और लोकसंगीत।

पड़ोसी राज्यों पश्चिम बंगाल, उड़ीसा, छत्तीसगढ़, मध्यप्रदेश और बिहार की लोकभाषाओं और लोकसंगीत के सान्निध्य ने झारखंड के लोकसंगीत को नए आयाम दिए। झारखंड के उत्तरी क्षेत्र में मगही, अंगिका का, पूर्वी क्षेत्र में बांग्ला का, पश्चिमी क्षेत्र में भोजपुरी, मगही का तो दक्षिणी क्षेत्र में छत्तीसगढ़ी और उड़िया लोकसंगीत का प्रभाव है।

भाषावार लोकसंगीत का वर्गीकरण करने पर पंचपरगनिया, कुरमाली में बांग्ला लोकसंगीत का, खोरठा में मगही, भोजपुरी का और नागपुरी में छत्तीसगढ़ी के साथ-साथ कुडुख और बांग्ला के लोकसंगीत का समावेश हुआ है। ठीक उसी प्रकार मुंडारी लोकसंगीत की राग-रागनियों में पंचपरगनिया तथा बांग्ला की धुनों का प्रभाव स्पष्ट परिलक्षित होता है। इतना ही नहीं बहुत से लोकगीतों की धुनों में जनजातीय और गैर-जनजातीय लोकधुनों का ऐसा सम्मिश्रण हुआ है कि उनकी पहचान में भ्रांति का बोध होने लगता है। सुरों का यह संगम राज्य के सीमावर्ती क्षेत्रों के अलावा केन्द्रीय ग्रामीण क्षेत्रों में भी परिलक्षित होता है।

झारखंडी लोकसंगीत की एक सुदृढ़, सुदीर्घ और समृद्ध परंपरा है जिसे मुख्यत: दो भागों में विभाजित किया जा सकता है—जनजातीय और गैर-जनजातीय संगीत। बावजूद इसके दोनों प्रकार के लोकसंगीत में झारखंड की मौलिक अंतर्धारा की विद्यमानता अनेकता में एकता के सूत्र को ही प्रतिपादित करती है, जो झारखंड के सामाजिक और सांस्कृतिक धरोहरों में सबसे

महत्त्वपूर्ण माना गया है। पठारी राज्य झारखंड का जनजातीय बहुल समाज अपनी सदाशयता और विलग लोकतांत्रिक व्यवस्था के कारण विलक्षण सांस्कृतिक परंपरा का सृजन करता है, जिसकी झलक झारखंड के लोकसंगीत में सहज ही प्रकट होती है। झारखंड क्षेत्र में गूँजने वाले लोकसंगीत को जन समुदाय के साथ-साथ प्राकृतिक साहचर्य ने विलग पहचान दी। यहाँ का लोकसंगीत एकता में अनेकता और अनेकता में एकता का अनुपम उदाहरण है।

झारखंडी लोकसंगीत सामान्यत: प्रकृति और प्राणियों के मिलन के उद्गार हैं। जनजातीय और गैर-जनजातीय दोनों ही प्रकार के लोकसंगीत प्रकृति से अनुप्राणित हैं। झारखंड के लोकसंगीत में बदलते मौसम की तरह मौसमी गीतों की रागनियों में भी परिवर्तन की झलक मिलती है। सामाजिक और सांस्कृतिक रूप से प्रकृति से जुड़े भूमिपुत्रों का लोकसंगीत माटी की सुगंध से सराबोर है, जो जनजातियों और गैर-जनजातियों को एक सूत्र में पिरोता है।

ऋतु पर्वों यथा—होली, सरहुल, करमा, ईद, दंसई, सोहराई, टुसू आदि गीतों की राग-रागनियाँ समय के अनुसार ही विभक्त हैं। संस्कार गीतों की भी यहाँ पुरानी परंपरा रही है जिनमें जन्म, विवाह, मृत्यु आदि अवसरों पर गाने का रिवाज है। झारखंड क्षेत्र में जनजातीय और गैर-जनजातीय लोकसंगीत में एक-दूसरे का प्रभाव अत्यंत सूक्ष्मता से समाहित हुआ है। झारखंड की लोकभाषाओं और बोलियों में अंतर होते हुए भी लोकसंगीत के सुरों में अद्भुत साम्य है, ये एक-दूसरे से ऐसे गुँथे हैं कि कहीं-कहीं उन्हें विलग करना भी कठिन है।

झारखंड के (जनजातीय और गैर-जनजातीय) लोकसंगीत बहुत हद तक रागों और धुनों के मामले में समानांतर प्रतीत होते हैं जिनमें प्रमुख हैं—झूमर, लहसुवा, ठढ़िया, करम आदि। हालाँकि इनकी रागनियों में किंचित् भिन्नता सर्वत्र दृष्टिगोचर होती है। झारखंड के तमाम लोकसंगीत की एक और विशेषता समान है और वह है नृत्य-प्रधानता। ऐसा प्रतीत होता है कि नृत्य ही इस क्षेत्र में संगीत सृजन के प्रारंभिक आधार बने। दूसरा यह कि सभी लोकसंगीत मुख्यत: ताल प्रधान हैं, जिनमें शास्त्रीय संगीत की अंतर्धारा भी विद्यमान है। क्षेत्रवार विश्लेषण करने पर यह सहज ही स्पष्ट होता है कि पड़ोसी क्षेत्रों में बोली जाने वाली भाषा और गाए जाने वाले लोकसंगीत का व्यापक प्रभाव झारखंडी लोकसंगीत पर पड़ता रहा है।

झारखंडी लोकसंगीत में एक और साम्य इसके वाद्य यंत्रों का है जो इसे अन्य क्षेत्र के लोकसंगीत से विलग पहचान देते हैं। झारखंड क्षेत्र के लोकसंगीत में प्रयुक्त होने वाले प्रमुख वाद्य यंत्रों में ढोल, ढांक, मांदर, शहनाई, नगाड़ा, सारंगी, बांसुरी, भेइर, केंदरा, बनम, नरसिंघा, ठेचका आदि उल्लेखनीय हैं।

झारखंड राज्य की मौलिक लोकभाषाओं के संगीत-नृत्य में इन्हीं वाद्य यंत्रों का उपयोग होता है। आकृति में और स्वर प्रक्षेपण में इन वाद्य यंत्रों को मोटे स्वर के अंतर्गत रखा जा सकता है। तीव्र आघाती और गंभीर आवाजयुक्त वाद्य यंत्रों का प्रयोजन संभवत: सामूहिक नृत्य-गीतों की प्रस्तुति के अलावा हिंसक वन्य जीवों से समुदाय की सुरक्षा की भावना भी हो सकती है। लोकसंगीत के स्वर, लय और ताल भी इसी का संकेत देते हैं।

जनजातीय और सदानी (गैर-जनजातीय) संगीत के विश्लेषण से पता चलता है कि प्राय:

सभी गीतों के स्वर काल/समय/ऋतु से प्रभावित होते हैं। भिन्न-भिन्न ऋतुओं और महीनों के भौगोलिक प्रभावों का समुचित सामंजस्य राग-रागनियों में महसूस किया जा सकता है। झारखंडी लोकसंगीत/नृत्य सामान्यत: जिन वर्गों/उपवर्गों में विभाजित किया जा सकता है वे हैं—

1. संस्कार गीत
2. पर्व-त्योहारों के गीत
3. ऋतु गीत
4. नृत्य-गीत
5. आखेट गीत
6. अन्य

संस्कार गीत

जन्म से मृत्युपर्यन्त के विभिन्न संस्कारों के लोकगीतों का प्रचलन प्राय: सभी भाषाओं में पाया जाता है। जनजातीय लोकसंगीत में मृत्यु के अवसर पर शोकगीत गाने का रिवाज है। वैवाहिक संस्कार के लोकगीत सभी झारखंडी भाषाओं में हैं।

पर्व-त्योहारों के गीत

झारखंड में पर्व-त्योहारों का सिलसिला प्राय: साल भर चलता रहता है। चैत मास में नव वर्ष के प्रारम्भ से लेकर फाल्गुन मास की समाप्ति तक विभिन्न पर्व-त्योहारों में नृत्य-गीत की धूम मची रहती है।

ऋतु गीत

ऋतु गीतों के सुर, लय, ताल, राग, नृत्य आदि प्राय: पर्व-त्योहारों में समाहित से हो गए हैं। चैत-वैशाख में सरहुल, भादों में करमा, आश्विन-कार्तिक में दंसई, बांदना, सोहराय और पूस में मगे आदि। इसके अतिरिक्त गैर-जनजातीय लोकसंगीत में उदासी, पावस, जनानी-मरदानी, झूमर, भदवाही या भादरिया, टुसू, फगुवा आदि नृत्य-गीतों का प्रचलन है।

नृत्य गीत

नृत्य गीतों की लंबी शृंखलाओं में अनेक राग-रागनियों के नाम स्वत: नृत्य मुद्राओं का बोध कराते प्रतीत होते हैं। उदाहरण के लिए ठढ़िया, लहसुवा, झूमर, लुझरी आदि।

आखेट गीत

इसके अंतर्गत यात्रा (जतरा), विशु शिकार, जनी शिकार आदि गीतों को रखा जा सकता है। वास्तव में यात्रा, जतरा या सेंदरा कदम-नृत्य के ही प्रकार हैं। लंबी पंक्ति में गुँथे युवाओं के जतरा गीत नृत्य किसी अभियान के ही अंग प्रतीत होते हैं।

अन्य

उपर्युक्त नृत्य गीतों के अलावा मुंडा नृत्य, पईका नृत्य, नटुवा नृत्य, नर्तकी नृत्य, रास नृत्य आदि की परंपरा भी झारखंड राज्य में प्रचलित है।

झारखंडी लोकसंगीत की भाषागत विवेचना

मुंडारी लोकसंगीत और नृत्य

आग्नेय कुल की प्रमुख भाषा मुंडारी के चार विभेद बताए जाते हैं—(क) हसदः (ख) नुगुरी (ग) तमड़िया और (घ) केराः मुंडारी। भाषाई विभेद का प्रमुख कारण क्षेत्रीय प्रभाव है। अन्य भाषाओं के संपर्क में आने से मौलिक मुंडारी में जगह-जगह भिन्नताएँ पाई जाती हैं। जिस कारण भाषा भेद के रूप में इन्हें निरूपित किया जाता है। भाषा के साथ ही संगीत में भी इसे परिलक्षित किया जा सकता है। मुंडारी क्षेत्र में एक कहावत प्रचलित है—''सेन गे सुसुनः कजि गे दुरंङ अर्थात् चाल ही नृत्य है, और बोली ही संगीत।''

संगीत-नृत्य की प्रधानता मुंडारी समाज की विशेषता मानी जाती है। विभिन्न क्षेत्रीय प्रभावों के कारण मुंडारी नृत्य-गीत सरस, ओजमय और मनोहारी हैं और उनका विस्तार हुआ है। मुंडारी नृत्य-गीतों में संस्कार गीत, ऋतु गीत, पर्व गीत आदि प्रमुख हैं। संस्कार गीतों के अलावा शेष सभी प्रकार के गीतों में प्रायः नृत्यों की प्रधानता होती है। युवक-युवतियाँ बगैर किसी विभेद के नृत्य-गीतों में शामिल होते हैं। युवतियाँ जहाँ पंक्तिबद्ध होकर नृत्य करती हैं, वहीं मुंडा युवक स्वतंत्र रूप से किन्तु समानांतर नृत्य करते हैं। ढोल, नगाड़ा, ढांक, शहनाई, दुहिला, केन्द्रा, मांदर, बांसुरी, बनम आदि मुंडारी संगीत के प्रमुख वाद्य हैं।

राग-रागनियों में जदूर, गेना, जपि, करम, आणंदी, जरगा, मगे आदि प्रमुख हैं। सामान्यतः सभी गीत दो से चार पदों में होते हैं। मुंडारी समाज में जन्म-संस्कार के गीत भी विवाह-संस्कार के अवसर पर ही गाने का प्रचलन है।

पर्वों के अनुसार विभक्त मौसमी राग-रागनियाँ

जदूर : जदूर गीत सरहुल पर्व का गीत है। जदूर में नृत्य की गति तीव्र होती है।

गेना : गेना राग जदूर का ही पूरक माना जाता है। बहुधा दो जदूर गीतों के बाद गेना गीत गाने का प्रचलन है। गेना राग में दूसरे प्रकार के ताल बजाए जाते हैं, जिससे नृत्य शैली भी परिवर्तित हो जाती है। गेना नृत्य अपेक्षाकृत कम गतिशील होते हैं।

ओरजदूर : ओरजदूर राग के गीतों को जदूर राग के गीतों का पूरक माना जा सकता है। इस नृत्य में केवल आगे ही आगे बढ़ने का क्रम बदल जाता है और आगे-पीछे दोनों तरफ बढ़ने-लौटने का क्रम चलता रहता है। इसकी विशेषता है कि अंतिम पंक्ति के गायन में नृत्य-शैली जदूर की हो जाती है।

करम गीत नृत्य : करम गीत और नृत्य बिलकुल अलग शैली के गीत-नृत्य हैं। करम-झूमर नृत्यों का वास्तव में मुंडारी राग-रागनियों में विशिष्ट स्थान है। करम गीत की राग-रागनियों में विभिन्न लोक संगीत का प्रभाव स्पष्ट महसूस किया जा सकता है। करम गीत नृत्यों की कई शैलियाँ प्रचलित हैं।

जरगा या मगे : जरगा या मगे राग के गायन-नर्तन की शुरुआत सोहराई अथवा दीपावली पर्व के समय से ही हो जाती है। अन्न उत्पादन से जुड़ा यह पर्व कृषि कार्यों की सम्पन्नता और सफलता के उत्साह का प्रतीक है, जो पौष मास तक चलता रहता है। इसके गायन-वादन और

नर्तन में शांति, संतोष और उल्लास का भाव छिपा होता है।

जपि : आदिवासी समाज में आखेट सदा से ही जीवन के अभिन्न अंग रहे हैं। शिकार खेलना या करना अथवा शिकार करने जाना आदि वास्तव में जंगली जानवरों से विजयी होने के उल्लास का प्रकटीकरण है। जपि के गायन में, हाथों में अस्त्र लेना और मुँह से ललकार की ध्वनि निकालना वीरता और ओज को ही प्रतिबिंबित करते हैं।

आणंदी : आणंदी गीत विवाह संस्कार के गीत हैं जिनकी लय प्राय: करुणा प्रधान होती है।

संताली लोकसंगीत-नृत्य

संताली गीतों की राग-रागनियाँ ऋतु-पर्वों के आधार पर विभाजित हैं, यथा— डाहार, बाहा, काराम, दासांय, सोहराय आदि।

संस्कार गीतों में जन्म से मृत्युपर्यन्त विभिन्न संस्कारों के गीत गाने का प्रचलन है जिनमें प्रमुख हैं जन्म, विवाह और मृत्यु संस्कार।

जन्मोत्सव में नामकरण गीत, विवाह में दोङ और मृत्यु से संबंधित अवसरों पर तेलनाहान, भाडान और दोङ गीत गाने का रिवाज है।

मेला-यात्रा के अवसर पर लांगड़े, पाता, धुरमुजा आदि मुख्य हैं।

रागों के आधार पर संताली समुदाय में लांगड़े, पाता, डाहार, बाहा, दोङ, मातवार, धुरमुजा, भिनसार, गुलवारी, करम, रिंजा, डाण्डा, झिंका, दासांय, सोहराय, सिंगराय, बूढ़ी-गाड़ी आदि प्रचलित हैं।

संताली लोकसंगीत मर्मज्ञों के एक वर्ग का मत है कि संताली संगीत की मौलिक धुनों और नृत्य प्रस्तुति में किंचित् भिन्नताएँ हैं जो क्षेत्रीय प्रभाव की देन हैं। राज्य के उत्तर-दक्षिण सीमावर्ती क्षेत्रों में बसे संताली समुदायों की, संताली लोकसंगीत नृत्य की प्रस्तुति में इस भिन्नता को सहज ही परिलक्षित किया जा सकता है। अन्य राज्यों में बसने वाले संताली समाज में भी यह परिवर्तन महसूस किया जा सकता है।

डाहार गीत : यह माघ पर्व सम्पन्न हो जाने पर गाया जाता है। वास्तव में यह प्रकृति-पर्व है। अखाड़े में युवा डाहार नृत्य-गीत पर्व के उल्लास में गाते-नाचते हैं। इसमें युवतियाँ शामिल नहीं होतीं।

बाहा : बाहा पर्व अन्य क्षेत्रों में सरहुल के नाम से जाना जाता है। इसमें युवक-युवतियाँ दोनों की सहभागिता होती है, जबकि बाहा दोङ केवल लड़कों का ही नृत्य है।

काराम गीत नृत्य : संताल समाज में करमा पूजा (भादों शुक्ल एकादशी) के अवसर पर प्रस्तुत किया जाता है। रिंजा गीतों की प्रस्तुति भी इसी अवसर पर होती है। इसमें कहीं-कहीं बंगला का प्रभाव भी दृष्टिगोचर होता है। इसी क्रम में खंड्या-गीत भी गाए जाते हैं।

दासांय गीत नृत्य: दशहरा या दुर्गा पूजा के अवसर पर गाँव-गाँव में लगने वाले मेलों में जनजातीय समाज सदा से भाग लेता रहा है। दसंई, दसांय, दशहरा अथवा दुर्गा पूजा के मौके पर संताली भाषा समुदाय द्वारा प्रस्तुत गीत-नृत्य को ही दासांय गीत या नृत्य का नाम दिया गया है। इस अवसर के संताली गीतों के भाव भक्तिपूर्ण होते हैं। सामूहिक नृत्य इसकी विशेषता है।

सोहराय : संताल जनजाति में भी सोहराय मनाने की महत्त्वपूर्ण परंपरा रही है। यह एक बड़ा त्योहार है। आम तौर पर दीपावली के तुरन्त बाद मनाया जाने वाला यह पर्व पशुधन से जुड़ा है, किन्तु संतालपरगना क्षेत्र में इसे पौष माह में मनाने की परंपरा 18वीं शताब्दी से चलने की बात कही जाती है। गीत नृत्य का यह पर्व कई दिनों तक चलता रहता है।

लांगड़े गीत नृत्य : प्रायः सभी मौसम में गाँव के युवक और युवतियाँ अखाड़े में गाते-नाचते हैं। लांगड़े संतालियों के सामान्य नृत्य गीत माने जा सकते हैं।

खड़िया लोकसंगीत-नृत्य

खड़िया मुंडारी कुल की ही एक बोली/भाषा मानी जाती है। किन्तु भौगोलिक दृष्टि से इनका निवास उराँव और सदानों के निकट है, अतएव खड़िया लोकसंगीत में दोनों का प्रभाव दृष्टिगोचर होता है। सुर-लय-ताल यदि उराँव भाषा के समानांतर प्रतीत होता है, तो भाषा में सदानी का समावेश भी यत्र-तत्र पाया जाता है।

खड़िया में एकल और सामूहिक दोनों प्रकार के गीत-संगीत की प्रचुरता है। अधिकतर गीत प्रश्नोत्तर शैली के होते हैं। एकल गायन में 'वाद्य-यंत्रों की अनिवार्यता नहीं होती। नृत्य भी आवश्यकतानुसार ही प्रस्तुत किए जाते हैं।

खड़िया संगीत में सुख-दुख के भिन्न-भिन्न अवसरों को ध्यान में रखकर गाने का प्रचलन है। सुख के अवसरों पर पाडू गाया जाता है, जो विभिन्न महीनों के अनुसार होते हैं, यथा जेरिब (अगहन), माः ध्रेल पाडू, फागुन पाडू, हलका पाडू, कसार्सिडा (जेठवारी) पाडू, असारी, कुआरी पाडू आदि। इनके अलावा जदूरा, करम, जतरा, लहसुवा, ठड़िया, कसासिंङ, कुःढिंग, लटसुवा कुढिंग, दुरङ, केरसोंग आलोङ आदि गीत गाने का प्रचलन है।

मौसमी गीतों के अलावा जतरा, दुरङ और केरसोंग आलोङ, अवसर विशेष के संगीत-नृत्य हैं। जतरा नृत्य के दो प्रकार हैं—जेठ (गर्मी) जतरा और कुवारी/कतिकाही जतरा।

संस्कार गीत

दुरङ : खड़िया समुदाय में दुरङ, विवाह और शोक दोनों ही अवसरों में गाए जाते हैं। विवाह दुरङ दो दलों द्वारा बैठकर गाया जाता है। पहला दल शुरुआत करता है और दूसरा दल उसे दुहराता है जिसे 'झोकना' कहा जाता है। वाद्य यंत्र नहीं बजाए जाते।

केरसोङ (बिहा) आलोङ : आलोङ बारात जाते हुए गाया जाता है। यह एक प्रकार की हँसी/व्यंग्य गीत है जिसमें वाद्य यंत्रों का प्रयोग नहीं होता है।

हो लोकसंगीत

आग्नेय कुल की एक और भाषा झारखंड में प्रचलित है, जिसे 'हो' कहा जाता है। हो लोकसंगीत में संस्कार गीतों के अलावा ऋतु पर्वों के गीत-नृत्यों की प्रधानता है और यही पर्व के आधार हैं। हो लोकसंगीत जिन लोक पर्वों पर आधारित है, उनमें मुख्य हैं—बा (सरहुल), मागे, हेरोः, जोमनामा आदि।

बा पर्व : झारखंड की जनजातियों का यह एक प्रमुख पर्व है जिसे बाहा, जंकोर, खद्दी या

सरहुल नामों से भी जाना जाता है। हो समुदाय में भी वंसत ऋतु में बा पर्व मनाने की परंपरा है। सामूहिक नृत्य-गीत पर्व के उल्लास की अभिव्यक्ति है। वाद्य यंत्रों में दमा-दुमङ; रुतु, बनम, झांझ-करताल आदि प्रयोग में लाए जाते हैं।

हेरोः गीत : हेरोः पर्व कृषि से संबंधित पर्व है। खरीफ फसलें लगाने के बाद जब प्रारंभिक कृषिकार्य समाप्त हो जाते हैं, तब हेरोः नृत्य-गीत का आयोजन होता है। यह वर्षा काल का पर्व है।

जोमनामा : जब घर में पहली बार नया अनाज पहुँचता है, तब यह पर्व मनाया जाता है। वस्तुतः यह नयाखानी (नया अनाज खाने) की शुरुआत का पर्व है।

मागे : तीन दिनों तक मनाया जाने वाला यह पर्व एक प्रकार से प्राकृतिक आपदा से सबकी रक्षा, सुख और समृद्धि की कामना का पर्व है। शीत-ऋतु का यह त्योहार जीवन में आशा और उल्लास का प्रतीक है। पर्व के नृत्य-गीतों में सभी युवक-युवतियाँ भाग लेते हैं और हो समुदाय के संगीत में प्रयुक्त होने वाले सभी वाद्य यंत्रों का उपयोग होता है।

कुड़ुख (उराँव) लोकसंगीत

द्रविड़ कुल की कुड़ुख या उराँव जनजाति झारखंड में निवास करने वाली प्रमुख जनजाति है। उराँव समाज में प्रचलित लोकसंगीत का मूल आधार ऋतु-पर्व ही रहे हैं। मौसम पर आधारित गीत, नृत्य और ताल इनकी विशेषता है। उराँव लोक नृत्य सरस, मनोहारी, आकर्षक और ओजपूर्ण होते हैं। पर्वों के अनुकूल शृंगार करने का प्रचलन है। हरेक लोकसंगीत में गीत, नृत्य और ताल भिन्न-भिन्न होते हैं।

क्षेत्र विशेष में राग, लय, ताल और नृत्य में किंचित् परिवर्तन भी देखा जाता है। कुड़ुख या उराँव लोकसंगीत के प्रमुख गीतों/रागों/नृत्यों को जिन नामों से जाना जाता है, वे हैं—सरहुल, बरोया, जेठ-जंतरा, बरोया, धुरिया, असारी, सावनिया, करम, माठा, जरगा, अगहन-जतरा, जादूर, लहसुवा, ठढ़-लहसुवा, शादी गीत आदि। इन संगीत-नृत्य के भी कई-कई प्रकार बताए जाते हैं।

सरहुल : वसंत ऋतु में जनजातीय समाज द्वारा मनाया जाने वाला यह प्रमुख पर्व है। लड़के-लड़कियों की अलग-अलग पंक्तियाँ होती हैं। नृत्य खड़ी मुद्रा में किया जाता है। आगे वाले युवा के बाएँ हाथ से दूसरे का दायाँ हाथ जुड़ा होता है। गोलाकार नृत्य किया जाता है।

जेठ जतरा : जतरा एक प्रकार का प्रयाण गीत होता है। इसका प्रचलन संभवतः 'शिकार' के प्रयोजन से शुरू हुआ होगा क्योंकि इसका नृत्य कदम-ताल चलने की मुद्रा में किया जाता है। अक्सर मेलों में जतरा नृत्य ही प्रस्तुत किया जाता है। अगहन जतरा और जेठ जतरा में नृत्य शैली लगभग समान होती है, किन्तु गीतों के सुर किंचित् भिन्न होते हैं।

बरोया : सरहुल और जेठ जतरा के बीच बरोया गीत नृत्य होता है। यह एक प्रकार का रसीला और जोशीला नृत्य माना जाता है।

धुरिया : यह धीमीं प्रवृत्ति का नृत्य-गीत है। लड़के अलग नाचते हैं, लड़कियाँ अलग।

असारी : आषाढ़ के महीने में गाया-नाचा जाने वाला उराँव लोकगीत नृत्य असारी के नाम

से जाना जाता है। नृत्य की शैली प्राय: धुरिया से मिलती है।

सावनिया : यह भी मास-प्रधान गीत है। सावन के महीने में गाने-नाचने का प्रचलन है। नर्तक आगे की ओर झुकते हुए अर्धवृत्ताकार रूप में नृत्य करते हैं।

करम : करम उराँव समुदाय का महत्त्वपूर्ण त्योहार है। पूजा अर्चना के पूर्व और पश्चात् विभिन्न प्रकार के गीत, भिन्न-भिन्न रागनियाँ, नृत्य की शैलियाँ और तदनुसार ताल बजाने का प्रचलन है। करम के गीतों-नृत्यों को विधि अनुसार प्रस्तुत किया जाता है जिनके भिन्न-भिन्न नाम हैं, यथा पहिल सांझा, अधरतिया, भिनसरिया, लुझरी, झाइल-धुका, करम-थापड़ी, करम-भरनी आदि। वास्तव में कुछ रागनियाँ तो नृत्य की मुद्राओं को ही इंगित करती प्रतीत होती हैं, यथा—लुझरी, झाइल-धुका, झपड़ी, भरनी आदि।

माठा : करमा पर्व की समाप्ति के बाद माठा गीत गाने का प्रचलन है। पंक्तिबद्ध नृत्य में आगे-पीछे होकर क्रम से पीछे वाले का दाहिना हाथ आगे वाले के कंधे पर होता है।

जरगा : माठा गीतों की प्रस्तुति के क्रम में ही बीच-बीच में जरगा गीत-नृत्य का प्रचलन है। युवतियाँ इसमें आगे-पीछे, दाएँ-बाएँ झुकती हुई नृत्य करती हैं।

संस्कार गीत

कुड़ुख समुदाय में विवाह संस्कार के गीत-नृत्य अलग-अलग नेगवार प्रस्तुत किए जाते हैं जिनमें परिछन के समय का कलसा नृत्य बड़ा ही मनोरम होता है। वैवाहिक संस्कार के शेष गीतों में वाद्य यंत्रों की अनिवार्यता नहीं होती।

वाद्य यंत्र

झारखंड राज्य में प्रचलित प्राय: सभी प्रकार के वाद्य यंत्रों का उपयोग कुड़ुख लोकसंगीत में आवश्यकतानुसार किया जाता है जिनमें ढांक, ढोल, मांदर, नगाड़ा, करह, शहनाई, भेइर, नरसिंघा, सोयको आदि मुख्य हैं।

झारखंड में जनजातीय भाषाओं के संगीत के अलावा गैर-जनजातीय या सदानी लोकभाषा और लोकसंगीत का व्यापक क्षेत्र है। सदानी कुल की लोकभाषाओं में नागपुरी, कुरमाली, खोरठा और पंचपरगनिया प्रमुख हैं। जनजातीय कुल में मुंडारी की विभिन्न उप-बोलियों/भाषाओं की तरह सदानी कुल की भाषाओं और लोकसंगीत के विभिन्न पहलुओं में अनेक समानताएँ हैं।

बहुतों का मानना है कि एक ही मूल के लोकसंगीत भिन्न-भिन्न भाषाओं में किंचित् हेरफेर से अलग नामों से परिभाषित किए जाते हैं। सदानी कुल के लोकसंगीत के सुर-लय-ताल-नृत्य आदि में स्थानीय प्रभावजन्य भिन्नता के बावजूद विशेष अंतर नहीं। किंतु अलग-अलग राग-रागनियों का कुछ समावेश भी क्षेत्र विशेष में हुआ है। भाषावार विश्लेषण करने पर विभिन्न लोकसंगीत में समान नृत्यों और राग-रागनियों में प्रमुख हैं—डमकच, करम, डांइडधारा, नटुवा, पाइका, घोड़ा नृत्य, झूमर, सोहराय, भादरिया, लहसुवा, छोहाड़ी (छोह नृत्य), नचनी नृत्य, सोहर, बिहा-गीत, वसंत गीत आदि।

सदानी भाषा की अन्य राग-रागनियों में पावस, मरदानी झूमर, जनानी झूमर, अंगनई, फगुवा, उदासी, भदरिया, मल्हरिया, खेमटा, झिंगफूलिया, उधवा, रसधारी, भोकरन, चांचर, जगवा, बोंडड़ी, डोहा, टुसू, बांदना, ढप गीत (धेरा गीत), पाता गीत, एड़ेइया, चाँचर कुँवारी-झुपान, डहरवा आदि के नाम उल्लेखनीय हैं।

कुरमाली लोकसंगीत

गीत और नृत्य कुरमाली जनजीवन की मौलिक संस्कृति माने जाते हैं। कुरमाली भाषी समाज का कोई भी अनुष्ठान इनके बिना संपन्न नहीं होता। कुरमाली लोकसंगीत में अनेक राग-रागनियों का प्रचलन है। संगीत के राग के अनुसार ताल और फिर नृत्य की शैली बदलती रहती है। कुरमाली के विभिन्न अनुष्ठानों में स्त्री-पुरुषों का सामूहिक नृत्य और गायन होता है। कुरमाली के सभी गीत प्रायः मौसमी होते हैं जिनके सुर, लय और ताल के अनुसार नृत्य किए जाते हैं।

टुसू : टुसू गीत मूलतः स्त्रियों का गीत है। पौष महीने के प्रथम दिन से लेकर मकर संक्रांति के दिन तक टुसू पर्व से संबंधित गीत गाए जाते हैं।

ढप गीत : अगहन से फाल्गुन महीने तक गाया जाने वाला ढप गीत मूलतः पुरुषों का सामूहिक गीत है। यह वैराग्य प्रकृति का गीत है।

सरहुल : बांसती पर्व सरहुल के अवसर पर स्त्री-पुरुष सामूहिक रूप से सरहुल नृत्य करते हैं।

पाता गीत : पाता गीत कुरमाली का सामूहिक नृत्य गीत है। इसे बारह मसिया गीत के नाम से भी जाना जाता है। स्त्री-पुरुष एक-दूसरे का हाथ या कमर पकड़कर बामावर्त नृत्य करते हैं।

उधवा : पौष संक्रांति से आषाढ़ महीने तक उधवा गीत गाने की परंपरा है। स्त्री-पुरुष प्रश्नोत्तर शैली में इसे गाते हैं। यह उच्च स्वर की रागिनी है।

एढ़ेइया : यह ढाई कदमों का नृत्य है जो कर्मा पर्व की समाप्ति के बाद स्त्री-पुरुषों द्वारा किया जाता है। इसमें कई प्रकार के ताल बजाए जाते हैं।

कुरमाली लोकसंगीत में इनके अलावा डहरवा, चाँचर, कुँआरी झुपान, रोपनी गीत, संस्कार गीत आदि का भी प्रचलन है।

खोरठा लोकसंगीत

खोरठा लोकसंगीत की राग-रागनियों में भादरिया, मल्हरिया, भटियाली, झूमटा, खेमटा, लुझरी, सोहराय, सरहुल, बुड़ी, किसानी, उधवा, रसधारी, रास नृत्य, चाँचर, गोवार कांदा, जगवा, भोकरन, बारहमसिया आदि प्रमुख हैं।

इन राग-रागनियों में कइ सदानी मूल की अन्य लोकभाषाओं में भी समाहित हैं यथा सरहुल, सोहराय, उधवा, भादरिया, रास-नृत्य, बारहमसिया, झूमटा, खेमटा, लुझरी, झूमर आदि। झूमर नृत्य के गायन के विभिन्न स्वरों में भदरिया, मल्हरिया, झिंगफुलिया, गोलवारी, डांइड़ झूमरा, भटियाली, खेमटा, लूझरी आदि शामिल किए जाते हैं। कुछ विशेष रागों के गीतों/नृत्यों की प्रस्तुति

का विश्लेषण इस प्रकार किया जा सकता है।

उधवा या रिंझा : उधवा गीत बिना वाद्य यंत्रों के उच्च स्वरों में गाया जाता है। इसे रिंझा भी कहा जाता है।

करमा गीत-नृत्य : करमा पर्व के अवसर पर महिलाओं द्वारा बाँह से बाँह जुड़ाकर झूमते हुए गाया और नृत्य किया जाता है।

भोकरन : शिवरात्रि पर्व के अवसर पर घूम-घूम कर भोकरन माँगा जाता है, जिसके कई सुर हैं।

रास-नृत्य : कार्तिक पूर्णिमा के उपलक्ष्य में नर्तकी द्वारा एकल अथवा युगल नृत्य किया जाता है, जिसमें विशेष रागिनी के गीत-संगीत प्रस्तुत किए जाते हैं।

सोहराय : कार्तिक अमावस (दीपावली) के पश्चात् सोहराय पर्व के अवसर पर जो गीत-नृत्य होते हैं, उसी में चाँचर, गोवार कांदा, गाय-जगवा और भोकरन माँगा जाता है, जिसके अपने सुर, लय और ताल होते हैं।

बोंउड़ी : मकर संक्रांति के अवसर पर लगने वाले मेलों में प्रस्तुत किए जाने वाले गीत नृत्य टुसू, डोहा और बोंउड़ी हैं। दो चार पंक्तियाँ गाने के बाद जोर से कुल-कुली देने का प्रचलन है। प्राय: प्रश्नोत्तर शैली में प्रस्तुत किए जाने वाले गीतों को खोरठा में हाराबदिया नाम से जाना जाता है। संस्कार गीतों की परंपरा भी खोरठा में खूब प्रचलित है।

इनके अतिरिक्त अन्य भाषाओं के प्रभाव से खोरठा में फगुवा गीत गाने का भी प्रचलन चल पड़ा है। नागपुरी, बांग्ला और मगही का आंशिक प्रभाव खोरठा लोकसंगीत में भी परिलक्षित होता है।

पंचपरगनिया लोकसंगीत

वास्तव में पांचपरगना क्षेत्र की अवस्थिति के कारण उस क्षेत्र विशेष में प्रचलित बोलचाल की भाषा पंचपरगनिया नाम से जानी जाती है। जिसके विश्लेषण करने पर झारखंड की प्राय: सभी सदानी भाषाओं का समावेश पंचपरगनिया में पाया जा सकता है। नागपुरी, कुरमाली, खोरठा और स्थानीय तमड़िया इसमें समाहित प्रतीत होते हैं।

पंचपरगनिया लोकसंगीत में भी प्राय: उन्हीं राग-रागनियों का समावेश पाया जाता है, जो सदानी कुल की अन्य भाषाओं में हैं। कुरमाली और नागपुरी से इसकी विशेष समानता है। खोरठा और कुरमाली लोकभाषा और लोकसंगीत की सन्निकटता का प्रभाव पंचपरगनिया के अधिकांश लोकसंगीत-नृत्य में महसूस किया जा सकता है।

इसके अतिरिक्त चैतन्य महाप्रभु के पंचपरगना क्षेत्र से गुजरने के कारण बांग्ला लोकसंगीत का जैसा प्रभाव पंचपरगना क्षेत्र में पड़ा है, वह पंचपरगनिया गीतों का गौरव है। झूमर के नाम से गाए-नाचे जाने वाली शैली की पंचपरगनिया में अपनी ही विशिष्टता है।

पंचपरगना क्षेत्र में रासलीला की पृष्ठभूमि में नर्तकों-नर्तकियों के एकल और युगल नृत्य आयोजित होते हैं। गीत प्राय: शिष्ट गीतों की श्रेणी में होते हैं, किन्तु स्वर, ताल, वाद्य पूर्णत: स्थानीय। झूमर में ही रंग, खेमटा, लहसुवा, झिंगफुलिया, लूझरी आदि रागनियाँ समाहित हैं। ठेठ

लोकगीतों में संस्कार, करम गीत, जितिया गीत, सोहराय गीत, टुसू गीत, भादरिया आदि भी लोकजीवन में प्रतिष्ठित हैं।

नागपुरी लोकसंगीत

झारखंड क्षेत्र में लोकसंगीत में सदानी कुल के नागपुरी लोकसंगीत की परंपरा बड़ी समृद्ध मानी जाती है। नागपुरी में जहाँ शेष सभी सदानी भाषाओं का सम्मिश्रण है, वहीं जनजातीय संगीत के घालमेल से इसके संगीत-नृत्य का पक्ष अधिक व्यापक माना जाता है।

नागपुरी लोकसंगीत के गायन-नर्तन-वादन आदि परंपराओं का विश्लेषण किया जाए तो निम्न तथ्य उभर कर सामने आते हैं—

— स्त्रियों और पुरुषों के गाने के लिए अलग-अलग राग-रागनियों का निर्धारण है।

— बहुत-सी राग-रागनियाँ केवल नृत्य के लिए हैं, तो कुछ केवल गायन के लिए।

— राग-रागनियों के नाम स्वत: उसके गायनकाल का बोध कराते हैं।

— बहुत-सी रागनियाँ स्वत: नृत्य मुद्रा का संकेत देती प्रतीत होती हैं।

यदि उपर्युक्त विश्लेषण को आधार मानकर राग-रागनियों और नृत्यों का विश्लेषण किया जाए तो उन्हें इस प्रकार का क्रम दिया जा सकता है—

मरदानी धुन : मरदानी झूमर खेमटा, पावस, ठढ़िया, फगुवा, उदासी, गोलवारी आदि।

जनानी धुन : जनानी झूमर, डमकच, झूमटा, अंगनई, झांझइन, लाइर, बियाह, आदि।

समयबोधक धुन : उदासी, पावस, भदवाही, फगुवा, पहिल-सांझा, अधरतिया, भिनसरिया, प्रभाती आदि।

नृत्य भावबोधक धुन : झूमर, लहसुवा, ठढ़िया, लुझरी आदि।

उदासी : परंपरानुसार नववर्ष की शुरुआत चैत प्रतिपदा से मानी जाती है। यह वसंत और ग्रीष्म ऋतु की संधि-वेला होती है। ग्रीष्म के आगमन और वसंत के समापन काल में चारों ओर का वातावरण शुष्क प्रतीत होता है, मन में आलस भाव जगने लगता है। ऐसे ही समय में उदासी गीत गाने की परंपरा है।

पावस : जेठ-आषाढ़ के महीनों में गर्मी के समापन और वर्षा के आगमन की कामना के बीच वर्षा कालपर्यन्त पावस राग के गीत गाए जाते हैं। लंबे आरोह-अवरोहयुक्त पावस गीतों में वर्षा, शृंगार, ओज और वीररस प्रधान रचनाएँ पाई जाती हैं।

डांइड़धारा : डांइड़धारा भी वर्षाकालीन नृत्य-गीत माना जाता है। संभवत: कमर (डंडा) पकड़कर नाचने की शैली से ही इसका नामकरण हुआ हो। अन्य सदानी भाषाओं में भी इस राग के गीतों/नृत्यों का प्रचलन है। भादरिया नृत्यों की यह एक शैली मानी जाती है।

झूमर, गोलवारी, खेमटा, रंग, झिंगफूलिया : प्राय: सभी राग-रागनियाँ नृत्य प्रधान हैं। गोलवारी झूमर वस्तुत: पंचपरगनिया क्षेत्र में प्रचलित झूमर ही है। खेमटा, रंग, झिंगफूलिया आदि अपेक्षाकृत द्रुत गति की रागनियाँ हैं। नृत्य की एकरसता तोड़ने के लिए उन्हें झूमर गीत-नृत्यों के मध्य प्रस्तुत किया जाता है।

डमकच : नागपुरी भाषी क्षेत्र में डमकच नृत्य प्राय: महिलाओं द्वारा प्रस्तुत करने की परंपरा

रही है। वैवाहिक संस्कारों के बीच डमकच गाने-नाचने का प्रचलन रहा है। महिलाएँ दो पंक्तियों में एक साथ नृत्यरत होती हैं। डमकच में प्रश्नोत्तरी शैली के गीत ज्यादातर प्रचलित हैं, इसकी कई प्रकार की उप-रागनियाँ हैं।

जनानी झूमर : जनानी झूमर नृत्य की एक शैली है। अंगनई राग के गीत भी इसी के अंतर्गत आते हैं। इसकी विभिन्न रागनियाँ प्रचलित हैं। जनानी झूमर की प्रस्तुति महिलाओं द्वारा ही करने की परंपरा रही है।

झांझइन : झांझइन जन्मोत्सव का गीत है। महिलाओं द्वारा गाए जाने वाले झांझइन गीतों में वाद्य यंत्र आवश्यक नहीं।

लाइर/विवाह : वैवाहिक संस्कार गीतों के अनेक प्रकार हैं जिनमें लाइर भी एक है। अन्य में गढ़वा गड़ाई, मइटकोड़न, पइन-कटन, परीछन, विदाई आदि प्रमुख हैं।

फगुवा : यह मुख्यत: पुरुषों का संगीत है। वसंतपंचमी के बाद रामनवमी तक फगुवा गीत गाने का प्रचलन है। फगुवा नृत्य पुरुषों के दो समूहों द्वारा आमने-सामने झुंड में आगे-पीछे होते हुए प्रस्तुत किया जाता है।

ऐसा भी देखने में आता है कि सामुदायिक पर्व-त्योहारों के अलावा कुछ भिन्न-भिन्न लय-सुर-ताल और नृत्य की राग-रागनियाँ भी यहाँ प्रचलित हैं।

झारखंडी लोकसंगीत की विशेषता की चर्चा करते हुए बताया जाता है कि ऋतु के अनुसार श्रम, श्रम की उपलब्धि के अनुसार उत्सव, उत्सव के अनुसार आनन्द की अनुभूति जो समय, पहर और अवसर पर आधारित है। ये गीत कहीं अकेले में, कहीं समूहों में, राह चलते या बैठकर, कहीं वाद्य यंत्रों के साथ नृत्य करते हुए तो कहीं बिना वाद्य यंत्रों के प्रस्तुत किए जाते हैं। भाव केन्द्रन लोकगीतों के प्रबल पक्ष माने जाते हैं। आरोह-अवरोह की तीव्रता और शिथिलता भावों पर निर्भर होती है।

वास्तव में इन लोकसंगीत-नृत्यों पर विस्तृत अध्ययन की आवश्यकता है। झारखंडी लोकजीवन की इस थाती के अनेक पहलू तभी प्रकाश में आ सकेंगे।

संदर्भ

मुंडारी — डॉ. रामदयाल मुंडा, डॉ. विनोद नाग, श्री जोसेफ पुर्ती, श्री बिशु लकड़ा, श्री कृष्णा बड़ाईक।

संताली — डॉ. के.सी. टुडू, श्री बाबूलाल हांसदा, श्री आदित्य मित्र संताली, श्री मितोन सोरेन एवं दुली हेंब्रम।

खड़िया — डॉ. रोज केरकेट्टा, श्री अब्राहम कुल्लू, श्री जुएल सोरेंग, सुश्री बिबियाना डुंगडुंग एवं साथी।

हो — श्री श्यामचरण तुबिद, डॉ. जे. दोराई, डॉ. एस.के. तियु, श्री शैलेन्द्र एम. हेम्ब्रम, सुश्री भी.एल. हेम्ब्रम।

उराँव — श्री इन्द्रजीत उराँव, श्री शरण उराँव, श्री हुसे उराँव, श्री जिरगा भगत, श्री एन.लकड़ा, सुश्री लीली खलखो।

कुरमाली — डॉ. एच.एन. सिंह, डॉ. मान सिंह महतो, श्री अंगद महतो, श्री रामसाय महतो, श्री

सुरेश महतो।

पंचपरगनिया	डॉ. सुनीता कुमारी, श्री कमलाकांत सिंह मानकी, श्री आर.के. सिंह, श्री लखीचरण मुंडा, श्री सीदाम महतो।
खोरठा	श्री गिरधारी गोस्वामी, शिवनाथ प्रमाणिक, डॉ. जी.एम. प्रभाकर, सुश्री अनिता कुमारी, शिवनंदन पांडे गरीब।
नागपुरी	डॉ. वी.पी. केशरी, डॉ. कुमारी बासंती, डॉ. कलावती ओहदार, श्री क्षितीष कुमार राय, श्री मुकुन्द नायक, श्री महाबीर नायक, श्री महाबीर साहु, श्री भोलानाथ राय, श्रीमती जानकी देवी, सुश्री शशिकला मिश्र, श्री दिलीप कुमार राय, श्रीमती बसुमति देवी, श्रीमती यशोदा देवी।

संताली लोकसंगीत

डॉ. कृष्णचन्द्र टुडू

संताली भाषा यूरेशिया भाषा खंड में आती है। मुख्यत: यह दो महादेशों के क्षेत्र में फैली है, अत: इन्हीं के आधार पर यह नाम पड़ा है। इसमें मुख्यत: बारह भाषा परिवार हैं। अफ्रो-एशियाटिक, उरालिक, कोकेसियन, अल्टाइक, अस्ट्रोताई, चुकचीरमचटका, एस्किमो एलियुट, ओसेनिया, सिनो तिब्बतान, इन्दोयूरोपियन, द्रविड़ियान तथा आस्ट्रो-एशियाटिक। संताली भाषा आस्ट्रो-एशियाटिक भाषा परिवार के अन्तर्गत आती है। आस्ट्रो का अर्थ है दक्षिण अर्थात् दक्षिण में बोली जानी वाली भाषा। आस्ट्रो-एशियाटिक या आग्नेय देशीय भाषा के दो भाषा परिवारों में विभक्त हैं—आस्ट्रिक या आग्नेय—इस वर्ग के अन्तर्गत संताली, मुंडारी, हो, खड़िया, कोरवा, कुरकू आदि आते हैं। तथा आस्ट्रोनेशियन वर्ग के अंतर्गत इण्डोनेशिया, माइक्रोनेशियन, मैलिनेशियन तथा पैलिनेशियन आदि आते हैं।

क्षेत्र एवं जनसंख्या

संताली भाषाभाषी का क्षेत्र भारत के बिहार, झारखंड, पश्चिम बंगाल, ओड़िसा, असम, मध्यप्रदेश, नागालैण्ड, त्रिपुरा राज्यों के विभिन्न भागों में अधिक बोली जाती है। भारत के अलावा नेपाल, बंगलादेश, मारीशस तथा त्रिनिदाद देशों में भी संताली भाषा बोली जाती है। सम्पूर्ण भारत में संताली भाषाभाषियों की संख्या लगभग एक करोड़ से भी अधिक है। संताली भाषाभाषी सम्पूर्ण भारत की अधिक आबादी वाली अनुसूचित जनजाति है। कुल अनुसूचित जनजाति की आबादी का यह पचास प्रतिशत है।

झारखंड राज्य में समृद्ध लोकभाषा, मेलजोल की प्रवृत्ति तथा सरल जनजातीय लोकजीवन की अपनी-अपनी विशिष्टता है। इसमें 30 प्रकार की अनुसूचित जनजातियाँ हैं। इन अनुसूचित जनजातियों को दो श्रेणियों में रखा गया है। पहली श्रेणी में 22 जनजातियाँ हैं जिसमें संताल, मुंडा, हो, खड़िया, भूमिज, माहली, गोंड, उराँव आदि प्रमुख हैं। दूसरी श्रेणी में आदिम जनजातियाँ हैं जिनमें बिरहोड, सबर, असुर, कोरवा, पहाड़िया, बिरजिया आदि प्रमुख हैं। इसके अलावा झारखंड राज्य में 138 प्रकार की पिछड़ी जाति के लोग भी निवास करते हैं।

भाषा की दृष्टि से ये लोग जनजातीय भाषा तथा स्थानीय भाषा बोलते हैं। जनजातीय या आदिवासी भाषा के आग्नेय भाषा परिवार के अन्तर्गत संताली, मुंडारी, हो तथा खड़िया आते हैं। द्राविड़ भाषा परिवार के अन्तर्गत कुड़ुख तथा मालतो भाषाएँ आती हैं। स्थानीय या क्षेत्रीय भाषा के अन्तर्गत धलभूमि बांग्ला, मानभूमि बांग्ला, अंगिका, सदरी, खोरठा, कुरमाली एवं पंचपरगनिया भाषाएँ आती हैं।

संताली लोकगीत एवं नृत्य

संताली लोकजीवन से जुड़ी हुई अनेक कहानियाँ, गीत, नृत्य एवं वाद्य मिलते हैं। लोकजीवन में गीत, नृत्य एवं वाद्य संगीत से परिपूर्ण हैं। गीत, नृत्य एवं वाद्य संगीत संतालों का भी जीवन मंत्र है। संताली लोकसंगीत में लोक संस्कृति, पर्व-त्योहार तथा आदिधर्म 'सरना' से संबंधित विषय होते हैं। विशेषकर लोकजीवन की स्थिति जानने में लोकसंगीत बहुत ही महत्त्वपूर्ण सिद्ध होता है।

संताली लोकसंगीत को कई आधारों पर वर्गीकृत किया जा सकता है। जैसे राग, संस्कार, पर्व-त्योहार, मेला-यात्रा और विविध।

राग

राग के अनुसार संताली लोकगीतों में परंपरागत रागों के गीत गाए जाते हैं। लोक कवियों ने विभिन्न अनुष्ठान, विभिन्न पर्व तथा विभिन्न संस्कार पर गीतों के राग, नृत्य के नाच-डेग एवं वाद्य-यंत्र के लय, ताल निर्धारित किए हैं। उसी राग के आधार पर ही गीत, नृत्य एवं वाद्य किया जाता रहा है। इसमें लांगड़े, डाहार, बाहा, करम, रिंजा, सोहराय, दासांय, पाता, धुरुमजाः, डांठा, भिनसार, मातवार, गुलवारी, झिका़, सिंगराई, बुड़ही गॉड़ी, दोङ आदि आते हैं।

संस्कार

संताल जाति प्रकृति पूजक है और 'सरना' धर्मावलम्बी। 'सरना धर्म' में 'चांदोंबोंगा' सूर्य देवता, 'माराङ बुरु' बड़ा देवता, 'जाहेर आयो' माँ देवता, 'मोड़ेको तुरुमको' पंच परमेश्वर आदि देव-देवियों को सर्वशक्तिमान मानकर पूजते हैं। संताल संस्कृति में व्यक्ति को जन्म से लेकर मृत्यु तक कई संस्कारों से गुजरना पड़ता है। संस्कार व्यक्ति के सर्वांगीण जीवन को प्रभावित करता है। संताल संस्कारों में मुख्यतः जन्म संस्कार, विवाह संस्कार एवं मृत्यु संस्कार प्रमुख हैं। जन्म संस्कार में जन्म से संबंधित गीतों में छा़टयार गीत एवं नामकरण गीत प्रमुख हैं। विवाह संस्कार में 'टाका चाल' गीत, 'सिंदरा़दान' गीत, 'विदा़य' गीत, 'बालाया' गीत एवं 'दोङ' गीत प्रमुख हैं। मृत्यु संस्कार में मृत्यु से संबंधित गीत गाए जाते हैं। 'तेलनाहान', 'भाडान' प्रमुख हैं। मृत्यु संस्कार में मृत व्यक्ति का 'बाप्ला' अर्थात् विवाह होता है। इसलिए 'दोङ' विवाह गीत गाए जाते हैं।

पर्व-त्योहार

संतालों के पर्व-त्योहार जातीय संस्कृति का प्रमुख अंग हैं। पर्व-त्योहार महीनों के आधार पर निर्धारित हैं। बारह माह पर बारह पर्व होते हैं। संतालों का महीना 'माघ माह' से आरम्भ होता है। माघ से आरम्भ होकर पौष साकरात पर समाप्त होता है। कोई भी पर्व-त्योहार गीत, नृत्य एवं वाद्य के बिना नहीं होता अर्थात् संताली लोक संस्कृति लोकगीत एवं लोकनृत्य के बिना निष्प्राण है। लोकनृत्य एवं गीत अनुष्ठान तथा पर्व पर निर्भर है। इसके आधार पर डाहार, बाहा, काराम, दासांय, सोहराय, साकरात आदि आते हैं।

मेला-यात्रा

मेला या यात्रा में 'पाता' गीत एवं नृत्य होता है। 'पाता' का शाब्दिक अर्थ है 'पर्व'। पर्व का आयोजन किसी घटनाओं पर आधारित होते हैं। पाता गीत युवतियों द्वारा गाए जाते हैं। संताल जाति परिश्रमी है। परिश्रम वेला में मन की थकावट को दूर करने के लिए गाए जाते हैं। पाता गीत मनोरंजन, प्रेम, स्नेह, सुख, दुख आदि से संबंधित होते हैं। ये लोग अकाल, बाढ़, तूफान, हिंसा, युद्ध आदि से तटस्थ रहते हैं। केवल उन घटनाओं को याद करने के लिए लोककवियों ने अनेक पाता लोकगीतों का सृजन किया है। गीत एवं नृत्य में व्यक्ति की भावनाओं की अभिव्यक्ति निहित रहती है।

विविध

संतालों की मुख्य वृत्ति कृषि कर्म है। इसलिए इनके सभी पर्व या त्योहार कृषि पर आधारित हैं। जन्म से मृत्यु तक चाहे कृषि कर्म हो, प्रेम हो, धार्मिक अनुष्ठान हो, इनका नृत्य एवं गीत से गहरा संबंध होता है। विविध गीतों में उन गीतों या नृत्यों को रखा जा सकता है जो संस्कार या पर्व से भिन्न हैं। जैसे बिर सेरेञ, जंगल के गीत, श्रम गीत, बाल गीत, साड़पा गीत, सिंगराइ गीत, दोंगेड़ नृत्य, डांठा नृत्य, लांगड़े गीत एवं नृत्य आदि।

संताली गीत एवं नृत्य का उद्भव और विकास

संताली गीत एवं नृत्य का उद्भव उस समय हुआ जब ठाकुर ठाकरान ने पिलचू हाड़ाम एवं पिलचू बुढ़ी की शादी कर दी थी। पिलचू दम्पति के सात पुत्रों, सोनदरा, सानदोम, चारे, तारे, माने, आचारे एवं किरू, तथा सात पुत्रियाँ छिता, कापरा, हिसी, डुमनी, दानगी, पुंड़गी एवं नासो का जन्म हुआ। जब ये जवान हुए तो इन्होंने अनजाने में विवाह संबंध स्थापित कर लिए थे। उसके बाद पिलचू वंशज हिहिड़ी-पिपिड़ी ने खोज कामान, सासाङबेड़ा, आयरे, जारपी, धुंयसाड़ आदि स्थानों का भ्रमण किया। वे जहाँ-जहाँ गए वहाँ-वहाँ उनके साथ अनेक घटनाएँ घटी हैं। उस समय की अपनी सभ्यता, अपना धर्म, अपनी संस्कृति एवं रीति-रिवाज रहे हैं। उन रीति-रिवाज तथा संस्कृति को संताली लोककवियों एवं रचनाकारों ने सृजन किया तथा गीत एवं नृत्य के माध्यम से लिपिबद्ध किया है जो आज भी उस गीत, नृत्य एवं वाद्य को परंपरागत ढंग से गाते-बजाते एवं नृत्य करते हैं।

डाहार गीत एवं नृत्य

संताल समाज में नए साल का आरम्भ माघ महीने से होता है। इनके गीत, राग, नृत्य एवं वाद्ययंत्र मौसम या ऋतु के अनुसार बदलते रहते हैं। जब प्रकृति की गोद में पेड़-पौधों पर नई पत्तियाँ आती हैं, तब माघ पर्व सम्पन्न होता है। माघ पूजा सम्पन्न होने के बाद गाँव के अखरा में संताल लड़कियों द्वारा 'डाहार' गीत एवं नृत्य होता है। 'डाहार' का शाब्दिक अर्थ है डहर या रास्ता। अर्थात् डहर में गाए जाने वाले गीत। डहर गीत एवं नृत्य लड़कियों द्वारा ही होता है। ये गीत प्रकृति से संबंधित होते हैं। ये माघ प्रतिपदा से फागुन पूर्णिमा तक गाए जाते हैं। जैसे—

बुरु बुरु पारोम रे हे हुपू बाहा दो।
गेलबार बुरु पारोम रे हे पालढा बाहा दो।
हेटेजाः गे सानाञा हे हुपू बाहा दो॥
आरावजोङ गे सानाञा हे पालढा बाहा दो।

पहाड़ के उस पार हुपू फूल हैं। बारह पहाड़ के उस पार पालदा फूल हैं। तोड़ने का मन कर रहा है हुपू का फूल। खोंसने का दिल करता है पालढा का फूल।

मांदर के ताल-तोड़ावः दांः दांः दांः,
दांःदिनिञ दिनिञ दांः
दात्तिञ हेताङ दिनिञ हेताङ दिनिञ दांः
हेताङ हेताङ दिनिञ
लेताड़-दिञ भिदिञ दित्ती भिदिञ दात्ती भिदिञ दांः दांः
हेताङ भिदिञ दित्ती भिदिञ दात्ता भिदिञ दांः दांः। (अनेकबार)

बाहा गीत एवं नृत्य

बाहा गीत एवं नृत्य फागुन अर्थात् 'बाहा बोंगा' में सम्पन्न होता है। 'बाहा' का अर्थ है फूल अर्थात् फूलों का पर्व। जब जंगलों में 'सारजोमा बाहा' सखुवा फूल एवं 'मातकोम गेले' महुवा फूल खिल उठता है तब संताल बाहा पर्व मनाते हैं। संताल प्रकृति पूजक हैं। प्रकृति पूजा ही अपना विशेष स्थान और महत्त्व रखती है। प्रकृति के प्रति आकर्षण और उसके प्रति आस्था प्रदर्शित करना जीवन का एक अंग है। बाहा गीत एवं नृत्य में उन सबका नाम है जो प्रयोग और प्रमाण से सिद्ध करता है। ये पर्व मनाने का मूल उद्देश्य उनका भविष्य सुखद, समृद्ध और मंगलमय हो। बाहा पर्व 'जाहेरथान' देवस्थल में सामूहिक रूप से मनाया जाता है। इसलिए गीत एवं नृत्य धार्मिक भावनाओं से ओतप्रोत हैं। इस पर्व के गीत एवं नृत्य की रचना उस समय हुई जब मानव और प्रकृति के बीच की विभाजक रेखाएँ स्पष्ट नहीं थीं। वे परस्पर सहयोग एवं संबंध के सूत्रों में बँधे हुए थे। जब चेतन-मानव के मन ने अज्ञात रूप से प्रकृति की घटनाओं को अपने जीवन के अनुभवों के माध्यम से समझने का प्रयास किया। प्रकृति के तत्त्वों और घटनाओं के मानवीकरण की यह चेतना प्रक्रिया ही बाहा गीत तथा नृत्य का मूल रूप है। इन गीतों एवं नृत्यों का उद्देश्य मनोरंजन मात्र ही नहीं वरन अधिक सार्थक सत्य के रूप में प्रदर्शित करना है जो संताल धर्म नीति एवं समाज व्यवस्था से जुड़ा हुआ है। बाहा गीत एवं नृत्य लड़के एवं लड़कियों द्वारा सम्पन्न होता है। 'बाहा दोन' बाहा नृत्य केवल लड़कों द्वारा ही होता है।

बाहा गीत— तोकोय गेदोय सित्केत् हो सारजोम बाहा,
तोकोय गेदोय सित्केत् हो मातकोम गेले।
माराङ बुरुम, तियूःकेत् हो सारजोम बाहा,
जाहेर आयोम सित्केत् हो मातकोम गेले॥

भावार्थ— किसने तोड़ा सखुवा का फूल

किसने तोड़ा महुवा का फूल
माराङ बुरु ने ही तोड़ा सखुवा का फूल
जाहेर आयो ने ही तोड़ा महुवा का फूल॥

मांदर के ताल— तोड़ाव: दां: दां: दां:
दां: दिनिञ दिनिञ दां:
दांतिञ हेताङ दिनिञ हेताङ दिनिञ दां:
हेताङ हेताङ दिनिञ।

लेताङ — हेताङ दिञ दां: दाताङ दाती दिपिट दा: दा:
हेताङ दिञ दा: दाताङ भिदिञ दिपिञ दा: दा: (अनेकबार)

बाहा नृत्य धार्मिक स्वरूप का नृत्य है। देवालय के सामने यह नृत्य किया जाता है।

कारम गीत एवं नृत्य

संतालों का एक और प्रकृति पर्व 'काराम' करम पर्व है। करम पर्व सावन महीने में सम्पन्न होता है। करम डाली को करम देवता के रूप में मनाया जाता है। करम पर्व गीत एवं नृत्य की रचना उस समय हुई जब मानव संसार में भारी अकाल हुआ था। संताल पूर्वजों के अनुसार कारमू-धारमू दो भाई थे। उन्होंने अकाल से बचने के लिए 'काराम गोसांय' करम देवता की उपासना की थी। उस समय 'काराम गोसांय' ने उन दोनों को 'काराम डार' करम डाल की पूजा करने के लिए कहा था और कहा कि उससे ही कारमू-धारमू की भलाई है। करम देवता के आदेश अनुरूप उन्होंने 'करम डाल' गाड़ा एवं उसकी पूजा अर्चना की। करम देवता को खुश करने के लिए उन्होंने गीत गाए एवं नृत्य किए। इसी परंपरा से आज भी संताल समाज में यह बड़ी धूमधाम से उत्साह के साथ सामूहिक रूप तथा व्यक्तिगत रूप से मनाते हैं। करम गीत एवं नृत्य गाँव के अखरा या चौराहे पर मनाया जाता है। करम कई तरह के होते हैं। जैसे सांजो काराम, बुड़ही काराम एवं मोरा काराम।

गीत — तोका रे दोम जानाम लेन कारामा गोसांय हो,
तोका रे दोम बुसाड़ लेन नेवहारी रे डा़र।
आमका गेचोय चिंया़ लिदिञ बारडार कारामा गोसांय।
आम की गेचोय चिंया लिदिञ नवहारी रे डार।

भावार्थ— हे करम देवता आप कहाँ पैदा हुए थे?
हे करम देवता आप कहाँ जन्म लिए थे?
'आमका' अमुख ने ही मुझे लाया है, दो करम डाल के रूप में
'आमकी' ने ही लाई है दो करम डाल के रूप में।

मांदर के ताल —

तोड़ाव— दिञ दिपिञ हेताङ; दां: दिपिञ हेताङ हेताङ दां:,
दातिञ हेताङ दिञ ट्रिपिट, दां ट्रिपिट दां:,
घ्रिपिट हेताङ हेताङ हेताङ दां:,

दिबदा हेताङ दिबदा हेताङ, प्रिपिट दांः,
हेताङ ट्रिपिट दां।

लेताङ — 1. धातिञ दांः धातिञ दांः (अनेकबार)
2. दिञ दांः दिपिञ दांः हेताङ दां दिपिञ दां, (अनेकबार)

रिंजा गीत एवं नृत्य

करम पर्व में ही रिंजा गीत एवं नृत्य होता है। रिंजा गीत कारमू, धारमू, कृष्ण-गोपीनी, राम-लक्ष्मण आदि देव-देवियों से संबंधित होते हैं। इन गीतों में बांग्ला का प्रभाव भी पाया जाता है।

गीत— योहे तांहा रेता नाना त्राना, तांहा रेता नाना जे,
तांहा रेता नाना त्राना जे।
योहे आखाड़ाही घुराया आखाड़ी घुराया हो,
मादोड़ा जे पूजे महादेव, योहे जे,
आखाड़ाही घुराया, आखाड़ा घुराया।

खांडया— डानठावाही घुराया, दाहिने तो सालखान,
दाहिनेतो खिरे बोड़ो जुते।
झिरी हिरी दांवा खिरी नाम नाहीं जाला रे सुतावा,
खांचार द्रुधे मोरा बाहिरे तो सालखान,
से होते हेसे बागा राइते।
झिरी हिरी दांवा खिरी देवा रे धोरोम।

नृत्य : रिंजा या करम नृत्य धार्मिक स्वरूप के नृत्य हैं। यह पवित्र वृक्ष के सामने ही किए जाते हैं।

मांदर के ताल

तोड़ाव— दिञ दिपिञ हेताङ, दांः दिपिञ हेताङ हेताङ दांः,
दातिञ हेताङ दिञ ट्रिपिट, दाः, ट्रिपिट दाः,
ट्रिपिट हेताङ हेताङ हेताङ दाः हेताङ ट्रिपिट दाः।

लेताङ — 1. धातिञ दाः धातिञ दाः (अनेकबार)
2. दिब्दा हेताङ दिब्दा हेताङ, दिञ दिपिञ दाः,
हेताङ दिञ दिपिञ दाः दाः (अनेकबार)
3. दिपिञ हेताङ दिपिञ दाः दिपिञ हेताङ दिपिञ दाः,
दिञ दिपिञ हेताङ दिनिञ दाः दाः
हेताङ दिपिञ हेताङ दिनिञ दाः दाः
दिञ दिपिञ हेताङ दिनिञ दाः। (अनेकबार)

लांगड़े गीत एवं नृत्य

संताली लोकजीवन से जुड़ा हुआ एक और लोकगीत एवं नृत्य है, जिसे लांगड़े गीत एवं नृत्य कहते हैं। लांगड़े का शाब्दिक अर्थ है 'लांगा + एड़े'। अर्थात् थकावट को दूर करना या बहलाना होता है। लांगड़े गीत एवं नृत्य सभी मौसम में गाए जाते हैं। लांगड़े नृत्य, गाँव के अखड़ा में सामूहिक रूप से युवक-युवतियों द्वारा आयोजित होता है। विशेषकर, जब सामाजिक अनुष्ठान या पर्व सम्पन्न होता है, तब युवकों द्वारा रात भर मनोरंजन के लिए नृत्य एवं गीत गाए जाते हैं। गीतों में मनोरंजन तथा दैनन्दिन जीवन में आने वाले प्रेम, स्नेह, वात्सल्य, वीर आदि उद्धरणों का समावेश दिखता है। मांदर पर जब उद्घाटन संकेत 'तड़ाव' की थाप पड़ती है, तब थिरकते पाँव धीरे-धीरे गति में आ जाते हैं और नर्तक एवं नृत्यांगनाओं के पाँव और बदन लयबद्ध होकर कभी आगे और कभी पीछे चलते हैं।

लांगड़े गीत—

पोंगा तोरा पोहाल होड़मो, पोटकोच तोरा नाड़ी,
चाड़ू केदाञ हाली होड़मो, आमाः सोहाग तीरे।
बाङ दो उनुमोः गाते बाङ दो चापे कोः आ,
तिमिन रेचो ढाका ढाबोः जिवीतीञ दो घाटरे।

भावार्थ : इस गीत के भावानुवाद कुछ इस प्रकार हैं कि एक युवती अपने आपसे पूछती है कि यह अंकुरित बीज के समान कोमल शरीर, नदी के प्रवाह में कब डूबती है या नदी पार कर जाती है।

नृत्य : संतालों के नृत्य के प्रकार, नृत्य के गुण तथा नृत्य के गीत को तीन प्रकारों में विभाजित किया जा सकता है। (क) धार्मिक स्वरूप नृत्य : जैसे बाहा, डाहार, रिंजा करम आदि। यह नृत्य देवालय, पवित्र वृक्ष के सामने किए जाते हैं। (ख) वीरयुक्त नृत्य : जैसे फिरकाल, दोंगेड़ आदि। यह नृत्य वीरश्री नृत्य है। इसे विभिन्न हथियार तथा विभिन्न आवाजों द्वारा प्रस्तुत किया जाता है। (ग) सामाजिक नृत्य जैसे लांगड़े, पाता आदि। यह नृत्य सामाजिक अनुष्ठानों में किया जाता है। उपरोक्त लांगड़े गीत एवं नृत्य ऋतु के अनुसार पर्व-त्योहार में युवक-युवतियों द्वारा सामूहिक रूप में किए जाते हैं।

दासांय गीत एवं नृत्य

दासांय पर्व आश्विन माह में सम्पन्न होता है। दासांय पर्व में ही दासांय गीत एवं नृत्य का आयोजन होता है। गीत एवं नृत्य का आरम्भ उस समय हुआ जब किसी कारणवश किसी ने संतालों की देवियों—नायोन एवं काजल—का अपहरण किया था। तब संतालों के बारह गुरु अपने-अपने चेलों के साथ देवियों को खोजने में निकल पड़े थे। गुरु तथा चेलों ने अपनी असलियत को छुपाने के लिए स्त्रियों के आभूषण, साड़ी, पानकाठा, चूड़ी आदि पहने तथा तीर एवं धनुष को छुपाने के लिए 'भुवाङ वाद्य' का निर्माण किया था। तीर-धनुष छुपा करके द्वार-द्वार, जंगल-जंगल तथा चारों दिशाओं में खोजने लगे। भुवाङ, करताल, घंटी आदि वाद्यों की ताल से गीत नृत्य करते हुए देवियों की खोज करने लगे थे। साथ-साथ गुरुगण अपनी-अपनी विद्या शक्ति एवं धर्म शक्ति को गीतों के माध्यम से प्रदर्शित कर रहे थे। उसी को

परंपरागत रूप से आज भी संताल गुरुगण अपने चेलों के साथ दासांय नृत्य या 'दासांय द़ाडान' का आयोजन करते हैं। दासांय गीत एवं नृत्य केवल पुरुष वर्ग द्वारा ही किया जाता है। दासांय गीत में हाय हाय! हायरे हायरे! गुरु हो!, चेला हो आदि शब्दों को अवश्य लेते हैं ताकि गीतों के माध्यम से 'नायोन एवं काजल' देवियों को खोजने का भाव तथा गुरु का मंत्र गीतों में स्पष्ट उभर सके।

गीत— हायरे हाय! चेते लागित हो गुरु दोय अखड़ा लेदा हो,
हायरे हाय! चेते लागित हो चेला दोय पिंडा लेदा हो,
हायरे हाय! सुनुमे सिंदुर ला़गित गुरु दोय अखड़ा लेदा हो,
हायरे हाय! नायोन काजल ला़गित चेला दोय पिंडा लेदा हो।

भावार्थ— हायरे हाय! किसलिए गुरुगण अखड़ा किया था?
हायरे हाय! किसके लिए चेलागण पिंडा किया था?
हायरे हाय! तेल सिंदूर के लिए गुरुगण अखड़ा किया था,
हायरे हाय! नायोन काजल के लिए चेलागण पिंडा किया था।

भुवाङ के ताल— भुङ कुटूः भूङ भूङ
भुङ कुटूः, भुङ कुटूः भुङ कुटू, भुङ
भुङ कुटूः, भूङ भूङ
भुङ कुटूः, भुङ कुटूः भुङ कुटूः भूङ। (अनेकबार)

घंटी के ताल— ढाङ ढांढाङ ढाङ ढाङ
ढाङ ढाढाङ ढाङ ढाढाङ ढाङ ढाढाङ ढाङ
ढाङ ढाढाङ ढाङ ढाङ
ढाङ ढाढाङ, ढाङ ढाढाङ ढाङ ढाढाङ ढाङ। (अनेकबार)

सोहराय गीत एवं नृत्य

सोहराय पर्व 'सोहराय अमावइसा' अर्थात् कार्तिक अमावस्या में सम्पन्न होता है। सोहराय का शाब्दिक अर्थ है 'सारहाव एवं साहार'। सोहराय को 'बांढना' भी कहते हैं। संतालों की जीविका का साधन है कृषि कार्य। वे साल भर कृषि कार्य में व्यस्त रहते हैं। इसीलिए वे अपने मवेशियों को सोहराय के पर्व पर विशेष रूप से पूजते हैं। गाय, बैल तथा जानवरों को सजाते हैं, नहलाते हैं। गो देवता के नाम पर गाँव के चौराहे, गोहाल घर एवं कुलही अखड़ा में पूजा करते हैं। कुलही में खूंटा गाड़ते हैं जिससे गाय, बैल एवं काडा को बाँध कर नचाते हैं। अर्थात् जानवरों को 'सारहाव' आदर करते हैं। साथ-साथ गाँव के युवक-युवतियाँ गीत गाते हैं। सोहराय पर्व में तीन प्रकार के गीत गाए जाते हैं—चुमावन गीत, जागरण गीत एवं सोहराय गीत।

चुमावन गीत— 'ने सांवड़ा आम सांवड़ा ते साय सांवड़ा,
निया़ गाडा निया़ यात्रा, पेरेच्काः चुड़ाङ काः,
गाडा पारोम हारा पारोम, आ़युर लेको सुतूःलेको,

आयुर लेको बिहुर लेको।'

जागरण गीत— अहि रे रे... अहि रे रे... गाइया जोय,
कोनाही सिरिजोला भूमका पृथिमा हो ?
कोनाही सिरिजोला गाइ़या जोयो रे ?
ठाकुराही सिरिजोला भूमका पृथिमा हो।
ठाकुराही सिरिजोला गाइया जोयो रे।

सोहराय सेरेञ— लातार टोला रेमा गा़यको तोलेकान,
चेतान टोला रेमा काडाको तोलेकान।
गा़यको तोले कान दो तोड़े सुता़म ते,
काडाको तोले कान दो बांदी बोड़ ते।

शिकार गीत एवं नृत्य

संताली लोकजीवन से जुड़ा एक और गीत एवं नृत्य मिलता है जिसे शिकार गीत एवं नृत्य कहते हैं। संताल संस्कृति में पुरुष वर्ग द्वारा शिकार खेलना अभिन्न अंग है। जंगल का शिकार करने का अर्थ है जंगल का विवाह। जब तक किसी भी जंगल का विवाह या पूजा पाठ नहीं होता है तब तक संताल जंगल प्रवेश नहीं करते हैं। इसीलिए जंगल में शिकार खेलना अनिवार्य मानते हैं। जब किसी जंगल का विवाह का दिन आता है तो गाँव वाले खजूर पत्ती से 'गीरा़' खबर प्रसारित करते हैं। नियत तिथि पर संताल शिकार खेलते हैं। शिकार समापन के बाद शिकारियों 'गिपितिच् टांडी' विश्रामस्थल पर 'सिंगराई गीत' एवं 'दोंगेड़ नृत्य' करते हैं। 'दोंगेड़ नृत्य' वीरयुक्त होते हैं।

सिंगराई गीत : सिंगराई गीतों में यौन प्रसंगों की बातें प्रमुखता से ली जाती हैं। गीतों में कामत्व और प्रेम संबंधी बातें होती हैं। यह गीत रात को गाँव के सुदूर जंगलों 'गिपितिच् टांडी' में पुरुष वर्ग द्वारा ही गाए जाते हैं। स्त्रियों को जाना या सुनना वर्जित है। जैसे—

चाइत बाइसाघ सितुङ लोलो
सितुङ कान दोयो लोलो कान दो।
देलाङ बाबू दाड़मे, ताड़ाम में कुद बुटा़ गाजाड़ ते,
बाबाय बेनाव आकाद कुञदाः ञू जोङ मे।

दोंगेड़ नृत्य : शिकार समापन के बाद शिकारी दल द्वारा दोंगेड़ नृत्य होता है। दोंगेड़ नृत्य में चोड़चोड़ी, करह, ढोल, नगाड़ा, घंटी, तुरही आदि वाद्यों की धुनों से नृत्यांगनाओं का पैर एवं बदन काँप उठता है एवं नृत्य करती हैं।

करह का ताल— टाः टाः टाः, टाटाः टाः
ओर टाःटाः गेनजे गेजेन, गेनजे गेजेन,
ओर टाटाः, गेनजे गेजेन, गेनजे गेजेन,
ओर टाटाः,ओर टाटा पोटाःटा गेनजे
गेजेन, टाःटाः टाःटाः। (अनेकबार)

डानठा गीत एवं नृत्य

डानठा गीत एवं नृत्य 'आंघाड़ बोंगा' आघन महीने में सम्पन्न होता है। 'डानठा' या 'डाङ' का शाब्दिक अर्थ है—गदा या लकड़ी। लकड़ी द्वारा नृत्य होने के कारण इसका 'डानठा' नाम पड़ा है। यह नृत्य पुरुष वर्ग द्वारा होता है। यह नृत्य परंपरा की रक्षा के उत्सव के रूप में मनाया जाता है। इसीलिए यह सीता हरण, कौरव-पाण्डव युद्ध आदि पर आधारित होता है। गीत के बोल रामायण, महाभारत से संबंधित होते हैं।

नृत्य के ताल (तोड़ाव)— दातिञ हेताङ दिब्दा हेताङ दिञ दिञ दाः
दातिञ हेताङ दिब्दा हेताङ दिञ दिबिङ दाः।

लेताङ — 1. हेताङ दाङ दाङ, हेताङ दाः
हेताङ दाङता हेताङ दाः
2. दिञ दिञ दिपिञ दा,
दातिञ हेताङ दिञ दिपिञ दाः।

संस्कार गीत एवं नृत्य

जन्म संस्कार

संताल संस्कृति में जन्म संस्कार का अपना एक विशिष्ट महत्त्व है। नवजात शिशु के नाम पर 'निम दाः माड़ी' एवं 'होलोङ दाः इरची' कार्य सम्पन्न होता है। अर्थात् 'नीम पत्ती का पानी' एवं 'अरबा चावल का पानी' नवजात शिशु एवं उसकी माँ के बदन पर छिड़का जाता है जिसे वे उसके छूतका का दूर होना समझते हैं। उसके बाद ही शिशु का नामकरण होता है। संताल सामाजिक व्यवस्था में नामकरण संस्कार आवश्यक है। नामकरण के बिना इसका ब्याह नहीं होता है। नामकरण के दिन गाँव के वृद्ध एवं वृद्धा महिलाएँ 'दोङ' नृत्य एवं गीत गाते हैं जो 'छाटयाऱ गीत' या नामकरण गीत कहलाते हैं।

गीत— तोकोयाः राचा रे दाः भुम्बुकोः
दाः भुम्बुकोः माना चावले बोहेलोः
फालनावाक राचा रे दाः भुम्बुकोः
दाः भुम्बुकोः माना चावले बोहेलोः

भावार्थ— किसके प्रांगण में पानी का फव्वारा फूट रहा है
पानी का फव्वारा फूट रहा है अर्थात् पानी छिड़क रहा है।
फालना (शिशु का नाम) के अंगना में पानी का फव्वारा फूट रहा है,
पानी का फव्वारा फूट रहा है अर्थात् पानी छिड़क रहा है।

विवाह संस्कार

संताल समाज में विवाह भी जीवन का एक महत्त्वपूर्ण भाग है। विवाह के बिना जीवन अधूरा रहता है। संताल समाज में विवाह कई प्रकार के होते हैं। मुख्यतः दुवाऱ इंतुद, सिंदूर, सांगे बाऱयात् टुडकी दिपिल ही प्रमुख हैं। सामाजिक व्यवस्था में 'गोन पोन' वधू मूल्य, 'चुमावड़ा'

चुमान, 'सिंदरा़ दान' सिंदूर दान आदि रस्में पूरा करना होता है। विवाह गीत, रस्मों के आधार पर गाए जाते हैं। विधि-विधान के अनुसार गीत के राग भी अलग-अलग होते हैं। उसी प्रकार नृत्य का नाच-डेग भी अलग-अलग होता है। विवाह के समय गाए जाने वाले गीत को दोङ गीत कहते हैं। वधू के घर जाने के क्रम में गाए जाने वाले गीत इस प्रकार हैं—

वधू मूल्य गीत— माँ अपने बेटे को पूछ रही है—

'धुतीयेनाम बा़बू दाहड़ीयेनाम
तोका ते दो बा़बू नामदोम चाला: ?
नाम मायोम बाड़ाय गे।
टाका पे चाल केत्, गिरा पे तोल केत्
निञ द्रुञ चाला: कानयो बाहू आगू।'

भावार्थ : हे प्रिय बेटा, तुम धोती पहने, पगड़ी बाँधे, कहाँ जा रहे हो। हे प्यारी माँ, तुम तो जानती हो, लगन बँधवाया, वधू मूल्य दिया, मैं जा रहा हूँ दुल्हन लाने।

विदाई गीत— बेटी अपनी माँ से कह रही है—

'राचा रेताम नायो, ठुठकी जोनो:
गोड़ा रेताम नायो, गुरिच् खाञची,
गाडसांदे चेतान रेयो पितोल काण्डा,
बागियाम कान गोञ तोवा दारे।'

भावार्थ : हे माँ! तुम्हारी टूटी झाड़ू अँगना में है, तुम्हारा गोबर फेंकने की टोकरी गोहाल में है, तुम्हारा पीतल का घड़ा 'गंड़सादी' के ऊपर है, हे मेरी कल्पतरु! मैं तुमको छोड़कर जा रही हूँ।

मृत्यु संस्कार

संताल समाज में जब कोई मरता है तब उसका शव संस्कार, तेल नहान संस्कार, अस्थि प्रवाह संस्कार, श्राद्ध संस्कार की रस्में पूरी की जाती हैं। शव संस्कार में शव को जलाया या दफनाया जाता है। शव संस्कार के बाद पाँच दिन में 'तेल नहान' एवं 'जिलिञ डाहार' अस्थि प्रवाह संस्कार होता है। 'जिलिञ डाहार' में 'जाङ' अस्थि का विसर्जन होता है। उसके बाद 'भाडान' श्राद्ध अनुष्ठान होता है। श्राद्ध कर्म मृतात्मा का अन्तिम संस्कार है। इस अवसर पर गाँव के लोग एवं कुटुम्ब मिलजुल कर मृत्यु संस्कार गीत गाते हैं। गीत का उद्देश्य मृत व्यक्ति की आत्मा को शांति देना है। मृत्यु संस्कार में गाए जाने वाले गीत को 'भाडान गीत' कहते हैं। भाडान का अर्थ है मृत व्यक्ति का विवाह कर देना। जैसे विवाह के समय वधू की विदाई एक घर से दूसरे घर में होती है, उसी प्रकार मृत व्यक्ति की विदाई इहलोक से देवलोक में होती है, अर्थात् मृतात्मा पुरखों के साथ भीतार में रहती है। शायद इसीलिए परंपरागत मृत्यु संस्कार में 'दोङ' विवाह गीत गाए जाते हैं। जैसे—

'बिर चेंड़े राग दो दारे हिरला़
इञा: जिवी लो: दो बेहिरला़ गे।
दाया हों बाडत्ताम, माया हों बाडत्ताम,

इञा जिवी नितोङ दो बेहिरलायेन।'

भावार्थ : जंगल की चिड़िया अपना दुखड़ा पेड़ के आश्रय में रोती है। मेरी अन्तरात्मा जलती है लेकिन वह निराश्रित है। हे भगवन, तुमको दया भी नहीं है। ममता भी नहीं है, लेकिन मेरी आत्मा निराश्रित हो गई।

इसी प्रकार मनुष्य का जीवन, पेड़ की छाया के समान चला जा रहा है। हम लोगों को नहीं मालूम किस दिन, किस समय अचानक चले जाना है।

इस प्रकार संताली जीवन, गीत और संगीत से ओत-प्रोत है। संताल समाज में संताली जीवन संस्कृति के अलग-अलग संस्कारों के गीत एवं नृत्य से संबंधित अलग-अलग होते हैं। इन लोकगीतों में विषय विस्तार एवं विभिन्नता है। संताल जाति गीत एवं नृत्य पर ही जीता और मरता है। जीवन और समाज को स्पर्श करने वाली जितनी घटनाएँ या विचारधाराएँ हो सकती हैं उन सभी विषयों पर लोकगीत एवं नृत्य विद्यमान हैं। यही कारण है जीवन और प्रकृति एक-दूसरे के पूरक हैं। लेकिन समय की गति के साथ संताल समाज में तेजी से परिवर्तन हो रहा है।

संताली वाद्ययंत्र

आज संगीत की दुनिया में कई तरह के वाद्ययंत्रों की भरमार है। अधिकांश वाद्ययंत्र ऐसे हैं जो हाथ से बजाते हैं। परन्तु कुछ ऐसे वाद्ययंत्र हैं जो मुँह से बजाते हैं। हाथ से बजाने वाले वाद्य सीखने में अधिक परिश्रम की आवश्यकता नहीं होती है। लेकिन मुँह से बजाने वाले वाद्य सीखने में अधिक परिश्रम, शक्ति, साधन एवं अनुशासन की आवश्यकता होती है। संताली वाद्ययंत्र स्वत: अपने ही निर्माण करते हैं। वे प्रकृति प्रदत्त वस्तुओं का उपयोग करते हैं। जैसे पेड़, बांस, लकड़ी, जानवरों के सींग, बाल, चमड़ा आदि।

संताली वाद्यों को चार वर्गों में बाँटा गया है—

अनवद्ध वाद्य— इसके अन्तर्गत मांदर, ढाक, करहा, चोड़चोड़ी, ढोल आदि।

धनवद्ध वाद्य— इसके अन्तर्गत करताल, भाला, घंटा, झांझ, घुंघरा आदि।

सुषिर वाद्य— बाँसुरी, सखवा, सिंगा आदि।

वाद्धयंत्र— इसके अन्तर्गत केंदरी, भुवाङ, साड़पा आदि।

मांदर

संताली भाषा में मांदर को 'तुमदा:' कहते हैं। इसकी आवाज 'तुङ, ताङ, तिञ' आती है। इसीलिए इसका नाम तुङ्दा > तुमदा: पड़ा है। यह मिट्टी एवं चमड़े द्वारा बनाया जाता है। मिट्टी के खोल को पतले चमड़े से लपेट या बाँध दिया जाता है। यह तिरछा गोलाकार नमूने का होता है। भाप या पीटने वाले भाग में 'खरेन' दिया जाता है। भाप भाग पतला तथा बायाँ भाग मोटा रहता है। संताली में पतले भाग को 'तुङ' तथा मोटे भाग को 'धातुर' कहते हैं। पतले एवं मोटे भागों को पतले चमड़े से 'दालोप' छाँव दिया जाता है। पतले भाग को पीटने से तुङ, दिञ, दाङ, हेताङ, आवाज आती है और मोटे भाग से भिदिञ, भेदाङ आदि आवाज आती है। मांदर बजाने की

प्रक्रिया चार भागों में विभाजित की गई है। 'तोड़ाव' उद्‌घाटन संकेत, लेताड़ नृत्य के लिए, 'रू तोड़ाव' परिवर्तन संकेत, मुचात् समाप्ति संकेत।

नगाड़ा

संताली भाषा में नगाड़े को 'टामाक' कहते हैं। यह पतली लोहा चदरा से बनाया जाता है। नगाड़े के नीचे का भाग संकीर्ण तथा ऊपरी भाग चौड़ा, गोलाकार एवं खुला रहता है। खुले भाग को मोटे चमड़े से छाँव दिया जाता है। नगाड़ा वाद्य बजाने के लिए दो पतली लकड़ी ली जाती हैं जिसे 'टामाक खाड़ी' बोलते हैं। इसका आकार 2 फीट से 6 फीट तक ऊँचा होता है। नगाड़ा वाद्य मांदर के साथ या करह के साथ ही बजाया जाता है जिससे ताल, लय आदि में सामंजस्य होता है।

ढाक

यह मोटी टीन चदरा से बनाया जाता है। यह 4 फीट से 8 फीट लम्बा तथा 2 फीट से 4 फीट तक गोलाकार होता है। एक भाग चौड़ा तथा दूसरा भाग पतला रहता है। दोनों भागों को पतले चमड़ों से ढके रहते हैं। इसे बजाने के लिए दो पतली-लम्बी छड़ी की आवश्यकता होती है। इसके बजने से ढाक-ढाक, चेड़-चेड़ आवाज निकलती है। यह वाद्य मांदर एवं नगाड़ा के साथ बजाया जाता है।

करह

इसे संताली में 'चोड़चोड़ी' कहते हैं। यह ढोलनुमाकार होता है। यह 2-3 फीट का होता है। करह पेड़ के तने या टीन चादरा से बनाया जाता है। इसका भी एक भाग मोटा तथा दूसरा भाग पतला होता है। दोनों भागों को बकरी के चमड़े से मड़ा जाता है। इसे बजाने के लिए दो पतली-लम्बी-चौड़ी लकड़ी की आवश्यकता होती है। इसे बजाने से 'चड़चड़, चेड़े-पेटे' आदि आवाज निकलती है। यह भी मांदर के साथ बजाया जाता है।

करताल

यह पतला पीतल का होता है। करताल दोनों हाथों से बजाया जाता है।

घंटी

यह पतले लोहे का बनाया जाता है। यह गोलाकार चपटा होता है। एक पतली लकड़ी से बजाया जाता है। इसकी आवाज 'टिंग-टिंग, टाङ-टाङ' होती है।

घुंघरा

यह पीतल का बनाया जाता है। यह पैर तथा कमर में बाँध कर नाचते हैं। यह पुरुष नर्तक ही बाँधते हैं। इससे नृत्य का ताल एवं लय स्पष्ट होता है।

बाँसुरी

संताली में इसे 'तिरयो' कहते हैं। यह खोखली पतली बांस का बनाया जाता है। यह 1-2 फीट की होती है। इसका एक भाग बंद तथा दूसरा भाग खुला रहता है। बंद भाग में एक छेद रहता है तथा खुले भाग में आठ छेद रहते हैं। एक छेद से फूँका जाता है तथा आठ छेदों में अँगुलियाँ बैठाई जाती हैं। जब एक छेद से फूँका जाता है तब 'तुरू-रू, तुरू-रू' आवाज निकलती है, इसीलिए इसे 'तिरयो' कहते हैं।

सखवा

संताली में इसे 'साकवा' कहते हैं। यह बैल, भैंस, बकरी के सींग से बनाया जाता है। सींग के बीचोंबीच एक छेद बनाया जाता है जिसे फूँकने से तीव्र ध्वनि से तू-तू, तुतू की आवाज निकलती है। यह वाद्ययंत्र शिकार खेलने तथा बाहा पर्व में बजाया जाता है।

केन्दरी

संताली में 'बानाम' कहते हैं। यह लकड़ी से बनाया जाता है। केंदरी लम्बा होता है। एक भाग मोटा रहता है। मोटा भाग खोखला किया जाता है एवं उसके ऊपर पतला चमड़ा मड़ा जाता है। उसके ऊपर घोड़ा का बाल बाँध दिया जाता है। एक धनुषनुमा लकड़ी में घोड़े का बाल बाँध कर बजाया जाता है जिससे 'कें कों' की आवाज निकलती है।

भुवाङ

यह वाद्य लौकी की खोल से बनाया जाता है। लौकी की खोल को एक लकड़ी पर बाँध दिया जाता है। लकड़ी के दोनों छोरों पर दो पतली डंडियाँ रहती हैं। उनमें डोरी बाँधी जाती है। जब डोरी या रस्सी को खींचा जाता है तब 'भोङ भोङ' की आवाज आती है। इसीलिए इसे 'भुवाङ' नाम दिया गया है। यह 'दासांय' नृत्य में ही बजाया जाता है।

साड़पा

यह चार पतली लकड़ियों से बनाया जाता है। चारों लकड़ियों को छेद कर एक दूसरे से बाँध दिया जाता है। रस्सी बार-बार खींचने से 'सड़प्-सड़प्' की आवाज निकलती है। यह साड़पा नृत्य में स्त्रियों द्वारा बजाया जाता है।

निष्कर्ष

उपर्युक्त विवेचन से स्पष्ट है कि संताली भाषा आस्ट्रो-एशियाटिक भाषा खंड की महत्त्वपूर्ण भाषा है। भारत में संताली भाषाभाषियों की संख्या लगभग एक करोड़ से अधिक है। ये झारखंड, पश्चिम बंगाल, ओड़िसा, आसाम, बिहार एवं मध्य प्रदेश राज्यों में अधिक निवास करते हैं। संताली लोकगीत एवं नृत्य मौसम तथा महीनों के आधार पर विभाजित हैं। लोकगीत, लोकनृत्य एवं वाद्य संगीत संतालों का जीवन मंत्र है। ये सामाजिक अनुष्ठान

या धार्मिक पर्व-त्योहार में प्राकृतिक पुजारी हैं। ये सरना धर्मावलम्बी हैं। 'सरना' धर्म में पेड़, पौधे, मिट्टी, पत्थर तथा सूर्य, तारे आदि पूजते हैं। 'सरना' धर्म में माराङबुरु निराकार, सर्वशक्तिमान, सृष्टिकर्ता, सर्वव्यापक, सर्वांतर्यामी, न्यायकारी और दयालु हैं। 'सरना' संस्कृति में किसी भी सामाजिक अनुष्ठान या पूजास्थल पर घड़ी के कांटे की विपरीत दिशा की ओर घूमते हैं अर्थात् बाईं से दाहिनी ओर जाते हुए (प्रदक्षिणा) चक्कर लगाते हैं। 'सरना' धर्म में लड़की या स्त्री पूजास्थल 'बोंगाथान' में प्रसाद नहीं चढ़ाती हैं। ये चार विशेषताएँ सरना धर्म में विद्यमान हैं। संताल अपने रीति-रिवाजों के अनुरूप तथा पारंपरिक पर विश्वास करते हैं। इनके लोकसंगीत की विविध आयामों से युक्त एवं जातीय गुणों से सम्पन्न परंपरा देखने को मिलती है।

झारखंड के वाद्ययंत्र

डॉ. गिरिधारी राम गौंझू 'गिरिराज'

संस्कृति का सबसे सुंदर पक्ष है संगीत। संगीत में समाहित है—नर्तन, गायन और वादन। झारखंड प्रदेश में भी मानव शिशु के धरती पर पाँव पड़ते ही कांस्य थाल घंट बजा कर स्वागत किया जाता है। यह घंट शिशु की श्रवण शक्ति को जाग्रत करने के लिए ही बजाया जाता है। घंटे की ध्वनि सुनते ही वह रुदनगान आरंभ कर देता है। पूरे गाँव नगर को सूचना मिल जाती है कि हमारे यहाँ अखरा का एक और भावी कलाकार का आगमन हो गया है। घर परिवार के लोग खुशी से नाच उठते हैं।

झारखंड में एक कहावत सदियों से चली आ रही है—'सेनगे सुसुन काजिगे दुरङ' अर्थात् चलना ही नृत्य है और बोलना ही गीत है। जब गीत और नृत्य चल रहा हो तो वादन पीछे नहीं रह सकता। वक्ष और नितम्ब पर हाथों का थाप अनायास वाद्ययंत्र के अभाव को पूरा कर देता है। माँ या धाय शिशु को नहलाने, तेल मालिश करने के उपरान्त बच्चे को उछाल-उछाल कर नचवाती है। साथ ही साथ मुँह से ताल देती जाती है।

झारखंड धरती का सबसे पुराना भूखंड है। आदिमानव की निवासस्थली भी रही है। तभी यहाँ आदिमानव तथा आदिम मानव के पुरावशेष प्राप्त होते हैं। यहाँ की संस्कृति बड़ी पुरानी है। इसमें आदिम संस्कृति की गहरी छाप आज भी दिखाई पड़ती है। जंगलों से पूरा झारखंड आवृत्त था। आदिमानव, आदिम मानव आदिवासी रूप में क्रमश: विकसित होता गया। भाषा-संस्कृति का निर्माण होने लगा। जीवन के घोर संघर्ष में वह आनन्द ढूँढ़ने लगा। तभी संगीत का विकास आरंभ हुआ अपने संघर्ष के श्रम परिहार के लिए।

झारखंड के आदिवासी सदान समुदायों ने जंगलों के मध्य गाँव बसाए। खेत खलिहान सजाए। परन्तु जंगली हिंसक पशुओं का भय व्याप्त रहा। इन्हीं हिंसक पशुओं से मुक्ति पाने के लिए बनाए गए तीव्र ध्वनि उत्पन्न करने वाले बाजे। नगाड़ा पहले बना, इसकी तेज डम-डम आवाज से वे भयानक पशु भयभीत होने लगे। फिर इसी तरह ढांक, ढोल, ढोलक, करह, चोढ चोढ़ी, रबका, भेइर, नरसिंघा, टमक आदि बनने लगे। इतने सारे बाजों की बुलन्द आवाज से जंगल दहलने लगा। पशु आंतकित होने लगे। मानव मन प्रसन्न होने लगा। इन बाजों की ध्वनि में लयबद्ध क्रमबद्ध ध्वनि से कानों को सुख मिलने लगा। वे तब इन वाद्ययंत्रों को अपने संगीत में सम्मिलित करने लगे। गाँवों के मध्य अखरा सजने लगा। रात्रि की भयंकरता, पशुओं के आक्रमण से बचने का उपाय झारखंड के आदिवासी सदानों ने ढूँढ़ निकाला। दिन कठिन श्रम में, रात्रि का आधा पहर नृत्य गान वादन में व्यतीत होने लगा। आनन्द का अजस्रस्रोत प्रवाहित हो उठा।

वाद्ययंत्रों का आरंभ प्रकृति के अनुकरण पर समरूप ध्वनियों की खोज में हुआ। बादलों का गर्जन, गुड़गुड़ाना, पहाड़ों से पत्थरों का लुढ़कना, पेड़ों से डालियों का टूटना, पशु-पक्षियों की कठोर-कोमल ध्वनि, नदियों-घाघों (झरनों) का अविरल नगाड़े जैसी ध्वनि निष्पादित करना। कल-कल छल-छल कर नदियों का प्रवाह। आँधी तूफान वायु का शोर, सल-सल, सन-सन वायु का प्रवाहित होना पर्याप्त था वाद्ययंत्रों के पीछे दिमाग लगाने के लिए। आवश्यकता आविष्कार की जननी जो है।

तीव्र वाद्ययंत्र और रात-रात भर संगीत मूलतः आत्मरक्षा का सर्वश्रेष्ठ उपाय था। जंगली पशुओं का बिना विनाश किए उन्हें अपने से दूर रखने का वादन, नर्तन एवं गायन से अधिक श्रेष्ठ उपाय और क्या हो सकता है। जंगल के पशु-पक्षी इन आदिवासी सदानों के कुल गोत्र में सम्मिलित कर लिए गए। फिर तो उनका अपने कुल गोत्र का वध होता। कठोर तीव्र वाद्ययंत्रों के उपरान्त कोमल ध्वनि के वाद्ययंत्र निर्मित होने लगे। ऐसे में मांदर, बाँसुरी, शहनाई, मुरली, मोहनबाँसी, तिरियो, टोहिला, केंदरा, बनम, भुआङ, एकतारा, सारंगी, हेचका, रेगड़ा, घुँघरू, सेकोए, घंट आदि बने। इनका उपयोग ऋतु परिवर्तन के साथ मनाए जाने वाले उत्सव पर्व-त्योहारों में गायन नर्तन के साथ होने लगा।

इन वाद्ययंत्रों के निर्माण में सदानों के विभिन्न पेशे वाले अपनी कला का प्रदर्शन पीढ़ी-दर-पीढ़ी करने लगे। उदाहरण के लिए नगाड़ा बनाने के लिए लुहार उसका खोल बनाता है। मोची उसे मढ़ने के लिए चमड़ा तैयार करता है। ताँती या झोरा उसे तानने बाँधने के लिए ताँत व रस्सी देता है। नगाड़े के मध्य चमड़े पर पीटने के स्थल पर महली लेप लगाता है। चमड़े को नर्म रखने के लिए तेली तेल देता है। बढ़ई पीटने की खाड़ी बना देता है। नायक (घासी) उसे अंतिम रूप देता है। उसे बजाने वाले घासी समुदाय हर खुशी व गम में उपस्थित रहते हैं। और रसिकजनों का तो कहना ही नहीं। किसको कौन-सा वाद्ययंत्र अपना बना लेगा, कहा नहीं जा सकता। भारी भरकम नगाड़ा, ढांक, मांदर, ढोल गले में लटकाए घंटों रसिक बजाता नाचता और आनन्द में लीन हो जाता है। इसी तरह मांदर के लिए खोल कुम्हार पका देता है। रंगरेज चमड़े रंग देता है। बाकी काम अन्य लोग करते हैं नगाड़े की तरह। इधर अखाड़े या आँगन में मांदर बजा नहीं कि रसिकों की जमात खिंची चली आती है। और वादन के ताल पर हाथ जुड़ जाते हैं, पैर कदमों में कलात्मकता बिखेरने लगते हैं। कंठ मधुर स्वर छेड़ने लगता है। नृत्य का समाँ बँध जाता है। अखाड़ों को जाग्रत करने, रसिकों को आमंत्रित करने एवं नाचने-गाने के लिए विवश करने का काम तो वाद्ययंत्र ही करते हैं।

पशुचारण में झारखंडियों के हाथों पर भोजपुरी लाठी नहीं, ब्रज की सोटी नहीं होती बल्कि चरवाहों के हाथों में होती है बाँसुरी, मुरली, तिरियो, मोहनबाँसी। इन्हीं से झारखंडी चरवाहे अपने पशुओं को संचालित करते हैं। पशु भी इन मधुर वाद्ययंत्रों की ध्वनि से मंत्रमुग्ध होकर चरते हैं। वाद्ययंत्रों का उपयोग न केवल शिकार खेलने, अखाड़े के नृत्य संगीत में ही होता है बल्कि ये घर आँगन में और एकांत क्षणों का साथी भी बनते हैं। वाद्ययंत्र एक ऐसा मित्र है जो आनन्द और गम दोनों में साथ देता है। जैसे बाँसुरी, शहनाई, मुरली, तिरियो, केंदरा, टुहिला, सारंगी आदि। मांदर झारखंड का सर्वश्रेष्ठ और सर्वप्रिय वाद्ययंत्र माना जाता है। यह प्रायः हर घर में देखने को मिलता

है। मांदर की लोकप्रियता इस गीत से स्वतः स्पष्ट हो जाती है—

'मांदर किनलों दादा जनि किलन नियर लागेला।
मांदर फूट लो दादा जनि मोरल तरी लागेला॥'

अर्थात् मांदर खरीदने पर पत्नी खरीद लाने का सुख मिलता है। (कन्या मूल्य देने के कारण) मांदर फूटने पर पत्नी के मरने जैसा दुःख होता है। ये है मांदर की लोकप्रियता का राज। प्रायः हर समुदाय का मांदर अपने विशिष्ट स्वरूप में होता है। मांदर देख कर ही लोग जान जाते हैं ये सदानों का मांदर है या उरांवों का, खड़ियाओं या संतालों का, हो का या कुरमालियों का, खोरठा या पंचपरगनिया लोगों का। सबकी बनावट में अंतर सहज ही देखा जा सकता है। इसी से झारखंड को संगीत के पक्ष से मांदर देश कहा जाता है।

झारखंड के वाद्ययंत्र प्रायः अत्यंत प्राचीन हैं। इन्हीं आदिवासी सदान के आदिम वाद्ययंत्रों का संस्कारित रूप या परिष्कृत रूप शास्त्रीय वाद्य आगे चल कर बने। जैसे मांदर ने पूर्व की ओर मृदंग और पश्चिम की ओर पखावज का रूप धारण किया। कृष्ण के हाथों की बाँसुरी-मुरली इसी छोटानागपुर झारखंड के क्षेत्र से गई प्रतीत होती है। जैसे राम के हाथों का धनुषबाण इसी झारखंड के आदिम लोगों से ही आया है।

झारखंडी संगीत संसार में मांदर, नगाड़े, बाँसुरी गीतों के प्राण कहे गए हैं। इनके बिना झारखंडी संगीत का आनन्द अधूरा है। वाद्ययंत्रों की शिक्षा अखाड़े में धुमकुरिया या गितिओड़ा में प्राप्त होती है। अखरा ही गुरुकुल और गुरु दोनों होता है। वादन से ही नृत्य की मुद्राएँ संचालित होती हैं। झारखंड में स्त्रियाँ वाद्ययंत्रों का प्रयोग प्रायः नहीं करती हैं मात्र घुँघरू, ठेचका, करताल जैसे वाद्यों को नृत्य के साथ बजा लेती हैं। शेष वाद्ययंत्रों में अधिकांश भारी-भरकम होते हैं जैसे नगाड़े, ढांक, ढोल आदि। परन्तु बाँसुरी, मुरली, शहनाई, बनम, केंदरा, टुहिला जैसे हल्के वाद्ययंत्र भी महिलाओं के लिए वर्जित हैं। फिर भी वाद्य संगीत का प्रधान अंग है ताल। इसी ताल पर गीतों के राग एवं नृत्य की मुद्राएँ आधारित होती हैं।

झारखंड के वाद्ययंत्रों को तीन श्रेणियों में विभाजित किया जा सकता है—तंत्र, तंत्री या तत वाद्य, सेखर या सुषिर और घन।

तंत्र, तंत्री या तत वाद्य : ये ऐसे वाद्ययंत्र हैं जिनमें रेशम की डोरी ताँत, लोहे, ताँबे या पीतल की धातु के तार बँधे रहते हैं। इसकी भी दो शाखाएँ हैं—

(क) इन रेशम की डोरी, ताँत या तारों को अँगुली, हाथी दाँत, स्ट्राइकर, लकड़ी आदि से बजाते हैं। जैसे टोहिला, केंदरा, भुआङ ओरभुआङ, गोपी यंत्र, एकतारा आदि।

(ख) इस वर्ग के वाद्ययंत्रों में तारों के नीचे चमड़े मढ़े होते हैं और तारों को घोड़े के बालों से बने धुनष से रेत कर बजाया जाता है। इसमें भी कुछ से स्वर पूरक ध्वनि तथा कुछ से गीत बजाए जाते हैं।

सेखर या सुषिर वाद्य : ये फूँक कर बजाए जाते हैं। इससे स्वर पूरक ध्वनि तथा कुछ से संगीत निकालते हैं। इस श्रेणी के वाद्ययंत्र हैं—बाँसुरी, मुरली, मोहनबाँसी, तिरियो, शहनाई आदि। इससे गीत बजाए जाते हैं तथा अन्य सुषिर वाद्ययंत्रों में भेइर, नरसिंघा, शंख, संखवा, कुड्डुतू आदि से मात्र ध्वनि निकालते हैं।

घन या वितत : पीट कर, रगड़ कर, हिला कर बजाए जाने वाले वाद्ययंत्र में नगाड़ा, मांदर, ढांक, ढोल, ढोलक, ढोलकी, टमक, करह, रबका, चोड़चोड़ी, डमरू, करताल, झाँझ, ठेचका, घंट, घंटी, रेगड़ा, घुँघरू, घुघरा, रामकठी सेकोए आदि हैं।

इनका संक्षिप्त परिचय देना समीचीन होगा—

तंत्र, तंत्री या तत वाद्ययंत्र

टोहिला

यह कोमल ध्वनि का वाद्य है। इससे मधुर मदिर (धीमे) स्वर में गीत बजाए जाते हैं। यह लुप्त होता जा रहा है। इसके वादक भी अब बहुत कम रह गए हैं। इसे एक लगभग चार फीट के खोखले बाँस की लाठी पर बनाया जाता है। इसके मोटे भाग पर सूखे कद्दू के खोल के आधे भाग को काट कर कस दिया जाता है। लाठी पर रेशम के मोटे धागे से कद्दू के खोल के अन्दर एक अँगूठी देकर कसा रहता है। लाठी के दूसरे भाग में घोड़े या किसी पशु-पक्षी की आकृति बना कर जड़ दिया जाता है। इस आकृति के ऊपरी भाग से रेशम की डोरी लौकी के आगे तीन स्थान पर एक-एक इंच की दूरी पर तीन-चार बार लपेट कर बाँध दी जाती है जिसे हल्का खिसका कर रेशम की डोरी को ताना या ढीला किया जा सकता है। कद्दू के कटे भाग को खुली छाती में वादक सटा कर रखता है तथा शेष लम्बाई को दाहिने हाथ की ओर नीचे तिरछा रखता है। बाएँ हाथ से कद्दू के तुम्बे बँधे भाग के नीचे लाठी को पकड़े रहता है जिसे संगीत के स्वर के अनुसार अपनी छाती से वादक सटाता उठाता रहता है। दूसरी ओर दाहिने हाथ की अँगुली से रेशम की डोरी को छेड़ता हुआ, ऊपर नीचे घर्षण करता हुआ गीत के अनुरूप स्वर निष्पादित करता है। इसे बजाने के समय प्रायः शांत वातावरण चाहिए। गाने के साथ तथा गाने के बाद इससे गीत उठाए जाते हैं। मांदर बहुत ही धीमी गति से संगत कर सकता है। बीच-बीच में इसकी ध्वनि स्पष्ट सुनने के लिए एकल ही छोड़ दिया जाता है। यह पुरुष प्रतीक वाद्ययंत्र है और इसे भी पुरुष ही बजाते हैं। भीड़ या समूह में प्रायः इसका उपयोग सीमित होता है। एकल में इससे संगीत सुनना बहुत ही मधुर लगता है।

केंदरा

यह वाद्ययंत्र भी टोहिला श्रेणी का है। यह भी धीमी गति से बजने वाला वाद्य है। इससे भी गीत बजाए जाते हैं जिनसे अति मधुर ध्वनि निष्पादित होती है। एकल में इसकी ध्वनि कर्णप्रिय होती है। मांदर की संगति गीत गाने के साथ होती है। बीच-बीच में मात्र केंदरा बजता है जिससे इसकी ध्वनि से संगीत का पूर्ण आनन्द लिया जा सके। समूह या भीड़ में प्रायः इसका भी उपयोग सीमित होता है। इसकी बनावट भी टोहिला की तरह होती है। एक चार फीट मोटी खोखली लाठी के दोनों छोर पर गोल-गोल कद्दू के सूखे खोल को उपयुक्त विधि से ही बाँध दिया जाता है। इसमें लाठी के दोनों छोर पर खूँटी लगी रहती है जिस पर तार बाँधे जाते हैं। इस तने हुए तार के शेष भाग को पुनः बगल से लगे दूसरी खूँटी में बाँध दिया जाता है। इसे बायें हाथ से बीच में पकड़कर दाहिने हाथों की अँगुली से बीच के सीधे तने तार को छेड़कर संगीत निकाला जाता है। यह

वाद्ययंत्र भी लुप्तप्राय हो चला है। इसके वादक भी प्रायः अब नहीं के बराबर रह गए हैं। यह स्त्री का प्रतीक वाद्य माना जाता है। इसे भी पुरुष ही बजाते हैं। कोमल, करुण प्रकृति के गीत इनसे बजाए जाते हैं।

केंदरी बनम

यह भी टोहिला प्रकृति का वाद्ययंत्र है। इसमें कद्दू के तुम्बे के स्थान पर नारियल के खोपड़े को ऊपर से आधा काट कर पतले बाँस के डंडे को दो-तीन फीट के लगभग छेद कर डाल दिया जाता है। कटे खुले भाग पर डंडे के ऊपर खोपड़े को चमड़े से मढ़ दिया जाता है। डंडे के दूसरे छोर पर खूँटी होती है। खोपड़े को पार किए हुए डंडे के भाग से तार बाँध कर चमड़े के ऊपर से खूँटी में बाँध दिया जाता है। खूँटी से तार कसा या ढीला किया जाता है। तार को थोड़ा-सा उठाने के लिए एक लकड़ी या हाथीदाँत से बनी घोड़ी से उठा दिया जाता है। इसके ऊपरी भाग पर घोड़े के बाल से बने धनुष से रेत कर संगीत उठाया जाता है। यह बहुत कुछ एकतारे की तरह बना होता है। परन्तु इसे सारंगी की तरह बजाया जाता है। संतालों में यह विशेष लोकप्रिय है। यह मधुर कोमल वाद्ययंत्र है। इससे भी गाने बजाए जाते हैं।

भुआङ

यह भी टोहिला की तरह बनने वाला वाद्ययंत्र है। एक खोखले तीन-चार फीट के बाँस की लाठी के दोनों छोर पर 'एल' आकृति की खूँटी जड़ दी जाती है। दोनों खूँटियों में ऊँचे भाग पर जंगली लतर से बनी रस्सी बाँध दी जाती है। लाठी के मध्य में एक लकड़ी की '8' की आकृति की लकड़ी का बना एक बड़े कद्दू के सूखे तुम्बे से लाह चपड़ा आदि देकर बाँध या जड़ दिया जाता है। तुम्बे के निचले भाग का मुँह खुला होता है। बाएँ हाथ से लाठी को तुम्बे से बँधे भाग पर पकड़ा जाता है तथा दाहिने हाथ की अँगुलियों से धनुष की प्रत्यंचा खींचने की तरह खींच-खींच कर ताल के अनुसार छोड़ने पर भुआङ-भुआङ की ध्वनि निकलती है। स्वर पूरक ध्वनि इससे निकलती है। इससे गीत नहीं बजाया जाता, मात्र धुन निकलती है। यह भी संतालों का प्रिय वाद्ययंत्र है। शिकार के समय इस वाद्ययंत्र का प्रयोग अधिक किया जाता है। सामूहिक नृत्य में भी इसका प्रयोग वादक झुक-झुक कर घूम घूम कर करते हैं। इसे भी पुरुष ही बजाते हैं।

ओरभुआङ

यह वाद्ययंत्र भी संताल समाज में विशेष लोकप्रिय है। इसमें एक लम्बे बड़े सूखे कद्दू के तुम्बे का मुँह काट दिया जाता है। तुम्बे के बंद पेंदे वाले भाग पर अंदर से एक लम्बा मोरपंख बाँध दिया जाता है जो खोखले भाग से बीचोंबीच होते हुए खुले मुँह से लगभग एक आध फीट निकला होता है। मात्र मोर के बाहर निकले अग्र भाग में मोरपंख का अग्र सुशोभित भाग यथावत् रहता है। पंख के श्वेत डंठल भाग को दो अँगुलियों से पकड़े रहते हैं। तुम्बे की लम्बाई से कांख पर दबाए रहते हैं और दाहिने हाथ की दो अँगुलियों से मोरपंख को बार-बार घर्षण करते हैं। इससे बैलून पर अँगुली रगड़ने जैसी ध्वनि निकलती है। अँगुली को बार-बार के घर्षण से बचाने के लिए पट्टी भी बाँध ली जाती है। दशहरे (दसंय) के समय इस वाद्य का प्रयोग प्रमुखता से होता है।

हो बुआङ

यह भुआङ की आकृति का हो समुदाय का वाद्ययंत्र है। इससे भी वैसी ही ध्वनि निकलती है। इसकी बनावट भी भुआङ की तरह होती है। मात्र कद्दू के तुम्बे के स्थान पर बाँस की कमानी से तुम्बे की आकृति बना दी जाती है और उसे रंगीन कागज से मढ़ दिया जाता है। निचला भाग मुँह खुला रहता है। इसे भी दसंय (दशहरे) के मेले में प्रयोग किया जाता है।

बनम

यह मुंडा, संताल, हो, खड़िया आदि समाज का वायलिन है। यह लकड़ी का मुदगरनुमा बना होता है। एक भाग पतला और दूसरा भाग मोटा होता है। मोटे भाग के निचले भाग को खोखला कर दिया जाता है। ऊपर का भाग पूरा खुला हुआ होता है तो निचले भाग में दिलनुमा छोटा छेद रहता है। ऊपर के खुले भाग को चमड़े से मढ़ दिया जाता है। पतले भाग में घोड़े के बालों को तार की जगह बाँधा जाता है। उसे चमड़े से मढ़े भाग के ऊपर से पार करते हुए नीचे बाँध दिया जाता है। चमड़े के ऊपर एक घोड़ी बालों के तार को उठाए रखता है। ऊपर के बँधे भाग को एक रस्सी के बँधे रिंग से इस बालों के तारों को ढीला या कसा जाता है। पतले भाग को बाएँ हाथ से पकड़ कर मोटे भाग को वक्ष में टिका कर घोड़े के बालों से बने धनुष से रेत कर संगीत निकाला जाता है। यह भी धीमी गति से बजने वाला मधुर वाद्ययंत्र है। इसे एकल में सुनना ज्यादा आनन्ददायक होता है। इसे समूह में एक से अधिक संख्या में एक साथ एक स्वर से बजाया जाता है। इसकी ध्वनि सुनने के लिए बीच-बीच में तीव्र वाद्ययंत्र को रोक दिया जाता है। गीत गाने के साथ और गीत के बाद उसे दुहराने के लिए भी इसे सारंगी की तरह बजाया जाता है। यह बहुत ही लोकप्रिय वाद्ययंत्र है। लोकगीतों में इसकी खूब चर्चा हुई है।

सोइखो या रेगड़ा

संतालों का यह विशेष वाद्ययंत्र है। दो लोहे के मोटे छड़ रस्सी की तरह ऐंठे हुए रिंग एक डेढ़ फीट की वृत्त पर बने होते हैं जो पकड़ने की जगह सटे होते हैं। शेष भाग कुछ अलग रहते हैं। दोनों बड़े रिंगों पर पच्चीस बीस लोहे की अँगूठियों की तरह छल्ले डाले रहते हैं। इसे हिलाने पर सोइखो सोइखो की ध्वनि निकलती है। यह भी मात्र स्वर या ताल देने के लिए प्रयोग किया जाता है। इसे रेगड़ा भी कहते हैं। इसमें अँगूठियाँ रगड़ खाती हुई ध्वनि निकालती हैं।

सेकोए

यह भी संताली हो समाज में ज्यादा प्रयुक्त होता है। एक मुट्ठी भर खोखले बाँस के डंडे को छः इंच छोड़ कर दो भाग कर छोटे-छोटे कमानी की तरह फाड़ दिया जाता है। दूसरे ठोस बाँस के डंडे को छः इंच पकड़ने भर को छोड़ कर शेष भाग में गाँठनुमा एक डेढ़ इंच की दूरी पर बना दिए जाते हैं। बजाने के लिए इसी गाँठ बने डंडे को फाड़े हुए डंडे के बीच में डाल कर घर्षण करते हैं। इससे सेकोए सेकोए जैसी ध्वनि निकलती है। इसीलिए इसे सेकोए कहते हैं।

गोपीयंत्र या गुपीयंत्र

एक कद्दू के तुम्बे या टीन के डिब्बे के बंद पेंदे को पार करता हुआ उसके खुले भाग से एक तार निकल कर तीन-चार फीट लम्बे डंडे की खूँटी पर बँधा रहता है। डंडे के एक भाग को नीचे से फाड़कर तुम्बे या डिब्बे को निचले भाग में कस दिया जाता है। बाँस के ठोस भाग के ऊपर खूँटी रहती है। दोनों फाड़े हुए बाँस के डंडे के मध्य तार डिब्बे या तुम्बे के खाली मध्य भाग से पेंदे पर कसा हुआ बँधा रहता है। ऊपर की खूँटी से तार को ढीला या कसा जाता है। एक भाग डंडे को पकड़ कर बीच के तार को अँगुली से या अँगुली पर अँगूठी पहन कर छेड़ कर बजाया जाता है। इससे भी तुन तन... जैसी ध्वनि निकलती है जो गीतों के स्वर पूरक के रूप में काम आती है।

एकतारा

यह भी गोल कद्दू या कोहड़े के सूखे पके खोल पर एक चार-पाँच फीट लम्बे खोखले बाँस को केंदरी बनम की तरह जड़ दिया जाता है। खोल का ऊपरी भाग खुला होता है जिसे चमड़े से मढ़ दिया जाता है। इसी चमड़े के कुछ नीचे से डंडा आर-पार हुआ होता है। खोल के निचले भाग में डंडा दो-तीन इंच ही निकला रहता है। इस पर दो-तीन घुँघरू भी बाँध दिए जाते हैं तथा तार बाँध कर मढ़े चमड़े के ऊपर से पार करते हुए डंडे के ऊपर लगी खूँटी में बाँध दिया जाता है। चमड़े के ऊपर तार को उठाने के लिए बाँस की एक घोड़ी लगी रहती है। खूंटी या कनैठी से तार को ढीला या टाइट किया जाता है। खोल से कुछ ऊपर दाहिने हाथ से डंडे को पकड़ कर अँगुली से या अँगुली पर पहनी हुई विशेष अँगूठी से तार को छेड़ कर तन तुन धुन जैसी ध्वनि निकालते हैं। तुम्बे को नीचे और खूँटी भाग को ऊपर कंधे की ओर रख कर बजाते हैं तथा बाएँ हाथ से घुँघरू की अँगूठी पहन कर तुम्बे को ठेका देने की तरह ठप-ठप ताल के अनुरूप बजाते हैं। घुँघरू बँधे होने के कारण ठप-ठप छुन-छुन धुम तुन तुन की मिश्रित ध्वनि गीतों में रस घोलने लगती है। यह भी एकल में गीत के साथ बजाया जाता है। इसकी ध्वनि भी धीमी होती है मगर मधुर भी।

तीनतारा सारंगी

इसकी बनावट एकतारा या केंदरी बनम की तरह होती है परन्तु इसकी लम्बाई डेढ़-दो फीट की होती है। इसमें तुम्बे के स्थान पर कटोरी होती है। इसमें एक तार के स्थान पर तीन तार तीन खूँटियों में बँधे होते हैं। इसे घोड़े के बालों से बने धनुष से सारंगी की तरह बजाया जाता है। इससे धीमी मधुर ध्वनि के गीत बजाए जाते हैं व सारंगी की-सी किंचित् भिन्न ध्वनि निकलती है।

ईशराज

यह भी सारंगी की तरह बना होता है। लगभग तीन फीट लम्बे लकड़ी के बनाए खोल पर सारंगी की तरह ही लगभग बना होता है। ऊपरी भाग में कई खूँटी या कनैठी लगी रहती हैं। निचले भाग में चमड़ा मढ़ा होता है जिससे पाँच से अधिक सात नौ तार भी तने रहते हैं। तारों की मोटाई

अलग-अलग होती है। एक दो ताम्बे के मोटे तार भी मोटी आवाज के लिए लगे होते हैं। इसे भी उपर्युक्त धनुष से ही बजाया जाता है। इससे भी सारंगी की तरह ही गीत बजाए जाते हैं। ईशराज मधुर धीमे स्वर में मानवीय ध्वनि के काफी करीब की ध्वनि निकालता है। एकल संगत में यह खूब पसंद किया जाता है।

सारंगी

यह भी ईशराज की तरह ही डेढ़-दो फीट, लम्बे चार-पाँच इंच चौड़े, तीन-चार इंच मोटे लकड़ी के कलात्मक फ्रेम में ईशराज की तरह ही लगभग बना होता है। सारंगी ईशराज की तुलना में नाटा मोटा छोटा होता है। इसे भी उपर्युक्त धनुष से ही बजाया जाता है। धनुष के निचले भाग में पकड़ने की जगह पर दो-तीन घुँघरू बाँध देते हैं। रेतने के समय लचक देते हुए वादक सारंगी की धुन में घुँघरू की ध्वनि भी सम्मिलित कर देता है। इसे मलार आदि खूब अच्छी तरह बनाते व बजाते हैं। यह सबसे लोकप्रिय कर्णप्रिय मानवीय ध्वनि के बिलकुल नजदीक का वाद्ययंत्र है। जोगी, साधु, रसिक इसका उपयोग खूब करते हैं। गीत गाने के साथ और उसकी वाद्य से पुनरावृत्ति कर इसके एक-एक शब्द साफ-साफ सुनाई पड़ते प्रतीत होते हैं।

सेखर या सुषिर वाद्य

बाँसुरी

इस वर्ग का झारखंड में यह पहला आविष्कृत वाद्ययंत्र है। झारखंड में सर्वाधिक लोकप्रिय वाद्य बाँसुरी है। रसिकों के हाथों में यह सदैव उसकी कमर में खुँसा रहता है। चरवाहों की तो यह मधुर लाठी है पशु हाँकने के लिए। सबसे आसान, सहज सर्वत्र उपलब्ध वाद्ययंत्र बाँसुरी है। खोखले बाँस के 6 इंच से लेकर तीन फीट लम्बे पतले मोटे भाग से बनता है। इसमें एक किनारे गाँठ रह सकती है। खोखले लम्बे गाँठ से निचले भाग में एक फूँकने के लिए छिद्र होता है। उससे कुछ हट कर छह और छिद्र थोड़ा अलग साइज के छिद्र एक-दो अँगुली की दूरी पर बने होते हैं जिन पर दोनों हाथों की बीच की तीन-तीन अँगुलियाँ बैठती हैं। ऊपर के छेद पर होठों को रख फूँक मार कर आवश्यकतानुसार नीचे की छः अँगुलियों को खोला और बंद किया जाता है। इससे गीत बहुत ही मधुर बजते हैं। सुनने वाले मोहित हो जाते हैं। जिस खोखले बाँस की बाँसुरी में गाँठ नहीं होती उसमें गाँठ के स्थान पर कॉर्क लगा दिया जाता है। छेद लोहे के मोटे पतले तारों को गर्म कर किया जाता है।

मोहनबाँसी

यह भी बाँसुरी की तरह का वाद्ययंत्र है। यह तीन फीट के लगभग लम्बा और बाँसुरी से मोटा होता है। इसमें गाँठ बीच में होती है। गाँठ से ऊपर चार छेद होते हैं। गाँठ के नीचे एक छेद होता है जिस पर बाँस की दो-तीन इंच पतली नली वाली टोंटी लगी होती है जिससे फूँका जाता है। इसके नीचे बाँसुरी की तरह छह छेद होते हैं जिस पर बाँसुरी की तरह अँगुलियाँ बैठती हैं। इसे खड़े में ऊपर नीचे रखकर फूँक मार कर बाँसुरी की तरह ही बजाया जाता है। बाँसुरी पड़ी में कंधे की

सीध में रख कर बजाई जाती है। गाँठ के बीच भी एक छोटा छेद कर दिया जाता है। इससे दो बाँसुरी की-सी ध्वनि कुछ मोटी सुनाई पड़ती है।

तिरियो

यह भी बाँसुरी जाति का वाद्ययंत्र है। इसमें बाँसुरी के दो भाग होते हैं। प्रत्येक भाग में चार-चार छिद्र होते हैं। दोनों बाँसुरी को एक उसमें समाने जैसे बाँस के पाइप से जोड़ दिया जाता है। इस जोड़ने वाले बाँस के पाइप में एक छेद होता है जो मोहनबाँसी के फूँकने वाले बाँस की तरह लगा रहता है। इसके चारों टुकड़ों को अलग किया जा सकता है। बीच में फूँकने वाले को मुँह में डाल कर दोनों कंधों की ओर करते हुए चारों अँगुलियों को छिद्रों में बैठाया जाता है। इन चारों छिद्रों से ऊपर जुड़ने की जगह के बगल में मुरली की तरह चौकोर लम्बा छिद्र बना होता है। बाकी छिद्र गोल होते हैं और बाँसुरी की तरह ही छेद बनाए जाते हैं। इसमें भी दो बाँसुरी की-सी आवाज एक साथ आती है। इससे भी बाँसुरी की तरह गीत बजाया जाता है। उराँव, मुंडा, खड़िया सदानों में यह खूब प्रचलित था। अब यह सीमित हो रहा है।

मुरली

यह भी बाँसुरी की तरह का वाद्य है। इसकी बनावट भी बाँसुरी की तरह है परन्तु इसे होठों से नहीं, मुँह में सीधे थोड़ा-सा डाल कर सीधे बाँसुरी की तरह या शहनाई की तरह बजाया जाता है। इसकी ध्वनि बाँसुरी के समकक्ष है और खोखले बाँस से ही बनाया जाता है। मुँह से फूँकने का भाग छील दिया जाता है और उस पर ठोस बाँस पतली-सी हवा घुसने को छोड़कर बंद कर दिया जाता है। ठोस बाँस के निचले भाग की समाप्ति के ऊपर एक चौकोर तिरछा छिद्र कर दिया जाता है। फूँक भरने पर यहाँ से कुछ हवा निकलकर निचले छह छिद्रों में जाती है जिसे अँगुलियाँ संचालित करती हैं। इससे भी मधुर आवाज से गीत बजाए जाते हैं।

जोड़ा मुरली

दो मुरली को 'A' की आकृति में बाँध कर बनाया जाता है। इनके फूँकने वाले भाग एक साथ सटा दिए जाते हैं। इससे दो मुरली की ध्वनि सुनाई पड़ती है। इसमें दोनों मुरलियों में मात्र चार-चार छेद दोनों हाथों की चार-चार अँगुलियों के लिए होते हैं। ऊपर का चौकोर छिद्र मुरली की तरह ही यथावत् रहता है। इससे भी गीत बजाए जाते हैं जो सुनने में मधुर होते हैं।

पेरेड़ेद या शहनाई

यह मुरली की तरह का वाद्ययंत्र है। मात्र फूँकने और निचले हिस्से में अंतर होता है। बाँस की जगह लकड़ी की नली में सात छिद्र होते हैं। फूँकने के स्थान पर खाँड़ा से बँधा दो तीन ताड़ के पत्तों का बना पन्ना धागे से शरीर में बँधा रहता है। इसमें से किसी एक को स्वर के अनुसार चयन कर मुख वाले भाग में लगा दिया जाता है। लकड़ी के 7 छिद्रों वाले पाइप के निचले भाग में एक कांसे, पीतल या अन्य धातु के बने चोंगे लगा दिए जाते हैं। फूँक मारने तथा छिद्रों पर अँगुलियाँ संचालित करने से जोरदार पेंएंए जैसी ध्वनि उत्तेजक रूप में निकलती है। इससे इच्छित राग के गीत बजाए जाते हैं। इसकी लम्बाई एक डेढ़ फीट तक होती है। शादी विवाह

आदि नृत्यों में इसकी ध्वनि छाई रहती है। नगाड़े ढांक के साथ इसकी तीव्र ध्वनि की खूब संगत बैठती है।

तुमड़ी या बीन

यह सपेरों, मदारियों, रसिकों का प्रिय वाद्य है। इसे तुमड़ी कद्दू के सूखे पक्के खोल से बनाया जाता है। पतले लम्बे भाग से फूँक मारने और बीच का गोलाकार खोखला भाग हवा भरने के काम आता है। गोलाई के निचले भाग पर दो पाइप लकड़ी, बाँस या धातु के बने लगे होते हैं जिस पर मुरली बाँसुरी की तरह एक में छह छिद्र बने होते हैं जिन पर अँगुलियाँ स्वर संधान करती हैं। दूसरे पाइप से वायु को कम या अधिक निकालने के लिए आवश्यकतानुसार संतुलित किया जाता है। छह छिद्र वाले पाइप और गोलाकार भाग के बीच एक जंगली बाँस के पतले पाइप को हल्का सा काट कर हवा प्रवेश करने के लिए डाल दिया जाता है जिसका ऊपरी भाग गाँठ से बंद रहता है निचला खुला। फूँक मारने पर तुम्बे से हवा पार होकर इस आधी कटी नलिका से छिद्रों वाले बड़े पाइप से पार होती है। इससे गूँजते हुए तीव्र मधुर स्वर निकलते हैं। इससे गीत सुनना बड़ा अच्छा लगता है। इसकी धुन से साँप भी झूमने लगते हैं। मलार सपेरे इसका उपयोग खूब करते हैं।

भेइर

यह तुरही की तरह ताँबे की पतली एक इंच मोटी लगभग 5-6-7 फीट लम्बी पाइप होती है। फूँकने के भाग में छह इंच का लगभग एक और पाइप फिट होने जैसा डाला जाता है लम्बे पाइप के पतले भाग पर। दूसरे छोर पर शहनाई की तरह चोंगे होते हैं। यह हल्का लम्बा और कमजोर होता है। इसे एक बाँस की लम्बी मजबूत छड़ी से टिकाए रखा जाता है। छड़ी और भेइर गुना चिन्ह (×) जैसा बनाते हैं। बाएँ हाथ से छड़ी को कमर में टिका कर भेइर को दूसरे हाथ से फूँकने के स्थान पर दो अँगुलियों से होठों पर रख कर विशेष तरीके से फूँका जाता है जिसका चोंगा वाला भाग मुँह की सीध में कुछ ऊपर उठा रहता है। फूँक मारने पर बड़ी तीव्र ध्वनि घोड़े के चिंघाड़ने की तरह की आवाज निकलती है। नटुआ, पैका, विवाह शादी आदि के नृत्य अवसर पर इसका प्रयोग विशेष रूप से होता है। इसकी ध्वनि से विश्वास है कि विघ्न-बाधा, भूतप्रेत दूर भाग जाते हैं। इसकी आवाज दूर तक गूँजने लगती है।

नरसिंघा

यह भेइर प्रकृति का ही वाद्ययंत्र है। यह अर्द्धवृत्ताकार या S की आकृति का भी होता है। इसकी बनावट भी भेइर की तरह होती है। यह लोहे, ताम्बे, पीतल आदि धातु के बनते हैं। यह भेइर की तरह कोमल नाजुक और उतना लम्बा नहीं होता। इसकी आवाज भी हाथी-घोड़े की चिंघाड़ने की आवाज की तरह होती है। यह युद्ध अवसर, विशेषत: नटुआ, पैका, बारात स्वागत के समय छउ नृत्य आदि में खूब होता है। यह मूलत: युद्ध का एक वाद्य है। यह भी भेइर की तरह कई गाँठों की तरह बना रहता है।

संखवा

यह जंगली भैंसों या अन्य खोखले सींगों से बनाया जाता है। नुकीले भाग और चौड़े मुख भाग को छेद कर एक टाँगने की रस्सी बाँध दी जाती है। नुकीले भाग की ओर मुड़े हुए भाग पर एक फूँक मारने भर को गोल छेद कर दिया जाता है। सींग का चौड़ा खुला भाग कान के ऊपर से पार हो जाता है। फूँक मारने पर (विशेष तरीके से) इससे शंख की तरह तीव्र ध्वनि निकलती है। इसे भी भेइर, नरसिंघा के समान ही उसी परिवेश में बजाया जाता है।

शंख

यह शंख सीप जगत का समुद्री जीव है। इसके मांस वाले हिस्से को निकाल कर सेल या हड्डी वाले भाग के मुख भाग को फूँकने लायक बना दिया जाता है। जिस पर फूँक मारने से तीव्र और लम्बी ध्वनि निकलती है। इसकी ध्वनि विघ्न विनाशक मानी जाती है। युद्ध, पैका, छव, विवाह शादी, पूजापाठ के अवसर पर इसे बजाया जाता है। प्राय: हिन्दू घरों में यह उपलब्ध रहता है। इसे जोड़े, एकल रूप में भी बनाया और बजाया जाता है।

कुडुदुतू

यह भी नरसिंघा जाति का वाद्ययंत्र है। इसकी बनावट लगभग वैसी ही होती है। ध्वनि में भी समानता होती है। तीव्र चिंघाड़ने जैसी आवाज, युद्ध, शिकार, पैका आदि नृत्यों में प्रयोग होता है।

घन या पीट कर बजाए जाने वाले वाद्ययंत्र

तीनतारा सारंगीखताराटोहिला

यह झारखंड का प्रथम वाद्ययंत्र माना जाता है और शुभकार्य, युद्ध, शिकार, नृत्य, मुनादी पीटने, अखरा में बैठक बुलाने आदि में इसका उपयोग विशेष होता है। इसकी तीव्र और समूह आवाज से बमबाडिंग जैसी ध्वनि निकलती है। इसकी आवाज से कायरों या जानवरों का दिल दहलने लगता है तो रसिकों का हृदय गद्‌गद हो उठता है। हाथ-पैर स्वत: नृत्य के लिए फड़कने लगते हैं।

नगाड़ा प्राय: तीन श्रेणी के होते हैं—

1. **बृहद् नगाड़ा :** यह एक बड़े भैंसे के चमड़े से एक लोहे के गुंबदाकार खोल में मढ़ा जाता है। चमड़े को टाइट कर मढ़ने के लिए पेंदे के कोनेकार भाग पर एक चमड़े का रिंग बैठाया जाता है जिस पर नगाड़ा सीधा टिकाया जा सकता है। इसे रिंग से मुँह पर मढ़े चमड़े की रस्सी या ताँत से जाल की तरह खूबसूरती से बुना रहता है। इसी से पीटने वाला चमड़ा टाइट होता है। पीटने वाले भाग पर लेप या खरन दिया रहता है जो करंत तेल गंधक आदि का बना होता है। चमड़े में तेल देने से चमड़ा नर्म रहता है। इसे पीटने के लिए दो चाप लिए हुए खाड़ी (डंटा) रहता है। खोल के पेंदे पर एक छोटा छिद्र होता है। नगाड़ा पीटने पर अंदर की हवा इससे निकलती है। इसकी तीव्र आवाज से घरों के खपड़े खिसकने लगते हैं। इसकी गूँजती हुई आवाज बहुत दूर तक पहुँचती है। जानवरों को भगाने के लिए भी इसका उपयोग होता है। यह इतना बड़ा

होता है कि इसे चार-छः लोग एक बाँस की बल्ली पर टाँगते तथा दो लोग बजाते हैं। बड़े-बड़े राजा जमींदार या बड़े गाँवों में ऐसे बृहद् नगाड़े मिलते हैं। इसकी संगत ढाँक से खूब बैठती है। सदानों, मुंडाओं, उराँवों, खड़ियाओं में यह खूब प्रचलित है।

2. **मध्यम नगाड़ा :** यह भी बड़े नगाड़े की तरह ही होता है और वजनी होता है। बलिष्ठ व्यक्ति ही इसे गले में टाँग कर या जमीन पर तिरछे रख कर बजाते हैं। इसकी बनावट भी बृहद् नगाड़े की तरह ही खूबसूरत होती है। यह सभी आदिवासी सदान में प्रयुक्त होता है।

3. **छोटा नगाड़ा :** यह मध्यम आकार से छोटा होता है इसे भी गले में टाँग कर बजाया जाता है। छोटा होने से यह हल्का होता है। वादक अधिक देर तक गले में टांगकर नाच कर बजा लेता है। इसकी आवाज बड़े तथा मध्यम नगाड़े से क्रमशः कम होती है। यह संताली, हो, खोरठा आदि में प्रयुक्त होता है।

टमक

यह छोटे नगाड़े से छोटा होता है। इसकी बाधी या तनी हुई रस्सी चमड़े की होती है। और मढ़े हुए चमड़े से पेंदी के रिंग एक सीधी-सीधी जोड़े में खिंची होती है। इसमें जाल की तरह बुना हुआ नहीं रहता। इसे बहुत ही हल्का होने के कारण कमर में बाँध कर बजाया जाता है। यह लोहे, लकड़ी या मिट्टी के अर्द्धवृत्ताकार खोल से भी बनाया जाता है। इसकी आवाज छोटे नगाड़े से भी धीमी और मधुर होती है। संतालों में यह खूब प्रचलित है।

ढाँक

झारखंड का दूसरा तीव्र घन वाद्ययंत्र ढाँक है। यह बहुत बड़ी मोटी लम्बी लकड़ी के खोल से बनता है। इसका वजन भी बहुत होता है। बलिष्ठ व्यक्ति ही इसे प्रायः बाएँ कंधे पर लटका कर दोनों हाथों से एक ओर ही बजाता है। इसमें एक टिपनी बाँस की पतली चिपटी छड़ी और एक लकड़ी की बनी कुछ मोटी गोल खाड़ी से पीट कर बजाते हैं। बाएँ हाथ में टिपनी ऊपर से रखकर अँगुलियों के जोर पर बजाई जाती है तथा दाहिने हाथ पर ताल के अनुसार पीटा जाता है। इसकी बुलन्द आवाज रसिकों को अखड़ा चढ़ने व नाचने के लिए विवश कर देती है। नगाड़े तथा शहनाई से इसकी संगत खूब जमती है। ढाँक का विशेष अवसर पर चुमान भी होता है। बोझिल होने के कारण इसे गले में टाँग कर तथा जमीन पर रखकर भी बजाया जाता है। इसके बजाने वाले भाग को चना और न बजाने वाले भाग को गद कहते हैं। चना भाग बकरी के चमड़े से तथा गद भाग गाय के चमड़े से मढ़ा होता है। गद भाग के मध्य में लेप लगा होता है। इससे ढेइ गुड़ गुड़ ढेइ जैसी ध्वनि निकलती है। नृत्य इसकी ताल से उत्तेजक हो जाता है। दोनों ओर के चमड़ों को चमड़े की रस्सी से ताना जाता है जिस पर पीतल या लोहे के रिंग होते हैं जिसे बजाने के समय खींच कर टाइट किया जाता है।

संताली ढाँक

यह ढाँक ही है परन्तु ढाँक से इसकी मोटाई कम पर लम्बाई पाँच-छः फीट तक होती है। बजाने वाला भाग कुछ मोटा और दूसरा भाग पतला होता है। यह भी बोझिल होता है। इसे भी बलिष्ठ

व्यक्ति एक कंधे पर टाँग कर ढाँक की तरह ही बजाता है। इसमें भी दोनों ओर के मढ़े चमड़े को कसने के लिए रिंग होते हैं।

चोड़चोड़ी या कहड़ा या करह

यह भी ढाँक जाति का वाद्ययंत्र है। यह लगभग डेढ़ फीट लम्बा पर गोलाई बड़े ढाँक से कुछ ही कम होती है। दोनों ओर चमड़े मढ़े होते हैं और एक ही ओर से बजाए जाते हैं। दोनों हाथों से बाँस की दो पतली चिमटी टिपनी से मोटी छड़ी से बजाते हैं। इससे तड़तड़ चड़चड़ जैसी ध्वनि निकलती है। यह भी उत्तेजक वाद्य है। इसे दोनों कंधों पर टाँग कर सामने (पेट पर) रख कर दोनों हाथों से बजाया जाता है।

ढोल, ढोलक, ढोलकी

यह भी ढाँक जाति की तरह का वाद्ययंत्र है परन्तु ढाँक से बहुत छोटा और हल्का होता है। बनावट वैसी ही होती है। इसे दोनों ओर से बजाया जाता है। बाएँ हाथ में खाड़ी या छोटे पीटने वाले डंडे से तथा दाहिना भाग हथेली तथा अँगुलियों से ताल के अनुसार पीट कर बजाया जाता है। बहुत अधिक देर तक बजाने पर हाथों की अँगुलियाँ फट जाती हैं। गद भाग में डंडा पीटने की जगह लेप लगा होता है। चना भाग में बकरी के तथा गद भाग में बैल के चमड़े मढ़े होते हैं। इसमें भी दोनों मढ़े चमड़े को टाइट रखने के लिए चमड़े की बाधी तनी रहती है उस पर रिंग पीतल आदि के टाइट करने के लिए लगे होते हैं। इससे गेजा गिन, तागिन, तेता, तेतक ता जैसी ध्वनि निकलती है। प्राय: इसका उपयोग संगीत में खूब होता है।

ढोल, ढोलक और ढोलकी क्रमश: ढोल से छोटे होते जाते हैं। इससे ध्वनि भी कम होती जाती है। ढोलकी में दोनों ओर हाथों से ही बजाया जाता है जबकि ढोल ढोलक में एक ओर खाड़ी से बजाया जाता है। इसका खोल लकड़ी का ही होता है।

मांदर

मांदर झारखंड का सबसे लोकप्रिय मधुर एवं घर-घर रखने वाला राज वाद्ययंत्र है। यह भी ढोलक प्रकृति का वाद्य है परन्तु ढोल कोमल प्रकृति का वाद्य नहीं है। यह मिट्टी के खोल के अतिरिक्त लकड़ी या चदरे का भी बनने लगा है। यह मिट्टी का होने के कारण ढोलक से कुछ अधिक भारी होता है। इसमें हनुमान बंदर के चमड़े का प्रयोग मढ़ने के लिए होता है। परन्तु अब बकरी के चमड़े का भी उपयोग होने लगा है। इसके छोटे मुँह को चना या तुंग कहते हैं। इसमें महीन बारीक और पतली और चिकना लेप लगा होता है। दूसरे बड़े चौड़े मुँह या भाग को डिसना या गद कहते हैं। इसमें पूरी गोलाई में कुछ छोड़ कर मोटा खुरदुरा लेप दिया जाता है। इससे मोटी धूर्र जैसी आवाज आती है जबकि पतले मुँह वाले भाग से पतली कोमल तुंग जैसी ध्वनि निकलती है। प्राय: कुछ को छोड़ सभी में मांदर का प्रयोग होता है।

झारखंड में सदान या नागपुरिया (जशपुरिया), मांदर, खड़िया, उराँव, खोरठा, कुरमाली, संताली, हो या मुंडा आदि मांदर के आकार-प्रकार भिन्न-भिन्न होते हैं। बनावट लगभग एक जैसी होती है। दोनों ओर के मढ़े चमड़े को चमड़े के रंगीन फीते से एक-एक अंगुली की दूरी पर तना रहता है। इसके भीतर भी खोल के ऊपर गोलाई से और पतले चमड़े के फीते लपेटे रहते हैं।

जशपुरिया मांदर

सदानों का मांदर, नागपुरिया तथा जशपुरिया मांदर होता है। इसकी लम्बाई तीन फीट होती है। मोटे गोल भाग पर कुछ हट कर खोल उभरा होता है। बाधी या ताने गए चमड़े के फीते उभरे भाग पर स्पर्श करते हैं। शेष भाग पर पुवाल या चमड़े की रस्सी के रिंग से दोनों किनारे लगा कर उठा दिए जाते हैं। यह मिट्टी और लकड़ी का बना होता है। लकड़ी से बने मांदर को कठमंदरा कहते हैं। जशपुरिया मांदर की गूँज प्रायः सभी मांदरों से अधिक होती है। छोटा मुँह 10 इंच है तो बड़ा मुँह सवा डेढ़ फीट।

खड़िया मांदर

यह भी जशपुरिया मांदर की तरह ही होता है परन्तु इसके खोल के बीच के भाग जशपुरिया से थोड़ा अंदर और कम उभरे होते हैं। बाधी इसमें सटी हुई नहीं होती है।

उराँव मांदर

यह भी खड़िया मांदर की तरह होता है परन्तु खोल के भाग में उभरा नहीं होता। हल्का तिरछा होता है। तंग छोटा मुँह भाग अंदर घुसा हुआ होता है कोर एक इंच जैसे निकला होता है।

खोरठा मांदर

इसकी लम्बाई कम और गोलाई ऊपर के मांदरों से अधिक होती है। डेढ़-दो फीट प्रायः लम्बा होता है बाकी मांदरों की तरह। इसे मुची या थेचकी मांदर भी कहते हैं।

कुरमाली मांदर

यह खोरठा से गोलाई तथा लम्बाई में थोड़ा-सा कम होता है। इसे भी छोटे होने के कारण मुची या थेचकी मांदर कहते हैं।

पंचपरगनिया मांदर

यह भी कुरमाली मांदर से कुछ लम्बा और कम मोटा होता है। खोरठा, कुरमाली, पंचपरगनिया मांदर लगभग एक जैसे ही हैं। मात्र लम्बाई मोटाई में अन्तर आ जाता है।

संताल मांदर

यह उराँव मांदर की तरह होता है परन्तु उसके अनुपात में काफी छोटा होता है। आकृति वैसी ही होती है।

हो मांदर

यह संताली मांदर से भी लम्बाई मोटाई में कम होता है। संताल और हो मांदर छोटे होने के कारण आकर्षक और सुंदर लगते हैं। एक साथ जब कई मांदर बज उठते हैं तो पूरा वातावरण मधुर हो जाता है। उपर्युक्त सभी मांदर गले में लटका कर कभी सीधे, कभी झुक कर, कभी थिरकते हुए, कभी घूम-घूम कर बजाए जाते हैं। मांदर की खूबसूरती के लिए उस पर रंगीन पाड़दार कपड़े लपेट दिए जाते हैं।

घंटी

यह स्कूल घंटी की तरह कांसे, पीतल तथा लोहे की बनी होती है। इसे छोटे मुदगरनुमा डंडे से ताल के अनुरूप पीटा जाता है। यह गोलाकार और कुछ मोटा होता है। ऊपर के छेद से रस्सी लटकी होती है जिसे बाएँ हाथ से पकड़ कर दाहिने हाथ से पीट कर बजाया जाता है। इसकी आवाज भारी पतली और गूँजने वाली होती है। इससे टड़ांग टिड़िंग ध्वनि निकलती है।

पीटा घंट

यह भी उपर्युक्त घंटे की तरह गोल ही होता है परन्तु इसकी आकृति चपटी थाली या कटोरीनुमा होती है। इसके कोर अन्दर की ओर कुछ उठे और मुड़े होते हैं। पीठ भाग पर छात्ते की डंडी या मूंठ डंडे से पीटा जाता है। यह घंटी से पतली और मुड़ी होने के कारण इसकी आवाज हल्की और झनकार लिए हुए होती है। यह कांसे या पीतल का ही होता है। इससे डेंग-ढेढेंग-ढेंग जैसी ध्वनि निकलती है।

घुँघरू

यह कौड़ी की तरह, या सीप की तरह खुले मुँह वाली अन्दर से खोखली होती है जिस पर एक लोहे की छोटी गोली डाल दी जाती है। ऊपर रस्सी बाँधने के लिए गोलाकार हुक बना होता है। घुँघरू किसी रस्सी या चमड़े की पट्टी पर दो-तीन-चार आदि कतार में टाँगे या बँधे होते हैं। इसे प्रायः पैरों में बाँध कर नाचते हैं। कभी-कभी घुँघरू के गुच्छे को हाथों में झटका देकर या दूसरे हाथ पर हल्का-हल्का प्रहार कर ताल में संगत देते हैं। घुँघरू की आवाज छुनूर-छुनूर जैसी होती है। सारंगी, एकतारा बजाने के समय, धनुष पर या अँगुली पर पहन कर मिश्रित ध्वनि दी जाती है। घुँघरू का उपयोग झारखंड में छोटे बच्चों की करधनी या कमर में एक दो बाँध दिए जाते थे जिससे माता के पीछे दौड़ते या आते हुए बच्चे की जानकारी घुँघरू की आवाज से ज्ञात होती रहती थी। माँ को उलटकर देखने की आवश्यकता नहीं होती थी। बच्चे के खेलते रहने, नाचने-दौड़ने में भी घुँघरू की आवाज आती रहती थी। जंगलों में बकरियों के छोटे बच्चों के गले में घुँघरू बाँध दिए जाते थे जिससे जंगल के घने वन में बकरियों का पता लग सके कि किस झाड़ी में हैं। घुँघरू की आवाज अन्य वाद्ययंत्रों के साथ खनक उत्पन्न करती है जो सुनने में कानों में रस घोलते प्रतीत होते हैं। इसका उपयोग नटुआ, छव, पैका, भगतिया, झुमराहा आदि विशेष रूप से करते हैं। रसिक जन अपनी नृत्य की लाठी के ऊपरी भाग में घुँघरू के गुच्छे लटकाए रहते हैं। लाठी खड़ी पटकने पर घुँघरू की खनक बड़ी प्रिय लगती है।

घुघरा

यह घुँघरू का बड़ा रूप है। ये भी लोहे, पीतल या ताम्बे के बने होते हैं। इसके अन्दर भी लोहे की बड़ी गोलियाँ होती हैं। इसे कमर की पेटी पर तीन कतार में कुछ- कुछ दूरी पर टाँक दिया जाता है। इन घुघरा के बीच में पीछे पीठ की ओर एक डुलाने वाले मंदिर की घंटी का छोटा रूप भी लटका रहता है। पुरुष नर्तक ही इसे कमर में बाँध कर नृत्य करते हैं। जब नर्तक उछल कर हुर्र रे हाय जैसा कहता हुआ जमीन पर पाँव पटकता है तब घुघरा समूह एक खनर्र-खनर्र बज उठता

है। इस घुघरे को गाय, बैल के गले में या बैलगाड़ी के बैलों में अनिवार्य रूप से गले में बाँधते हैं। दूर से आती हुई बैलगाड़ी का अंदाज घुघरा से लगता है तथा यात्रा को भी संगीतमय बना देता है।

ठेचका

यह लकड़ी के आधे इंच मोटे पटरे से बनता है। चौड़ाई दो से तीन इंच के लगभग। बीच का भाग पतला और दोनों किनारे गोलाकार होते हैं। गोलाकार भाग के मध्य में एक मोटे तार ढीले से आर-पार होने लायक छिद्र होते हैं। लोहे के तार को U यू आकार का मोड़ कर उन्हीं दोनों छिद्रों से पार कर दोनों छोर पर उसी गोलाई के नाप का लकड़ी का चक्का जाम किया होता है। निचले भाग में तीन-चार घुँघरू भी बाँध दिए जाते हैं। यह एकल या गुणाकार रूप में भी बनता है। मुड़े हुए तार को दाहिने हाथ से तथा पटरे के एकल या गुणाकार स्थान पर बाएँ हाथ से पकड़ कर ताल के अनुरूप खींचा जाता है। दोनों गोलाकार लकड़ी का चक्का टकराने से ठप-ठप की आवाज घुँघरू के साथ निकलती है। यह ठेका देने की तरह काम करता है। इससे पुरुष नर्तन के समय झुक कर घूम-घूम कर खींच-खींच कर बजाता रहता है। इसे स्त्रियाँ भी बजाती हैं।

फेचका

यह ठेचका की तरह उपयोग होता है। तीन-चार फीट लम्बे मोटे खोखले बाँस को नीचे से एक गाँठ एक-आध फीट छोड़ कर फाड़ दिया जाता है। ऊपर के गाँठ के पास 6 इंच छोड़ कर बीच के बाँस को काट कर निकाल दिया जाता है जिससे दोनों हाथों से इसे पकड़ा जा सके। ऊपर का भाग कटा हुआ और नीचे का भाग बिना कटा हुआ होने से हाथों से बारंबार ऊपरी भाग को टकराने से ठप-ठप की आवाज निकलती है।

पूरे बाँस को रंग-बिरंगे कागज या फीतों से बाँध कर सुंदर आकर्षक बना दिया जाता है। टकराने वाले भाग पर कुछ नीचे घुँघरू बाँध दिए जाते हैं। नर्तक दोनों हाथों से गीत को लय ताल के अनुरूप ठेका देता है।

रामकठी

यह झुनझुने का बड़ा रूप है। लोहे, पीतल, ताम्बे या स्टील के बने खोखले गोलाकार गोलक के अंदर लोहे की गोलियाँ भर दी जाती हैं। ऊपर से इसे लकड़ी की मुठिया पर नट बॉल्ट से कस दिया जाता है। स्वर की आवश्यकता के अनुसार छन्नर-छन्नर की ध्वनि निकालते हैं। वाद्ययंत्रों के मध्य इसकी खनक भली लगती है।

मंजीरा

पीतल के दो छोटे-छोटे छल्ले होते हैं। मध्य भाग अंदर से पिचका हुआ और बाहर से कोनाकार निकला होता है। बीच के भाग में छिद्र होते हैं जिन्हें एक रस्सी से अंदर की ओर गाँठ देकर बाँध दिया जाता है। दोनों हाथों से रस्सी को पकड़ कर मंजीरा को ताल के अनुसार टकराते हैं। इसकी छनछनाहट आकर्षक होती है।

झाल

यह मंजीरा का बहुत बड़ा रूप है। काँसे के दो बड़े चिपटे थाल की तरह होते हैं। बनावट मंजीरे

की तरह बीच से रस्सी से जुड़े होते हैं। बाहरी भाग गुठली की तरह रस्सी से पकड़ने के लिए बना होता है। दोनों हाथों से लय ताल के अनुरूप झनकार देने का काम इससे किया जाता है। झन-झन की ध्वनि पूरे संगीत को मधुरतम बना देती है।

झाँझ

यह मंजीरा और झाल के बीच का वाद्य है जो काँसे का बना होता है। इसे भी इसी तरह बजाया जाता है। मंजीरा से अधिक तथा झाल से कम झनकार इससे निकलती है।

करताल

यह मंजीरा का और छोटा रूप है। लकड़ी के दो कलात्मक फ्रेम में, दो भाग में दो कतारों पर छोटे-छोटे छल्ले लकड़ी को काट कर निकाले गए भाग में जड़ दिए जाते हैं। इसे एक हाथ के अँगूठे तथा दूसरे खंड को चारों अँगुलियाँ डाल कर अँगुलियों की सहायता से टकरा कर बजाया जाता है। प्राय: इसे नाचने वाली या नर्तक, गायक बजाते हुए गाते हैं। यह ठेचका-सा काम करता है परन्तु इसकी छन्न-छन्न की ध्वनि गीत तथा ताल को कर्णप्रिय बना देती है।

बड़ा करताल

यह करताल का ही एक बड़ा रूप है। एक लम्बे दो-तीन फीट एक आध इंच मोटे पटरे के छिद्रों पर बीच-बीच में छल्ले जड़ दिए जाते हैं जिन्हें पकड़ कर ताल के अनुरूप हिला-हिला कर झनकार दिया जाता है।

डमरू ढोलक

यह डमरू की आकृति का ढोलक है। डमरू से काफी बड़ा होता है। बनावट डमरू की तरह ही होती है। इसके बीच के पतले भाग को कंधे के नीचे बाँहों से दबा कर रखा जाता है और सामने के भाग से ही एक हाथ से बजाया जाता है।

रूंज

यह डफलीनुमा वाद्ययंत्र है। यह उराँवों के संगीत में काफी लोकप्रिय है। ढोल के खोल की तरह मात्र 6-7 इंच लम्बाई और एक बड़े ढोलक की गोलाई लिए होता है। इसके एक भाग पर चमड़े मढ़े होते हैं। दूसरे छोर पर लोहे के रिंग पर चमड़े की बाधी रस्सी तनी रहती है ढोल की तरह। दूसरा भाग खुला रहता है। गाय के खुरदरे चमड़े को इसमें एक ओर मढ़ दिया जाता है। इसे गले में लटका कर बजाया जाता है। बायाँ हाथ रूंज को सँभाले रहता है तथा दाहिने हाथ से एक झुकी हुई पतली हल्की खाड़ी (डंटे) से चमड़े पर ऊपर नीचे घर्षण करने से रूं-रूं की-सी ध्वनि निकलती है। यह कोमल, धीमी और मधुर आवाज देती है।

राटा

यह एक मोटे डंडे पर बना होता है। तांत की रस्सियों से लकड़ी के गोलकों को बाँध दिया जाता है। रस्सी खिंचने पर ऊपर लगी चक्री घूमने लगती है और लकड़ी के गोले या ठोस गेंद आपस में टकराते हैं जिससे रट-रट की-सी ध्वनि निकलती है। इसी से इसे राटा कहते हैं। इसी नाम पर

राटा नृत्य ईद आदि के अवसर पर समूह में खेलते (नृत्य करते) हैं।

टेटेंगा

एक लम्बी बाँस की लाठी पर एक गिरगिटनुमा लकड़ी का बना होता है जो तांत की रस्सियों से जुड़ा होता है। जब दूसरे छोर की रस्सी को खींचा जाता है तो ऊपर-नीचे दौड़ता नजर आता है। बाएँ हाथ में लाठी पकड़ी जाती है तथा दूसरे हाथ से रस्सी खींची जाती है। ढोलकी नाच तथा राटा नृत्य में टेटेंगा नचा-नचा कर इस यंत्र का उपयोग किया जाता है। टेटेंगा के नचाने के साथ मुँह से आवाज निकाली जाती है।

चांवर

यह नीलगाय की पूँछ के निचले झब्बेदार बालों का गुच्छा होता है। पकड़ने के भाग को छोड़ कर लम्बे बालों के गुच्छे से जैसे हवा देने या मक्खियाँ उड़ाने के लिए चांवर डुलाया जाता है, उसी तरह इसका उपयोग संगीत संकेत के रूप में किया जाता है। इसका संचालक वादकों, नृतकों एवं गायकों के समक्ष लय-ताल के अनुरूप चांवर हिला हिला कर संगीत का निर्देश देता है। यह वाद्ययंत्र तो नहीं लेकिन उन्हें निर्देश देने के काम आता है।

इनके अतिरिक्त और भी अनेक प्रकार के झारखंडी वाद्ययंत्रों का प्रयोग होता था। कहीं-कहीं इसके अवशेष देखने-सुनने के लिए मिल जाते हैं। इनके उपयोग अब प्राय: समाप्त हो गए हैं। कहीं-कहीं तो इनके नाम, प्रयोग तथा बनावट भी भूल गए हैं। जो भी हो इन वाद्ययंत्रों का निर्माण प्राकृतिक संसाधनों से होता है। इसी में अपनी रुचि तथा ज्ञान के अनुरूप तरह-तरह के वाद्ययंत्रों का निर्माण एवं उपयोग किया जाता रहा है। इन्हीं आदिम झारखंडी वाद्ययंत्रों के आधुनिकीकरण से तथा संस्कारित एवं विस्तार से शास्त्रीय वाद्ययंत्रों का निर्माण संभव हो सका। ये इन्हीं शास्त्रीय वाद्ययंत्रों के पूर्व-रूप प्रतीत होते हैं जो मानव जीवन के आनन्द के क्षणों को संगीतानन्द के माध्यम से मधुरतम बना देते हैं।

झारखंड के वाद्ययंत्र

तीनतारा सारंगी

खतारा

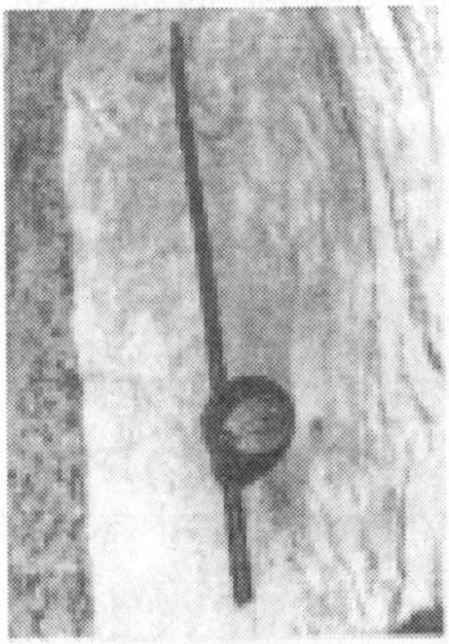
टोहिला

सारंगी

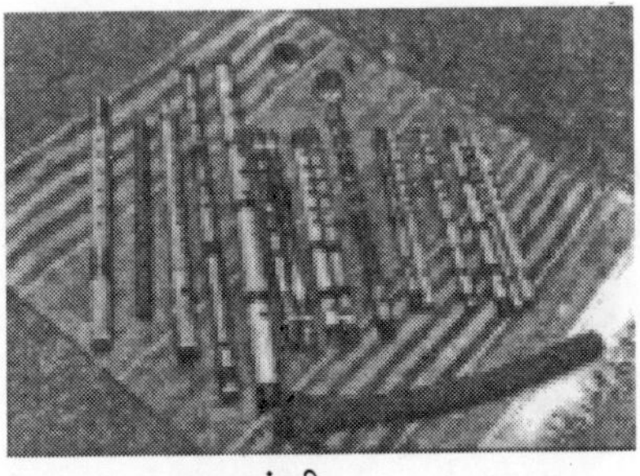
बांसुरी

सारंगी

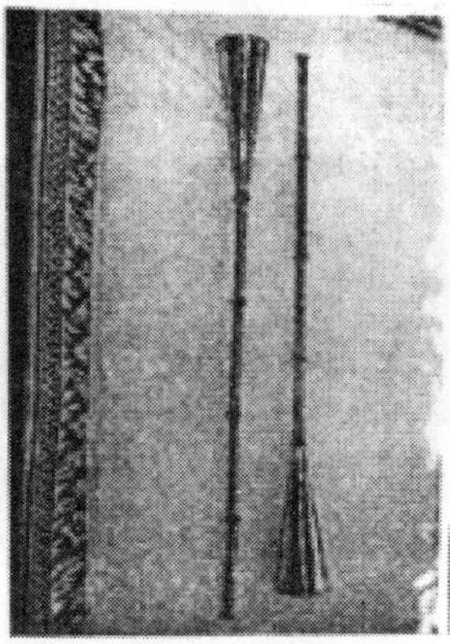

भेइर

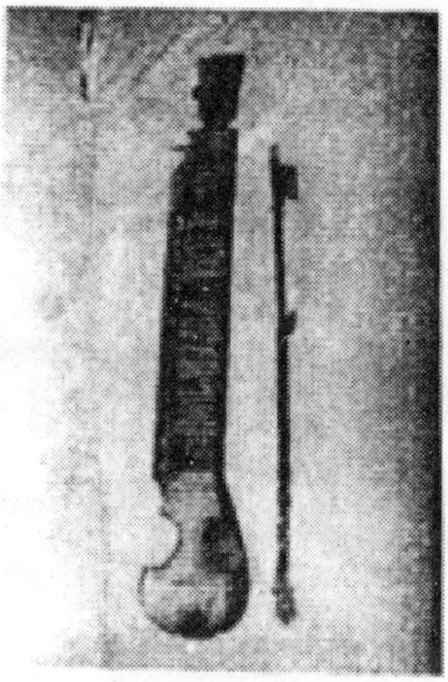

ईशराज

भेइर

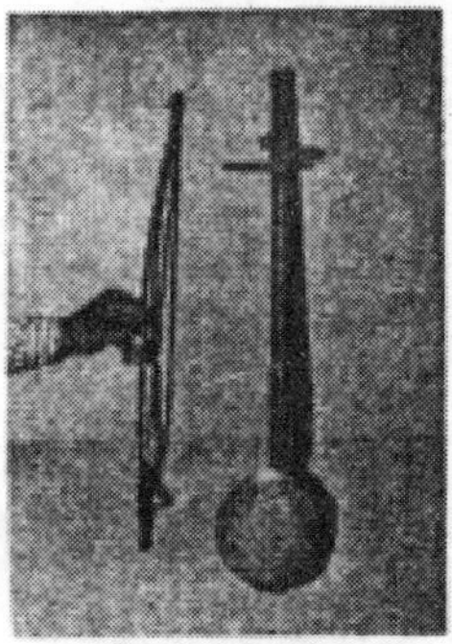

भेइर

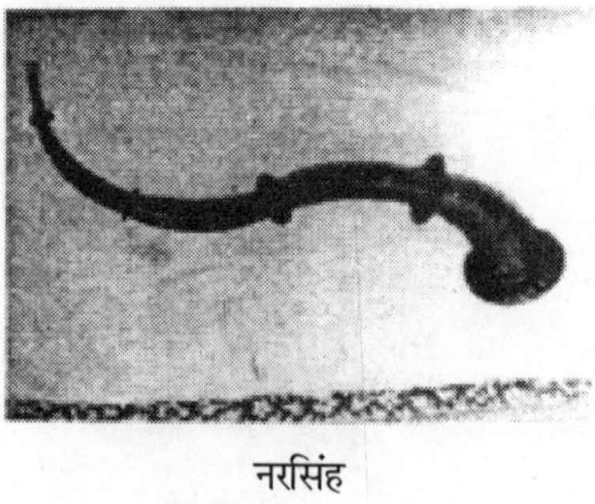

नरसिंह

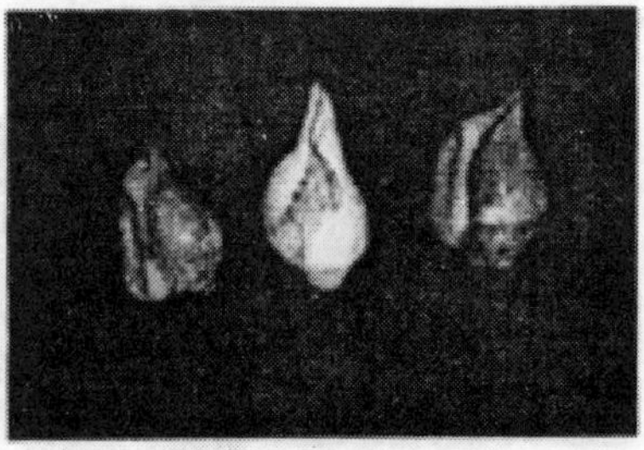

शंख

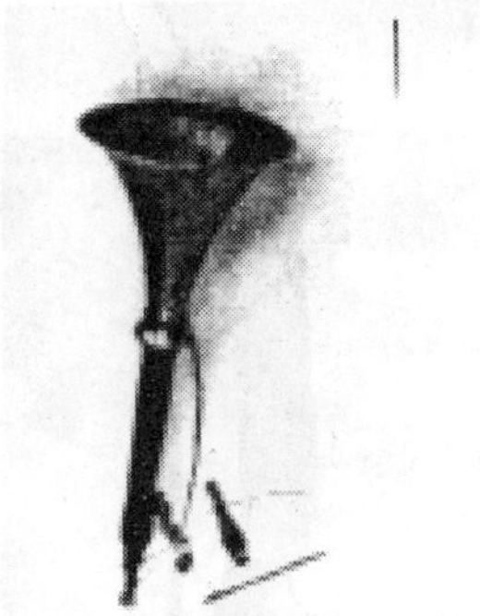

शहनाई

नगाड़ा

ढाँक

ढोल-ढोलक

मांदर के विविध रूप

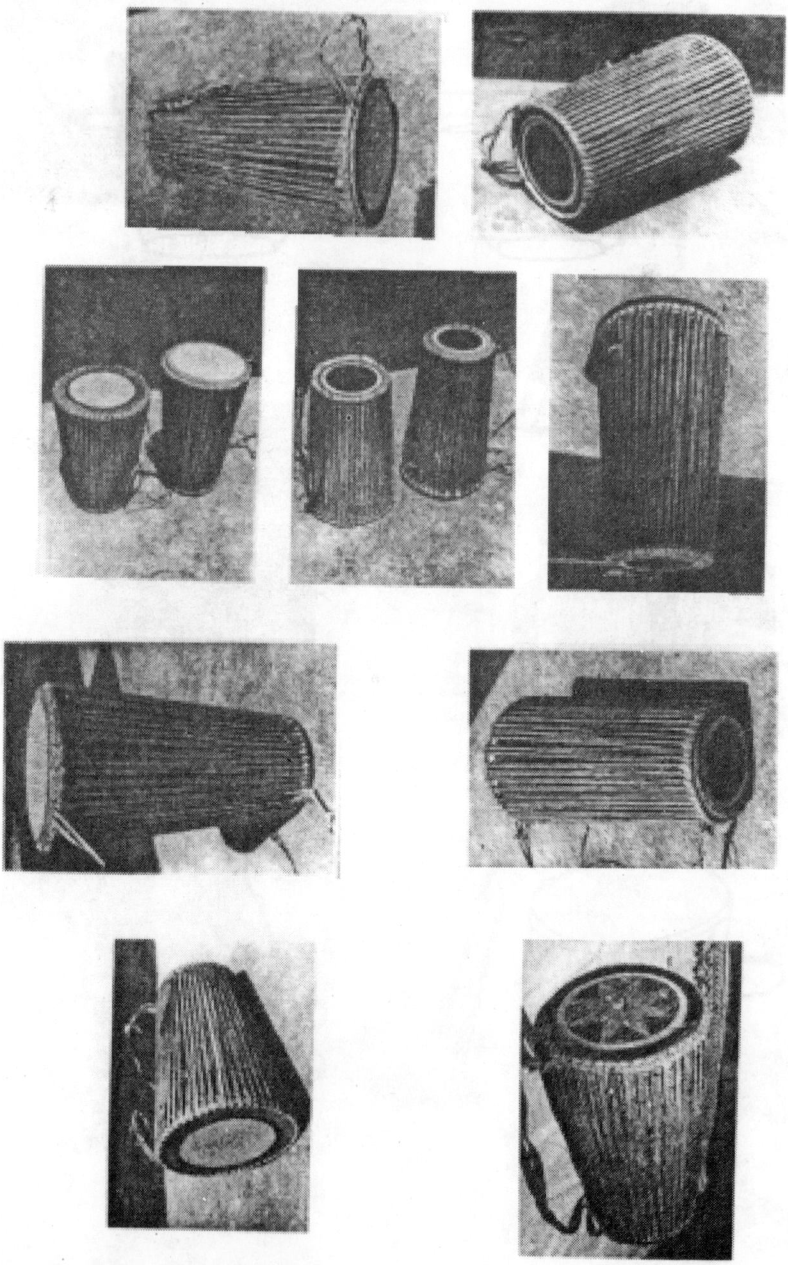

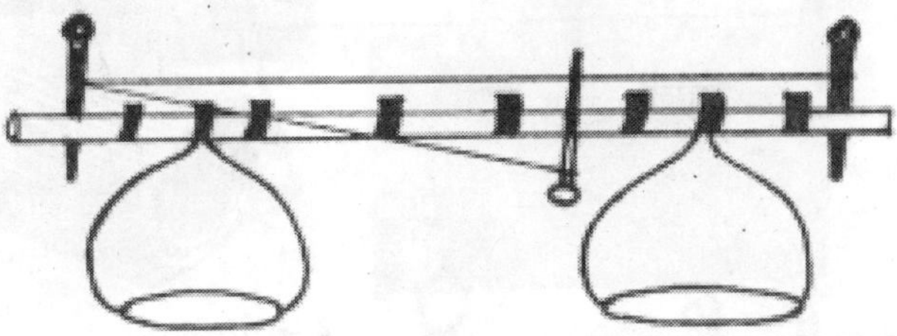

केदरा

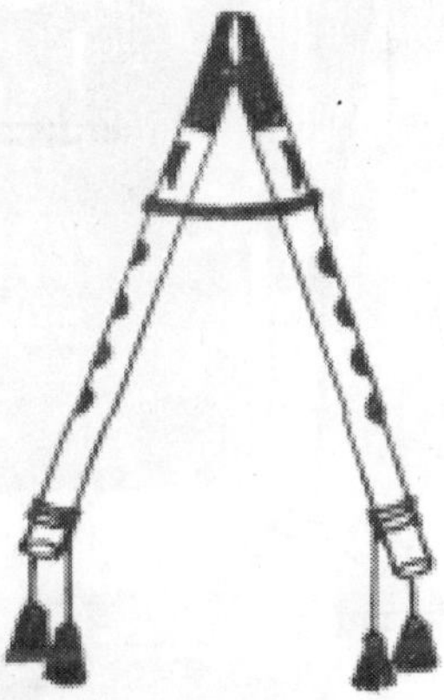

जोड़ा

बनम

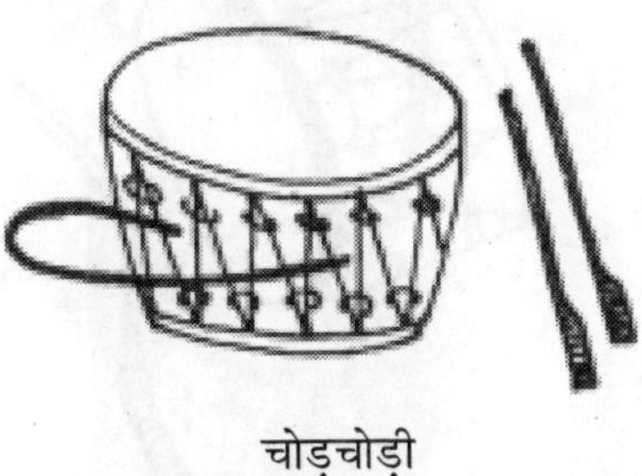

चोड़चोड़ी

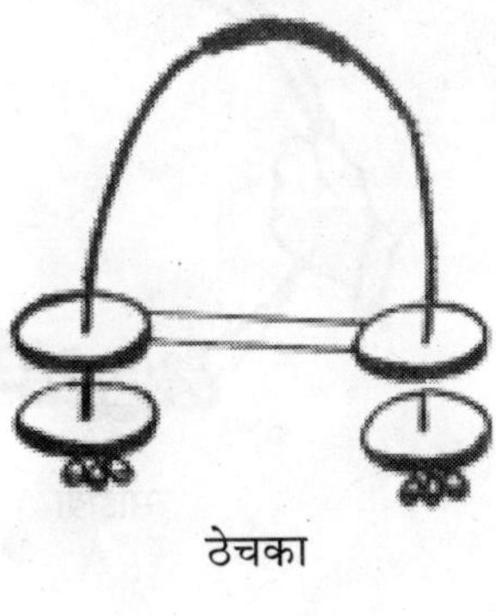

ठेचका

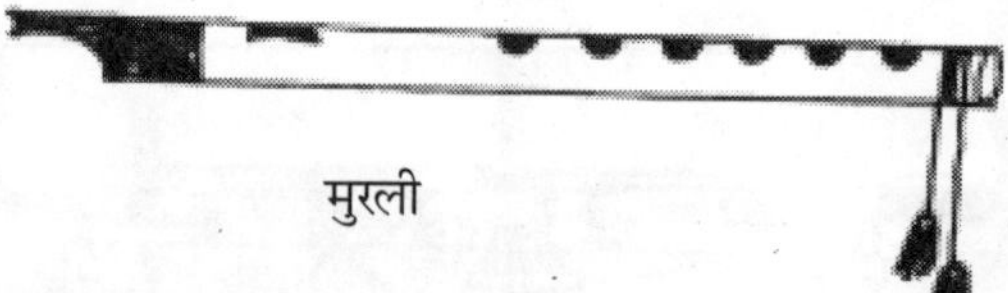

मुरली

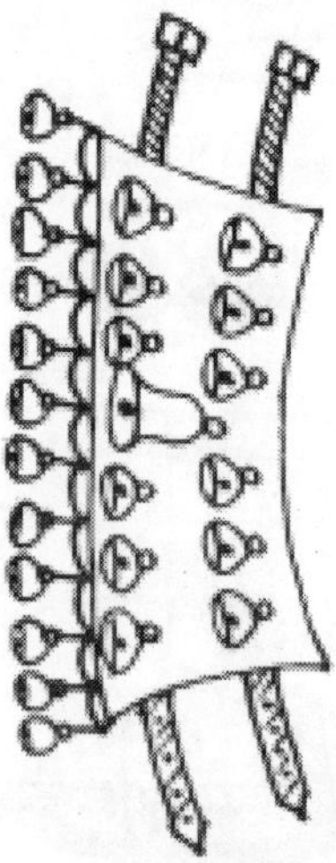

घाघर

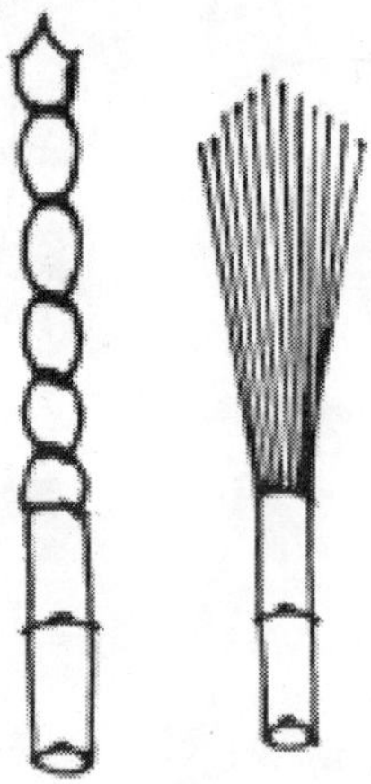

सेकोय

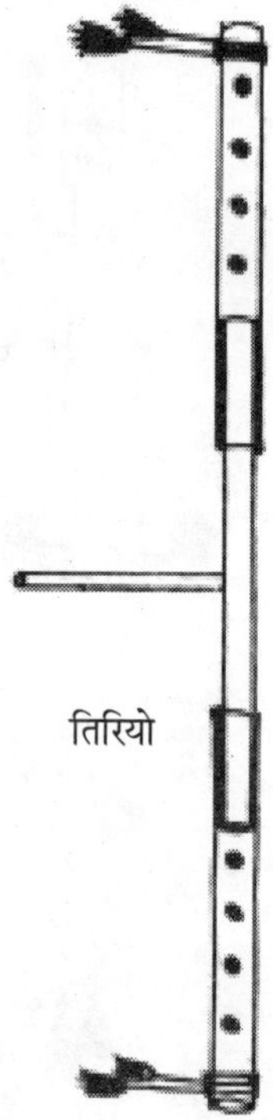

तिरियो

सोइखो

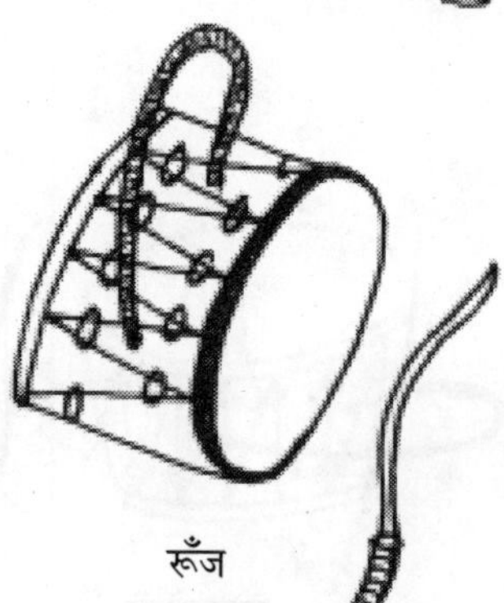

रूँज

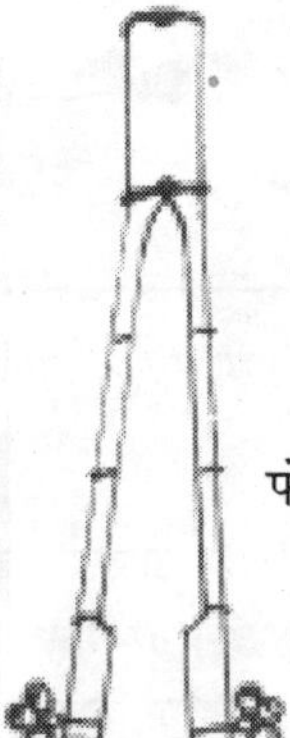

फेचका

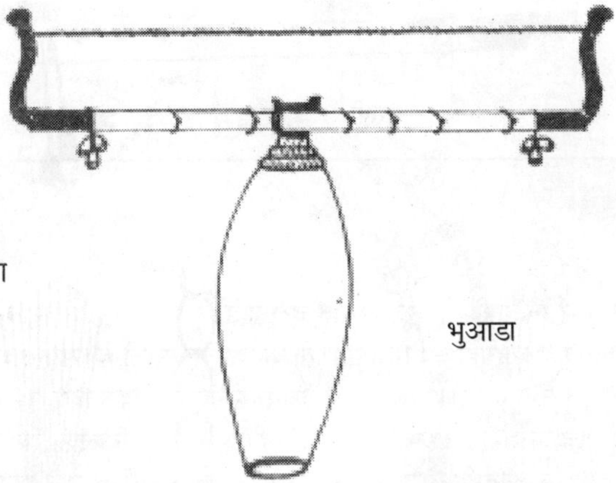

भुआडा

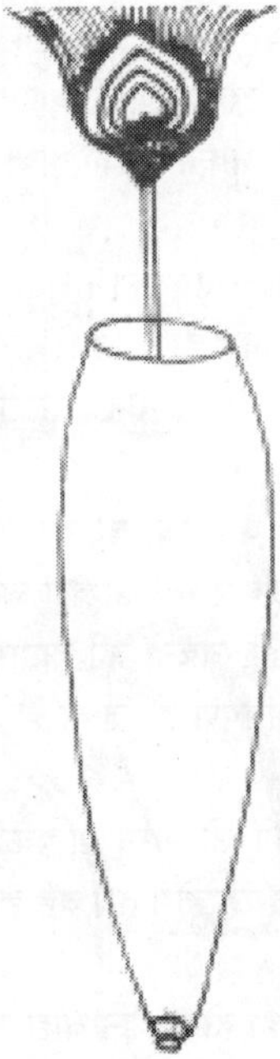

ओर भुआड

मोहन–बाँसी

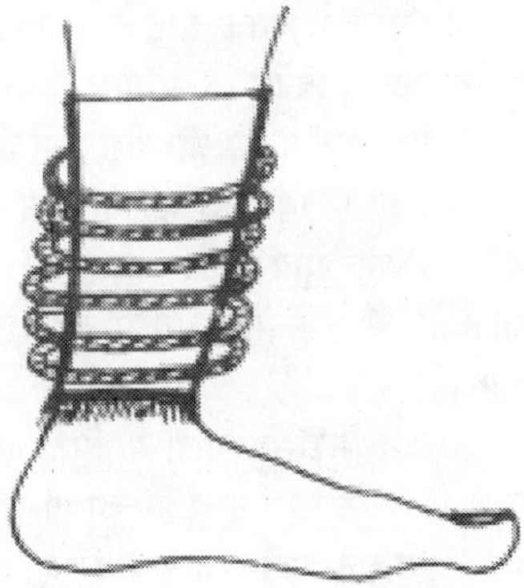

सँखवा

झारखंड के नृत्य

डॉ. गिरिधारी राम गौंझू 'गिरिराज'

गेन गे सुसुन काजि गे दुरङ अर्थात् चलना ही नृत्य है और बोलना ही संगीत है। झारखंड की यह पुरानी कहावत यहाँ की संगीतप्रियता को द्योतित करती है। संगीत कला के अनुसार मानव बोलने से पहले नाचना सीखा। जब भूखे-प्यासे मानव ने अचानक फल-जल पाया होगा, खुशी के मारे वह नाच उठा होगा। हाथों को बजाया होगा, मुख से किलकारियाँ मारने लगा होगा। आनन्द के अतिरेक में आदमी आज भी किलकने, नाचने, बजाने व गाने लगता है।

आदिमानव जब झारखंड में जंगलों में पशु-पक्षियों का नर्तन देखता होगा, बिजली की चमक को गगन में नर्तन करते हुए देखता रहा होगा, तब स्वभावतः ही अनुकरण-प्रिय मानव मेमने या पशु शावकों के समान उछलने-कूदने व नाचने लगा होगा अपनी क्षुधा तृप्ति के उपरान्त। नृत्य संगीत का श्रीगणेश इसी क्रम से संभव प्रतीत होता है।

आज भी मानव शिशु को धाय या माता नहलाने तथा तेल मालिश के उपरान्त नचाती है, उछालती है और मुख से तरह-तरह की ताल निकालती है। जब बालक खड़े होने की स्थिति में आता है तब भी बड़ों के सहारे पर वह उछल-उछल कर नाचने लगता है। यही है मानव का नर्तन स्वभाव।

झारखंड में रसिक दादा या पिता आदि के कंधों पर बैठा बालक (कनबेधी के उपरान्त) अखाड़े में उनके साथ नृत्य ही का तो प्रशिक्षण लेता है। बड़े होने पर वह स्वतः अखरा चढ़ने लगता है। नाचने-गाने बजाने के लिए। बालिका भी अपनों से बड़ी भाभी, बहनों की कतार में जुड़ जाती है और उनके साथ नृत्य में पाँव घसीटते-घसीटते कब वह निपुण हो जाती है उसे उसका भी पता नहीं चला पाता।

जब आदिमानव जंगलों में हिंसक पशुओं को या शिकार वाले पशुओं को मारने या पकड़ने के लिए दल बाँध कर हाथों से हाथ जोड़ कर उछलते, किलकारते व घेरते रहे होंगे तब यह हाथों से हाथ बँधा इनके नृत्य की मुद्रा कालान्तर में बन गई होगी।

वाद्य यंत्रों का निर्माण खतरनाक पशुओं को भगाने में किया जाता रहा होगा। इन वाद्य यंत्रों के अविरल पीटने से एक रिद्म का आभास हुआ होगा। आत्म रक्षा में बजाए गए वाद्य यंत्र कब इनके संगीत में समा गए होंगे इसका अंदाजा सहज ही लगाया जा सकता है। इन वाद्य यंत्रों से निकलने वाले लय ताल पर स्वतः मानव के हाथ-पाँव थिरक उठे होंगे। जैसे आज भी बाजों के बजने पर लोग अपने को रोक नहीं पाते और उतर जाते हैं नृत्य पर।

वर्तमान नर्तन, वादन एवं गायन दीर्घ साधना का प्रतिफल है। संगीत में सहज ही आकर्षण

होता है। यह संगीत जीवन का अमृत है। इससे आनन्द की अनुभूति होती है। प्रायः देखा गया है जितने प्रकार के नृत्य होते हैं उतने ही प्रकार के लय ताल एवं राग भी। इसी से नृत्य की मुद्राओं या शैली के आधार पर झारखंड में रागों के नाम मिलते हैं।

श्रम की थकावट के परिहार के लिए ही नर्तन, वादन व गायन का आविष्कार हुआ है। यह संगीत इसी की त्रयी है। यह जीवनदायिनी ऊर्जा है, शक्ति है, बल है, और अक्षय आनन्द का स्रोत भी। मानव अपनी वेदना, पीड़ा, दुख, गम, कष्ट को इसी संगीत कला से दूर करता आया है। संगीत में रस है। रसों के आधार पर लय ताल व रागों की सृष्टि होती है। रस ही नर्तन, वादन एवं गायन को एक पहचान देते हैं, रूप देते हैं।

गायन-वादन में जहाँ हम सुनकर भी आनन्द लेते हैं वहीं नृत्य में देखकर। पर इतना ही नहीं नृत्य का असली आनन्द तो नृत्य में सम्मिलित होकर ही लिया जा सकता है। जहाँ थकावट नहीं, तरावट आती है। नृत्य दृश्य कला है। इस कला में अद्‌भुत आकर्षण है। तभी झारखंड में दर्शक कब नृत्य संगीत में सम्मिलित हो जाएगा, कहा नहीं जा सकता।

झारखंड के नृत्य संगीत सामूहिक हैं जहाँ दर्शक नहीं सभी अखरा के कलाकार होते हैं। कोई गायन में कोई वादन में तो कोई नर्तन में प्रवीण होता है। इसी से झारखंड में कलाकार और दर्शक में विभाजक रेखा नहीं खींची जा सकती। कलाकार कब दर्शक बनकर दूसरों को पारी देगा और दर्शक कब कलाकार को विश्राम देने हेतु कलाकार बन जाएगा, इसकी कल्पना नहीं की जा सकती।

एकल नृत्य झारखंड में प्रायः है ही नहीं। क्या सदान, क्या आदिवासी सभी में सामूहिक नृत्य की प्रधानता है। इनके एक जैसे नृत्य हैं, एक से वाद्य यंत्र हैं। गीतों की भावभूमि भी एक जैसी है। मात्र भाषा का अंतर आग्नेय, द्रविड़ एवं सदानी समूह में देखा जा सकता है। सदानी समूह में नागपुरिया, पंचपरगनिया, खोरठा एवं कुरमाली के नृत्य में प्रायः समरूपता है। शैली में किंचित् अंतर देखे जा सकते हैं। आग्नेय समूह में मुंडारी, संताली, हो एवं खड़िया के एवं द्रविड़ समूह में उराँवों के नृत्यों की अपनी पहचान है। इसमें भी स्वरूपता समानता देखी जा सकती है। लेकिन झारखंड के नृत्य संगीत की प्रकृति या आत्मा एक-सी है।

झारखंड के नृत्य में प्रायः गीतों की प्रधानता है। इन गीतों के राग नृत्य की मुद्रा या शैली पर आधारित हैं। जैसे झुमटा, खेमटा, ठढ़िया, गोलवारी, डंइड़धरा, लहसुआ, ठहरुआ, लुझरी आदि।

नागपुरी समाज में नृत्य को 'खेइल' या 'खेलेक' (खेलना) भी कहा जाता है जैसे अखरा खेलेक (अखरा में नाचना), डमकच खेलइया के (डमकच नाचने वाले को) जैसे प्रयोग होते हैं। प्रायः कुछ गीतों में नृत्य नहीं होते जैसे पावस, उदासी, विवाह, प्रभाती आदि में।

नृत्य के स्वरूप मौसम, पर्व, अवसर विशेष आदि पर बदल जाते हैं और नृत्य के नाम भी उसी पक्ष पर आधारित होते हैं जैसे फगुआ नृत्य, मंड़ा नाच या भगतिया नृत्य, सोहराई नृत्य, मइटकोड़न तथा पइन काटन के नृत्य आदि। प्रायः नृत्य के साथ गीत एवं वाद्य अनिवार्य होते हैं। कुछ ही नृत्य गीतविहीन होते हैं परन्तु शहनाई, बाँसुरी, मुरली, मादर, ढोल, ढांक, नगाड़ा, भेइर आदि वाद्य यंत्र की ध्वनि एवं ताल ही नृत्य को संचालित करते हैं।

झारखंड में कुछ नृत्य पुरुषों के होते हैं या पुरुष प्रधान नृत्य होते हैं जैसे छव नाच, नटुआ नाच, पइका नाच, मंड़ा नाच, मरदानी झूमर, फगुआ, घोड़ा नाच आदि। इसी तरह कुछ नाच महिला प्रधान नृत्य होते हैं जैसे कली, नचनी, खेलड़ी नाच, जनानी झूमर, अंगनइ, डमकच, मइटकोड़न, पइनकाटन आदि। बच्चों के कुछ खेल नृत्य भी होते हैं। तो कुछ महिला-पुरुष दोनों के सम्मिलित नृत्य होते हैं। जैसे ठढ़िया, गोलवारी, लहसुआ, लुझरी आदि। कुछ में मात्र नृत्य और गीत होते हैं। कुछ में नृत्य एवं वाद्य जैसे छव, पइका, नटुआ, मंड़ा, मइटकोड़न, पइन काटन, घोड़ा नाच आदि।

झारखंडी नृत्य कुछ सरल होते हैं तो कुछ जटिल। सरल नृत्यों में जनानी झूमर और क्लिष्ट में मरदानी झूमर, छव, पइका, नटुआ आदि। झारखंड के सभी नृत्य निर्विवाद रूप से शिष्ट होते हैं। अशिष्ट, अभद्र, अश्लील नृत्य के लिए यहाँ कोई प्रावधान नहीं है। ऐसा इसलिए कि सभी नृत्य सामूहिक होते हैं। पूरा परिवार गाँव या समाज उसमें सम्मिलित रहता है। माता-पिता, भाई-बहन, बेटा-बेटी, भाई-भाभी आदि सभी नाते-रिश्तों की उपस्थिति में अश्लीलता के लिए गुंजाइश कहाँ?

झारखंड के सभी नृत्य लोक नृत्य हैं जो परंपरा से झारखंडियों को प्राप्त होते रहते हैं। यहाँ के कुछ नृत्य तीव्र गति के हैं तो कुछ मध्यम एवं धीमी गति के। किसी-किसी नृत्य में वक्ष, कंधे, बाजू, पैर, सिर, कमर आदि अंगों में थिरकन, लोच, झटके देखते ही बनते हैं। विशेषकर मरदानी झूमर, छव, पइका, नटुआ आदि में।

महिलाएँ प्राय: आपस में जुड़ कर कतार बाँध कर सीधी अर्धवृत्ताकार, वृत्ताकार, एक या अधिक पंक्तियों में नृत्य करती हैं। इनके हाथ एक-दूसरे से नृत्य के अनुरूप जुड़े रहते हैं। कभी हाथों से हाथ उलझाकर, कभी पंजों से पंजे में अँगुलियाँ फँसाकर तो कभी कमर की ओर से हाथ पकड़ कर तो कभी एक-दूसरे की कमर या कंधे पकड़ कर नृत्य करती हैं। कभी ये धीमी चाल में कभी तीव्र गति से, कभी मध्यम गति से तो कभी उछलते हुए, दौड़ते हुए, झुकते हुए, बैठते हुए, लचकते हुए, मचकते हुए, लहसते हुए तो कभी खड़े में नृत्य करती हैं। कभी आगे कभी पीछे कभी बाएँ से दाएँ तो कभी दाएँ से बाएँ तो कभी टेढ़ी चाल में तो कभी सर्पिल गति से नृत्य करती हैं।

नृत्य में महिलाएँ प्राय: वाद्य यंत्रों का प्रयोग नहीं करतीं। मात्र ठेचका, करताल, झाँझ, घुँघरू का प्रयोग करती हैं। अधिकांश झारखण्डी वाद्य यंत्र काफी बड़े और भारी होते हैं। उसे ढोकर बजाना सम्भवत: महिलाओं के लिए सम्भव नहीं। जैसे नगाड़े, ढाँक, ढोलक, मांदर, भेइर, नरसिंघा आदि इसमें ताकत अधिक लगती है।

प्राय: सभी नृत्यों में पुरुष वादक, बजाते हुए नृत्य की मुद्रा विशेष में नाचते भी हैं। गाने वाले भी गाते हुए स्वतंत्र रूप से (बिना जुड़े) नाचते हैं। कुछ नाचने वाले पुरुष स्वतंत्र रूप से या पुरुषों से जुड़ कर या महिलाओं से जुड़ कर नृत्य करते हैं। कुछ नृत्यों में विशेष पोशाक या शृंगार की आवश्यकता होती है। जैसे मरदानी झूमर, पइका, नटुआ, घोड़ा नाच, भगतिया नाच, छव नाच, कली नाच आदि में। कुछ में मुखड़े का प्रयोग होता है तो कुछ में बिना मुखड़े का जैसे छव नाच में। जैसे खूँटी के कुछ इलाके में बिना मुखड़े के भी नृत्य (छव नाच में) होता है।

यहाँ के अधिकांश नृत्य भक्ति, शृंगार, करुण, युद्ध, शिकार, शांत, वीर, रस प्रकृति के भावानुरूप होते हैं। सदानी समूह के नागपुरी, पंचपरगनिया, खोरठा तथा कुरमाली के नृत्यों में प्रमुख हैं— छव, पइका, नटुआ, कली, नचनी, खेलड़ी, मंड़ा, भगतिया, मरदानी झूमर, जनानी झूमर, अंगनई, डमकच, एक हरिया, दोहरी, जशपुरिया, असमिया, गोलवारी, झुमटा, खेमटा, ठड़िया, डंइङधरा, लहसुआ, लुझरी, पहिल संझा, अधरतिया, भिनसरिया, फगुआ, फगुआ पुछारी, रंग, पंचरंगी, मइट कोड़न, पनइन काटन, बंगला, झूमर, रास, सोहराइ, उधवा माठा, जदुरा, दादइर, चांचइर, खड़िया, बरया, जतरा, डोल, घोड़ा नाच, आधुनिक नाच आदि। इनमें से प्रमुख नृत्यों का संक्षिप्त परिचय प्रस्तुत करना समीचीन होगा।

फगुआ नृत्य

यह फाल्गुन और चैत के संधिकाल का नृत्य है। फाल्गुन चढ़ते ही फगुआ नृत्य की तैयारी आंरभ हो जाती है। यह वसंत उत्सव या होली के अवसर का नृत्य है। प्रकृति के उल्लास के साथ रंग में रंग मिलाने का नृत्य है। यह पुरुषप्रधान नृत्य है। इसमें कहीं-कहीं कली (नर्तकी) एक या एक से अधिक सम्मिलित रहती हैं। ये स्वतंत्र रूप से पुरुषों के मध्य भावानुरूप लय ताल एवं राग के अनुरूप नृत्य करती हैं। नृत्य की मुद्रा इसी पर आधारित रहती है। कली पूर्णतया सोलह शृंगार या अधिकतम शृंगार करती है। माथे पर मुकुट, चाँदी के चमकते क्लिप तथा खोंगसो, झब्बू रंग बिरंगे फीते, बिन्दी, कुण्डल, हार, काजल, पाउडर, हाथों में चूड़ियाँ, बाला, कंगन, पाँवों में पाजेब, घुँघरू, रंगबिरंगी साड़ी, चोली वह चमचमाती हुई साक्षात् देवी रानी की तरह प्रतीत होती है।

गायनाहा (गाने वाले), बजनिया (बजाने वाले) तथा पुरुष नर्तक कली के अगल-बगल चारों ओर से घेर कर नृत्य करते हैं। इस नृत्य के प्रमुख वाद्य यंत्र शहनाई, बाँसुरी, मुरली, ढोल, नगाड़ा, ढाँक, करह और मांदर का प्रयोग होता है। इसमें सभी रागों के गीतों पर नृत्य होता है। पंचरंगी फगुआ नृत्य की हर कड़ी पर राग बदल जाते हैं। इसमें तथा फगुआ पुछारी नृत्य में आमने सामने दो दल बन जाते हैं। एक दल गाने वालों का तो दूसरा दल लोकने (दुहराने) वालों का होता है। एक दल आगे बढ़ता है तो दूसरा दल पीछे हटता है। बीच में कली और वादक अपनी नृत्य-वादन कला से सबको विमोहित किए रहते हैं। फगुआ पुछारी नृत्य में दोनों दलों के मध्य गीतों के रागों में ही प्रश्नोत्तर चलता है। इस समय गीतों के प्रश्न तथा उत्तर सुनने के समय वाद्य अटक जाता है। पुनः गीतों की पुनरावृत्ति में गायन-वादन नर्तन चालू हो जाते हैं।

फाग काटने के समय गाँव के अखरा या चौराहे पर पुरुष मात्र ही होते हैं नर्तकों के दल में।

डमकच नृत्य

सबसे लोकप्रिय कोमल नृत्य गीत डमकच को माना जाता है। इसके नृत्य गीत राग सरस, मधुर, सरल, एवं लचकदार होते हैं। वाद्य के ताल नृत्य में उत्तेजना उत्पन्न करते हैं। मूलतः यह स्त्री प्रधान नृत्य गीत है। परन्तु पुरुष भी इसमें सम्मिलित हो जाते हैं। महिलाएँ नृत्य के लिए कतार में हाथ से हाथ जोड़ कर कदमों की कलात्मक चाल से नृत्य करती हैं। लचकने, झुकने, सीधा होने की नृत्य मुद्रा से गायनाहा तथा बजनिया में उत्साह बढ़ जाता है। इसमें महिला-नर्तकों के दो दल

होते हैं। एक दल गीत उठाता है तब बजाने वाले अपनी साज छेड़ देते हैं उसके बाद दूसरा दल उन गीतों की कड़ियों को दुहराते या लोकते हैं। किसी-किसी इलाके में मात्र महिलाएँ डमकच नाचती हैं तो कहीं-कहीं पुरुष भी सम्मिलित होकर अर्थात् महिलाओं से जुड़ कर नृत्य करते हैं। आगे की महिला या पुरुष नर्तक हमेशा नेतृत्व करता है। उसी के कदमों की गति और चाल का बाकी अनुसरण करते हैं।

डमकच प्राय: घर के आँगन में खेला जाता है। घर परिवार के लोग मिल कर नृत्य करते हैं। इसमें मांदर, ढोल, ढाँक, नगाड़ा, शहनाई, बाँसुरी, ठेचका, करताल, झाँझ आदि बजाए जाते हैं। कहीं-कहीं डमकच नृत्य करती महिलाओं के मध्य बाजे बजाए जाते हैं तो कहीं-कहीं आँगन के पींडा या कोने से अर्थात् नृत्य मंडली से बाहर बाजे बजाए जाते हैं। डमकच नृत्य गीत के एकहरिया दोहरी भेद होते हैं। राग, लय, ताल तथा कदमों की चाल इनमें बदल जाते हैं। बजनिया और गायनाहा के दो दल हो जाते हैं। डमकच नृत्य गीत रस से सराबोर कर देने वाला नृत्य है।

डमकच नृत्य विवाह-शादी तय हो जाने के बाद वर तथा कन्या के घर आँगन में रात्रि में होता है। डमकच खेलने वालों के लिए डमकच हँड़िया सदानों के घरों में भी उठाया जाता है तथा खेलने वालों को एक-एक कटोरा डमकच हँड़िया थकान मिटाने के लिए पिलाया जाता है। यह नृत्य देव उठान से आरंभ होकर रथ यात्रा की समाप्ति तक चलता है। वेशभूषा सामान्य से कुछ विशेष होती है। जब हल्की रोशनी या चाँदनी रात में नृत्य गीत चलता है तो पूरे गाँव में मधु घुल जाता है। डमकच के कई भेद हो जाते हैं जैसे जशपुरिया, असमिया, झुमटा आदि।

ठढ़िया नृत्य

इस नृत्य में सीधे खड़ी चाल में चलते हुए नृत्य होता है। पैरों के कदमों की चाल धीमी गति से कलात्मक रूप लेती है। यह झूमर की तरह का नृत्य है। इस नृत्य के समय गायकों के गीतों को सुना जाता है। खड़ा नृत्य होने के कारण इसे ठढ़िया (खड़ा) नृत्य कहा जाता है। यह महिला-पुरुष दोनों का नृत्य है।

डंइड़धरा नृत्य

यह मूलत: पुरुष प्रधान झूमर नृत्य गीत है। मरदाना झूमर में इसका व्यवहार होता है। पुरुष नर्तक एक दूसरे की कमर (डंडा) पकड़ कर जुड़ जाते हैं और एक से अधिक कतारबद्ध होकर हाथों, पैरों एवं बदन से विभिन्न प्रकार के लोच, लय, ताल, राग के समरूप नृत्य करते हैं। इसकी अपनी विशिष्टता है।

लुझरी नृत्य

इसमें लुझकते हुए नृत्य मण्डली झूमर नृत्य करती है। इसकी लुझकने की शैली आकर्षक एवं लोचदार हो जाती है। यह जनानी-मरदानी दोनों झूमर में प्रयुक्त होता है। इसे लुझकउआ नृत्य भी कहते है। यह अंगनई की एक शैली है।

उधउआ नृत्य

यह गाढ़े प्रकृति का झूमर नृत्य है। इसकी भी अपनी विशिष्ट शैली है।

रसकिरी नृत्य

यह तीव्र गति का झूमर नृत्य गीत है। यह रस से परिपूर्ण नृत्य है।

पहिल साँझा नृत्य

यह रात के प्रथम प्रहर का झूमर नृत्य गीत है। यह धीमी और मध्यम गति का नृत्य है।

अधरतिया नृत्य

यह आधी रात के समय का झूमर नृत्य गीत है। यह तीव्र गति का रस से परिपूर्ण नृत्य है।

भिनसरिया नृत्य

यह रात्रि के अवसान के साथ-साथ नृत्य की समाप्ति वेला का नृत्य है। तीव्रता से मध्यम फिर धीमी गति पर नृत्य समाप्त होता है। यह अखरा छोड़ने का नृत्य है।

पहिल साँझा, अधरतिया तथा भिनसरिया तीनों रात्रि के तीन प्रहरों को द्योतित करते हैं। इसे जनानी तथा मरदानी झूमरों में नाचा जाता है। इनके भी और कई भेद हैं।

उदासी तथा पावस नृत्य

यह प्राय: नृत्यहीन गीत है। परन्तु मरदानी झूमर में इस गीत पर नृत्य होता है। उदास गर्मी के समय तथा पावस वर्षा के पहुँचने के आसपास मूलत: चलता है। इसमें टोहिला, केंदरा, सारंगी, बाँसुरी के अतिरिक्त नृत्य के समय शहनाई, नगाड़ा, ढोल, करह, मांदर आदि का प्रयोग होता है।

मइटकोड़न तथा पइनकाटन नृत्य

यह विवाह के पूर्व का नेगाचार करने जाते-आते समय का नृत्य है। मिट्टी काटने एवं पानी काटने के नेग के समय दो-दो महिलाएँ एक-दूसरे की कमर दाएँ-बाएँ पकड़ कर मुड़ जाती हैं। शहनाई, ढाँक, नगाड़ा आदि की ताल पर घूम-घूम कर उछल-उछल कर एक लय तथा क्रम से आकर्षक नृत्य करती हैं। यह दो-दो के दल कई हो सकते हैं। इस नृत्य में गीत नहीं चलता, मात्र बाजे बजते हैं।

मरदानी झूमर नृत्य

करमा त्योहार के पश्चात ईद पर्व से लेकर रथ यात्रा तक मरदानी झूमर नृत्य चलता है। इसके उपरान्त कुछ महीनों के लिए यह नृत्य विराम पा जाता है। यह मूलत: पुरुषप्रधान नृत्य है। ओजपूर्ण, वीर रस से सराबोर पुरुषों का समूह नृत्य है। पुरुषों का एक-दूसरे के पंजों से जुड़े एक लम्बी कतार में एक साथ उछलते, लचकते, थिरकते, मटकते, पैरों को पटकते, वक्ष, कंधों तथा

भुजाओं में कम्पन लाते, जुड़े सीधे हाथों को कभी ऊपर उठाते, कभी गिराते, कभी हाथ छोड़ते एक-दूसरे के पीछे होते मोहक आकर्षक मुद्रा एवं मुख की भंगिमा में मुस्कान व ओजस्वीपन लाते नृत्य करते देखना आँखों को बड़ा भला लगता है।

पैरों में घुँघरू, घुटने भर की धोती, कुर्ती या गंजी, ऊपर से कमर में बँधा रंगीन गमछा, गले में फूलों की या चमकीले हार, शानदार कलगी लगी पगड़ी में पुरुष नर्तक शोभायमान होते हैं। इनका नृत्य दर्शकों को आकर्षित कर लेता है। एक ओर गीत गाने वाले और वादक समूह जिन्हें नर्तक गण वृत्ताकार बाएँ से दाएँ घूमते हुए तो कभी लौटते हुए घेरते रहते हैं। मरदानी झूमर की छटा सचमुच देखते ही बनती है। इसमें भी उपर्युक्त तीव्र वाद्य यंत्र ही उपयोग में लाए जाते हैं। इनकी ध्वनि जोश और उत्साह बढ़ाते हैं। कहीं-कहीं क्षेत्र विशेष में कली या नर्तकियों का समावेश भी होता है। सामान्य महिलाएँ इसमें बिलकुल भाग नहीं लेती हैं। मरदानी झूमर का पृथक अखरा होता है। मरदानी झूमर नृत्य में भी लूझरी, ठढ़िया, पहिल साँझा, अधरतिया, भिनसरिया नृत्य-संगीत होता है। इसके भी कई भेद होते हैं।

जनानी झूमर नृत्य

यह महिला प्रधान नृत्य है। महिलाएँ दलों में एक दूसरे के हाथों में हाथ उलझाकर कदम से कदम मिलाकर कलात्मक पद संचालन करते हुए लास्य-लोच से युक्त कभी झुकती कभी नृत्य की गति को तीव्र करती कभी मध्यम कभी धीमी करती लय ताल राग के अनुसार आकर्षक नृत्य करती हैं। गायनाहा (गाने वाले) बजनिया (बजाने वाले) नाचने वालियों के मध्य में होते हैं। इन्हें घेर कर वृत्ताकार एक से अधिक दलों में युवतियाँ नृत्य करती हैं। एक दल गीत उठाता है तो दूसरा दल झोंकता (दुहराता) है। तभी नृत्य आरंभ हो जाता है। गीत उठाने के समय वाद्य तनिक क्षण के लिए शांत हो जाते हैं। महिलाएँ सामान्य श्रृंगार किए रहती हैं लेकिन कली की तरह नहीं। आगे की महिला करताल लिए रहती है। यही नृत्य का नेतृत्व करती है। रागों के बदलने के साथ इनके नृत्य की मुद्राएँ, कदम बदल जाते हैं जिनका शेष महिलाएँ अनुकरण करती हैं। जनानी झूमर के भी वादक पुरुष ही होते हैं। इस नृत्य के भी कई भेद-उपभेद हैं। इसी श्रेणी के नृत्य में अंगनई प्रमुख है।

अंगनई नृत्य

इसमें मांदर बाँसुरी मुख्य वाद्य होते हैं परन्तु शहनाई नहीं बजती है। अंगनई में भी पहिल साँझा, धीमी तथा मध्यम गति के नृत्य हैं। अधरतिया तीव्र गति का और रसकिरी भी तीव्र गति के नृत्य हैं। भिनसरिया नृत्य रस से भरपूर नृत्य-संगीत है। इसमें मध्यम से धीमी गति में नृत्य रस भिनाव के साथ समाप्त होता है। यह मूलतः महिला नृत्य है। अंगनई नृत्य में ठहरूआ, लुझकउआ (लुझरी), रसकिरी, ठढ़िया सभी मिश्रित रहते हैं। करम-जितिया में अंगनई की धूम मची रहती है। अंगनई नृत्य आँगन को प्रतिध्वनित करता है। पुरुष वर्ग भी सम्मिलित होते हैं कहीं-कहीं नृत्य में, तथा वाद्य भी पुरुष ही बजाते हैं।

मंड़ा नृत्य या भगतिया नृत्य

यह पुरुषों का नृत्य है। महिलाएँ सोखताइन के रूप में रहती हैं जो माथे पर लोटे में जल लिए

रहती हैं और भगतिया नर्तकों के ऊपर आम्र पल्लवों से मार्जन करती रहती हैं। जितने भगतिया, उतनी ही सोखताइनें रहती हैं परन्तु ये नृत्य नहीं करती हैं। नर्तक साड़ी की पगड़ी जो रंग-बिरंगी होती है, पहनते हैं। पगड़ी में मोर के पंख लगे रहते हैं। बाजुओं पर कंधों के सीध में चाँवर बँधा रहता है। गले में गुलइची फूलों की मोटी माला, घुटने भर रंगीन छींटदार साड़ियों की धोती या घाघरा बनाए हुए, पैरों में घुँघरू, हाथों में बेंत की छड़ी होती है। इस आकर्षक वेशभूषा में जब ये जुड़ कर एक कतार में कदम से कदम कलात्मक रूप में मिलाकर उठाकर झम-झम, झन-झन नृत्य करते हैं तो देखने वाले ठगे से रह जाते हैं। इस नृत्य में भी गीत नहीं गाए जाते मात्र ढाँक, नगाड़ा, शहनाई आदि मुख्य रूप से बजाए जाते हैं। यह नृत्य प्राय: सभी नृत्यों में सबसे मनोहारी होता है क्योंकि इसमें पाँच वर्ष से सौ साल के बूढ़े भी रहते हैं। इस नृत्य में सात्विक भाव, भक्तिपरक (शिव भक्ति) कलात्मक नृत्य होता है। पूर्वी क्षेत्र के मंड़ा नृत्य में ढोल नगाड़े भी रहते हैं। यह शिव पूजा या महादेव की पूजा का नृत्य है।

माठा नृत्य

यह सोहराइ के समय का पुरुष प्रधान नृत्य है। महिलाएँ बिलकुल नहीं रहती हैं। उराँवों के अखरा में माठा नृत्य में स्त्री-पुरुष दोनों सामूहिक रूप से नृत्य करते हैं। सदानों में मात्र पुरुष ही सम्भागी होते हैं। इसमें प्राय: सभी बाजे बजाए जाते हैं। गीत माठा राग के ही चलते हैं। यह आदिवासियों एवं सदानों में प्रचलित नृत्य है।

जदुरा नृत्य

मुंडा, उराँव, सदान आदि में भी यह नृत्य प्रचलित है। परन्तु मुंडा-उराँव के जदुरा नृत्य कुछ भिन्नता लिए हुए होते हैं।

बंगला झूमर नृत्य

यह बंगाल प्रभावित होकर पंचपरगनिया में लोकप्रिय होते नागपुरी में आया है। यह भी पुरुष प्रधान नृत्य है। परन्तु इस नृत्य में कलियाँ भी रहती हैं। यह भी लास्यपूर्ण आकर्षक, लोचदार नृत्य है। इसमें भी नगाड़े, ढाँक, ढोल, शहनाई आदि बाजे बजते हैं।

सोहराइ नृत्य

इसे अहीर नाच भी कहते हैं। दीवाली के दूसरे दिन पशु पूजा के दिन पशु पालने वाले तथा अहीर समाज के चरवाहे आदि हाथों में लाठी लेकर स्वतंत्र रूप से भावानुरूप नृत्य करते हैं। इसमें पुरुष दल जुड़ कर नृत्य नहीं करते। ढोल मांदर नगाड़ा आदि इसमें बजाए जाते हैं। यह गोलाकार घूम कर नहीं नाचा जाता वरन् नर्तकों का दल घर-घर जा कर आँगन या चौराहे रास्ते पर नृत्य करता है।

रास नृत्य

रास भी पुरुष प्रधान नृत्य है। कार्तिक पूर्णिमा के पूर्व एवं पश्चात में यह सम्पन्न होता है। इसमें कली एक से अधिक भी हो सकती हैं। इस समय झारखंड के राजे-महाराजे, जमींदारों, रसिकों

के घर आँगन या बारादरियों में रास नृत्य की धूम मची रहती है। पंचपरगना इलाका रास के लिए विख्यात है। झूमराहा लोगों के लिए रास नृत्य तो स्वर्ग का सुख देने वाला प्रतीत होता है। इसमें तीनों गति के नृत्य होते हैं। इसमें कली राधा तथा गोपियों के तथा झुमराहा (नर्तक) पुरुष कृष्ण के या गोपों के प्रतीक होते हैं। श्रृंगार तथा भक्तिपरक गीतों के साथ रास नृत्य रासलीला रस से सराबोर कर देता है।

पइका नृत्य

झारखंडी नृत्यों में अवसर विशेष या उत्सवों या समारोहों में पइका नृत्य का कोई जवाब नहीं। यह सभी नृत्यों में सबसे आकर्षक, उत्तेजक, ओजस्वी, मनोरंजक, गीतरहित नृत्य है। यह पुरुष प्रधान नृत्य है। कहीं-कहीं इस नृत्य में कली भी रहती है। इसमें नर्तक रंग-बिरंगी सजी सजाई झिलमिलाती कलगी लगी या मोरपंख लगी पगड़ी बाँधते हैं। पगड़ी दाढ़ी होकर एक रंगीन पट्टे से सरदार की पगड़ी की तरह बँधी होती है। गले में रंग-बिरंगे हार, गहने, चमकीले तमगे लटके रहते हैं। खुले बदन पर कई-कई रंगों के कपड़ों के पट्टे बँधे रहते हैं। वह भी ऊपर से नीचे। इसे कुछ लटकाते हुए हाथों, बाजुओं में क्रम से ऊपर से नीचे बाँध दिए जाते हैं। इससे हाथ उठाने पर रंगीन पंख की तरह प्रतीत होते हैं। रंगीन साड़ी की धोती, कमर में रंगीन गमछे बँधे हुए होते हैं। पैरों में घुँघरू और कंधों पर चाँवर बाजुओं से लगे बाँधे जाते हैं। बाएँ हाथ में बड़ा-सा ढाल और दाहिने हाथ में चमचमाती हुई दुधारी तलवार लेकर जब ये पाँच, सात, नौ आदि के जोड़े में स्वतंत्र एवं समरूप चलते हैं तब इन्हें देखते ही बनता है। नगाड़े, ढाँक, ढोल, शहनाई, नरसिंघा, भेइर आदि जब एक साथ बज उठते हैं तब लगता है युद्ध के मैदान में बमबारी हो रही है और वीर वेश में सेना का प्रयाण हो रहा है। पइकागण झम झम, झन झन पैरों से ताल से ताल मिलाते नृत्य आरंभ करते हैं। तलवार भांजते ढाल चारों दिशाओं में घुमाते यह पइका समूह पैरों से धूल उड़ाते, तलवार चमकाते, ढाल से रोकते, आगे पीछे होते, कभी बैठकर बारी-बारी से एक-एक पैरों को फेंकते, कभी उठते, कभी थिरकते, कभी अटकते, कभी पाँव पटकते, कभी बदन पर कम्पन लाते युद्ध नृत्य प्रस्तुत करते हैं। तब दर्शक भौचक होकर निहारता रह जाता है। कभी-कभी जुड़ कर भी पइका नृत्य करते हैं। सामान्यत: स्वतंत्र रूप से समरूप पइका नृत्य करते हैं।

पइका नृत्य युद्ध प्रयाण एवं विजयी होकर लौटते समय का नृत्य था। इसी से आज भी सदानों में कन्या विजय (डोली हेरा लाने) के उत्सव स्वरूप पइका नृत्य युद्धपरक हथियारों के साथ किया जाता है। पइका नाच मेरघरइ के समय भी होता है। इसमें कभी-कभी कहीं-कहीं लाठी खेल नृत्य भी होता है। और कही-कहीं मशालों को घुमा-घुमा कर नृत्य किया जाता है। मेरघरइ के उपरान्त बराती-सराती के मध्य दो दलों में नृत्य-खेल की प्रतिद्वंद्विता भी होती है। यह नृत्य मनोरंजक, आकर्षक और उत्तेजक होता है।

मंड़ा नृत्य, मरदानी झूमर, और पइका नाच प्राय: तीनों एक-दूसरे से प्रतिस्पर्धा करते प्रतीत होते हैं। इतने मनमोहक नृत्य हैं ये। पइका नृत्य में कभी-कभी नर्तक बीच-बीच में सर्कस की तरह कलाबाजियाँ दिखलाते हुए भी नृत्य करते हैं। कभी झूमर की तरह विचित्र परन्तु आकर्षक नृत्य करते हैं। पइका नृत्य के नर्तकों को वेशभूषा की तैयारी में घंटों समय लग जाता है। झारखंड

की यह विशिष्ट पहचान है। आज भी इस नृत्य को देख कर लोगों में ओजस्वी भाव जाग्रत हो जाता है। लोग मंत्रमुग्ध होकर देखने लगते हैं। डॉ. रामदयाल मुंडा के नेतृत्व में जब रूस में भारत महोत्सव के अवसर पर पइका नृत्य प्रस्तुत किया गया था तब नगाड़ों-ढाकों की ध्वनि से बमों के एक साथ फूटने, भेइर की आवाज से घोड़े-हाथियों के चिंघाड़ने हिनहिनाने की ध्वनि तथा वीर रसात्मक उत्तेजक ओजस्वी व आकर्षक नृत्य देखने के लिए रूसी जनता टूट पड़ी थी। इन अनपढ़ कलाकारों से रूसी इतने प्रभावित हुए कि उनके हस्ताक्षर माँगने लगे। परन्तु अफसोस...।

नटुआ नृत्य

यह पइका नृत्य का एकल रूप जैसा है। शेष पइका की ही तरह। यह भी पुरुष प्रधान नृत्य ही है। इसमें भी कली रह सकती है परन्तु अनिवार्य नहीं है।

कली नृत्य

इसे नचनी, खेलड़ी नाच भी कहते हैं। इसमें नर्तकी भरपूर श्रृंगार किए रहती है। बालों की केशसज्जा निराली होती है। उस पर मुकुट पहना रहता है। चेहरे को सौंदर्य प्रसाधनों से लैस कर दिया है। बालों में चाँदी के आभूषण तथा गजरे, कानों में बालियाँ या झुमके झूलते रहते हैं। हाथों में रंग-बिरंगी लंहठी, चूड़ी, कंगन, बाला। गले में चन्द्रहार और फूला की माला। छींटदार चमकीली चोली-साड़ी झिलमिलाती हुई होती है। पैरों में आलता तथा घुँघरू बँधे हुए रहते हैं। हाथों में आकर्षक रूमाल हवा में राग, लय, ताल, नृत्य के अनुरूप लहराने के लिए पकड़ी रहती हैं। मुख में पान और सदा विराजमान मुस्कान जान डाल देते हैं। रासलीला की राधिका की भाँति नृत्य के केन्द्र में सुशोभित रहती है। संख्या एक या अधिक भी रहती है। अखरा के मध्य में कली नृत्य करती है। इसे चारों ओर से झुमराहा, गायनाहा, बजनियाँ रसिक घेरे रहते हैं। इसमें सामान्य महिला भाग नहीं लेती है।

कली नृत्य में नगाड़े, ढांक, ढोल, मांदर, शहनाई आदि बजते हैं। प्राय: श्रृंगार और भक्तिपरक गीतों में राधा-कृष्ण प्रसंग के गीतों की प्रधानता रहती है। यह नृत्य भी राजे-महाराजे, पुराने जमींदार तथा झुमराहा रसिकों के अखरा, आँगन या बारादरी में होता है। यह नृत्य अन्य क्षेत्र के प्रचलित बाई नृत्य या मुजरा आदि की तरह अशिष्ट नहीं होता। कली नृत्य ऐसे ही नृत्य का शिष्ट झारखंडी रूप है। यह भी पुरुष प्रधान ही नृत्य है परन्तु केन्द्र में कली या कलियाँ (नर्तकी) ही रहती हैं। कली फूल के खिलने की सुंदरता को प्रतिबिम्बित करती है। इसी से इस सौंदर्य भरे नृत्य को कली नाच कहा जाता है।

कली नृत्य को सामान्यत: झारखंडी समाज की महिलाएँ पसंद नहीं करती हैं। कली नृत्य के दीवाने घर-गृहस्थी पर ध्यान नहीं दे पाते और इस नृत्य के पीछे पानी की तरह रुपए बहाते हैं। साथ ही साथ कली को भी वे पसंद नहीं करती हैं क्योंकि वे एकल या कम संख्या में पुरुषों के मध्य मटक मटक कर रिझा रिझा कर नृत्य करती हैं। उनके पुरुषों को मोहित करती हैं। इसी से सामान्य महिलाएँ कली को या इस प्रकृति की महिलाओं को, नचनी, खेलाड़, कसबी जैसे अपशब्दों (गाली) से संबोधित करती हैं। कितनों के घर इसी कली नृत्य के कारण नष्ट हो गए।

पहले अनेक रसिक झुमराहा नचनी या कली भी रखते थे। ये उनके रुतबे का द्योतक हुआ करता था कि किस जमींदार के पास कितनी कलियाँ या नचनी हैं। ये कली सामान्य गणिका नहीं, रक्षिता होती थी। और अभी भी कहीं-कहीं विद्यमान है। नागपुरी में ऐसी अनेक कलियाँ नर्तकी ही नहीं गायिका और कवयित्री हो गई हैं। मूंगा नचनी का नाम इस संदर्भ में बड़े गौरव के साथ लिया जाता है जो कवयित्री भी थी। इनके नृत्य गायन की सात्विकता से रसिक ही नहीं, महात्मा नरहरिदास भी मुग्ध हो गए थे जिन्हें मूंगा से मुक्ति दिलाने के लिए बुलाया गया था। परन्तु नरहरिदास महात्मा ने इसे अविराम चलते रहने का आशीर्वाद दे दिया।

कली नाच में कोई भी दर्शक सम्मिलित हो सकता है जबकि बाई के मुजरे में ऐसा नहीं होता। दर्शक मात्र इसमें देख कर आनन्द ले सकते हैं। कली नृत्य की तरह सम्मिलित होकर नहीं। कली नाच में दर्शक, वादक, गायक, नर्तक को अलग कर देखा ही नहीं जा सकता। सभी इस नृत्य के सहभागी रहते हैं जो इन्हें अशिष्ट होने नहीं देता। कली स्वतंत्र रूप से पुरुष समूह में नृत्य करती है परन्तु पुरुष स्पर्श नहीं होता न ही उनसे जुड़ कर या हाथ पकड़ कर नाचती ही है। कली नृत्य का समावेश स्वतंत्र रूप के अतिरिक्त फगुआ, मरदानी झूमर, बंगला झूमर, रास, पइका, घोड़ा नाच, नटुआ नाच में भी होता है।

घोड़ा नाच

यह अवसर विशेष, मेलों, त्योहारों, उत्सवों एवं बारात के स्वागत के समय का आकर्षक गतिविहीन नृत्य है। इसमें शहनाई, भेइर, नरसिंघा, नगाड़ा, ढांक, ढोलक, मांदर आदि का उपयोग होता है। घोड़े के मुखड़े पर बाँस के पहियों से बिना पैर के घोड़े का आकार दिया जाता है। बैठने के स्थान पर नर्तक इस तरह खड़ा रहता है कि लगे वह घोड़े पर सवार है। इस कृत्रिम हल्के घोड़े के फ्रेम को रंगीन झालरदार कपड़े से घेर दिया जाता है जो नर्तक के पैर तक को छुपा देता है। इस घोड़े के फ्रेम को नर्तक कंधे पर बेल्ट से टाँगे रहता है। राजा की तरह आकर्षक भड़कीले पोशाक में नर्तक सजा रहता है। शानदार पगड़ी, कलगी, कृत्रिम मूँछें या दाढ़ी या दोनों, आँखों में काला चश्मा, चेहरा सुंदरता से पुता हुआ कुछ आकृतियाँ कलात्मक ढंग से बना दी गई रहती हैं। छव नृत्य का-सा चमकीला भड़कीला जैकेट, हाथों में पहुँची, बाजूबंद आदि बँधा हुआ, नर्तक बाएँ हाथ से घोड़े की लगाम और दाहिने हाथ से दोधारी तलवार चमकाते रहता है।

घोड़ा नर्तक अपने पाँवों के पद संचालन से कभी घोड़े के दौड़ने, मटकने, घूमने, उछलने, नाचने का उद्यम करता है। मुस्कुराता हुआ युद्धरत विजयी राजा या सेनापति की तरह सीना ताने जब नर्तक नृत्य करता है तब लोगों की आँखें टँगी की टँगी रह जाती हैं। घोड़ा नर्तक एकल या कई हो सकते हैं। सबका समूह में स्वतंत्र तथा समरूप नृत्य मन को मोह लेता है। इस नृत्य में कहीं-कहीं कली भी होती है तब इस नृत्य में चार चाँद लग जाते हैं। नागपुरी क्षेत्र में घोड़ा नृत्य के लिए पाण्डे दुर्गानाथ राय का नाम मशहूर था।

छव नाच

यह मुखौटा या बिना मुखौटे के भी नृत्य नाटक है। तीव्र वाद्य यंत्रों के साथ पात्रों का भावानुरूप नृत्य समूह तथा एकल में सर्वश्रेष्ठ नृत्य हो जाता है। इसमें नर्तक देव, दानव, मानव, आदिवासी,

पशु, पक्षी आदि का रूप मुखड़े तथा पोशाक से धारण करते हैं। और उनकी प्रकृति के अनुरूप स्वभावानुकूल नृत्य होता है। (इसका वर्णन पृथक लेख में हुआ है।)

पंचपरगनिया नृत्य

यह बुण्डू, तमाड़, सोनाहालु, सिल्ली एवं बरेंदा परगने का इलाका नागपुरी, खोरठा, कुरमाली तथा आदिवासी इलाकों से घिरा हुआ है। अतः इसमें इनका प्रभाव स्पष्ट देखा जा सकता है। पंचपरगनिया के नृत्य सदानी समूह के नृत्य संगीत से मिलते-जुलते हैं फिर भी इनकी अपनी मौलिकता और विशिष्टता है। इनके सामान्य नृत्य के अतिरिक्त रास, बंगला झूमर, टुसू, खेमटा, लहसुआ, लुझरी, करम, सोहराई आदि नृत्य हैं। नृत्य की शैली लगभग सदानी जैसी ही है। तालों रागों में किंचित् भिन्नता है। रागों में बांग्ला का प्रभाव स्पष्ट दृष्टिगोचर होता है।

खोरठा नृत्य

यह नृत्य भी सदानी मूल से काफी मिलता-जुलता है। फिर भी इनकी अपनी छाप तथा विशिष्टता है। शैली स्वरूप में प्रायः समानता है। इनके अन्य नृत्य के अतिरिक्त प्रमुख हैं करम, रास, सोहराय, बौंडी आदि।

1. करम नृत्य : यह महिलाओं के आम करम नृत्य के समान है। यह समूह में झूमर की तरह नाचा जाता है। पुरुष वादक तथा गायक होते हैं और झूमर नाचने वाली महिलाओं के मध्य में होते हैं।

2. रास नृत्य : कार्तिक पूर्णिमा में एक या अधिक नचनी द्वारा नाचा जाने वाला रास नृत्य मनमोहक होता है। इसमें पुरुष नर्तक, वादक एवं गायक होते हैं जिनके मध्य नर्तकियाँ नृत्य करती हैं।

3. सोहराय नृत्य : दीपावली के दूसरे दिन पालतू पशुओं की पूजा के अवसर पर पुरुष प्रधान नृत्य है। इसमें कई प्रकार के गीत गाए जाते हैं।

4. बौंडी नृत्य : यह भी मकर संक्रांति के समय का महिला प्रधान नृत्य है। इसे टुसू, डोहा आदि भी कहा जाता है। पुरुष वाद्य में सहयोग देते हैं।

कुरमाली नृत्य

इनकी संस्कृति भी सदानी संस्कृति के करीब है। फिर भी इनके नृत्य संगीत में विशिष्टता देखी जा सकती है। इनके नृत्य की शैली व मुद्रा में प्रायः झारखंडी समानता है। स्त्री-पुरुष अलग-अलग तथा समूह में भी नृत्य करते हैं। इनके अन्य नृत्यों के अतिरिक्त टुसू, सरहुल, पाता, अढ़इया, आदि नृत्य प्रमुख हैं जिनकी अपनी छाप है।

1. टुसू नृत्य : यह मकर संक्रांति के समय का महिलाओं का सामूहिक नृत्य है। टुसू के प्रतीक चोण्डल को प्रवाहित करने जाते समय महिलाएँ नृत्य करते जाती हैं।

2. सरहुल नृत्य : सरहुल के अवसर पर महिला-पुरुष सम्मिलित रूप से नृत्य करते हैं। पुरुष मध्य में वादन करते हैं। ढोल, मांदर, नगाड़े, शहनाई प्रिय वाद्य हैं। इस नृत्य में महिलाएँ झूमर की तरह नृत्य करती हैं।

3. पाता नृत्य : यह भी कुरमाली समाज का सामूहिक नृत्य है। इसमें भी महिलाएँ एक-दूसरे के हाथ या कमर पकड़ कर एक कतार में झूमर की तरह नृत्य करती हैं। मध्य में गाने बजाने तथा नाचने वाले होते हैं। इसमें बारहमासा गीत गाने की परंपरा है।

4. अढ़इया नृत्य : यह विविध तालों पर किया जाने वाला सामूहिक नृत्य है। इसमें ढाई कदमों का नृत्य होता है। जो प्राय: करमा के पश्चात नाचा जाता है।

नागपुरी, कुरमाली, खोरठा, पंचपरगनिया नृत्यों की परंपरा, शैली, स्वरूप, मुद्रा एक-सी प्रकृति की है।

मुंडारी नृत्य

झारखंड में मुंडा समाज की अपनी पहचान उनकी भाषा संस्कृति को लेकर है। इनके नृत्य भी ऋतु परिवर्तन के अनुरूप पृथक-पृथक राग, लय, ताल पर साल भर चलते रहते हैं जो इनके उत्सव, पर्व-त्योहारों के द्योतक भी हैं। ऐसे अवसरों पर नृत्य संगीत के बिना इनका उत्सव सम्भव ही नहीं। मुंडा समाज के प्रमुख नृत्य हैं— जदुर, ओरजदुर, जापी, गेना, चिटिद, छव, करम, खेमटा, जरगा, ओरजरगा, जतरा, पइका, बुरू, जाली नृत्य आदि। इनकी विशेषता है कि महिला दल में पुरुष जुड़ कर नाचते नहीं।

जदुर नृत्य

यह महिला-पुरुष प्रधान नृत्य है। महिलाएँ मात्र झूमर की तरह जुड़ी नृत्य करती हुई गीत गाती हैं। इनका एक से अधिक नृत्य दल हो सकता है। पुरुष नर्तक, वादक, गायक मध्य में रहते हैं। नर्तक बालाओं से पुरुष एक तरह से घिरे रहते हैं। जदुर तीव्र गति का नृत्य है। इसमें लय, ताल तथा राग के अनुरूप वृत्ताकार दौड़ते हुए नृत्य करती हैं। पैरों के पद संचालन कलात्मक होते हैं। हर नृत्य के कदमों के स्टेप प्राय: भिन्न हो जाते हैं। इसमें ढोल, नगाड़े, घुँघरू, झाँझ, करताल आदि बजते हैं। पश्चिमी क्षेत्र में मांदर भी बजाए जाते हैं। महिला-पुरुष लाल रंग की प्रधानता लिए धोती साड़ी (पाड़ में) तथा कमीज जाकेट आदि लाल रहते हैं। आभूषण पारंपरिक होते हैं। इसमें मंदोली, आंदू, ठेला, रेला आदि पहनती हैं। बालों में फूल, पत्ते या पंख आदि लगाते हैं। इसमें बालाएँ नाचने के समय एक दूसरे की कमर में हाथ रख कर कतार में जुड़ती हैं। पुरुष इनके मध्य में बाजा बजाते, स्वतंत्र रूप से, उछलते, घूमते, बैठते, उठते नृत्य करते हैं। गीत आरंभ पुरुष ही करते हैं। पुरुषों के गाए गीतों को महिलाएँ झोंकती हैं और महीन, पतली राग में गाती हुई नृत्य करती हैं। बालाएँ मात्र नृत्य करती तथा गाती हैं। आगे की महिला हाथों में गमछा लिए हुई रहती है। गमछे को वह भावानुरूप हिलाती डुलाती है। महिला नृत्य को यही नेतृत्व करती है। जदुर नृत्य सरहुल के समय का नृत्य है। अन्य ऋतु या अवसर पर यह वर्जित नृत्य है।

ओरजदुर नृत्य

यह फाग काटने तथा जलाने की रात्रि के समय का नृत्य है। यह फाल्गुन से सरहुल तक चलता है। जदुर की तरह ही इसमें नृत्य होता है। स्त्री पुरुष पूर्ववत नृत्य करते हैं। पुरुष नर्तन गायन वादन

में रहते हैं। लेकिन इनके राग, लय, ताल जदुर से भिन्न होते हैं। इसमें नर्तक बालाएँ सामने की ओर हाथों को एक-दूसरे की अँगुलियों से फँसा कर मुट्ठी बना लेती हैं अथवा एक-दूसरे की कमर पर हाथ रख कर भी जुड़ती हैं। इस तरह एक लम्बी अर्द्धवृत्ताकार कतार एक या अधिक भी बना लेती हैं। इनके मध्य ही गाने, बजाने, नाचने वाले पुरुष होते हैं। पोशाक एवं वाद्य जदुर की तरह ही होते हैं। गीतों की पहली कड़ी गाते हुए आगे की ओर तथा दूसरी कड़ी पर पीछे की ओर नृत्य करते लौटती या घूमती हैं। यह भी तीव्र गति का नृत्य है। इसमें भी पूर्ववत् महिला पुरुष सम्मिलित रहते हैं।

जापी नृत्य

इसमें भी उपर्युक्त शैली से ही स्त्री-पुरुष का सामूहिक नृत्य होता है। इसमें भी वादक, गायक, नर्तक पुरुष महिलाओं से घिरे रहते हैं। यह मध्यम गति का नृत्य होता है। इसमें आगे-पीछे नृत्य करते हुए आगे बढ़ते तथा घूमते हैं। इस नृत्य में महिलाएँ एक-दूसरे की कमर पकड़ कर जुड़ी रहती हैं। पुरुषों का एक दल बजाता है तो दूसरे दल वाले अपने लय, ताल से नाचते-गाते हैं। ये स्वतंत्र रूप से बिना जुड़े नृत्य करते हैं। महिलाएँ पुरुष गायक के गीतों की अंतिम कड़ी को गाती हैं। यह शिकार से विजयी होकर लौटने का प्रतीक गीत नृत्य है।

गेना नृत्य

यह मध्यम गति का नृत्य है। इसमें आगे से पीछे आते हुए नृत्य होता है। महिलाएँ एक-दूसरे की कमर पर हाथ रख कर कतार में जुड़ती हैं। इसमें भी पुरुष दो दल में रहते हैं। एक दल बजाने वाला दूसरा गाने तथा स्वतंत्र रूप से नाचने वाला। गेना में महिलाएँ एक कतार में वृत्ताकार नृत्य करती हैं। इनके कदमों की चाल देखते ही बनती है। यह विजय के उत्साह का प्रतीक नृत्य है।

चिटिद नृत्य

यह धीमी गति का नृत्य है। इसमें महिलाएँ पूर्ववत जुड़ी हुई दाहिने से बाएँ लहसती हुई नृत्य करती हैं। इनका लहसना, जुड़े हाथों की मुद्रा और कदमों की विशिष्टता जान डाल देती है। एक-दूसरे की हथेली को मुट्ठी की तरह बाँध कर सामने रखती हैं। यह नृत्य जदुर, करम, जरगा के अखरा में होता है। चिटिद नृत्य उपासना का नृत्य है। इसके साथ गीत वाद्य भी चलते हैं।

करम नृत्य

यह करमा के उत्सव का उपासना नृत्य है। इसमें भी महिलाएँ पूर्ववत लय, ताल के अनुरूप नृत्य करती हैं। गीत गाने के साथ-साथ सिसकारियाँ भी मारती हैं। इसमें भी सामने हाथों को एक-दूसरे को मिलाकर मुट्ठी बाँधे रहती हैं। इस नृत्य का एक भेद खेमटा भी है। करम नृत्य में भी बालाएँ लहसती हुई नृत्य करती हैं। इसकी गति मध्यम होती है। इसमें महिला पुरुषों का समूह जोड़ों में अधिकतम होता है।

खेमटा नृत्य

यह भी स्त्री-पुरुष प्रधान नृत्य है। इसकी गति भी धीमी होती है। इसमें भी महिलाएँ नाचते समय लहसती हुई आगे बढ़ती हैं। पुरुष वर्ग के हाथों में प्रायः पीले गमछे होते हैं। यह भक्तिपरक गीतों द्वारा नाचा जाने वाला नमन नृत्य है।

जरगा नृत्य

यह माघ त्योहार से संबंधित नृत्य है। इसमें बालाएँ एक-दूसरे की कमर पकड़ कर जुड़ती हैं और दाएँ से बाएँ, फिर दाहिनी ओर बढ़ती हुई नृत्य करती हैं। यह मध्यम गति का नृत्य है। इसमें पैरों की चाल या पद संचालन की अपनी विशिष्टता है।

ओरजरगा नृत्य

यह नृत्य जरगा नृत्य के ही साथ-साथ चलता है। इसमें महिलाओं का एक ही दल होता है। तीव्र गति से नृत्य करती हुई महिलाएँ वृत्ताकार घूमती हैं। इनके मध्य गायक वादक नर्तक पुरुषों की मण्डली रहती है।

जतरा नृत्य

यह नृत्य मेलों, उत्सवों के अवसर विशेष पर होता है। इसमें लोग उछलते दौड़ते नृत्य करते हैं। अन्य मुंडारी अखरा के नृत्य की तरह ही महिलाएँ नृत्य करती हैं। इसमें भी महिलाएँ हाथ से हाथ मिलाकर कतार में जुड़ी नृत्य करती हैं। इस नृत्य में जदुर, चिटिद, करम और जरगा नृत्य चलता है। इसमें पुरुष वर्ग प्रायः कंधे पर लाठी-डंडे पकड़े रहते हैं। पुरुष धोती के अतिरिक्त करया, तोलोंग या बोंड़ोल पहनते हैं। स्त्रियाँ कुछ ऊपर घुटने से नीचे प्रायः साड़ी पहनती हैं लाल पाड़ वाली। यह भी तीव्र गति का नृत्य है।

बूढ़ी करम नृत्य

यह महिला प्रधान नृत्य है। इसमें बड़ी भारी संख्या में स्त्री-पुरुष जमा होते हैं। नृत्य करम नृत्य की शैली का ही होता है। इसमें भी महिलाएँ लहसते हुए दाहिनी ओर आगे बढ़ती हैं। इस नृत्य की सबसे बड़ी विशेषता है महिलाएँ, पुरुषों की वेशभूषा में नृत्य करती हैं। इसमें दो दल होते हैं। एक महिला दल एक-दूसरे के हाथों को मुट्ठी में लिए हुए जुड़ी नृत्य करता है और अर्द्धवृत्ताकार रूप में नृत्य करता घूमता है। दूसरा महिला दल पुरुष वेश में ही गाता तथा बजाता है। एक दल गाता है तो दूसरा दल नृत्य करता है। आषाढ़ सावन के महीने में जब वर्षा नहीं होती है तब मात्र महिलाओं द्वारा पहान (पुजारी) के आँगन में चाबोड़ पौधे को करम की तरह गाड़ कर चारों ओर घूम-घूम कर नृत्य संगीत का आनन्द लेती हैं। यह नृत्य भी एक तरह से आराधना का ही नृत्य है।

पइका नृत्य

यह पूर्ववर्णित पइका नृत्य के समान ही होता है। इसमें नाम मात्र का अंतर होता है। यह भी

गीतविहीन वाद्ययुक्त नृत्य है। इसमें नृत्य की तीनों गति, धीमी मध्यम और तीव्र होती हैं। इसकी सबसे बड़ी विशेषता है नर्तक का तलवार ढाल भांजते हुए नृत्य करना। यह भी स्वागत नृत्य है। वेशभूषा में किंचित् अंतर पाया जाता है।

छव नृत्य

यह मुखड़ा तथा बिना मुखौटे का पुरुष प्रधान नृत्य है। यह कथा नृत्य या गीति नाट्य की तरह लोकनाट्य नृत्य है। कथा की माँग के अनुरूप लय, ताल, राग नृत्य की गति को तीव्र, मध्यम एवं धीमी करते हैं। इसमें भी पद संचालन आगे, पीछे, दाएँ, बाएँ दृष्टि के झटके से मोड़ते शरीर पर कम्पन्न लाते, कभी कलाबाजी करते, घुलटते, कभी थरथराते, कभी चक्राकार घूमते, उठते-बैठते पैरों को फेंकते नृत्य करते हैं। यह एकल और समूह में भी होता है। सरहुल के उपरान्त जेठ माह तक छव नृत्य चलता रहता है।

बुरू नृत्य

यह जदुर और करम नृत्य का मिश्रण है। मागे तथा गेना की तरह ही इसमें नृत्य होता है। इसका पद संचालन उसी के क्रम में होता है।

जाली नृत्य

दशहरे के अवसर पर पुरुष मात्र, घंटा, थाली, कटोरी बजाते हुए घर-घर जाकर नृत्य करते हैं। इसमें नृत्य के उपरान्त प्रत्येक घर से अनाज या चावल संग्रह करते हैं।

राचा नृत्य

यह नृत्य खूँटी से दक्षिण-पश्चिम क्षेत्र में प्रचलित नृत्य है। इसे बरया खेलना या नाचना भी कहते हैं। कहीं-कहीं इसे खड़िया नाच भी कहते हैं। यह नृत्य मंड़ा नृत्य पर जब जागरण होता है तब होता है। तब एक ओर छव नृत्य चलता है तो मुंडाओं के दल से अलग हट कर उसी परिसर में युवक-युवती समूह नृत्य करता है। इसमें मांदर तथा घंटी का विशेष महत्त्व रहता है। पुरुष वर्ग अपने हाथों में लाठी, बलुआ, ढेल फोड़ा, तोनो, दौडली, बाँस आदि पकड़े रहते हैं।

इस नृत्य में नाचने वाली बालाएँ नर्तक, वादक, गायक पुरुष दलों को धकेलते हुए उन्हें पीछे हटाने की तरह नृत्य करती हैं। पुरुष महिलाओं को आगे अपनी ओर आते देख पीछे हटते हैं। दूसरे दौर में पुरुष गीत गाते हुए बालाओं को नृत्य शैली से पीछे धकेलते हैं। नृत्य में तेजी है। धूल के उड़ने से सभी नर्तक, वादक, गायक धूल से नहा जाते हैं। मांदर और घंटे की ध्वनि वातावरण को मुखरित और गुंजायमान रखती है। अखरा में (मेले के तत्कालीन अखरा में) नाचने गाने बजाने वाले मतवाले से हो जाते हैं।

मुंडा नृत्य बड़ा ही सुंदर कलात्मक लयात्मक एवं लास्यपूर्ण नृत्य है। इसका नेतृत्व करने वाली महिला की भावभंगिमा एवं नृत्य औरों के लिए प्रेरक हो जाता है।

वास्तव में मुंडारी नृत्य बहुत ही संयमित नृत्य है। स्त्रियों के साथ पुरुषों का जुड़ना पूर्णतः

वर्जित है। अन्य समुदायों के नृत्य में प्राय: ये कठोरता नहीं पाई जाती है। पुरुष उच्च स्तर में गीत गाते हैं तो महिलाएँ धीमी मधुर और पतली राग में निम्न स्वर से गाती हैं। पुरुष स्वतंत्र रूप से बिना जुड़े हुए समूह में नृत्य करते एवं बजाते हैं। आगे की महिला ही नृत्य में नेतृत्व करती है। उसके हाथों में सदैव एक गमछा रहता है। कभी-कभी, किसी-किसी नृत्य में गमछे के स्थान पर फूलों पत्तों की छोटी डाली भी रहती है। गमछे को प्राय: दोनों हाथों से पकड़े हुए लय, ताल, राग के अनुरूप लास्यमुक्त नृत्य करती है या उसे घुमाती है या सामने आने वाले पुरुष नर्तकों को गमछा झाड़ कर भगाने का उपक्रम करती है। पुरुष अपने हाथों में गमछे को पंखे की तरह या वृत्ताकार घुमाते हैं। कुछ पुरुष नर्तक अपने हाथों में ठेल पासा, बालुआ, टांगी, तोनो, दौली, लाठी आदि लिए होते हैं। कुछ पुरुष जोकरनुमा विचित्र वेशभूषा बोरा, लेदरी पहने कालिख चूने आदि से पुते होते हैं और महिला नर्तकियों के सामने उछलकूद कर हास्य उत्पन्न करते हैं। कभी-कभी कुछ नर्तक नृत्य गायन में इतने उन्मत्त हो जाते हैं कि उनको बलिष्ठ युवकों द्वारा शामिल करना पड़ता है। इस उन्मत्त हो जाने की क्रिया को 'मरना' कहते हैं। ऐसा माना जाता है कि उसमें भूत का प्रवेश हो जाता है और बड़ा भयंकर नृत्य करने लगता है। ऐसे उन्मत्त युवक को शांत करना अनिवार्य हो जाता है अन्यथा कुछ भी अनहोनी हो सकती है।

मुंडारी नृत्य में भी दर्शक कभी भी अखरा में प्रवेश कर गायन वादन नर्तन में सम्मिलित हो सकता है और कभी भी अखरा से गाते, बजाते, नाचते निकल सकता है। मुंडारी नृत्यों में बनम की प्रधानता रहती है। गीतों में इसकी खूब चर्चा मिलती है।

संतालों के नृत्य

संताल भी मुंडा कुल से ही आते हैं। यह आग्नेय परिवार का सबसे बड़ा अंग हैं। भाषा-संस्कृति की पर्याप्त समानताओं के होते हुए भी इनमें मौलिक भेद हैं। नृत्य संगीत में किंचित् परिवर्तन स्पष्ट दिखाई पड़ता है। इनके नृत्य भी सालों भर ऋतु परिवर्तन के साथ पर्वों-उत्सवों के अनुसार चलते रहते हैं। मात्र सावन-भादों के महीने कृषि कर्म की व्यस्तता के कारण नृत्य संगीत बंद रहता है। इनके मुख्य नृत्य हैं—डाहार, दोड़ा, दोंगेड़, आषाढ़िया, शिकारी, दसंय, सोहरा, दोसमी, सकरात आदि। इनके नृत्य भी आकर्षक, सुंदर, मनोहारी और दिलकश होते हैं।

डाहार नृत्य

इसे लांगड़े नृत्य भी कहा जाता है। यह माघ महीने का नृत्य है। माघ बोंगा पर्व के अवसर पर इसे नाचा जाता है। पूजा के निमित्त किसी भी स्थल का चयन किया जा सकता है। इस नृत्य के मुख्य वाद्य हैं मांदर, नगाड़ा, टमक, तुरही, ढाँक, चोड़चोड़ी, घंटी आदि। महिला-पुरुष दोनों सामूहिक रूप से नृत्य करते हैं। यह नृत्य गाँव के अखरा में ही सम्पन्न होता है।

बाहा नृत्य

फाल्गुन महीने में भी डाहार या लांगड़े नृत्य होता है। यह बाहा पर्व (सरहुल) के उपलक्ष्य में किया जाता है। स्त्री-पुरुष सामूहिक रूप से इसमें भी नृत्य करते हैं। इसका नृत्यस्थल जाहेर या सरना होता है। इसमें भी उपर्युक्त वाद्य यंत्रों का उपयोग होता है। डाहार के बाहा नाच में

महिलाओं का तथा बाहादोन नृत्य पुरुष वर्ग का नृत्य होता है। तो लांगड़े नृत्य में स्त्री–पुरुष दोनों ही सामूहिक रूप से नृत्य करते हैं। लांगड़ी गीत सदैव अखरा में ही होता है।

दोडा नृत्य

इसे दाशम दा नृत्य भी कहते हैं। यह वैशाख महीने में विवाह संस्कार के समय का नृत्य–संगीत है। जिसके घर में शादी होती है उसी के आँगन में यह नृत्य–संगीत चलता है। वही वाद्य यन्त्र इसमें भी बजाए जाते हैं। वर तथा कन्या दोनों के आँगन में विवाह सम्पन्न होने तक यह नृत्य चलता रहता है। इसमें टाका चाल, बारयात, दाराम दाः, सिंदरादान के गीत चलते हैं।

दोंगेड़ नृत्य

यह पूर्णतः पुरुष प्रधान नृत्य है। पुरुष सामूहिक रूप से शिकार के अवसर पर जंगल की तराई में नृत्य–संगीत सम्पन्न करते हैं। इसमें भी तीव्र वाद्य यंत्रों का उपयोग होता है। नृत्य के पूर्व पर्वतों पर पुरोहितों द्वारा पहले पूजा की जाती है। यह जेठ मास का नृत्य है। इसी अवसर पर सिंगराई नृत्य भी पुरुष वर्ग द्वारा तीन–चार की संख्या में चलता है।

आषाढ़िया नृत्य

आषाढ़ मास में जाहेर स्थल पर तीव्र वाद्य यंत्रों द्वारा पारंपरिक रूप से लांगड़े संगीत द्वारा नृत्य होता है।

शिकारी नृत्य

भादों मास के अंत में किसी वृक्ष के नीचे निश्चित तिथि को तीव्र पारंपरिक वाद्यों के साथ केवल पुरुष वर्ग द्वारा शिकारी नृत्य–संगीत चलता है। इसे जानताड़ा पर्व के अवसर पर नाचा–गाया जाता है।

दसंय नृत्य

दशहरे के अवसर पर गुरु–गृह में गुरु–चेलों के मध्य यह नृत्य होता है। मूलतः यह मंत्र विद्या की सिद्धि प्राप्ति के प्रशिक्षण अवसर का नृत्य संगीत है। इसमें भुआड़, नगाड़ा, ढांक, तुरठी, बाँसुरी, बनम आदि का बजना अनिवार्य होता है। इस नृत्य की सबसे बड़ी विशेषता है कि पुरुष वर्ग ही इसमें महिलाओं के आभूषण–वेशभूषा धारण कर नृत्य करते हैं।

सोहराय नृत्य

यह मूलतः मवेशियों के लिए मनाए जाने वाला त्योहार के समय का नृत्य है। गाय तथा गोशाले की इसमें पूजा होती है। गाँव के चौराहे तथा घर के आँगनों में मांदर, नगाड़ा, टमक, घंटी, ढाँक आदि बजा कर नृत्य किया जाता है। महिलाएँ चुमावड़ा गीत गाती हैं। इस नृत्य के अवसर पर तो पुरुष गाय जगाव गीत गाते और नाचते हैं। इस अवसर विशेष पर स्त्रियाँ तथा पुरुष सामूहिक रूप से गाय जगाव तथा लांगड़े नृत्य–संगीत प्रस्तुत करते हैं।

दोसमी नृत्य

यह अगहन के महीने में नाचा जाता है। इसका नृत्यस्थल जाहेर होता है। इसमें मांदर, घंटी, नगाड़ा, टमक आदि बजते हैं। इसमें भी लांगड़े गीत गाया जाता है तथा वैसे ही नृत्य प्रस्तुत होते हैं।

साकरात नृत्य

पूस मास में अपने-अपने घर के चौखट पर पूजा करने के उपरान्त मांदर, नगाड़ा, टमक, घंटी आदि के साथ पुरुषों द्वारा ही घर-घर जाकर नृत्य किया जाता है। अखरा में भी वृत्ताकार सामूहिक रूप से एक-दूसरे से जुड़ कर स्त्री-पुरुष नृत्य करते हैं।

संतालों के नृत्य गीत मुंडाओं से किंचित् भिन्न होते हैं। किसी-किसी नृत्य में महिलाएँ एक-दूसरे के हाथों से मुट्ठी जोड़ कर मात्र हाथों को हिलाते हुए सीधे कदमों की विशेष चाल पर वृत्ताकार घूमते हुए नृत्य करती हैं। किसी-किसी नृत्य में नाचने वाले गीत नहीं गाते, मात्र बाजा बजता है। संताली नृत्य के पद संचालन कलात्मक होते हैं। इनकी वेशभूषा भी कलात्मक होती है।

कभी नृत्य में ये घूमते, उछलते, कभी जुड़ते, कभी टूटते हैं। कई-कई मुद्राओं में हर गति के नृत्य ये करते हैं। इनके नृत्य-संगीत में अजब आकर्षण होता है। ये नृत्य बरबस लोगों को अपनी ओर खींच लेते हैं।

हो नृत्य

हो समाज भी मुंडा समुदाय का एक विशिष्ट अंग है। ये भी आग्नेय भाषा परिवार में आते हैं। इनके नृत्य संगीत में साम्यता होते हुए भी अपनी विशिष्ट छाप है। इनके प्रमुख नृत्य हैं—मागे, विवाह, बा, हेरो, जोमनामा, दसंय, सोहराय नृत्य आदि।

मागे नृत्य

यह महिला-पुरुषों का सामूहिक नृत्य है। महिलाएँ आपस में जुड़कर कतार में नृत्य करती हैं। पुरुष स्वतंत्र रूप से गायन, वादन, नर्तन करते हैं। मागे नृत्य में पहले नृत्य होता है, फिर रुक कर गीत चलता है। उसके बाद बाजे बजाए जाते हैं। इस क्रम में बीच-बीच में कुछ क्षणों का विराम होता है। माघ मास की पूर्णिमा में मागे नृत्य चलता है। महिलाएँ गीत आरंभ करती हैं। पुरुष नाचने, बजाने तथा गाने में साथ देते हैं। पुरुष भी गीत उठा सकता है। इसमें धीमी, मद्धिम एवं तीव्र तीनों गति के नृत्य होते हैं। आगे-पीछे, बाएँ-दाएँ घूम कर नृत्य चलता है। हाथ से हाथ जोड़ कर या एक-दूसरे की कमर पकड़ कर जुड़ते तथा कतार में नृत्य करते हैं। बजाने नाचने और गाने वाले, नाचने वालियों के मध्य घिरे होते हैं।

बा नृत्य

इस नृत्य में भी स्त्री-पुरुष सम्मिलित होकर सरहुल के अवसर पर नाचते गाते और बजाते हैं।

इसमें नृत्य गीत एक साथ चलते हैं। पुरुष का अलग दल होता है। तो महिलाओं का पृथक। इसमें एक साथ दोनों जुड़ कर नृत्य नहीं करते हैं। बाजे पारंपरिक रूप से बजाए जाते हैं जिसमें मांदर, नगाड़े आदि बजाए जाते हैं।

हेरो नृत्य

धान बोने की समाप्ति के उपरान्त महिला-पुरुष सम्मिलित रूप में पारंपरिक वाद्यों के साथ नृत्य करते हैं।

जोमनमा नृत्य

नया अन्न ग्रहण करने की खुशी में जोमनमा नृत्य होता है। इसमें मांदर, नगाड़े, बनम आदि बजते हैं। महिला-पुरुष सामूहिक रूप से नृत्य करते हैं। इसकी गति कभी धीमी कभी मध्यम होती है। नाचने वाली बालाएँ आगे पीछे कभी वृत्ताकार घूम-घूम कर एक-दूसरे से एक कतार में जुड़ कर नृत्य करती हैं। इनके मध्य नाचने गाने तथा बजाने वाले पुरुष होते हैं जो स्वतंत्र रूप से नाचते तथा गाते हैं।

दसंय नृत्य

यह दशहरे के समय का नृत्य है। इसमें हाथों में छोटे-छोटे डंडे डांडिया की तरह नर्तक पकड़े होते हैं। यह पुरुष प्रधान नृत्य है। इसमें घंटा, थाल, कटोरा आदि बजाते हुए घर-घर जाकर उनके आँगनों में नाचते हैं। नाचने के साथ-साथ गीत भी गाते हैं। नाचने वालों को हर घर से कुछ अनाज मिलता है।

सोहराइ नृत्य

यह नृत्य भी पालतू पशुओं के लिए मनाए जाने वाले उत्सव में होता है। इसमें भी मुंडा संताल की तरह ही लगभग नृत्य होता है।

इनके अतिरिक्त गेना और जापिद नृत्य हो समाज में भी चलते हैं। इसमें महिलाएँ नृत्य करती हैं और पुरुष वाद्य सँभालते हैं तथा गीत उठाते हैं।

महिलाएँ जहाँ कतार में जुड़ कर नृत्य करती हैं वहाँ पुरुष स्वतंत्र रूप से नृत्य करते हैं गीतों के भावानुरूप। हो नृत्य भी मुंडा संताल की तरह आकर्षक, मोहक सुंदर एवं मनोहारी होता है। लोग नाचते बजाते गाते अपना गम दुख भूल जाते हैं और आनन्द दुगुणा कर लेते हैं।

खड़िया नृत्य

खड़िया समाज भी आग्नेय परिवार का अंग है परन्तु मुंडा संताल हो जितने करीब हैं, उतने खड़िया नहीं हैं। सांस्कृतिक दृष्टि से इनका पृथक अस्तित्व है। इनके नृत्य-संगीत आदिवासी समाज से मिलते-जुलते हुए भी इनकी अपनी विशिष्ट छवि एवं शैली है। खड़िया भी नृत्य प्रधान संस्कृति का समाज है। इनके नृत्य संगीत सालों भर पर्व, मौसम एवं अवसर विशेष के अनुरूप चलते रहते हैं। इनके नृत्य में भी सामूहिकता की प्रकृति विद्यमान है। एक साथ गाँव घर के सारे

रिश्ते-नाते नृत्य संगीत के मधुर रिश्ते से आ जुड़ते हैं।

खड़िया समाज में भी महिलाएँ एक कतार में हाथों से हाथ जोड़ कर नृत्य करती हैं तो कभी पृथक होकर नृत्य करती हैं। एक से अधिक पंक्तियों में आबद्ध होकर नृत्य करना इनकी शैली है। पुरुष नर्तक भी इनसे आ जुड़ते हैं। पुरुष नर्तक स्वतंत्र रूप से नृत्य करते हैं। मांदर, नगाड़े, ढोल आदि इनके भी प्रिय वाद्य हैं। खड़िया समाज के प्रमुख नृत्य हैं— हरियो, किनभर, हल्का, कुअढींग, इंदो कुअढींग डोयोर, जदुरा, जेठ लहसुआ, कुवार अगहनी लहसुआ, जेठवारी ठढ़िया, करम ठढ़िया, जेठवारी ठोयलो, जेठवारी अंगनई, चैत-वैशाख ठढ़िया, चैत-वैशाख लहसुआ, ढोलकी सयलो आदि।

हरियो नृत्य

यह युवाओं का जतरा नृत्य है। माघ के महीने में हरेक गाँव से लोग नृत्य के लिए जतरा (मेला) आते हैं और महिला-पुरुष सामूहिक नृत्य करते हैं। इसमें महिलाएँ एक-दूसरे के कंधे पर हाथ रख कर एक कतार में जुड़ जाती हैं नृत्य के लिए। रसिक युवक भी इसमें जुड़ जाते हैं। यह वृत्ताकार दौड़ते हुए तीव्र गति का नृत्य है। इसमें कभी झूमते हैं तो कभी दौड़ते हैं। मांदर की थाप पर नाचने वाले ही नहीं, देखने वाले भी झूम उठते हैं। नृत्य का आकर्षण दर्शकों को दर्शक बने रहने नहीं देता वे कलाकारों की तरह उस समाँ में जुड़ जाते हैं। नाचने वाली बालाओं के मध्य नाचने गाने बजाने वाले घिरे रहते हैं।

किनभर नृत्य

यह घर के आँगन का नृत्य है जो फाल्गुन से वैशाख तक चलता है। किनभर का तात्पर्य ही आँगन होता है। गायक के गीत समाप्त होते ही नाचने वाली बालाएँ नए कदमताल के साथ 'हो हरे है रे' कहते हुए कलात्मक नृत्य आंरभ कर देती हैं। इनके आगे बढ़ने पर पुरुष नर्तक गायक वादक पीछे हटते जाते हैं। इसमें भी वृत्ताकार झुक-झुक कर नृत्य होता है। मांदर वादक कलात्मक ढंग से बजाते हुए नृत्य भी करता है। नाचने वाली बालाएँ मांदर वादक के वादन नृत्य से झूम उठती हैं। बालाएँ दो दलों में बँट जाती हैं और आमने-सामने आ जाती हैं। मध्य में पुरुष वादक गायक नर्तक रहते हैं। महिलाओं का झुके-झुके आगे बढ़ना और कलात्मक कदमों से उसी तरह लौटना बड़ा ही लुभावना होता है।

हल्का नृत्य

इसमें भी महिला पुरुष दो दलों में नृत्य करते हैं। एक दल गीत उठाता है। उसके समाप्त करते ही दूसरा दल गीत गाता है। गीत की अंतिम कड़ी की समाप्ति पर पैरों को उछल कर पटकते हुए तन को हल्का कर लेते हैं नर्तक। महिलाएँ एक-दूसरे की हाथों से एक कतार में जुड़ी रहती हैं। इस नृत्य की विशेषता है कि इसमें बाजे नहीं बजते हैं। गीत गाने के समय दोनों दल (नाचने वाले) वृत्ताकार में विस्तृत हो जाते हैं। लम्बी और छोटी कूद के नृत्य करते हैं। उछलते हुए गीत की समाप्ति पर 'हिर रे...' ध्वनि निकालते हैं। इस नृत्य में सभी आयु वर्ग के महिला-पुरुष सम्मिलित

रहते हैं। पाडू गीत इस नृत्य में गाया जाता है। यह नृत्य-गीत अखरा के अतिरिक्त चरवाहे की थकान मिटाने का भी गीत है। इसमें जेठवारी और कुबारी पाडू के भी गीत गाए जाते हैं।

जतरा नृत्य

इसे कुअढींग नृत्य भी कहा जाता है। मांदर वादकगण इसमें झूम-झूम कर नृत्य करते हैं। युवक-युवतियाँ एक-दूसरे के हाथ जोड़ कर कतारबद्ध नृत्य करते हैं। मांदर झांझ आदि वादक नर्तकों से घिरे होते हैं। ये कभी वृत्ताकार और कभी अर्द्धवृत्ताकार रूप में नाचते हैं। नाचने वाले कभी अपने पैरों को झुलाते हैं तो कभी उठाते हैं। नाचने वाली एक-दूसरे के कंधे पर भी हाथ रख कर कतार में जुड़ी रहती हैं।

इंदो जतरा नृत्य

यह आश्विन मास का नृत्य है। इसकी तीन श्रेणियाँ मिलती हैं—ठढ़िया, लहसुआ और राटा। इसमें महिला-पुरुष आपस में जुड़ कर नृत्य करते हैं। ठढ़िया में खड़े होने की मुद्रा में नृत्य करते हैं तो लहसुआ में गाते तथा लहसते हुए। नृत्य की मुद्रा में कभी वे बैठते हैं तो कभी अग्रसर होते हैं। गीत की समाप्ति पर तेजी से दौड़ कर अचानक उछल पड़ते हैं। राटा नृत्य में आगे पीछे खड़े होकर दोनों हाथ से एक- दूसरे की भुजाओं को पकड़े हुए ये वृत्ताकार घूमते, दौड़ते, उछलते नृत्य करते हैं। इनके पदों का संचालन तब देखते ही बनता है।

डोयोर नृत्य

यह हल्का नृत्य का दूसरा रूप है। मुख्यत: यह युवा वर्ग का नृत्य है। एक-दूसरे के हाथों को पकड़ कर लम्बी कतार में नृत्य करते हैं। इसमें कभी सीधे, कभी टेढ़े, कभी उलटे घूमते हुए नृत्य की मुद्रा बनाते हैं। इस नृत्य की विशेषता है कि इसमें नाचने वाले अपने कंधों पर एक-एक डंटा रख लेते हैं। यह सर्पाकार गति का नृत्य है।

जदुरा नृत्य

जदुरा भी महिला-पुरुष का नृत्य है। इसमें भी नाचने वाले हाथों से जुड़े रहते हैं। इस नृत्य में झुकने की मुद्रा अधिक होती है। पद संचालन समरूप होता है। नाचने तथा बजाने वालों के पैर एक साथ उठते तथा गिरते हैं। कभी-कभी और कहीं-कहीं मात्र महिलाएँ ही इस नृत्य में सम्मिलित रहती हैं।

जेठ लहसुआ

जेठ मास की हर रात्रि में खड़िया युवा अखरा में जमा होकर मांदर की ताल पर नृत्य करते हैं। इसमें भी महिला-पुरुष पंक्तिबद्ध हाथों से हाथ जोड़ कर नृत्य करते हैं। मांदर वादक इन नाचने वालों के मध्य नृत्य करता हुआ मांदर बजाता है। गीत की समाप्ति पर उछलकर तन झाड़ लेते हैं। इस समय 'चला लाही है रे' कहते हुए छलांग लगाते हैं।

कुवार अगहन लहसुआ नृत्य

ये नृत्य भी लहसुआ नृत्य के सदृश्य होता है। मात्र गीत तथा मांदर के ताल में अंत होता है। इसमें भी महिला-पुरुष दोनों सामूहिक नृत्य करते हैं। हाथों को एक-दूसरे की पीठ की ओर पकड़े हुए कतार में जुड़े होते हैं। इस नृत्य को आधी रात तक ही नाचा गाया जाता है। उत्सवों-पर्वों के अतिरिक्त अवसर विशेष पर भी नागपुरी गीतों के साथ इसे नाचते हैं।

जेठवारी ठढ़िया नृत्य

इस नृत्य में भी सभी आयु वर्ग के स्त्री-पुरुष सम्मिलित होते हैं। इसमें बाएँ से दाएँ वृत्ताकार घूमते हैं। नृत्य की गति मध्यम होती है। इस नृत्य की विशेषता इसकी लचक में है। कभी आगे कभी पीछे लौटते हुए लचकते हैं तो कभी झुकते हैं। यह मस्ती भरा नृत्य है। इसमें बूढ़े-बूढ़ियाँ भी खूब आनन्द लेते हैं।

करम ठढ़िया नृत्य

इसे कुवार ठढ़िया भी कहा जाता है। सभी युवा अखरा में बड़े वृत्त में एक लय, ताल, राग में झुक कर झूम-झूम कर नाचते हैं। नृत्य दाएँ पद से आरंभ होता है और दाईं ओर मुड़ते हुए नाचते हैं। गीतों की समाप्ति पर तीन-तीन कदम आगे-पीछे होते हैं। तभी नया गीत उठाते हैं। यह उत्साह और उमंग का नृत्य है।

जेठवारी ठोयलो नृत्य

इसमें भी सभी आयु वर्ग के महिला-पुरुष सम्मिलित रहते हैं। इसमें कतार में जुड़े हुए नर्तकों का दल सर्पिल गति से नृत्य करता है। कभी-कभी वृत्ताकार या अर्द्धवृत्ताकार भी नृत्य चलता है। मांदर वादक हमेशा की तरह कलात्मक ढंग से नृत्य करता हुआ वादन करता है। यह तीव्र गति का नृत्य है। इसमें एक साथ उछल कर सभी धरती पर पाँव पटकते हैं।

जेठवारी अंगनई नृत्य

यह रसिकों का प्रिय और भावनात्मक नृत्य होता है। इसमें नाचने वाले भी मंत्रमुग्ध हो जाते हैं। मांदर वादक के कलात्मक ताल और नृत्य से सभी नाचने वाले रस में डूब जाते हैं। इसमें भी दो दल क्रमशः नाचते तथा गाते हैं। मध्य में वादकों का समूह दोनों को जोड़े रहता है अपनी ताल से। इस नृत्य में बाएँ पैर के बाद दाहिने को नृत्य के लिए क्रमशः उठाते-गिराते हैं।

चैत वैशाख ठढ़िया नृत्य

इसमें नाचने वाली महिलाएँ पीछे की ओर से एक-दूसरे का हाथ पकड़े कतार में नृत्य करती हैं। कुछ युवक भी इसमें जुड़ जाते हैं। इस नृत्य में आगे झुके हुए बढ़ते हैं। गीत की समाप्ति पर तेजी से आगे बढ़ जाते हैं और अचानक पीछे मुड़ जाते हैं। इस नृत्य में मांदर की पलटी ताल देखते ही बनती है। रसिक बूढ़े-बूढ़ियाँ भी अपने को रोक नहीं पाते और अखरा के मध्य में आकर नृत्य

में सम्मिलित हो जाते हैं। वस्तुत: यह ललचाने वाला नृत्य है।

चैत-वैशाख लहसुआ

यह विशेष मनोहारी नृत्य है। वादक दल अपनी पगड़ी पर मोरपंख लगाए रहते हैं। नाचने, गाने, बजाने वाले पुरुष दल मध्य में सेकोय, टेटेंगा, फेचका, झाइल पकड़े बजाते तथा नचाते रहते हैं। इसमें भी पीठ की ओर से महिलाएँ हाथ पकड़ कर जुड़ी रहती हैं। कमर लचकाकर महिलाएँ जब बैठती हैं तब वादक भी उनका अनुसरण करते हैं। नाचने वाले दल तालियों से ताल भी देते हैं। वे सिर धुनते, उठते, पैरों को आगे-पीछे फेंकते हुए नृत्य करते हैं। इसकी कलात्मक मुद्रा होने के कारण स्वागत समारोह आदि में इसकी प्रस्तुति से वाहवाही लूटी जाती है।

उराँवों के नृत्य

आदिवासियों में आग्नेय परिवार के उपरांत द्रविड़ परिवार में उराँवों का स्थान झारखंड में महत्त्वपूर्ण होता है। उराँव समाज बेहद संगीतप्रिय होता है। इनके नृत्य संगीत की विविधता देखते ही बनती है। इनकी कलात्मकता तुलनात्मक रूप से शायद ही कोई टक्कर ले। इनकी वेशभूषा, वाद्य यंत्र भी नयनाभिराम होते हैं। इनकी सुंदरता और मधुरता से मन अखरा चढ़ने के लिए उतावला हो जाता है। मांदर, नगाड़ा, ठेचका, घंटी, तिरियो इनका लोकप्रिय वाद्य है।

उराँवों के नृत्य भी वर्ष भर हर्षोल्लास से चलते रहते हैं। इनके बिना तो ये जीने की कल्पना ही नहीं कर सकते। इनके कुछ गीतों में न तो वाद्य होते हैं न नृत्य। उराँव समाज में कुड़ुख गीतों के अतिरिक्त नागपुरी (सदरी) गीतों की भी भरमार है परन्तु अपनी शैली व रागों में। डब्ल्यू.जी. आर्चर एवं धर्मदास लकड़ा के उराँव लोकगीतों के संकलन इसके प्रमाण हैं। अनेक विवाह शादी की नेगाचार के गीत कुड़ुख के अतिरिक्त नागपुरी में भी हैं। सदानों का प्रभाव उराँवों पर भी व्यापक रूप से पड़ा है। वस्तुत: सदान मुंडा, उराँव तथा खड़िया समाज के सहवासी रहे हैं वह भी इतिहास के अज्ञात काल से । परिणामत: इनके आपस के नृत्य संगीत का एक दूसरे से प्रभावित होना स्वाभाविक ही है।

इसमें भी महिलाएँ हाथों की विभिन्न स्थितियों से एक कतार में जुड़ी हुई नृत्य करती हैं। पुरुष भी इनमें कुछ सम्मिलित हो जाते हैं। इनके पद संचालन की प्रक्रिया भी कलात्मकता और विविधता लिए हुए होती है। दो-दो कदम पीछे तीव्रता से लौटने की क्रिया को कुड़ुख नृत्य में तोतकाना तथा आगे की ओर बढ़ने की क्रिया को लंगड़ाना कहा जाता है। इसमें भी महिलाएँ या जुड़ने वाले पुरुष हाथों को हाथ से, कमर से, कंधे से पकड़े हुए, जुड़े कतार बनाते हैं। इसे जोड़ाना कहा जाता है। मांदर वादक के ताल और नृत्य का विशेष महत्त्व रहता है। अब तो इनके समाज में महिलाएँ भी मांदर आदि बाजे बजाने लगी हैं। इनका प्रभाव दूसरों पर भी पड़ा है। उराँवों के प्रमुख नृत्य हैं—फग्गू खद्दी, जदिरा, धुड़िया, जेठवारी, रोपा, करम, तुसगों, डमकच, झुमइर आदि।

फग्गू खद्दी नृत्य

फाल्गुन मास से ही सरहुल की तैयारी आरंभ हो जाती है। इसी प्रतीक्षा में यह नृत्य होता है। इसमें पीठ की ओर से महिलाएँ हाथों से हाथ पकड़ कर जोड़ती हैं। आरंभ में नृत्य साधारण कदम पर

नृत्य के लिए विशेष रूप से धीमी गति से होता है। गीत उठाने पर सभी गीत आरंभ कर देते हैं। सामान्य नृत्य से पैरों से उछलना फिर दाएँ पैर को कुछ ऊपर उठाना पड़ता है। विलंबित ताल में लंगड़ाना चाल में चलते हुए नृत्य तेज हो जाता है। नृत्य की समाधि पर 'हुर्रे' की ध्वनि निकालते हैं। इस नृत्य में कई राग के गीत चलते हैं जैसे फगिनाही, फग्गू सरहुल, खद्दी (रात), खद्दी (सबेरे), डोल, टुंटा आदि।

डोडोंग नृत्य

इसे जदिरा नृत्य भी कहा जाता है। यह जदुरा का ही उराँव रूप है। सरहुल में मुंडा तथा सदान भी अपने अखरा में खद्दी नृत्य के स्थान पर जदिरा या जदुरा नृत्य करते हैं। इसमें मांदर का विशेष महत्त्व होता है। मांदर वादक बीच में या महिला नर्तकियों के सामने होते हैं। ऐसे मुंडा-सदान अखरा में उराँव भी सम्मिलित होते हैं और डोडोंग नृत्य करते हैं।

डोडोंग नृत्य में दो कतार में तथा पूरी लम्बाई में अगल-बगल खड़े हो जाते हैं। अपने सामने वाले के एक कंधे पर अपना एक हाथ रखते हैं। दूसरा हाथ झूलता रहता है। बारी-बारी से हाथ कंधा तथा झूलता हुआ हाथ बाएँ-दाएँ बदलता रहता है। पद संचालन भी उसी क्रम से होता है। एक दल के नाचने गाने के बाद दूसरा दल झुक-झुक कर पद संचालन करते हुए नृत्य करता है। इसमें 'खेल लझैर लझैर' ध्वनि निकालते हैं। इसमें एक दल आगे बढ़ता है तो दूसरा पीछे हटता है।

इस नृत्य में पहिल सांझा, अधरतिया, भिनसरिया, जदिरा, चटनी आदि रूप राग होते हैं।

धुड़िया नृत्य

सरहुल के उपरान्त खेत जुत जाते हैं, बीज बो दिए रहते हैं। मौसम के अनुरूप इसमें जुते खेतों से धूल उड़ती है, धूल उड़ाते भी हैं। इससे इस काल के नृत्य को धुड़िया कहते हैं। इसे मांदर की ताल पर नाचा जाता है। धूल उड़ाने वाले नृत्य के रूप में इसकी पहचान होती है। वैसे तो अखरा के हर नृत्य में लोग धूल से नहा जाते हैं। वर्षा में, कहा जाता है अखरा का कादो भी जम जाता है या सूख जाता है नृत्य से।

इस नृत्य में भी बाएँ हाथ आगे वाले के बाएँ कंधे पर तथा दाहिना हाथ झूलता रहता है एक गति लय से। यह क्रिया बारी-बारी से बदलती रहती है। इसमें भी दो दल होते हैं। एक दल गीत उठाता है और नाचना आरंभ कर देता है। वृत्ताकार घूमते नाचते गीत की अंतिम कड़ी पर मांदर की ताल संकेत दे देता है। मांदर के पलटी मारते ही 'हो हाइल रे' कह कर पद संचालन बदल जाता है। बीच-बीच में कड़ी की समाप्ति पर कुछ क्षण के लिए रुक कर फिर पूर्ववत नृत्य आरंभ हो जाता है। गीत का अंत होते ही नाचने वाले दोनों पैरों से उछल पड़ते हैं और मांदर के 'तुंग' ध्वनि के साथ हुस्स कहा जाता है समूह में। मांदर की चाटी पलटते ही गीत नृत्य की अगली कड़ी शुरू हो जाती है।

धुड़िया सुरगुजिया नृत्य

इसमें भी कंधे वाली शैली और हाथ झुलाने की प्रक्रिया होती है। पद संचालित होते ही गीत आरंभ हो जाता है। गीत की समाप्ति पर 'हो हाइल रे' कहते लंगड़ी चाल चलना पड़ता है। गीत की कड़ी

की समाप्ति पर हाथ आगे वाले की कमर में चली जाती है और तय कदमों पर नृत्य का रूप तीव्र हो जाता है। अंतिम कड़ी में पंजों के बल बैठ जाती है और झटके से उठकर 'हो हाइल रे' कहती हुई नृत्य में मग्न हो जाती है।

छेछाड़ी नृत्य

इसमें भी फग्गू खद्दी की तरह ही जुड़कर कतार में नृत्य होता है। इसमें भी 'हो हाइल रे' कहते हुए दाएँ पैर को उठाते हैं। इसके बाद तोतकाना की क्रिया होती है। उसके बाद कलात्मक पद संचालन से नृत्य में गति आ जाती है।

धुड़िया टुंटा नृत्य

इसमें भी धुड़िया की तरह ही नृत्य होता है। लेकिन आरंभ और अंत में। बीच के पद संचालन भिन्न होते हैं। इसमें भी झुकते, पीछे हटते, सीधे खड़े होते हुए की मुद्रा में नृत्य होता है।

देशवाड़ी नृत्य

इसमें महिलाएँ अँगुलियाँ फँसा कर जुड़ती हैं। कुछ पुरुष भी सम्मिलित हो जाते हैं। इसके पद संचालन की कला अपनी है। इसके दो भेद हैं। हाथों से जुड़ने और पैरों के स्टेप हर नृत्य में किंचित् भिन्न हो जाते हैं।

खद्दी लुझकी नृत्य

यह धुड़िया की ही तरह का नृत्य है। इसी तरह जुड़ते भी हैं। इसमें झुककर नाचते हैं। गीत की प्रथम कड़ी पर आगे बढ़ते हैं तो दूसरी कड़ी पर पीछे लौटते हैं। बीच की अवस्था में उछल कर परिवर्तन करते हैं। मांदर की अनिवार्यता तो बनी ही रहती है।

जेठवारी ठढ़िया नृत्य

सरहुल के मौसम में जेठवारी नृत्य भी चलता है। इसमें देशवाड़ी की तरह जुड़ते हैं। इस नृत्य में मटकते हैं। गीत की समाप्ति पर उछलते हैं। हर कड़ी की समाप्ति पर 'हुस्स' कहकर पुनः पद संचालन आरंभ हो जाता है।

जेठवारी लहसुआ नृत्य

इसमें भी देशवाड़ी की तरह जुड़ते तथा नृत्य करते हैं। गीत की कड़ियों के अंत में नाचने वाली (वाले भी) झुकते हैं। कभी वे घुटने टेक लेती हैं और जुड़े हाथ को छोड़ कर तालियों से मांदर की ताल में ताल देती हैं। इस क्रिया में वे झूमती भी हैं। फिर पूर्ववत नृत्य-संगीत चलता रहता है।

घड़घड़िया नृत्य

इसमें भी देशवाड़ी नृत्य की ही कला है। इसमें दूसरी मात्रा में तोतकाना होता है। कदम कभी आगे कभी पीछे और कभी झुलाते हुए नृत्य करते हैं।

जेठवारी ठढ़िया नृत्य

इसे डोइरी भी कहते हैं। इसमें भी सामने वाले के कंधे पर हाथ रख कर दूसरा हाथ झुलाने के लिए मुक्त रहता है। इसमें झुक कर तथा सर्पिल-सा नृत्य होता है।

असारी नृत्य

आषाढ़ मास का यह नृत्य है। इसके पद संचालन व मांदर के ताल की अपनी विशिष्टता है।

अंगनई

यह सदानों के आँगन का नृत्य है। इसे उराँवों ने भी सहवासी होने के कारण अपना लिया है। इसकी शैली लगभग देशवाड़ी जैसी है। इसमें भी पहिल सांझा, अधरतिया, विहनिया, लहसुआ, उदासी, लुझकी आदि नृत्य होते हैं और वैसे ही गीत गाए जाते हैं।

करम नृत्य

यह नृत्य उराँव समाज में भादों, आश्विन, कार्तिक तक चलता है। यह करम पूजा के अवसर का नृत्य है। इसके कई भेद हो जाते हैं। करम तैयारी के नृत्य, जावा जगाने के, करम स्वागत के, काटने, लाने, गाड़ने तथा विसर्जन के अलग-अलग नृत्य-गीत हैं। कोठा करम नृत्य में भी अधरतिया, भिनसरिया नृत्य होते हैं तो चाली करम के भी।

चाली नृत्य

इसे झुमरी नृत्य भी कहते हैं। इसमें कंधा पकड़ने और हाथ झुलाने वाली शैली का नृत्य होता है। गीतों की कड़ियों के साथ आगे-पीछे होना पड़ता है। और कंधों से बदल कर कमर पकड़ कर नृत्य की मुद्रा में आना पड़ता है।

चाली रियो रे नृत्य

इसमें भी झुमरी की ही तरह नृत्य के लिए सजाते हैं। इसमें किर्तआना गाते समय पीछे के बदले आगे बढ़ते हैं। पैरों को फेंकते हुए इसमें नृत्य होता है।

चाली बारियो नृत्य

इसमें भी आगे वाले के कंधे पर अपना एक हाथ रख कर दूसरा झुलाते हुए नृत्य आरंभ होता है। गीत चलता रहता है। पाँवों को भी बीच-बीच में डुलाते हुए नृत्य करते हैं।

करम पइरी नृत्य

इसमें भी धुड़िया की तरह नृत्य आंरभ करते हैं। पैरों को डुलाना और उछालना इस नृत्य की विशेषता है। हाथों का स्थान बदल लेना, पीछे घूमना तथा तोतकाना करते हुए नृत्य में आगे बढ़ते हैं।

करम नृत्य के स्थान एवं स्वरूप के आधार पर इसके कई भेद हो जाते हैं। सभी में कुछ न

कुछ परिवर्तन अवश्य होता है। ऐसे करम नृत्य में मुख्य हैं—उदयपुरिया करम नृत्य, केसलपुरिया करम नृत्य, गांगपुरिया करम नृत्य, रसिका करम नृत्य, लहसुआ करम नृत्य, रिंजा करम नृत्य, अड़झो करम नृत्य, ठढ़िया करम नृत्य आदि।

बिरिंझिया ठढ़िया नृत्य

इस नृत्य में देशवाड़ी नृत्य की आरंभिक छाप है। इसमें 'हो हो होरे' कहते हुए दोनों पैरों से उछला जाता है। पद संचालन क्रम में कमर ऐंठते हुए आगे बढ़ते हैं।

तुसगो नृत्य

यह करम पर्व के बीत जाने के बाद का नृत्य है। इसमें नृत्य-गीत गंभीर और धीमा होता है। इसी से इसमें सभी उम्र के लोग सम्मिलित होते हैं। पूर्ववत कंधे पकड़ना और हाथ झुलाने की शैली का

समूह नृत्य है। पद संचालन के क्रम में झुकना, सरकना, झटका देना, घुटना झुकाना, पैरों को फेंकना पड़ता है। गीत भी कड़ियों में सीधे हो जाते हैं। मांदर की चाटी उलटाने पर 'चला घिरा हैरे, हैरे' कहते हुए एक-दूसरे की बाँह पकड़े नृत्य आगे बढ़ता है।

जदिरा नृत्य

इस नृत्य में मटकते हुए नृत्य होता है। प्रत्येक छः मात्राओं की कड़ी (गीत की) पर आगे-पीछे होना पड़ता है।

डमकच नृत्य

यह सदानों में सीमित समय तक होने वाला नृत्य है। परन्तु उराँवों में यह साल भर चलने वाला नृत्य है। यह उराँवों में भी सर्वाधिक लोकप्रिय है।

प्रायः उराँव समाज के नृत्य संगीत की कोई सीमा नहीं प्रतीत होती। इसकी विविधता ही अचंभे में डाल देती है। लोग नृत्य-संगीत में पूरी तरह तन्मय होकर अपनी थकान ही नहीं, अपना टेन्शन भी दूर कर लेते हैं।

झारखंड के नृत्य की अपनी विशिष्ट शैली है। इसकी नृत्य मुद्रा, गति, पद संचालन लय, ताल, राग आदि में भिन्नता होते हुए भी उनमें पर्याप्त समता है। इसी से यहाँ का कोई भी वादक, नर्तक, गायक अखरा उतरते ही थोड़े से श्रम से उसको आत्मसात कर लेता है। सभी के नृत्य-संगीत भी एक-दूसरे को प्रभावित किए बिना नहीं रहे हैं। इनकी प्रकृति, इनकी आत्मा संस्कृति की तरह एक-सी है। एक जीवन क्षेत्र में एक-सी ही संस्कृति पनप सकती है। झारखंड से भिन्न क्षेत्र से इस नृत्य-संगीत की कोई तुलना नहीं। इनमें एक अंत:सूत्र विद्यमान है। झारखंडियों को श्रम मिल जाए, पेट भर भोजन और नाचने गाने बजाने का समय मिल जाए तो वे अपने जीवन और अपने क्षेत्र को स्वर्ग बना देते हैं। जहाँ गीतों की सरिता प्रवाहित होती है, वाद्यों का मधुर नाद गूँजता है और नृत्य का लास्य लोच मंत्र विमुग्ध कर देता है।

संदर्भ

1. राजा बहादुर श्री उपेन्द्रनाथ सिंह देव, आदि झूमर संगीत, राँची, 1956।
2. राजा बहादुर श्री उपेन्द्रनाथ सिंह देव, छोटानागपुर, ताल मंजरी, राँची, 1959।
3. जगदीश त्रिगुणायत, बाँसरी बज रही, पटना, 1957।
4. पीटर शांति नवरंगी, नागपुरिया सदानी साहित्य, राँची, 1964।
5. प्रो वि.प्र. केशरी, नागपुरी भाषा और साहित्य, राँची, 1971।
6. डॉ. वि.प्र. केशरी, नागपुरी गीतों में श्रृंगार रस, वाराणसी, 1994।
7. डॉ. श्रवण कुमार गोस्वामी, नागपुरी शिष्ट सहित्य, दिल्ली, 1972।
8. भगवतशरण उपाध्याय, भारतीय संगीत की कहानी, दिल्ली, 1973।
9. जोवामि केरकेट्टा, समुंदर और धरती से हो दूर, राउरकेला, 1981।
10. पौलुस तोपनो, छोटानागपुर के आदिवासी, राँची, 1984।
11. डॉ हीरालाल शुक्ल, आदिवासी संगीत, भोपाल, 1986।

12. डॉ. गिरिधारी राम गौंझू 'गिरिराज', पीटर शांति नवरंगी : व्यक्तित्व एवं कृतित्व, राँची, 1990।
13. डॉ. भुवनेश्वर अनुज, नागपुरी लोक साहित्य, इलाहाबाद।
14. डॉ. कु. वासंती, नागपुरी गीतों की छंद रचना, वाराणसी, 1993।
15. जोन लकड़ा, मौसमी राग, राँची, 1993।
16. जोवाकिम डुंग डुंग, खड़िया जीवन और परंपराएँ, राँची, 1999।
17. डॉ. कलावती ओहदार, नागपुरी लोकगीतों का साहित्यिक एवं सांस्कृतिक अध्ययन, दिल्ली, 2003।
18. पाण्डे दुगीनाथ राय, मधु कुंज, राँची, 1985।
19. स्मारिका, नागपुरी कला संगम, राँची, 25 जनवरी, 1985।
20. काँची, राँची, तृतीय अंक, संपादक-रणेन्द्र।
21. झुनुर, झारखंड जनजातीय महोत्सव, 19-21 अक्तूबर 2001, जमशेदपुर।
22. डॉ. गिरिधारी राम गौंझू 'गिरिराज', झारखंड का अमृत पुत्र : मरङ गोमके जयपाल सिंह, राँची, 2001।

साक्षात्कार—डॉ. के.सी. टुडू (संताली), डॉ. सिकरादास तिर्की(मुंडारी), प्रो. अमिता मुंडा (मुंडारी), प्रो. वासंती कुजूर (कुड़ुख), सुश्री सरस्वती गागराई (हो), मुकुन्द नायक, मनपुरन नायक, प्रमोद कुमार राय, डॉ. रामकुमार तिवारी (खोरठा) आदि।

नृत्यों में भाग लेकर—(लेखक)

छउ नृत्य की शास्त्रीयता

डॉ. बदरीप्रसाद

झारखंड प. बंगाल और उड़ीसा के वनांचलों में प्रचलित छउ नृत्य को अन्तर्राष्ट्रीय कला-जगत में लोकप्रियता प्राप्त हो चुकी है। इसने फरिखण्डों के युद्धाभ्यास को आधार बनाकर हिन्दू धर्म एवं संस्कृति के सम्बद्ध कथावस्तु को समाविष्ट किया। इसने भारतीय नृत्य वस्तु के तत्त्वों के साथ लोकनृत्य एवं लोकजीवन के तत्त्वों का समावेश कर अपने को आज जिस कलात्मकता के शिखर पर आसीन कराया है, इसमें सरायकेला के नर्तकों और आचार्यों का परम योगदान रहा है। अज्ञानतावश लोगों ने छउ नृत्य को 'जनजातीय नृत्य' (Tribal Dance) एवं लोकनृत्य (Folk Dance) कहकर इसकी समृद्ध कलात्मकता की उपेक्षा की है। जनजातीय आबादी की सक्रिय भूमिका के कारण इस नृत्य की प्रकृति को जनजातीय और केवल 'लोकनृत्य' की संज्ञा नहीं दी जा सकती। वस्तुत: आवश्यकता इस बात की है कि इसके भीतर स्थित समस्त शास्त्रीय एवं लोकतत्त्वों की सम्यक् छानबीन की जाए।

भरत के 'नाट्यशास्त्र' का अनुसरण करने वाले भारतीय नृत्यों को शास्त्रीय नृत्य कहा जाता है। नाट्यशास्त्र के आधार पर नृत्यशास्त्र का विश्लेषण करने वाले नन्दिकेश्वर के 'मरताणवि' तथा अन्य नृत्यशास्त्रीय ग्रन्थों में नृत्यकारकों हस्तमुद्राओं और पादचारियों के विशद एवं विस्तृत विश्लेषण किए गए हैं। अपने नृत्य को उन्हीं शास्त्रों से जोड़कर उन्हें व्यवस्थित और नियमबद्ध करने का काम नृत्य के आचार्यों ने किया। इसके परिणामस्वरूप दक्षिण भारत के भरतनाट्यम्, कत्थकलि आदि उत्तर भारत के कत्थक नृत्य को शास्त्रीय नृत्य कहलाने का गौरव प्राप्त है। किन्तु सच यह है कि कोई भी नृत्य अपने आरंभिक चरण में गुरु से शिष्य तक एक मौखिक परंपरा के रूप में विकसित और गृहीत होता रहा है। जब यह मौखिक परम्परा काफी पुरानी हो गई और नृत्य के सिद्धान्त भी निश्चित हो गए, तो उन्हें शास्त्रानुबद्ध कर लिया गया और बाद में उनकी प्रस्तुतियाँ बाकायदा होने लगीं, तो उन्हें शास्त्रीय कहा जाने लगा। किन्तु ऐसे नृत्य भी हैं, जिनमें शास्त्र की अनेक स्थितियाँ होने पर भी गुरु से शिष्य तक उनकी मौखिक परंपरा ही चलती रही। उन्हें लिखित रूप में नहीं प्रस्तुत किया जा सका, तो वे केवल परम्परागत नृत्य मात्र रह गए इस दृष्टि से शास्त्रीय नृत्य के दो स्वरूप माने जा सकते हैं—

(1) नृत्य की मौखिक परम्परा से युक्त अलिखित शास्त्रीय नृत्य,

(2) लिखित शास्त्रीय नृत्य।

मौखिक परम्परा वाले नृत्यों में गुरु से शिष्य तक आते-आते नियमों में जोड़-घटाव की छूट होती है। इनमें परिवर्तन और परिवर्द्धन की गुंजाइश बनी रहती है, किन्तु लिखित शास्त्रीय

नृत्यों में नियमों के बन्धन से बाहर जाने की इजाजत नहीं होती। इसका अर्थ यह कदापि नहीं है कि मौखिक परम्परा वाले नृत्य क्रमबद्ध या नियमबद्ध रूप प्रस्तुत नहीं किए जाते। जिस परिवर्तन और परिवर्द्धन की बात की गई है, वे सब कालक्रम से नृत्य को मौलिकता प्रदान करने के लिए किए जाते हैं। भारतीय छउ नृत्य की यही स्थिति है। वह मौखिक परम्परा का नृत्य होता हुआ भी बहुत कुछ शास्त्रानुबद्ध नृत्य है जिसमें आवश्यकतानुसार कलात्मक गुणों से सम्पन्न करने के लिए संशोधन और परिवर्द्धन की विकासात्मक स्थितियाँ आती रही हैं।

छउ नृत्य ने मार्शल आर्ट-युद्ध नृत्य से विकसित होकर नाट्यशास्त्रीय नृत्तर्गत या ताण्डवी नृत्य के गुणों से युक्त होने का सौभाग्य प्राप्त किया। यह सब कुछ कालक्रमानुसार ही घटित हुआ है। अतः छउ नृत्य को अचानक शास्त्रीय नृत्य बनने का सौभाग्य नहीं प्राप्त हुआ। इनमें आंचलिक विशेषताओं के अनुसार भी परिवर्तन हुए। इसी के परिणामस्वरूप मूल सरायकेला, छउनृत्य की दो अन्य श्रेणियाँ विकसित हुईं मयूरभंजी शैली और पुरुलिया शैली। वस्तुतः इन दोनों शैलियों में भी लोक और शास्त्र के संभावित रूप के दर्शन होते हैं। किंतु मूल छउ नृत्य (सरायकेला) ने मार्शल आर्ट से ताण्डव नृत्य की समस्त शास्त्रीय विशेषताओं को अपने भीतर बड़ी गहराई से समेटने की चेष्टा की। इसलिए सम्पूर्ण छउ नृत्य कला के शास्त्रीय अनुशीलन की आवश्यकता है। लोकनृत्य (फरिखण्डा कला, तलवार और दाव) से शास्त्रीय नृत्य तक पहुँचकर वर्तमान छउ नृत्य ने लम्बी यात्रा तय कर ली है। इस नृत्य की मूल प्रकृति और इसके शैलीगत आन्तरिक स्वरूप को प्रभावित करने वाले सांस्कृतिक और आध्यात्मिक अनुष्ठान गंभीर और शास्त्रीय हैं। बहुत दिनों तक भारत और विश्व के रंगमंच से दूर झारखंड के सरायकेला एवं प. बंगाल और उड़ीसा के अंचलों तक सीमित यह छउ नृत्य सन् 1936 के बाद ही लोगों का ध्यान आकृष्ट कर सका। साठ के दशक के आसपास प्रसिद्ध नृत्यांगना रागिनी देवी ने इस नृत्य को देखकर अपने विचार व्यक्त करते हुए कहा था—'The debut of the Chhau Dances of Seraikell brought to light an impressive form of Odissi dance, which for beauty of style and clearly defined technique, Gunks with other forms of Indian classical dance.' आगे इसके विशिष्ट शास्त्रीय तत्त्वों का निरूपण करते हुए उन्होंने कहा था—'The Chhau Dance technique is based upon 108 UPLAYAS of postures and movements. There gaits (Goti), Leaps and Jumps (utplavana). Spirial movements-pada Chakra, all with a district classical tradition.'

रागिनी देवी के इस कथन से यह स्पष्ट हो जाता है कि छउ नृत्य में भरत के 'नाट्यशास्त्र' में वर्णित हस्तमुद्राओं और पादचारियों का सम्यक् समावेश किया गया है। किन्तु केवल अंगहारों और नृत्यकरणों के कारण ही छउ नृत्य की शास्त्रीयता प्रमाणित नहीं होती, बल्कि इसको शास्त्रीय प्रमाणित करने वाले अन्य प्रमुख तत्त्व भी हैं, जिनके कारण इस नृत्य में सम्मोहकता उत्पन्न करने की शक्ति आई है।

छउ नृत्य का सबल पक्ष है—इसका आधर्याभिनय जिसको आचार्य भरत ने अभिनय-प्रसंग की अत्यन्त प्रमुख कड़ी कहा है। इसके अन्तर्गत मुखौटा, वस्त्राभूषण, अस्त्रशस्त्रादि विश्लेषणीय है। छउ नृत्य के विशिष्ट वाद्ययंत्र और उसके संगीत विधान ताल और लय भी इसकी

शास्त्रीय ऊँचाई को काफी आगे बढ़ाते हैं। युद्धकलापरक नृत्यों के बाद छउ नृत्य ने जब शास्त्रीय स्वरूप ग्रहण करना शुरू किया तभी उसने भारतीय प्राचीन ग्रन्थों—रामायण, महाभारत, पुराण, महाकाल आदि की मार्मिक कथाओं को आधार बनाया, जिनमें श्रृंगार वीर, करुण, वात्सल्य आदि भावों की प्रचुरता है। छउ नृत्य अपनी ताण्डवी प्रकृति के अनुरूप मुक्त और खुले रंगमंच पर समस्त प्रस्तुतियाँ करता है। इन सभी शास्त्रीय तत्त्वों का विवेचन और विश्लेषण आवश्यक है।

प्रत्येक अभिनय के लिए रंगमंच की आवश्यकता है। भारत के पारंपरिक नृत्य जो शहर से लेकर ग्रामीण अंचलों तक परिव्याप्त होते हैं—इनकी प्रस्तुतियाँ खुले मैदान के अस्थायी रंगमंच पर ही की जाती हैं। सरायकेला, मयूरभंज और पुरुलिया छउ नृत्य की भाँति ही दक्षिण भारत के कर्नाटक राज्य के प्रसिद्ध 'यक्षगान' का प्रदर्शन भी खुले स्थान पर किया जाता है। किन्तु कत्थकलि केविपरीत इसकी प्रस्तुति ऊँचे स्थान पर भी की जाती है, किन्तु भूमितल वही होता है, जो दर्शकों के लिए होता है। भारतीय पारंपरिक नृत्यों की मूल अवधारणा के अनुरूप दक्षिण के यक्षगान, कुटियट्टम, कुचिपुड़ी, भागवत केला आदि नृत्यों की तरह ही छउ नृत्य की रंगमंचीय व्यवस्था और उसका स्वरूप प्रायः एक समान प्रतीत होता है। ये सभी रंगमंचीय विधान और बनावट भरत के नाट्यशास्त्र के अनुरूप हैं।

भारतीय छउ नृत्य विषयवस्तु की दृष्टि से कालक्रम से नवीनता का आग्रही रहा है। इसकी वस्तुविषयक धारणा का फलक सभी भारतीय नृत्यों की अपेक्षा विस्तृत है। इसके वस्तुविषय उतने ही विस्तृत, गंभीर और मार्मिक हैं जितने भारतीय काव्य के। यही इसकी शास्त्रीयता का प्रमाण है। नृत्य और काव्य की वस्तुगत एकता केवल माध्यम की भिन्नता में ही अभिव्यंजित होती है। नृत्य में यदि कोमल भंगिमाएँ होती हैं, तो काव्य में कोमलकान्त पदावली की वैदग्ध्यभंगीभणिति कथावस्तुगत मार्मिकता को छउ नर्तक अपनी विविध मार्मिक भंगिमाओं के माध्यम से जिस कुशलता और दक्षता से व्यंजित कर देता है, उसी कुशलता और प्रतिभा संपन्न उसे व्यक्त करने में समर्थ होते रहे हैं। काव्य और नृत्य में अन्तर सिर्फ कलात्मक अन्तश्चेतना का है। छउ नृत्य की प्रत्येक विषयवस्तु काव्यात्मक भावभूमि से ओत-प्रोत है।

भारतीय छउ नृत्य के विविध वस्तुविषय तथ्य को प्रमाणित करते हैं कि ये नृत्य कोई साधारण कोटि के नहीं हैं, बल्कि शास्त्रीय कोटि के विशिष्ट नृत्य हैं, जिनके आधार भारत के प्राचीन सांस्कृतिक, आध्यात्मिक और काव्यात्मक ग्रन्थ हैं। अतः भारतीय छउ नृत्य झारखंड, बंगाल और उड़ीसा के बहुत बड़े भू-भाग के सामान्य जनजीवन के बीच प्रचलित एक ऐसी सुन्दर कला है, जिसके प्रत्येक अवयव को शास्त्रीयता से सँवारने की कोशिश की गई है। इस संदर्भ में वाल्मीकि रामायण, महाभारत, श्रीमद्भागवत, विष्णुपुराण, मत्स्यपुराण, पद्मपुराण, लिंगपुराण आदि के अतिरिक्त भारतीय कृषक जीवन, समाज, राष्ट्रीय भावना, इतिहास, प्राकृतिक सौन्दर्य, संस्कृत काव्य एवं अन्यान्य व्यापक विषयों को आधार बनाकर छउ नृत्य को शास्त्र-सम्बद्ध किया जाना अत्यन्त महत्त्वपूर्ण है। छउ नृत्य में 'छाया' का अर्थ अनुस्यूत है। इसमें 'छाया' या 'प्रतिकृति' अनिवार्य और महत्त्वपूर्ण है। अतः वर्तमान छउ नृत्य शास्त्रीय नाट्याहार्ययुक्त मुखौटा नृत्य है। इस मुखौटा या 'प्रतिशीर्ष' का विस्तृत विवरण आचार्य भरत के 'नाट्यशास्त्र' के तेईस अध्याय में उपलब्ध है। भरत ने 'शीर्षविधानार्थ परीकार्य' का विस्तृत एवं विशद निरूपण

करते हुए इसके निर्माण की समस्त प्रक्रिया का उल्लेख किया है। 'नाट्यशास्त्र में वर्णित नियमों के अनुसार ही सरायकेला एवं पुरुलिया छउ नृत्य के मुखौटे तैयार किए जाते रहे तथा वस्त्रालंकार—मुकुट, आभूषण आदि साज-सज्जा के विन्यास भी उन्हीं विधियों के अनुसार किए जाते रहे। इसीलिए भारतीय छउ नृत्य की शास्त्रानुबद्धता भारतीय नृत्यशास्त्र के इतिहास में अत्यन्त गौरवास्पद और दुर्लभ वस्तु है।'

जब प्रत्येक वर्ष वसन्त ऋतु के शुभागमन के साथ मानव मन को तरंगायित करने वाले कोमल भाव जाग उठते हैं, तब इसी वेला में आत्मसुख और भक्ति की प्राप्ति के लिए भगवान शिव का स्तवन किया जाना रामायण, महाभारत एवं प्राकृतिक उपादानों के सौन्दर्य की अभिव्यक्ति के लिए नर्तन किया जाना आदि सबकुछ भारतीय छउ नृत्य की महनीय सांस्कृतिक परम्परा को उजागर करता है।

सम्पूर्ण भारतीय छउ नृत्य की तीनों महत्त्वपूर्ण शैलियों के वस्तुविन्यासगत रसानुशीलन के संदर्भ में यह कहा जा सकता है कि छउ नृत्य का प्रधान रस वीर है। इसके बाद श्रृंगारादि अन्य रस और भाव हैं। किन्तु छउ नृत्य का दूसरा महत्त्वपूर्ण रस एवं भाव श्रृंगार और प्रेम ही है। वीर और श्रृंगार रसों की सम्यक् अभिव्यंजना सरायकेला और मयूरभंजी छउ नृत्यों में होती रही है और आज भी प्रदर्शनीयता की यह स्थिति बहुत अंशों में विद्यमान है। मयूरभंजी समूह नृत्यनाट्यों की प्रस्तुतियों में इन्हें और भी अधिक विशदता प्राप्त होती है। किन्तु सरायकेला की कलात्मक सूक्ष्मता अपने ढंग से रसाभिव्यंजना के प्रसंग में अपनी गरिमा का द्योतन करती है।

छउ नृत्य मूक नृत्यनाट्य है, जिसमें वाचिक अभिनय या संवाद नहीं होते। शारीरिक गतियाँ—पादचारी, हस्तमुद्रादि ही भाषा और संवाद की सर्जना करते हैं। शरीर के प्रत्येक अंग से भाषा निर्गत होती है। नृत्य में प्रत्येक अंग का संचालन का महत्त्व होता है। किन्तु ये सभी मन की स्थिति पर निर्भर है। मन की उग्रता में ये उग्र रूप से संचालित होंगे तथा मन की शक्ति और स्थिरता में मधुर और शांत रूप से संचालित होते हैं। एक में ताण्डवता और दूसरे में लास्यता।

छउ नृत्य-नाट्य में अपनी सुविधा के अनुसार आंगिक अभिनयों का ग्रहण लोकजीवन व्यवहार से भी किया गया है और पशु-पक्षी जगत के नैसर्गिक व्यापार को भी महत्त्व दिया गया है। इसके अतिरिक्त 'नाट्यशास्त्र' वर्णित तत्त्वों में भी भावाभिव्यंजना के माध्यम ढूँढे गए हैं इस तरह छउ नृत्य के आंगिक अभिनय केतत्त्व-संदर्भ के लोकव्यवहार, प्रकृति और शास्त्र का सुन्दर और मनोरंजक समन्वय दृष्टिगत होता है, जिन्हें हम युद्ध शास्त्र कहने से हिचक सकते हैं। किन्तु इसी लोकतत्व में छउ नृत्य में अपने को इतना माँजा है कि वह शास्त्रवत् प्रतीत होता है। बल्कि छउ में इसके निरन्तर और दीर्घकालिक विनियोग ने शास्त्र की अपेक्षा इसकी धार अधिक पैनी और तीखी कर डाली है। अत: सर्वथा और सर्वदा शास्त्र ही प्रमाण नहीं होता, बल्कि लोक भी प्रमाण होता है, जहाँ से शास्त्र का जन्म होता है।

छउ नृत्य में भरत वर्णित नाट्य, नृत्य और नृत्त तीनों का संगम है। इसमें मुखौटा धारण कर पररूप के अभिनय के साथ ही वस्तुगत भाव-रस की अभिव्यंजना के लिए गात्रविक्षेपण महत्त्वपूर्ण होता है। गुरु से शिष्य तक कायम रहने वाले मौखिक परम्परा के नृत्य में सिद्धांत पक्ष अलिखित रहने के कारण आंगिक अभिनयों में कालक्रम से कई प्रकार के जोड़-घटाव होते रहते हैं। छउ

नृत्य में भी आंगिक अभिनय की मौखिक परंपरा चली आ रही है, किंतु सरायकेला मूल छउ नृत्य के मौखिक सिद्धांत अलिखित होने के बावजूद प्राय: बड़े ठोस और स्थिर रहे हैं। मयूरभंज और पुरुलिया छउ नृत्यों ने इसमें लोकतत्त्वों का समावेश कर अपनी निजी शैली के हिसाब से इसे अधिक लचीला बना दिया है। शास्त्रगत मुक्तता के कारण रस-भाव-प्रदर्शन की विशाल संभावना है। इसीलिए यह लोक समादृत है। छउ नृत्य अपनी अलिखित सैद्धान्तिक सीमा में रहकर स्वछन्द रूप में मानव-भावों के अनेक रमणीय प्रसंगों को प्रकट करता है। यह कार्य अन्य शास्त्रीय नृत्य नहीं कर पाते।

छउ नृत्य ने अपने सैद्धान्तिक पक्ष के निर्माण में लोकजीवन के तत्त्वों को ग्रहण करने में किसी प्रकार का संकोच नहीं किया है। अपने इसी लचीलेपन के कारण वह भरतमुनि द्वारा निर्धारित अनेक नियमों के अनुपालन के प्रति भी सक्रिय है। लोक और शास्त्र की इस समन्वित दृष्टि के कारण इसने नृत्य की सुनहरी और मनोहर कड़ियों को संयोजित करने में अद्‌भुत सफलता प्राप्त की है। इसीलिए छउ नृत्य की अंग-भंगिमाएँ और मात्र विक्षेप बड़े आकर्षक प्रतीत होते हैं।

कलात्मक उत्कृष्टता केवल शास्त्र की लीक पिटने से ही उत्पन्न नहीं होती, बल्कि शास्त्र आगे बढ़कर कुछ कर दिखाने में भी होती है। छउ नृत्य ने इस दृष्टि से कहीं-कहीं नाट्यशास्त्र का संशोधित रूप भी प्रस्तुत किया है। इस छउ नृत्य की प्रगतिशीलता और स्वच्छन्दता का प्रमाण है। प्रजापति, मयूर, सागर और रात्रि जैसे नृत्यों के प्रदर्शन में इसे देखा जा सकता है।

छउ नृत्य में प्रयुक्त आंगिक अभिनय के व्यावहारिक स्वरूप को स्वाभाविक लोककार्य-व्यापार और पशु-पक्षी जगत के कार्य-व्यवहारों के बीच ही ढूँढ़ा जाना चाहिए। 'नाट्यशास्त्र' के विस्तृत और गहन आंगिक अभिनय की सीमा में छउ नृत्य के आंगिक अभिनयों की खोज की जा सकती है, जहाँ साम्य दिखलाई देना कोई आश्चर्य की बात नहीं ।

युद्धनृत्यकला से विकसित छउ नृत्य ने अपनी उद्धत और ताण्डवी प्रकृति के अनुरूप नगाड़ा, ढोल, पखावज, घुमसा, तुरही जैसे वाद्ययंत्रों की ओजमयी वाणी को ही महत्त्वपूर्ण माना। इन्हीं वाद्ययंत्रों की तेजतर आवाज की अनुगूंज से इस छउ नृत्य की अभिनेयता ने भारतीय नृत्यों में अपना मौलिक स्थान बनाया है। युद्धवाद्य संगीत की घोषणा को भारतीय संगीतशास्त्र के साये में ढालकर छउ नृत्य की वाद्यसंरचना ने इसे एक अनूठा तेवर प्रदान किया है।

भारतीय संगीतशास्त्र के अनुसार लय, ताल और छन्द योजना की एक निश्चित व्यवस्था है। इसी व्यवस्था को सभी शास्त्रीय नृत्य अपनाकर चलते हैं और छउ नृत्य ने भी इसे ही अंगीकार किया है। डॉ. सुनील कोठारी ने अपने एक आलेख में सरायकेला छउ नृत्य की सान्निटिक संरचना को शास्त्रीयता से परिपूर्ण बतलाया था—'The music employed in chhau dance is of a classic nature. The folk melodies. Though utilized are also given a character which has classical menld.'

संगीत के गुरु छउ नर्तकों के निकट बैठकर ढोल के ताल का शब्दश: कथन करते हुए ताल की गतिमयता को नियंत्रित करते हैं। नर्तक अपनी पादचारी से तालों को ग्रहण करते हैं और इसे ऊपर की ओर हाथों एवं सम्पूर्ण शरीरांगों की ओर सम्प्रेषित करते हैं। इस तरह पादचारी के

द्वारा समुत्पन्न परिकल्पना से नर्तक का सम्पूर्ण शरीर संचालित होता है। सही जटिलतर छउ नृत्य की नाटकीय सांगीतिक प्रस्तावना है जिसके आधार पर नर्तकों की शारीरिक छवियों, सुरुचिपूर्ण एवं अलंकृत शिरोभेद तथा अन्य भंगिमाएँ विकास प्राप्त करती हैं। तालों के प्रति छउ नर्तक स्वयं काफी सतर्क होते हैं।

अत: एक छउ नर्तक को तालों का ज्ञाता और नियन्ता होना आवश्यक है। क्योंकि माजा से परे उसकी एक गलत पादचारी सुधी दर्शकों के मन में उपहास उत्पन्न कर सकती है। अत: छउ नृत्य के अन्तर्गत तालानुरूप पादचारियों के महत्त्व को परिपुष्ट करने के लिए यह तथ्य पर्याप्त है।

इस प्रकार नृत्य की तकनीक दृष्टि से छउ नृत्य ने शास्त्रीय नृत्य को छू लेने की अर्हता प्राप्त कर ली है। 'नाट्यशास्त्र' की पादचारियों और हस्तमुद्राओं या नृत्यकरणों को अपनाने के साथ ही आचार्यगत मुखौटों, मुकुट, वस्त्राभूषण की समस्त अवधारणाओं के अनुसार छउ ने नृत्य की व्यवस्था की है। इसने न केवल शास्त्र बल्कि लोकजीवन के व्यवहार से प्राप्त अनेक नृत्य तकनीकों को विकसित किया है। इसकी सांगीतिक संयोजना का स्वरूप बाहर से लोकसंगीतात्मक होते हुए भी भीतर से बहुत व्यवस्थित और नियमबद्ध है। अत: छउ नृत्य की नृत्य-तकनीक और सांगीतिक योजना में लोकतत्त्व और शास्त्र का सुन्दर समागम हुआ है।

झारखंड के पर्व-त्योहार एवं पूजा

डॉ. गिरिधारी राम गौंझू 'गिरिराज'

कड़ी धूप में खेतों में काम करते किसानों के ऊपर बादलों की छाया के थोड़ी देर ठहर जाने पर, शीतल वायु का झोंका मिलने पर, रेगिस्तान में रेत के समंदर में नखलिस्थान के मिल जाने पर, समुद्र यात्रा में किसी रमणीक टापू में उतरने पर, बियाबान जंगल के मध्य किसी गाँव में प्रवेश करने पर जो आनन्द मिलता है, वही उल्लास जीवन संघर्ष की यात्रा के मध्य पर्व-त्योहारों से प्राप्त होता है। यही कारण है कि लोग बड़ी उत्सुकता से पर्व-त्योहारों की प्रतीक्षा करते हैं।

संसार की हर जाति-समुदाय में अपनी संस्कृति के अनुरूप पर्व-त्योहार आते जाते हैं। ये लोगों में एक नया उत्साह, एक नई ऊर्जा भर देते हैं। जैसे किसी बैटरी को पुनः चार्ज कर दिया गया हो।

झारखंड विश्व का अनुमानतः तीन अरब वर्ष पुराना भूखंड है। विश्व की आंरभिक सभ्यता-संस्कृति का विकास यहाँ हुआ है। प्रस्तर, ताम्र लौह युगों के पुरातत्त्व एवं अवशेष पूरे झारखंड में बिखरे पड़े हैं। ये अपना इतिहास स्वयं बतला रहे हैं। किसी भी क्षेत्र की संस्कृति उसकी प्रकृति के अनुरूप होती है और संस्कृति क्या है? किसी समुदाय विशेष के जीने की सर्वश्रेष्ठ कला है, जीवन मूल्य के उपादान हैं। पर्व-त्योहार मानव संस्कृति की सर्वोत्तम निधि हैं, पहचान हैं और उसके अस्तित्व का व्यावहारिक विधान हैं।

झारखंड निवासियों का जनजातीय एवं गैर-जनजातीय में विभाजन करना समीचीन प्रतीत नहीं होता। सांस्कृतिक दृष्टिकोण से आदिवासी-सदान एवं कालक्रम से आ बसने वालों का विभाजन उपयुक्त होगा। इसका कारण है आदिवासी व सदानों का लम्बा सांस्कृतिक जीवन। इनके मध्य आ बसने वाले सहवासी हो गए हैं। पुरातत्त्व एवं प्राचीन इतिहास तो वर्तमान आदिवासी मानी जाने वाली मुंडा, उराँव, खड़िया, संताल, हो आदि से पूर्व ही यहाँ नाग जाति की एक अनार्य संस्कृति विद्यमान थी जिनके आराध्य देव महादेव हैं और महादेव प्रिय नागों का यह भूखंड नागपुर, हीरानागपुर, चुटियानागपुर, छोटानागपुर कहा जाता रहा है। गाँव-गाँव में तथा विशेष प्रसिद्ध स्थलों में महादेव माँडा, देवीगुड़ी वृक्षों, पर्वतों, नदियों के प्रकृत प्रांगण में अपने प्रकृत स्वरूप में विद्यमान हैं। यह नागों और महादेव की भूमि रही है। इन्हीं अनार्यों के नाग जाति के लोग आज सदान समुदाय के नाम से जाने जाते हैं। सदान का अर्थ ही होता है सदा से निवास करने वाले लोग। वर्तमान जनजातियों को सर्वप्रथम आदिवासी कहने वाले रिजले कर्नल डाल्टन थे। मुंडाओं के छोटानागपुर आने के पूर्व असुर (अनार्य) लोग रहा करते थे जो लोहा गलाने एवं औजार बनाने का काम करते थे। इसी तरह अन्य पेशे के लोग भी थे—ऐसा शरतचन्द्र राय ने

मुंडाज एंड देयर कंट्री में भी लिखा है।

सदान तथा आदिवासी झारखंड में दीर्घ सांस्कृतिक सहवासी रहे हैं। इन दोनों की संस्कृति में पर्याप्त समानताएँ हैं। इनकी सहियामइत की संस्कृति देखते ही बनती है। इनकी समरसता का कारण भी यही है। संस्कृति की समता के कारण ही इनके पर्व-त्योहार एक जैसे हैं भले ही भाषा भिन्न हो। बाहर से कालक्रम से आ बसने वालों की भाषा-संस्कृति अपने मूल में आज भी बनी हुई है। इन नवागंतुकों के पर्व-त्योहार यहाँ के आदिवासी सदानों से प्राय: मेल नहीं खाते। यदि कुछ समतुल्य प्रतीत होते भी हैं तो उनके विधि-विधान एवं मान्यताएँ भिन्न होती हैं। सदानों में विभिन्न सामाजिक उपयोगिता से संबंधित पेशे के लोग हैं और यही पेशा यहाँ बसे लोगों का भी है। बाह्य विद्वानों को इन दोनों में पार्थक्य प्राय: दिखाई नहीं पड़ता। सांस्कृतिक दृष्टि से सदानों एवं आगंतुकों में मेल न हो पाने के कारण प्राय: विवाह-शादी भी नहीं होते। चूँकि यहाँ के सदानों में आदिमपन अभी भी इनकी संस्कृति में विद्यमान है। प्राय: इनकी जातियों के आगे 'कोल्ह' शब्द जोड़ दिया जाता है जैसे—कोल्ह तेली आदि। चूँकि इनमें भी आदिवासियों की तरह कन्या मूल्य, हँड़िया का तपान, मुर्गे आदि की बलि आदि आज भी मौजूद हैं। झारखंड पठारी एवं वन्य प्रदेश रहा है। इनके मध्य आदिवासी सदान गाँव, नदी, पर्वत, नगर के नाम भी दोनों वर्गों से हैं। जैसे उलीहातु, मरंगबुरू, दा सोङ अम्बा टोली, बड़ पहाड़ी, कोइल आदि। प्राकृतिक परिवेश की समानता के कारण ही इनके पर्व-त्योहार, पूजा आदि भी एक जैसे ही हैं।

प्रकृति के अनुरूप संस्कृति का निर्माण होता है। यहाँ की संस्कृति में जो सांझापन है वह स्पष्ट दिखाई देता है। जैसे बोंगा देव, सिडबोंगा (श्रेष्ठ देव)—महादेव (महानदेव), सरना देवी—देवी गुड़ी आदि। इनके यहाँ मंदिर, मस्जिद, गिरजा की संस्कृति, ईश्वर को भव्य, वैभवपूर्ण एवं खूबसूरत उपासनालयों में कैद कर रखने की संस्कृति नहीं रही है। इनके उपासना केंद्र तो उन्मुक्त गगन के नीचे प्रकृत स्वरूप में हैं। जो उपासनालय दिखाई पड़ते हैं वे आ बसने वालों द्वारा निर्मित हैं (मध्यकाल में) जो इनकी खूबसूरत देन हैं। ऐसे देवस्थलों या पवित्र स्थलों में अवसर विशेष पर या पर्व-त्योहारों पर पूजापाठ व मेला जतरा का आयोजन होता है।

झारखंड के आदिवासी सदानों के प्रमुख आदिम पर्व-त्योहार व पूजा हैं— फगुआ, सरहुल, मंड़ा, धानबुनी, रोग खेदना, असारी पूजा, सावन (सतमी), बहुरा, कदलेटा, भेलवा फारेक, चाँद बारेक, करम, नवाखानी, जितिया, सोहरइ, डाइर, देवउठान, अगहनी पूजा, खलिहान उठाएक, माघ मनाएक, सुरजाही पूजा, देशउली, जनी शिकार, भाई भीख आदि। इन्हीं त्योहारों के नाम आदिवासी भाषाओं में अपने-अपने इन्हीं के अनुरूप हैं। जैसे खड़िया समुदाय में सरहुल को जंकोर सोहराइ या गोशाला पूजा को दिमतङ; धान बुनी को बाअ बिड्‌बिड्‌, नवाखानी को जोओडेम, भैंस चुमान को बंदई कहते हैं। झारखंडी कुरमी समाज में भी सोहराइ को बाँधना, मकर संक्रांति को टुसू, नागपूजा को मनसा पूजा कहते हैं। इनके अतिरिक्त इनके भगता, रोहिणी, छाता, सिझानू पर्व आदि हैं। मुंडा उराँव में सरहुल को क्रमशः बा: पर्व, खद्‌दी पर्व कहते हैं।

झारखंड में आ बसने वालों (मध्यकाल व आधुनिक काल) के त्योहार हैं— सरस्वती पूजा, महाशिव रात्रि, होली, रामनवमी, महावीर जयंती, वैशाखी, हनुमान जयंती, रथ यात्रा, जन्माष्टमी, रक्षा बंधन, गणेश चतुर्थी, विश्वकर्मा पूजा, दुर्गापूजा, दीपावली, कालीपूजा, गोवर्धन पूजा, दवात पूजा, कार्तिक पूर्णिमा, गुरुनानक जयंती, छठ, ईद, बकरीद, बड़ा पर्व, इस्टर आदि। अब

तो कतिपय झारखंडी आदिवासी सदान भी इन त्योहारों को मनाने लगे हैं। परन्तु ये त्योहार मूलतः इनकी संस्कृति में आयातित त्योहार हैं। इन त्योहारों को भारतीय स्तर पर विशेषकर उत्तरी भारत में विशेष रूप से मनाया जाता है। इस विभाजन से झारखंड के आदिम पर्व-त्योहार एवं पूजा स्वतः विलग प्रतीत होते हैं। संक्षिप्त रूप में इनका परिचय उपस्थित करना समीचीन होगा।

फगुआ

यह फागुन के अंतिम पूर्णिमा एवं चैत के प्रथम दिवस का त्योहार है। यह होली का झारखंडी रूप है। पूर्णिमा के दिन अखरा में एरण्ड या सेमल की डाली को गाड़ कर पहान द्वारा संवत् काटा जाता है। इसके बाद लकड़ी-पुआल आदि देकर जला दिया जाता है। यह पूजा आधी रात को होती है। चारों ओर मांदर, ढोल, ढांक, नगाड़ा आदि लेकर फगुआ संगीत चलता है। नाचते, बजाते, गाते लोग भोर कर देते हैं। सुबह उसी राख का टीका लगाते हैं। किसान समुदाय अपने खेतों में धूल उड़ाने के लिए निकल जाते हैं। स्नान कर पुरखों तथा देव या ईश्वर को हँड़िया का तपान, मुर्गे की बलि, एवं पाक पकवान पुआ घूसका, बर्रा, पीठा, छिलका आदि (बिना नमक का) प्रसाद चढ़ाते हैं। पहले उपवास कर रसोई में फिर घर के आँगन में पूजन विधि पूरी होती है। इस दिन रंग खेलते हैं। दोपहर के बाद स्नान कर अबीर खेलने निकलते हैं— बड़ों के पाँवों में, महिलाओं के आँचल में, छोटों के गालों में रंग अबीर डालते हैं। आज से दोस्त-दुश्मन एक हो जाते हैं। प्रकृति के रंग परिवर्तन का यह वसंत उत्सव ही है। अखरा में फगुआ संगीत की बहार रहती है। दूसरे दिन लोग जंगलों में शिकार खेलने निकलते हैं। लौटने पर शिकारियों के पाँव धोए जाते हैं।

सरहुल

यह मुंडा, उराँव, खड़िया, संताल, हो आदि जनजातियों का विशेष त्योहार है। इसमें सदानों की भी भागीदारी रहती है। यह भी प्रकृति परिवर्तन की प्रसन्नता का उल्लासमय त्योहार है। साखू के फूलों को पहली बार स्वर्ण पुष्पों के रूप में सरना में चढ़ाया जाता है। सरना सखुआ या पुराने वृक्षों के तले होता है। यहाँ हँड़िया का तपान तथा मुर्गे की बलि दी जाती है। इनका इंतजाम गाँव के सभी लोगों के चंदे से होता है। पहान-पहनाइन या सूर्य पृथ्वी का प्रतीकात्मक विवाह होता है। सरना स्थल पर ही पूजा के साथ मुर्गे तथा चावल का टहरी (खिचड़ी) प्रसाद रूप में बना कर ग्रहण किया जाता है। सभी एक दोना हँड़िया का रस (सोम रस) पान करते हैं। पहान को लाने-ले जाने के लिए बलिष्ठ युवक का कंधा होता है। सरना पूजा में घड़ों में रखे जल की मात्रा से इस वर्ष की वर्षा की भविष्यवाणी की जाती है। दूसरे दिन पहान द्वारा पूरे गाँव के हर घर में सखुआ के फूल खोसने का कार्य होता है। घर-घर पहान को नहलाया या पाँव धोया जाता है तथा उसको तेल लगाया जाता है। लोग पहान से आशीर्वाद लेते हैं। पहान भी सरहुल में पूरे गाँव की सुख-शांति एवं समृद्धि के लिए सिङबोंगा या धर्मेश व ईश्वर से कामना करता है। यह त्योहार मास भर रिले की तरह गाँव-गाँव मनाया जाता है।

मंड़ा पर्व

यह अक्षय तृतीय वैशाख से आरंभ होता है। महादेव की पूजा महादेव माँड़ा में कठिन व्रत, उपवास, नियम-धर्म का पालन करते हुए भगताओं एवं इनके प्रमुख पाट भगता द्वारा होती है। इन भगतों की सेवा के लिए माँ, बहन, पत्नी या बेटी में से कोई एक रहती है। इन्हें भी कठिन व्रत का पालन करना पड़ता है। इन्हें सोखताइन कहते हैं। जागरण की रात मेला लगता है तथा छव नाच आयोजित होता है। ये भगता कहीं-कहीं सौ की संख्या से भी अधिक हो जाते हैं। भगताओं को रात्रि में धूप-धूवन की अग्नि शिखाओं के ऊपर उल्टा लटका कर झुलाया जाता है। इसे धुंवासी कहते हैं। फिर दहकते अंगारों के कतार के ढेर पर सभी एक-एक कर नंगे पाँव चलते हैं। दूसरे दिन चरक डांग मचान पर लगी चरखी में 15-20 फीट ऊपर उन्हें हवा में झुलाया जाता है। भगता अपने फूलों के हार को लोगों की ओर मेले की भीड़ में फेंकते हैं। उन्हें पवित्र मान कर लोग रखते हैं। भगताओं का दल रंग-बिरंगी पोशाकों में कंधे पर चाँवर, पैरों में घुँघरू, हाथों में बेंत की छड़ी, सिर पर पगड़ी, मोर का पंख, गले में गुलइची, फूलों की मोटी माला में ये बड़े सुशोभित होते हैं। इनका सामूहिक नृत्य मनोहारी होता है। यह महादेव पूजा का सबसे बड़ा त्योहार है। आदिवासी सदान सभी भगता बनते हैं इसमें।

धान बुनी

मंड़ा के दिन ही नए बाँस की टोकरी तथा नई धोती में धान ले जाकर खेत जोत कर बुना जाता है। पूर्व की ओर अभिमुख कर प्रणाम करते हुए पाँच मुट्ठी धान बोकर किसान घर लौट आते हैं। आते-जाते किसी से बात नहीं करते। आदिवासी सदान इसे सादे त्योहार के रूप में मनाते हैं। इसमें भी हँड़िया का तपान तथा प्रसाद एक दोना के रूप में चलता है।

रोग खेदना

रोगों को गाँव से बाहर निकालने के उद्देश्य से यह त्योहार मनाया जाता है। पहान गाँव से चंदा लेकर तपान का हँड़िया उठाता है। तय दिन सभी अपने घर-आँगन की लिपाई कर लूंडा तथा तवा अखरा में जमा करते हैं। फिर पहनाइन के नेतृत्व में गाँव की महिलाएँ अपने-अपने लूडा तथा तवा (लीपने में उपयोग किया हुआ) को सामूहिक रूप से गाँव की सीमा में रास्ते में फेंक आती हैं। इसी तरह हर गाँव वाले अपनी-अपनी सीमा में करते हैं। लौट कर सामूहिक रूप से एक दोना हँड़िया तपान प्रसाद रूप में लेते हैं। हँड़िया के साथ कुछ चखना भी चलता है। यह रोग बहिष्कृत करने का एक छोटा सादा पर्व है।

आषाढ़ी पूजा

आषाढ़ मास में निश्चित दिन घर-आँगन या अखरा में लीप कर स्नान करने के उपरान्त काली पाठी की बलि दी जाती है। हँड़िया का तपान ढाला जाता है। आषाढ़ी पूजा गाँवों को चेचक जैसी बीमारी से बचाने के लिए मनाया जाता है। भाई-बधुं व अतिथियों को आमंत्रित किया जाता है। मिल कर बलि के मांस के साथ भोजन करते व आनंद मनाते हैं। सिर का मांस (बलि पशु का)

पुरुष वर्ग ही लेते हैं। इसे आदिवासी सदान सामूहिक या व्यक्तिगत रूप से भी मनाते हैं।

सावन पूजा

सावन शुक्ल पक्ष सप्तमी के दिन देवी की पूजा एक बकरे की बलि देकर की जाती है। बकरा सामूहिक चंदे से लिया जाता है। गाजे-बाजे के साथ पहान देवीमंडप में बकरे की बलि देता है। प्रसाद रूप में बलि पशु का मांस घर-घर पूरे गाँव में वितरित किया जाता है। घरों में खीर बनता है। देव-पितरों को हँड़िया-तपान देकर प्रसाद रूप में सभी एक दोना ग्रहण करते हैं।

बहुरा

भादों के कृष्ण पक्ष चतुर्थी के दिन वर्षा की अच्छी समाप्ति के निमित्त तथा संतान प्राप्ति के लिए भी यह पर्व स्त्रियाँ सम्पन्न करती हैं। इसे 'राइज बहरलक' भी कहा जाता है।

कदलेटा

भाद्र मास में करम पूजा के पूर्व पहान द्वारा दिन तय किया जाता है। इसमें मेंढ़की भूत को शांत करने के लिए वृक्ष की पूजा की जाती है। पहान हँड़िया उठाने के लिए गाँव में घर-घर से चावल जमा करता है। निश्चित दिन हर घर से एक-एक व्यक्ति पहान के साथ जंगल से भेलवा, साल, केन्द की डालियाँ काट कर अखरा में जमा करते हैं। अखरा में इन डालियों की पूजा मुर्गे की बलि तथा हँड़िया का तपान पहान देता है। नए घड़े में उसी मुर्गे तथा चावल का टहरी (खिचड़ी) बनता है। इसे भी तपान के साथ ईश्वर को अर्पित किया जाता है। लोग एक दोना तपान तथा टहरी लेकर अपनी-अपनी डालियों को खेतों में गाड़ देते हैं। इससे फसलों में रोग नहीं लगता। यह भी एक सरल रूप में मनाया जाने वाला एक छोटा पर्व है।

भेलवा फारेक (भाख काटेक)

कदलेटा के दो-तीन दिन बाद इस पर्व को मनाया जाता है। पहान घर-घर आँगन या खलिहान में जाकर चूल्हे की मिट्टी, कोयला, अरबा चावल, चावल की गुंड़ी (आटा), मुर्गी अण्डा, हँड़िया, भेलवा की डाली आदि पूजन सामग्री के साथ पूजा करता है। पहान चावल की गुंड़ी, कोयले, मिट्टी आदि से पूजास्थल पर भाग्यरेखा खींचता है। अण्डे को उसके बीच में स्थापित करता है। कांसे की थाल पर पानी में अरबा चावल भेलवा के पाँच तिनकों को डुबो कर पहान शगुन देखता है। उस पवित्र जल को पूरे घर में छिड़का जाता है। पूजा की शेष सामग्री को गोबर गड्ढे में गाड़ दिया जाता है। पहान तथा अन्य को एक दोना हँड़िया का तपान दिया जाता है। साथ ही पहान को सीधा (चावल दाल सब्जी कच्चे रूप में) तथा दक्षिणा देकर विदा किया जाता है।

चाँद बारेक

भादों के कृष्ण पक्ष में दो दिन रात्रि में चाँद न देखने का व्रत घर की बड़ी बूढ़ी महिलाएँ रखती हैं। किसी के न देख पाने की स्थिति में पैर-हाथ धो कर संध्या समय अँधेरे में टांगी गोबर के दो गोले तथा मिट्टी के तीन ढेले से चाँद को बाएँ हाथ से फेंक कर मारने का उद्यम वे करती हैं। यह

प्रथा अब समाप्ति पर है। इसके तात्पर्य को लोग अब भूल चुके हैं।

करम पूजा

यह झारखंड का सर्वाधिक लोकप्रिय पर्व है। भादों के शुक्ल पक्ष एकादशी की रात्रि को यह त्योहार नृत्य, गान, वाद्य एवं पूजन से होता है। मूलतः यह पर्व बहनें अपने भाइयों की सुख-समृद्धि के लिए करती हैं। माता बनने पर बहनें करम नहीं करती हैं। करम के सात दिन पहले वे नदी से स्वच्छ बालू एक टोकरी में ले आती हैं। उसमें सात प्रकार के अनाज जौ, मकई, गेहूँ, उरद, कुर्थी, चना, मटर आदि बो देती हैं। इसे पूरे विधिविधान से गीत गाकर जावा जगाती हैं। करम पूजा के दिन भाई उपवास कर करम की तीन पूर्ण डाली काट कर ला देता है। यह काम अखरा के लिए पहान भी करता है। इसे घर के आँगन या अखरा में गाड़ा जाता है। गाँव की सभी बहनें पूजन सामग्री के साथ करम डाली के चारों ओर पूजा के लिए बैठती हैं। इसमें एक स्वस्थ खीरा भी होता है। गाँव के बड़े बूढ़े या पहान करम की कथा सुनाते हैं। इस कथा में करमा-धरमा की कथा सुनाई जाती है। इसमें धर्मपूर्ण कर्म करने की प्रेरणा है। कर्म ही धर्म है, या धर्म ही कर्म है या धर्म-कर्म ही जीव की सफलता का राज है—का संदेश है। उराँव आदि जनजातियों में करम के कई रूप हैं जैसे राजी, ईंद, कडरू, जितिया, दसई, अंधुवारी, सोहराई करम। करम का त्योहार आदिवासी सदान एकता, प्रेम व सहयोग का सर्वोत्तम प्रमाण प्रस्तुत करता है। भाई अपनी बहन को ससुराल से करम पूजा के लिए बिदा करा लाता है। भाई-बहन के अनुपम प्यार का यह प्रतीक है। झारखंडी गीता का संदेश करम पर्व ही देता है। इसे झारखंड का राज्य पर्व स्वीकार करना चाहिए। दूसरे दिन करम राजा या गोसाईं या देव को घर-घर पूजा-विदा कर नदी तालाब में विसर्जित कर दिया जाता है। इस पर्व में जावा वितरित किया जाता है। रात-रात भर करम नृत्य संगीत व मांदर की गूँज से सारा गाँव गूँजता रहता है।

नवाखानी

करम के बाद नया अनाज गोंदली-गोड़ा धान पक गया होता है। उसे काट कर घर लाया जाता है। नहा-धोकर पूजा कर ओखल में नए अनाज से चूड़ा बनाया जाता है। देव-पितरों को हँड़िया का तपान अर्पित कर दही-चूड़ा अर्पित किया जाता है। फिर घर पर अतिथियों के साथ दही-चूड़ा ग्रहण किया जाता है। नवीन अन्न ग्रहण करने का यह एक छोटा त्योहार है।

जितिया

आश्विन मास में कृष्ण पक्ष अष्टमी को माताएँ अपने पुत्र की सुख-समृद्धि तथा दीर्घ जीवन के लिए जितिया करती हैं। इसके उपवास व्रत कठिन होते हैं। इसमें करम डाली की तरह जितिया पीपल की डाली घर आँगन या अखरा में गाड़ा जाता है। इसमें भी सितिया कहानी कही जाती है। इसमें भी जावा उठाया जाता है। इसे स्त्रियाँ जूड़े में तथा पुरुष कानों पर करम की तरह ही लगाते हैं। इसमें खीरा पुत्र के प्रतीक रूप में चढ़ाया जाता है।

सोहराइ

यह मवेशियों की पूजा का त्योहार है। कार्तिक अमावस्या की अँधेरी रात में दीपावली की तरह मनाया जाता है। घर के कृषि पशुओं को नदी-तालाब में नहला कर गोशाले का श्रृंगार कर प्रवेश पथ में अल्पना बना कर प्रवेश कराया जाता है। पूर्व रात्रि में पशुओं के सींगों पर तेल (घी) सिंदूर लगाया जाता है। इसी रात काली मुर्गी (अण्डे देने से पूर्व स्थिति की) या सूअर की बलि दी जाती है। दूसरे दिन गोशाले के प्रवेश कराने के बाद पशुओं का श्रृंगार किया जाता है। गोशाले में पिण्ड बना कर गोरेया पूजा के लिए महुए की डाल का प्रतीक बना कर रंगुआ मुर्गे (बोलने वाला) की बलि देकर हँड़िया का तपान दिया जाता है। जानवरों को भी पखवा (सात प्रकार के अनाजों को पका कर बनाया गया खाद्य) खिलाया जाता है। घर-परिवार के लोग भी इस पखवा को प्रसाद रूप में खाते हैं। लोग हँड़िया का तपान एक दोना पीते-खाते हैं। इस दिन चावल के आटे का दीया बना कर उरद की पीठी भर कर पीठा बनाया जाता है। दोपहर में गाजे-बाजे के साथ जानवरों को सड़कों पर दौड़ाया जाता है। अखरा या ग्राम सीमा पर डाइर मेला भी लगाया जाता है। कृषि पशुओं को महत्त्व देने वाला यह पवित्र और मनोरम त्योहार है।

देव उठान

कार्तिक शुक्ल पक्ष चतुर्दशी के दिन देव उठान मनाया जाता है। घर के आँगन को साफ लीप कर उस पर चौक पूरा (अल्पना) जाता है। घर की महिलाएँ काल्पनिक देव-देवियों की तस्वीरें चावल की गुंड़ी के घोल से उतारती हैं । पुरुष सदस्य देव-पुरखों की पूजा कर धूप-धूवन जला कर पीढ़े या चौकी पर देव को बिठाते हैं। प्रसाद चढ़ाया जाता है। पाँच बार चौकी समेत देव को उठाया जाता है। प्रसाद सभी बाँट कर खाते हैं। देव को जाग्रत करने का यह पर्व है। इसके बाद ही झारखंड में कन्या या वर देखने या बात करना आरम्भ करते हैं। विवाह-शादी इस देव उठान के पूर्व वर्जित रहता है।

खलिहान पूजा

खलिहान छीलने से पूर्व बेर की डाली बीच में गाड़ी जाती है। ईश्वर का ध्यान कर एक मुर्गे की बलि तथा हँड़िया का तपान दिया जाता है। फिर सादे रूप में खान-पान होता है। इसमें भी हँड़िया एक दोना प्रसाद तथा चखना चलता है।

खलिहान उठाना

अनाज खलिहान से घर में आ जाता है। संध्या समय पैर-हाथ धोकर एक लोटा पानी एक सूप धान खलिहान लाया जाता है। पानी छींट कर पूर्व अभिमुख होकर पाँच मुट्ठी धान खलिहान के मध्य रख दिया जाता है। इसे प्रणाम कर सूप के धान को भी रख कर घर लौट आते हैं। आते-जाते किसी से बात नहीं की जाती है। बाद में इस रखे धान को घर से बाहर के लोग कोई भी उठाकर ले जा सकता है। इस पूजा के उपरान्त ही खलिहान में उबला हुआ धान सुखाने के लिए लाया जाता है। इसके पूर्व उबाला धान सुखाना वर्जित रहता है।

अगहनी पूजा

यह पूजा भी अगहन में मिसनी की समाप्ति के बाद पहान द्वारा सम्पन्न होती है। इसमें भी भेलवा फारा जाता है। पुआल खलिहान से इसी के बाद उठाया जाता है। घरों में लोग रोटी-पीठा तथा एक दोना हँड़िया के साथ आमोद-प्रमोद करते हैं। इसके पूर्व अनाज घर में आ गया होता है।

सूरजाही पूजा

अगहन मास में सूर्य की पूजा सफेद मुर्गे की बलि तथा हँड़िया के तपान से की जाती है। इसे घर के बारी या टांड में करते हैं। इसमें मात्र पुरुष भाग लेते हैं। हित-मित गाँव वालों को बुलाकर स्नान-ध्यान, धूप-दीप गुड़ जला कर मुर्गे की बलि दी जाती है। फिर चावल के साथ बलि के मुर्गे का टहरी (खिचड़ी) पकाया जाता है। इसे भी प्रसाद रूप में एक दोना हँड़िया के साथ ग्रहण किया जाता है।

माघ मनाना

माघ मास में खेती कृषि का काम समाप्त हो जाता है। धांगरों को रोटी-पीठा आदि खिलाकर तय मूल्य तथा वस्त्र आदि देकर फिर आने की बात रखते हुए विदा करते हैं। यह धांगरो की विदाई का उत्सव होता है।

देशउली

यह देव-भूत की पूजा है। यह 12 वर्षों में एक बार की जाती है। पूरे गाँव के लोग मिल कर काड़ा (भैंसा) की बलि देते हैं। गाँव का भुंइहरदार बलि चढ़ाता है। इसी क्रम में प्रत्येक वर्ष जो बलि चढ़ाई जाती हैं, वे हैं—बड़पहाड़ी या मरङ बुरु के नाम पर सूअर, भूत के नाम पर भेड़ा, देव-देवी के नाम पर बकरा, तथा इष्ट देव के नाम पर मुर्गे की बलि। सभी बलियों में एक-एक दोना हँड़िया का तपान अर्पित किया जाता है। काड़ा या भैंसा की बलि चढ़ाने के बाद जो इसका मांस नहीं लेते वे उसे वहीं जमीन में गाड़ देते हैं।

जनी शिकार

यह झारखंड का अपने ढंग का महिला शक्ति प्रदर्शन का अनोखा त्योहार है। हर 12 वर्ष पर एक बार जनी शिकार आदिवासी सदान महिलाएँ पुरुष वेशभूषा में हथियार लेकर गाँवों के अन्दर शिकार खेलने निकलती हैं। एक दूसरे के गाँवों में ये पुरुष बनी महिलाएँ निकलती हैं और इनके रास्ते में जो मुर्गे, बकरे, भेड़, सूअर, हंस, बत्तख आदि जो भी मिल जाते हैं, शिकार करती हैं। इस दिन जिसकी हानि होती है वह भी विरोध नहीं कर पाता। शिकार में मारे गए पशुओं को अखरा में लाया जाता है। पहान इसे सामूहिक रूप से या तो बँटवा देता है या पकवाता है और एक दोना हँड़िया के साथ इसका सेवन किया जाता है। महिलाओं का पुरुषोचित स्वरूप जब नाचते गाते बजाते कोहराम मचाते निकलता है तब अच्छे-अच्छे दबंग पुरुषों की बोलती बंद हो जाती है। इस जनी शिकार का ऐतिहासिक महत्त्व है।

भाई भीख

यह त्योहार भी 12 वर्ष में एक बार मनाया जाता है। बहनें अपने भाई-भाभियों के घर से भिक्षा माँग कर अनाज लाती हैं और निश्चित दिन निमंत्रण दे आती हैं। तय दिन भाई-बंधु दल-बल के साथ बहन के यहाँ आते हैं। बहन सबके पाँव धोती है। फिर खाने के लिए रोटी-पीठा खस्सी आदि के साथ खिलाती है। दूसरे दिन उनको वह विदा करती है।

पाडटो सरना

खड़िया समाज का धान बोने का प्रमुख त्योहार है जो वैशाख मास में मनाया जाता है। इसमें विविध देवताओं के नाम पर भैंसा (काड़ा) या भेड़ा तथा पाँच मुर्गों की बलि दी जाती है। प्रधान पुजारी कालो पूजा सम्पन्न करता है। सरनास्थल पर दूध उबाल कर उसके गिरने की दिशा देख कर वर्षा का भविष्यानुमान किया जाता है। इसी दिन धान या बीज बोने के लिए खड़िया समाज बीज निकालते और बोने की तिथि तय करते हैं।

सारो पूजा

यह पूजा खड़िया तथा उराँव के मध्य खान-पान आरंभ करने की स्मृति का त्योहार है। इसमें भैंसे की बलि दी जाती है।

सरना पूजा

यह भी खड़ियाओं की पूजा है। इसमें सरनास्थल पर पाँच मुर्गों की बलि दी जाती है। सरना पर तीन घड़े उलट कर रख दिए जाते हैं। प्रतीकात्मक रूप में इसी पर भात और बलि दिए गए मुर्गों का मांस फूलों के साथ एक-एक टुकड़ा चढ़ाते हैं। सबसे पहले कालो पुजारी अपनी पत्नी का पकाया भोजन करता है। इसके उपरान्त बाकी लोग भोजन करते हैं।

फागुन पूजा

यह भी खड़िया समाज का त्योहार है। इसमें लाल, माला, काला, उजला एवं केसरी मुर्गों की बलि पुजारी देता है। इसके साथ शाल, गुलाब, गुलैची तथा धवई फूलों को महादान पाट देवता को अर्पित करता है। यह पूजा भूतप्रेत के प्रभाव से बचने के लिए इनके राजा महादान पाट की पूजा है। कालो पुजारी शाल तथा महुआ पुष्प, जाङकोर छड़ी तथा नए घड़े का उपयोग इस पूजा में करता है। घड़े में पानी भरा जाता है। पुजारी इस जल को लोटे से अपनी पत्नी के सूप में गिरा कर भंडार कोने से वर्षा होने की कामना करता है जिससे घर में अनाज का भंडार भर जाए।

जाड्कोर पूजा

खड़िया समाज का यह सर्वप्रमुख त्योहार है। इसकी तैयारी एवं प्रतीक्षा त्योहार के दो-तीन महीने पूर्व से की जाती है। यह प्रत्येक खड़िया घर में तथा सार्वजनिक रूप में प्रधान पुजारी कालो द्वारा सम्पन्न होता है। सरना स्थल पर सामूहिक रूप से उपस्थित होते हैं। जंगल तथा बागीचे में शाल

तथा आम के मंजर हो जाते हैं। पूर्णिमा को उपवास रख कर कालो सरना स्थल पर लोगों के साथ पूजा की सामग्री चावल, मुर्गा, फूल, हँड़िया, नया घड़ा, जल, धूवन, लकड़ी, घी, कुल्हाड़ी आदि लेकर आता है। सरना पत्थल देव का प्रतीक होता है जिसे शाल अथवा महुआ पेड़ के नीचे गाड़ा होता है। इसकी सफाई लिपाई कर अग्नि जला कर धूप दीप से पूजा होती है।

मूलत: यह त्योहार वन तथा बागीचे के सभी प्रकार के खाने वाले फलों को चढ़ाया जाता है। तथा मानव एवं पालतू पशुओं की रक्षा के लिए प्रार्थना की जाती है। कालो (प्रधान पुजारी) पाँचों प्रकार के मुर्गे के पाँव धोकर उसे अलग-अलग चावल देकर चराता है। एक मुर्गे को बघिया भूत के नाम पर उड़ा देता है। शेष चारों मुर्गों की कुल्हाड़ी से बलि दी जाती है। इनका रक्त चावल में छींटा जाता है। कालो देव के समक्ष हाथ जोड़ झुक कर प्रणाम करता है और विधि-विधान से पूजा होती है।

इसी समय सरहुल की तरह सरना स्थल पर ही भोजन बनता है। बलि के मुर्गे की कलेजी तथा सिर मात्र पुजारी खाते हैं। पकाया गया भोजन (भात) अर्पित कर वह स्वयं भोग करता है। प्रत्येक कौर पर पानी पीता जाता है। इसी समय वह तपान हँड़िया (देवता को अर्पित हँड़िया) प्रसाद रूप में पीता है। बाकी लोग भी सामान्य हँड़िया पीते हैं।

कालो को बलिष्ठ युवा कंधे पर बैठा कर घर-घर घुमाता है। पुजारी महुआ तथा शाल के फूल प्रसाद रूप में सरहुल की तरह ही बाँटता है। हर घर की मालकिन पुजारी का स्वागत पाँव धोकर तेल डालती है और उसका आशीष लेती है। कालो द्वारा डाले गए जल को घर की मालकिन छपार कर डालती है जिससे घर की हर वस्तु पर पुजारी तथा देवता की कृपा बनी रहे। घर-घर फूल भी पुजारी बाँटता है और वर्षा होने की कामना करता है।

घर पर ही पूजा और मुर्गे की बलि होती है। कलेजी और सिर के मांस को पत्रों में टीप कर अंगारों पर पकाया जाता है जिसे घर किसान (जो पुजारी है घर का) वही उसे खाता है। शेष मांस सबके लिए पकता है।

लमलमना पर्व

यह जडकोर पर्व के दूसरे दिन की पूजा व त्योहार है। लोग जंगल या नदी जाकर पशु या मछली का शिकार करते हैं। शिकार से लौटने पर घर की स्त्रियाँ शिकारियों के पाँव धोती हैं, हँड़िया पिलाती हैं। शिकार की पूर्व रात्रि उपवास व संयम का पालन होता है।

कुटी दहन पूजा

यह बीमारी तथा वज्रपात से बचने के लिए की जाने वाली पूजा है। एक कुम्बा (झोंपड़ी) बना कर रास्ते के किनारे सेमल और रेंड की डाली काटकर गाड़ देते हैं। संध्या समय कालो पुजारी नृत्य-गान के समूह के साथ कुम्बा में मुर्गा लाते हैं। कुम्बा के अन्दर पूजा के लिए लीप पोतकर पूजास्थल पर अरबा चावल के कई ढेर लगाते हैं। पहले ढेर के ऊपर अंडा रखा जाता है। दीया जलाकर घी धूवन शीरा आदि पूजन सामग्री चावलों के ढेर पर दिया जाता है। कालो पूर्वाभिमुख होकर चावल के दानों को सूर्य तथा धर्म सखी के नाम पर गिराता है। सफेद मुर्गे को कालो हाथ में लेकर तीन बार माथे से लगा ईश्वर को अर्पित कर दाने चरने के लिए नीचे रख देता है। मुर्गे

के चरते ही उसे चाकू से काट कर बलि दी जाती है। दूसरे मुर्गे को भी वैसी ही क्रिया से ग्राम देवता को बलि दी जाती है।

अंत में पुजारी कुम्बा में आग लगा देता है। कालो बलि पर दूध डालता है। हो लोग घास पकड़े हुए लोग धधकते कुम्बा में छलाँग लगाते हैं और प्रार्थना करते हैं कि उनके समस्त रोग इसी अग्नि में भस्म हो जाएँ। पुजारी सेमल तथा रेंड की डालियों के छोटे-छोटे टुकड़े काट देता है जिसे पवित्र मानकर लोग अपने घरों में दरवाजे के ऊपर छप्पर पर लगा देते हैं। इस क्रिया से वज्रपात से देवता बचाता है।

करम फागुन पूजा

यह खड़िया समाज का पतझड़ के मौसम (मार्च) का त्योहार है। यह मूलतः गोपनीय स्थान की पूजा है। निर्दिष्ट तिथि को सरंग स्थल की पूजा के निमित्त सफाई होती है। सरना पत्थल पर सिन्दूर लगाया जाता है। पुजारी इसके समक्ष बैठ कर पूजा करता है। अपनी बाईं ओर पंचमुठी अलग-अलग अरबा चावल रखता है। दोने में लहसुन-गुड़ जलाया जाता है। लाल तथा चितकबरे मुर्गे की बलि दी जाती है। पूर्वाभिमुख होकर पुजारी मुर्गे की बलि कुल्हाड़ी से देता है। भूत का नाम तब वह जोर-जोर से पुकारता भी है। इसके (बलि के) सिर तथा कलेजी को पुजारी अर्पित हँड़िया तपान के साथ लेते हैं। शेष बाकी मांस व सामान्य हँड़िया खाते-पीते हैं। सरना स्थल से पूजा की समाप्ति के उपरांत बलिष्ठ युवक के कंधे पर कालो को बैठा कर घर लाते हैं। वहाँ उसकी पत्नी उसका पैर धोकर तपान हँड़िया देती है। कालो सुबह ही सखुआ तथा महुआ के फूल तोड़ कर सूप में रख लेता है और उसे वह अपने तथा दूसरे के घरों में पूजा कर बाँटता है। कालो को फूल अर्पित कर सभी हँड़िया पान करते हैं।

पोड़दा बगड़ेसीड पूजा

यह खड़िया समाज के गाँव की सुरक्षा के लिए की जाने वाली पूजा है। इसे दूध खड़िया जेठ से कालो द्वारा कराते हैं। यह प्रायः बल्मीक के नीचे होता है। इस पूजा के लिए पूरे गाँव से चंदा-बेहरी ली जाती है जिससे पूजन सामग्री मुर्गा आदि लेते हैं।

पोड़दा बगड़ेसीड में ग्राम देवी देवीमयी की पूजा और मुर्गे की बलि दी जाती है। पहले लोग कहीं-कहीं नरबलि भी देते थे। अब यह बंद हो गई है। इसके स्थान पर बकरे की बलि दी जाने लगी है। बलि के समय पुजारी देवता से ग्रामवासियों के सुखी जीवन, स्वास्थ्य की रक्षा, भूत-प्रेत की छाया से बचाने की प्रार्थना करता है। भूत-प्रेत के भय से बचने के लिए मूलतः यह पूजा की जाती है। इनका विश्वास है कि जीवन के सारे दुख-कष्ट इन्हीं भूत-प्रेत से ही मिलते हैं।

चुआँ या डाडी, कुआँ पूजा

कुआँ, डाडी आदि की पूजा नए या पुराने की सफाई के उपरान्त सिंदूर का टीका व अरबा चावल आदि से करते हैं। इसे कुएँ का विवाह माना जाता है ताकि कुएँ का पानी या जलाशय आदि के जलदेवता प्रसन्न रहें। उसमें स्वच्छ मीठा जल सदैव बहता या झरता रहे। इसे सभी करते हैं। खड़िया समाज डकाई रानी और सेम्भू राजा की पूजा इस अवसर पर करते हैं।

जोडडेम महापर्व

यह खड़िया समाज की पूजा है। परन्तु अन्य भी भेलवाकारी के रूप में इसे मनाते हैं। खड़िया समाज की पूजन विधि पृथक और विशिष्ट है। इसे महापर्व भी कहा जाता है। इस पर्व में भोजन बनाने के पुराने मिट्टी के बर्तन फेंक कर नया लाया जाता है। इस त्योहार में चिउड़ा रोटी तथा हँड़िया चलता है। मूलतः इसमें अपने पुरखों को स्मरण किया जाता है। इसमें भी मुर्गे की बलि दी जाती है। उसे पकाने खाने की अन्य पर्वों की तरह ही रीति है। इसमें किसी अस्त्र से मुर्गे की बलि न देकर हाथ के प्रहार से दी जाती है। यह मांस लड़कियों के लिए पूर्ण तथा वर्जित होता है। इसमें भी हँड़िया मांस, चिउड़ा, रोटी आदि पकवान खा-पीकर नृत्य संगीत से पूरा गाँव मस्त हो जाता है।

भटकी हुई आत्माओं की पूजा

इसमें कालो ईश्वर की सफेद मुर्गे की बलि, तपान हँड़िया देकर पूजा करता है। पुरखों का भी इसमें पूजा-स्मरण होता है। इसमें अपनी गरीबी, अभाव, सेवा, पूजा का उल्लेख करते गाँव परिवार के सभी बड़े-छोटे की समृद्धि व सुखी जीवन की कामना की जाती है। इसमें भी भेलवा की डाली को प्रतीक रूप में नमन किया जाता है। बलि के खून को चावल में डाला जाता है।

घर में तथा पिछवाड़े में निवास करने वाली आत्माओं की पूजा

इसमें मृत आत्माओं या पुरखों की पूजा घर के अन्दर तथा अप्राकृतिक रूप से मृत आत्माओं की पूजा घर के पिछवाड़े में की जाती है। ऐसी मान्यता है कि ये भटकने वाली आत्माएँ (अस्वाभाविक मृत्यु से प्राप्त कर) बाहर पशु आदि पर विपत्ति देती हैं। इसी से इनसे मुक्ति के लिए यह पूजा की जाती है। इस पूजा में भी मुर्गे की बलि तथा हँड़िया का तपान और पूर्ववत् खान-पान चलता है। प्रायः सभी पर्व पूजा में बलि के सिर व कलेजी पर पुजारी का अधिकार होता है। इसमें भी घर में नए बर्तन (मिट्टी के), वस्त्र, अनाज आदि का प्रयोग होता है।

खेत पूजा

यह खड़िया समाज में धान पकने पर किसान कालो से कराता है। इसमें फसल की कुछ श्रेष्ठ बालियों को काट कर पेड़ पर गुच्छा बना कर लटका दिया जाता है। फसल व खेत के रक्षक भूत को यह धान-बाली का गुच्छा दिया जाता है। कालो खेत पर बकरे तथा मुर्गे की बलि तथा हँड़िया का तपान देता है। इसे खेत पर ही खाया-पीया जाता है। इस पूजा के पूर्व कालो को उपवास रखना आवश्यक नहीं होता। किसान पुजारी को इस पूजा के एवज में हँड़िया तथा मुर्गा देता है। यह भी भूतप्रेत की आस्था की पूजा है जिससे वह कृषक जीवन में हानि न कर सके।

माघ बोंगा पूजा

संताल समाज में माघ मास में इसकी पूजा पहाड़ या टांड अथवा मैदान में लाल, श्वेत, काले मुर्गे की बलि देकर की जाती है। इस त्योहार में डाहार गीत नृत्य चलता है जिसमें प्रधानतः स्त्रियाँ गाती तथा नाचती हैं।

मुचरी बोंगा पूजा

यह भी संताल समाज की पूजा है। यह भी खेतों पर सम्पन्न होती है। मुर्गा तथा मुर्गी की बलि हँड़िया तपान के साथ दी जाती है। यह पहान पुजारी द्वारा सम्पन्न होता है। स्त्री-पुरुष दोनों सम्भागी होते हैं और लांगड़े गीत नृत्य करते हैं।

एरोक बोंगा या शिकार पूजा

यह पूजा पहाड़ तथा खेतों पर मात्र पुरुषों द्वारा की जाती है। इसमें भी मुर्गा-मुर्गी की बलि हँड़िया तपान देकर पूजन किया जाता है। इसमें दोंगड़े या शिकार नृत्य किया जाता है जिसमें दाहिने से बाएँ झूमते हुए नृत्य किया जाता है और उत्सव मनाया जाता है।

जुगनी बोंगा पूजा

यह गाँव के दो सीमानों पर हँड़िया के तपान तथा मुर्गा-मुर्गी की बलि के साथ पूजन किया जाता है। इसमें भी लांगड़े नृत्य होता है परन्तु प्रसाद स्त्रियों के लिए वर्जित होता है। स्त्री-पुरुष दोनों सम्मिलित रहते हैं।

आषाढ़िया बोंगा

यह भी संतालों की आषाढ़ मास की पूजा है। सरना स्थल पर ही मुर्गा-मुर्गी की बलि एवं हँड़िया के तपान के साथ स्त्री-पुरुष पूजा करते हैं तथा लांगड़े नृत्य कर आनन्द मनाते हैं।

जानताड़ बोंगा पूजा

यह भी संतालों का खेत या टाँड़ पर उपर्युक्त विधि से ही मनाया जाता है। इस पूजा में स्त्रियों को किस देवता की पूजा या बलि दी जाती है उसका नाम बतलाया नहीं जाता। यह गोत्रानुसार मनाया जाने वाला पर्व है।

कृषि पर्व करम

यह अखरा या खेत पर भी मनाया जाता है। इसमें भी उपर्युक्त पूजा होती है। इसमें केवल कृषि गीत चलता है। इस पर्व में मात्र पुरुष भाग लेते हैं। इसमें अलग-अलग देवताओं की पूजा होती है। प्रायः करम में बलि नहीं दी जाती है।

दसंय दाड़ान

यह संतालों के गुरु गृह में मात्र पुरुषों द्वारा मुर्गा/मुर्गी की बलि तथा हँड़िया के तपान से पूजा होती है। इसमें मरङ बुरू, जाहेर आयो, गोराम बोंगा तथा सर्वशक्तिमान सर्व व्यापक भगवान की पूजा होती है।

सोहराय बोंगा

यह संतालों की भी पशु पूजा है। इसमें स्त्री-पुरुष दोनों भाग लेते हैं। गाय तथा गोशाले की पूजा होती है। इसमें भी उपर्युक्त बलि तथा तपान दिया जाता है। इसमें सोहराय गीत नृत्य कर लोग उत्सव मनाते हैं।

अगहन मास में कोई पूजा या पर्व कृषि कर्म में अत्यधिक व्यस्त रहने के कारण नहीं करते या मनाते हैं।

साकरात बोंगा

इसमें भी संतालों के घर में उपर्युक्त विधि से बलि तथा पूजा की जाती है। इसमें मात्र पुरुष भाग लेते हैं। इसमें कभी-कभी देवता किसी संताल पर सवार भी हो जाता है। इस उत्सव में बुड़ही गाड़ी नृत्य गीत चलता है। जिस पर बोंगा सवार होकर आता है, उसे उसी रूप में सजाया सँवारा जाता है तथा उसी के अनुरूप उसकी पूजा भी होती है।

संतालों में सभी देवताओं की पूजा करने की विधि अलग-अलग होती है। तथा उसी के अनुरूप बलि भी दी जाती है। प्रायः मरङ बुरू को लाल, जाहेर आयो (माँ) को सफेद, पंचगण (मोड़ेको) हेड़ा को चितकबरा मुर्गे की बलि दी जाती है। पुरखों को हँड़िया का तपान दिया जाता है। सभी गाँवों में अखरा होता है जिसमें अधिकांश उत्सव व पर्व विशेषकर करमा मनाया जाता है लेकिन करमा पूजा में बलि नहीं दी जाती है।

झारखंड के ये आदिम समुदाय आदिवासी सदानों के त्योहार अपने स्वरूप से ही स्पष्ट कर देते हैं कि बिना हँड़िया तथा मुर्गे आदि की बलि के वे पूरे नहीं होते। इन पर्वों में इनके सहअस्तित्व, आपसी सहयोग, सहभागिता, समता आदि भाव विद्यमान हैं। समतामूलक समाज,

शोषणमुक्त व्यवस्था, सामूहिक शिष्ट आनन्द मनाने का तरीका, सर्व-सम्मति का आदर्श झारखंड में ही दिखाई देता है। इनके पर्व-त्योहारों में अश्लीलता के लिए कहीं स्थान नहीं है। ये समस्त त्योहार प्रायः व्यक्तिवादी नहीं, समूहवाद पर विश्वास करते हैं। इनके ये पर्व इनकी इसी सामूहिकता एवं सहअस्तित्व का सबसे प्रबल प्रमाण हैं। इनके ये पर्व त्योहार कृषि आधारित आदिम स्वरूप में बने हुए हैं।

आधुनिकता तथा बाहर से आ बसे सहवासियों के कारण इनके बीच अनेक नए-नए त्योहार समाते जा रहे हैं। कुछ पुराने छूट भी रहे हैं। प्रकृति की सन्निकटता से आदिवासी सदान प्रकृतिवादी हो गए हैं। परन्तु प्राकृतिक संसाधन जंगल आदि के नष्ट होने से इनके त्योहार भी प्रभावित हो रहे हैं। इनका ये आदिम त्योहार इनकी प्राचीनता स्वयंसिद्ध करते हैं। हँड़िया पीने-पिलाने में इनका संयम देखते बनता है। पीने के पूर्व ईश्वर को, पुरखों को, धरती माता को अर्पित करते हैं। इसके पहले देने वाले तथा उपस्थित लोगों को प्रणाम करते हैं तब पान करते हैं। पहले दोने हँड़िया लेने पर मैना की तरह मीठा बोलना, दूसरे दोने पर मेमने की तरह नाचना, तीसरे दोने पर शेर की तरह गरजना तथा चौथे दोने पर सूअर की तरह कीचड़ में लोट-पोट होना जैसी बातें पहले कह दी गई रहती हैं। झारखंडियों की संस्कृति में हँड़िया बेचने-खरीदने का कोई प्रावधान नहीं है। यह संस्कृति के विरुद्ध है। इसके बिना पर्व-त्योहार की मस्ती अधूरी और फीकी है। यही झारखंडियों का सोम रस है। ये आदिम पर्व-त्योहार झारखंडियों को नई शक्ति देते हैं।

आदिधर्म : भारतीय आदिवासियों की धार्मिक आस्थाएँ

डॉ. रामदयाल मुंडा

आदिधर्म से हमारा तात्पर्य भारतीय आदिवासियों की धार्मिक आस्थाओं के उस मूल स्वरूप से है, जिसे प्रकारान्तर में एनिमिज्म, एनिमिस्टिक रिलीजन, प्रिमिटिभिज्म, प्रिमिटिभ रिलीजन, एवोरिजिनल रिलीजन, आदिवासी धर्म, जनजाति धर्म, सारनाइज्म, सारना धर्म, बोंगाइज्म इत्यादि नामों से विहित किया गया है। इस विश्लेषण और मूल स्वरूप निर्धारण की चेष्टा के पीछे हमारा उद्देश्य है, अखिल भारतीय स्तर पर एक धार्मिक स्वरूप खड़ा करने में सहयोगी बनना, जिसके आधार पर भारतीय आदिवासी का धार्मिक आत्मविश्वास जगाया जा सके, जिसके अभाव में इस समय उसकी धार्मिक अस्मिता क़रीब नगण्य हो गई है। भारतीय संविधान में आदिवासियों को सांस्कृतिक रूप से एक विशिष्ट समुदाय माना गया है, किन्तु उनकी कोई स्वतन्त्र धार्मिक पहचान नहीं है। राष्ट्रीय स्तर पर प्रति 10 वर्ष में होने वाली जनगणना में उनकी धार्मिक पहचान दर्ज करने के लिए मात्र 'अन्य' का विकल्प है, इसके परिणामस्वरूप, जो आदिवासी स्पष्ट रूप से अपने को ईसाई, मुसलमान या बौद्ध नहीं बताते, वे 'हिन्दू' के अन्तर्गत ही चिन्हित होने को विवश हैं। हमारा मानना है कि आदिवासी ने अन्य ईसाई, मुसलमान या बौद्ध धार्मिक समुदायों में धर्मांतरित होकर आंशिक रूप से अपने आदिवासीपन को खोया है, तो उसका विकल्प हिंदू इत्यादि बनना बनाना भी नहीं है, जैसा कि इस समय प्रवृत्ति दिखाई दे रही है। ऐसा करके आदिवासी मान्यता प्राप्त करने की सीढ़ी में कहीं ऊपर नहीं जा रहा। ऐसी अवस्था में उसकी जगह सबसे नीचे (हरिजन से भी नीचे) ही बन रही है। तथाकथित मुख्यधारा का आकर्षण भ्रान्तिपूर्ण है। आदिवासी के लिए उसके अन्दर जाना अनन्तकाल के लिए गुलामी स्वीकार करना है। आदिवासी भ्रान्ति के इस मिथ्याकर्षण में इसलिए पड़ रहा है, क्योंकि वर्षों के मानसिक शोषण ने उसे अपनी गरिमामय विरासत का वैशिष्ट्य भूलने पर विवश कर दिया है। प्रस्तुत लेख का उद्देश्य उस विरासत के धार्मिक पक्ष के पुनर्गठन में, जो कि चिन्तन के स्तर पर ही सही, छिटपुट तरीके से आदिवासियों के बीच चल रहा है, सहभागी होना है।

किसी भी धार्मिक व्यवस्था में मुख्यत: तीन पक्ष होते हैं—(क) दर्शन (व्याख्या) पक्ष, (ख) अनुष्ठान (कर्मकाण्ड) पक्ष, (ग) व्यवस्था (संगठन) पक्ष। ये तीनों पक्ष विवेचना के दृष्टिकोण से अलग होते हुए भी आपस में संयुक्त हैं और एक-दूसरे के परिपूरक हैं। हमारी प्रस्तुति का निम्नांकित चित्रात्मक स्वरूप है—

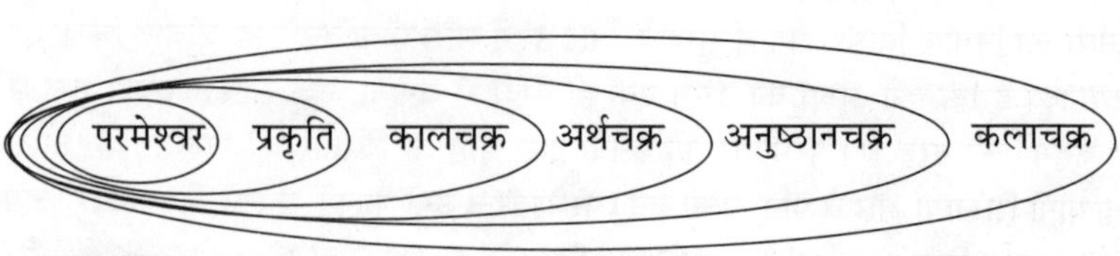

इस चित्र में परमेश्वर को केन्द्रबिन्दु और सूक्ष्मतम रूप में दिखाने के लिए ही बीच में दिखाया गया है। विभिन्न वृत्त उनके महत्त्व के द्योतक नहीं हैं। बल्कि उनका महत्त्व तो विपरीत ही होगा। उपर्युक्त तत्त्वों का एक-दूसरे के प्रति अन्योन्याश्रयी और पारस्परिकता का सम्बन्ध है और ये सारे मिलकर एक 'धार्मिक' आदिवासी का निर्माण करते हैं। मात्र एक पक्ष को पकड़ कर यह कहना कि आदिवासी जीवन संगीतमय है, अनुष्ठानमय है या कर्ममय है, अपूर्ण ही होगा।

अब हम इन तत्त्वों के संक्षिप्त विस्तार पर जाएँगे। हमारा विशेष सन्दर्भ है, झारखंड और उसका पार्श्व प्रदेश। इसलिए कि भारत के पूरे आदिवासी क्षेत्र गुजरात से अरुणाचल का यह 'मध्यदेश' है। यहीं भारत के धार्मिक आदिवासीपन का अधिकांश सुरक्षित है। इसके पूरब के अधिकांश आदिवासी बौद्ध-ईसाई हो गए हैं तो पश्चिम के हिन्दू या मुसलमान। इसलिए इसी आदिवासी मध्यदेश को पुनर्रचना का आधार बनाना होगा।

परमेश्वर और सृष्टि

परमेश्वर :

1. सभी देवताओं में वह श्रेष्ठ है, वह स्वयंभू है—उसके माता-पिता नहीं हैं, किन्तु वह सबका 'माँ-बाप' है, इसलिए उसको पूरी तरह जाना नहीं जा सकता।
2. वह सृष्टि का समाजीकृत, मानवीकृत, देशकालातीत अनन्त विस्तार है।
3. वह सर्वशक्तिमान है, किन्तु सृष्टि सापेक्ष भी। सृष्टि करना उसकी बाध्यता है।
4. पूरी सृष्टि उसी से निकली है। सृष्टि उसकी कामना और कर्म का प्रतिफल है।
5. वह मानव का अभिन्न सहयोगी मित्र है।
6. वह धैर्य, दया, प्रेम और सहयोगपूर्ण है।

सृष्टि :

क. पृथ्वी : सृष्टि का प्राथमिक, मूल यथार्थ है। उसी के बाद सूरज, चाँद-तारे और अन्य ग्रह-नक्षत्रों की भूमिका बनती है। पानी, मिट्टी, हवा और ताप प्राथमिक तत्त्व हैं। पहले चारों ओर पानी-ही-पानी (समुद्र) था। मिट्टी (धरती)को पानी के अन्दर से ऊपर लाने में मछली, केकड़ा और केंचुआ परमेश्वर के सहयोगी बने, तभी से हर नए वर्ष की शुरुआत सरहुल के समय उनके स्मरण और सम्मान के साथ होती है। हवा और गर्मी (सूरज) द्वारा सुखाए जाने से धरती का ठोस रूप बना। परमेश्वर की पत्नी द्वारा धरती को बराबर करने एवं लीपने-पोतने के क्रम में छूटे हुए अंश पहाड़ बने, नदियाँ बनीं और शेष समतल भूमि बनी और वनस्पति उग आई।

ख. मनुष्य : परमेश्वर ने अपनी एकांतिकता मिटाने के लिए पृथ्वी के अंश, मिट्टी से नर

और नारी का निर्माण किया। धूप में सुखाया और उनमें साँस फूँक कर उन्हें जीवन्त किया। यहाँ यह ध्यातव्य है कि स्त्री-पुरुष को उसने एक ही मिट्टी से बनाया, एक साथ बनाया। शुरू में ये 'भाई-बहन' की तरह थे। परमेश्वर को उनके द्वारा सृष्टि के विस्तार की जरूरत थी, तो उन्हें हँड़िया पानी सिखाया और वे पति-पत्नी बने। परमेश्वर ने उन्हें फूलने-फलने, बढ़ने और 'अमर' होने का वरदान दिया।

ग. अन्य जीव-जन्तु वनस्पति : परमेश्वर ने सबसे पहले अपने लिए घोड़ा बनाया। घोड़े को अपने मालिक द्वारा उतने मनोयोग से नर-नारी का निर्माण अखरता है। सूखती हुई आकृतियों को वह लात मार कर बिगाड़ा है। उनकी सुरक्षा के लिए परमेश्वर कुत्ते की सृष्टि करता है। तभी से कुत्ता आदमी का सबसे प्रिय सहयोगी बना हुआ है। पेड़-पौधे, फल-फूल, वनस्पतियाँ परमेश्वर ने मनुष्य के काम आने के लिए बनाए। फलों में सर्वश्रेष्ठ बेल बनाया और साग-सब्जियों में कोयनार साग।

घ. अन्य ग्रह-तारे : प्रारम्भ में भयानक गर्मी थी, क्योंकि सूर्य के साथ ही उसके बहुत सारे बच्चे भी थे, जिस तरह चाँद के बच्चे तारे हैं। गर्मी असह्य होने से चाँद ने एक चाल खेली। एक दिन दोपहर के खाने में सूर्य को आमन्त्रित किया और खाने के लिए बेल पकाए। सूर्य ने जब उतने स्वादिष्ट खाने का रहस्य पूछा, तो चाँद ने बताया कि उसने उसके (सूर्य के) सम्मानार्थ भोज में अपने बच्चों में से ही कुछ को पका दिया है। फिर क्या था, सूर्य ने वापस जाकर स्वादिष्ट खाने के लोभ में अपने बच्चों को हाँड़ी में डाल दिया। किन्तु जब शाम होते ही आसमान में तारे उतने-के-उतने ही दिखाई देने लगे, तो चाँद के धोखे का पता चला। वह चाँद को मारने दौड़ा। तब से अब तक वह उसके पीछे दौड़ ही रहा है! इस तरह चाँद की बुद्धिमत्ता से पृथ्वी अनेक सूर्यों की प्रचंड गर्मी से बच गई, किन्तु इसके लिए उसे आजीवन भागते रहना उसकी नियति बन गई। उस समय आसमान की छत पृथ्वी के बहुत करीब थी। इतनी करीब कि उसकी पत्नी को धान कूटने में असुविधा होती थी। उसका मूसल आसमान को छूता/ठेकता था। अपनी सुविधा के लिए पति को उसकी बेतुकी कारीगरी के लिए कोसते हुए उसने आसमान को मूसल से ही थोड़ा और ऊपर ढकेल दिया।

ङ. गुण-कर्म : परमेश्वर ने सृष्टि को नियंत्रित करने के लिए मनुष्य, अन्य जीव-जन्तु एवं वनस्पतियों के गुण-कर्म निश्चित किए। वही उनकी पहचान बनी। जीव-जन्तुओं में बल-बुद्धि के वितरण द्वारा सन्तुलन खड़ा किया। जो जैसा कर्म करेगा, वैसा फल भोगेगा। गलती की कोई क्षमा नहीं। उससे बचने का एक ही उपाय है कि उसकी पुनरावृत्ति न हो।

च. पाप-पुण्य (स्वर्ग-नरक) : असामाजिक काम करना ही 'पाप' है, समाजहित में काम करना ही 'पुण्य' है। मृत्यु के बाद आदमी 'वापस' आता है अपने घर। देहान्त के बाद वह मात्र दिखाई नहीं देता, किन्तु रहता है अपने ही घर, अपने पूर्वजों के साथ। मृतक की 'छाया भितारना' और 'पत्थल-गड़ी' का यही अर्थ है। सामाजिक बन कर रहना ही स्वर्ग सुख है असामाजिक बनना नरक में रहने जैसा है। यह आदमी की पुनर्वापसी है, पुनर्जन्म नहीं।

छ. काल (दिन-रात) : परमेश्वर ने कर्म मापने और विश्राम के लिए दिन-रात (समय-विभाजन) की व्यवस्था की। रात निर्माण करने के पहले आदमी लगातार काम करता था। वह नहीं जानता था कि आराम क्या होता है। आदमी को लगातार खेत बनाने का काम करते

हुए देख कर परमेश्वर ने पूछा, 'नाती, तुमने यह खेत कब बनाया?'

'आज ही।' मनुष्य ने कहा।

'और यह?' दूसरे खेत की ओर इशारा करते हुए परमेश्वर ने पूछा।

'वह भी आज ही।' आदमी का जवाब था।

'और वह वाला?' एक दूर खेत की ओर परमेश्वर इशारा कर रहा था

'वह भी आज ही।'

'तो तुमने यह सारे खेत आज ही बनाए?'

'जी।'

परमेश्वर ने सोचा, यह ठीक नहीं हुआ। इस तरह से तो यह आदमी कभी रुकेगा ही नहीं और तब उसने आदमी को आराम दिलाने की व्यवस्था दिन के बाद रात बना कर की। बहुत समय के बाद आगे चलकर जब असुरों ने दिन-रात लोहा गलाने वाला कारखाना चला कर इस नियम को तोड़ने की चेष्टा की, तो परमेश्वर ने उनका विनाश कर उन्हें दंडित किया और कर्म के साथ आनन्द के समन्वय की पुनर्व्यवस्था की।

ऋतु चक्र (समयावृत्ति) और अर्थतन्त्र

पृथ्वी, सूरज-चाँद और ग्रह-नक्षत्रों की गतिविधियों से निर्धारित होते हैं, रात-दिन, महीना और वर्ष के ऋतु, गर्मी और वर्षा और जाड़ा। यही ऋतु आदमी की आर्थिक क्रिया-कलापों एवं आखेट को नियन्त्रित करते हैं। ऋतु के परिवर्तन के संकेत हमें हवा-पानी के रुख, वनस्पति में परिवर्तन और जीव-जन्तुओं की गतिविधियों से मिलते हैं तथा उसी के अनुरूप हमारी शारीरिक-मानसिक स्थिति में भी तब्दीली आती है। वैसे, ऋतुचक्र से सामान्यता हम एक वर्ष के अन्दर के मौसमी परिवर्तन समझते हैं, किन्तु कुछ सामयिक चक्र बड़े भी होते हैं, जिसके अन्तर्गत हम कई वर्षों के अन्तराल पर अनावृष्टि, अतिवृष्टि, महामारी इत्यादि होते हुए देखते हैं। ये सब ग्रह-नक्षत्रों की स्थिति द्वारा नियन्त्रित होते हैं और इनका सीधा सम्बन्ध मनुष्य के अर्थतन्त्र पर पड़ता है। आदिवासी अर्थतन्त्र से हमारा मतलब अधिकांशत: उसके आखेट और कृषि जीवन से है, जो कि मूलत: जंगल और जमीन से जुड़ा है।

सभ्यता की पहली सीढ़ी के रूप में जंगल मनुष्य के लिए बड़ा ही महत्त्व रखता है। प्रारम्भ में मनुष्य का सारा अस्तित्व (एक्जिस्टेंस/सर्वाइवल) वन पर आश्रित था। खाने के लिए, वनस्पति और वन्य जीव, तन ढँकने के लिए पत्तियाँ, वल्कल और जानवरों की खाल और आश्रय के लिए गुफाएँ सारे वन से ही मिलते थे। आदिवासी के लिए वन पर निर्भरता निम्न अनुपात में अब भी चली आ रही है, किन्तु आदिवासी का वन के साथ ही सुदीर्घकालीन साहचर्य ने उसे मानसिक स्तर पर बड़ी गहराई से प्रभावित किया है। जीवन के अन्तिम लक्ष्य, शान्ति की तलाश में वह जंगल की ही ओर जाता है। आदिवासी के दुश्मन इस बात को अच्छी तरह समझ गए हैं। उन्हें यदि कहीं से भगाना हो, तो उनसे जंगल छीन लीजिए।

आदिवासी के लिए अगर वन उसकी शांति है, तो कृषि उसकी साँस है। निरन्तर जीवन के लिए वन मात्र अनुपूरक हो सकता है। प्रधान आधार तो कृषि ही होगी। मनुष्य ने वन के अन्दर

से ही कृषि का विकल्प खड़ा किया, क्योंकि इस प्रक्रिया में उसका आर्थिक जीवन वन्य (घुमंतू) जीवन से अपेक्षाकृत अधिक आश्वस्त था। वन के अन्दर ही नदी घाटियों में उसने कृषि योग्य जमीन बनाई, वनस्पति को आंशिक रूप से उन्नत किया, अपने काम के जीव-जन्तुओं को पालतू बनाया और इस तरह से उसके जीवन में स्थिरता आई। विश्व के अधिकांश आदिवासियों की तरह भारतीय आदिवासियों में भी अधिकांश का आर्थिक जीवन वर्तमान में इसी स्तर पर चल रहा है। औद्योगिक आर्थिक व्यवस्था, जिसके साथ ही व्यापार और पैसा भी जुड़ा हुआ है, आदिवासी की समझ में अभी ठीक से आया नहीं। इसे अपनाने में आदिवासी को अभी बहुत समय लगेगा। यही कारण है कि उसे वर्तमान व्यवस्था के 'जमीन के बदले पैसा' के द्वारा आदिवासियों के पुनर्वास का प्रस्ताव कोई अर्थ नहीं रखता। आदिवासी को उसकी जमीन से अलग करना उसकी साँस बन्द कर देना है।

आदिवासी का अस्तित्व अगर समाप्त करना है, तो उसे उसकी जमीन से अलग कर दीजिए, जैसा कि अभी हो रहा है। आदिवासी के लिए यह विचित्र विडंबना है कि जब वह कृषि के आधार पर एक आत्मनिर्भर जीवन व्यतीत कर सकता है, वह पंगु और परजीवी बनने को विवश किया जा रहा है। जनहित और देश के विकास के नाम पर बड़ी-बड़ी योजनाओं के निर्माण के लिए आदिवासी की जमीन छिनती जाने से आदिवासी बड़ी ही तीव्र गति से स्वावलम्बी और स्वाभिमानी समुदाय की जगह भूमिहीन मजदूरों और वफादार घरेलू नौकर-नौकरानियों की बड़ी फौज के रूप में आधुनिक महानगरों की परिधियों में बसी अस्थायी झुग्गी-झोंपड़ियों में दिखाई देते हैं। इनका जीवन प्रस्तुत ढाँचे में फिट नहीं होता, क्योंकि उनके जीवन के कंडीशनिंग तत्त्व अलग हो गए। व्यवहार में अब वे आदिवासी नहीं रह जाएँगे। इसलिए अगर हम सोचते हैं कि आदिवासीपन में दम है, तो उसके सराहनीय गुणों (सच्चाई, ईमानदारी, समता, सहयोग, जनतंत्र, स्वावलम्बिता इत्यादि) की रक्षा करनी है तो उसे उसकी जमीन पर से उखड़ने से बचाना होगा। अगर उसे देश के हित में विस्थापित करना अनिवार्य है, तो उसको जमीन के बदले जमीन देकर ही उसके स्वस्थ सांस्कृतिक पुनर्वास की व्यवस्था की जा सकती है।

अनुष्ठान चक्र : पर्व संस्कार (अनुष्ठान)

पर्व संस्कार अनुष्ठानों का उद्देश्य होता है, स्रष्टा-सृष्टि सम्बन्धन और उसमें आदिवासी की भूमिका को प्रतीकात्मक पुनरावृत्ति द्वारा कायम रखना। उसका संरक्षण-संवर्द्धन करना। ऐसे अवसरों पर आदिवासी समय की गति को थोड़ा रोक लेता है और सृष्टि प्रक्रिया में अपनी स्थिति का पुनरावलोकन-पुनरीक्षण कर लेता है, और आश्वस्त हो जाने के बाद फिर आगे बढ़ता है। यह प्रतीकात्मकता उसके कृषि और आखेट के अर्थतन्त्र पर आधारित होती है।

इन पर्व-त्योहारों को मनाने की दिशा में आदिवासी समुदाय महीना भर पहले से तैयारी करता है या कहना चाहिए कि एक सामुदायिक अनुष्ठान के सम्पन्न होते ही आगामी त्योहार के लिए भी मानसिक तैयारी शुरू हो जाती है। आखिरी दिन के नाच अखरा में बीतते हुए त्योहार की विदाई के साथ ही आगामी त्योहार के लिए स्वागत-गीत भी लगा हुआ होता है। किन्तु कोई सामुदायिक त्योहार सामान्यतया चार दिनों में सम्पन्न होता है। पहले दिन उपवास, दूसरे दिन

पूजा-पाठ, तीसरे दिन खान-पान नाच-गान और चौथे दिन समापन। चौथे दिन अखरा मिटाने के बाद पर्व की समाप्ति मान ली जाती है। किंचित् अन्तर के साथ सामान्यतया सर्वत्र यही रुटीन होती है। अग्रलिखित विशेष त्योहार सारे झारखंड क्षेत्र में कमोबेश सघनता में मनाए जाते हैं।

प्रकृति पर्व/ वसंतोत्सव-बाहा/बा, बाँकोर, खद्दी, सरहुल

मुण्डा भाषा परिवार में बाहा/बा और द्रविड़ भाषा परिवार की कुड़ुख/मालतो में खद्दी का अर्थ फूल होता है और सभी फूलों के प्रतिनिधि के रूप में शाल का फूल। नागपुरी इत्यादि आर्य भाषाओं में प्रचलित सरहुल की व्युत्पत्ति सरई-हुल 'सरई समूह' ही है। अर्थ-विस्तार में सरहुल शाल फूल के माध्यम से सारी प्रकृति के नवरूप का स्वागत ही है। शेष समग्र भारतीय परम्परा के साथ समयान्तर से यह ऋतु नए वर्ष के आगमन की भी सूचना है। यही कारण है कि किसी आदिवासी गाँव में पाहन/बैगा द्वारा विधिवत स्वागत पूजा के पहले कोई भी वन से फूल-पत्तियाँ नहीं लाता, न ही खाता है। जब नई प्रकृति का स्वागत करना है तो आदमी अपनी समग्रता में नया होकर उसका स्वागत करता है। घर-द्वार की मरम्मत और लिपाई-पुताई करता है, नये कपड़े खरीदता है और उस अवसर पर कुटुम्बों को बुला कर पुराने सम्बन्धों को नया करता है। पूरे झारखंड क्षेत्र में यह पर्व फागुन पूर्णिमा (होली पर्व) के दिन पूरब (बंगाल) में आरम्भ होकर वैशाख पूर्णिमा तक पश्चिम (मध्यप्रदेश) में समाप्त होता है। प्रत्येक क्षेत्र ने अपनी परम्परा कायम की है—फागुन पूर्णिमा के बाद कहीं चैत तृतीया में, कहीं पंचमी में, कहीं पूर्णिमा में इत्यादि-इत्यादि। कुछ अन्तर के साथ सभी क्षेत्र में इस पर्व को निम्नलिखित विधि से मनाया जाता है।

1. सरहुल कथासागर

धरती की इकलौती बेटी बिंदि एक दिन नहाने गई, तो उधर से ही गायब हो गई। धरती ने उसे खोजने हेतु अपने दूत चारों तरफ भेजे, किन्तु वह कहीं नहीं मिली। पृथ्वी शोकित हो गई। रोने-कलपने लगी। उदास रहने लगी। पृथ्वी पर पतझड़ छा गया। अन्त में खोजते-खोजते पता चला कि वह पाताल में यमराज के पास है। दूतों ने यमराज से अनुनय-विनय किया कि बिंदि पृथ्वी की इकलौती बेटी है, उसे वापस दे दिया जाए। लेकिन यमराज मानने को तैयार नहीं। कहने लगा कि उसके यहाँ जो एक बार आता है, वापस नहीं लौटता। किन्तु जब दूतों ने कहा कि वैसी स्थिति में तो पृथ्वी मर ही जाएगी और सृष्टि समाप्त हो जाएगी। ऐसी विषम स्थिति में यमराज इस बात पर राजी हो गया कि धरती माता को बचाए रखने के लिए बिंदि अपना आधा समय पृथ्वी में और आधा समय पाताल में बिताए। तभी से जब-जब बिंदि वापस आती है, पृथ्वी खुशी से भर आती है। हरियाली छा जाती है और जब वह चली जाती है तो पृथ्वी उदास होती है, पतझड़ आता है। सरहुल बिंदि के वापस आने का समय है। धरती के खुश होने, सजने-सँवरने की ऋतु है।

पहला दिन 'मछली और केकड़ा' का दिन होता है। मछली और केकड़ा एक सृष्टि कथा के अनुसार पृथ्वी के ही पूर्वज हैं। समुद्र के नीचे पड़ी मिट्टी को ऊपर लाकर ही पृथ्वी बनी इसका पहला प्रयास मछली और केकड़े ने ही किया था। सरहुल का पहला दिन उन्हीं के सम्मान में

अर्पित होता है। उनको सम्मानपूर्वक पकड़ने और शाम के खाने में उन्हें सम्मिलित करके लोगों के खाने के पहले घर का प्रमुख थोड़ा अंश घर के पूर्वजों को भी अर्पित करता है। उसी दिन अपराह्न को गाँव का पाहन अपने सहयोगियों के साथ गाँव के सारना-जाहेर को जाता है और पूजा-स्थल, जो कि साधारणतः किसी बड़े (शाल) पेड़ या पत्थर से लगा होता है, की सफाई करता है। गोबर-पानी से लीपता-पोतता है और नजदीक के जलस्रोत से घड़ों में पानी भर कर पानी की गहराई/सतह शाल की एक टहनी से नाप लेता है। तदुपरान्त एक नए धागे से उनके सिरे जोड़े जाते हैं और घड़े का मुँह मिट्टी के बर्तन से ढँककर पाहन और उसके सहयोगी गाँव वापस आते हैं। बस्ती की सीमा में गाजे-बाजे के साथ उनका स्वागत होता है और आम की पत्तियों से उन पर पानी छिड़का जाता है, पैर धोए जाते हैं। शिकार के गीत-बाजे के साथ पाहन को उसके घर पहुँचा दिया जाता है। बाद में पाहन उन लोगों को थोड़ा हँड़िया पिला कर विदा कर देता है। युवा जन पाहन के घर से निकलकर अखरा जाते हैं और कुछ देर के नाच-गान के बाद सभा विसर्जित होती है।

दूसरे दिन दोपहर होते-होते लोग नहा-धोकर और उसी क्रम में अपने अस्त्र-शस्त्र साफ कर पाहन के घर जाते हैं और वहीं से पूजा की सारी सामग्री—नया सूप, अरवा चावल, ऊरद धूवन, सिन्दूर, अरवा सूत, एक सूप और मुर्गे-मुर्गी इत्यादि लेकर पूजा के लिए सारना स्थल को निकलते हैं। गाँव की स्त्रियाँ सिर पर लोटा रखकर पाहन के पीछे-पीछे चलती हैं। सारना पहुँच कर लोग अपने अस्त्र-शस्त्र पूजा स्थल पर रखते हैं। नजदीक ही वाद्य-यन्त्र भी। पूजा सामग्रियों को यथा स्थान रखने के बाद पाहन अपने सहयोगियों को शाल के फूल 'ससम्मान तोड़ लाने' का आदेश देता है और उसी बीच पिछली शाम छोड़े गए पानी की स्थिति का परीक्षण करता है। अन्य बुजुर्ग लोगों के साथ मिल कर अगले वर्ष के पानी की अनुमान-घोषणा पाहन करता है। इसके बाद पाहन उसी पानी से शाल फूल एवं सभी लोगों का स्वागत करता है और सबको यथा स्थान बैठाता है। तदनन्तर वस्त्र के प्रतीक नए धागे से फूलों को लपेटता है, धूप जलाता है। जमीन पर परमेश्वर, पृथ्वी और जल देवता के लिए सिंदूर देकर तीन लकीरें और पंच पूर्वजों के लिए प्रतीक रूप में पाँच खड़ी लकीरें बनाता है। इसके बाद पाहन क्रमशः परमेश्वर, पृथ्वी, पहाड़ी देवता, जल देवता, ग्राम देवता और पूर्वजों को सम्बोधित कर उनसे प्रार्थना करता है, मुर्गे-मुर्गियों की बलि देता है और हँड़िया अर्पित करता है। पाहन और उसके सहयोगियों द्वारा उच्चरित पूजा मन्त्र का भाव करीब-करीब निम्नलिखित होता है, जो सभी पर्व-अनुष्ठानों में थोड़े अन्तर के साथ लागू होता है। सभी अनुष्ठानों में पृथ्वी को प्राथमिकता दी जाती है, क्योंकि आदिवासी की अस्तित्व रक्षा का वह प्रत्यक्ष स्रोत है, चाहे वह बीजारोपण का आकांक्षा-अनुष्ठान हो या नवान्न भोजन का धन्यवाद अनुष्ठान :

हे स्वर्ग के परमेश्वर
पृथ्वी की धरती माता
दूध की तरह उगनेवाले
दही की तरह डूबने वाले
चारों कोने, दसों दिशाएँ

उत्तर, दक्षिण, पूर्व, पश्चिम
झिलमिल धरती
झुका हुआ आसमान
चटाई की तरह बिछी हुई
कटोरे की तरह ढँका हुआ
गाछ-वृक्ष, पशु-पक्षी
वन-पहाड़, नदी-मैदान
तुम्हारी ही सृष्टि
तुम्हारी ही उत्पत्ति
तुम्हीं से टिका है,
तुम्हीं से रक्षित है

आज इस सरहुल के दिन,
आज इस नेग के दिन
हम तुम्हारी सन्तान,
हम तुम्हारी औलाद
हम तुम्हें बुलाते हैं,
हम तुम्हें गुहारते हैं
हमारे संग बैठ लो
हमारे संग बतिया लो
एक दोना हँड़िया,
एक पत्तल खिचड़ी भात
हमारे साथ पी लो,
हमारे साथ खा लो।

पहाड़ के पहाड़ी देवता,
वन की वनदेवी
दह के जल देवता
नाग-नागिन और अन्य
हमारी खेती देखने वाले,
हमारा लक्ष्मी ओगरने वाले
हमारा शिकार सफल करने वाले,
रोग-दुख दूर करने वाले
पेट दर्द में, सिर दर्द में
हमें बचाने वाले,

हमें शांति देने वाले,
गाँव के ग्राम देवता,
घर के गृह देवता,
हमारे बूढ़े-पुरखे,
हमारे पितृ पूर्वज
फलाना बूढ़ा, फलानी बूढ़ी
इत्यादि-इत्यादि
इत्यादि-इत्यादि
तुम्हारे बनाए रास्ते का,
तुम्हारे दिखाए मार्ग का
हम अनुगमन करते हैं,
हम अनुसरण करते हैं
हम तुम्हें बुलाते हैं,
हम तुम्हें गुहारते हैं
हमारे संग बैठ लो,
हमारे संग बतिया लो
एक दोना हँड़िया,
एक पत्तल खिचड़ी भात
हमारे संग पी लो,
हमारे साथ खा लो।

आज यहाँ आए हुए
आज यहाँ पहुँचे हुए
तुम्हारे संग बैठकर
तुम्हारे साथ बैठकर,
तुम देवताओं से,
तुम देवियों से
हम यही अर्जी करते हैं,
हम यही विनती करते हैं
हमारी खेती-कृषि,
हमारी पशु-लक्ष्मी
दिनोंदिन बढ़ती जाए,
दिनोंदिन विकसित हो
हमारे चलने के रास्ते में
निकलने की राह पर

बाघ का डर न हो,
साँप का भय न हो,
कोई खोंच न हो,
कोई ठोकर न हो,
हमारे बीच से आपसी द्वेष,
आपस में क्रोध-लोभ
जड़ से समाप्त हो जाए
आमूल नष्ट हो जाए
रोग-दुख, दर्द-व्यथा
जिधर से आए, जिधर से पहुँचे
उधर ही लौट जाए
उधर ही वापस जाए
तुम सभी देवताओं से,
तुम सभी देवियों से
हम यही आशा करते हैं,
यही उम्मीद करते हैं
जोहार ! जोहार! जोहार!

पाहन और उसके सहयोगी बुजुर्गों के साथ ही सारे लोग अक्षतदान करते हैं। नमस्कार करते हैं। फूल और प्रसाद बाँटते हैं और उसी के साथ गीत और नाच का सिलसिला भी शुरू होता है, जिसका प्रारम्भ पाहन की पहल पर होता है। इसी बीच वहीं नजदीक में अरवा चावल, ऊरद और मुर्गे-मुर्गी की खिचड़ी बनती है और प्रसाद की पुनरावृत्ति होती है। बूढ़े-बुजुर्गों को कुछ हँडिया भी मिलती है। नृत्य-गीत के संक्षिप्त कार्यक्रम के बाद लोग गाँव वापस आते हैं। पाहन को उसके घर पहुँचा देते हैं और अपने-अपने घरों में पूजा करते हैं। घर की पूजा में भी वही भाव रहता है, किन्तु पूर्वजों को प्राथमिकता दी जाती है। शाम को लोग खा-पीकर गाँव के अखरा में मिलते हैं और नृत्य-संगीत का कार्यक्रम रातभर चलता है। तीसरे दिन आगंतुक कुटुम्ब-बन्धुओं के साथ खान-पान और शाम को फूल विसर्जन का अंतरग्रामीण कार्यक्रम होता है, जिसमें आसपास के कई गाँवों के नृत्य-दल शामिल होते हैं। इसके साथ ही पर्व का अनुष्ठानिक समापन होता है, किन्तु युवजन चौथी शाम को भी अखरा मिटाने के नाम पर फिर एक बार नृत्य आयोजित करते हैं।

2. प्रतीक स्पष्टीकरण

पूरी अनुष्ठान प्रक्रिया सृष्टि की पुनरावृत्ति का सम्भावना पक्ष है, प्रारम्भिक बीज है। पतझड़ के बाद पृथ्वी रजस्वला की स्थिति में होती है। शाल जो सभी फूलों का प्रतिनिधि प्रतीक है, में फूल विकसित हो गए हैं, मकरन्द-गन्ध हवा में भर गई है, अब बीज लगने का समय हो गया है। ये बीज सर्वश्रेष्ठता के वाहक होंगे। शाल वृक्ष उसी का प्रतीक है, जिसकी सुदीर्घ आयु के बारे में

कहा जाता है, 'हजार साल खड़ा, हजार साल पड़ा और हजार साल सड़ा। जड़ से लेकर फूल तक इससे अधिक उपयोगी और कोई वृक्ष नहीं। आदिवासी ने हजारों वर्षों की परख के बाद ही इसे देवता का पद दिया है। केकड़ा, मछली और केंचुआ पृथ्वी से भी पहले के पूर्वज हैं। उन्हीं के सहयोग से पृथ्वी बनी। वे सभी पूर्वजों के प्रतीक हैं। उन्हें प्रसाद रूप में ग्रहण कर, अंगीभूत कर हम उनकी ऊर्जा के, प्रजनन शक्ति के भागी बनते हैं।'

सारना स्थल का पूजा स्थान भी प्रतीकात्मकता से भरा होता है। सारना अपने आप में एक मिनी जंगल है। एक ही जगह अस्त्र-शस्त्र और बीज की स्थापना आखेट और सृष्टि की सन्धि स्थिति का प्रतीक है। देवस्थापन की सारी प्रक्रिया, सुगंधित वातावरण में पैर धोने, स्नान कराने, वस्त्रदान करने, सौन्दर्य प्रसाधन करने, खिलाने-पिलाने से लेकर स्तुतिगान करने तक परम आदरणीय अतिथि के सत्कार का प्रतीक है। उन अतिथि देवताओं की पसन्द के मुर्गे-मुर्गियों के रंगों से उन देवताओं की प्रकृति का पता चलता है—परमेश्वर की पसन्द सफेद, पहाड़ी देवता की लाल, जल देवता की काला और सारना देवी-पूर्वजों की पसन्द मिश्रित मानी गई है। ये रंग इन देवताओं के सापेक्ष महत्त्व के प्रतीक हैं। पूजा-स्थल पर प्रतिनिधि रूप में कुछ बीजान्न होना उन्हें अंकुरण के लिए तैयार होने का प्रतीक है। सारना से घर वापस आकर पाहन-पाहनिन का 'विवाह' होता है। वे नई सृष्टि की आकांक्षा से सूर्य और धरती के प्रतीक बनाए जाते हैं। उन पर पानी की 'वर्षा' होती है, ताकि बीजांकुरण सम्भव हो।

3. कृषि पर्व करम

सरहुल अगर बहुत हद तक आखेट से आरम्भ होकर कृषि की सम्भावनाओं का पर्व है, तो करम विशुद्ध रूप से कृषि (बीजवपन-अंकुरण-संवर्द्धन) का पर्व। फिर सरहुल अगर मूल रूप से आदिवासी पर्व कहा जाएगा, तो करम मनाने में झारखंड के अन्य (सदान मूलवासी) समुदाय भी सम्मिलित होकर यह इस इलाके में सबका पर्व हो गया है। बल्कि कहना चाहिए क्षेत्र-विस्तार में यह झारखंड से बहुत दूर बाहर—मिथिला, मगध, बुन्देलखंड और छत्तीसगढ़ तक चला गया है। इसी क्रम में इसका विषयवस्तु-विस्तार भी हुआ है। कृषि कामनाओं के साथ यह भाई-बहनों का स्नेह पर्व (आपन करम भाइक धरम) भी हो गया है। एक और अन्तर भी है सरहुल में गाँव का सामूहिक पूजा-स्थल सारना और नृत्य-स्थल निश्चित होते हैं। करम में ये परिवर्तनशील हैं।

करम पर्व कृषि कार्य के जो पाँच विशेष महीने, आषाढ़ से कार्तिक के होते हैं, उनके ठीक बीच भादों एकादशी को मनाया जाता है। इस पर्व को मनाने की मूल प्रक्रियाएँ हैं—(क) सप्ताह भर पहले से 'जावा' उठाना, जिसके अन्तर्गत विभिन्न अनाजों का टोकरियों में बीजांकुरण किया जाता है और जिसमें अविवाहित/विवाह योग्य युवतियों की विशेष भूमिका रहती है, (ख) एकादशी के दिन व्रत-उपवास और शाम को पूजा-अर्चना, जिसमें करम कथा-श्रवण एक विशेष अंग होता है, (ग) नृत्य-संगीत का विशेष आयोजन।

करम की संक्षिप्त कथा है कि करमा और धरमा दो भाई थे। एक बार करमा अपनी व्यापार यात्रा से वापसी में देखता है कि उसका छोटा भाई उसका स्वागत-सत्कार न कर करम देवता की पूजा में मशगूल है। क्रोध में करमा आँगन में गड़े हुए करम को उखाड़ फेंकता है।

करम देवता के प्रति इस अपमान का दुष्परिणाम होता है कि करम देवता नाराज होते हैं और करमा की दुर्गति शुरू होती है। कृषि–मवेशी बर्बाद होती है और करमा को भूखों मरने की नौबत आती है। उसका भाग्य फूट जाता है। पश्चात्ताप के समय करमा को स्वप्न में ज्ञान होता है कि करम देवता, जो सात समुन्दर पार एक द्वीप में रहते हैं, की नाराजगी से यह दुर्गति हुई है। जब तक उसको नहीं मनाया जाता और उसकी पुनःस्थापना नहीं की जाती, करमा के दुर्दिनों का अन्त नहीं होगा।

करमा करम देवता को मना कर ले आने के लिए निकलता है, किन्तु रास्ते में भी दुर्भाग्य उसका पीछा नहीं छोड़ता है। रास्ते में वह पानी पीना चाहता है, किन्तु पानी प्रदूषित हो जाता है, दूध पीना चाहता है, किन्तु दूध खून बन जाता है, फल खाना चाहता है, किन्तु उसमें कीड़े लगे हुए मिलते हैं। अन्त में कठिन परीक्षाओं के बाद करमा करम देवता को ले आने में सफल होता है और धीरे–धीरे उसके अच्छे दिन वापस आते हैं। करमा युग–युगान्तर तक करम देवता की सेवा करने की प्रतिज्ञा करता है। कथा–श्रवण के बाद प्रसाद वितरण होता है और उसी के साथ जावा के फूलों का भी। तदनन्तर करम अखरा की वन्दना की जाती है। नृत्य–गीत का यह सिलसिला सुबह तक चलता है। दूसरे दिन सुबह गाँव की एक परिक्रमा करने के बाद करम देवता की विदाई की जाती है नजदीक के किसी जलस्रोत में उसका विसर्जन कर उसी दिन सुबह सूर्योदय होते–होते धान के खेतों के बीच भेलवा और शाल की टहनियाँ गाड़ी जाती हैं, इस विश्वास और मान्यता के साथ कि कृषि को इस देवता से सुरक्षा मिलेगी।

करम त्योहार के अत्यन्त ही प्रसिद्ध होने का कारण लगता है धान रोपणी–निकौनी के कठिन परिश्रम के बाद लोगों का अल्पावधि के लिए ही सही, फुर्सत में होना और कुछ अनाजों (गोड़ा–गोंदली) का पकना। खुशी मनाने के लिए पेट का भरा रहना जरूरी है। भारतीय दर्शन के कर्मयोग/वाद, विशेषकर जैसा कि गीता में प्रतिपादित किया गया है, को कर्म से जोड़ने की वैचारिक सुविधा अपनी जगह है, किन्तु आदिवासी ने इसे आनन्द मनाने के उपर्युक्त समय के रूप में ही लिया है। कलाभिव्यक्ति (नृत्य–गीत–संगीत) का करममय वातावरण दशहरा और दीवाली तक चला आता है।

यह एक ऐतिहासिक संयोग है कि इसी ऋतु में चार सौ साल पहले श्री चैतन्य देव अपनी वैष्णव भक्ति अभियान के क्रम में इसी क्षेत्र से होकर गुजरे थे। इसी के परिणामस्वरूप बांग्ला के गीत रचना विधान का गहरा प्रभाव इस इलाके के साहित्य पर पड़ा। कालक्रम में घनीभूत होकर अब तो यह विधा इस क्षेत्र में पूरी तरह फैल गई है।

4. मवेशी पर्व सोहराई

विशुद्ध रूप से कृषि केन्द्रित पर्व–अनुष्ठानों में आदिवासी का दूसरा सबसे महत्त्वपूर्ण पर्व सोहराई होता है। मूलरूप में वह कृषि कार्य में सहयोगी मवेशियों के सम्मान का पर्व है। जब उन्हें प्रतीक रूप में देवत्व के पद से सुशोभित किया जाता है। यह पर्व भौगोलिक प्रकारान्तर से कार्तिक अमावस्या से लेकर पूस के महीने तक सम्पन्न होता है। अधिकांश क्षेत्रों में यह

कार्तिक अमावस्या को ही शेष भारत की दीवाली के साथ मनाया जाता है। सप्ताह भर पहले से घरों की, खास कर गोहार घर की, लिपाई-पुताई की जाती है। शाम को पशु लक्ष्मी की वन्दना के गीत गाए जाते हैं। गोहार घर में रातभर दीया जलाते हैं और बारी-बारी से प्रत्येक घर में पशु-लक्ष्मी की वन्दना की जाती है। सुबह गोहार घर में प्रवेश-द्वार और कुछ दूर तक रास्ते को भी लीपा-पोता जाता है। चावल के आटे के घोल से अल्पना बनाई जाती है, मवेशियों के स्वागतार्थ। दोपहर तक मवेशियों को पास के जलस्रोत से नहला-धुला कर लाया जाता है। मवेशी अल्पना पर से चल कर गोहार घर में प्रवेश करते हैं। घर की मालकिन उनका स्वागत आम की पत्तियों से पानी छिड़ककर और प्रतीक रूप में उनके पैर धोकर और चुमावन द्वारा करती है। उनके लिए अच्छी घास तैयार रहती है। घर का चरवाहा और मालिक मवेशियों के सींगों पर तेल लगाते हैं, सिन्दूर का टीका लगाते हैं, शरीर पर रंग-बिरंगे ठप्पे लगा कर उन्हें 'शक्तिमान' बनाते हैं। गोहार देवता, जो कि प्रतीक रूप में सामान्यतया महुआ की लकड़ी से बना एक खूँटा होता है, के सम्मान में एक काले मुर्गे की बलि दी जाती है। घर को मालिक के पूजा मन्त्र का भाव—

हे स्वर्ग के परमेश्वर
पृथ्वी की धरती माता
दूध से उगनेवाले
दही से डूबने वाले
चारों कोने, दसों दिशाएँ
उत्तर, दक्षिण, पूर्व, पश्चिम
झिलमिल धरती
झुका हुआ आसमान
चटाई सी बिछी हुई
कटोरे सा ढँका हुआ
गाछ-वृक्ष, पशु-पक्षी
वन-पहाड़, नदी-मैदान
तुम्हारी ही सृष्टि
तुम्हारी ही उत्पत्ति
तुम्हीं से टिका,
तुम्हीं से रक्षित है

आज इस पर्व के दिन,
आज इस नेग के दिन
हम तुम्हारी सन्तान,
हम तुम्हारी औलाद
हम तुम्हें बुलाते हैं,

हम तुम्हें गुहारते हैं
हमारे संग बैठ लो
हमारे संग बतिया लो
एक दोना हँड़िया रस,
एक पत्तल खिचड़ी भात
हमारे साथ पी लो,
हमारे साथ खा लो।

गोहार के गोहार देवता,
कृषि-पशुधन की देवी
हम तुम्हें भी बुलाते हैं
हम तुम्हें भी न्योतते हैं
एक पीढ़े में बैठनेवाले
एक चटाई पर बैठनेवाले
अपने साथियों के साथ,
अपने संगियों के साथ
तुम भी आओ।
तुम भी विराजो।
हमारे काम उद्यम में,
हमारे जोतने-कोड़ने में
साथ देने वाले,
सहयोग करने वाले
धूप में, गर्मी में,
जाड़े में, ठण्ड में,
भूख में, प्यास में,
दुख में, विपत्ति में,
जो हमारे साथ खड़े रहे,
हमारे साथ डटे रहे,
हमारे भले के लिए,
हमारे चंगे के लिए,
जी-जान लगाने वाले,
मन-प्राण लगाने वाले,
मित्रवत् बैल-काड़ा,
मातृवत् गाय-भैंस
उनका हम सम्मान करते हैं

उनको हम जोहार करते हैं।
उनके साथ तुम भी बैठो,
उनके संग तुम भी बतियाओ
इनका भरपूर बल,
इनकी भरपूर शक्ति
सदा बनी रहे,
सदा स्थिर रहे।
कोई बीमारी न रहे,
कोई रोग न रहे
जब ये जंगल में घूमें,
पहाड़ पर जाएँ
बाघ का डर न हो
सियार की धमकी न हो
इनके चरने के लिए,
इनके खाने के लिए
घास की कमी न हो,
पत्तियों का अभाव न हो।
पानी की कमी न हो,
पीने का अभाव न हो,
इनके घूमने में
इनके विचरने में
सब कुछ शुभ हो,
सब कुछ स्वस्थ हो।
तुम सब देवताओं से,
तुम सब देवियों से
हम यही अर्जी करते हैं
हम यही विनती करते हैं।
जोहार! जोहार! जोहार!

तब तक उस अवसर पर मवेशियों के सम्मान में विशेष रूप से तैयार अदलित ऊरद मिश्रित खिचड़ी तैयार होती है और प्रसाद के रूप में मवेशियों और घर के लोगों के बीच बँटती है। शाम को सूरज डूबने के कुछ पहले लोग मवेशियों को सजा कर गाजे-बाजे के साथ बाहर निकालते हैं। ग।ंव की गलियों में मवेशियों की भगदड़-सी मचती है। घण्टे भर के बाद गाजे-बाजे बंद किए जाते हैं और मवेशियों को वापस घर लाते हैं। रात को गाँव के अखरा में नृत्यगीत-संगीत का आयोजन होता है। दूसरा दिन खाने-पीने का दिन होता है। अपराह्न में लोग फिर जुटते हैं, अखरा में, जहाँ पर एक मजबूत खूँटे पर बारी-बारी से कुछ

सजे-सँवरे बैलों /भैंसाओं को बाँधते हैं और गीत-बाजे के बीच उन्हें नचाते हैं और उनके साथ नाचते हैं। मवेशियों के लोगों का यह सम्मिलित नृत्य सूरज डूबने तक चलता है। रात को खाने के बाद युवाजन फिर अखरा में जुटते हैं और नाच-गान का सिलसिला सुबह तक चलता है।

5. वार्षिक आखेट

वर्ष का अन्त आदिवासी वार्षिक आखेट पर्व के आयोजन के साथ करता है। यह पर्व साधारणतः फागुन पूर्णिमा को मनाया जाता है। उस दिन दोपहर को नहाने के समय युवाजन अपने अस्त्र-शस्त्र साफ करते हैं, धार चढ़ाते हैं। शाम को गाँव के बीच सेमल पेड़ की एक ऊँची (10-15 फीट) डाल गाड़ते हैं और उसके मूल पर पुआल से एक कुंबानुमा संरचना करते हैं। वहाँ से पूरब की ओर जाने वाले रास्ते के किनारे-किनारे गाँव के कुछ दूर बाहर तक सेमल, एरंड या केले के पेड़ गाड़े जाते हैं और मूल पर पुआल डाल दी जाती है। तदनन्तर गाँव का पाहन पूजा के सामान (चण्डी देवी और पहाड़ी देवता के अर्पणार्थ काला और लाल मुर्गा, अरवा चावल, पानी, धुवन, सिन्दूर और दीया) लेकर नृत्य-गीत-संगीत के बीच पूजा-स्थल को आता है और प्रार्थना-पूजा करता है—

हे स्वर्ग के परमेश्वर
पृथ्वी की धरती माता
दूध से उगने वाले
दही से डूबने वाले
चारों कोने, दसों दिशाएँ
उत्तर, दक्षिण, पूर्व, पश्चिम
झिलमिल धरती
झुका हुआ आसमान
चटाई सी बिछी हुई
कटोरे से ढँका हुआ

गाछ-वृक्ष, पशु-पक्षी
वन-पहाड़, नदी-मैदान
तुम्हारी ही सृष्टि
तुम्हारी ही उत्पत्ति
तुम्हीं से टिका,
तुम्हीं से रक्षित है

आज इस पर्व के दिन,
आज इस नेग के दिन

हम तुम्हारी सन्तान,
हम तुम्हारी औलाद
हम तुम्हें बुलाते हैं,
हम तुम्हें गुहारते हैं
हमारे संग बैठ लो
हमारे संग बतिया लो
एक दोना हँड़िया रस,
एक पत्तल खिचड़ी भात
हमारे साथ पी लो,
हमारे साथ खा लो।

शिकार की देवी चण्डी,
पहाड़ का पहाड़ी देवता
तुम्हारे साथ रहनेवाले,
तुम्हारे साथ विराजनेवाले,
एक पीढ़े में बैठनेवाले,
एक चटाई में विराजनेवाले,
सभी देवताओं को,
सभी देवियों को
हम आमंत्रित करते हैं,
हम न्योता देते हैं
हमारी पूजा स्वीकार करो,
हमारा अर्पण मंजूर करो।
हम अर्जी करते हैं,
हम विनती करते हैं
हमारे शिकार के लिए,
हमारे आखेट के लिए
तुम अपना द्वार खोलो,
हमारे लिए रास्ता छोड़ो—
सूखी पत्तियों-सी तीतर,
मिट्टी के ढेले-से खरगोश
बीसों की संख्या में,
सैकड़ों की तादाद में
हमारी ओर चला कर आओ,
हमारी तरफ उन्मुख कर आओ

वन मुर्गे, सूअर, हिरण, सांभर।
हमारे शिकार में,
हमारे आखेट में
बाघ का डर न हो,
साँप का दंश न हो
कोई ठेस न हो
कोई ठोकर न हो
हमारे साथ के तीर-धनुष,
हमारे साथ के हथियार
धारयुक्त बने रहें,
तेजयुक्त बने रहें।
जोहार! जोहार! जोहार!

पूजा के बाद गाड़े खूँटों से लगी पुआल पर आग लगा दी जाती है और उसी बीच पाहन की पहल पर सारे खूँटे काट कर गिराए जाते हैं। 'खूँटा काटना' आगामी आखेट अभियान की सफलता-कामना का ही पूर्वाभास और पूर्वाभ्यास होता है। युवजन उसकी राख देवता के प्रसाद स्वरूप अपनी मूँछों पर चढ़ाते हैं और वीरत्व की कामना करते हैं। विजय अभियान का यह अभ्यास गाँव के अखरा तक जाकर नृत्य-गीत-संगीत के कार्यक्रम में बदल जाता है। दूसरे दिन सुबह बहुत ही जल्दी लोग अपने हथियारों से लैस होकर जंगल को जाने वाले रास्ते में गाँव की सीमा पर मिलते हैं। चण्डी देवता और पहाड़ी देवता को अर्पित संक्षिप्त मंगलकामना के साथ अभियान दल आखेट के लिए जंगल की ओर निकल जाता है। आखेट के बाद वापसी में गाँव की सीमा पर शिकारियों के पैर धोकर उनका स्वागत किया जाता है। नृत्य, गीत, संगीत के बीच उन्हें चण्डी स्थान ले जाया जाता है, जहाँ शिकार में भूमिका को ध्यान में रखते हुए सारे गाँव के बीच शिकार का बँटवारा होता है, जिस व्यक्ति के हथियार से कोई शिकार किया हुआ जानवर पहले घायल होता है उसे उस जानवर की एक पिछली टाँग उसके शौर्य के सम्मान में दी जाती है। सामान्यतः पूरे गाँव के हित में वह अपना 'इनाम' सप्रेम वापस करता है। जो शिकार में जा नहीं पाते या जिनके घर पुरुष नहीं होते, शिकार में उनका भी हिस्सा बँटता है। किसी आखेट अभियान में सफल शिकार इस बात पर निर्भर करता है कि वन देवी उस आखेट दल के प्रति कितना उदार होती है। कभी-कभी परिमाण में शिकार की मात्रा इतनी कम होती है कि प्रत्येक व्यक्ति को एक-दो टुकड़े ही मिलते हैं, किन्तु इसके चलते लोगों के उत्साह में कोई कमी नहीं होती। इस अभियान के पीछे मूल बात है आपसी सहयोग का आनन्द। उन्हीं एक-दो टुकड़ों से लोगों को असीम सन्तोष का अनुभव होता है।

जीवनवृत्त संस्कार अनुष्ठान

जीवनवृत्त संस्कार-अनुष्ठानों का सीधा सम्बन्ध कृषि या आखेट से नहीं होता, किन्तु ये परोक्ष रूप से कृषि पर ही आधारित होते हैं, जहाँ तक कि उन्हें ठीक से करने के लिए समय और साधन की

आवश्यकतापूर्ति का प्रश्न है। इन्हें व्यक्ति के समाजीकरण का अनुष्ठान भी कहा जा सकता है। इनमें प्रमुख हैं—जन्म-संस्कार, सदस्यता-संस्कार, विवाह-संस्कार एवं मरण-संस्कार। किन्तु समाजीकरण के दृष्टिकोण से अन्तिम तीन ही अधिक महत्त्वपूर्ण हैं।

1. सामाजिक सदस्यता संस्कार 'कनवेधी'

सदस्यता संस्कार से हमारा तात्पर्य उस जीवनवृत्त संस्कार से, जिसके सम्पन्न होने के बाद ही व्यक्ति उस समुदाय का सामाजिक सदस्य माना जाता है। उस अनुष्ठान के होने के पहले वह समाज-इतर ही माना जाता है। इस अन्तर को दिखाने के लिए उदाहरणस्वरूप, ऐसे सदस्य की मृत्यु होने पर उसे सामुदायिक कब्रगाह में नहीं दफनाया जाता है। इस प्रकार के अनुष्ठानों में, कनबेधी संस्कार सबसे अधिक महत्त्व का है। यहाँ हम इसकी संक्षिप्त चर्चा करेंगे।

कर्णवेध का संस्कार प्रतीक रूप में बच्चे को धरती माँ के लिए बलिदान का, समर्पण का संस्कार है। बच्चे की प्रतीकात्मक 'मृत्यु' के बाद उसके 'धर्म-माँ-बाप' उसे गोद में लेते हैं और आजीवन उस बच्चे के हितैषियों में सबसे महत्त्वपूर्ण भूमिका निभाते हैं। यह अनुष्ठान करीब-करीब इस प्रकार सम्पन्न होता है : वर्ष के अन्तिम त्योहार माघजतरा/मागे/बुरू के दूसरे दिन कथित परिवार के आँगन में भाई-बन्धु और कुटुम्ब-मेहमान जमा होते हैं। गोबर के लिपे-पुते आँगन में एक चौका बनाया जाता है जो कि विश्व ब्रह्मांड और सारी सृष्टि का प्रतीक होता है। उस पर एक सूप धान उँड़ेला जाता है और उसके ऊपर पीढ़े पर पूरब की ओर मुँह करके बच्चे की मामी या माँ या माँ लगने वाली कोई महिला सम्बन्धी बच्चे को गोद में लेकर बैठती है। उसकी अगल-बगल पहले से ही निर्धारित दो व्यक्ति जो उपवास किए रहते हैं, साथ में कान बेधने और पहनने वाली ताँबे की कनासियाँ (बालियाँ) लेकर बैठते हैं और उनमें से एक सिन्दूर या चावल के आटे से दोनों कानों में छेद करने की जगह चिह्नित करता है। इसके बाद करीब-करीब एक साथ दोनों कानों में छेद करते हैं और कान छेद करने वाली कनासी को कान में ही बाली की तरह रहने देते हैं। कान छेद करने के तुरन्त बाद बच्चे को पहले से ही छितराए हुए पुआल पर 'फेंक' दिया जाता है, जिसे उसके 'मीता' या 'मीतिन' उठा लाते हैं और अगर वह रोता है, उस अवसर पर पकी रोटी देकर आश्वस्त करते हैं। अलग से उसी के साथ सभी बच्चों के बीच रोटी बाँटते हैं। उस समय गाँव का पाहन/बैगा निम्नलिखित भाव की मंगलकामना करता है—

परमेश्वर की छाया में
धरती माँ की सुरक्षा में
हमारा यह बच्चा,
हमारी यह सन्तान
हमारी जात-बिरादरी में,
हमारे कुटुम्ब-परिवार में
आज से उसकी गिनती होगी
आज से उसकी गणना होगी।

यह आज से पहले,

यह बीते कल तक
हमसे बाहर समझा जाता था,
हमसे अलग गिना जाता था
आज से वह जात-जमात में,
कुटुम्ब परिवार में
सम्मिलित होता है,
शामिल होता है,
भूख में, प्यास में
बीमारी में, विपत्ति में
जाति ही उसकी छाया होगी,
समाज ही उसकी छतरी होगा
स्वर्ग के परमेश्वर से,
पृथ्वी को धरती माँ से
हम अर्जी करते हैं,
हम विनती करते हैं
यह पुनः स्वीकृत बच्चा,
फिर से अंगीकृत सन्तान
अच्छी तरह बढ़े-पले
सकुशल संवर्द्धित हो
बल से सुगठित हो,
बुद्धि से शृंगारित हो
यह मिलना-जुलना सीखे,
काम-उद्यम सीखे
अपने घर-द्वार के लिए,
अपने देश-जहान के लिए
इस बच्चे के साथ ही,
इस बच्चे के संग
हम सब स्वस्थ रहें
हम भी सकुशल रहें
इसके नाते उठना-बैठना
इसके बहाने मिलना-जुलना
इसी तरह बना रहे,
इसी तरह कायम रहे।
जोहार! जोहार! जोहार!
(आशीर्वाद स्वरूप अक्षतदान)

तदनन्तर बच्चे की मामी की पहल पर चुमावन होता है और आशीर्वादस्वरूप लोग बच्चे को धान और पैसे के रूप में दान देते हैं। यही उसके भावी जीवन का सुरक्षाकोष होता है। बच्चे के माँ-बाप से आशा की जाती है कि वे उसमें वृद्धि करेंगे और बच्चे का विकास सुनिश्चित करेंगे। दिन का बाकी समय खान-पान और नाच-गान में बीतता है।

2. विवाह संस्कार

सृष्टि-प्रक्रिया को कायम रखने और आगे बढ़ाने के लिए परमेश्वर ने सारी सृष्टि में विवाह की व्यवस्था की। प्राणियों के बीच तो यह बात हम देखते ही हैं, प्राणी-इतर अवयवों में भी इसका प्रतीक विस्तार हुआ है, यथा जलवृष्टि के लिए सूर्य/ आसमान के साथ धरती का विवाह। मनुष्यों में विवाह व्यवस्था इसी ईश्वरीय योजना का एक अंग है। आदिवासी समाज में सामान्यतया वयस्कता प्राप्त करने के बाद ही आदमी विवाहित जीवन में प्रवेश करता है, जब उसे घर-द्वार चलाने की पात्रता हासिल होती है। लड़के के लिए हल-जुआ बनाने आना और लड़की के लिए चटाई बिनने आना विवाह की सामान्य पूर्व शर्त होती है। आवश्यक शर्तों में यह भी है कि लड़का-लड़की एक ही समुदाय किन्तु अलग-अलग गोत्र (वंश) के हों! लड़का-लड़की साधारणतः अपने परिचय के दायरे के ही होते हैं और एक-दूसरे की पसन्द के होते हैं। किन्तु परिवार का समर्थन भी प्राप्त करना आवश्यक होता है।

इन दो व्यक्तियों/घरों/परिवारों को मिलाने की इस पूरी प्रक्रिया में मध्यस्थता करने वाले 'अगुआ' की भूमिका अत्यन्त ही महत्त्वपूर्ण होती है। आरम्भ से अन्त तक इस आयोजन का सफल समापन बहुत हद तक इसी अगुआ के समन्वय-सामर्थ्य पर निर्भर करता है। विवाह के विभिन्न वैधिक/आनुष्ठानिक चरणों—लड़की देखने, लड़का देखने, मूल्य निर्धारण करने इत्यादि में शकुन/अपशकुन विचार से लेकर सारे व्यवधानों को दूर करने में उसकी भूमिका सर्वाधिक महत्त्व की होती है।

अत्यन्त ही संक्षेप में विवाह का सबसे महत्त्वपूर्ण सामाजिक बिन्दु लड़का-लड़की द्वारा परस्पर सिन्दूरदान, जो कि सामान्यतया लड़की के घर में सम्पन्न होता है, का समय होता है। उसके पहले की तैयारियाँ—उपवास द्वारा मन और शरीर की पवित्रता, विवाह में प्रकृति/देवताओं को साक्षी बनाना, इत्यादि-इत्यादि, इसी बिन्दु को लक्षित होती हैं। नई जोड़ी-मिलन की सफलता-कामना को अर्पित प्रतीकात्मकता सारे वातावरण को घेरे रहती है। विवाह मंडप, जिसका निर्माण शाल के पाँच खूँटों से किया जाता है, के बीच के खूँटे से बँधे बाँस, खैर, घास इत्यादि विवाह के बाद वर-वधू स्नानार्थ बैठने के लिए जुआ सिल पत्थर इत्यादि सब कुछ विवाह की सुदृढ़ता की मंगलकामना प्रतिबिम्बित करते हैं। वर-वधू द्वारा सिन्दूर आदान-प्रदान की पूर्वपीठिका के रूप में गाँव के पाहन/बैगा/बुजुर्ग परमेश्वर और अन्य देवताओं के लक्ष्य में निम्नलिखित भाव का आशीर्वचन देते हैं और वर-वधू युगों तक एक-दूसरे के साथ निर्वाह की प्रतिज्ञा करते हैं—

आशीर्वचन :

प्रिय फलानी और फलाना
धरती और आसमान की तरह

हम तुम्हें जोड़ रहे हैं,
हम तुम्हें जोत रहे हैं,
अग्नि देवता के सामने,
आम वृक्ष के समक्ष
पाँच भाईयों के बीच,
कुटुम्ब-बन्धुओं के मध्य
आज तुम वर-वधू हो
आज से पति-पत्नी हो।
एक साथ काम-उद्यम करो,
एक साथ खोज-खबर करो
पत्थर के नीचे केकड़ा,
कादो के भीतर मछली
यदि वह नदी में मिले
तुममें से एक सिर की ओर
दूसरा पूँछ की ओर
तुम उसे मिल कर पकड़ो,
तुम उसे मिल कर धरो
केंदू और चार के फल,
आम और जामुन के फल
तुम एक साथ चुनो,
तुम एक साथ बाँधो
अन्न माता, लक्ष्मी माता
खेती-कृषि की देवियाँ
तुम्हारे साथ वास करें,
तुम्हारें यहाँ डेरा डालें
आड़ के केले की तरह,
मेंड़ की घास की तरह
तुम सदा उगते रहो,
तुम सदा बढ़ते रहो।
दुनिया की दौड़ में,
जीवन की चढ़ान में
तुम ऊपर को ही उठो
तुम युग-युग जीओ।
गाँव के पाँच भाई,
देश के कुटुम्ब-बन्धु

हम यही आशा करते हैं
मंगलकामना करते हैं।
जोहार! जोहार! जोहार! (अक्षतदान)

वर-वधू की अग्नि परिक्रमा/प्रदक्षिणा, चुमावन और तदनन्तर वर-वधू द्वारा अग्रजों को नमन और उभयपक्षों के 'समधी मिलन' के साथ मूल विवाह अनुष्ठान सम्पन्न हो जाता है और वर-वधू को कुछ समय के लिए घर के अन्दर ले जाया जाता है। इसी बीच कुटुम्ब-बन्धुओं को यथायोग्य जलपान/ भोजन की तैयारी हो जाने पर वर-वधू फिर निकलते हैं और सबको खिलाने की पहल कर फिर अन्दर चले जाते हैं। खान-पान के बाद नाच-गान का कार्यक्रम होता है और उसके बाद विदाई की तैयारी। विदा के समय लड़की का बाप अपने समधी से सविनय आग्रह करता है कि लड़की के गृह-कार्य एवं अतिथि-सत्कार के प्रशिक्षण में अगर कोई त्रुटि रह गई हो, तो उसकी गलतियों पर कृपया ध्यान न देकर उसे प्यार से समझाएँ-सिखाएँ और सुख-दुख में उन्हें (समधी को) याद करें।

3. मरण-संस्कार

प्राण (साँस) विहीनता ही जीवन्तता का अन्त होती है, किन्तु मनुष्य की आत्मा अमर होती है। आत्मा के कालातीत अस्तित्व में मृत्यु ऐसा समय-बिन्दु होता है, जिसके बाद व्यक्ति का भौतिक, स्थूल रूप समाप्त हो जाता है। किन्तु वह सूक्ष्मातिसूक्ष्म अदृश्य रूप में विद्यमान रहता है। हम उसे देख नहीं सकते, किन्तु वह हमें देख सकता है। आदिवासी के सच्चाई और ईमानदारीपूर्ण व्यवहार के पीछे यही विश्वास काम करता है कि हमारे पूर्वज हमें देख रहे हैं। हमें ऐसा कुछ भी नहीं करना चाहिए, जिससे उन्हें असन्तोष हो।

मृत्यु प्रतीक रूप में 'दूसरा विवाह' होता है, जिसमें मिट्टी का मिट्टी से, आग का आग से, पानी का पानी से और हवा का हवा से मिलन का अनुष्ठान होता है। इसके बाद मृतक की 'छाया' की 'घरवापसी' का अनुष्ठान होता है, क्योंकि मरने के बाद आदिवासी स्वर्ग या नरक नहीं जाता, वरन् अपने पूर्वजों के साथ अपने ही घर वापस आता है। उसकी स्मृति बनाए रखने के लिए लोग बच्चों का नामकरण उसके नाम से करते हैं। इसलिए अगर इसे पुनर्जन्म भी कहा जाए, तो यह पुनर्जन्म मनुष्य के रूप में ही होता है। किन्हीं कीड़े-मकोड़ों इत्यादि की अनन्त योनि में नहीं। किसी की मृत्यु से मृतक के घर एवं सारे कुटुम्ब में अशुचि होती है और उससे उबरने के लिए कई अनुष्ठान होते है, जिनकी परिणति मृत्यु के बाद किसी दिन, जिसका निर्धारण देश-काल के हिसाब से अलग-अलग अवधि में होता है, 'कमान'/श्राद्ध के रूप में होती है। कमान एवं छाया की वापसी अनुष्ठान संक्षेप में इस प्रकार सम्पन्न होता है—

निश्चित तिथि (साधारणत: मृत्यु के दसवें दिन) को गाँव-बिरादरी के लोग अपने नाखून कटवाते हैं और मृतक के नजदीकी-सम्बन्धी सिर के बाल मुँड़ाते हैं। शाम तक दूर के सम्बन्धी भी पहुँचते हैं। शाम को बाल मुँड़ाए हुए लोग गाँव की नदी/तालाब से नहा कर वापस आते हैं और उनका स्वागत उनके पैर धोकर किया जाता है। कुटुम्ब-मेहमान उन्हें कपड़े ओढ़ाते हैं। तदनन्तर लोग आँगन में बैठ जाते हैं। इसके बाद छाया वापसी की तैयारी होती है। घर के अन्दर,

पूर्वजों के कोने तक राख या चावल का चूर्ण बिखेर दिया जाता है। पूर्वजों के कोने में बाद में जलाने के लिए एक दीया छोड़ दिया जाता है। इसके आगे का कार्यक्रम मृतक की आत्मा को पूर्वजों के साथ सम्मिलित कराने का होता है। आँगन के बीच मृतक का निकटतम सम्बन्धी पुरुष (सामान्यतया पुत्र या भतीजा) मुख्य श्राद्धकर्ता के रूप में पूरब की ओर मुँह करके बैठता है। गाँव का पाहन/बैगा/बुजुर्ग उसकी दाहिनी ओर उत्तर की ओर मुँह करके बैठता है। सामान्य पूजा सामग्रियों में होते हैं, लोटे में पानी और उसमें आम की पत्तियाँ, धुवन, सिन्दूर, नया सूत, गुलांची के फूल, अक्षत, मदिरा और गुड़ और मधु से पका हुआ अरवा चावल का मिष्टान्न। पाहन/बैगा सफेद, लाल और काली मिट्टी से एक चौका बनाता है, जो सृष्टि पृथ्वी और चारों दिशाओं का प्रतीक होता है। प्रस्तुत अनुष्ठान का मूल उद्देश्य होता है, मृतक की आत्मा को परमेश्वर एवं उसके सहयोगी देवताओं के साक्ष्य में तथा कुटुम्ब बन्धुओं की उपस्थिति में परिवार के पूर्वजों में सम्मानपूर्वक शामिल करना। पाहन/बैगा द्वारा उच्चरित मन्त्र का भाव होता है—

स्वर्ग के परमेश्वर
पृथ्वी की धरती माता
दूध की तरह उगनेवाले
दही की तरह डूबने वाले
तुम ही आदि के हो,
तुम ही आरम्भ के हो,
चारों कोण, चारों दिशाएँ
पूरब, पश्चिम, उत्तर, दक्षिण
तुम्हारी ही सृष्टि
तुम्हारी ही उत्पत्ति,
वन-पहाड़, नदी-मैदान
पशु-पक्षी, जीव-जन्तु
तुम ही से रक्षित हैं
तुम ही से जीवित हैं।

पहाड़ के पहाड़ी देवता
दह के जल देवता
गाँव के ग्राम देवता
सीमा की चंडी देवी
घर के गृह देवता
हमारे पुरखे-पूर्वज
हम सबको बुलाते हैं
सबको आमंत्रित करते हैं

हम सबसे अर्जी करते हैं
सबसे विनती करते हैं।

आज पाँच भाइयों के बीच
कुटुम्ब-बन्धुओं के मध्य
हमारे बीच से अदृश्य हुए
हमारे बीच से देव बने
हमारे खून का फलाना
हमारे वंश का फलाना
जो रास्ता भूल गया था,
डहर बिसुर गया था
उसके पहले घर को
उसके पुरानी झोंपड़ी को
हमारे पूर्वजों के साथ
हमारे पुरखों के संग
रहने को हम बुलाते हैं
बसने को हम ले चलते हैं।
इसकी वापसी के रास्ते में
इसके लौटने के डहर में
कोई बाधा न रहे,
कोई विघ्न न रहे।

हम जो यहाँ बचे हैं,
हम जो यहाँ जीवित हैं
हम सब स्वस्थ रहें,
हम सब चंगे रहें।
हमारी लक्ष्मी माँ,
हमारी कृषि माँ
सदा बढ़ती रहे,
हमेशा उगती रहे।
पेट दर्द, सिर दर्द से,
रोग-विपत्ति से
हम बचे हुए रहें
हम सुरक्षित रहें।
हमारा घर-द्वार,

हमारा रास्ता–डहर
हमारे वन–पहाड़
हमारे नदी–मैदान
सब कुछ स्वस्थ रहें,
सब कुछ कुशल रहें।
जोहार! जोहार! जोहार!

तब तक 'छाया वापसी भात' तैयार होता है, जिसे बिना तेल–नमक से पकी ऊरद के साथ उपस्थित भाई–बन्धुओं और कुटुम्ब–मेहमानों को परोसा जाता है। मुख्य श्राद्धकर्ता बीच में बैठता है। उसे सबसे अन्त में परोसा जाता है। तदनन्तर बैठे हुए मेहमानों के बीच से एक, सामान्यतया मामा, उठता है और सभामंडल से इस आशय का निवेदन करता है—

इस आँगन में जमा
भाइयो, कुटुम्ब बन्धुओ,
हम लोग जमा हुए हैं,
एकत्र हुए हैं,
इस गिरे हुए भाई को
इस हताश सम्बन्धी को
फिर से खड़ा करने के लिए
साहस बँधाने के लिए।
इतने दिनों तक इसका परिवार
इसका घर–द्वार
अशुचि में रहा
अपवित्र रहा।
कोई खोज–खबर नहीं थी,
कोई उठना–बैठना नहीं था।
आज सभी भाइयों के बीच,
सभी कुटुम्बों के मध्य
इसकी सारी विपत्तियाँ
इसके सारे दुख
हमने गंगा में बहा दिया
समुद्र में डुबा दिया।
हम इसे फिर से खड़ा करते हैं,
साहस बँधाते हैं
आज से इस भाई के प्रति
इस बन्धु के प्रति
कोई घृणा न हो,

कोई छूत न हो।
सब कुछ शुभ हो,
सब कुछ स्वस्थ हो।

इसी के साथ बैठे हुए लोगों में से ही दो व्यक्ति श्राद्धकर्ता के तीन बार परमेश्वर की जय-जयकार के साथ उठाते-बैठाते हैं और खाना शुरू करते हैं। दूसरे दिन फिर एक बार, किंचित् बड़े दायरे में सहभोज होता है और इस तरह इस अनुष्ठान की समाप्ति होती है।

निष्कर्ष

उपर्युक्त संक्षिप्त विवरण में हमने देश के आदिवासियों के बीच बिखरी धार्मिक आस्थाओं के आधार पर भारतीय आदिवासियों द्वारा प्रयुज्य 'आदिधर्म' का मूल स्वरूप खड़ा करने की चेष्टा की है। स्थापित विश्वधर्म व्यवस्थाओं (हिन्दू, इस्लाम, ईसाई) की ही तरह धर्म जिज्ञासा के मूल विषय—परमेश्वर, सृष्टि, पृथ्वी, मनुष्य और उनका आपसी सम्बन्ध समान होने के बावजूद आदिधर्मगत आस्थाओं का अपना वैशिष्ट्य है, जिसे निम्नलिखित बिन्दुओं में चिह्नित किया जा सकता है—

1. परमेश्वर (सिंगबोंगा, चांदोबोंगा, धर्मेस इत्यादि) का समाजीकृत स्वरूप (पिता, पितामह) अपेक्षाकृत अधिक साहचर्यपूर्ण है। आदिवासियों के बीच 'आजा-नाती' का सम्बन्ध सबसे मधुर माना जाता है। परमेश्वर मनुष्य के साथ इसी नातेदारी में बँधा है।

2. प्रकृति के विशिष्ट अवयवों (पहाड़, नदी, जंगल इत्यादि) को ही परमेश्वर के प्रतीकात्मक सर्वश्रेष्ठ 'घर' के रूप में स्वीकार करना। कृत्रिम संरचनाएँ—मन्दिर, मसजिद, गिरजा इत्यादि आवश्यक नहीं।

3. मनुष्य के अमरत्व में विश्वास करना। यह प्रतीकात्मक अमरत्व प्रतिबिम्बित हुआ है मृतक की आत्मा की छायारूप में घरवापसी के अनुष्ठान में, जो कि थोड़े-बहुत अन्तर के साथ सभी आदिवासी समुदायों में सम्पन्न होता है।

4. आदिधर्म व्यवस्था में मनुष्य पाप-पुण्य और स्वर्ग-नरक की अवधारणाओं से अपेक्षाकृत कम ग्रसित है। समाज सम्मत काम ही पुण्य है और समाज विरोधी काम पाप। आदमी स्वर्ग, नरक या अन्यत्र कहीं नहीं जाता। सामाजिकता ही स्वर्ग है, असामाजिकता नरक।

5. बिना किसी मध्यस्थता (पंडित, मौलवी, पादरी इत्यादि) के परमेश्वर से सीधे जुड़ने की अपेक्षाकृत अधिक स्वतन्त्रता। आदिवासी के सभी अनुष्ठान न्यूनतम कर्मकाण्ड से सम्पन्न होते हैं।

6. सृष्टि के अन्य अवदानों (सजीव, निर्जीव) के साथ समानता और पारस्परिक सम्मानबोध के आधार पर सहअस्तित्व। मनुष्य को सारी सृष्टि में सर्वश्रेष्ठ मानने की धृष्टता नहीं।

7. आदिधर्म सृष्टि के साथ ही स्वतःस्फूर्त है, कालातीत है। किसी अवतार, मसीहा या पैगम्बर पर आश्रित नहीं।

उपर्युक्त तथ्यों के आधार पर अखिल भारतीय स्तर पर आदिवासियों की एक निश्चित एवं गुणात्मक/धनात्मक धार्मिक पहचान बन सकती है। इसके बावजूद यह स्पृहणीयता अब तक

दबी रही है और अन्य धार्मिक आस्थाओं ने इसके विभिन्न तत्त्वों का आंशिक रूप में अपहरण कर उन्हें आत्मसात कर लिया है। आदिवासी के मन में अपनी धार्मिक विरासत के प्रति एक स्वाभाविक आत्माभिमान जगना चाहिए। यह आशा की जा सकती है कि यह पहचान उसकी एकता को बल एवं नया आयाम देगी, जो उसकी सुरक्षा और प्रगति में सहायक होगी।

अभी जो स्थिति है, वर्तमान सभी संस्थागत धर्मव्यवस्थाओं में आदिवासी की मान्यता पिछलग्गू (पिछड़ा हिन्दू, पिछड़ा ईसाई, पिछड़ा मुसलमान) की ही है और उसके बाहर उनकी धार्मिक आस्थाओं (सारना इत्यादि) को कोई स्वतन्त्र संवैधानिक स्वीकृति/मान्यता नहीं है। उनकी गणना मात्र 'अन्य' के रूप में होती है। प्रस्तुत विवेचन उसी 'अन्य' की रिक्ति को 'आदिधर्म' से भरने की प्रस्तावना भी है। आदिवासी समर्थक सुधी विद्वानों से हम सकारात्मक सुझावों की अपेक्षा करेंगे।

झारखंड के आदिवासियों के सृष्टि-मिथक एवं विश्वतत्त्व

डॉ. पद्मजा सेन

प्रस्तावना

इक्कीसवीं शताब्दी में प्राचीन आदिवासियों के सृष्टि-मिथकों का अध्ययन संभवत: अनावश्यक और अप्रासंगिक प्रतीत हो सकता है। विशेषकर इसलिए भी कि 19वीं सदी में चार्ल्स डार्विन के जैवी विकासवाद की एक स्थापित सिद्धांत के रूप में व्यापक स्वीकृति के फलस्वरूप सृष्टिवाद अपनी प्रासंगिकता लगभग खो चुका है। अत: आदिवासियों के द्वारा जागतिक तत्त्वों एवं इसकी उत्पत्ति की अविकसित तथा ईश्वर केन्द्रित व्याख्या के विरुद्ध प्रतिक्रिया सहज ही अनुमेय है। लेकिन हमें भूलना नहीं चाहिए कि आज के आधुनिकतम सिद्धांतों, आविष्कारों की आधारशिला प्राचीन और तथाकथित असभ्य मानव की बचकानी वैचारिक प्रक्रिया, उसके अनवरत प्रयोग तथा अपनी भूलों से निरन्तर सीखने की प्रवृत्ति ही रही है। इन सृष्टि-मिथकों का अध्ययन इस दृष्टि से भी महत्त्वपूर्ण और विचारोत्तेजक हो सकता है कि मिथक किसी समुदाय की सामूहिक चेतना की अभिव्यक्ति होते हैं। चेतन-अचेतन रूप में उस समुदाय की वैचारिक प्रक्रिया को तराशने में इन मिथकों की महत्त्वपूर्ण भूमिका होती है। अत: उनकी मानसिकता को समझने, विशेष परिस्थितियों में उनकी क्रिया-प्रतिक्रियाओं को आँकने में इन मिथकों का ज्ञान सहायक हो सकता है।

प्रस्तुत शोधप्रबंध में मेरा उद्देश्य झारखंड के प्रमुख आदिवासी समूहों जैसे मुंडा, संताल, हो एवं उराँव के सृष्टि-मिथकों के अध्ययन के माध्यम से उनकी वैचारिक पद्धति को गहराई से जानने के साथ-साथ उनके जीवनदर्शन को समझना भी है। आदिवासी जीवन-पद्धति के अपने अध्ययनों[1] के क्रम में मुझे उनके सृष्टि-मिथकों का प्रारंभिक परिचय मिला। मैंने पाया कि अन्यान्य मानव समूहों के सृष्टि-मिथकों की तरह ये भी विश्व की उत्पत्ति की व्याख्या के प्रारंभिक प्रयास हैं। साथ ही मेरे विचार से प्रारंभिक आदिवासी विश्वतत्त्व एवं एक सुस्पष्ट प्रकृति-दर्शन के बीज भी इन मिथकों में निहित हैं। फलत: ये मिथक आदिवासी जीवनदर्शन के अध्ययन के लिए एक व्यापक आधार भी प्रस्तुत करते हैं। दुर्भाग्य से आदिवासी सृष्टि-मिथकों की समृद्ध परंपरा[2] होते हुए भी अब तक न तो नृत्तत्व शास्त्रियों न ही दार्शनिकों का समुचित ध्यान इस ओर गया है। अत: प्रस्तुत प्रबंध में मैंने दर्शनशास्त्र के दृष्टिकोण से इन मिथकों के विश्लेषण एवं इसके

आधार पर आदिवासी विश्व तत्त्व को रेखांकित करने की चेष्टा की है। यहाँ प्रारंभ में ही यह स्वीकार कर लेना समीचीन समझती हूँ कि मैंने इन मिथकों के काल निरूपण की चेष्टा नहीं की है क्योंकि यह इतिहास का विषय है। मिथकों के स्रोत स्वभावत: अब तक प्रकाशित नृतात्त्विक अध्ययन हैं। इनके आधार पर आदिवासी विश्वतत्त्व के रेखांकन में मैंने विभिन्न समूहों के मिथकों के अमहत्त्वपूर्ण विभेदों को नजरअंदाज करते हुए उनकी ऐक्यमतता को आधार बनाया है।

सृष्टि-मिथक

दृश्य जगत् एवं जागतिक वस्तुओं की सृष्टि के पौराणिक उपाख्यान किसी न किसी रूप में सभी मानव समूहों में पाए जाते हैं। आदिमानव को प्रकृति के नियमों का ज्ञान नहीं था। घनघोर बारिश, कड़कती बिजली, तपाते लू के थपेड़े... इन सभी छोटी-बड़ी प्राकृतिक घटनाओं के समक्ष वह अपने को असहाय पाता, लेकिन फिर भी उसने हार नहीं मानी। बुद्धि के स्तर पर सतत सक्रिय वह इनका समाधान ढूँढ़ता तथा अपने ही विशिष्ट तरीके से इनकी व्याख्याएँ भी करता। उसकी व्याख्याएँ आज भले ही बचकानी, सरल और अपरिपक्व लगें लेकिन प्राकृतिक घटनाओं, मनुष्य और पशुओं समेत, सम्पूर्ण चेतन-अचेतन जगत् की उत्पत्ति की व्याख्या के ये मानव के प्रथम प्रयास थे, इसमें संदेह नहीं। सृष्टि-मिथकों के मूल में भी आदिमानव के यही वैचारिक प्रयोग निहित हैं जिन्हें हम 'आदि तत्त्व विज्ञान' भी कह सकते हैं।

झारखंड के आदिवासियों के सृष्टि-मिथक भी सुस्पष्ट रूप में निरूपित करते हैं कि किस प्रकार उस सर्वोच्च ईश्वर, हरम या सिंबोंगा ने पृथ्वी, वनस्पति जगत्, मानव और पशुओं की सृष्टि की तथा किस तरह प्रकृति में निवास करने वाली आत्माओं, मानव और जड़ प्रकृति में एक जैवी सामंजस्य है। अत: मेरी समझ में ये सृष्टि-मिथक आदिवासियों द्वारा विश्वतत्त्व की एक सुनिर्दिष्ट प्रणाली विकसित करने के प्रारंभिक प्रयास हैं। इन सृष्टि-मिथकों के विश्लेषण में निहित एक खतरे से भी मैं अच्छी तरह अवगत हूँ। अपनी पुस्तक 'थ्योरीज ऑफ प्रिमिटिव रिलिजन' में इवान्स प्रिचर्ड हमें सतर्क करते हुए कहते हैं कि जब हम सरल मानव समूहों की धारणाओं का रूपांतरण अपनी धारणाओं में करते हैं तो प्राय: हम बड़ी ही सहजता से अपनी धारणाओं को उनकी धारणाओं पर आरोपित कर देते हैं। इस शोधप्रबंध में मैंने यथासंभव इस विषय में सावधान रहने की चेष्टा की है।

उपर्युक्त उल्लिखित आदिवासी समूहों में हम थोड़े-बहुत अंतरों के साथ सृष्टि-मिथकों के विभिन्न विवरण पाते हैं। अन्य मानव समूहों की तरह आदिवासी भी एक स्वयंभू सर्वोच्च स्रष्टा के अस्तित्व को पूर्व मान्यता के रूप में स्वीकार करते हैं।[3] हो तथा मुंडा उसे सिंबोंगा या हरम कहकर संबोधित करते हैं, संताल ठाकुर तो उरांव धर्मेश। अलग-अलग समूहों के मिथकों में सृष्टि के क्रम में थोड़ा अंतर है।

हो मिथक के अनुसार पृथ्वी की सृष्टि पहले हुई फिर ईश्वर ने इसे घास, वृक्ष, चट्टानों और जल से आच्छादित किया। इसके पश्चात पालतू एवं जंगली पशुओं की सृष्टि हुई। अंत में सिंबोंगा ने एक छोटे लड़के और एक छोटी लड़की की सृष्टि की उन दोनों के वयस्क हो जाने पर

भी संतानोत्पत्ति की कोई आशा न देखकर सिंबोंगा ने उन्हें इलि (हँड़िया) बनाने की कला सिखाई जिसे पीकर वे एक-दूसरे के प्रति आकर्षित हुए और संतानोत्पत्ति के लिए प्रेरित हुए।[4]

मुंडा उपाख्यान में कहा गया है कि जब पृथ्वी पर चारों ओर जल ही जल था, हरम ने सबसे पहले जल में रहने वाले प्राणियों की सृष्टि की। फिर उन्होंने क्रम से पहले केंकड़े, फिर कछुए और अंत में केंचुए को जल के नीचे से थोड़ी मिट्टी लाने को भेजा। इन तीनों में केवल केंचुआ ही थोड़ी मिट्टी लाने में सफल हुआ। हरम ने उसे ही बढ़ाकर सूखी धरती बनाई। उसके ऊपर सभी प्रकार की जड़ी-बूटियाँ, पौधे, वृक्ष और पशुओं की सृष्टि की। तत्पश्चात् मिट्टी से मानव की एक प्रतिकृति बनाई। लेकिन इसके पहले कि हरम उसमें 'जी' (जीवन) का संचार कर पाते, घोड़े ने उस मिट्टी की मूर्ति को टुकड़ों में खंडित कर दिया। तब हरम ने पुनः दूसरी मूर्ति बनाई और उसमें चेतना का संचार किया। घोड़ा पुनः उस मूर्ति को तोड़ने के लिए दौड़ा लेकिन वह इसमें सफल नहीं हो पाया क्योंकि बाघ ने उसे खदेड़ दिया। मनुष्य की सृष्टि के बाद हरम ने उसे जमीन जोतने के लिए हल दिया। फिर उसने काल का विभाजन किया। मनुष्य को विश्राम देने के लिए रात बनाई, रोशनी देने के लिए चाँद।

मुंडा मिथक के एक दूसरे भाषान्तर में मनुष्य की सृष्टि के संबंध में हम एक दूसरी कथा पाते हैं। सूखी धरती एवं पशुओं की सृष्टि के बाद एक विशाल सारस पक्षी ने दो अंडे दिए जिससे एक लड़के और एक लड़की की उत्पत्ति हुई। वे भाई-बहन की तरह रहते थे। हरम ने उन्हें हँड़िया बनाना सिखाया। रात में हँड़िया के नशे में उन्होंने पति-पत्नी की तरह संबंध स्थापित किया। दूसरे दिन पश्चात्ताप करते हुए उन्होंने हरम से कहा, हे ईश्वर, हमने भूल की। लेकिन हरम ने उनसे कहा कि उन्होंने कोई भूल नहीं की क्योंकि हरम चाहता था कि सृष्टि आगे बढ़े।[5]

संताल सृष्टि मिथक में भी कहा गया है कि ठाकुर जिउ ने पहले जल में रहने वाले प्राणियों की सृष्टि की फिर उसने मिट्टी की दो मूर्तियाँ बनाईं लेकिन इससे पहले कि वह उनमें प्राणों का संचार कर पाता ऊपर से घोड़े ने आकर उन्हें टुकड़ों में खंडित कर दिया। तब ठाकुर ने पक्षी बनाने का विचार किया लेकिन इस बार मिट्टी से नहीं। उसने अपने हृदय के तत्त्वों से 'हास' और 'हासिल' (राजहंस) की एक जोड़ी बनाई। ठाकुर ने उन पर साँस छोड़ी और वे जीवित होकर ऊपर उड़ गए। लेकिन चारों ओर जल ही जल था अतः उन्हें बैठने की कोई जगह नहीं मिली। इसलिए वे सदा ठाकुर के हाथ पर ही बैठते थे। पानी पीते समय घोड़े ने अपने मुँह से थोड़ा फेन गिरा दिया। ठाकुर ने उन्हें उस फेन पर बैठने को कहा। तब ठाकुर ने क्रम से मगर, मछली, केंकड़े तथा केंचुए को जल के नीचे से थोड़ी मिट्टी लाने भेजा। इनमें केवल केंचुआ ही कछुए की मदद से इतनी मिट्टी लाने में सफल हुआ जिससे यह पृथ्वी बनी। फिर ठाकुर ने पहाड़ों, सब प्रकार की वनस्पतियों पौधों और वृक्षों की सृष्टि की। उन दो पक्षियों ने दो अंडे दिए जिनसे दो मनुष्यों एक लड़का और एक लड़की का जन्म हुआ। उनका नाम था 'हरम' और 'आयो' या पिलकु हरम और पिलकु बुडी। ठाकुर के आदेश पर पक्षी उन्हें हिहिरि पिपिरि ले गए। जब वे बड़े हुए तो लोटा (या 'मारान बुरु' संतालों के प्रधान देवता) ने उन्हें हँड़िया बनाना सिखाया जिसे पीकर उन्होंने मानव संतति बढ़ाने की दैवी इच्छा पूर्ण की। इसके पश्चात् मिथक में विस्तार से उनकी संतानों से उनकी विभिन्न किलियों की

उत्पत्ति का वर्णन किया गया है।[6]

उराँव मिथक में विश्व की उत्पत्ति की प्रारंभिक कथा नहीं मिलती हालाँकि दिन और रात, आज और कल में काल के विभाजन की कथा उपलब्ध है।[7]

मुझे ऐसा लगता है कि झारखंड के इन चारों मुख्य आदिवासी समुदायों में वैश्व संहार या प्रलय की धारणा के साथ-साथ पुनर्सृष्टि का विचार भी थोड़े रूपांतरण के साथ अग्नि की वर्षा से संबंधित मिथक में चिन्हित किया जा सकता है। संताल मिथक में कहा गया है कि प्रथम सृष्टि के कुछ काल बाद मानव का अधोपतन हो गया। उनमें एक दूसरे के लिए सम्मान नहीं रहा। ठाकुर उनके अधोपतन पर अत्यंत रुष्ट हो गए। उन्होंने निश्चय किया कि यदि मनुष्य पुनः उनके पास वापस नहीं लौटता तो वे उन्हें विनष्ट कर देंगे। उन्होंने मनुष्यों को वापस बुलाया लेकिन मनुष्यों ने उनका आदेश नहीं माना। तब ठाकुर ने पिलकु हरम और पिलकु बुड़ी अथवा किसी दूसरे पवित्र जोड़े को हराता पहाड़ की गुफा में चले जाने को कहा ताकि उनकी रक्षा हो सके। उन्होंने ठाकुर के आदेश को माना। तब सात दिनों और सात रातों तक ठाकुर ने अग्नि की वर्षा (कुछ लोग कहते हैं जल की वर्षा) की। सारे पशु और मनुष्य विनष्ट हो गए। केवल एक जोड़ा बचा रहा जिससे पुनः इस जगत् में मनुष्यों की संतति बढ़ी।[8]

अग्नि की वर्षा के संबंध में हो मिथक थोड़ा भिन्न है। यह बताता है कि जब इस संसार में मनुष्यों की संख्या अधिक हो गई तो एक बार ईश्वर ने सोहल लोगों को छोड़ कर सबों को विनष्ट कर दिया क्योंकि मनुष्य को ईश्वर की परवाह नहीं रह गई थी और वह अवैध संबंधों का अपराधी बन गया था। कुछ लोग कहते हैं कि उसने जल से विनाश किया, कुछ कहते हैं अग्नि से।[9] हो मिथक के एक और विवरण में एक दूसरी ही कथा है। सृष्टि से रुष्ट होकर सिंबोंगा ने अग्नि की वर्षा की जिससे पृथ्वी पर सभी जीवित प्राणी मारे गए। लेकिन नागे-एरा (नदियों की देवी) ने एक भाई और बहन को गहरे पानी के नीचे छुपा लिया जिससे वे बच गए। जब सिंबोंगा को यह ज्ञात हुआ तो उसने नागे-एरा को उनके बदले एक मुर्गी, एक भैंस और एक सूअर देने का वादा किया और कहा कि वह उन्हें नष्ट नहीं करेगा। तब नागे-एरा ने उन्हें पानी के बाहर निकाला। सिंबोंगा ने उन्हें इलि बनाना सिखाया जिसे पीकर वे अपना संबंध भूल गए और संतानोत्पत्ति के लिए प्रेरित हुए।[10]

उराँव मिथक में नागे-एरा की जगह पर पार्वती ने अग्नि-वर्षा के समय केंक्रड़े के बिल में एक पुरुष और एक महिला को छुपा दिया। जब धर्मेश का रोष ठंडा हो गया तो उसने उन्हें ढूँढ़ निकाला, उन्हें कृषि-कार्य सिखाया तथा उन्हें मेलवा और डंडा कट्टा पूजा करने एवं उसे (धर्मेश को) अंडा निवेदित करने का आदेश दिया। इसी जोड़े से बाद में मानव संतति का विकास हुआ।[11]

मुंडा मिथक के प्रथम अंश एवं हो मिथक में समानता है सिवाय इसके कि यहाँ सिंबोंगा को मनुष्य 'दादा' कहकर पुकारते हैं और सिंबोंगा उन्हें पोते/पोती कहकर। प्रथम सृष्टि के विनाश के बाद दूसरे प्रजन्म के मानव का सृष्टिकर्ता के साथ यह संबंध स्वाभाविक भी है। संतानोत्पत्ति की प्रक्रिया यहाँ भी एक जैसी है। हालाँकि दूसरे अंश में हम कुछ नए तथ्य भी पाते हैं। कथा के अनुसार आदि जोड़े से एक संतान की उत्पत्ति होती है लेकिन सिंबोंगा उसे अस्वस्थ कर देता है।

जब वे सिंबोंगा से उसे ठीक कर देने की प्रार्थना करते हैं तो वह उन्हें उसे (सिंबोंगा को) एक सफेद मुर्गी की बलि चढ़ाने का आदेश देता है, उन्हें पूजा की पद्धति भी सिखाता है। इसी आदि जोड़े से सभी होरोकों (मुंडाओं/मनुष्यों) का जन्म हुआ।[12]

झारखंड के आदिवासियों के सृष्टि-मिथकों का उपर्युक्त संक्षिप्त विवरण संपूर्ण एवं सर्व अंतर्व्यापी होने का दावा नहीं करता। लेकिन इससे इतना अवश्य स्पष्ट होता है कि विश्व के दूसरे भागों के सृष्टि-मिथकों के साथ इनमें कुछ समानताएँ अवश्य हैं। सृष्टि की धारणा भू-केन्द्रित प्रतीत होती है। मिथकों में जिस पृथ्वी की चर्चा की गई है वह यायावर आदिवासियों की परिचित घाटियाँ, पहाड़ या जंगल हो सकते हैं, लेकिन प्राकृतिक वस्तुएँ जैसे सूर्य, चाँद, तारे, दिन-रात, पौधे, पशु, पक्षी आदि और मनुष्य सभी समुदायों के मिथकों में एक जैसे हैं। ये किसी भी विश्वतत्त्व के अंतर्निहित उपादान हैं। यही कारण है कि साधारणत: हम सृष्टि-मिथकों में योजना और पद्धतिगत एकरूपता पाते हैं। जगत् की जटिलताओं की व्याख्या में आदिमानव की बुद्धि मानों समान पद्धति अपनाती है। फलत: विभिन्न मानव समुदायों के सृष्टि-मिथकों के विस्तृत वर्णनों में अंतर होते हुए भी उनमें एक व्यापक समानता पाई जाती है।

एक सर्वोच्च स्रष्टा के द्वारा दृश्य जगत् की सृष्टि की धारणा लगभग सभी प्राचीन धर्मों और पौराणिक उपाख्यानों में मिलती है। किसी प्राणी के द्वारा सर्वव्यापी जल के नीचे से पृथ्वी को ऊपर ले आने की कथा भी हम विभिन्न सृष्टि मिथकों में पाते हैं। वैदिक पौराणिक कथाओं में भी पृथ्वी के चारों ओर जल ही जल होने की चर्चा है। यूनान की पौराणिक कथाओं में जल को समस्त वस्तुओं की उत्पत्ति का स्रोत कहा गया है। यूनान के ही पैंडोरा तथा प्रोमेथ्यूस के उपाख्यानों में भी पहले मानव की प्रतिकृति मिट्टी से बनाने और तब उसे जीवन प्रदान करने की बात कही गई है। अंडे से मनुष्य की उत्पत्ति की धारणा की समानता ऋग्वेद के हिरण्यगर्भ की धारणा में देखी जा सकती है जिसे चराचर जगत् का स्रोत कहा गया है। उसी तरह रात और दिन की सृष्टि संबंधी कथाएँ प्राकृतिक वस्तुओं जैसे सूर्य, चाँद, नदियाँ और पहाड़ों के मानवीकरण की प्रवृत्ति भी लगभग सार्वजनीन है। अग्नि या जल के द्वारा सृष्टि के संहार की धारणा की तुलना भी हिन्दू पौराणिक कथाओं के प्रलय की धारणा से की जा सकती है।

लेकिन इन प्रारूप या पद्धतिगत समानताओं के बावजूद सृष्टि-मिथकों का वास्तविक अर्थ एवं मूल्य तभी समझा जा सकता है जब हम उन्हें उस समुदाय विशेष के सामाजिक परिप्रेक्ष्य में रखकर देखें जो उन्हें कहते, सुनते और विश्वास करते हैं। आदिवासी सृष्टि-मिथकों के प्रति यह दृष्टिकोण हमें उनकी वैचारिक पद्धति की आधारभूत संरचना में झाँकने का अवसर प्रदान करता है।

आदिवासी विश्वतत्त्व

उपर्युक्त मिथकों के सुचिन्तित विश्लेषण से स्पष्ट होता है कि इनके आधार पर आदिवासी विश्वतत्त्व एवं तत्त्व विज्ञान की एक स्वतंत्र प्रणाली विकसित की जा सकती है। दार्शनिक दृष्टि से महत्त्वपूर्ण कुछ प्राथमिक मौलिक धारणाओं को हम निम्नलिखित रूप में चिन्हित कर सकते हैं—

ईश्वर

ईश्वर की धारणा एक सगुण वैयक्तिक सत्ता के रूप में की गई है जो समस्त सृष्टि से पहले से है, स्वयंभू, अनादि और अनन्त। वह जगत् का स्रष्टा, पालक और संहारक है। जगत् के साथ उसका संबंध पिता और संतान अथवा पितामह और पौत्र का है। सृष्टि के बाद वह अपने को जगत् से प्रत्याहार नहीं कर लेता। दृश्य-अदृश्य रूप में अपनी सृष्टि की सुध लेता रहता है। आवश्यकता के अनुरूप उसे अनुशासित करता है। वह नैतिक शासक है। दंड देता है। सामाजिक-धार्मिक नियमों का संस्थापक है। पूजा-अर्चना की विधि सिखाता है।

मानव

मानव को ईश्वर की सृष्टि का केन्द्र मानने की सामान्य प्रवृत्ति आदिवासी मिथकों में भी देखी जा सकती है। मानव की सृष्टि से पहले जगत् की रचना उसके अस्तित्व-रक्षा के अनुकूल की गई। अथाह जल के नीचे से पृथ्वी ऊपर लाई गई। सभी प्रकार के उद्‌भिजों, पौधों, वृक्षों और पशुओं की सृष्टि की गई। फिर मनुष्य की सृष्टि हुई। संताल मिथक में ईश्वर के अपने दृश्य के तत्त्वों से हास और हासिल की सृष्टि और उनसे मानव के जन्म की धारणा की तुलना वैदिक 'अमृतस्य पुत्राः' से की जा सकती है। मिट्टी अथवा अपने हृदय के तत्त्वों से मानव की सृष्टि के प्रति व्यग्रता, घोड़े से उसकी रक्षा, प्रजनन की प्रक्रिया पर जोर आदि सभी तथ्य दैवी योजना में उसके महत्त्व को दर्शाते हैं।

जड़ तत्त्व

आदि जड़ तत्त्व को स्रष्टा के समानान्तर सह-अस्तित्ववान माना गया है। हो-मिथक को छोड़ दें तो सृष्टि की आदिवासी धारणा के अनुसार सृष्टि शून्य से नहीं होती जैसा कि विश्व की उत्पत्ति के संबंध में ऋग्वेद और ईसाई धर्म में माना गया है।[13] आदि जड़ तत्त्व से ही इस जगत् की सृष्टि हुई। आदिवासी सृष्टि-मिथकों में पंचभूतों आकाश, पृथ्वी, जल, वायु और अग्नि के अस्तित्व को स्वीकार किया गया है। मुंडा मिथक में स्पष्ट रूप से तीन मूल भौतिक तत्त्वों जैसे आकाश, जल, और पृथ्वी की चर्चा की गई है जिनका अस्तित्व सृष्टि के प्रारंभ से है। इसमें कहा गया है—सृष्टि शुरू हुई जब आकाश तारों से रहित था और पृथ्वी जल से व्याप्त थी।[14] संताल मिथक भी कहता है—प्रारंभ में केवल जल ही जल था और जल के नीचे पृथ्वी थी। सर्वोच्च ईश्वर ने हास और हासिल की सृष्टि की, उनके ऊपर सांस छोड़ी और वे जीवित हो गए।[15] अग्नि की वर्षा की धारणा इस सूची में अग्नि को जोड़ती है। लेकिन हो मिथक के अनसार पृथ्वी और जल की सृष्टि भी सिंबोंगा ने की।[16] इस मान्यता में शून्य से सृष्टि की धारणा के बीज निहित प्रतीत होते हैं।

जगत्

जगत की सृष्टि शून्य से नहीं बल्कि उस आदि जड़ तत्त्व से हुई जिसका अस्तित्व स्रष्टा के समान ही शाश्वत है। अतः जगत् भी उतना ही सत्य है जितना कि स्रष्टा। इन मिथकों में हम त्रिस्तरीय विश्व की परिकल्पना पाते हैं। जिसे हम साधारण तौर पर देखते हैं वह आनुभविक दृश्य जगत् है। लेकिन इस दृश्य जगत् के समानान्तर आत्माओं का एक अदृश्य जगत् भी है जो उतना ही सत्य

है जितना कि दृश्य जगत्। आत्माओं में शुभ या अशुभ शक्तियाँ हैं जिनसे वे मानव जगत को प्रभावित करती हैं। अतः उन्हें प्रसन्न करना, बलि चढ़ाना आवश्यक है।[17] इन दोनों जगतों के आधार के रूप में सृष्टिकालीन आदि जगत् है—शुद्ध और शाश्वत।

देश और काल

इन मिथकों में शुद्ध देश की स्पष्ट धारणा नहीं मिलती। मुंडा मिथक में अस्पष्ट रूप से कहा गया है कि सृष्टि आरंभ हुई जब आकाश तारों से रहित था। फिर भी आदिवासियों में विस्तार, आयाम, दूरी, दिशाओं और रिक्तता की चेतना थी। इन धारणाओं की सम्मिलित चेतना से ही देश की जटिल धारणा उत्पन्न होती है। काल के विभाजन संबंधी मिथक में हम काल की स्पष्ट धारणा पाते हैं। ईश्वर ने काल की सृष्टि नहीं की। सृष्टि के पहले से ही इसका अस्तित्व शाश्वत वर्तमान के रूप में है। मिथकों में वर्णित सृष्टि का क्रम समय में पूर्वापर घटित होने वाली घटनाएँ नहीं हैं। उस शाश्वत वर्तमान में सभी वस्तुएँ एक साथ अस्तित्व में आ गईं। यहाँ तक कि मानव भी जो भी करता 'अभी' करता।[18] लेकिन सीमित मनुष्य में इसे सहन कर पाने की क्षमता नहीं थी। इसलिए ईश्वर ने काल को दिन और रात, आज और कल में विभाजित कर दिया। मिथकों में स्रष्टा और सृष्टि दोनों की धारणा अ-कालिक है। क्योंकि ये कालिक श्रृंखला से परे हैं। स्रष्टा अपनी सृष्टि से पहले से है।[19] अनादि और अनन्त तथा सृष्टि जिसका प्रारंभ किसी आदि प्राथमिक मुहूर्त में हुआ वह अनन्त काल तक ऐसी ही रहेगी। इसका कोई अंतिम दिन नहीं होगा।[20]

अशुभ की समस्या

अशुभ का अस्तित्व सृष्टि के प्रारंभ से ही घोड़े के रूप में स्वीकार किया गया है। घोड़े में ईश्वर की सृष्टि को नष्ट करने की शक्ति और औद्धत्य है। लेकिन जब दूसरी बार वह मनुष्य की मिट्टी की प्रतिकृति को तोड़ने आता है तो बाघ उसे खदेड़ देता है। यह अशुभ पर शुभ के विजय का प्रतीक है। लेकिन अशुभ का स्रोत क्या है ? यह स्पष्ट नहीं है। हरम ने घोड़े की सृष्टि नहीं की लेकिन कहा गया है कि घोड़ा हरम का है। इसके अतिरिक्त मुंडा मिथक में सिंबोंगा स्वयं बच्चे को अस्वस्थ कर देता है। ये तथ्य अशुभ की समस्या की ओर इंगित करते हैं।

प्रकृति का दर्शन

आदिवासी सृष्टि-मिथकों की सबसे बड़ी विशेषता है एक समग्रता के रूप में प्रकृति के प्रति इनका विशिष्ट दृष्टिकोण। सृष्टि के विभिन्न तत्त्वों में पारस्परिक समता पर आधारित एक जैवी संबंध है। फलतः क्षुद्रतम प्राणी केंचुए से लेकर विशाल बाघ तक सृष्टि की प्रक्रिया में सहायक हैं। हरम ने पशुओं को मानव की सेवा करने का आदेश दिया लेकिन साथ ही उसने मनुष्यों को पशुओं की देखभाल का दायित्व भी सौंपा। काल के विभाजन से संबंधित मिथक में हरम स्पष्ट रूप से मानव को प्रकृति के अनुकूल अपने जीवन को नियमित करने का आदेश देता है। मानव का अस्तित्व प्रकृति पर निर्भर है क्योंकि वह जीवनयापन के समस्त साधन प्रकृति से आहरित करता है। लेकिन वह प्रकृति का स्वामी नहीं बन सकता। यह असुर उपाख्यान से स्पष्ट होता है जिसे ये सभी आदिवासी समुदाय जानते हैं। इस उपाख्यान के अनुसार चूंकि असुरों ने अपने

जीवन का नियमन प्रकृति के अनुसार नहीं किया अत: सिंबोंगा ने उन्हें दंडित किया लेकिन उनकी पत्नियों पर दया करके उसने उन्हें प्रकृति में निवास करने वाली आत्माएँ बना दिया। ये आत्माएँ मनुष्यों के द्वारा अर्पित की गई बलियों पर निर्भर हैं।[21] इस प्रकार मानव, प्रकृति और आत्माओं में एक जैवी संबंध स्थापित होता है।

विभिन्न मानव समुदायों में सामंजस्य

अन्य मिथकों की तुलना में हो मिथक सबसे भिन्न प्रतीत होता है। यद्यपि एस.आर. टिकेल ने इसे सन् 1840 में रिकार्ड किया फिर भी इस मिथक पर बाह्य विशेषकर हिन्दू प्रभाव बिलकुल स्पष्ट है।[22] इसमें सृष्टि के क्रम का वर्णन अत्यंत संक्षिप्त है लेकिन विभिन्न मानव समुदायों में सामंजस्य की चेष्टा पर जोर दिया गया है। कथा के अनुसार आदि जोड़े से 12 पुत्रों और 12 पुत्रियों का जन्म हुआ। इन्हीं से पुनः कोल (हो) भूमिज, ब्राह्मण, राजपूत, क्षत्रिय, घासी, अन्य हिंदुओं तथा भुइयाँ एवं संतालों की उत्पत्ति हुई। यहाँ तक कि अंग्रेज जिन्होंने हो क्षेत्र को जीता, उनकी उत्पत्ति भी इन्हीं से हुई। ये सभी समुदाय अलग-अलग रहने लगे। जो जातियाँ सुदूर स्थानों में रहने लगीं, सिंबोंगा ने उन्हें दूसरी भाषाएँ सिखाईं।[23] यह मिथक मानों यह बताता है कि सम्पूर्ण मानव जाति एक है क्योंकि सबों की उत्पत्ति एक ही स्रोत से हुई है। यह हमें ऋग्वेद के पुरुष सूक्त की भी याद दिलाता है जिसमें कहा गया है कि समस्त जातियों की उत्पत्ति एक ही महत् पुरुष के शरीर से हुई है।

हो मिथक एक अन्य दृष्टिकोण से भी अन्यान्य मिथकों से भिन्न है। इसमें हम पाप और पुण्य, दंड एवं पुरस्कार की अवधारणाओं के साथ-साथ पुनर्जन्म की अवधारणा भी पाते हैं। किस सीमा तक यह हिन्दू प्रभाव है और कहाँ तक उनके अपने जीवन-दर्शन का प्रतिफलन— यह शोध का विषय है।

सृष्टि-मिथकों का अवस्थान एवं प्रासंगिकता

सृष्टि-मिथकों के संदर्भ में स्वाभाविक रूप से दो प्रश्न उठाए जा सकते हैं। प्रथम, इन मिथकों का अवस्थान क्या है ? क्या ये केवल आदिमानव की कल्पनाएँ ही नहीं हैं ? और इसीलिए मिथ्या भी ? द्वितीयतः, इस इक्कीसवीं शताब्दी में सृष्टि-मिथकों के अध्ययन की प्रासंगिकता क्या है ?

पहले अवस्थान की ही चर्चा करें। उपर्युक्त विश्लेषण से यह स्पष्ट है कि जहाँ तक विषयवस्तु का प्रश्न है ये मिथक दर्शन या विज्ञान से भिन्न नहीं हैं। लेकिन फिर भी इन्हें दर्शन, विज्ञान या इतिहास के समकक्ष नहीं माना जा सकता। इनसे मिथकों की भिन्नता केवल निर्जीव वस्तुओं के वैयक्तिकरण अथवा इनकी वर्णनात्मक शैली के कारण ही नहीं है बल्कि सत्यासत्य से परे इनके विशिष्ट अवस्थान के कारण भी है। यदि मिथक को वैज्ञानिक तथ्य की तरह सत्य नहीं माना जा सकता तो मिथ्या कहकर इसका खंडन भी नहीं किया जा सकता। क्योंकि जैसे ही मिथ्या कहकर हम इसका खंडन करते हैं वैसे ही हम इसे निछक मिथक से परे इतिहास या प्राक् कल्पना के रूप में स्थापित कर देते हैं। क्योंकि तर्कतः मिथ्या कहकर खंडन भी उसी का किया जा सकता है जिसका कभी अस्तित्व रहा हो। स्पष्ट है कि किसी मिथक के सदंर्भ में सत्यता या

असत्यता का प्रश्न नहीं उठाया जा सकता। इसका अवस्थान इन दोनों कोटियों से परे है। जब कोई किसी मिथक को जन्म देता है अथवा प्रचारित करना चाहता है तो वह मानों लोगों को इसमें विश्वास करने के लिए आंमत्रित करता है। अत: इसका आधेय विषयवस्तु विश्वास-निर्भर है न कि ज्ञान-निर्भर। किसी समुदाय के लोग अपने मिथकों में विश्वास करते हैं या नहीं करते। तद्नुसार, मिथक या तो जीवित हैं या मृत, सत्य अथवा असत्य नहीं। आदिवासियों के लिए मिथक 'कानी' (कहानी) हैं। लेकिन ये कोई साधारण नहीं बहुत ही असाधारण 'कानी' हैं जो आदि पूर्वजों से मौखिक रूप से पीढ़ी-दर-पीढ़ी को विरासत में मिले हैं। इसलिए स्वभावत: इनकी सत्यता में विश्वास प्रश्नातीत है। ये मिथक इस अर्थ में भी जीवित हैं कि आज भी विभिन्न उत्सवों के अवसर पर इन्हें कहा और सुना जाता है। उदाहरण स्वरूप, मुंडा गाँवों में मारान कांडा और सोसो-टपा[24] के अवसर पर सृष्टि-मिथक और असुर उपाख्यानों का चारण क्रम से किया जाता है। उराँव घरों में डंडा-कट्टा के अवसर पर भी सृष्टि-मिथकों को आवृत्त किया जाता है।[25]

सृष्टि-मिथकों के अवस्थान पर चर्चा के संदर्भ में एक और तथ्य पर विचार करना अनिवार्य प्रतीत होता है। मिथकों की विषयवस्तु में कभी-कभी आपात् व्याघात हमें अप्रतिम कर देता है। एक ही समुदाय में एक ही मिथक के विभिन्न रूप प्रचलित रह सकते हैं। फलत: हम अपने को कुछ आश्वस्तिकर प्रश्नों के सम्मुखीन पाते हैं। उदाहरणत: हरम ने मिट्टी से मानव की एक मूर्ति बनाई या दो मूर्तियाँ ? एक साधारण घोड़े ने मूर्ति को तोड़ डाला या किसी पक्षिराज घोड़े ने ? जब घोड़ा दुबारा मूर्ति तोड़ने दौड़ा तो बाघ ने उसे खदेड़ा या दो कुत्तों ने ? या फिर पक्षी के अंडे से मनुष्य की उत्पत्ति कैसे हुई ? पहले सूर्य की सृष्टि हुई या चाँद की ? एक छोटा-सा केंचुआ इतनी बड़ी पृथ्वी को अतल जल से ऊपर कैसे ला पाया ? जो मिथकों के वास्तविक अर्थ एवं मूल्य को समझने के लिए प्रशिक्षित नहीं हैं उन्हें ये मिथक आधारहीन कपोल कल्पना प्रतीत हो सकते हैं। आधुनिक शिक्षित लोगों को मिथक अतार्किक प्रतीत होते हैं क्योंकि साधारणत: वे दिए हुए देश और काल के ढाँचे में कालानुक्रम पद्धति में ही चिन्तन कर पाते हैं। लेकिन वही मिथक उन लोगों को अतार्किक नहीं लगते जो उन्हें कहते और सुनते हैं, न ही वे उसकी सत्यता पर कोई प्रश्नचिन्ह खड़ा करते हैं। इसका अर्थ यह नहीं कि वे लोग स्वयं अतार्किक तथा अज्ञानी हैं। वस्तुत: मिथक की प्रकृति प्रतीकात्मक है। इसका महत्त्व इसमें निहित विचार पर निर्भर है। जैसा कि रोलां बार्थ ने कहा है कि मिथक एक प्रकार की भाषा है।[26] यह संप्रेषणीयता की एक पद्धति है जिसमें कोई संदेश निहित होता है। यदि यह संदेश उन तक पहुँचता है जिनके लिए यह कहा या सुना जाता है तो मिथक अपने उद्देश्य में सफल माना जा सकता है। हम यहाँ बेशक पूछ सकते हैं कि तब आदिवासी सृष्टि-मिथक कौन सा संदेश वहन करते हैं ? यह प्रश्न हमें दूसरे प्रश्न पर ले जाता है कि आज के इस युग में सृष्टि-मिथक के अध्ययन की प्रासंगिकता क्या है ?

निश्चित तौर पर ये सृष्टि-मिथक एक नहीं, कई संदेश वहन करते हैं। इस शोधप्रबंध में उनका केवल इंगित देना ही संभव है। प्रथमत: दार्शनिक दृष्टि से ये मिथक महत्त्वपूर्ण हैं क्योंकि ये जगत् की जटिलताओं की व्याख्या के आदिवासी समाज के प्राथमिक प्रयास हैं। द्वितीयत: इनसे

इस समाज की संरचना, रीति-रिवाजों एवं एक बृहत् सामाजिक परिप्रेक्ष्य का परिचय मिलता है।[27] सर्वाधिक महत्त्वपूर्ण तथ्य यह है कि ये मिथक आदिवासी संस्कृति की मौलिकता और पहचान के परिचायक हैं।

निष्कर्ष

आज आदिवासी समाज उद्वेलित है अपनी विशिष्ट पहचान, अपनी आदिवासियत की स्वीकृति के लिए, जिसका ताना-बाना सरना धर्म के इर्द-गिर्द बुना है।[28] सरना धर्म की जड़ें भी इन्हीं मिथकों में निहित हैं। अतः ये मिथक न तो अर्थहीन वर्णनाएँ हैं न ही आदिवासियों के आदि पूर्वजों की कपोल कल्पनाएँ। ये मिथक एक निश्चित कालखंड में आदिवासी समुदाय की सामूहिक मानसिकता की अभिव्यक्तियाँ हैं।

मुझे विश्वास है कि यदि आदिवासी सृष्टि-मिथकों में निहित महत्त्वपूर्ण अवधारणाओं को इस समुदाय के सामाजिक परिप्रेक्ष्य में इसकी मान्यताओं और विश्वासों के साथ संगति रखते हुए विकसित किया जाए तो आदिवासी जीवन-दर्शन की विभिन्न शाखाओं की उत्पत्ति हो सकती है।

यह शोधप्रबंध इंडियन फोक लोर कांग्रेस के सिल्वर जुबली सत्र, फरवरी 2003, कोलकाता में प्रस्तुत मेरे आलेख 'क्रिएशन मिथ्स ऑफ द झारखंड आदिवासीज : ए स्टडी इन द ट्राइबल कॉसमोलोजी' का परिमार्जित हिन्दी संस्करण है।

संदर्भ एवं टीकाएँ

1. पी. सेन एवं ए.के. सेन, रिलिजन ऐज आइडेंटिटी : एवोल्यूशन ऑफ रिलिजियस आइडियाज एमंग द आदिवासीज ऑफ झारखंड, स्पेशल इश्यू, जरनल ऑफ इंडियन काउंसिल ऑफ फिलोसोफिकल रिसर्च, नई दिल्ली, 2002, पृ. 247-258; पी. सेन, कनसेप्चुयलाइजिंग टाइम इन चेंजिंग एग्रेरियन ट्राइबल सोसाइटी, द एशियाटिक सोसाइटी कोलकाता द्वारा आयोजित सेमिनार, 8 जनवरी 2003 में प्रस्तुत।
2. ले. एस.आर. टिकेल, मेम्वायर ऑन द हो दिशुम (इम्प्रापरली कॉल्ड कोल्हान), जरनल ऑफ एशियाटिक सोसाइटी ऑफ बंगाल, वाल्यूम XI पार्ट II, 1840, पृ. 797-99; एस.सी. रॉय, द ओराओंज ऑफ छोटानागपुर, राँची, 1984 (1915), पृ. 251-272; जे. हॉफमैन, एनसाइक्लोपीडिया मुंडारिका, वाल्यूम 13, ज्ञान पब्लिशिंग हाउस, नई दिल्ली, रिप्रिंट, 1998, पृ. 3981-88; डी.एन. मजुमदार, ए ट्राइब इन ट्रांजिशन, लांगमैन्स, ग्रीन एंड कं.लि. कैलकटा, 1937, पृ. 30, 135; पी.ओ. बौडिंग (ट्रा.) ट्रैडिशन्स एंड इन्स्टीट्यूशन्स ऑफ द संताल्स। होरकोरेन मारे हपरामको रियाक कथा, बहुमुखी प्रकाशन, नई दिल्ली, इंडियन रिप्रिंट, 1994, पृ.3-22; जे. ट्रोइसी, ट्राइबल रिलिजन (रिलिजियस बिलीफ़्स एंड प्रैक्टिसेज एमंग संताल्स), मनोहर, नई दिल्ली, 1979 ए, पृ. 28-30; ए. भैन एक्जेम, द रिलिजियस सिस्टम ऑफ द मुंडा ट्राइब, राँची, 1982, पृ. 24-60; पी.सी. हेम्ब्रम, सारी-सरना (संताल रिलिजन), मित्तल पब्लिकेशन्स, दिल्ली, 1988, पृ. 6-12।
3. टिकेल, पृ. 797; हार्फमैन, पृ. 3973, 3976, 3978।

4. टिकेल, पृ. 797।
5. हॉफमैन, पृ. 3981–88।
6. बौडिंग, पृ. 3–7।
7. रॉय, पृ. 267।
8. बौडिंग, पृ. 8–9।
9. टिकेल, पृ. 798।
10. मजुमदार, पृ. 30, 135।
11. रॉय, पृ. 266–69।
12. भैन एक्जेम, पृ. 41।
13. टेड होनरिच (सं), द ऑक्सफोर्ड कंपैनियन टू फिलॉसफी, आक्सफोर्ड युनिवर्सिटी प्रेस, न्यूयार्क, 1995, पृ. 170; ऋग्वेद, X. 72.2।
14. हॉफमैन, पृ. 3981।
15. बौडिंग, पृ. 3।
16. टिकेल, पृ. 797।
17. पी. सेन एवं ए.के. सेन, पृ. 248–50
18. पी. सेन, कनसेप्च्युयलाइजिंग टाइम।
19. टिकेल, पृ. 797, हॉफमैन, पृ. 3973, 3976, 3978; बौडिंग, पृ. 3; ट्रोइसी, पृ. 28।
20. टिकेल, पृ. 799।
21. हॉफमैन, वाल्यूम I, पृ. 240–42।
22. टिकेल, पृ. 797–99।
23. टिकेल, पृ. 797–98।
24. मारान कांडा का पालन समाज में पुनःस्थापन के लिए किया जाता है तथा सोसो–टपा का उत्सव अशुभ दृष्टि तथा अशुभ वचनों से बचाव के लिए मनाया जाता है। भैन एक्जेम, पृ. 24।
25. डंडा–कट्टा का पालन भी अशुभ दृष्टि एवं अशुभ वचनों से बच्चों, मवेशियों तथा फसलों को बचाने के लिए किया जाता है। रॉय, पृ. 251।
26. रोलां बर्थ, माइथोलोजीज, पालाडीन, 1973, पृ. 117।
27. उदाहरणस्वरूप हो सृष्टि–मिथक में हो–इतिहास के उपादानों की संभावना को डॉ. ए.के. सेन ने अपने अप्रकाशित प्रबंध 'ग्लीनिंग हिस्टोरिकल मेटीरियल्स फ्रॉम ए मिथ : ए स्टडी ऑफ कोल हिस्ट्री ऑफ द क्रिएशन ऑफ द वर्ल्ड' में रेखांकित किया है।
28. पी. सेन एवं ए.के. सेन, पृ. 255–56।

□□□